© Sime/Kiener Susanne/Photononstop

Le Routard

Bourgogne

Cofondateurs : Philippe GLOAGUEN et Michel DUVAL

Directeur de collection et auteur
Philippe GLOAGUEN

Rédacteurs en chef adjoints
Amanda KERAVEL
et Benoît LUCCHINI

Directrice de la coordination
Florence CHARMETANT

Directrice administrative
Bénédicte GLOAGUEN

Directeur du développement
Gavin's CLEMENTE-RUIZ

Conseiller à la rédaction
Pierre JOSSE

Direction éditoriale
Hélène FIRQUET

Rédaction
Isabelle AL SUBAIHI
Emmanuelle BAUQUIS
Mathilde de BOISGROLLIER
Thierry BROUARD
Marie BURIN des ROZIERS
Véronique de CHARDON
Fiona DEBRABANDER
Anne-Caroline DUMAS
Éléonore FRIESS
Géraldine LEMAUF-BEAUVOIS
Olivier PAGE
Alain PALLIER
Anne POINSOT
André PONCELET
Alizée TROTIN

Responsable voyages
Carole BORDES

2018

hachette

TABLE DES MATIÈRES

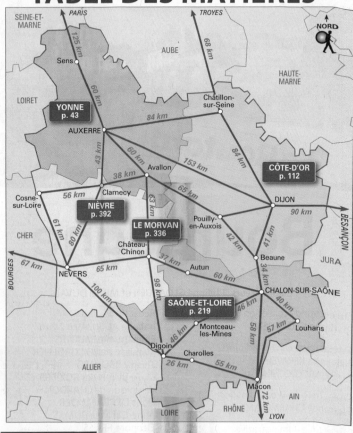

SEINE-ET-MARNE
PARIS
125 km
Sens
60 km
YONNE
p. 43
AUXERRE
LOIRET
TROYES
68 km
AUBE
HAUTE-MARNE
Châtillon-sur-Seine
84 km
43 km
60 km
Avallon
153 km
84 km
CÔTE-D'OR
p. 112
38 km
65 km
Cosne-sur-Loire
56 km
Clamecy
NIÈVRE
p. 392
63 km
DIJON
90 km
BESANÇON
CHER
61 km
80 km
LE MORVAN
p. 336
Pouilly-en-Auxois
42 km
14 km
Château-Chinon
37 km
Beaune
JURA
BOURGES
67 km
NEVERS
65 km
Autun
60 km
34 km
CHALON-SUR-SAÔNE
98 km
100 km
SAÔNE-ET-LOIRE
p. 219
46 km
40 km
57 km
Louhans
Montceau-les-Mines
58 km
ALLIER
Digoin
46 km
Charolles
26 km
55 km
Mâcon
72 km
AIN
LOIRE
RHÔNE
LYON

PRÉAMBULE

COMMENT Y ALLER ? 34

BON À SAVOIR AVANT LE DÉPART 38

☎ **112 :** c'est le numéro d'urgence commun à la France et à tous les pays de l'UE, à composer en cas d'accident, agression ou détresse. Il permet de se faire localiser et aider en français, tout en améliorant les délais d'intervention des services de secours.

Recommandation à ceux qui souhaitent profiter des réductions et avantages proposés dans le *Routard* par les hôteliers et les restaurateurs.

À l'hôtel, pensez à les demander au moment de la réservation ou, si vous n'avez pas réservé, **à l'arrivée.** Ils ne sont valables que pour les réservations en direct et ne sont pas cumulables avec d'autres offres promotionnelles (notamment sur Internet). Au restaurant, parlez-en **au moment** de la commande et surtout **avant** que l'addition soit établie. Poser votre *Routard* sur la table ne suffit pas : le personnel de salle n'est pas toujours au courant et une fois le ticket de caisse imprimé, il est souvent difficile de modifier le total. En cas de doute, montrez la notice relative à l'établissement dans le *Routard* de l'année et, bien sûr, ne manquez pas de nous faire part de toute difficulté rencontrée.

Pictogrammes du Routard

Établissements

- 🏠 Hôtel, auberge, chambre d'hôtes
- ⛺ Camping
- 🍽 Restaurant
- Boulangerie, sandwicherie
- 🍦 Glacier
- ☕ Café, salon de thé
- Pâtisserie
- 🍸 Café, bar
- 🎵 Bar musical
- 👫 Club, boîte de nuit
- Salle de spectacle
- ℹ Office de tourisme
- ✉ Poste
- Boutique, magasin, marché
- @ Accès Internet
- ➕ Hôpital, urgences

Sites

- Plage
- Site de plongée
- 🚲 Piste cyclable, parcours à vélo

Transports

- ✈ Aéroport
- 🚆 Gare ferroviaire
- 🚌 Gare routière, arrêt de bus
- Ⓜ Station de métro
- Ⓣ Station de tramway
- 🅿 Parking
- 🚕 Taxi
- 🚐 Taxi collectif
- 🚤 Bateau
- Bateau fluvial

Attraits et équipements

- 🏃 Présente un intérêt touristique
- 👨‍👧 Recommandé pour les enfants
- ♿ Adapté aux personnes handicapées
- ⓦ Inscrit au Patrimoine mondial de l'Unesco

Le pont-canal de Digoin

© Lenain Herve/hemis.fr

LA RÉDACTION DU ROUTARD

(sans oublier nos 50 enquêteurs, aussi sur le terrain)

Thierry, Anne-Caroline, Éléonore, Olivier, Alizée, Pierre, Benoit, Alain, Fiona, Emmanuelle, Gavin's, André, Véronique, Bénédicte, Jean-Sébastien, Mathilde, Amanda, Isabelle, Géraldine, Marie, Carole, Philippe, Florence, Anne.

La saga du *Routard* : en 1971, deux étudiants, Philippe et Michel, avaient une furieuse envie de découvrir le monde. De retour du Népal germe l'idée d'un guide différent qui regrouperait tuyaux malins et itinéraires sympas, destiné aux jeunes fauchés en quête de liberté. 1973. Après 19 refus d'éditeurs et la faillite de leur première maison d'édition, l'aventure commence vraiment avec Hachette. Aujourd'hui, le *Routard*, c'est plus d'une cinquantaine d'enquêteurs impliqués et sincères. Ils parcourent le monde toute l'année dans l'anonymat et s'acharnent à restituer leurs coups de cœur avec passion.

Merci à tous les Routards qui partagent nos convictions : liberté et indépendance d'esprit ; découverte et partage ; sincérité, tolérance et respect des autres.

NOS SPÉCIALISTES BOURGOGNE

Thomas Rivallain : transbahuté dès l'enfance dans le combi familial, les sens affûtés en tournée musicale ou louvoyant sur les itinéraires bis, tout est prétexte aux carnets de route pour cet admirateur de fleuves. Souvent parti là où on ne l'attend pas, il travaille ses guides en Anjou, auprès de l'indomptable Loire. En bon apôtre du voyage, Thomas ne croit que ce qu'il voit.

Amanda, Mathilde et Marie : quand l'une arpente les routes bretonnes en quête de la meilleure pâte à crêpes, l'autre explore le bocage normand à coups de gorgées de cidre, pendant que la troisième chausse ses skis pour dégoter le meilleur refuge alpin. La curiosité, l'enthousiasme et la gourmandise sont leur meilleur sonar, que complètent deux décennies d'expérience à user leurs semelles sur les routes de l'Hexagone. Un trio complice et indépendant qui essaie, entre deux voyages, de garder la ligne.

Gérard Bouchu : Bourguignon d'origine, donc volontiers sédentaire, il est devenu par hasard journaliste spécialisé dans les voyages et la gastronomie. Il a ajouté en 1995 un sac à dos à ses sacs isothermes, pour pouvoir travailler tout en gardant le goût des pays visités. Trekkeur urbain plus que voyageur solitaire, il a toujours aussi soif et faim de nouveautés.

UN GRAND MERCI À NOS AMI(E)S ET CONTACTS SUR PLACE

Pour cette nouvelle édition, nous remercions particulièrement :
• Le Comité régional de tourisme de Bourgogne ;
• l'équipe du magazine *Bing Bang*.

Pour la Côte-d'Or
• **Chrystel Skowron** et **Élodie Jacopin** de Côte-d'Or Tourisme ;
• **Florence Bucciacchio** de l'OT de Dijon ;
• **Emmanuelle Deflandre** et l'OT de Beaune.

Pour la Saône-et-Loire
• **Sandrine Guénerie** et l'équipe de Destination Saône-et-Loire ;
• **Robin** de l'OT de Mâcon et du Pays mâconnais ;
• les OT de La Clayette, du Pays brionnais-charolais, Paray-le-Monial, Digoin, Chagny ;
• **Thomas Chevalier** de l'OT de Cluny et du Clunisois ;
• **Raphaël Federici** de l'OT Montceau-Le Creusot ;
• **Cécile Richy** du pays de la Bresse bourguignonne ;
• **Coralie Bouchacourt** de l'OT de Châlon-sur-Saône ;
• **Nathalie Cadet** et **Sophie Pitaud** de l'OT du Grand Autunois Morvan.

Pour la Nièvre
• **Stéphane Bénédit, Anne-Laure Estenos** et **Philippe Audoin** de l'ADT de la Nièvre ;
• **Sophie Jouët** et **Anne-Sophie Gamet** du PNR du Morvan ;
• **Nelly Dubuit** et **Magalie Popineau** de l'OT de Nevers.

Pour l'Yonne
• **Stéphanie Wahl** de l'ADT de Yonne Tourisme ;
• **Delphine Bourselot** au chantier médiéval de Guédelon ;
• les OT de Joigny, Vézelay, Avallon, Toucy, Saint-Fargeau, Sens et Tonnerre.

Et bien sûr, tous les autres offices de tourisme qui, année après année, nous apportent leur aide précieuse avec enthousiasme. Impossible de tous les citer !

Tout au long de ce guide, découvrez toutes les photos de la destination sur • *routard.com* • Attention au coût de connexion à l'étranger, assurez-vous d'être en wifi !
© HACHETTE LIVRE (Hachette Tourisme), 2018
Le *Routard* est imprimé sur un papier issu de forêts gérées.

I.S.B.N. 978-2-01-703340-0

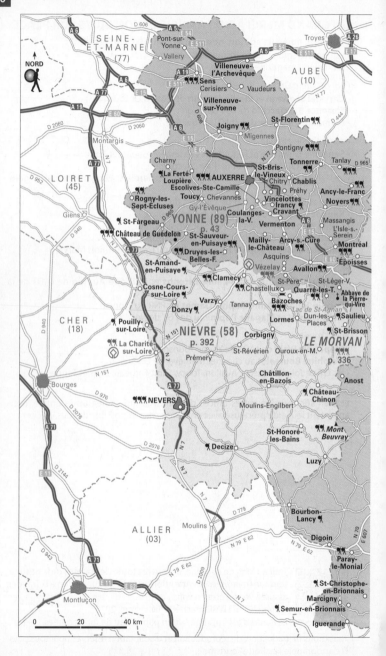

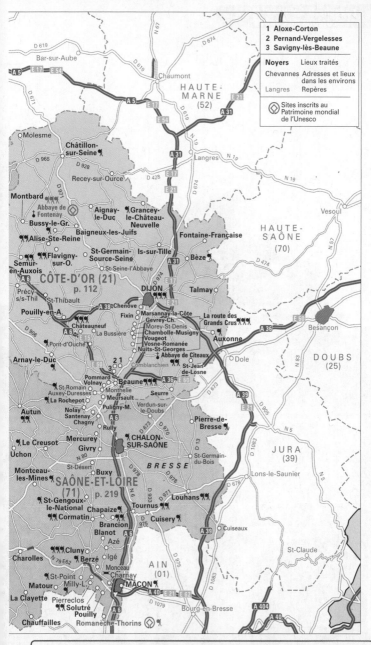

1 Aloxe-Corton
2 Pernand-Vergelesses
3 Savigny-lès-Beaune

Noyers Lieux traités

Chevannes Adresses et lieux dans les environs

Langres Repères

Sites inscrits au Patrimoine mondial de l'Unesco

LA BOURGOGNE

La roche de Solutré et les côteaux de Chablis

© Richard Semik/easyFotostock/Age fotostock

> « À quoi reconnaît-on un bon restaurant ?
> Les verres à vin y sont plus grands
> que les verres à eau. »
> *Charles Beigbeder*

La Bourgogne, région magnifique aux portes de la région parisienne, est sortie depuis longtemps de sa coquille. Elle a même fini par s'habituer aux autoroutes, qui la placent aujourd'hui au cœur de l'Europe et qui furent longtemps la bête noire de ses habitants. C'est vrai qu'elles lui ont fait du tort aussi, ces gredines, supprimant les **douces escales** d'autrefois dans des bourgades paisibles où l'on se régalait d'escargots, de jambon persillé et de coq au vin, avant de s'attaquer à l'époisses pour finir sur un vieux marc plutôt que sur un dessert.

La Bourgogne se décline en une **mosaïque de pays** ayant chacun ses couleurs, sa saveur, ses senteurs, du refuge de Vincenot à celui de Colette, des **Hautes-Côtes** jusqu'à la **Puisaye,** du **Nivernais** à la Vingeanne… Et il ne faudrait surtout pas la réduire à la prestigieuse **route des Vins,** en fait une bande étroite qui, de Beaune à Dijon via Nuits-Saint-Georges, aligne de prestigieux vignobles à la réputation internationale.

La Bourgogne historique est aussi constituée des noires **forêts du Morvan,** des plaines agricoles ceinturant Sens, des paysages verts et opulents du **Charolais** et du **Brionnais** annonçant déjà le **Bourbonnais,** de la superbe architecture rurale de la **Bresse bourguignonne,** ainsi que des paysages parfois austères de la Côte-d'Or, parsemés de bourgades médiévales charmantes et rustiques.

Au-delà de son irremplaçable patrimoine architectural et naturel, de ses **Vézelay, Cluny** et de son **palais des Ducs,** ici, on en revient toujours à l'art de vivre. Comme Talleyrand qui, pour se faire élire à Autun, avait sa table pour régaler ses électeurs, la Bourgogne possède suffisamment de **grandes et petites tables** et de **bons vins** pour recevoir et retenir le connaisseur et le tout-venant. De vignes en caves, de fermes-auberges en châteaux, elle attend, l'œil malin, le visiteur qui saura prendre les chemins de traverse, une fois quitté les voies tracées des autoroutes ou du TGV.

© Lenain Hervé/hemis.fr

La cathédrale Saint-Lazare d'Autun

NOS COUPS DE CŒUR

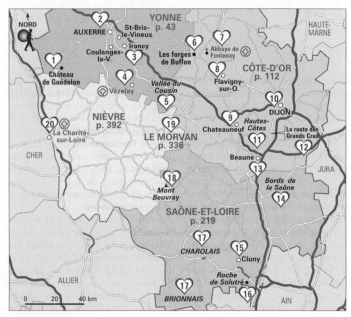

(Carte de la Bourgogne)

NORD

YONNE p. 43
AUXERRE
St-Bris-le-Vineux ②
Irancy
Coulanges-la-V. ③
① Château de Guédelon
④
Vézelay
⑤ *Vallée du Cousin*
⑥ Les forges de Buffon
⑦ Abbaye de Fontenay
⑧ Flavigny-sur-O.
CÔTE-D'OR p. 112
HAUTE-MARNE
⑩
DIJON
⑨ *Hautes-Côtes*
Chateauneuf
⑪
La route des Grands Crus
⑫
Beaune
⑬
Bords de la Saône
⑭
JURA
NIÈVRE p. 392
⑳ La Charité-sur-Loire
⑲
LE MORVAN p. 336
CHER
⑱ *Mont Beuvray*
SAÔNE-ET-LOIRE p. 219
⑰
CHAROLAIS
⑮ Cluny
Roche de Solutré
⑯
ALLIER
⑰
BRIONNAIS
AIN

0   20   40 km

① Regarder s'élever, au cœur de la Puisaye, le château-fort de Guédelon (en construction !), **devenu depuis 1997 une des attractions majeures de la Bourgogne.**

Dans une carrière s'élève, pierre après pierre, un vrai château féodal avec douves, donjon et tout le reste. Une pure création utilisant les techniques de construction des XIIe et XIIIe s, en temps réel, grâce à 70 artisans, rejoints tous les ans par 600 stagiaires et bâtisseurs temporaires. Les visiteurs (300 000 par an) permettent au projet de s'autofinancer et reviennent tous les 2 ou 3 ans pour apprécier l'évolution des travaux qui ne se termineront pas avant 2025, et encore… *p. 88*
Bon à savoir : • *guedelon.fr* •

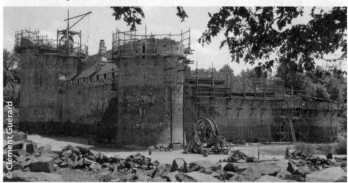

© Clément Guéraud

© Jon Arnold Images/hemis.fr

♡ **Se promener dans les vieilles rues d'Auxerre et flâner sur les quais de**
2 l'Yonne, sur les pas de Cadet Roussel.
Une ville bien agréable à vivre : des petites tables enthousiasmantes, des musées
à la qualité inattendue, un vieux centre avec sa vénérable tour de l'horloge, de
ravissantes maisons à pans de bois et un club de foot qui fait toujours parler de
lui. À la fois commerçante, en grande partie semi-piétonne et fleurie, Auxerre est
classée « Ville d'art et d'histoire », deuxième secteur sauvegardé de Bourgogne
(après Dijon), à découvrir depuis le pont Paul-Bert qui enjambe la rivière. *p. 54*

© Sudres Jean-Daniel/hemis.fr

③ **Au sud d'Auxerre, partir en escapade, entre vignobles et petits villages aux noms gourmands : Coulanges-la-Vineuse, Saint-Bris-le-Vineux, Irancy…**

Avec les cerisiers en fleur au printemps ou simplement par un beau jour d'été, c'est l'un des plus beaux circuits à faire au cœur de la région, à la découverte des villages vignerons aux noms chantants de l'Auxerrois et du Chablisien. Des paysages qui rappellent les plus belles affiches de promotion pour la Bourgogne. Idéal pour les amateurs de rando ou de balade à VTT. Et pour les amateurs de vins aromatiques, de fabuleuses découvertes à faire chez les producteurs locaux. *p. 56*

© Edouard Roussel/OnlyFrance.fr

④ **Grimper jusqu'à Vézelay, comme le font les pèlerins pour Saint-Jacques-de-Compostelle depuis le XIe s.**

Vézelay ne mérite pas seulement une visite pour sa célèbre basilique, haut lieu de l'histoire et de la chrétienté, classée au Patrimoine mondial de l'Unesco. C'est un joli village, classé lui aussi, perché sur une colline dominant à la fois la vallée de la Cure et le nord du Morvan. Se garer au pied du village où les places de parking (payantes, certes) sont nombreuses. *p. 383*

Bon à savoir : navette électrique gratuite (5 places) mai-sept. En été, on est tranquille jusqu'à 10h du matin.

(5) **À la sortie d'Avallon, emprunter la jolie route qui serpente dans la vallée du Cousin.**

C'est l'une des plus jolies vallées de la région. Elle suit le lit d'une petite rivière déboulant du Morvan et creusant dans le granit des gorges fraîches et boisées. La D 427 s'y glisse pour quelques kilomètres entre Avallon et Vault-de-Lugny. Magnifiques paysages à découvrir le matin, au soleil levant, à vélo ou à pied. *p. 383*
Bon à savoir : aires de pique-nique aménagées.

(6) **Se passionner pour les forges de Buffon, près de Montbard, exemple rare de rationalisme industriel au Siècle des lumières.**

Le célèbre naturaliste Buffon créa ces forges à 60 ans, en 1768. Elles constituent un remarquable exemple des préoccupations rationalistes et de l'harmonie prônées au XVIIIe s, prémisse au développement industriel du siècle suivant. Cas unique à l'époque, elles réunissaient au même endroit les trois métiers de la métallurgie : extraction, fonderie et ferronnerie. L'économie de temps et de transport en fit une affaire très rentable. *p. 201*
Bon à savoir : • grandeforgedebuffon.com •

⑦ **Débusquer l'abbaye de Fontenay dans une vallée confidentielle de l'Auxois et revivre la dernière scène du *Cyrano de Bergerac* de Rappeneau, tournée dans le jardin.**

Aujourd'hui classée par l'Unesco, elle est restée telle qu'elle fut fondée en 1118 par saint Bernard, dans un parfait état de préservation, conservant son église, les bâtiments claustraux et les dépendances, le tout bien à l'abri derrière un haut mur de pierre. On peut aussi admirer les vestiges de l'industrie papetière qui permit la sauvegarde du site après la Révolution. *p. 202*

Bon à savoir : • *abbayedefontenay.com* •

© Lenain Hervé/hemis.fr

⑧ **Arpenter avec délectation les ruelles de Flavigny, un autre « Plus beau village de France », perché sur un escarpement près d'Alésia.**

Son indéniable caractère médiéval servit au tournage du film *Le Chocolat* avec Juliette Binoche (2000). Le village se révèle un endroit charmant et charmeur. Rien que prononcer son nom, tout en enrobé, fait l'effet de déguster une friandise ! La vraie célébrité de Flavigny ne pèse d'ailleurs pas bien lourd. Dans l'abbaye bénédictine, construite au VIIe s, on fabrique en effet les célèbres bonbons à l'anis. *p. 197*

Bon à savoir : infos pour visiter la fabrique d'anis artisanale sur • *anis-flavigny.com* •

© Lenain Hervé/hemis.fr

© David A. Barnes/Alamy/Hemis

9 Passer une soirée en apesanteur à Chateauneuf, **village médiéval juché sur une colline et classé « Plus beau village de France », au cœur de l'Auxois.**

Comment résister à la vue de ce splendide nid d'aigle, souvent photographié avec le canal de Bourgogne et un bateau au premier plan ? Il est encore plus fascinant le soir quand il est tout illuminé, dominant les plaines environnantes. Une halte très pittoresque, avec son château médiéval, ses halles, sa promenade, son église du XVe s et le superbe panorama. *p. 181*

Bon à savoir : ne pas manquer de visiter le château ; • bourgognefranchecomte.fr/chateauneuf •

⑩ **Faire un tour aux halles à l'ancienne de Dijon, un vendredi ou un samedi matin, et se laisser prendre au bagout des commerçants.**
Nombreux restos et bistrots avec terrasse tout autour. De quoi prendre des forces pour découvrir la ville ancienne dominée par la haute tour du palais des Ducs. Ne pas manquer le riche musée des Beaux-Arts. L'office de tourisme propose un petit guide, le *Parcours de la chouette* (payant), qui vous invite à suivre des pavés triangulaires portant le symbole fétiche des Dijonnais. *p. 127*
Bon à savoir : le circuit se fait en 1h à 2h. Il existe une version « junior » avec un cahier ludique et instructif.

⑪ **Se laisser tenter par une virée dans l'Arrière-Côte, aussi connue sous l'appellation Hautes-Côtes.**
Accessible depuis la plupart des villages de la vallée de l'Ouche, en se laissant guider par son instinct plutôt que par les panneaux, elle regorge de forêts apaisantes, de prés qui invitent à se dégourdir les jambes et de reliefs tourmentés mais paisibles. Plus haut, sur le plateau, la nature est restée très sauvage, ouvrant sur d'immenses panoramas d'une beauté grave et sereine. *p. 178*
Bon à savoir : c'est le long du canal de Bourgogne vers Pont-d'Ouche que Depardieu et Dewaere jetèrent Miou-Miou à l'eau dans Les Valseuses.

(12) **Emprunter la route des Grands Crus, au sud de Dijon, découvrir ses petits villages aux noms si prestigieux et ses clos célébrissimes.**

Vous voici sur les « Champs-Élysées de la vigne ». Les fabuleux vignobles de la Côte de Nuits s'étendent sur une vingtaine de kilomètres jusqu'au village de Nuits-Saint-Georges. C'est dans ce lambeau exigu, large de 400 à 1 800 m et parallèle à la D 974, que se trouvent les appellations aux noms mythiques des villages de Gevrey-Chambertin, Morey-Saint-Denis, Chambolle-Musigny, Vougeot, Vosne-Romanée et Nuits-Saint-Georges. *p. 139*

Bon à savoir : s'arrêter au château de Vougeot, le plus connu des clos ; • closdevougeot.fr •

© Lenain Hervé/hemis.fr

(13) **Découvrir le charme secret de Beaune et ses Hospices aux célèbres toits de tuiles multicolores.**

La ville fait partie de ces hauts lieux touristiques que l'on peut visiter en toute saison. Au printemps quand s'étalent les premières terrasses, en été quand résonnent les arias du Festival international d'opéra baroque, en automne, au moment des vendanges, en hiver quand la vigne ne dort que d'un œil. Rien de tel que de s'attabler dans un bar à vins pour goûter à l'art de vivre typiquement bourguignon. *p. 162*

Bon à savoir : les Hospices sont l'un des premiers Monuments historiques visités en France ; • hospices-de-beaune.com •

© Gérault Gregory/hemis.fr

© Subiros/SoFood/Photononstop

⑭ Déguster une friture d'ablettes ou une typique pôchouse, à la terrasse d'une petite guinguette des bords de Saône.
La *pôchouse* est une sorte de délicieuse matelote de poissons de rivière (tanche, anguille, perche, carpe et brochet) au vin blanc. C'est une spécialité des bords de Saône et du Doubs, cuisinée essentiellement entre Verdun-sur-le-Doubs et Chalon-sur-Saône. *p. 214*

⑮ **Faire une fascinante immersion dans ce qui fut** le cœur et le moteur spirituel et religieux de l'Europe médiévale, **Cluny et son abbaye.**

C'est l'un des points forts de tout voyage en Bourgogne. On découvre les restes du plus grand monastère de la chrétienté aux XIIe et XIIIe s. Malgré l'usure du temps et les destructions dues à la Révolution, cette abbaye conserve une capacité d'évocation prodigieuse. Arpenter ensuite le bourg médiéval de Cluny qui recèle une importante concentration de maisons romanes. *p. 253*

Bon à savoir : • cluny.monuments-nationaux.fr • Visites guidées de la cité médiévale en juil-août, infos sur • cluny-tourisme.com •

© Gerault Gregory/hemis.fr

⑯ **Au sud de Mâcon, gravir les 493 m de dénivelée de la célèbre roche de Solutré qui domine la région.**

Ce fier escarpement calcaire et torturé s'avance majestueusement dans le paysage comme une étrave de navire, et, s'il n'était pas entouré de vignes, il suggérerait bien quelque cliché de « l'Ouest » américain... Solutré est aussi réputé pour son site archéologique, qui fut un espace de chasse de 30 000 à 10 000 ans av. J.-C. Avec le sommet voisin de Vergisson, ce paysage constitue un ensemble naturel prestigieux, classé parmi les « Grands Sites de France ». *p. 239*

Bon à savoir : compter 1h aller-retour à pied ; • solutre.com •

© Gerault Gregory/hemis.fr

(17) **Être bluffé en Charolais et en Brionnais, dans le sud de la Bourgogne, une région qui fourmille de curiosités, de bonnes tables, de chambres d'hôtes originales dans des paysages mamelonnés, tout en douceur, modèles d'harmonie et de bien vivre.**

Le Charolais, outre sa succulente viande persillée et son fromage de chèvre AOC, offre une belle architecture rurale de fermes fortifiées et grosses demeures paysannes cossues. Le Brionnais a aussi beaucoup de sites à proposer, à commencer par son circuit des églises romanes. *p. 301*
Bon à savoir : la région commence au nord de Charolles et Paray-le-Monial, pour rejoindre l'extrême sud du département.

© Danuta Hyniewska/Age fotostock

(18) **D'Autun à Bibracte, remonter 2 000 ans d'histoire, à l'époque où les Gaulois devinrent gallo-romains.**

Classé « Grand Site de France », l'oppidum de Bibracte, capitale des Éduens, culmine sur le mont Beuvray à 821 m. Un site exceptionnel déjà pour sa vénérable forêt et ses points de vue uniques sur la Bourgogne centrale. Il sert surtout d'écrin aux vestiges archéologiques, aujourd'hui mis en lumière par les archéologues qui ont fourni la matière d'un fabuleux musée, résolument high-tech. *p. 360, 361*
Bon à savoir : compter une journée pour le musée (payant) et le site archéologique du mont Beuvray (accès libre) ; • bibracte.fr •

© Petr Bonek/Alamy/Hemis

© Boisvieux Christophe/hemis.fr

(19) **Ne pas manquer d'explorer le Morvan, de lacs en châteaux, à travers forêts et pâturages.**

Le Morvan est le plus bel ensemble naturel de Bourgogne et le mieux préservé. À cheval sur quatre départements, c'est une terre à part. Hameaux déserts en apparence, vallées encaissées où coulent des rivières à truites, prés fermés par des haies de houx et des barrières en bois séculaires… Pour goûter au vrai Morvan, il faut s'enfoncer dans la forêt profonde ou s'arrêter dans une auberge de village. p. 336

Bon à savoir : pour la randonnée et les activités diverses, consulter infos à la Maison du parc ; • tourisme.parcdumorvan.org •

20 Découvrir le patrimoine exceptionnel de La Charité-sur-Loire, dominée par son église prieurale et ses bâtiments conventuels soigneusement restaurés.

L'église prieurale Notre-Dame date du XIe s. Ce chef-d'œuvre d'art roman clunisien est classé au Patrimoine mondial de l'Unesco. La ville, labellisée « Ville d'art et d'histoire », fut implantée sur un site de toute beauté. Très belle vue sur la cité historique et ses clochers depuis la Loire qui mérite amplement ici son qualificatif de « dernier fleuve sauvage d'Europe ». *p. 411*

Bon à savoir : La Charité est aussi le rendez-vous incontournable des bibliophiles éclairés (La Ville du livre : ☎ 03-86-70-15-06 ; • lacharitesurloire.fr •).

© Guiziou Franck/hemis.fr

La cathédrale Saint-Étienne d'Auxerre

ITINÉRAIRES CONSEILLÉS

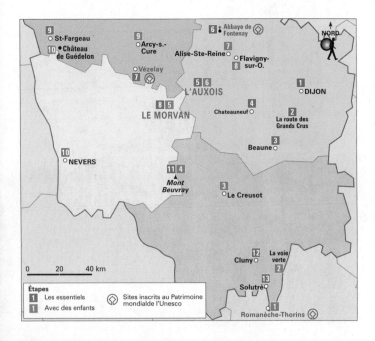

Les essentiels

De vignobles en châteaux, de bonnes tables en rando, la Bourgogne se découvre de mille manières. En allant de **Dijon (1)**, cité des Ducs, à **Beaune (3)**, capitale du bourgogne, suivez la route des Grands Crus, les « **Champs-Élysées de la vigne** » **(2)**, en tâchant de reconnaître les climats classés par l'Unesco. En longeant le canal, vous arrivez à **Chateauneuf (4)**, splendide nid d'aigle au cœur de l'**Auxois (5)**, délicieuse région, si riche en châteaux et villages embusqués, comme Flavigny et Semur, avant de remonter jusqu'à l'**abbaye de Fontenay (6)**, fondée par saint Bernard. Les chemins de traverse vous mènent, dans l'Yonne, jusqu'au pied de **Vézelay (7)**, puis vers les sauvages **lacs et forêts du Morvan (8)**, cet espace naturel unique, à cheval sur 4 départements. Direction la Puisaye, autour des **châteaux de Guédelon et de Saint-Fargeau (9)**. Longez la Loire jusqu'à la tranquille **Nevers (10)**, dont vous vous échapperez pour filer à travers la Nièvre jusqu'au **mont Beuvray-Bibracte (11)**, pour explorer l'intimité des Éduens, nos ancêtres les Gaulois. Du Haut-Morvan, on gagne la Bourgogne du Sud et la fabuleuse abbaye de **Cluny (12)** qui marqua l'histoire de la chrétienté au Moyen Âge avant de gravir la **roche de Solutré**, dans ce **Mâconnais (13)** si cher à Lamartine.

Avec des enfants

Puisqu'on est arrivé dans le sud de la Bourgogne, partons à l'assaut de la région avec des enfants curieux de tout. Arrêt éventuel à Romanèche-Thorins, pour découvrir le parc zoologique de **Touroparc (1)**. Les 220 km de **voie verte goudronnée (2)** sont une bonne solution pour dépenser son énergie, mais mieux vaut garder des forces pour le **Morvan (5)**, ses sentiers pour la rando et ses lacs pour la baignade – à moins de préférer ceux de l'**Auxois (6)**. Arrêt en cours de route (mais si !) pour profiter du **parc touristique des Combes au Creusot (3)** avant de rejoindre le **musée de Bibracte, au pied du mont Beuvray (4)**. Par Toutatis, une visite passionnante, avant celle qui vous attend, côté Auxois, à **Alésia (7)**, site dédié aux cousins d'Astérix. Tout à côté, pause gourmande à la **fabrique des anis de Flavigny (8)** avant de rejoindre la **vallée de la Cure** et les **grottes d'Arcy-sur-Cure (9)**. Incontournable, pour terminer, la visite de **Guédelon (10),** le seul chantier de château qui se poursuit, d'année en année, avec les mêmes techniques qu'au Moyen Âge.

Le village médiéval de Noyer-sur-Serein

© Bernd Rohrschneider/Âge Fotostock

Se mettre au vert

Difficile pour les usagers des autoroutes qui traversent la Bourgogne de ne boire que de l'eau, vu les territoires traversés. Le vignoble de l'Auxerrois, entre Auxerre et Chablis (1) n'est qu'une mise en bouche avant de sortir à Dijon et suivre la route des Grands Crus (3), de Gevrey-Chambertin à Vougeot (4), village célèbre pour son château, où l'on cultive la tradition du ban bourguignon (la-la-lala-lalalalère, air connu !). Auparavant, les plus curieux se seront intéressés aux discrets vignobles de l'Auxois (2). Pour les fans des fruits rouges et de kir, balade dans l'Arrière-Côte avant la visite du Cassissium, à Nuits-Saint-Georges (5). Éviter la nationale et reprendre la route des Hautes-Côtes jusqu'à Beaune (6), où l'on visitera les caves et le musée du Vin. Prévoir un arrêt à Meursault (7), ville chère aux nostalgiques de *La Grande Vadrouille*. Suivre la Côte chalonnaise jusqu'à Mercurey et Givry (8) avant d'aborder le Mâconnais et arriver aux portes du Beaujolais, au hameau Dubœuf, à Romanèche-Thorins (9). Ceux qui rejoignent le Sud en suivant plutôt l'ancienne N 6 à l'ouest de la Bourgogne ne savent pas ce qu'ils perdent, même s'ils auront, autour de Pouilly-sur-Loire (10), l'occasion de découvrir un vignoble que les voisins sancerrois surveillent de près.

Pas de vacances sans Histoire

On ne compte plus en Bourgogne les villes au fabuleux patrimoine, classées « Ville d'art et d'histoire » ou non. Alors que nos ancêtres préhistoriques chassaient du côté de Solutré (1), tout au sud, les Gaulois bataillaient à Alésia (2) et les Éduens rayonnaient depuis Bibracte (3). Le Charolais-Brionnais (4) fait soupirer les amateurs d'art roman, tout émerveillés sur les petites routes menant vers le Cluni-sois médiéval (5) et son incontournable abbaye. Changement d'époque avec le château de Cormatin (6) du XVIIe s qui ravira amoureux de jardins et de petites histoires de la grande Histoire. Mais il y en a tant d'autres en Bourgogne… Détour par Tournus (7) puis Louhans (8) où se tient le lundi un des plus vieux marchés de France. Passer par Chalon-sur-Saône (9), en pensant à Niepce, avant d'aller

Étapes

1 Se mettre au vert
1 Pas de vacances sans histoire

⊙ sites inscrits au Patrimoine mondiale l'Unesco

1 ○ Chablis

2 ○ Alise-Ste-Reine

AUXOIS
2 **13**

12 DIJON

3 La route des Grands Crus

4 ○ Vougeot

5 ○ Nuits-St-Georges

10 Abbaye de Cîteaux

6 **11** ○ Beaune

7 ○ Meursault

3 Mont ▲ Beuvray

8 ○ Givry

9 CHALON-SUR-SAÔNE

8 ○ Louhans

6 Cormatin ○

7 ○ Tournus

4 Charolles ○

5 Cluny ○

1 Solutré ▲

9 ○ Romanèche-Thorins ⊙

méditer à l'**abbaye de Cîteaux (10)**, où l'aventure cistercienne a commencé. Si vous n'avez pas encore visité l'**hôtel-Dieu de Beaune (11)** et le **palais des Ducs** de Dijon **(12)**, on vous offre une séance de rattrapage, avant de remonter vers Paris via les châteaux et villages de l'**Auxois (13)**, les cathédrales de **Nevers (14)** et **Sens (15)**, entre autres... Enfin, remarquable centre ancien à **Auxerre (16)** et, surtout, l'inénarrable **château médiéval de Guédelon (17)** qui sort patiemment de terre en Puisaye.

MuséoParc d'Alésia, Alise-Sainte-Reine

© Guy Christian/ hémis.fr

Le canal de Bourgogne en vallée d'Ouche

SGM/Age fotostock

LU SUR routard.com

La Bourgogne souterraine, comme au ciel
(tiré du carnet de voyage de Laurent Boscq)

Du Nord au Sud, comme dans une coupe géologique transversale, le sous-sol bourguignon raconte sa surface. Il y fait entre 12 et 14 °C toute l'année : une température idéale lors des canicules estivales. Rencontre avec la Bourgogne *underground* à travers 3 sites étonnants.

– Phares allumés, on roule au milieu des piliers tournés. Au terme d'un parcours fléché, un comptoir immense, des pyramides de bouteilles. Depuis bien des années, *les caves Bailly-Lapierre* à Saint-Bris-le-Vineux attirent les amateurs de crémant dans ces 4,5 hectares souterrains, tour à tour utilisés comme carrière, usine de pièces d'avion pendant la guerre, puis champignonnière. Jusqu'à devenir la monumentale cave où l'on fabrique et stocke 7 millions de bouteilles de crémant de Bourgogne, ce pétillant vinifié selon la méthode champenoise. C'est aussi le royaume d'étranges machines, comme ces gyropalettes qui s'animent toutes ensemble pour remuer simultanément des milliers de bouteilles de 1/8 de tour toutes les deux heures.

– Racheté dans les années 1900 par Charles Schneider, baron de l'acier et fondateur du Creusot (qui faillit s'appeler Schneiderville), le *château de la Verrerie* au Creusot constitue un des plus beaux fleurons de ce qu'on pourrait appeler l'art paternaliste du début du XXᵉ siècle. À l'époque, on naissait et on mourait Schneider, de la maternité à la maison de retraite. Dans l'église, les représentations du patron et de sa femme sont plus grandes que celles de Dieu. Parce qu'il ne supportait pas l'idée que les grands de ce monde qui le visitaient puissent croiser ses domestiques, il fit construire des souterrains sous son château pour leur permettre de se déplacer sans être vus. On parle d'un réseau de plusieurs dizaines de kilomètres, mais il n'en existe aucune topographie précise. Au détour d'un couloir, on tombe sur une salle des machines improbable, dont les manettes chromées, les boutons de cuivre et les plaques en émail servaient à éclairer la scène du théâtre à l'italienne située juste au-dessus. Et puis, les loges des artistes, dont celle de Sarah Bernhard, une habituée du château, équipée d'un grand placard permettant à l'actrice de ranger le cercueil dont elle ne se séparait jamais. D'aucuns prétendent qu'à la nuit tombée, on entend parfois claquer sa jambe de bois sur le ciment des couloirs.

– Dans le bassin houiller de Montceau-les-Mines, d'anciens mineurs ont voulu mettre le fond en lumière, à force d'y avoir passé leur vie dans le noir. Bienvenue au *musée de la Mine* à Blanzy, le pays du grisou, du poussier, des tirions et des trucks à bois (prononcer « truc »). La mine, comme si on y était. Elle fut restaurée par des passionnés qui voyaient disparaître une partie de leur vie et parfois leurs parents, sans que personne ne semble s'en soucier : la lampisterie, la salle des machines et le chevalement, les cages pour descendre... Et puis cette incroyable réalisation collective qu'est la galerie creusée à l'identique à quelques mètres du sol.

Retrouvez l'intégralité de cet article sur

Et découvrez plein d'autres récits et infos

COMMENT Y ALLER ?

EN VOITURE

● *autoroutes.fr* ● Le portail des autoroutes, bien utile pour préparer son voyage en France et en Europe. Renseignements sur les temps de trajets, conditions de circulation et budgets sur tous les tronçons autoroutiers de l'Hexagone. Également sur les tunnels, les ferries et les autres portions payantes du réseau routier.
– La Bourgogne est desservie par 7 autoroutes. La région est également traversée par les mythiques nationales 6 et 7.

Le covoiturage

Le principe est économique, écologique et convivial. Il s'agit de mettre en relation un chauffeur et des passagers afin de partager le trajet et les frais, que ce soit de manière régulière ou exceptionnelle (pour les vacances, par exemple). Les conducteurs sont invités à proposer leurs places libres sur Bla-BlaCar ● *blablacar.fr* ● (disponible sur Web et sur mobile). L'inscription est gratuite.

EN BUS

Le réseau de bus longue distance s'étant intensifié ces dernières années, le plus pratique est de consulter le comparateur de billets d'autocars ● *comparabus.com* ● qui regroupe les compagnies présentes en France : Ouibus, Eurolines/Isilines, Flixbus. De nombreuses villes sont desservies sur tout l'Hexagone avec régulièrement de nouvelles dessertes. À vous de voir en temps réel les liaisons existantes. Un lien vers les compagnies permet d'acheter ses billets en direct.

EN TRAIN

Très nombreuses liaisons TGV et Intercités en direction et au départ de Paris et des principales villes de province.

Au départ de Paris

🚆 Les TGV partent généralement de la *gare de Lyon,* les trains Intercités de *Paris-Bercy.*
Toutes les infos sur le site ● *voyages-sncf.com* ●
➢ TGV directs avec *Chalon-sur-Saône* (2h25, parfois changement à Dijon), *Dijon* (1h40), *Beaune* (2h10), *Le Creusot* (1h20), *Mâcon-Loché* (1h30) et *Montbard* (1h).
➢ Intercités directs avec *Auxerre* (1h30), *Montbard* (2h25), *Nevers* (1h50) et *Sens* (50 mn).

Au départ de la province

➢ Trains directs (TGV ou non) entre Dijon et *Lyon* (1h30), *Lille* (2h50), *Marseille* (3h), *Montpellier* (3h35), *Strasbourg* (2h), *Mulhouse* (1h)...
– Citons également le corail TEOZ *Paris-Nevers-Clermont-Ferrand.*

Au départ de la Suisse

➢ Liaisons TGV sur Dijon avec *Zurich* (2h30), *Berne* (2h50), *Lausanne* (2h).

Pour voyager au meilleur prix

La SNCF propose des tarifs adaptés à chacun de vos voyages.
➢ *Prem's :* des petits prix disponibles toute l'année. Billets non

-PARCOUREZ-

LA LOIRE À VÉLO

Avec le Routard

La Loire à Vélo

Le Routard

14€

2017/18

routard.com

échangeables et non remboursables (offres soumises à conditions). Impossible de poser des options de réservation sur ces billets : il faut les payer immédiatement.

➤ **Les IDTGV :** des prix mini, à saisir sur Internet uniquement.

➤ **Les tarifs Loisirs :** billets échangeables et remboursables. Pour bénéficier des meilleures réductions, pensez à réserver vos billets à l'avance (les réservations sont ouvertes jusqu'à 90 jours avant le départ) ou à voyager en période de faible affluence.

➤ **Les cartes de réduction :** pour ceux qui voyagent régulièrement, profitez de réductions garanties tout le temps avec les cartes Enfant +, Jeune, Week-end ou Senior + (valables 1 an).

Renseignements et réservations

– **Internet :** ● voyages-sncf.com ●
– **Téléphone :** ☎ 36-35 (0,40 € TTC/mn).
– Également dans les gares, les boutiques SNCF et les agences de voyages agréées.

Comment circuler en région Bourgogne-Franche-Comté ?

SNCF TER et la région Bourgogne-Franche-Comté vous proposent de voyager en train ou en car à moindre coût sur tout le périmètre régional.

– Vous avez moins de 26 ans, c'est 50 % de réduction.

– Vous avez plus de 26 ans, avec la carte tarif réduit 26 + (20 €, valable 1 an), bénéficiez de 60 % de réduction le week-end et durant les vacances scolaires de la zone A et de 30 % en semaine. Même réduction pour un accompagnant.

– En famille aussi les prix sont mini ! Pour les moins de 4 ans, c'est gratuit. De 4 à moins de 12 ans, c'est 2 € le trajet.

Pour tout renseignement :

– **Sites** ● ter.sncf.com/bourgogne-franche-comte ● et ● viamobigo.fr ●
– **Téléphone :** ☎ 03-80-11-29-29 (lun-sam).
– **Appli « TER Mobile – SNCF ».**

▲ TRAINLINE

Une nouvelle façon simple et rapide d'acheter vos billets de train sur le Web, mobile et tablette. Réservez vos billets pour voyager en France et dans plus de 20 pays européens. Consultez les tarifs et les horaires dans une interface claire et sans publicités. Trainline compare les prix de plusieurs transporteurs européens pour vous garantir le meilleur tarif.

Réservations et paiements sur ● trainline.fr ● et sur mobile avec l'application Trainline pour iPhone et Android.

Et pour répondre à vos questions : ● guichet@trainline.fr ●

BON À SAVOIR
AVANT LE DÉPART

ABC de la Bourgogne

- ❏ *Statut depuis 2015 :* région Bourgogne-Franche-Comté.
- ❏ *Superficie :* 31 582 km², 6 % du territoire français (Franche-Comté : 16 202 km²).
- ❏ *Préfecture régionale :* Dijon.
- ❏ *Villes principales :* Dijon et Beaune (Côte-d'Or), Nevers (Nièvre), Mâcon et Chalon-sur-Saône (Saône-et-Loire), Auxerre et Sens (Yonne).
- ❏ *Population :* 1 644 000 hab. (2 8210 000 avec la Franche-Comté). Densité de 52 hab./km², 2 fois plus faible que la moyenne nationale.
- ❏ *Principales industries :* la mécatronique, l'agroalimentaire, la métallurgie, la production viticole.
- ❏ *Point culminant :* le mont Beuvray dans le Morvan (821 m).
- ❏ *Signes particuliers :* deux grands fleuves (la Seine et la Loire), un vignoble aux 1 247 « climats » (classés au Patrimoine mondial de l'Unesco en 2015), 200 millions de bouteilles de vin vendues chaque année.

AVANT LE DÉPART

Adresses utiles

🛈 *Bourgogne Tourisme :* BP 20623, 21006 Dijon Cedex. ☎ 03-80-280-280 (lun-ven 8h-18h30). ● info@crt-bour gogne.fr ● info@bfctourisme.com ● Envoi de documentation par courrier. Liste des brochures et des offices de tourisme sur le site.

■ *Gîtes de France :* ● gites-de-france. com ● Les résas sont à faire auprès des relais départementaux des *Gîtes de France* (indiqués dans ce guide en introduction de chaque département).

Spécial étudiants

La carte internationale d'étudiant (ISIC) prouve le statut d'étudiant dans le monde entier et permet de bénéficier de tous les avantages, services et réductions dans les domaines du transport, de l'hébergement, de la culture, des loisirs, du shopping...

La carte ISIC permet aussi d'accéder à des avantages exclusifs (billets d'avion spécial étudiants, hôtels et auberges de jeunesse, assurances, cartes SIM internationales, locations de voitures...).

Renseignements et inscriptions

- – *En France :* ● isic.fr ● 13 € pour 1 année scolaire.
- – *En Belgique :* ● isic.be ●
- – *En Suisse :* ● isic.ch ●
- – *Au Canada :* ● isiccanada.com ●

Comment circuler en bus ?

– Le dispositif régional *Mobigo* ● *mobigo-bourgogne.com* ● permet de planifier ses déplacements en transports en commun ou à vélo.
– Autre bon plan, les bus *Transco* (● *keolisbourgogne.com* ●) proposent des trajets pour le compte de la Côte-d'Or et du TER Bourgogne à 1,50 € quel que soit le trajet.

Monuments et musées nationaux

Les monuments et musées nationaux sont gratuits pour les enseignants et jeunes Européens de moins de 26 ans. ● *monuments-nationaux.fr* ● *rmn.fr* ● Pour la Bourgogne, sont concernés : le musée Magnin à Dijon, le château de Bussy-Rabutin, l'abbaye de Cluny et la chapelle des Moines de Berzé-la-Ville.

BUDGET

Nous vous indiquons ci-dessous l'échelle des tarifs auxquels nous nous référons pour l'ensemble de nos guides France.

Hébergement

D'une manière générale, nous indiquons des **fourchettes de prix** allant de la chambre double la moins chère en basse saison à la plus chère en haute saison. Ce qui implique parfois d'importantes fourchettes de prix, pas toujours en adéquation avec la rubrique dans laquelle l'établissement est cité. Le classement retenu est donc celui du prix moyen des chambres et de leur rapport qualité-prix.

> ### DEVINETTE
>
> *Pourquoi de nombreux établissements en France portent-ils le banal nom de Lion d'Or ? Parce qu'initialement, afin d'informer les illettrés sur la destination d'un établissement, la mention « Au lit on dort... » était inscrite sous forme de rébus sur les façades des auberges.*

– Les tarifs des **campings** sont calculés sur la base d'un emplacement pour deux avec voiture et tente en haute saison. Ils sont classés en tête de rubrique « Où dormir ? ».
– Pour les **auberges de jeunesse,** le tarif indiqué est celui du lit en dortoir et parfois de la chambre double, quand il y en a.
– En **chambres d'hôtes,** les prix sont donnés sur la base d'une chambre double. Ils incluent presque toujours le petit déjeuner. Les cartes de paiement sont rarement acceptées. En cas contraire, nous indiquons « petit déj en sus » et « CB acceptées ».
– Concernant les **hôtels,** le prix retenu reste celui d'une nuit en chambre double (sans petit déjeuner). La fourchette de prix englobe toutes les saisons, mais il est important de noter que dans les grandes villes, les prix baissent significativement le week-end. Lorsque l'établissement dispose de chambres familiales, nous l'indiquons sans précision de prix.
– **Bon marché :** jusqu'à 60 €.
– **Prix moyens :** de 60 à 90 €.
– **Chic :** de 90 à 120 €.
– **Plus chic :** de 120 à 150 €.
– **Beaucoup plus chic :** plus de 150 €.

Restos

Au restaurant, *notre critère de classement est le prix du premier menu servi le soir* (hors boissons). Les notions de « Prix moyens » ou « Plus chic » n'engagent donc que les prix, pas le cadre, même si, souvent, ils vont de pair. Ainsi, certains restos gastronomiques (et chics) proposant parfois d'intéressantes formules au déjeuner, sont malgré tout classés dans la rubrique « Plus chic » en raison des tarifs pratiqués le soir. Ne boudez donc pas cette rubrique.

Enfin, la rubrique « *Sur le pouce* » référence des adresses que l'on recommande pour les sandwichs et plats à emporter. Les tarifs correspondent généralement à la rubrique « Très bon marché ».

– *Très bon marché :* moins de 15 €.
– *Bon marché :* de 15 à 25 €.
– *Prix moyens :* de 25 à 35 €.
– *Chic :* de 35 à 50 €.
– *Plus chic :* plus de 50 €.

> **Recommandation à ceux qui souhaitent profiter des réductions et avantages proposés dans le *Routard* par les hôteliers et les restaurateurs**
>
> À l'hôtel, pensez à les demander au moment de la réservation ou, si vous n'avez pas réservé, **à l'arrivée.** Ils ne sont valables que pour les réservations en direct et ne sont pas cumulables avec d'autres offres promotionnelles (notamment sur Internet). Au restaurant, parlez-en **au moment** de la commande et surtout **avant** que l'addition ne soit établie. Poser votre *Routard* sur la table ne suffit pas : le personnel de salle n'est pas toujours au courant, et une fois le ticket de caisse imprimé, il est difficile de modifier le total. En cas de doute, montrez la notice relative à l'établissement dans le *Routard* de l'année, bien sûr, et ne manquez pas de nous faire part de toute difficulté rencontrée.

LIVRES DE ROUTE

Parmi les « grands » enfants du pays, on retiendra *Lamartine,* qui évoque sa terre natale dans les *Méditations, Colette* et ses souvenirs de jeunesse à travers la série des *Claudine,* ou encore *Jules Renard,* heureux père de *Poil de Carotte,* qui croque les Bourguignons avec une plume acérée, bien loin des récits de campagne idéalisés de ses contemporains.

– *Les romans d'Henri Vincenot :* si sa plume est tendre et nostalgique, ses livres, eux, sont forts et bouleversants. À travers chacun de ses romans, l'auteur nous fait voyager, entre les hauts forestiers et les villages perdus de la région. Ses personnages sont humains, simples et touchants. Dans *La Billebaude* (éd. Gallimard, coll. « Folio »), l'auteur nous emmène « à la billebaude » (c'est-à-dire en toute liberté) à travers ses souvenirs de jeunesse, en évoquant la vie rude de ses grands-parents dans un hameau isolé. *Le Pape des escargots* (éd. Gallimard, coll. « Folio ») relate les périples de La Gazette, un vagabond truculent et inspiré, qui se prend d'amitié pour un sculpteur déçu de la vie. Ensemble, ils rejoignent d'autres compagnons des cathédrales et partent restaurer des églises de Bourgogne.

– *Le Roman de la Bourgogne,* de François Cérésa (éd. du Rocher, coll. « Le roman des lieux magiques », 2007). Essai où viennent se croiser Bernard Loiseau, d'Artagnan, les églises du Brionnais, Vézelay, Cluny, ou encore de belles sorcières. Évocation d'une Bourgogne aussi romane que romanesque.

– *Alésia, un village, une bataille, un site,* par Jean-Louis Voisin (éd. de Bourgogne, 2012). L'auteur réagit à la querelle qui secoue régulièrement le monde des érudits locaux : nul doute selon lui que la commune côte-d'orienne d'Alise-Sainte-Reine a bien vu l'affrontement entre deux géants, César et Vercingétorix. Mais les défenseurs de la Franche-Comté ne baissent pas les bras.

– *Vercingétorix,* par Éric Adam, Didier Convard, Fred Vignaux et Stéphane Bourdin (éd. Glénat, 2014). De nombreuses B.D. nous ramènent au personnage clé de l'histoire des Gaules. Celle-ci fait partie des plus réussies.

– *Un grand bourgogne oublié,* par Boris Guilloteau (éd. Bambou, 2014). Une grande B.D., par un auteur qui a certainement trempé sa plume dans un verre de vin du Mâconnais.

– *Nationale 74,* de Patrick Lebas (éd. Divine Comédie, 2015). Un road-book qui suit la route des grands crus de Bourgogne. Un guide conçu par des spécialistes et une référence pour les adeptes d'œnotourisme.

– *C'était la nationale 7, la route bleue, la nationale 6,* par Thierry Dubois (éd. Paquet, 2012) évoque, avec dessins style ligne claire et photos anciennes à l'appui, le bon temps de routes des vacances, célèbres pourtant pour leurs accidents autant que pour leurs relais, potiers et tunnels. L'ex-nationale 6 (aujourd'hui D 606) fait l'objet d'un culte nostalgique en Bourgogne.

– *3 000 ans de navigation sur la Saône, histoire des bateaux traditionnels en bois et de leur construction,* de Louis Bonnamour (éd. de l'Escargot Savant, 2014). Un des livres parus chez cet éditeur régional à qui on doit nombre d'ouvrages passionnants. Livres sommes mais pas assommants pour autant, allez sur le site ● *escargotsavant.fr* ● pour les découvrir.

PERSONNES HANDICAPÉES

Le label Tourisme et Handicap

Ce label national, créé par le secrétariat d'État à la Consommation et au Tourisme en partenariat avec les professionnels du tourisme et les associations représentant les personnes handicapées, permet d'identifier les lieux de vacances (hôtels, campings, sites naturels, etc.), de loisirs (parcs d'attractions, etc.) ou de culture (musées, monuments, etc.) accessibles aux personnes handicapées. Il apporte aux touristes en situation de handicap une information fiable sur l'accessibilité des lieux. Cette accessibilité, visualisée par un pictogramme correspondant aux quatre types de handicaps (moteur, visuel, auditif et mental), garantit un accueil et une utilisation des services proposés avec un maximum d'autonomie dans un environnement sécurisant.

Pour connaître la liste des sites labellisés : ● *france.fr* ● (rubrique « Tourisme et Handicap »).

Par ailleurs, dans notre guide, nous indiquons par le logo 🦽 les établissements qui possèdent un accès ou des chambres pouvant accueillir des personnes handicapées. Certaines adresses sont parfaitement équipées selon les critères les plus modernes. D'autres, plus simples, plus anciennes aussi, sans répondre aux normes les plus récentes, favorisent l'accueil des personnes handicapées en facilitant l'accès à leur établissement, tant sur le plan matériel que sur le plan humain. Évidemment, les handicaps étant très divers, des lieux accessibles à certaines personnes ne le seront pas pour d'autres. Appelez donc auparavant pour savoir si l'équipement de l'hôtel ou du resto est compatible avec votre niveau de mobilité. Malgré les combats menés par les nombreuses associations, l'intégration des personnes handicapées à la vie de tous les jours est encore balbutiante en France. Il tient à chacun de nous de faire changer les choses. Une prise de conscience est nécessaire, nous sommes tous concernés.

SITES INTERNET

● *routard.com* ● Le site de voyage n° 1, avec plus de 800 000 membres et plusieurs millions d'internautes chaque mois. Pour s'inspirer et s'organiser, près de 300 guides destinations actualisés, avec les infos pratiques, les incontournables et les dernières actus, ainsi que les reportages terrain et idées week-end de la rédaction. Partagez vos expériences avec la communauté de voyageurs : forums de discussion avec avis et bons plans, carnets de route et photos de voyage. Enfin, vous trouverez tout pour vos vols, hébergements, voitures et activités, sans oublier notre sélection de bons plans, pour réserver votre voyage au meilleur prix.
● *bourgogne-tourisme.com* ● Pour préparer son voyage et découvrir la Bourgogne sous tous ses aspects : sites incontournables, sur les routes des..., au fil des saisons...
● *vins-bourgogne.fr* ● Le site du bureau interprofessionnel des vins de Bourgogne. À consulter sans modération.
● *bienpublic.com* ● Pour avoir les infos locales et régionales bourguignonnes et plein d'autres renseignements : politique, économie, sport...
● *parcdumorvan.org* ● Un site dynamique, à l'image du parc.

L'YONNE

● Carte p. 44-45

ABC de l'Yonne

❏ *Superficie :* 7 427 km^2.
❏ *Préfecture régionale :* Auxerre.
❏ *Sous-préfectures :* Avallon, Sens.
❏ *Population :* 353 000 hab.

> « J'avais une soif de l'Yonne,
> voulant savoir à quoi l'Auxerre,
> en homme de Sens,
> j'y Joigny un peu de vin et je dis :
> Tonnerre, Avallon ! »
> (manuel scolaire)

Certains se rappellent peut-être cette amusante formule mné-motechnique d'autrefois imaginée pour obliger le dernier des cancres à se souvenir des préfectures et autres chefs-lieux de canton de ce département riche en sites de prestige : Vézelay, le chantier médiéval de Guédelon, les châteaux de Tanlay, Ancy-le-Franc et Saint-Fargeau, la cathédrale de Sens... Un département qui cache surtout une bonne et belle nature : vignobles de renom avec le chablis ou l'irancy, collines du Morvan, forêt d'Othe, grot-tes d'Arcy... sans oublier ses cours d'eau, de l'Yonne à la Cure en passant par le canal de Bourgogne, ou celui du Nivernais. Vous allez craquer pour des vallées comme celles du Cousin, du Serein, idéales pour qui prône la zen attitude.

Les villes comme Auxerre, Joigny ou Villeneuve-sur-Yonne, à taille humaine, dotées d'une certaine sérénité autant que d'un riche patrimoine, vivent tran-quillement, tout comme les villages qui les entourent, au rythme des saisons, des vendanges, du tourisme fluvial ou des fêtes de pays. Des villages classés ou non parmi les plus beaux de France, comme Noyers-sur-Serein ou Vézelay vous donneront peut-être envie de poser vos bagages plus longtemps que vous ne l'imaginiez au départ...

HORS SENTIERS BATTUS

Pour bien découvrir cette partie de la Bourgogne la plus proche de la capitale, l'important c'est de quitter très vite l'autoroute, ou même l'ancienne natio-nale 6 (aujourd'hui D 606), objet d'un culte nostalgique, comme la nationale 7.

L'YONNE

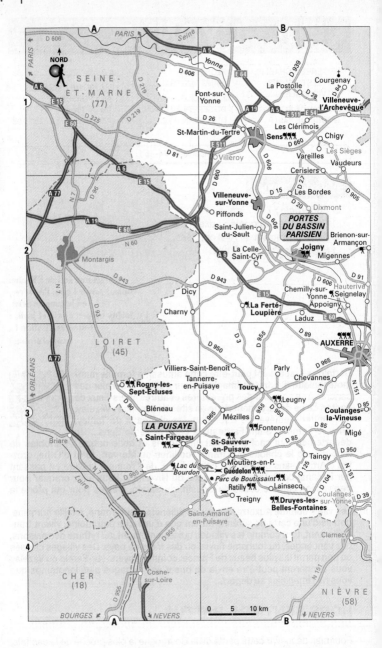

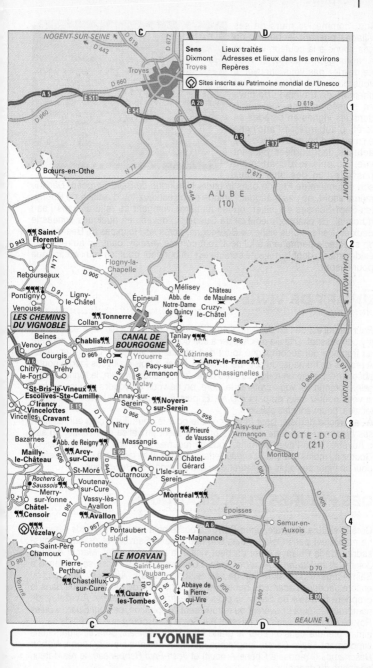

NOGENT-SUR-SEINE

Sens — Lieux traités
Dixmont — Adresses et lieux dans les environs
Troyes — Repères

Ⓢ Sites inscrits au Patrimoine mondial de l'Unesco

Troyes

CHAUMONT

Bœurs-en-Othe

AUBE
(10)

Saint-Florentin

Rebourseaux

Flogny-la-Chapelle

Mélisey
Château de Maulnes

Pontigny

Ligny-le-Châtel

Épineuil
Abb. de Notre-Dame de Quincy
Cruzy-le-Châtel

Venouse

LES CHEMINS DU VIGNOBLE

Tonnerre

Collan

CANAL DE BOURGOGNE

Beines

Chablis

Tanlay

Venoy

Courgis

Béru

Yrouerre

Lézinnes

Ancy-le-Franc

Chitry-le-Fort

Préhy

Pacy-sur-Armançon

Chassignelles

St-Bris-le-Vineux
Escolives-Ste-Camille

Molay

Irancy
Vincelottes

Annay-sur-Serein

Noyers-sur-Serein

Vincelles

Cravant

Nitry

Cours

Prieuré de Vausse

Aisy-sur-Armançon

CÔTE-D'OR
(21)

Vermenton

Massangis

Montbard

Bazarnes

Abb. de Reigny

Mailly-le-Château

Arcy-sur-Cure

Annoux

Châtel-Gérard

St-Moré

Coutarnoux

L'Isle-sur-Serein

Rochers du Saussois

Voutenay-sur-Cure

Merry-sur-Yonne

Vassy-lès-Avallon

Montréal

Châtel-Censoir

Époisses

Semur-en-Auxois

Vézelay

Avallon

Pontaubert

Islaud

Ste-Magnance

Saint-Père
Chamoux

Fontette

LE MORVAN

Pierre-Perthuis

Saint-Léger-Vauban

Chastellux-sur-Cure

Quarré-les-Tombes

Abbaye de la Pierre-qui-Vire

BEAUNE

DIJON

CHAUMONT

Tout comme les murs de ses villages passant lentement du gris souris à la couleur, le pays a repris goût à la vie, et vous ne devriez pas vous ennuyer si vous parcourez l'Yonne par les chemins de traverse : de cave en musée insolite, de rando dans les vignes en balades en forêt, d'auberges à l'ancienne en maison d'hôtes à la déco très actuelle, les journées passent vite. Et puis le département possède l'un des plus beaux

son et lumière de France dans le cadre historique de Saint-Fargeau. Dans le même esprit, ne pas manquer l'unique et majestueux feu d'artifice de Rogny-les-Sept-Écluses en juillet, où les lumières viennent se refléter dans l'eau du canal. Le chantier médiéval de Guédelon, devenu en quelques années le deuxième site le plus visité de Bourgogne, après les Hospices de Beaune, est un spectacle permanent à lui seul, tout comme Vézelay, dans un autre genre, évidemment, dont la majesté sereine est un bonheur pour les yeux autant que pour l'esprit.

UN ART DE VIVRE

Pour ce qui est de l'art de vivre, en matière de vins, on peut dire que les Icaunais s'y connaissent. Difficile d'échapper à son complément, la célébrissime *gougère* au fromage qui accompagne toute dégustation de vin blanc qui se respecte. À propos de fromage, du côté de Tonnerre, il y en a trois qu'il vous faudra goûter absolument, avec un rouge du pays cette fois : le *soumaintrain*, le *tonnerre* et le *saint-florentin*. Si vous préférez le cidre, on ne vous en voudra pas ici, surtout si vous goûtez celui du *pays d'Othe*. Et puis, il y a aussi des bières artisanales locales, pour varier les plaisirs.
À l'approche de l'été, pour la vue comme pour le goût, il y a bien sûr les *cerises bigarreau-marmotte* ou *burlat*, qui mûrissent en vallée de l'Yonne, au sud d'Auxerre. Vous l'avez compris, vous ne mourrez ni de soif ni de faim par ici. Goûtez au moins une fois à l'*andouillette au chablis* et au *jambon à la chablisienne*, pour changer des œufs en meurette ou des *escargots de Bourgogne*.

DES FIGURES EMBLÉMATIQUES

Côté littérature générale, outre *Pierre Larousse* né à Toucy, les grands écrivains ne manquent pas : *Colette,* bien sûr, née à Saint-Sauveur et grande ambassadrice de la Puisaye (dont on peut visiter la maison natale), *Marcel Aymé* à Joigny, *Jean Vautrin* à Auxerre, *Jean d'Ormesson,* qui a passé son enfance à Saint-Fargeau où il situe l'un de ses célèbres romans, *Au plaisir de Dieu,* ou encore *Jacques Lacarrière,* qui écrivit grand nombre de ses ouvrages dans la propriété familiale de Sacy, au pays de *Restif de La Bretonne.* À Vézelay, de nombreux auteurs trouvèrent ou retrouvèrent l'inspiration, de *Paul Éluard* à *Jules Roy* ou *Romain Rolland,* en passant par *Serge Gainsbourg* qui, à la fin de sa vie, aimait prendre pension chez le grand chef *Marc Meneau.* Côté cinéma, citons simplement *Leslie Caron,* longtemps installée à Villeneuve-sur-Yonne, *Hubert Deschamps* (il repose à Chêne-Arnoult) et *Jean-Paul Rappeneau,* le réalisateur, originaire d'Auxerre.

Et pour les amoureux de l'histoire, rappelons seulement que l'architecte militaire le plus célèbre de France, un certain *Vauban,* a grandi dans l'Avallonnais ; quant à *Colbert,* il fut le premier marquis de Seignelay, et le *docteur Petiot,* avant son arrestation, était un jeune maire apprécié de Villeneuve-sur-Yonne. Autres figures passées par l'Yonne, *Hubert Reeves, Jorge Semprun,* emprisonné à Auxerre en 1942, ou encore *Jacques Soufflot,* né à Irancy et architecte du Panthéon à Paris.

Enfin, l'entraîneur *Guy Roux,* bien sûr, qui restera dans l'esprit de tous le personnage le plus célèbre (avec certains de ses joueurs, certes) du club de foot régional, l'Association de la jeunesse auxerroise (AJA).

Adresses et infos utiles

🛈 *Yonne Tourisme – Agence de développement touristique de l'Yonne :* 1-2, quai de la République, BP 30217, 89003 **Auxerre** Cedex. ☎ 03-86-72-92-00. ● my-yonne.com ● Même bâtiment que l'office de tourisme de la ville d'Auxerre. Nombreuses infos, doc et expositions. Séjours à la carte, service de résas et paiement en ligne sur le site internet. Et un site dédié aux familles : ● famille-yonne.com ●
■ ***Gîtes de France :*** *central de résas* Accueil et vacances, *basé à Dijon.* ☎ 03-80-45-97-15. ● reservation@ gites-de-france-bourgogne.com ● gites-de-france-bourgogne.com ● *Accueil téléphonique lun-ven 8h30-12h30, 13h30-18h (17h ven).*

Comment circuler ?

🚌 ***Réseau Transyonne :*** ● cg89.fr/ Territoire-et-Economie/Transports-dans-l-Yonne ● 24 lignes de bus à travers le département et tarif unique 2 €/trajet.
■ ***Comité départemental de la randonnée pédestre :*** Maison des sports, 12, bd Gallieni, 89000 **Auxerre.** ☎ 03-45-02-75-91. Plusieurs topoguides par pays (le tour de la Puisaye, GR Restif-de-La-Bretonne...), avec des balades remises à jour chaque année.
– Yonne Tourisme propose des ***balades téléchargeables*** gratuitement sur mobile : ● guidigo.com ● Un type de découverte mêlant contenu historique, illustrations et témoignages audio. Utilisable en mode déconnecté (pour ne pas alourdir sa facture !), l'application vous géolocalise des incontournables de Vézelay au vignoble de Chablis, en passant par les châteaux Renaissance du Tonnerrois ou le château de Maulnes. Également des « Enquêtes mystère » pour les 7-12 ans (et leurs parents !), une bonne trentaine d'itinéraires à travers tout le département.

D'AUXERRE À CHABLIS, PAR LES CHEMINS DU VIGNOBLE

L'YONNE

L'YONNE

AUXERRE   (89000)   37 500 hab.   *Carte Yonne, B3*

• Plan *p. 50-51*

Si vous ne voulez pas vous faire remarquer en arrivant, Auxerre se prononce « Ausserre ». C'est en tout cas une ville bien agréable à vivre : de bonnes petites tables, de beaux musées, un vieux centre avec sa belle tour de l'Horloge et de jolies maisons à pans de bois.

À la fois commerçante, en grande partie semi-piétonne et fleurie (deux fois le Grand Prix national !), Auxerre est une Ville classée d'art et d'histoire où l'on se balade avec plaisir le long des quais de l'Yonne en contemplant les églises médiévales et les vieilles maisons qui font tout le charme du deuxième secteur sauvegardé de Bourgogne (après Dijon), depuis le pont Paul-Bert qui enjambe la rivière.

UN PEU D'HISTOIRE

Au Ier s, *Autessiodurum* profite de sa position sur la voie Agrippa entre le Bassin méditerranéen et la mer du Nord. La christianisation – précoce, une cathédrale y est construite dès le Ve s – décide ensuite de la destinée d'Auxerre. L'évêque Germain, futur saint Germain (418-448), entoure la ville de monastères, une véritable « muraille sainte ». Dans les siècles qui suivirent, ses reliques suscitèrent de nombreux pèlerinages.

> ### LA GRAND-MESSE DU DIMANCHE
>
> *Auxerre reste une ville très catholique, jusque dans son club de foot, fondé en 1905 par... l'abbé Deschamps. Le stade porte le nom de l'abbé et les maillots de l'AJ Auxerre affichent toujours les couleurs bleu et blanc de la Vierge. Les miracles sont les bienvenus.*

Les IXe et X[e] s marqueront l'apogée de l'abbaye Saint-Germain. Auxerre devient le siège d'écoles religieuses réputées dans toute l'Europe, à tel point que la papauté la déclare ville sainte au XIIe s. Tout pour plaire aux huguenots qui, en 1567, s'acharnent sur ses églises.

Jusqu'à l'arrivée, au XIXe s, d'un hémiptère quelque peu vorace (le phylloxéra !), Auxerre vécut essentiellement de la vigne. Depuis, elle s'est transformée en ville de services et d'administration, où il fait bon vivre, et cela, à 1h30 à peine de la capitale.

Adresses et infos utiles

🛈 ***Office de tourisme de l'Auxerrois*** (plan C2, *1*) : 1-2, quai de la République. ☎ 03-86-52-06-19. ● info@ot-auxerre.fr ● ot-auxerre.fr ● ♿ En été, tlj 9h-19h ; Pâques-juin, 9h30-12h30, 14h-18h, fermé dim ap-m sf j. de fêtes ; de mi-sept à Pâques, fermé dim et j. fériés. Pour visiter le centre historique, suivre les pavés en bronze à l'effigie de Cadet Roussel (brochure payante). Pour les 6-12 ans, prendre aussi le carnet d'énigmes de *Cadet'Chou*. Visites guidées payantes toute l'année. Dates et horaires sur le site.

– À partir d'avril et jusqu'en août l'office propose, pour 5 €, de découvrir la ville à bord du *Voyageur*, véhicule électrique silencieux (avr-juin w-e et j. fériés, juil-août tlj).

🛈 ***Également un bureau d'informations touristiques en centre-ville*** (plan B2, *2*) : 7, pl. de l'Hôtel-de-Ville (près de la tour de l'Horloge). ☎ 03-86-51-03-26. Juil-août, mar-sam 9h-19h.

🚲 *À vélo :* un parcours complet de 62 km entre Auxerre et Clamecy, le long du canal du Nivernais et de l'Yonne. Possibilité de prendre le train avec vélos pour un des trajets. Carte à l'office de tourisme.

■ *Location de voitures :* quelques loueurs à la gare comme **Hertz** (9, rue du Moulin-du-Président ; ☎ 03-86-46-57-30 ; lun-sam 8h-12h, 14h-18h) ou **Avis**, ☎ 03-86-46-83-47.
■ *Station Taxi :* ☎ 03-86-52-30-51 ou 03-86-46-91-61.
– *Marché :* mar et ven à l'Arquebuse, mer en centre-ville, et dim pl. Degas.

Où dormir ?

Bon marché

🏠 **La Maison des Randonneurs** *(plan B3, 4)* : parc Paul-Bert, 5, rue Germain-Bénard. ☎ 03-86-41-43-22. ● accueil@maison-rando.fr ● maison-rando.fr ● ♿. Tte l'année, mais sur résa Pâques-Toussaint. Autour de 18 €/pers, draps en sus ; chambres familiales (6 pers max, avec 2 douches) ; petit déj env 6 €. Pas de clés sur les portes des chambres ! Loc de vélos. Navette gare SNCF. 🛜 Au fond d'un parc très calme le soir (le jour aussi), un gîte d'étape clair et fonctionnel : cuisine équipée à disposition, lave-linge, garage à vélos. Chambres sobres mais lumineuses, certaines avec vue sur le parc. Une contrainte du règlement : faire le ménage ! Mais le cadre et l'accueil compensent.

Chic

🏠 **Hôtel Normandie** *(plan A1, 2)* : 41, bd Vauban. ☎ 03-86-52-57-80. ● reception@hotelnormandie.fr ● hotelnormandie.fr ● ♿. Doubles 89-115 €. 🛜 Réduc de 10 % pour 2 nuits consécutives, sur présentation de ce guide. Grande et belle maison bourgeoise de la fin du XIXe s, avec un petit jardin sur l'arrière et de la vigne vierge sur la façade. L'enseigne rend hommage au fameux paquebot. Et il y a quelque chose de l'ambiance des grandes croisières transatlantiques dans ce lieu. Une cinquantaine de chambres, de styles différents, toutes climatisées, spacieuses et calmes. Salle de gym, sauna, billard et garage pour voitures (y compris électriques) et vélos.

🏠 **Hôtel Le Maxime** *(plan C1, 3)* : 2, quai de la Marine. ☎ 03-86-52-14-19. ● contact@hotel-lemaxime.com ● lemaxime.com ● Doubles à partir de 86 € ; triples et suites également. Parking payant. 🛜 Réduc de 10 % sur le prix de la chambre nov-fév, sur présentation de ce guide. L'emplacement est idéal, entre les quais et la vieille ville. Une institution icaunaise, avec tout le confort que l'on attend d'une grande maison, même si l'insonorisation peut sembler minimaliste.

🏠 **Le Parc des Maréchaux** *(plan A2, 5)* : 6, av. Foch. ☎ 03-86-51-43-77. ● contact@hotel-parcmarechaux.com ● hotel-parcmarechaux.com ● Proche du centre-ville, sur la route de Montargis. Doubles climatisées 69-139 € ; familiales également. 🛜 L'un des beaux hôtels d'Auxerre. Comme cette vaste bâtisse fut édifiée sous Napoléon III, côté chambres, on a le choix entre « Bernadotte », « Lannes », « Murat »... puisqu'elles ont toutes été baptisées du nom des maréchaux de France. Piscine chauffée extérieure. Et beau parc, forcément.

Où manger ?

De bon marché à prix moyens

🍽 **Le Schaeffer** *(plan B2, 15)* : 14, pl. Charles-Lepère. ☎ 03-86-52-16-17. Tlj sf dim-lun, le midi slt. Formules env 15-17 €. Une cantine remplie d'Auxerrois, très pratique en centre-ville. Glissez-vous jusqu'à la salle à l'arrière pour déguster un bon jambon à la chablisienne ou un des croque-monsieur

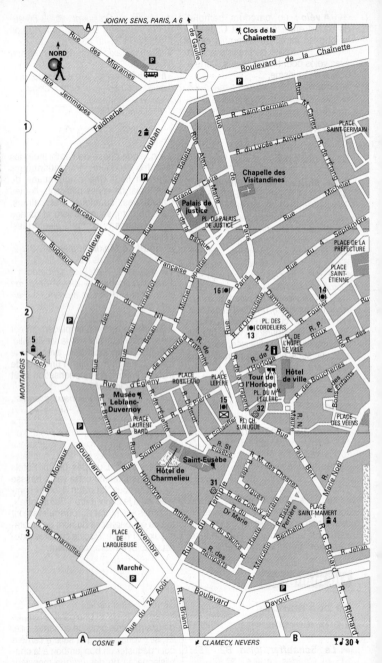

L'YONNE

JOIGNY, SENS, PARIS, A 6

A | B

Clos de la Chaînette

Boulevard de la Chaînette

NORD

Rue des Migraines

P

Rue Jemmapes

Faidherbe

Av. Ch. de Gaulle

R. Saint-Germain

PLACE SAINT-GERMAIN

R. M. Carte5

R. du Lycée J. Amyot

Michelet

R. de Krang

P

2

Vauban

Rue Alex.

Rue Marie

Grand Caire

Rue des Palais

Chapelle des Visitandines

Rue Bugeaud

Av. Marceau

Boulevard

Rue

Rue Buttes Française

Palais de justice

PL. DU PALAIS DE JUSTICE

Rue de la Banque

Rue de Paris

PLACE DE LA PRÉFECTURE

PLACE SAINT-ÉTIENNE

4 Septembre

Rue du

1

2

5

Av. Foch

MONTARGIS

Rue du Armandot

Rue Paul

Rue des

Nil

Rue de la Liberté

R. Besan

Michel Lepeltier

Rue de la Fraternité

16

R. d'Orbandelle

Rue Dampierre

13

PL. DES CORDELIERS

2

PL. DE L'HÔTEL DE VILLE

14

R. Fourier

R. P. Roux

R. des

Rue d'Égleny

PLACE ROBILLARD

R. de la Régniere

R. de Pierre

R. D'Arcot

PLACE LEPÈRE

R. de l'Horloge

Tour de l'Horloge

R. de la Draperie

Hôtel de ville

PL. DU Mal LECLERC

32

R. des Boucheries

R. des Bons Enfants

PLACE DES VÉENS

Musée Leblanc-Duvernoy

PLACE LAURENT BARD

R. F. Bertran

15

R. Schaeffer

RD. CH. SURUGUE

Rue Paul Bert

R.N.

Rue Marie Noël

Boulevard du 11 Novembre

Rue Souffot

Rue Hippolyte

Ribière

Hôtel de Charmelieu

Saint-Eusèbe

R. St Eusèbe

R. M. des Chesnez

sous Orques

31

R. de Cottery

R. du Dr Marie

Temple

Haute Perrière

Basse Perrière

Marcanin

Berthelot

PLACE SAINT-MAMERT

4

R. des Moreaux

R. des Charmilles

PLACE DE L'ARQUEBUSE

Marché

P

R. du 14 Juillet

Rue du 24 Août

R. A. Briand

Boulevard

Davout

P

R. des Remparts

R. G. Bénard

R. Jehan

R. L. Richard

3

A

COSNE

CLAMECY, NEVERS

B

30

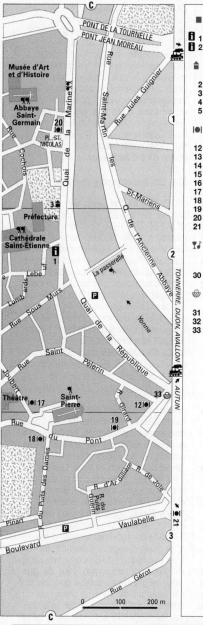

■ **Adresses utiles**

🛈 1 Office de tourisme de l'Auxerrois
🛈 2 Bureau d'informations touristiques

🛏 **Où dormir ?**

2 Hôtel Normandie
3 Hôtel Le Maxime
4 La Maison des Randonneurs
5 Le Parc des Maréchaux

🍽 **Où manger ?**

12 La Renaissance
13 Poivre et Sel
14 Le Petit Monde d'Édith
15 Le Schaeffer
16 Le Bistrot du Palais
17 La P'tite Beursaude
18 L'Aspérule
19 Le Rendez-vous
20 Le Quai
21 Le Bourgogne

🍸 **Où boire un verre ?**
Où écouter de la musique ?

30 Espacio Piscina

🌐 **Où acheter de bons produits ?**

31 Boucherie-charcuterie Hattier
32 Chocolaterie Olivier Vida
33 Les Fromages de Sylvainl

AUXERRE

L'YONNE

maison. Allez-y sinon pour boire un verre l'après-midi, c'est plus calme.

|●| *Le Quai (plan C1, 20)* : 4, pl. Saint-Nicolas. ☎ 03-86-51-66-67. ● quairestaurant@orange.fr ● *Fermé 1er janv et 25 déc. Menus-carte env 20-30 €.* 🛜 *Café offert sur présentation de ce guide.* Une petite faim de nuit ou un déjeuner plus élaboré ? Belle adresse, certes en bord de route et sans prétentions gastronomiques. Lieu de rendez-vous en tout cas de nombreux Auxerrois, pour boire un verre ou grignoter en terrasse sur la petite place ou dans la grande salle néoclassique. Service jeune et sympa.

|●| *Le Petit Monde d'Édith (plan B2, 14)* : 13, rue Fourier. ☎ 03-86-51-49-69. *Dans la rue qui descend vers la cathédrale. Slt le midi (salon de thé jusqu'à 17h30), mar-sam. Congés : vac scol de Paris. Formule 16 €, carte env 20 €. Café offert sur présentation de ce guide.* Ce resto de poche fut autrefois une mercerie puis un magasin de jouets (l'enseigne est restée) : les vitrines sont toujours là, pleines de menus objets, de souvenirs de famille... Édith, charmante, est au service, et son mari en cuisine. On se régale autant avec les tartes salées qu'avec les œufs cocotte, et les tartes aux fruits en dessert sont à réserver d'entrée. Simple, bon et abordable.

|●| *La Renaissance (plan C2, 12)* : 93, rue du Pont. ☎ 03-86-52-28-26. *Ouv le midi mar-sam, plus le soir ven-sam. Fermé dim-lun et j. fériés. Résa conseillée. Formule déj en sem 19 € ; carte 35 €.* Dans cette brasserie, du simple, de l'efficace, du frais le midi en semaine et du bistronomique le vendredi et le samedi soir. On peut manger sur le zinc ou regarder le chef travailler depuis la salle. Agréable terrasse.

|●| *Le Bistrot du Palais (plan B2, 16)* : 65, rue de Paris. ☎ 03-86-51-47-02. ♿ *Tlj sf dim-lun. Menu 23 € ; carte autour de 25 €. Apéritif maison offert sur présentation de ce guide.* « Chez Joseph », comme on dit ici. Une institution, en fait : on parle de l'homme comme du lieu, un ancien cinéma haut en couleur. On est beaucoup moins serré dans les nouveaux murs, pas très loin de la mythique adresse qui a vu passer nombre de têtes connues. La cuisine maison tourne autour de terrines et

blanquettes, façon bistrot. Et belle carte de vins à prix doux. Terrasse. Accueil assez direct, parfois un peu trop...

|●| *La P'tite Beursaude (plan C2, 17)* : 55, rue Joubert. ☎ 03-86-51-10-21. ● laptitebeursaude@gmail.com ● *Tlj sf mar, mer midi et jeu midi. Résa conseillée. Menus 20,90-31,50 €. Café offert sur présentation de ce guide.* Une trentaine de couverts et 6 seulement en terrasse, dans une rue typique du vieil Auxerre. Tables en bois et carrelage. Cuisine régionale qui joue la carte nostalgie, sans exagération, avec une pointe d'humour décalé.

De prix moyens à chic

|●| *Poivre et Sel (plan B2, 13)* : 32, pl. des Cordeliers, dans le centre. ☎ 03-86-33-81-86. *Tlj sf dim-lun. Formules déj 12,70-16,70 €, carte 30-40 €.* Décor de bistrot (vieilles pubs, banquettes, chaises anciennes) et carte qui fait saliver, des œufs cocotte au filet mignon servi avec des girolles, en passant par les tartares mis à toutes les sauces. Envie de salade, de cochonnailles ? Pas de souci. Envie d'un vin bio ou simplement d'un bon vin ? Entre 130 et 180 références à la carte...

|●| *Le Rendez-vous (plan C3, 19)* : 37, rue du Pont. ☎ 03-86-51-46-36. *Tlj sf w-e et fériés (hors saison, fermé le soir lun-jeu). Menus 23 € (sf w-e), puis 35-49 €.* Un rendez-vous d'habitués, qui ne paie vraiment pas de mine. Jean-Pierre Saunier fait partie de ces chefs rassurants faisant depuis des décennies la cuisine qu'ils connaissent et qu'ils aiment, et les repas d'affaires ou de famille ici n'ont rien de triste. Œufs meurette, rognons à l'aligoté... on ne vient pas là pour chipoter, mais pour bien manger et boire bien. Petit bout de terrasse.

|●| *Le Bourgogne (hors plan par C3, 21)* : 15, rue de Preuilly. ☎ 03-86-51-57-50. ● contact@lebourgogne.fr ● *Tlj sf dim-lun. Congés : 2 sem en août et Noël. Menus 26-33 € ; carte env 65 €.* Relooké contemporain, tout de gris vêtu, ce petit resto cultive pourtant un véritable art de vivre, à deux pas du centre. En salle comme en terrasse, suivez les suggestions du jour, vous serez épaté : bons produits, cuissons justes. L'assiette, savoureuse, contemporaine,

prouve bien que le chef a retenu l'essentiel des grandes tables où il est passé. Épicerie gourmande à deux pas. |●| *L'Aspérule (plan C3, 18)* : 34, rue du Pont. ☎ 03-86-33-24-32. ● restaurant.lerendez@sfr.fr ● Tlj sf dim-lun et j. fériés. Menus 28-33 € le midi ; menu dégustation env 66 € le soir. Une salle

zen aux tons crème et chocolat qui fait certes moins rêver que l'assiette. Ce chef japonais élevé dans l'amour de la cuisine française est capable de réaliser des plats d'une précision redoutable en utilisant les techniques apprises au Japon, chez Robuchon, et les produits d'ici. Du discret, du délicat, du bon, tout simplement.

Où dormir ? Où manger dans les environs ?

De prix moyens à chic

⌂ *Chambres d'hôtes Château de Ribourdin* : 8, route de Ribourdin, 89240 **Chevannes**. ☎ 03-86-41-23-16. ● chateau.de.ribourdin@wanadoo.fr ● chateauderibourdin.com ● D'Auxerre, prendre la direction Nevers-Bourges ; dans le village, indiqué sur la gauche (direction Vallan) ; c'est au milieu des champs. Chambres 85-95 €. ☎ 5 chambres aménagées dans les dépendances de cette superbe ferme-gentilhommière du XVIe s. Déco sobre de bon goût et tout le charme des vieux murs. Petite piscine et location de VTT. Bel accueil.

⌂ |●| *Chambres d'hôtes Le Puits d'Athie* : 1, rue de l'Abreuvoir, 89380 **Appoigny**. ☎ 03-86-53-10-59. ● puits dathie@free.fr ● puitsdathie.com ● Aux portes d'Auxerre, sur la D 606. Indiqué dans le village. De mi-mars à mi-oct. Doubles 85-180 € selon taille. Table d'hôtes (sur résa 24h avt) 49 €, vin compris. ☎ Réduc de 10 % sur le prix

de la chambre au-delà de 2 nuits hors ponts et juil-août, sur présentation de ce guide. Belle demeure bourguignonne du XVIIIe s, avec un jardin. On craque pour la suite « Porte de l'Orient ». Table d'hôtes qui met les papilles en éveil avec sa cuisine raffinée et parfumée.

⌂ |●| *Le Moulin de la Coudre* : 2, rue des Gravottes, La Coudre, 89290 **Venoy**. ☎ 03-86-40-23-79. ● moulin@moulindelacoudre.com ● moulindela coudre.com ● À 1 km, sortie n° 20 de l'A 6 (Auxerre-Sud), direction Chablis. Resto ferme dim soir-lun midi. Doubles 99-120 € ; familiales. Menus 26-49 €. ☎ Dans un cadre enchanteur et calme, le vieux moulin joue d'entrée la carte cosy, avec la cheminée et le salon pour rêver ou prendre le café. Tout à côté, la belle salle de resto à l'ambiance reposante pour ne pas oublier que l'on est en pleine campagne, tout de même. On y sert une cuisine qui plonge ses racines dans le terroir et l'authenticité. Les chambres sont confortables et joliment décorées. Aire de jeux.

Où boire un verre ? Où écouter de la musique ?

Ⓨ ♪ *Espacio Piscina (hors plan par B3, 30)* : av. Yver-Prolongé. ☎ 03-86-52-25-42. À côté de la piscine, près du stade, sur les bords de l'Yonne. De mi-mars à mi-oct, tlj sf dim soir. Une adresse pour aller

prendre un verre le soir et grignoter sur le pouce. Un peu à l'écart du centreville, une ambiance décontractée, de la vie et des concerts tous les vendredis soir. Terrasse en été ou petite salle souvent bondée.

Où acheter de bons produits à Auxerre et dans le coin ?

⊛ *Boucherie-charcuterie Hattier (plan B3, 31)* : 30, rue du Temple. Autre adresse : 20, rue du 24-Août. Également sur le marché de l'Arquebuse mar

et ven mat. Si vous cherchez un pâté en croûte d'exception ou un boudin de première, c'est là ! **⊛** *Chocolaterie Olivier Vidal*

L'YONNE

(plan B2, 32) : 3, pl. Surugue. Tlj sf dim-lun. Gourmandises chocolatées signées par un « Meilleur Olivier de France ». Macarons à se damner. En été, délicieuses glaces (violette, bergamote, pain d'épice...).

🍴 **Le Borvo** : route de Beaumont, 89250 **Chemilly-sur-Yonne**. ☎ 03-86-47-82-44. ● leborvo.fr ● Boutique lun-sam 9h-18h30. Visite guidée du (superbe) parcours muséographique pour les groupes, slt sur résa (6 €). On peut acheter ici le meilleur saumon de la région. On peut même revenir pour Noël faire son marché. Jeter un œil sur le site, pour les jours d'ouverture et les événements.

🍴 **Les Fromages de Sylvain** *(plan C2, 33)* : 122, rue du Pont. Fromager-affineur présent sur plusieurs marchés de la région. Équipe au top !

À voir. À faire

🎯🎯🎯 **« Sur les traces de Cadet Roussel »** : *circuit de 5 km dans la vieille ville ; compter 2h-2h30 sans visite des monuments et sites. Guide vendu à l'office de tourisme (1,50 €).* « Cadet Roussel est bon enfant », il vous mènera sur ses pas, ou plutôt sur ses plaques. « Cadet Roussel a trois maisons... », il vous en montrera beaucoup d'autres à travers la ville. Et vous le rencontrerez même en cours de chemin, en statue polychrome.

🎯 **La passerelle** : la balade peut commencer sur cette passerelle du début du XXe s. Belle vue sur la vieille ville hérissée de clochers. Superbe de nuit. Pratique pour rejoindre le centre, si on a eu la bonne idée de se garer sur l'autre rive.

🎯🎯 **Le quartier de la Marine** *(plan C1)* : quelques rues jalonnées de maisons à pans de bois autour de la délicieuse place Saint-Nicolas sur laquelle veille, depuis 1774, la statue du patron des mariniers. Boutiques d'antiquaires ou d'artisans d'art, chats qui paressent au creux des ruelles : à la fois discrètement chic et popu, ce quartier, qui perpétue le souvenir d'une activité marinière disparue au début du XXe s, a beaucoup de charme.

🎯🎯 **L'abbaye Saint-Germain** *(plan C1)* : 2, pl. Saint-Germain. ☎ 03-86-18-02-90. ● abbaye.saintgermain@auxerre.com ● ♿ *(pour les salles médiévales slt). Tlj sf mar et certains j. fériés : avr-sept, 9h-12h et 14h-18h ; le reste de l'année 9h-12h, 14h-17h. Accès libre au cloître et à l'église. Visite guidée des cryptes ttes les heures ; dernière visite 1h avt fermeture. Entrée : env 7 € ; réduc.*
Il y avait déjà ici, au Ve s, un oratoire contenant le corps de saint Germain. Une église, édifiée selon la légende par Clotilde, épouse de Clovis, l'a remplacé un siècle plus tard. Ses célèbres cryptes remontent à l'époque carolingienne.
– **Les cryptes :** visites guidées uniquement. Une véritable église souterraine : une succession de voûtes, des poutres d'origine du IXe s, le caveau de saint Germain et, surtout, un exceptionnel ensemble de fresques carolingiennes exécutées vers 850 représentant le jugement, l'extase et le martyre de saint Étienne. Impressionnant.
– **Le musée d'Art et d'Histoire :** installé dans les anciens dortoirs des moines (fin XVIIe s). Collections archéologiques. Le 1er étage fait revivre *Autessiodurum* (nom romain de la ville) avec un atelier de céramiste reconstitué, des objets usuels et une belle collection de statues : statue équestre de légionnaire, Mercure (fin IIIe s), une paire de petits chevaux en terre blanche et d'étonnants *risus*, bustes d'enfants chauves avec des yeux en amande. Au rez-de-chaussée, salles consacrées au Moyen Âge et à l'histoire de l'abbaye, avec notamment le « suaire de saint Germain », exceptionnel tissu de soie provenant des ateliers impériaux de Constantinople en l'an 1000. Parcours pédagogique pour les plus jeunes. Expositions temporaires.

🎯🎯 **La cathédrale Saint-Étienne** *(plan B-C2)* : ☎ 03-86-52-31-68. ♿ *(prévenir l'accueil du trésor). Tlj 8h45-18h en hte saison et 8h-17h en basse saison. Crypte et trésor : contacter la cathédrale pour les horaires. Entrée gratuite pour la cathédrale ; accès payant à la crypte et au trésor (5 €) ; gratuit moins de 12 ans. Concerts de* *musique classique en été. Spectacle son et lumière (durée : 1h15) en juil-août, à 22h jeu-sam. Entrée : 5 €.* Façade gothique percée de trois portails surmontés de motifs et hauts reliefs superbes, même s'ils ont été mutilés lors des guerres de Religion. Une imposante rosace de 7 m de diamètre domine le portail central. À l'intérieur (attention à la volée de marches en entrant !), nef et chœur d'un très pur style gothique sont d'une surprenante harmonie pour un ensemble lumineux. Tout autour du déambulatoire, superbes vitraux du XIIIᵉ s *(La Création)*, aux bleus encore très vifs. Visite très agréable, surtout si vous prenez le temps de jeter un œil à la **crypte**, seul vestige d'un ancien édifice roman (XIᵉ s). Dans la chapelle absidiale, rarissimes peintures murales du XIᵉ s traitées dans les ocres. Quant au **trésor** indiqué, ce n'est pas celui de la cathédrale, fondu par les huguenots au XVIᵉ s, mais une collection privée. Environ 400 pièces exposées par rotation dans une petite chapelle.

🕯 **L'église Saint-Pierre** *(plan C2-3) : accès par la rue Joubert (et par le portail Renaissance d'une ancienne cathédrale).* Clocher gothique flamboyant qui a un petit air de famille avec celui de la cathédrale. Au-dessus du portail (milieu du XVIᵉ s), on reconnaît Noé. Est-il là (on sait son penchant pour le vin) parce que les vignerons ont financé en partie la construction de l'église ?

🕯🕯 **La tour de l'Horloge** *(plan B2) :* élevée en 1483, elle témoigne de l'entrée symbolique du temps civil et de la bourgeoisie dans une cité que les nobles et les clercs verrouillaient jusqu'alors (un tournant essentiel !). L'horloge présente deux cadrans : d'un côté, les heures ; de l'autre, le cadran astronomique. Juste à côté s'élevait la maison d'un certain Cadet Roussel, huissier de justice, fervent partisan de la Révolution en 1791. Il doit sa réputation à un mode de vie quelque peu excentrique (pour l'époque !). Au nᵒ 7, place de l'Hôtel-de-Ville, travailla comme imprimeur le fameux écrivain libertin Nicolas Restif de La Bretonne (qui n'avait pas non plus un mode de vie très catholique).

🕯 **L'église Saint-Eusèbe** *(plan A-B3) : pl. Saint-Eusèbe (visite libre tlj 9h-18h).* Pour en finir avec les églises auxerroises. Admirable clocher roman, aux trois étages à baies en plein cintre abondamment sculptées. Portail assez usé du XVIIᵉ s. Lumineux chœur Renaissance. Beaux vitraux du XVIᵉ s.

🕯 **Les vieilles maisons :** le quartier piéton n'en manque pas. Du genre pour lesquelles l'expression « avoir pignon sur rue » semble avoir été inventée, comme rue de l'Horloge ! Belles maisons également place Surugue. C'est là que vous retrouverez enfin la statue de Cadet Roussel. À l'angle des rues Joubert et Fécauderie, découvrez les plus beaux poteaux corniers (piliers d'angle, quoi !) d'Auxerre.

🕯 **Le musée Leblanc-Duvernoy** *(plan A2) : 9 bis, rue d'Égleny.* ☎ 03-86-18-05-50. *Avr-sept, mer-dim 14h-18h, tte l'année pour les groupes sur résa (19 pers max). GRATUIT.* Dans une élégante demeure du XVIIIᵉ s. Importante collection de faïences et grès de Puisaye, dont une nouvelle série de faïences patronymiques qui commémore des événements et la mémoire de grandes familles. Intéressant ensemble (230 pièces fabriquées entre 1789 et 1794) d'assiettes décorées de thèmes et de slogans révolutionnaires. Dans le salon de musique, tapisseries de Beauvais de 1710 (quatre panneaux... le Louvre et Versailles n'en ont qu'un chacun !), évoquant, d'après les récits de voyage de jésuites, la vie de l'empereur Kang-Xi, contemporain de Louis XIV et à l'origine de la mode des chinoiseries qui déferla ensuite sur l'Europe.

🕯 **La salle Eckmühl :** *pl. du Maréchal-Leclerc.* ☎ 03-86-18-05-50. *Avr-sept, sf 1ᵉʳ et 8 mai, visites accompagnées, gratuites et sans résa l'ap-m à chaque heure 14h-17h. Tte l'année pour les groupes sur résa (19 pers max).* Après rénovation, la salle recèle des trésors légués à la ville par la fille du maréchal Davout : la marquise de Bloqueville.

🕯 **Le clos de la Chaînette** *(plan B1) : bd de la Chaînette.* En plein centre-ville, un vignoble, ancien clos de l'abbaye Saint-Germain (d'où l'enseigne sur les bouteilles), rescapé du phylloxéra. Ce sont seulement 5 ha, en blanc et en rouge, qui sont actuellement cultivés dans l'enceinte de l'hôpital psychiatrique.

Manifestation

– **Garçon la note :** *juil-août. Programme auprès de l'office de tourisme.* Du lundi au samedi de 21h à 23h30, un concert gratuit dans l'un des cafés de la ville ou de l'Auxerrois.

LES VILLAGES VIGNERONS DE L'AUXERROIS ET DU CHABLISIEN

Carte Yonne, B-C3

Avec les cerisiers en fleur ou simplement par un beau jour d'été, un des plus beaux circuits à faire au cœur de la Bourgogne.

COULANGES-LA-VINEUSE (89580)

À 15 km au sud d'Auxerre par la N 151, un village, avec quelques maisons Renaissance, bien agréable et paisible, comme on en trouve plusieurs dans cette vallée de l'Yonne. Un de ces villages au nom chantant, cachés dans les vignobles et la campagne, qui ont conservé de belles demeures, des églises émouvantes, et s'entourent de cerisiers créant, au printemps, un tableau unique... On l'appelait autrefois Coulanges-la-Sèche, car le village n'avait aucun point d'eau. Un pays agréable pour les amateurs de rando ou de balade à VTT. Et pour les amateurs de pinot noir, un vin très aromatique à découvrir, produit avec le blanc et le rosé sur les quelque 120 ha de cette petite appellation.

Adresse utile

🛈 **Maison du pays coulangeois :** *9, bd Livras.* ☎ *03-86-42-51-00. ● cc-payscoulangeois.fr ● Mars-sept, tlj 14h-18h. Oct-fév, lun-ven 14h-17h.* À la fois point d'information bien documenté et salle d'exposition de mars à octobre. Propose des circuits de rando (fiches payantes) et le « circuit des vieilles pierres » à la découverte du patrimoine.

Où dormir ? Où manger ?

🏠 🍴 **Chambres d'hôtes du domaine Maltoff :** *20, rue d'Aguesseau.* ☎ *03-86-42-32-48. ● contact@maltoff.com ● maltoff.com ● Au centre du village ; fléché. Double env 80 €, familiale également. Table d'hôtes sur résa 35 €, boisson comprise.* 4 belles chambres (un duplex avec mezzanine pour une famille) dans la propriété totalement restaurée (et fermée) d'un excellent vigneron. Terrasse.

🍴 **J'MCA :** *12, rue André-Vildieu.* ☎ *03-86-34-33-41. ● jmca-restaurant-coulanges-la-vse@outlook.fr ● Tlj sf lun midi et le soir dim-mer. Congés : 15 j. en fév et en août. Formules déj en sem (hors j. fériés) 15-23 € ; menus 25-41 €.* Cette maison joliment réaménagée par la mairie abrite un couple de jeunes restaurateurs qui aiment leur métier et qui n'ont pas peur de le mettre en gros (on précise au cas où vous auriez mal lu). Une cuisine de passion, précise, qui ne triche pas sur la qualité, un cadre agréable et des vins de Coulanges qui coulent bien. Une jolie découverte, à tous égards.

À voir dans le coin

🥾 **L'église Saint-Christophe :** architecture vraiment peu rurale, puisqu'elle a été construite au XVIIIe s par Servandoni (architecte de l'église Saint-Sulpice à Paris). De style froid et néoclassique, assez unique et qui détonne dans le pays(age).

L'YONNE

🎣 🏃 *Le moulin Dautin :* à *Migé,* au sud-ouest de Coulanges ; fléché depuis le centre de Coulanges. ☎ 03-86-52-63-91. 📱 06-95-28-16-21. ● moulinavent-dautin.com ● Juil-août, dim et j. fériés 14h30-18h, avrnov sur rdv. Tarif : 2,50 € ; réduc. C'est le dernier rescapé des moulins de Bourgogne à moudre encore traditionnellement son grain, grâce au vent. Cent ans

après sa fermeture, il a été restauré par l'association À Tire d'aile.

L'YONNE

ESCOLIVES-SAINTE-CAMILLE (89290)

Au sud d'Auxerre, un village charmant que vous allez découvrir tant pour son vin que pour sa vue. Intéressante église du XIIe s surmontée d'un clocher octogonal et précédée d'un beau porche à arcades. En descendant la rue, à 50 m sur la droite, jetez un coup d'œil (si vous n'avez pas décidé d'y dormir) dans la cour du domaine Borgnat pour admirer un superbe escalier extérieur à double couvert, typiquement bourguignon.

Où dormir ?

🏠 🍽️ *Chambres d'hôtes Domaine Borgnat, Le Colombier :* 1, rue de l'Église. ☎ 03-86-53-35-28. ● sejour@ domaineborgnat.fr ● domaineborgnat. fr ● Doubles 80-130 €. Gîtes également. 📶 Un verre sérigraphié, par adulte payant le plein tarif de la chambre, offert sur présentation de ce guide. Belle maison de vignerons fortifiée, datant du XVIIe s. Dans une aile, des chambres lumineuses avec parquet, beaux meubles rustiques et jolis tissus (en revanche, éviter la chambre d'appoint, au grenier). Cuisine à disposition. N'hésitez pas à rendre une petite visite aux 2 étages de caves voûtées où le coulanges du domaine vieillit dans un bel alignement de tonneaux. Vente de vins à la propriété (à prix très, très sages). Piscine chauffée et un gîte dans le colombier.

À voir

🎣 *Le site archéologique :* 9, rue Raymond-Kapps. ☎ 03-86-42-71-89. En contrebas, à l'entrée du village ; bien indiqué. Avr-oct, tlj 10h-12h et 14h-18h ; juilaoût, tlj 10h-18h. Nov-mars, lun-ven 10h-12h et 14h-17h, le w-e sur rdv. Entrée : 5 € ; réduc. Thermes gallo-romains et dépôt de fouilles. Les recherches conduites depuis 1955 livrent des vestiges d'une occupation humaine allant du Néolithique au Mérovingien. Riche période gallo-romaine, grande villa du Ier au Ve s. Également une nécropole mérovingienne.

VINCELOTTES (89290)

Autre village bourguignon longeant l'Yonne (rive droite), qui fut, jadis, un port d'embarquement pour le vin.

Où camper dans les environs ?

⛺ *Camping Les Ceriselles :* route de Vincelottes, 89290 *Vincelles.* ☎ 03-86-42-50-47. 📱 06-38-15-07-41. ● camping@cc-payscoulangeois.

fr • campingceriselles.com • ♿ De l'A 6, sortie Auxerre-Sud, puis direction Avallon par la D 606. Avr-sept. Tentes env 13-18 €. Mobile homes et chalets 271-537 €/sem. 80 empl. 📶 Un grand camping, bien aménagé et entretenu, sur les bords de l'Yonne et du canal du Nivernais. Location de vélos, supérette. Nombreuses activités sportives et piscine.

IRANCY (89290)

À 2 km au nord-est de Vincelottes par la D 38. Croquignolet village à la belle pierre blanche issue des carrières voisines, fleuri, blotti au creux d'un vallon et tout entouré de vignes. Village natal de Soufflot, l'architecte du Panthéon à Paris, qui vit le jour au n° 36 de la rue qui porte son nom.

Bourgogne oblige, une trentaine de producteurs y vendent directement ce fameux vin au goût de fruits rouges que les connaisseurs ont adopté depuis belle lurette, pour son goût comme pour son prix. L'irancy bénéficie d'une appellation d'origine contrôlée (AOC) depuis 2000. Un vin bien en bouche, qui ne déçoit pas et se garde plus de 10 ans (si l'on sait être patient). Particularité unique : il peut contenir du césar, un vieux cépage local « costaud ». En accueillant pour la première fois en janvier 2016 la Saint-Vincent, Irancy est passé dans la cour des grands, définitivement. – Pour ceux qui voudraient prolonger leur séjour, gîtes du domaine Verret (• gite-irancy.com •), aménagés dans de vieilles maisons du village.

Où manger ?

|●| **Le Soufflot** : *33, rue Soufflot.* ☎ *03-86-42-39-00.* • *lesoufflot. irancy@yahoo.fr* • ♿ *Ouv le midi, tlj sf lun, et le soir ven-sam. Congés : 3 premières sem de janv. Résa conseillée. Menu 28 €.* Une adresse fréquentée aussi bien par les locaux que par les amoureux du vin en goguette. Beaucoup de monde le week-end pour se retrouver sous la vigne qui traverse la salle aménagée dans l'ancienne cour. Service à la bonne franquette.

À voir

🎋 **L'église**, dont les contreforts présentent une belle ornementation Renaissance.

🎋🎋 Sur la route qui grimpe vers Saint-Bris-le-Vineux, table d'orientation. Très joli **panorama** sur le vignoble, Irancy et la vallée de l'Yonne.

SAINT-BRIS-LE-VINEUX (89530)

Encore une grosse bourgade vinicole à laquelle on peut accéder depuis Auxerre (à 10 mn) par la route de Chablis. La route monte à travers les coteaux, surplombe Auxerre et toute la vallée, avant de redescendre sur Saint-Bris et sa charmante église, dans un paysage qui rappelle les plus belles affiches de promotion pour la Bourgogne. Depuis 2003, on parle, avec d'autant plus de respect, du vin de Saint-Bris comme AOC (sauvignon et pas du chardonnay).

À voir

🎋🎋 **L'église :** édifiée du XIIe au XVIIe s, elle dresse sa façade sur la place centrale. Il faut emprunter la rue de l'Église, qui débouche sur le chevet, pour en saisir toute l'harmonieuse architecture. Sur la gauche du chevet, porte monumentale Renaissance à deux tourelles. Sur le côté droit, beau portail en accolade. À l'intérieur, riche ornementation révélatrice de l'aisance des viticulteurs bailleurs de fonds. Jeter plus qu'un œil distrait sur les vitraux du XVIe s et la chaire en bois sculpté du XVe s, même si le trésor de cette église demeure l'arbre de Jessé peint (sur le côté droit du chœur) en 1500 et figurant la généalogie du Christ (intéressants costumes d'époque).

🎭🎭 **Les caves Bersan :** *derrière l'église.* De nombreux viticulteurs du village possèdent de très anciennes et pittoresques caves. Sans aller bien loin, la cave de la famille Bersan (installée au village depuis 1453) est certainement l'une des plus belles et des plus impressionnantes de la région. Elle date du XIe s et s'avance dans un dédale de couloirs bien frais... comme le sauvignon blanc de la maison, qui est aussi bien fruité. Elle a été divisée par le jeu des successions : d'un côté, l'entrée historique derrière l'église est celle de la maison Jean-Louis Bersan et fils (☎ 03-86-53-33-73), de l'autre, d'un look plus design extérieurement, la cave où Jean-François et Pierre-Louis Bersan vous reçoivent *(tlj sf dim et j. fériés ;* ☎ *03-86-53-07-22)* avec beaucoup de professionnalisme. Visite indispensable pour comprendre l'importance historique de ces caves, qui servirent de refuge à la population au fil des siècles.

🎭🎭 **Les caves Bailly-Lapierre :** *au hameau de Bailly.* ☎ *03-86-53-77-77.* ● *bailly-lapierre.fr* ● ♿ *À 3 km, sur la D 362 ; indiqué. Ouv à la dégustation et à la vente. Visites guidées ts les ap-m 14h30-17h30 en juil-août ; hors saison, w-e et j. fériés à 15h30 et 16h30. Entrée : 6 €. Prévoir 1h de balade (avec dégustation) et une petite laine (température ambiante autour de 13 °C) !* Ces anciennes carrières de pierre étaient déjà exploitées au Moyen Âge (et utilisées pour Notre-Dame et le Panthéon à Paris, via un transport au fil de l'Yonne, qui coule au pied des carrières). Transformées en champignonnières en 1927, elles abritent depuis 1972 ces caves spectaculaires (4 ha, creusés à 50 m sous la roche) où sont stockées 7 millions de bouteilles de crémant-de-bourgogne. Visite guidée (bien agréable les jours de canicule), et dégustation-vente.

➤ En sortant, prendre à gauche pour rejoindre le col du Crémant (206 m) pour surplomber la vallée et rejoindre Saint-Bris-le-Vineux à travers les coteaux. Une bien belle balade pour les cyclistes.

ENTRE VIGNOBLES ET CERISAIES, DE SAINT-BRIS-LE-VINEUX À CHABLIS

Les paysages et collines du coin invitent à faire la route buissonnière. À 3 km à l'est de Saint-Bris-le-Vineux, *Chitry-le-Fort* possède une impressionnante église fortifiée au donjon à encorbellement du XVe s (on ne voit que les extérieurs). Plus près de Chablis, qu'on peut même rejoindre à pied, les villages de Préhy et Courgis sont isolés au milieu des vignes. *Courgis,* aux allures médiévales, a reçu Restif de La Bretonne pendant une partie de sa vie et représente plus de 300 ha de chablis premier cru. Quant à *Préhy,* son charme réside dans son église Sainte-Claire du XVe s, au sommet d'un vallon, à l'écart du centre du village et qui n'est entourée que de vignes.

CHABLIS   (89800)   2 300 hab.   *Carte Yonne, C3*

Village mondialement connu pour ses grands bourgognes blancs issus du cépage chardonnay, où l'on roule désormais moins les « r » qu'on ne siffle les

« th », la clientèle anglo-saxonne en ayant fait une de ses destinations préférées. Chablis est considéré par eux comme la porte d'or de la Bourgogne, avec son vignoble qui tient le haut du pavé depuis le haut Moyen Âge.

Comme souvent, c'est aux moines que l'on doit le développement des vignobles. Le chablis passera ensuite par les tables des rois, la meilleure publicité pour l'époque ! Son exportation est impressionnante... L'Europe, les États-Unis, et même la Russie, où Tolstoï le cite dans son roman *Anna Karénine*, à égal avec le champagne ! On trouve quatre appellations : petit-chablis, chablis, chablis premier cru et chablis grand cru (répondant aux noms de Blanchot, Bougros, Les Clos, Grenouilles, Preuses, Valmur et Vaudésir).

Côté ville, malgré la destruction par un bombardement en 1940 de presque toutes ses maisons à colombages, Chablis, avec ses promenades ombragées le long du Serein, possède encore bien du charme... Et, pour accompagner un verre de blanc, rien de mieux qu'une des spécialités du cru, comme le jambon à la chablisienne, l'andouillette ou le duché, ce petit biscuit qui renoue avec la tradition des grands-mères. Ah ! on allait oublier la brasserie Maddam, 100 % bio. De la bière à Chablis, il fallait oser !

Adresse et infos utiles

🔲 *Office de tourisme Chablis, Cure & Yonne :* 1, rue du Maréchal-de-Lattre-de-Tassigny. ☎ 03-86-42-80-80. ● *tourisme-chablis.fr* ● *Nov-mars tlj sf dim 10h-12h30 et 13h30-18h, avr-oct tlj et jusqu'à 19h en juil-août.* Vente de carte du vignoble et topoguide des randonnées pédestres ou à VTT, de 8 à 33 km, autour de Chablis. Location de vélos *(résa conseillée).* Organise des visites de domaines viticoles avec dégustation. Propose des visites guidées de la collégiale et de la ville.
– Balade sur Chablis et le vignoble téléchargeable gratuitement sur ● *guidigo.com* ● et ● *se.balader.fr* ●
– *Marché bourguignon :* dim mat, rue Auxerroise. Marché typique.
– *Marché nocturne d'artisanat et de terroir :* 1er ven d'août, à partir de 19h30. Au cœur de la ville, avec apéritif-concert gratuit. Infos à l'office de tourisme.

Où dormir ? Où manger ?

De prix moyens à chic

|●| *Le Bistrot des Grands Crus :* 8-10, rue Jules-Rathier. ☎ 03-86-42-19-41. Tlj, midi et soir. Congés : 20 déc-fin janv. Formules 10,50-22 € ; carte 30 €. Café offert sur présentation de ce guide. Certes, pour les régionaux, c'est d'abord l'annexe de l'*Hostellerie des Clos* (voir « De chic à plus chic » ci-après), mais c'est surtout une vraie adresse pour tous ceux qui passent par Chablis. *Le Bistrot,* côté terrasse ou côté salle, est un lieu où l'on vient pour se faire plaisir et déguster une bonne cuisine de pays, basée sur le marché. On peut très bien se contenter d'un bœuf bourguignon ou d'une andouillette braisée et d'un dessert maison. Belle carte des vins et service rapide.

|●| *Au Fil du Zinc :* 18, rue des Moulins. ☎ 03-86-33-96-39. ● *aufilduzinc@orange.fr* ● Tlj sf mar-mer. Formule 32 € ; menus-dégustation 45-60 €. Résa souhaitée. Une des adresses les plus « zin-zinc » du moment, née de la rencontre d'un jeune chef japonais bourré de talent, Ryo Nagahama, et d'un fou du vin bien connu des locaux. Fabien, originaire d'Irancy, a eu du nez pour trouver la formule qui manquait dans cette ville chic. Laissez-le vous guider. Au comptoir, en salle ou en terrasse, on se fait plaisir, autour de plats qui ont la précision asiatique et le goût du terroir.

Service qui ne reste jamais les deux pieds dans le même tonneau.

De chic à plus chic

🛏 *Chambres d'hôtes du Moulin des Roches :* chez Anne et Thierry Grandet. 📱 06-73-20-80-50. ● chablis-mai sondumoulindesroches.fr ● *Prendre la route du camping, après le pont. Double 125 €.* 📶 Un peu à l'écart de Chablis, au bord du Serein, le *Moulin des Roches* est un havre de paix. Ses propriétaires logent dans le moulin même et vous laissent partager avec d'autres hôtes la maison de maître 1900 à l'entrée. Jolies chambres pour les amoureux sous les combles ou grandes chambres familiales au 1er étage.

🛏 *Hôtel Bergerand, Les Vignes de Sarah :* 4, rue des Moulins. ☎ 03-86-18-96-08. ● contact@bergerand.com ● les-vignes-de-sarah.com ● ♿ Doubles 68-148 €. Parking payant. 📶 Un *Bed & Breakfast* très couru par les nombreux Anglo-Saxons qui viennent réguliè-rement ici faire une cure de chablis. De belles chambres, fraîches, printa-nières et colorées, où le confort est au rendez-vous, même si elles sont de taille inégale.

🛏 |●| *Hostellerie des Clos :* 18, rue Jules-Rathier. ☎ 03-86-42-10-63. ● contact@hostellerie-des-clos.fr ● hostellerie-des-clos.fr ● ♿ Doubles confortables 74-106 € ; Menus 52-96 € ; formules en sem. 📶 Dans cet ancien hôtel-Dieu et sa chapelle, fréquentés par une clientèle internationale, la famille Vignaud donne l'exemple d'une hôtellerie traditionnelle sachant se renouveler. Les pièces de réception, la salle à manger comme les chambres ont été rénovées avec soin, mariant confort, fonctionnalité et harmonie. Et que dire du récent spa ? La table gastronomique jouit d'une excellente réputation !

Où dormir ? Où manger dans les environs ?

Voir aussi nos bonnes adresses dans les villages vignerons, entre Auxerre et Chablis.

🛏 *Chambres d'hôtes La Marmotte :* chez Élisabeth et Gilles Lecolle, 2, rue de l'École, 89700 **Collan.** ☎ 03-86-55-26-44. ● lamarmotte.glecolle@orange. fr ● *À 6 km au nord-est de Chablis ; dans le village. Double 60 €.* 📶 Une belle et grosse maison au cœur de ce village sur les hauteurs de Chablis qui accueille depuis 30 ans les hôtes de passage. Autant dire que les Lecolle ont de l'expérience. Les 3 chambres au papier fleuri et aux poutres colorées sont simples mais agréables. Grande salle de petit déj et superbe jardin fleuri. 2 gîtes en complément, situés sur le GR 654. Les animaux ne sont pas admis.

🛏 |●| *Le Relais Saint-Vincent :* 14, Grande-Rue, 89144 **Ligny-le-Châtel.** ☎ 03-86-47-53-38. ● contact@relais-saint-vincent.fr ● relais-saint-vincent. fr ● ♿ À 11 km de Chablis ; en centre-ville. Doubles à partir de 69 €. Menus 16,50-38 €. 📶 Apéritif maison offert sur présentation de ce guide. Dans cette rue et ce village d'un autre âge, une ancienne maison à colombages du XVIIe s, résidence du bailli de Ligny, aménagée avec goût, confortable et propre. Au resto, une bonne et tradi-tionnelle cuisine de terroir qui rassure par son authenticité. Terrasse fleurie, au calme dans la cour.

|●| *Auberge du Bief :* 2, av. de Chablis, 89144 **Ligny-le-Châtel.** ☎ 03-86-47-43-42. ● aubergedubief@ orange.fr ● À 11 km de Chablis ; à côté de l'église, le long du Serein. Ouv midi slt, tlj sf lun. Congés : 2 premières sem de janv et 2de quinzaine d'août. Menus 20-45 €. Parking à proximité. L'une des adresses que les gens du pays aiment fréquenter, depuis plus de 35 ans, surtout le dimanche midi. Il n'y a pas trop de place dans la grande salle à l'élégante mise de table, alors il faut arriver de bonne heure ou réser-ver. À moins que l'on ne vous trouve encore une petite table en terrasse... La cuisine maison, bien présentée, est raffinée. Accueil simple, charmant et souriant.

L'YONNE

Où acheter de bons produits ?

❀ **Boulangerie-pâtisserie Body :** *21, rue du Maréchal-de-Lattre-de-Tassigny.* ☎ *03-86-42-12-78. Tlj sf lun. Congés : fin août-début sept.* Faites provision ici de duchés, ces petits biscuits que l'on déguste avec un verre de chablis (certains vont même jusqu'à le tremper dedans !).

❀ **La Maison de l'Andouillette :** *3 bis, pl. du Général-de-Gaulle.* ☎ *03-86-42-12-82. Tlj.* Pour la route, achetez ici andouillettes au chablis, andouille au marc, terrine d'andouillette, jambon persillé, fromages locaux affinés au chablis. Accueil féminin et souriant.

❀ **Charcuterie Colin :** *3, pl. du Général-de-Gaulle.* ☎ *03-86-42-10-62. Tlj sf lun.* Tout à côté de la précédente, et souvent la préférée des locaux, car l'andouillette ici est plus aromatisée et moins grasse. Comme tout est affaire de goût, achetez-en dans les 2 boutiques, et dégustez à l'apéro, car l'andouillette au chablis peut très bien se manger froide.

Où déguster et acheter du chablis ?

❀ **La Cave du Connaisseur :** *6, rue des Moulins.* ☎ *03-86-42-48-36. En centre-ville. Tlj 10h-18h (19h juil-août).* Une cave bien fraîche. L'accueil est pédagogique, historique et familial. On pourra découvrir à quoi ressemble une feuillette et goûter les vins dans le petit salon voûté. Visite de vignoble commentée sur réservation (payant).

❀ **La Chablisienne :** *8, bd Pasteur.* ☎ *03-86-42-89-98.* ● *chablisienne. com* ● *En sortie de ville, route de Vézelay. Tlj 9h-12h30, 14h-19h ; en été, sans interruption.* Cette coopérative possède 1 100 ha sur Chablis (un tiers du territoire). Créée en 1923 pour faire face aux épidémies (l'union fait la force !), elle représente aujourd'hui plus de 300 adhérents-producteurs et les 4 AOC de Chablis (la seule à faire le grand cru Château Grenouilles). Petites expos, espace vidéo, hôtesses compétentes incollables sur la vinification ou les verres INAO, et dégustation.

❀ **Domaine des Temps Perdus :** *Clotilde Davenne, 3, rue de Chantemerle, à Préhy.* ☎ *03-86-41-46-05.* ▤ *06-83-06-07-14.* ● *clotildedavenne. fr* ● *Lun-ven 9h-12h, 13h30-17h30 ; sam 9h30-12h30, 14h-18h.* Domaine (8,5 ha) proposant une belle gamme en blanc (chablis, saint-bris...) et en rouge (côtes-d'auxerre). Prix sages, accueil charmant. Dégustation en perspective. Propose également des chambres d'hôtes et un gîte.

À voir

🕯 **La collégiale Saint-Martin :** *messe dim à 11h15. Visite guidée sur résa à l'office de tourisme.* Édifiée au XIIIe s, mais la flèche date du XIXe s. Célèbre pour son portail latéral roman recouvert de fers à cheval. Au Moyen Âge, les pèlerins (saint Martin est le patron des voyageurs) les clouaient pour implorer la guérison de leurs montures. À l'intérieur, intéressants chapiteaux.

LUMIÈRE DIVINE

Une curiosité pour les spécialistes : les bâtisseurs de la collégiale Saint-Martin, qui mêlaient souvent le mystique à l'architecture, ont œuvré pour que lors du solstice d'été (21 juin) la lumière vienne illuminer l'agneau sculpté sur la face arrière de l'autel (de 9h à 9h15). À 10h, heure solaire, c'est le visage du Christ qui s'illumine à son tour sur l'autre côté de l'autel.

🍴 *La porte Noël :* deux tours du XVIIIᵉ s, édifiées à l'emplacement d'une ancienne porte de ville, lorsque Chablis était fortifié. Juste à côté, dans la rue des Juifs, au n° 6, une superbe fenêtre à meneaux. Au n° 10, une curieuse demeure Renaissance aux pierres disparates, appelée la « synagogue ». Expos temporaires.

🍴 *Le Petit Pontigny :* sur la route de Chichée (en droite ligne de la porte Noël). Ensemble de bâtisses médiévales où se tiennent toutes les fêtes et cérémonies du vin à Chablis. Dans la cour, impressionnant pressoir à abattage du XVIIᵉ s. Cellier du XIIᵉ s parfaitement aménagé.

À faire dans le vignoble

Infos à l'office de tourisme sur les maisons et domaines adhérents à la charte *De Vignes en Caves.*

– *E-Bike Winetour :* 1, av. Jean-Jaurès. ☎ 03-86-18-97-12. ● e-bikewinetours. com ● Un moyen original pour découvrir le Chablisien à vélo ou à scooter (7 parcours). Dégustation possible au gré des arrêts dans les domaines.

Fêtes et manifestations

– *Saint-Vincent tournante du Chablisien :* 1ᵉʳ w-e de fév. ● st-vincent-tournante. fr ● Grande fête vineuse autour du saint patron, avec une dégustation gratuite en échange de l'achat d'un verre. Passe d'un village à l'autre d'une année sur l'autre. Pittoresque et chaleureux !
– *Marché des vins de l'Yonne :* 1ᵉʳ sam de mai. Également un marché aux fleurs le même jour.
– *Grande fête des Vins de Chablis :* 4ᵉ w-e d'oct.

DANS LES ENVIRONS DE CHABLIS

La route touristique des vignobles de l'Yonne, à découvrir en voiture ou à vélo, traverse les villages du vignoble chablisien et mène jusqu'à l'abbaye cistercienne de Pontigny.

🍴 *Le musée de la Vigne et du Tire-bouchon :* 4, rue de l'Équerre, 89800 **Beines.** ☎ 03-86-42-43-76. ● chablis-geoffroy.com ● À 5 km à l'ouest de Chablis, sur la D 965. Lun-ven 8h-12h, 13h30-17h30. Fermé w-e et j. fériés. Entrée : 1,50 € (dégustation en supplément). Étonnante collection de 3 500 tire-bouchons du XVIIIᵉ s à nos jours, des prodiges d'ingéniosité ! On y observe aussi des bouchons aux sacrées trognes et tout un tas d'outils de la viticulture. Belle collection de taste-vin, ces coupelles en argent façonnées pour goûter les crus avec un côté pour les blancs et l'autre pour les rouges. Dégustation à la sortie (non obligatoire). Et si cela vous plaît, vous pourrez compléter ici votre cave !

🍴 *Le château de Béru :* 32, Grande-Rue, 89700 **Béru.** ☎ 03-86-75-90-43. ● chateaudeberu.com ● À 8 km à l'est de Chablis. De mi-avr à mi-nov, visites guidées à 11h et 16h ou sur rdv. Entrée : 10 € avec dégustation ; réduc. Sur place, chambres d'hôtes et bar à vins l'été. Propriété des comtes de Béru depuis le XVIᵉ s, la belle demeure domine le vignoble de Chablis. Avant de pouvoir déguster, on salue le cadran solaire et lunaire du XVᵉ s, on admire au passage la porte et la tour du XIIᵉ s et on photographie le colombier de 1 500 cases du XIIIᵉ s.

🍴🍴🍴 *L'abbaye de Pontigny :* programme de visites guidées et concerts au ☎ 03-86-47-54-99 et sur ● abbayedepontigny.com ● Avr, mer-dim 10h-18h ; maioct, tlj 9h-17h45 (abbatiale tlj 9h-19h) ; hors saison mer-dim 9h30-13h, 13h30-16h30 ; pas de visite pdt les offices religieux. GRATUIT. Tout juste si l'on remarque, à mi-chemin entre Chablis et Saint-Florentin et à l'orée d'un village qu'on imaginerait volontiers sans histoire, la plus grande abbaye cistercienne de France. Construite en 1114, elle est la deuxième « fille » de Cîteaux. Paradoxalement, c'est peut-être aussi la moins connue. Au Moyen Âge, les archevêques de Canterbury (Thomas Beckett, Étienne Langton et Edmond Rich, futur saint Edme, qui repose sur place), persécutés en Angleterre, y trouvèrent refuge. En 1906, après la séparation des Églises et de l'État, l'abbaye de Pontigny fut vendue au professeur et essayiste Paul Desjardins, dont les entretiens de Pontigny (les *Décades*) réunirent pendant 30 ans les grands noms de la littérature européenne : Bachelard, Curtius, Malraux, Thomas Mann, Gide, T. S. Eliott ou Mauriac.

Une majestueuse allée de tilleuls mène à un porche d'entrée dont la sobriété laisse auguer de ce que l'on va découvrir à l'intérieur. La plus vaste abbatiale cistercienne encore intacte de nos jours offre un vaisseau d'une grande ampleur (108 m de long, on n'est pas loin des dimensions de Notre-Dame de Paris !) qui paraît d'autant plus immense qu'il est presque vide. Ici, comme le veut la règle de l'ordre, rien ne doit être « vain superflu ». Aucun vitrail coloré, presque aucune statue ne distrait de la prière et la belle pierre blanche de Bourgogne accentue encore cette impression de pureté et de lumière. À l'intérieur de la clôture du chœur (installée au XVIIe s) une centaine de stalles en chêne sculpté. Le chœur, construit en dernier (fin du XIIe s), démontre la maîtrise du gothique. Son déambulatoire est rythmé par de fines ogives en étoile. Dans le transept droit, vénérée Vierge de Miséricorde du XVIe s.

En sortant, gagnez le fond du cimetière pour avoir une vue d'ensemble de l'harmonieux chevet. Librairie spécialisée sur place.

🏃 *La grange de Beauvais* : rue de la Mairie, 89230 *Venouse*. ☎ 03-86-53-06-09. ● grangedebeauvais.org ● *À 3 km à l'ouest de Pontigny. Visite libre juil-sept, sam 14h-18h.* Dans un site encore intact dominant la vallée du Serein et l'abbaye, cette dépendance de l'abbaye cistercienne de Pontigny fut directement exploitée jusqu'au XIVe s par des frères convers, puis par des fermiers jusqu'à la Révolution. Vendu en avril 1791 comme bien national, le domaine a conservé sa vocation agricole et pastorale jusqu'en 1995. L'association Grange de Beauvais a entrepris sa restauration et propose des animations ponctuelles. Elle a en projet de créer sur un arpent un conservatoire des cépages.

– On recommande le sentier pédestre entre la grange de Beauvais et l'abbaye de Pontigny (4 km).

LE CANAL DE BOURGOGNE, DE SAINT-FLORENTIN À ANCY-LE-FRANC

Florentinois, Tonnerrois, des noms d'hier pour un pays que l'on se contente souvent de traverser, pour rejoindre Troyes ou la région parisienne. Ce pays vallonné court le long des deux rives de l'Armançon et du canal de Bourgogne, d'Aisy au sud jusqu'à Flogny et Saint-Florentin au nord. À la fois terre viticole (on plantait déjà des vignes au XIe s), avec les bourgognes de Tonnerre (exclusivement blanc) et les bourgognes d'Épineuil (rouge ou rosé), et pays de fromages (soumaintrain, saint-florentin), le Tonnerrois reste la partie Renaissance du département, avec des châteaux de l'époque ou d'anciens lavoirs ponctuant cette campagne qui sent bon la Bourgogne éternelle...

SAINT-FLORENTIN   (89600)   4 730 hab.   *Carte Yonne, C2*

Cette petite ville blottie contre une butte qui la protège des vents du nord tient son nom des reliques de saint Florentin, qui furent apportées en 833. Quelques vieilles maisons dominées par une église aux exceptionnels vitraux, une fontaine aux Dragons, un jardin de l'Octroi, une tour des Cloches, un pont-canal à 5 arches comme il n'en existe que deux en France... Les vrais amateurs de fromage de vache dégusteront sur place le fameux saint-florentin (pour le transporter, mieux vaut être équipé !). Et les curieux iront explorer lavoirs, clochers et calvaires dans les environs à moins d'opter pour la balade le long du chemin de halage et le grand marché du lundi.

L'YONNE

Adresse et info utiles

🛈 *Office de tourisme Serein et Armance :* 8, rue de la Terrasse. ☎ 03-86-35-11-86. ● saint-florentin-tourisme.fr ● *Lun-sam 9h30-12h30, 14h-18h, plus dim 10h30-12h30 de mi-juin à mi-sept.* Propose des visites guidées (payantes) de la ville et de l'église en été, des balades accompagnées, des flâneries et des apéros-concerts dans les villages environnants en été.
– *Marchés : sam mat sous la halle (marché alimentaire) et lun en centre-ville (grand marché).*

Où dormir ? Où manger ?

⚐ *Camping de l'Armançon :* RN 77. ☎ 03-86-35-08-13. ● info@camping-saint-florentin.fr ● camping-saint-florentin.fr ● ♿ *Entre rivière et plan d'eau, à l'entrée de la ville, sur la N 77. Avr-oct.* Forfaits tente pour 2 env 14-16 €. Bivouacs 175-266 €/sem, nuitée possible. 100 empl. Possibilité de pêcher (plan d'eau). Aire de jeux pour les enfants, terrain de pétanque et boutique de ravitaillement. Soirées d'animation en saison.
🛏 ❘●❘ *Les Tilleuls :* 3, rue Décourtive. ☎ 03-86-35-09-09. ● lestilleuls. stflorentin@wanadoo.fr ● hotel-les-tilleuls.com ● *Doubles env 71-82 €. Menus 19-40 € (déj en sem), puis 36-40 € soirs, w-e et j. fériés ; carte env 45 €.* 📶 À deux pas du centre et dans une rue paisible, cet établissement fut un dortoir des capucins en 1635. Chambres confortables un peu désuètes mais bien équipées. Une jolie terrasse bordée d'un jardin permet de déjeuner au calme, à l'ombre des tilleuls ! Belle carte côté mets comme côté vins. Service agréable.

À voir

🎭 *L'église : sam-dim 15h-19h pdt l'été. Sinon, clé à l'office de tourisme. Concerts d'orgue en été ven soir.* Cette monumentale église Renaissance pour une aussi petite ville aurait pu être encore plus vaste. Édifiée du XVe au XVIIe s, en fait, elle ne fut jamais achevée. Comme l'affiche sa silhouette ramassée, il lui manque... la nef ! À l'intérieur, les ateliers des écoles champenoise et troyenne de la Renaissance s'en sont donné à cœur joie. Son jubé à triple arcature cintré d'une ordonnance très pure qui sépare le chœur du transept est un des sept répertoriés en France. Sur le côté droit, notez une statue célèbre Ecce Homo, montrant un homme debout. Dans le chœur, au-dessus du maître-autel,

L'YONNE

expressives statues équestres de saint Florentin et saint Martin (le premier patron de l'église). Si la statuaire est remarquable et foisonnante, les verrières aux couleurs éclatantes sont exceptionnelles. Dans la deuxième chapelle sur la gauche, trois vitraux de 1529, représentant *L'Apocalypse, La Nativité et la légende de Saint-Jean-Baptiste,* inspirés de dessins de Dürer sont d'une extrême précision de détails. Ne pas manquer aussi *La Création du monde* (original, car se lit à l'envers, de haut en bas) dans le déambulatoire, derrière le maître-autel (1525).

🏃🏃 *Le pont-canal :* à 100 m à pied du port de plaisance. Moins spectaculaire que celui de Briare, mais intéressant. Port de plaisance équipé et chemin de halage du canal de Bourgogne accessible aux VTT et VTC.

🏃 *Le musée du Florentinois :* av. du Général-Leclerc (entrée rue Gallimard). Lun-jeu et w-e, 14h-17h. Entrée : 4 € ; réduc. L'histoire de la ville, de l'époque gallo-romaine au XXe s. Expos temporaires.

🏃 *La fontaine :* pl. des Fontaines. Remplace une fontaine Renaissance démolie en 1859, mais les dragons de bronze d'origine ont été heureusement repris.

🏃 *Le panorama du Prieuré :* en contrebas de la Grande-Rue, on accède à des escaliers qui permettent de monter à la promenade du Prieuré. De là, on jouit d'une vue très photogénique sur la ville, avec la tour des cloches, unique vestige des murailles détruites, la cascade des toits de tuile et l'église blanche à son faîte, mais aussi la campagne alentour.

DANS LES ENVIRONS DE SAINT-FLORENTIN

🏃 *La ronde des Gaulois :* randonnée balisée d'une douzaine de kilomètres au départ de l'office de tourisme. Également d'autres circuits, de 6 à 12 km.

🏃 🏃 *La réserve ornithologique de Bas-Rebourseaux :* ☎ 03-86-48-31-94. Par la D 43, traverser Vergigny ; après le hameau de Bas-Rebourseaux, prendre le chemin d'accès à la réserve (2 km) et suivre les panneaux. GRATUIT. Prévoir un pique-nique. Sur une ancienne gravière de 20 ha, réserve d'oiseaux d'eau mais aussi de rapaces. Parcours découverte de 1 km et observatoire. Permanence les 1er et 3e dimanches après-midi de chaque mois. Possibilité de sortie initiation ; se renseigner pour connaître les dates et réserver à la Ligue pour la protection des oiseaux (même numéro).

🏃 *Seignelay (89250) :* à 18 km au sud-ouest de Saint-Florentin. Le grand argentier de Louis XIV, Colbert, acquiert en 1658 le château de Seignelay. Il devint le premier marquis de Seignelay et apporta des aménagements à sa propriété, réalisés par l'architecte du Louvre, Le Vau. Le Roi-Soleil passa même pour une chasse, mais le domaine fut détruit à la Révolution, et on utilisa les matériaux pour paver les rues de Joigny. Seul héritage du grand homme, les très belles halles en bois.

🏃 *Brienon-sur-Armançon (89210) :* à 8 km à l'ouest de Saint-Florentin. C'est une petite ville agréable pour une rapide balade autour de ses lavoirs restaurés et de sa collégiale Saint-Loup du XVIe s. Port de plaisance bien équipé.

TONNERRE   (89700)   5 440 hab.   *Carte Yonne, C2*

La ville dégringole d'un amphithéâtre de collines jusqu'à la rive gauche de l'Armançon. Au-dessous de l'église Saint-Pierre, les ruelles s'enchaînent,

dans cette cité tranquille. Ravagée par un incendie au XVIe s, cette ville classée d'art et d'histoire a conservé peu de monuments anciens mais mérite une halte pour deux d'entre eux : son exceptionnel hôtel-Dieu et son intrigante fosse Dionne. On aura plaisir aussi à se promener dans ses parcs arborés et son joli mail face à la gare.

UN CHEVALIER DU TONNERRE !

Tonnerre est la ville natale du célèbre chevalier d'Éon, l'espion au service de Louis XV, qui parcourait l'Europe sous diverses identités. Le chevalier se vit imposer le costume féminin jusqu'à la fin de ses jours par Louis XVI, mais l'autopsie post mortem révéla qu'il s'agissait bien d'un homme.

Adresse et info utiles

🏠 *Office de tourisme du Tonnerrois :* pl. Marguerite-de-Bourgogne. ☎ 03-86-55-14-48. ● tonnerrois.fr ● *Dans le cellier de l'hôtel-Dieu. Avr-oct, tlj 10h-12h, 14h-18h ; juil-août, 10h-18h30 ; nov-mars, mer-sam 10h-12h, 14h-17h.* Accueil souriant et dynamique dans ce bel office. Propose un guide (payant) pour une visite de la ville et du centre ancien. Balade à télécharger gratuitement sur ● guidigo.com ● sous le nom « châteaux Renaissance en Tonnerrois » ou sur le site ● tonnerrois.fr ● Location de vélos sur place.
– *Marché :* mer et sam. Très beau marché couvert.

Où dormir ? Où manger ?

Camping

⛺ *Camping La Cascade :* av. Aristide-Briand. ☎ 03-86-55-15-44. ● cam pinglacascade1@orange.fr ● revea-vacances.fr ● ♿ *À 2 km du centre-ville, route d'Épineuil, à droite avt le canal. Avr-oct.* Forfaits tente 12-18 € selon saison. Hébergements locatifs 210-460 €/sem. 115 empl. Petit camping ombragé et tranquille, en bord de rivière et du canal. Location de mobile homes et de chalets. Piscine.

Bon marché

🍴 *Autour du Pressoir :* pl. Marguerite-de-Bourgogne. ☎ 03-86-54-81-05. *Tlj en saison, 10h-20h.* Assiette ou plat du jour env 10 €. Un lieu pour manger et déguster à tout moment de la journée. Passez par la boutique de produits régionaux, pour vous mettre en appétit avant de vous installer dans la salle au cachet ancien ou sur la terrasse face à l'hôtel-Dieu.

Prix moyens

🏠 *Chambres d'hôtes La Ferme de la Fosse Dionne :* chez M. et Mme Guillon, 11, rue de la Fosse-Dionne. ☎ 06-74-08-99-62. ● fossedionne@gmail.com ● ferme-fosse-dionne.fr ● ♿ *Résa conseillée en été.* Double 78 €. 🛜 Belle adresse cachée face au curieux site de la fosse Dionne, qui apporte sa fraîcheur. Dans cette ancienne ferme restaurée avec goût, les chambres colorées et meublées à l'ancienne offrent un cocon agréable. Accueil par un couple franco-russe qui aime sa ville.
🏠 🍴 *Chambres d'hôtes Caroline's :* chez Mme Poss, 111, rue du Général-Campenon. ☎ 03-86-55-26-32. ● contact@carolines.fr ● carolines. fr ● ♿ *Suivre la direction de la fosse Dionne ; dans une impasse à hauteur du nᵒ 111.* Doubles 75-80 €. Table d'hôtes 25 € (sur résa). 🛜 Au pied de la falaise, le site classé de l'ancienne ferme du XIXe s éclate au jour, au bout de la petite impasse. Restauration à

L'YONNE

l'ancienne, avec les matériaux récupérés, et petits bijoux de chambres. Mme Poss, souriante et cultivée, met à la disposition de ses hôtes 5 chambres et des jardins qui incitent à l'évasion, à la quiétude (chambre « Colette » cosy, avec son petit salon).

🍴 *Le Saint-Père :* 2, rue Georges-Pompidou. ☎ 03-86-55-12-84. ● res taurantlesaintpere@gmail.com ● Tlj sf mar soir-mer, plus le soir dim-lun et jeu hors saison. Congés : dernière sem d'août et 2 sem en déc. Menus 13,50 € (déj en sem), puis 25-37 €. Café offert sur présentation de ce guide. Une petite auberge de campagne toute tapissée de vigne vierge en pleine ville. Un comptoir pour les habitués, une salle d'un rustique achevé et une petite terrasse dans la cour. Bonne et régulière cuisine maison. Et savez-vous ce qu'est un « molafabophile » ? C'est le nom donné aux collectionneurs de moulins à café ; ici, vous serez servi. Le plus ancien exemplaire date de 1750.

Chic

🍴 ❦ *L'Abbaye :* chemin Saint-Michel. ☎ 03-86-54-87-16. ● labbaye@ yahoo.fr ● l-abbaye.fr ● Jeu-dim 11h-15h, 18h-minuit (4h sam). Soirées événements 1 fois/mois. Carte 40 €. Sur les hauteurs de Tonnerre, dans cette ancienne abbaye, les vieilles pierres cisterciennes, les voûtes du XIIIᵉ s, le patio intérieur sont magnifiés par une décoration très parisienne, style *lounge* branché. Impeccable pour siroter un cocktail, grignoter des tapas, savourer des plats épurés ou faire la fête entre amis avec DJ (certains soirs).

Où dormir dans les environs ?

🏠 🍴 *Chambres d'hôtes Les Champs Mélisey :* chez Dominique et Henri Ogier, 1, rue Basse, 89430 *Mélisey.* ☎ 03-86-75-73-20. ● champsmelisey@me.com ● champsmelisey.com ● À 10 km de Tonnerre. Double 80 €. Table d'hôtes 30 €, vin compris. 🛜 Une maison de maître du XIXᵉ s bien dans l'esprit de la région, transformée en résidence d'artistes... et en résidence tout simplement, aux beaux jours. Chambres raffinées un brin champêtres ou exotiques. Petit déj servi à la belle saison dans la roseraie. Ou devant la cheminée...

Où acheter du vin et de bons produits ?

🍯 *Pâtisserie-chocolaterie La Tentation :* 51, rue de l'Hôpital. ☎ 03-86-55-02-05. Tlj sf lun-mar. Face à l'office de tourisme, allez découvrir le chaource, la spécialité de Tonnerre, un gâteau à base de crème et de génoise, léger et délicieux.

🍯 *Autour du Pressoir :* chez Chantal Prieur, pl. Marguerite-de-Bourgogne. ☎ 03-86-54-81-05. Une boutique de produits régionaux très bien choisis avec une terrasse où l'on peut les déguster à tout moment de la journée (voir « Où manger ? »).

🍯 *Domaine de l'Abbaye du Petit Quincy :* rue du Clos-de-Quincy, 89700 *Épineuil* (à 2 km au nord de Tonnerre). ☎ 03-86-55-32-51. ● bour gognevin.com ● 🅰 À l'entrée du village, rue des Fossés (à gauche) ; suivre les panneaux. Tlj. Dégustation, visite de chais et vente. Idéal pour découvrir les vins rouges, mais aussi les rosés d'Épineuil.

À voir

🏛️ *L'hôtel-Dieu Notre-Dame-des-Fontenilles* (vieil hôpital) **:** entrée par l'office de tourisme. ☎ 03-86-55-14-48. 🅰 De mi-avr à mi-oct, lun-sam 10h-12h, 14h-18h (18h30 juil-août) ; dim et j. fériés 10h-12h, 14h-18h. Hors saison, fermé mer, dim et j. fériés. Dernière visite 30 mn avt fermeture. Entrée : 5,50 € en visite libre ;

réduc ; gratuit moins de 10 ans. Compter 45 mn de visite. Fermeture exceptionnelle le w-e de Pâques et le dernier w-e de sept. C'est l'un des plus anciens hôpitaux d'Europe puisque sa fondation remonte à 1293 ! Il est né de la charité de Marguerite de Bourgogne, comtesse de Tonnerre, veuve de Charles d'Anjou, roi de Naples, de Sicile et de Jérusalem, et par ailleurs frère de Saint Louis. Prévoyante, la noble dame la dota, par voie testamentaire, de vignes et de bois alentour assurant ainsi son autonomie financière. Aujourd'hui encore, elle appartient à l'hôpital de Tonnerre. Dans la grande salle des malades, la voûte en berceau soutenue par une superbe charpente en bois domine de 18 m la longue et lumineuse salle (90 m de longueur) où étaient installés les lits des malades répartis en 42 chambres. Remarquez sur le dallage un « gnomon », instrument astronomique que la lumière d'une des fenêtres vient frapper quand le soleil est à son zénith. On trouve le midi solaire à 13h44 en été, à 12h44 en hiver. Dans la chapelle, *Mise au tombeau* du XVe s (une des plus anciennes d'Europe), bourguignonne mais d'inspiration flamande. À l'étage, le **Musée hospitalier** évoque l'histoire de cet hôpital : du manuscrit original de la charte de fondation de l'hôtel-Dieu à la reconstitution d'un bloc opératoire de l'hôpital de Tonnerre au début du XXe s.

¶ **L'hôtel d'Uzès :** *rue des Fontenilles (perpendiculaire à celle de l'hôtel-Dieu).* Petit et raffiné hôtel particulier Renaissance : tourelle à encoignure, délicates frises sculptées... Édifié, semble-t-il, dans la seconde moitié du XVIe s, restauré au XIXe. Le fameux chevalier d'Éon y est né en 1728...

¶¶ **La fosse Dionne :** *prendre la rue en face de l'hôtel-Dieu, puis à gauche.* La « curiosité » tonnerroise par excellence qui attira ici même le commandant Cousteau ! Alimenté par une source mystérieuse, ce bassin circulaire du XVIIIe s est rempli d'une merveilleuse eau turquoise. C'est le père du chevalier d'Éon, Louis d'Éon, maire de Tonnerre, qui le fit aménager de la sorte. Avec son auvent et les vieilles maisons surélevées tout autour, en voie de restauration, charme et pittoresque garantis, si le temps s'y prête !

¶ **L'église Notre-Dame :** elle a souffert mille maux à travers les siècles jusqu'aux bombardements de la Seconde Guerre mondiale. Maintes fois reconstruite depuis sa fondation en 1164, elle affiche un portail Renaissance et une tour du XVIIe s. Elle permet une agréable montée dans le bourg (elle avait pour vocation première d'accueillir les pèlerins en route vers Vézelay).

¶¶ **Le musée du Chevalier d'Éon :** *22, rue du Pont.* ☎ 06-86-37-25-63. *Pâques-11 nov et vac scol, tlj sf mer 10h-19h. Visites guidées sur rdv. Entrée : 8 € ; réduc ; gratuit moins de 15 ans. Salon de thé.* L'espion de Louis XV recruté pour le cabinet noir est aujourd'hui considéré comme une véritable icône dans la communauté LGBT. Son descendant, Philippe Luyt, passionné par ce sort romanesque en diable, s'efforce de lui rendre hommage, après avoir racheté la maison bâtie par le père du chevalier d'Éon. La propriété, avec ses dépendances, s'étend jusqu'aux rives de l'Armançon mais a été amputée par la voie de chemin de fer Paris-Lyon-Marseille. Depuis sa première acquisition à 15 ans (une épée vendue en salle des ventes à Fontainebleau), il a rassemblé quelque 250 objets dont une robe offerte par Marie-Antoinette ! Autant dire qu'une visite guidée avec ce Cicéron érudit, ancien journaliste et adjoint aux Monuments historiques est passionnante ! Vous revivrez, par l'image et par le verbe, la vie étonnante de ce chevalier (ou plutôt de cette chevalière, entre 1779 et 1786) qui recevait ses hôtes illustres dans le grand salon du rez-de-chaussée ou dans sa salle à manger d'été. Pourquoi se déguisait-il en fille ? Tout simplement parce que le tsar de Russie emprisonnait tous les ambassadeurs qui étaient tous des hommes ! Et pour prolonger ce délicieux moment, vous pourrez prendre un thé au salon.

¶ **L'église Saint-Pierre :** *un escalier y grimpe depuis la fosse Dionne par le chemin des Roches. Fin avr-fin sept, tlj 14h30-17h30.* Bâtie sur un promontoire offrant un joli panorama sur la ville et les environs, elle possède un

L'YONNE

superbe portail Renaissance d'inspiration italienne, un très bel orgue Renaissance, des verrières en grisaille de l'école troyenne et une magnifique chaire sculptée en chêne massif (XVIIe s).

DANS LES ENVIRONS DE TONNERRE

᛫᛫᛫ **Le château de Tanlay :** *à 9 km à l'est de Tonnerre sur la D 965. ☎ 03-86-75-70-61. ● chateaudetanlay.fr ● Début avr-début nov, tlj sf mar (ouv j. fériés). Pour l'intérieur du château, visite guidée obligatoire (50 mn), à 10h, 11h30, 14h15, 15h15, 16h15 et 17h15. Entrée : 10 € ; réduc. Visite du parc (9h45-18h30) gratuite.*
Un bijou Renaissance au cœur d'un charmant village. Derrière l'élégant portail à l'appareillage de pierres sculptées, la cour d'honneur présente de belles proportions. À gauche, deux obélisques, excentriques guérites des gardes, encadrent le pont menant au monumental portail d'entrée. Avec ses douves en eau et ses murs très blancs, le château a un air de petit Chambord, même si ses tours sont coiffées d'hémisphères à l'impériale ! C'est la famille Coligny qui le fit construire, et le célèbre amiral y séjourna fréquemment. Depuis trois siècles, le château appartient à la famille du marquis de Tanlay.
On découvre d'abord la **salle des trophées** (de chasse) avec les bois de la dernière chasse à courre, en 1931. Dans le **vestibule,** dit « des Césars » (nombreux bustes d'empereurs romains), superbe grille en fer forgé du XVIe s, vestige de l'abbaye voisine de Quincy.
Le **grand salon** est très richement meublé. Les fauteuils Louis XV sont couverts de tapisseries d'Aubusson illustrant les *Fables* de La Fontaine. Sur les commodes, photos de souverains étrangers dédicacées (dont la reine des Pays-Bas, Juliana, descendante des Coligny) au comte de La Chauvinière, qui joua un rôle important dans la diplomatie française. Dans la salle à manger, une jolie porcelaine de Meissen est posée sur la table, tandis que dans un salon de compagnie, une coiffeuse vénitienne décorée de scènes de chasse est destinée à la gent masculine. Les peintures en trompe l'œil font vraiment illusion dans la grande galerie, mais ce qui surprend le plus dans ce parcours exceptionnel, c'est sans doute l'étonnant décor peint du XVIe s ornant la voûte de la tour de la Ligue. On y voit des divinités mythologiques, représentant les principaux chefs des catholiques et protestants, se disputant les faveurs de la monarchie...
– Ne pas manquer, en été, d'aller faire un tour dans les communs du château pour découvrir l'exposition d'art contemporain (☎ 03-86-55-72-42 ; juin-oct, tlj sf mar 13h-18h ; entrée : 2 €, réduc) dont le thème change chaque année.

᛫᛫ **L'abbaye Notre-Dame de Quincy :** *à quelques mn de Tanlay, sur la route de Quincy-Commissey. ☎ 03-86-75-87-03. ● abbayedequincy@wanadoo.fr ● Visites guidées juil-Journées du patrimoine mar-dim 10h-12h et 14h30-18h30. Visites groupées sur résa. Entrée : 8 € ; réduc.* Cette abbaye cistercienne, fondée en 1133, est la sixième « fille » de Pontigny. L'ensemble comprend hôtellerie, logis abbatial, bâtiments claustraux jusqu'à un moulin près de la fontaine Saint-Gaulthier. Celle-ci alimentait en eau potable les 200 à 250 moines et religieux qui vivaient ici à son apogée.

᛫ **Le château de Maulnes :** *hameau de Maulnes, à **Cruzy-le-Châtel**, parking sur la D 12. ☎ 03-86-72-84-77. ● maulnes.fr ● Ouv w-e de Pâques-dernier w-e de sept : tlj vac scol de printemps 14h-18h et d'été 10h30-12h,*

UN CHÂTEAU HAUT DE FORME

On ne trouve que très peu de bâtiments de forme pentagonale dans le monde, au point que le château de Maulnes attira même l'attention de Le Corbusier. Clemenceau, Aristide Briand, Karl Lagerfeld, passionnés par le chiffre 5, s'intéressèrent aussi aux lieux. On y tourna également certaines scènes de La Reine Margot, *avec Isabelle Adjani.*

14h-18h ; les autres mois, w-e et j. fériés slt, 14h-18h. Visite guidée ttes les heures. Entrée : 6 € ; réduc ; gratuit moins de 6 ans.

De loin, sa structure tout en hauteur pourrait se confondre avec un de ces silos qui parsèment la campagne de l'Yonne. De près, c'est une étrange bâtisse à nulle autre pareille, une insolence architecturale et une véritable énigme de la Renaissance. Unique en France, sa forme pentagonale, organisée autour d'un escalier-puits, ne cesse de susciter la curiosité et l'imagination. Le château fut commandé au XVIe s (1566 à 1573), au cœur de la forêt, dans un jeu subtil de lumière et d'eau, par le duc d'Uzès et la comtesse de Tonnerre pour en faire un relais de chasse. Complètement délaissé depuis un siècle, il a été racheté par le conseil général et a fait l'objet d'un programme de restauration et de recherche passionnant. En 1917, le général Pershing et tout son état-major installèrent leur QG dans le château. De là à imaginer que le gouvernement américain s'en inspira pour le Pentagone...

🦌 🚶 *La forêt des Géants Verts :* à *Argentenay* (89160), à 11 km au sud-est de Tonnerre sur la D 518. Un petit parcours fléché plein d'humour dans une forêt enchantée. Ici, poussent d'étranges créatures sylvestres et poétiques au pelage de mousse et becs en bois rouge ! Un enchantement ! D'ailleurs, cet esprit décalé se poursuit jusqu'à l'écluse du village, numérotée 87. Cette fois, ce sont des personnages et animaux en plats de fer blanc qui veillent sur le canal.

🦌 On pourra finir cette balade à l'est du Tonnerrois en rejoignant *Cruzy-le-Châtel,* charmant village médiéval perché, où l'église Saint-Barthélemy du XVIIIe s, à la façade d'un classicisme faussement sobre, a été réalisée par Claude-Nicolas Ledoux (l'une de ses rares réalisations encore intactes, avec la célèbre Saline d'Arc-et-Senans dans le Doubs). À noter aussi, le beau lavoir en contrebas du village.

L'YONNE

ANCY-LE-FRANC (89160) 1 090 hab. *Carte Yonne, D3*

Le long du canal de Bourgogne, le château d'Ancy représente certainement l'exemple de construction le plus parfait de la Renaissance italienne sur le territoire français. Un voyage à Rome ou à Florence en plein pays tonnerrois ? Pour le plaisir des yeux, le canton a mis en place le circuit des Lavoirs au départ d'Ancy, à l'écart des

> ## « ACCORDER SES FAVEURS »
>
> *À la Renaissance, les faveurs étaient des rubans de soie qui resserreraient les encolures des chemises de nuit. Quand la dame accordait (consentait) à ce que l'on délie ses faveurs, aussitôt la chemise tombait à ses pieds. Une expression à caractère torride !*

chemins touristiques. On n'en dénombre pas moins d'une petite trentaine dans un secteur de 30 km à la ronde (trois circuits disponibles gratuitement auprès des offices de tourisme). Les amateurs de VTT et de rando apprécieront aussi les nombreuses balades le long du canal de Bourgogne, vers Tonnerre au nord et vers Montbard au sud (brochure à disposition).

Adresse utile

🖼 *Office de tourisme Le Tonnerrois en Bourgogne :* 11, pl. Clermont-Tonnerre. ☎ 03-86-75-03-15. ● ton nerrois.fr ● Avr-oct, mar-sam 10h-12h, *14h-18h (juil-août, non-stop mer-dim) ; hors saison, jeu plus ven mat 10h-12h, 14h-17h.* Nombreuses brochures à disposition. Location de vélos.

L'YONNE

Où dormir ? Où manger ?

🏠 🍴 *Chambres d'hôtes et restaurant Au Petit Câlin* : 4, Grande-Rue, 89160 **Pacy-sur-Armançon**. ☎ 03-86-75-51-17. ● aupetitcalin@ wanadoo.fr ● aupetitcalin.com ● À 6 km au nord-ouest d'Ancy-le-Franc par la D 905 (direction Lézinnes), puis petite route à gauche ; indiqué dans le village. Doubles 65-79 €. Snacks le midi à partir de 10 €. Menus 20-30 € le soir. 📶 4 chambres, simples et correctes, dans l'ancienne grange, vaste et confortable. La cuisine est conviviale et sans prétention. Aux beaux jours, réservez sur la terrasse fleurie. Demandez à goûter les *bougnettes*, galettes de pomme de terre fondantes et maison, accompagnées d'une andouillette de Chablis ou d'une fondue bourguignonne.

À voir

🎖🎖🎖 *Le château* : 18, pl. Clermont-Tonnerre. ☎ 03-86-75-14-63. ● chateau-ancy. com ● De Pâques à mi-nov, tlj sf lun (hors j. fériés). Visite libre : juil-août, 10h30-18h (y compris lun ap-m) ; avr-juin et sept-nov, 10h30-12h30 et 14h-18h (17h oct-nov). Visite guidée (env 50 mn) à 10h30, 11h30, 14h, 15h et 16h, plus 17h avr-sept.

ÉLÉGANCE

À la Renaissance, on nouait une serviette autour du cou pour ne pas salir la grande collerette (appelée « fraise ») des convives. Quand la serviette était trop courte (par économie ?), on avait « du mal à joindre les deux bouts ». L'expression est restée.

Entrée : 9 € (10 € avec visite guidée) ; gratuit moins de 6 ans. Billet jumelé château et parc : 13 € ; réduc. Visite libre du parc 10h30-17h. Nombreuses animations tt au long de l'année. Enquête-jeu sur son smartphone. Audioguides.

Quelle divine surprise de découvrir dans cette petite ville tranquille du Tonnerrois un charmant coin d'Italie ! C'est en effet à l'Italien Sebastiano Serlio, l'architecte de Fontainebleau appelé par François Ier que la famille Clermont confia le plan de son aristocratique demeure. Édifié entre 1542 et 1550, c'est un des premiers châteaux conçus sur plan ! Après six générations de Clermont-Tonnerre, le château fut racheté par le ministre de la guerre de Louis XIV, Louvois. À nouveau vendu, il revient à la lignée des Clermont-Tonnerre qui s'en sépare en 1981. Depuis 1999, il est la propriété d'une société d'investissement qui poursuit ici une admirable œuvre de restauration.

La visite de ce bijou de la Renaissance se « limite » aux 16 pièces de l'étage « noble » et à une partie du rez-de-chaussée : 8 pièces supplémentaires depuis 2014.

Ne vous fiez pas à la façade d'un exemplaire dépouillement, symbolique d'une époque encore un rien troublée. La cour intérieure carrée, déjà, tient du palais, avec sa galerie à arcades ornée de pilastres corinthiens et son ordonnancement parfaitement symétrique. Et on ne vous a encore rien dit de la décoration intérieure, œuvre d'autres Italiens, Nicolo Dell'Abate et le Primatice.

Durant la visite du château d'Ancy, après avoir admiré la chapelle à l'étonnante voûte en trompe l'œil, vous traverserez une salle des gardes, qui fut spécialement conçue pour accueillir Henri III à son retour de Pologne, bien que l'ingrat changea finalement son itinéraire et ne mit jamais les pieds à Ancy-le-Franc. Ensuite, une enfilade de salons à la décoration fort bien conservée. Dans l'adorable *studiolo*, Mme de Sévigné aimait à venir papoter auprès de son amie, Mme de Louvois. Le salon bleu et or est l'un des plus fastueux ; il a accueilli Louis XIV ! Après la galerie de Médée aux réminiscences pompéiennes, chambre des arts, due au Primatice. C'est la presque secrète chapelle Sainte-Cécile qui au final se révèle notre pièce préférée avec ses somptueux trompe l'œil représentant les apôtres. Voir, juste après, les galeries de Pharsale, célèbres pour leurs fresques ocre ton sur ton. Retour au rez-de-chaussée dans l'appartement de Diane. Entièrement restaurés, les dix panneaux exécutés vers 1590 représentent des couples vêtus (ou dévêtus). Des lieux que vous pourrez retrouver, lors d'une visite « en liberté » avec audioguide, en tenue de campagne ou en costume Renaissance (ceux-ci sont à disposition pour les enfants durant la visite).

Flânez dans le parc après la visite du château. Un parc à l'anglaise avec étang, îlot et pavillon de plaisance (une petite folie du XVIIIe s), de jolis cours d'eau, des petits ponts, des arbres centenaires, des oies en goguette et des sculptures sages comme des images. L'été, l'orangerie accueille expositions, concerts et réceptions privées.

🏃 *La Faïencerie du château :* 59, Grande-Rue. ⚒ Avr-sept, tlj sf lun, 14h30-18h30 (se renseigner quand même avt auprès de l'office de tourisme). Entrée : 1 €. Compter 20 mn de découverte. Visite guidée sur demande. Dans d'anciens bâtiments du XVIIIe s. En quelques vitrines, toute l'histoire et les techniques de fabrication de la faïencerie du château, qui dura une vingtaine d'années, fondée par le marquis de Courtavaux, arrière-petit-fils de Louvois. Les pièces proviennent des fouilles effectuées sur place. Jolie scénographie dans de belles salles voûtées.

Manifestation

– *Musicancy :* mai-oct, une visite-concert ou conférence-concert/mois (durée : 2h). ☎ 03-86-75-03-15 (office de tourisme). ● musicancy.org ● L'étonnant palais Renaissance sert d'écrin à des concerts ou promenades musicales. Programmation très ouverte mettant à l'honneur des jeunes talents. Après-concert offert par un viticulteur de la région.

DE LA VALLÉE DU SEREIN AU CANAL DU NIVERNAIS

Au sud de Noyers-sur-Serein, la vallée du Serein vous permet de rejoindre Avallon en prenant le temps de vivre. Ensuite, rien ne vous empêche de repartir sur le Morvan, en suivant la délicieuse vallée du Cousin (voir plus haut « Le Morvan, parc naturel régional »). Sinon, une troisième vallée vous tend les bras, la vallée de la Cure, qui rejoint celle de l'Yonne, et vous ramène sur les bords du canal du Nivernais, que vous avez quitté à Clamecy, côté Nièvre.

NOYERS-SUR-SEREIN

(89310)   740 hab.   *Carte Yonne, C3*

Lovée dans une boucle du Serein, Noyers (que l'on prononce Noyère) ressemble à une apparition médiévale avec ses tours rondes, ses portes fortifiées,

L'YONNE

ses rues pavées, son chapelet de placettes et ses maisons à pans de bois. Labellisée à juste titre parmi les « Plus beaux villages de France », la jolie cité file des jours paisibles mais bien vivants, tout au long de la saison. Ses restaurants, galeries et musée, ateliers et boutiques, attirent touristes de passage et vacanciers.

DÉTOURNEMENT DE FONDS

Noyers est tombé dans l'oubli à cause d'une lubie de Louis XVI. La route royale qui passait par là a été déplacée afin de desservir le château de l'intendant de Paris, à qui le souverain souhaitait accorder une faveur. Tout le négoce fut donc dévié et les commerçants de la ville furent ruinés !

Adresse et info utiles

🛈 **Office de tourisme :** 12, pl. de l'Hôtel-de-Ville. ☎ 03-86-82-66-06. ● tourisme-serein.fr ● Juil-21 sept, mar-sam, plus dim mat 10h-13h, 14h-18h ; 22 sept-juin, mar-sam 9h30-13h, 14h-17h30. Organise d'intéressantes visites de la cité médiévale les jeudi et vendredi à 15h en juillet-août *(6,50 € ; gratuit moins de 10 ans)*. Sinon, visites guidées toute l'année sur rendez-vous à partir de 5 personnes.

Où dormir ? Où manger ?

Bon marché

|●| **Les Granges :** 7, promenade du Pré-de-l'Échelle. ☎ 03-86-55-45-91. ● les.granges.noyers@gmail.com ● Ven midi et soir, sam, dim et lun midi. Formules 16-21 €. Un lieu charmant. On s'installe dans la salle intérieure donnant sur un joli jardin ou dans la cour pavée pour déjeuner sur le pouce ou prendre un goûter. Bonnes pâtisseries genre Kalouga pour les gourmand(e)s.

|●| **Restaurant de la Vieille Tour :** 1, rue de la Porte-Peinte. ☎ 03-86-82-87-36. ♿ De mi-fév à mi-nov, fermé jeu et ven midi. Menus 20-25 €. En salle ou sur la grande terrasse, vous goûterez une cuisine familiale, parfois exotique, à base de légumes et d'herbes du jardin. Le chef est néerlandais, il a baroudé un peu partout, comme sa mère (qui s'occupe des *Chambres d'hôtes de la Vieille Tour*), et propose des assiettes végétariennes ou des plats qui ne trichent ni avec les saveurs, ni avec la quantité.

De prix moyens à chic

🏠 **Chambres d'hôtes Le Tabellion :** chez Rita Florin, 5, rue du Jeu-de-Paume. ☎ 03-86-82-62-26. ● florin.rita@wanadoo.fr ● noyers-tabellion.fr ● À l'ombre de l'église Notre-Dame. Début avr-déc. Double 95 €. 📶 L'ancien office notarial, sous la baguette magique de Rita, s'est métamorphosé en une maison d'hôtes pleine de couleurs, de recoins et de douceur. Du salon au jardin, vous pourrez en profiter ! Côté chambres, Rita a emporté de son Nord natal nombre de tissus et draps de lin brut (son père était un industriel dans le textile) ; vous dormirez donc bien, et le petit déj est un vrai bonheur.

|●| **Restaurant Les Millésimes – Maison Paillot :** 14, pl. de l'Hôtel-de-Ville. ☎ 03-86-82-82-16. ♿ Ouv le midi mar-dim et sam soir. Fermé dim soir-lun hors saison. Congés : début fév-début mars et fêtes de fin d'année. Menus 25-27 € et carte. Il n'y avait là, côté place, il y a quelques années, qu'une boucherie-charcuterie hors pair, dont la vocation était de devenir épicerie fine, traiteur, cave à vin, au meilleur des cas. Mais les enfants Paillot sont revenus de Londres ou d'ailleurs pour redonner une seconde jeunesse à leur père et à leur maison mère. Cuisine qui a du caractère, tout comme eux, présentée sous forme de buffet. Terrasse agréable dans la jolie impasse du Poids-du-Roi.

Où dormir ? Où manger dans les environs ?

Voir aussi plus loin nos bonnes adresses à Montréal et dans la vallée du Serein.

🛏 |●| *Auberge de la Beursaudière :* 9, chemin de Ronde, 89310 **Nitry.** ☎ 03-86-33-69-69. ● message@beursaudiere.com ● beursaudiere.com ● ♿. À 9 km au sud-ouest de Noyers par la D 49 ; prendre la route de Sacy (ou sortie A 6, Nitry). Résa conseillée. Doubles 85-125 €. Menus env 19 € (midi sf dim), puis à partir de 27,90 €. 📶 Très touristique, forcément, cette grande bâtisse morvandelle, avec son pigeonnier de style médiéval, plaît autant aux locaux qu'aux visiteurs en transit. Jolies chambres de style ancien et resto très couleur locale : serveuses en costume régional et cuisine de terroir.

Une grande terrasse permet de déjeuner ou de petit déjeuner dehors.
🛏 |●| *Chambres d'hôtes de la Vallée du Serein :* chez Pascal Gastebois, 35, Grande-Rue, 89310 **Annay-sur-Serein.** ☎ 03-86-82-63-98. ● valleeduserein@gmail.com ● valleeduserein.free.fr ● À 6 km au nord-ouest de Noyers par la D 86, direction Tonnerre ; prendre la 2e à gauche en quittant la D 86 ; à l'entrée du village, sur la droite. Double env 65 €. Table d'hôtes sur résa 22 €. Ici, pas de stress, on est là pour se reposer en terrasse, à lire un bon livre, à discuter avec Pascal ou à piquer une sieste dans l'une des jolies chambres patinées, à pans de bois et pierre ancienne. Agréable patio fleuri pour prendre le petit déj ou déguster la subtile cuisine « fusion » concoctée par vos hôtes.

Achats

🛍 *Un Monde dans le Monde :* 27, rue de la Petite-Étape-aux-Vins. ● unmondedanslemonde.fr ● Mer 10h30-12h30 et w-e 10h30-12h30, 15h-18h30. Sylvain Gillot est « agrisculpteur » qui vend ses œuvres en bois ou en bronze mais aussi de nombreux vêtements fabriqués avec la laine de ses moutons.
🛍 *La Porte Peinte :* 8, rue de la Porte-Peinte. Mai-déc, tlj sf lun. Ravissante galerie doublée d'un salon de thé pour découvrir de jeunes artistes venus des quatre coins de la planète.

À voir

🎥 *Les maisons anciennes :* on recense 52 maisons à colombages à Noyers. Autour de la *place de l'Hôtel-de-Ville,* jolies maisons des XVe et XVIe s, notamment la *Maison de l'Écrit* (anciennement *maison du Schématisme*) au n° 10, sorte de tour de Pise du village. Certaines possèdent encore des arcades, mode de construction très utilisé au Moyen Âge pour se protéger des intem-

LE BLASPHÈME EST AU COIN DE LA RUE

Au Moyen Âge, les passants avaient la fâcheuse habitude d'uriner sur les murs. Certains propriétaires peignaient des croix au bas de leur maison. Les blasphémateurs étaient alors punissables du pilori. Heureuse époque !

péries. D'autres maisons anciennes place du Marché-au-Blé, une intéressante place triangulaire, mais aussi place de la Petite-Étape-aux-Vins, place du Grenier-à-Sel, place de la Madeleine, etc.

🎥 *L'église :* du XVIe s. D'un gothique flamboyant. Sur le côté, porche en accolade, bénitier extérieur et curieux transis sculpté dans le mur. Autre curiosité, la Vierge à l'Enfant.

L'YONNE

🏃🏃 **Le musée des Arts naïfs et populaires de Noyers :** *25, rue de l'Église.* ☎ *03-86-82-89-09.* ● *musee-de-noyers@wanadoo.fr* ● *tourisme-serein.fr* ● *Oct-mai, w-e, j. fériés et vac scol ttes zones, tlj sf mar, 14h30-18h ; juin et sept, tlj sf mar 11h-12h30, 14h-18h ; juil-août, tlj sf mar 10h-18h30. Fermé janv. Entrée : 4 € ; gratuit moins de 11 ans.* Installé dans un ancien collège (XVIIᵉ s), ce petit musée privé est un véritable trésor, une caverne d'Ali Baba pour tous ceux qui s'intéressent tant aux arts populaires qu'à l'art naïf. Il fut conçu comme un cabinet de curiosités par un érudit local et fut le premier musée de peinture de l'Yonne, s'enrichissant au fur et à mesure de donations. Celle de Jacqueline Selz, amie des surréalistes et du peintre Yvon Taillandier, initie les visiteurs aux différentes croyances et modes de vie de l'Asie, de l'Europe du Sud et de l'Amérique latine.

Au 1ᵉʳ étage, les cimaises présentent notamment les extraordinaires allégories sociales de Louis-Auguste Déchelette, injustement méconnues. Dans les combles, vous pourrez tourner la roue des sept péchés capitaux. Admirer la collection d'ex-voto peints de Jacques Lagrange et surtout les 13 albums de *Manga* (sortes de manuels de dessins) d'Hokusaï, le grand maître japonais de l'époque Edo.

Expositions temporaires passionnantes, toute l'année, autour de donations plus récentes.

🏃🏃 **Le site du vieux château :** *pour tte info, contacter l'association Le Patrimoine oublié, rue des Vignerons.* ☎ *03-58-16-01-47.* ● *lepatrimoineoublie.fr* ● *Visite libre tte l'année. Compter 2h.* Promenade délicieuse, chemin des Fossés, le long du Serein, jalonnée par quelques tours. Autour des XVᵉ et XVIᵉ s, la cité était cernée de murailles, de 23 tours, sans compter les 3 portes dont les vestiges sont encore visibles aujourd'hui. La balade se prolonge jusqu'au site du vieux château, enfin, ce qu'il reste, et son beau belvédère donnant sur la région. L'association *Le Patrimoine oublié* s'efforce de faire revivre ce lieu à travers balades et événements comme le *Gargouillosum* et chantiers de bénévoles.

🏃 **L'hôtel de ville :** *près de la porte Peinte.* Sur la façade figure le trait qui matérialise la crue du 25 septembre 1866.

🏃 🏃 **La tour des Remparts :** *chemin des Terreaux, juste à droite, en sortant par la porte Peinte.* ☎ *03-86-82-61-75.* ● *tour-des-remparts.com* ● *Visite guidée sur résa auprès du propriétaire, Georges Guilleminot (5-7,50 €).* Un lieu hors du temps... logique, au milieu des reproductions d'armures et d'une grotte sainte ! Un site à voir, un personnage attachant à rencontrer, intarissable sur l'histoire de Noyers...

Fêtes et manifestations

– **Rencontres musicales de Noyers :** *juil. Rens et résas à l'office de tourisme.* Nombreux concerts de musique classique.
– **Les Puces de Noyers :** *vide-greniers les sam de début juil à mi-août.*
– **Festival Vallée et veillée :** *dernier sam de juil ou 1ᵉʳ sam d'août.* Musique dans la rue.
– **Gargouillosium :** *un w-e en été, sur le site du vieux château.* Une vingtaine de sculpteurs sont invités à tailler en 3 jours une gargouille qui sera mise en vente.
– **Marché aux truffes de Bourgogne :** *1ᵉʳ et dernier dim de nov. Rens à l'office de tourisme.* Grand marché du diamant noir, avec d'autres producteurs du terroir.

DANS LES ENVIRONS DE NOYERS-SUR-SEREIN

🏃🏃 **Le prieuré de Vausse :** *89310 Châtel-Gérard.* ☎ *03-86-82-87-28.* 🥾 *À une quinzaine de km au sud-est de Noyers ; rejoindre Châtel-Gérard, puis direction*

L'YONNE

Étivey par la D 115 ; fléché par la D 68, sous le pont TGV. Juil-août, mer-dim 14h-19h ; juin et sept, dim et j. fériés slt 14h-18h. Entrée : 5 € ; enfants gratuit. Compter 45 mn de visite. Animations culturelles mai-sept. Au cœur de la forêt domaniale, jolie apparition que ce prieuré cistercien fondé vers 1200 par Anséric VI de Montréal. Un lieu hors du temps où, depuis 200 ans, une ferme est exploitée par la même famille sur le finage exact utilisé par les moines il y a huit siècles. Le cloître, d'une grande sobriété, cache un jardin fleuri. Face au chevet de l'église, le jardin de plantes médicinales a été réinstallé comme à l'origine. Curieusement, le site a été construit à 360 m d'altitude, donc loin d'un point d'eau. Les moines ont par conséquent élaboré un ingénieux système de recueillement d'eau de pluie. Dans la chapelle sont régulièrement organisés des concerts et expos en été.

🔧 *La tour de télégraphe Chappe : association Les Amis de la tour, 1, rue du Moulin-à-Vent, 89440 Annoux. ☎ 03-86-33-83-96. Fléché depuis Annoux ; se termine par un long chemin empierré en forêt. Visite guidée le 1er dim du mois mai-sept 14h-18h, ou lors des Journées du patrimoine. Participation libre.* À mi-chemin de Châtel-Gérard et Massangis, en forêt de Reppe, une de ces tours qui permirent au physicien Claude Chappe d'inventer, il y a plus de 200 ans, un nouveau système de communication entre les hommes. Construite en 1809, celle-ci se trouvait sur la ligne sud-est reliant Paris à Marseille (elles étaient séparées les unes des autres d'une dizaine de kilomètres). Cette station était occupée par deux guetteurs postés à chacune des fenêtres qui devaient relayer le message aussi rapidement que possible. Le système était composé d'un mât et de trois pièces mobiles auxquelles on faisait prendre (à l'aide de câbles et de poulies) différentes positions correspondant à des signaux répertoriés.

🔧🔧 🚶 *Le P'tit Train de l'Yonne : gare de Massangis (89440). 📱 06-52-67-13-13. ● lepetittraindelyonne.fr ● ♿ À 9 km au sud de Noyers par la route d'Avallon. En principe, fonctionne début mai-début sept, dim et j. fériés 14h30-17h30. Adulte : 6 € ; réduc ; gratuit moins de 5 ans. Compter 50 mn A/R.* En voiture ! Découvrez un morceau d'Yonne au rythme de cet ancien train qui longe la vallée du Serein sur 5 km, sur l'ancienne ligne départementale du vieux *Tacot*. Il circula de 1880 à 1951 jusqu'à Migennes, traversant Chablis et Noyers.

🔧 🚶 *La grotte de Champ-Retard : 89440 Coutarnoux. ☎ 03-86-33-94-31. ● grottechampretard.com ● À 15 km au sud de Noyers-sur-Serein, par la D 86, direction L'Isle-sur-Serein et Dissangis (fléché). De Pâques à mi-nov, sam 13h45-18h30 et dim sur résa ; vac de printemps et automne 10h30-18h ; tlj 10h30-19h30 juil-août. Entrée : 24 € ; réduc.* Encore un parcours aventure, certes, mais en partie dans des carrières souterraines de pierre blanche (voûtes de près de 15 m) abandonnées depuis les années 1930. Manifestations culturelles et musicales (quelle acoustique !) en saison. Nocturnes de temps à autre (assez magique, sous les étoiles, avec les grillades au coin du feu !).

MONTRÉAL   (89420)   200 hab.   *Carte Yonne, C3*

À 21 km de Noyers, sur le chemin Vézelay-Fontenay. L'un des plus beaux villages féodaux de Bourgogne, tout en pente. La reine Brunehaut y aurait vécu au VIe s, d'où son nom (Mont-Royal). Un cortège de maisons en pierre d'une totale homogénéité architecturale monte à l'assaut d'une colline. Une grande rue qui grimpe entre la porte d'En-Bas et la porte d'En-Haut, des maisons des XVe et XVIe s flanquées de tourelles, d'échauguettes, et aucune trace de pseudo-artisans d'art. Tout en haut du village, sur une terrasse d'où la vue porte jusqu'au Morvan, l'ancienne collégiale édifiée vers 1170.

L'YONNE

Adresses et infos utiles

🔲 **Office de tourisme :** 4, pl. du Prieuré. ☎ 03-86-49-02-82. ● montreal-en-bourgogne.com ● Organise des visites guidées de la ville et des environs.

– **Marché de producteurs :** pl. du Prieuré, de mars à mi-oct, mer 17h30-20h.
– **Artistes et artisans d'Art :** dans les granges et les jardins, le w-e mi-août.

Où dormir ? Où manger ?

🛏 **Chambres d'hôtes Les Clés de la Tour :** 12, Grande-Rue. ☎ 03-86-32-17-27. ● lesclesdelatour@orange. fr ● lesclesdelatour.com ● Doubles 60-70 € ; familiale également. Au cœur de la cité médiévale, Geneviève vous accueille dans sa demeure de famille (1606). Vous pourrez emprunter un escalier à vis du XIVe s pour vous rendre à la bibliothèque et admirer le paysage. Quant à Max, son époux, il fait visiter son « musée de l'outil » qu'il continue à enrichir au fil de ses découvertes. Et, si vous le souhaitez, ils se

feront un plaisir de vous accompagner pour une visite du village et de la collégiale.

🍴 🍷 ♪ **Au Quinze :** 15, pl. du Prieuré. ☎ 03-86-32-16-49. ♿ Tlj sf lun, plus dim hors saison, 7h-19h30. Menu env 14 €. Un petit bar accueillant, en bas du village, où l'on peut déjeuner simplement en semaine, à prix doux ; service à la carte le week-end (andouillette, assiette de pays, pièce de bœuf). Membre du réseau « Café de pays », il organise des concerts et soirées à thème tout au long de l'année.

Où dormir ? Où manger dans les environs ?

🏠 🍴 **Auberge du Pot d'Étain :** 24, rue Bouchardat, 89440 L'Isle-sur-Serein. ☎ 03-86-33-88-10. ● hote lauberge@potdetain.com ● potdetain. com ● Resto tlj sf dim soir-mar midi (slt lun-mar midi juil-août). Congés : en janv et 2de quinzaine d'oct. Résa indispensable en saison ! Doubles 65-98 €. Menus 29-60 €. Parking payant. 📶 Café offert sur présentation de ce guide. Cette minuscule et charmante auberge rurale cache

une des vraies bonnes tables de la région. Belle cuisine entre terroir et modernisme où l'andouillette et l'escargot s'en donnent à cœur joie avec les poissons ou le pigeon, sans alourdir l'estomac ni l'addition. Cave spectaculaire (2 300 références, certaines exceptionnelles !). Chambres confortables, dont certaines avec petit salon. On a un faible pour celles, au calme, au fond de la petite cour fleurie.

À voir

🎭🎭🎭 **La collégiale Notre-Dame :** au XIXe s, le jeune Viollet-le-Duc s'est extasié devant ce bijou et s'est empressé de le restaurer... en l'amputant de son clocher ! Sobre, mais joli portail en plein cintre. À l'intérieur, exceptionnel ensemble de stalles en chêne sculpté du XVIe s, attribué aux frères Rigolley (des rigolos qui se sont même représentés pendant la pause déjeuner !) et un magnifique – même s'il est incomplet – retable en albâtre anglais du XVe s. Malheureusement, quatre des sept panneaux ont disparu (visite tlj 9h-18h – 19h ou 20h en été).

🎭 **Le château de Monthelon :** à la sortie de Montréal en direction de Montbard. Le château accueille toute l'année des artistes en résidence et propose des représentations aussi poétiques que ludiques en juillet (programme à l'office de tourisme).

Manifestation

– **Montréal en lumière :** *dernier w-e de juil et 1er d'août, ven et sam. GRATUIT.* ● *montrealenlumiere.businesscatalyst.com* ● *Restauration sur place.* Un spectacle de rue itinérant, retraçant l'histoire de Montréal. Plus de 100 figurants du coin, tous bénévoles.

LA VALLÉE DE LA CURE

Carte Yonne, C3

Entre le Morvan et l'Auxerrois, la vallée de la Cure est une voie de passage dans laquelle la D 906 (ou 606) coupe aujourd'hui au plus droit. D'abord torrent dans le Morvan, après Vézelay (voir le chapitre précédent), la Cure s'assagit et dessine d'élégantes boucles, tout en semant de somptueuses falaises calcaires dans le paysage.

ARCY-SUR-CURE *(89270)*

Village célèbre surtout pour ses fameuses grottes... visitées depuis des décennies, voire des siècles et même plus, puisqu'on y a découvert des peintures rupestres enfouies sous une couche de suie datant de l'éclairage à la bougie !

Où dormir ? Où manger dans les environs ?

De bon marché à prix moyens

🏠 ‖●‖ **Auberge Le Voutenay :** *D 906, 89270* **Voutenay-sur-Cure.** ☎ *03-86-33-51-92.* ● *auberge.voutenay@ wanadoo.fr* ● *aubergelevoutenay. com* ● 🍴 *Au sud d'Arcy-sur-Cure. Resto fermé dim soir-mar. Double 72 €. Formules et menus 16-24 € ; carte 40-50 €.* 📶 D'abord, un délicieux parc au milieu duquel coule une charmante rivière au nom tout indiqué pour un restaurateur : le Vault-de-Bouche. Des chambres spacieuses et confortables dont certaines avec salon dans la tour. Et pour les sportifs, les randonneurs du GR 13 et les épicuriens en culotte courte ou longue, une cuisine traditionnelle goûteuse, élaborée à base de bons produits du terroir. VTT à disposition.

🏠 ‖●‖ **Chambres d'hôtes Val de la Nef :** *Le Grand-Val-de-la-Nef, 89440* **Joux-la-Ville.** 📱 *06-09-87-28-35.* ● *sylvestre@valdelanef.com* ● *valdelanef. com* ● *À l'est d'Arcy-sur-Cure par la D 906. Doubles 65-70 €. Table d'hôtes*

28 €. 📶 Un ancien relais de chasse, au bout d'une route qui se perd dans la forêt. Sylvestre, au prénom prédestiné, vous accueille dans cette belle demeure sereine. Chambres agréables à vivre et chaleureuses. Sa femme Corinne prépare l'excellente table d'hôtes. Jardin, forêt et hammam pour les jours gris.

‖●‖ **Auberge du Camp de Cora :** *à* **Saint-Moré.** ☎ *03-86-52-43-98.* ● *aubergecampdecora@orange.fr* ● *À 5 km, au centre du village, et à côté du site archéologique du même nom (voir plus loin). Tlj sf lun hors saison 9h30-21h30. Congés : 3 sem en janv-fév, 1 sem début sept et fin d'année. Menus 13,50-20 €. Apéritif maison offert sur présentation de ce guide.* Un sauvetage, un de plus, par un couple de passionnés, passé du monde des médias (lui était chroniqueur gastro) à celui de la restauration. Parmi les spécialités maison, l'inévitable tête de veau sauce gribiche, les œufs en meurette, le jambon au chablis avec frites maison, les tartes salées et sucrées... De bonnes viandes et de bons produits, même les œufs mayo sont dans la tradition.

L'YONNE

À voir dans les environs

♥♥ ♣ Les grottes d'Arcy-sur-Cure : ☎ 03-86-81-90-63. ● grottes-arcy.net ● ♿ Pâques-Toussaint, tlj 10h-17h30. Entrée : 8 € ; réduc. Visite guidée slt, ttes les 30 mn (compter 1h de visite). Un site archéologique majeur, classé Monument historique, constitué d'un ensemble de cavernes creusées par la Cure. Elles revendiquent le statut de deuxièmes grottes ornées les plus anciennes du monde ouvertes à la visite (22 grottes, dont 14 sont préhistoriques) ! Visite qui traverse, dans la Grande Grotte, 900 m de galeries et salles souterraines, dessins et peintures. Deux petits lacs, des stalactites, stalagmites et autres concrétions qui inventent un univers étrange et merveilleux. Buffon, venu en voisin au XVIIIe s, y voyait fruits, plantes, meubles, draperies... Elles contiennent aussi des peintures et des gravures de mammouths, bouquetins, oiseaux, poissons, précisément datées au carbone 30 000 ans B.P. (Before Present). Rassurez-vous, on en voit quelques-unes lors des visites guidées. Promenade libre ensuite, pour retrouver la lumière du jour, sur les bords de la Cure en suivant un agréable petit chemin qui part de la Grande Grotte.

♥ À quelques mètres du château de Chastenay (ne se visite plus), sur la D 906, à 800 m des grottes, le petit hameau abrite la **commune libre du Val-Sainte-Marie-le-Haut.** Une commune libre depuis 1789, avec son église, sa chapelle, sa pompe à incendie, sa signalisation routière propre (et très locale), ses superbes petites maisons fleuries. Une petite merveille anachronique... d'humour décalé, voire caustique !

♥ ♣ Le site archéologique Le Camp de Cora : à Saint-Moré. Infos auprès de l'association Cora au ☎ 03-86-33-44-19 ; ● coraliger@wanadoo.fr ● À env 5 km au sud d'Arcy. Tte l'année. Déjà habité au Néolithique, puis village retranché celte, et enfin poste fortifié sur la voie Agrippa. La muraille gallo-romaine flanquée de tours rondes est toujours debout. Resto tout à côté pour ceux que les vieilles pierres n'inspirent pas.

VERMENTON (89270)

Gros bourg de 1 200 habitants, accessible par la D 906. De bien paisibles balades le long des rives de la Cure jusqu'au parc des Îles, par exemple, d'où l'on a une vue sur la tour du XIIIe s de l'église et où, en été, sont parfois organisés des concerts.
– Pour une location de bateaux à la semaine ou au week-end au départ de Vermenton, contacter **France fluviale** au ☎ 03-86-81-54-55.

Où camper ? Où manger ?

⛺ **Camping Les Coullemières :** ☎ 03-86-81-53-02. ● contact@ camping-vermenton.com ● camping-vermenton.com ● ♿ 1er avr-30 sept. Forfait tente pour 2 env 14 €. Hébergements locatifs 370-485 €/sem. 50 empl. Au bord de la Cure, un superbe camping très calme et verdoyant. Grands emplacements bien ombragés. Location de mobile homes spacieux et bien équipés, dans une zone ombragée.

|●| **Auberge de l'Espérance :** 3, rue du Général-de-Gaulle. ☎ 03-86-81-50-42. Sur la D 906. Fermé le soir dim-jeu hors saison. Formule déj en sem 15 € ; menus 21-25 €. Café offert sur présentation de ce guide. Ne vous laissez pas impressionner par l'aspect extérieur ! C'est pourtant une valeur sûre de la région, depuis plus de 30 ans. D'autant que l'accueil est charmant et les petits plats mitonnés à l'ancienne. Formule buffet froid avec le 1er menu en été.

Où dormir chic dans les environs ?

🛏 *Chambres d'hôtes et gîte de l'abbaye de Reigny :* chez Louis-Marie et Béatrice Mauvais, 89270 Vermenton. ☎ 03-86-81-59-30. ● abbayede reigny@orange.fr ● abbayedereigny. com ● Au sud de Vermenton par la D 906. Tlj sf lun. Doubles env 100-175 €. Table d'hôtes 40 €. Visite historique du monument offerte sur présentation de ce guide. Un très beau gîte (6 à 8 personnes) au bord de la Cure et 5 chambres d'hôtes (dont une familiale) permettent de séjourner dans ce haut lieu d'histoire où a résidé Coco Chanel dans les années 1930. Un lieu exceptionnel resté en partie dans son jus, mais des chambres de grand confort, et un superbe petit déj.

À voir dans les environs

🍴🍴 *L'abbaye de Reigny :* à 3 km au sud de Vermenton, sur la D 606 (fléché). ☎ 03-86-81-59-30. ● abbayedereigny.com ● ♿ et visite possible en langage parlé complété (LPC) pour les malentendants. Juin, visite guidée dim à 15h, 16h et 17h ; juil-août, tlj sf dim mat et lun à 10h15, 11h15, 15h, 16h et 17h (plus 18h de mi-juil à mi-août). Tarif : 8 € ; réduc. L'allée de tilleuls séculaires mène à l'abbaye cistercienne Notre-Dame fondée en 1128 par l'abbé Étienne de Toucy, sous l'autorité (et quelle autorité !) de saint Bernard. Le travail et la prière des 300 moines et convers ont fait place à la culture dans le remarquable réfectoire du XIVe s qui a conservé sa polychromie (noter le tympan, à l'entrée) ! Étonnant pigeonnier avec 3 500 boulins (les niches des pigeons) en terre cuite et sa double échelle pivotante ! L'abbaye accueille des expositions, des concerts et manifestations culturelles (festival « Paroles et musiques »).

LA VALLÉE DE L'YONNE ET LE CANAL DU NIVERNAIS
Carte Yonne, C3-4

Ici plus que jamais, il vous faudra quitter au plus vite la D 906 (l'ancienne N 6) pour partir sur la route du Saussois à la découverte de paysages préservés.

CRAVANT (89460)

Au confluent de la Cure et de l'Yonne, une aimable bourgade anciennement fortifiée qui vit sa fête patronale le 1er week-end de juillet. Devant Cravant s'est déroulée, en 1423, une célèbre bataille entre Anglais et Bourguignons d'un côté, Français et Écossais de l'autre.
On entre dans le bourg par la porte d'Orléans (XVIIIe s). Dans son prolongement, la rue d'Orléans cache une maison forte avec tourelle d'angle ronde et, surtout, la maison de Bois, la plus ancienne du bourg (XIVe s), qui a conservé un charme émouvant. Le beffroi (1387) et le donjon (XIIIe s) ajoutent au cachet médiéval de ce village fréquenté un moment par Arsène Lupin... À deux pas, église des XIVe et XVIe s, au remarquable clocher Renaissance.

Adresse utile

ℹ *Office de tourisme intercommunal Chablis, Cure et Yonne :* sur la halte nautique de *Cravant-Bazarnes*. ☎ 03-86-81-54-26. ● coeurdelyonne. com ● Location de vélos, visites guidées. Se procurer le *Guide du canal du Nivernais*.

L'YONNE

Où dormir ?

🏠 **Chambres d'hôtes Les Remparts :** chez Laurence Brot, 19, rue des Fossés, à Cravant. ☎ 03-86-42-51-92. ● brot.lesremparts@orange.fr ● lesrempartscravant.fr ● Double 85 €. 📶 Difficile de ne pas craquer quand on passe en voiture devant cette belle demeure conçue pour une dame qu'aimait beaucoup Napoléon III. Plafonds à la française, boiseries, bergères, jardin... Chambres très agréables, on s'en doute, et piscine pour les journées d'été.

À faire dans les environs

🧗 ▮●▮ **L'Écluse des Dames – Parcabout :** route de Séry, 89460 **Prégilbert.** ☎ 03-86-46-10-08. ● eclusedesdames@gmail.com ● eclusedesdames.com ● Au nord de Mailly-le-Château. Tlj sf lun vac scol 10h-18h (19h en juil-août). Entrée Parcabout : 9 € ; réduc. Chaussures fermées obligatoires pour ts et accompagnant payant obligatoire pour les enfants de 3 à 6 ans. Un lieu qui revit grâce à l'initiative de deux filles ayant tout compris du tourisme. Une ancienne maison éclusière reconvertie en un bistrot où l'on se retrouve pour grignoter des produits frais, locaux ou régionaux (résa conseillée). Parcabout, à côté, c'est une aire de loisirs... dans les arbres, conviviale, un parcours fait de bouts de filets marins, pour évoluer en liberté et en toute sécurité. Boutique. Tous les vendredis soirs de juillet-août, apéro concert à 18h30.

MAILLY-LE-CHÂTEAU (89660)

Encore un joli bourg. Deux villages en fait : l'un anciennement fortifié, perché sur un promontoire ; l'autre installé au bord de l'Yonne. Au centre de Mailly-le-Haut, église fortifiée du XIIIe s, dotée d'une surprenante façade gothique. À l'extrémité du village, terrasse qui offre une vue panoramique sur l'Yonne et les collines du Morvan. Au pied de la falaise, Mailly-le-Bas. Pittoresque aussi, avec ses trois cours d'eau parallèles franchis par autant de ponts, ses écluses modèles réduits, la petite chapelle Saint-Nicolas (patron des flotteurs de bois) posée sur la rivière.

Où dormir ? Où manger dans les environs ?

🏠 ▮●▮ **Chambres d'hôtes Le Charme Merry :** 30, route de Compostelle, 89660 **Merry-sur-Yonne.** ☎ 03-86-81-08-46. ● olivia.peron@gmail.com ● lecharmemerry.com ● À côté de l'église. Avr-sept. Double 150 € ; dégressif. Table d'hôtes 50 € tt compris, sur résa. 📶 Une des plus belles chambres d'hôtes que vous puissiez espérer trouver dans l'Yonne, à un prix justifié par la qualité des prestations comme le jardin avec chênes truffiers et la piscine (chaque saison ici a ses avantages). 4 chambres spacieuses, lumineuses, confortables et d'un design actuel, table d'hôtes réalisée à quatre mains par Olivia et Nicolas Peron, deux épicuriens.

À voir. À faire dans les environs

🧗🧗 **Les rochers du Saussois :** au sud de Mailly-le-Château. Superbes falaises calcaires de 50 m surplombant l'Yonne et prisées des grimpeurs. Cheminée des fées et sentiers raides à travers les éboulis. En arrivant de Mailly-le-Château, prendre à gauche la petite route direction « Bois du Fourneau ». Elle grimpe au-dessus de la falaise. À vos pieds, des péniches qui glissent sur l'Yonne et un village tout à fait pittoresque, avec son moulin le long de la rivière.

CHÂTEL-CENSOIR (89660)

À 10 km au sud de Mailly. Que l'on arrive de la Puisaye ou de l'Auxerrois, belle balade le long du canal du Nivernais pour atteindre ce bourg fortifié et perché (entouré d'une petite ville un peu industrialisée). Quelques ruelles concentriques et de solides maisons bourgeoises, ordonnées autour de la massive collégiale Saint-Potentien (XIe-XVIe s).

Où dormir ?

🏠 |●| **Demeure Saint-François :** *4, rue du Moulin.* ☎ *03-86-81-05-37.* ● *m.m.s.samson@gmail.com* ● *demeuresaintfrancois.com* ● *Sur la place. Double 110 €. ½ pens possible.* À côté de la place du village, cette ancienne maison de bonnes sœurs est devenue une maison où tout le monde peut communier dans la joie et la bonne humeur, car les hôtes aiment recevoir. Chambres dans l'esprit de la maison mais d'un confort total.

À voir. À faire dans les environs

🏃🏃 *Le musée de l'Innovation technique médiévale – Château Faulin :* 89660 **Lichères-sur-Yonne.** 📠 *06-09-74-00-68.* ● *chateau-faulin@sfr.fr* ● *chateau-faulin. fr* ● *Ouv le dim en juil-août 15h-17h, plus lun-ven en août 10h-17h.* Visitez le site internet avant de vous rendre sur les lieux, sinon vous ne pourriez qu'admirer, depuis le canal, ce château fort dont l'histoire mérite d'être contée par le propriétaire lui-même ou par un guide, tout autant que l'histoire des innovations techniques recensées au fil des salles. Cet ingénieur a l'art de faire revivre, à travers des documents et des objets chinés ici ou là, l'histoire des hommes qui « blasonnaient plus haut que leur écu » comme celle des inconnus qui permirent au monde agraire d'avancer, des architectes qui permirent de passer du roman au gothique, des navigateurs qui apprirent à croire à leur bonne étoile... Il remet à sa juste place Gutenberg et cet « escroc de Colomb » et, lorsqu'il vous propose des travaux pratiques sur le temps (celui des hommes, enfin compté), on ne le voit pas passer. Et si, en sortant, vous pensez avoir reconnu le décor d'un film, vous avez gagné le droit de revoir un des grands classiques du cinéma : c'est là que furent tournées, il y a 50 ans, certaines scènes souriantes de *La Grande Vadrouille.*

LA PUISAYE

« Il n'y a pas de mots, ni de crayons, ni de couleurs, pour vous peindre, au-dessus d'un toit d'ardoises violettes brodé de mousses rousses, le ciel de mon pays », écrivait Colette. La bien modeste Colette. Parce qu'elle les a trouvés, ces mots (et quels mots !) pour évoquer la beauté toute de retenue de sa Puisaye natale. Alors, comment écrire, après Colette, sur la Puisaye ? Comment, mieux qu'elle, raconter cette microrégion qui oublie le découpage administratif et englobe un petit morceau de la Nièvre, un autre du Loiret ? Comment vous emmener sur ses chemins creux et ses petites routes désertes qui sillonnent bocage et forêts percés d'étangs ? Comment vous faire pénétrer dans ses églises peintes à l'ocre, dans les ateliers où des potiers perpétuent une tradition médiévale ? Comment, sinon en vous invitant d'abord à lire (ou à relire) Colette, une enfant de la Puisaye. Partez ensuite à l'aventure sur des routes qui invitent à la détente, même si vous risquez de ne plus être seul aux beaux jours, l'autoroute A 77 et le chantier médiéval de Guédelon ayant, en l'espace de deux décennies, ouvert au monde ce pays autrefois si secret.

DRUYES-LES-BELLES-FONTAINES

(89560)   290 hab.   *Carte Yonne, B4*

Un château féodal (XIIᵉ s) qui dresse encore fièrement ses murailles sur un éperon rocheux pour évoquer l'histoire locale, vieille de six siècles. Autour du château, un vieux village hors du temps à qui l'on n'a jamais dit que l'enrobé et le béton existaient. Cette poignée de maisons a un charme fou ! Au pied du château, d'autres vieilles maisons encore, des fontaines, le lavoir, une sobre église romane (XIIᵉ s) et un enchevêtrement de petits cours d'eau et d'étangs.

À voir

🏰🏰 *Le château :* ☎ 03-86-41-51-71. ● *chateau-de-druyes.com* ● *En haut du village ; on peut y accéder par la route (fléché) et se garer avt la porte (conseillé), ou monter à pied par le petit chemin qui part du village bas. Juil-août, lun-ven 15h-18h ; Pâques-juin et sept, slt w-e et j. fériés 15h-18h. Entrée : 4 € ; réduc. Parcours découverte en visite libre. Juil-août, visites théâtralisées. Expos temporaires gratuites en été.* Un château fort plutôt bien conservé, construit à la fin du règne de Philippe Auguste, qui était la demeure des comtes d'Auxerre et de Nevers. C'est ici que Pierre de Courtenay, en 1216, a reçu les ambassadeurs venus lui proposer la couronne de l'Empire latin de Constantinople. Très beau panorama sur la vallée et sur l'un des plus beaux villages de l'Yonne. Surtout si vous montez au 3ᵉ étage de l'imposante poterne qui défendait l'entrée principale. Certains jours, par ciel dégagé, on peut apercevoir Vézelay. Animations en été, avec spectacles médiévaux et concerts.

🏰 Si vous prenez la D 104 vers Étais, à la sortie du village, l'ancien viaduc de chemin de fer offre un *panorama* étonnant sur le village et le château.

DANS LES ENVIRONS DE DRUYES-LES-BELLES-FONTAINES

🏰🏰 *La carrière souterraine d'Aubigny :* hameau d'Aubigny, 89560 **Taingy**. ☎ 03-86-52-38-79. ● *carriere-aubigny.com* ● ♿ *À 8 km au nord de Druyes par la D 148. Pâques-Toussaint, tlj sf dim mat (plus lun hors juil-août) : 10h-12h et*

14h30-18h30 (non-stop en juil-août). Entrée : env 7 € ; réduc. Compter une petite heure de visite. Prévoir sa petite laine. Les pierres (extraordinaire entassement de blocs de calcaire d'une blancheur quasi immaculée, voûte haute de 18 m) portent encore par endroits les traces des lances et autres aiguilles, seuls outils utilisés autrefois par les carriers. Quelque chose d'une gigantesque sculpture

> ## UNE CARRIÈRE ENVIABLE
>
> *Exploitée depuis l'époque gallo-romaine jusqu'à la Première Guerre mondiale, la carrière d'Aubigny (qui permet de descendre jusqu'à 50 m sous terre) a fourni les pierres de l'Hôtel de Ville de Paris, de l'Opéra Garnier ainsi que des cathédrales de Sens et d'Auxerre.*

contemporaine souterraine. Pour tout savoir de A à Z sur l'extraction de la pierre, ou 2 000 ans de pierre taillée en lumière(s). Frais, insolite et beau.

– À **Taingy,** pour reprendre des forces, arrêtez-vous au *Relais de Forterre (pl. de la Mairie ;* ☎ *03-86-41-92-32).* Une épicerie-relais de poste-resto sympa. Et, en sortie de ville, route de Courson, à droite, une route accède à une *table d'orientation* qui offre un panorama à 360° sur tout le département. Situé à 386 m d'altitude, ce point est le deuxième plus haut « sommet » de l'Yonne.

SAINT-SAUVEUR-EN-PUISAYE

(89520)   950 hab.   *Carte Yonne, B3*

Surmonté d'un château des XVIIe et XVIIIe s et d'une tour en grès ferrugineux de forme ovoïde bâtie au XIe s par les comtes d'Auxerre et de Nevers, Saint-Sauveur-en-Puisaye s'étage jusqu'au bas de la colline. C'est un agréable lieu de séjour qui, sous un aspect faussement endormi, reçoit régulièrement d'intéressantes manifestations, tels la Foire aux potiers (3e week-end de juillet), un concours hippique (début juillet), un festival de musique classique « Comme ça me chante » (3e semaine de juillet), un Festival international des écrits de femmes (2e week-end d'août)... Les Nuits de Saint-Sauveur, en août, est un festival de musique et d'animations jeune public qui fait dans le bucolique et le savoureux tout à la fois. Que du bonheur, par ici (● nuitsdesaintsauveur.fr ●). Du château partent des sentiers à thème, sur les pas de Colette, l'enfant du pays qui passa sa vie pourtant loin d'ici. L'événement 2016 fut c'est justement la réouverture de sa maison natale, la « grande maison grave et revêche » de la rue de l'Hospice (aujourd'hui rue Colette), reconstituée avec les jardins qu'elle a connus et destinée à abriter le plus important fonds documentaire sur son œuvre.

Adresse utile

🏠 *Office de tourisme :* pl. du Marché. ☎ *03-86-45-61-31. Avr-sept, mar-sam, plus dim juil-août ; oct-mars,* mer-sam. Randonnées à thème sur les pas de Colette *(mer, mai-sept).*

Où dormir ?

Prix moyens

🏠 *Chambres d'hôtes Masilie :* chez Simone Bruin, 3, rue des Fours-Banaux, à Saint-Sauveur. ☎ *03-86-45-51-76.* ● *s.bruin@hot mail.fr* ● *masilie.jimdo.com* ● *Double 59 €.* 📶 *Réduc de 10 % sur le prix de la chambre sur présentation de ce guide.* Une maison de village à l'ancienne dans une petite ruelle, au calme, à 100 m de la maison de Colette. On ne vous surprendra pas vraiment si l'on vous dit que les noms des 2 chambres que Simone met à votre disposition, avec beaucoup de gentillesse, sont « Sido » et « Vinca », la 1re pouvant héberger 3 à 4 personnes.

🛌 *Chambres d'hôtes 1950, Les Tendres Années :* chez Daniel et Béatrice Salem, Les Perreux, à Saint-Sauveur. ☎ 03-86-45-57-15. ● 1950@tendre sannees.fr ● lestendresannees.fr ● Sur la D 955 Saint-Sauveur/Toucy, au lieu-dit Les Roudons/Les Robineaux/Les Bergères, prendre à droite, puis 1re à gauche vers Les Perreux (fléché, normalement). Fermé nov-mars. Compter 65 € pour 2, dégressif. Animaux non admis. 🛜 Ici, tout ramène aux années 1950, vous l'aviez deviné : vaisselle, livres et revues, motos, voitures, jouets... Les objets et la musique du juke-box mettent l'ambiance, Daniel aussi ! Chambres confortables, dans le respect de l'époque. Promenades en 4 CV ou en traction !

🛌 *Chambres d'hôtes Domaine des Sapins :* chez Fabrice Brangeon-Bonnard, Les Sapins, route de Mézilles. ☎ 03-86-45-50-07. ● brangeon_bon nard@hotmail.com ● domaine-des-sapins.com ● À 1,5 km du bourg, vers Mézilles. Chambres 65-75 €. Petits prix mais grande et belle maison de maître du XIXe s... dont les sapins ont disparu dans une tempête ou ont été coupés par précaution. 5 chambres, une piscine (couverte), un parc de 3 ha. Hôte très bien informé sur son pays, profitez-en !

À voir

🏃 *La maison de Colette :* rue Colette (remarquez la jolie plaque de rue). ● mai sondecolette.fr ● Avr-oct, mer-dim 10h-19h. Nov-mars, ven-dim 10h-17h. Entrée : 9 € ; réduc. « À grandes fenêtres et sans grâce, une maison bourgeoise de vieux village », qui n'a pas vraiment changé depuis la description qu'en fait Colette dans *Claudine à l'école*. La maison a été rachetée par la Société des amis de Colette, pour en faire un espace de visite et de rencontres. Décors de l'enfance, dans l'esprit de la fin du XIXe s tels que décrits par l'auteur elle-même, et jardins aux richesses insoupçonnées, des lieux qui ont inspiré la vie et l'œuvre de l'auteur. Parmi les objets phares, le piano familial et les médailles de guerre du père. Dans les mansardes, la chambre de l'auteur, comme si rien n'avait bougé. Librairie-salon de thé dans les communs.

🏃🏃🏃 *Le musée Colette :* château de Saint-Sauveur. ☎ 03-86-45-61-95. ● musee-colette. com ● ♿ Avr-oct, tlj sf mar 10h-18h. Entrée : 7 € ; réduc. Expos temporaires sur Colette et son univers. Dans un château des XVIIe-XVIIIe s, musée consacré à Colette. Elle n'y a jamais vécu et pourtant, elle est là : dans l'air flotte un parfum de violette, et sa voix rocailleuse couvre les roucoulements des pigeons derrière la fenêtre. Elle va arriver, saisir l'une des boules de sulfure de sa

COLETTE LA LIBERTINE

Les photos de Colette âgée font oublier que cette grande écrivaine s'est révoltée contre la morale réactionnaire de l'époque. D'abord, elle divorça. Ensuite, elle connut plusieurs aventures féminines et fit du music-hall, parfois dénudée. Colette initia même à l'amour Bertrand de Jouvenel, le fils de son nouveau mari. Elle relate cette liaison dans Le Blé en herbe. Une femme sacrément libre, en effet.

collection... Elle est là aussi, dans cette pièce tapissée de photos. Elle est là, enfin, dans cette bibliothèque où 1 500 livres s'ouvrent sur 1 500 fragments de son œuvre. Un musée d'atmosphère, de sensations, d'émotions.

🍵 Et comme Colette était amatrice de thé, faites une pause à la librairie-salon de thé du rez-de-chaussée. Joli cadre et accueil sympathique pour goûter des parfums venus d'ailleurs.

🎥 Jetez un œil en sortant du château à la *tour Sarrazine,* donjon (XIe s) à la curieuse forme ovoïde et en belle pierre rouge. On peut visiter aussi l'*église Saint-Jean-Baptiste* avec sa nef et ses collatéraux voûtés en berceaux de bois (comme d'ailleurs la plupart des églises en Puisaye), son chœur et son abside voûtés en pierre du XIIe s. Et, pour un peu d'animation, poussez jusqu'à *La Poterie,* un village d'artistes installé dans une ancienne briqueterie *(café-concert gratuit mai-oct, gîte de groupe, etc.).*

🎥 *Le musée-conservatoire des Arts de la forge :* 7 bis, pl. du Marché. *Mar-sam et dim mat 9h30-12h00 et 14h30-17h (slt mer-sam basse saison). Démonstrations de forge à 10h30 et 15h30. Tarif libre.* Des professionnels parlent de leur métier et de la forge dans une ambiance des XIXe-XXe s.

DANS LES ENVIRONS DE SAINT-SAUVEUR-EN-PUISAYE

FONTENOY *(89520)*

🎥🎥 *Le Centre régional d'art contemporain :* château du Tremblay. ☎ 03-86-44-02-18. ● crac.fontenoy@wanadoo.fr ● cracdutremblay.fr ● *À Saint-Sauveur, prendre la direction Saints-en-Puisaye, puis Fontenoy ; suivre les panneaux. Avr-oct, tlj sf lun 14h-19h. Entrée payante.* Dans le cadre d'une gentilhommière du XVIIe s, deux espaces permanents, le premier dédié à l'œuvre de Fernand Rolland, cofondateur du centre, l'autre à M'an Jeanne, vieille dame qui, pendant les 3 dernières années de sa vie, s'est amusée à peindre des pastels gras étonnants. Artothèque de près de 400 œuvres. Expositions temporaires et animations.

🎥🎥 *Le musée de la Bataille de Fontenoy :* rue Saint-Marien. ☎ 03-86-44-02-18. *Pâques-juin, sur rdv ; juil-août, tlj sf lun 14h-18h. Entrée : 3 € ; gratuit moins de 15 ans.* Le musée n'est en fait qu'une partie du parcours élaboré autour de ce petit village de Fontenoy qui fut témoin, le 25 juin 841, d'une bataille à l'origine des grands conflits intereuropéens de l'époque. Une bataille qui opposa les trois petits-fils de Charlemagne et marqua la fin du grand Empire occidental des Carolingiens. Aujourd'hui, on peut découvrir les alentours de ce lieu chargé d'histoire en suivant un parcours balisé de 5 km à travers les champs, passant d'un village à l'autre et agrémenté de quelques œuvres artistiques qui longent le tracé : un plan-relief, le trône de Charlemagne, un petit musée qui explique la bataille, et puis, devant l'église, une sculpture près de l'obélisque qui rappelle le souvenir à mi-parcours.

MOUTIERS-EN-PUISAYE *(89520)*

🎥🎥 *L'église Saint-Pierre :* à 2 km au sud-ouest de Saint-Sauveur par la D 85. *Visite libre 9h-19h (17h oct-déc). Fermé en hiver.* Petite église qu'on visitera pour ses fresques (du XIIe s pour l'essentiel) à l'ocre typique de la Puisaye, représentant la vie du Christ, de saint Jean-Baptiste, des scènes de la Genèse... À ne pas manquer, malgré le mauvais état des fresques.

🎥🎥 *La poterie de la Bâtisse :* lieu-dit La Bâtisse. ☎ 03-86-45-68-00. ● poterie-batisse.com ● *Mar-sam 10h-12h, 14h-18h (17h en hiver) ; plus dim et lun 15h-18h. Entrée : 4 € (8 € avec guide) ; réduc.* Un lieu qui sent bon le passé, les racines, le travail accompli par 12 générations de potiers de la même famille. Grand four couché qui n'a guère le temps de se reposer. Pétrissage de la terre, tour à bâton ou à pied, émaillage, cuissons. Démonstration de tournage en fin de visite.

GUÉDELON (commune de Treigny, 89520) *Carte Yonne, B3-4*

Un nouveau nom est apparu sur les cartes de la région : Guédelon. Attention, si le chantier du château est bien sur la commune de Treigny, n'allez pas vous perdre sur les petites routes sinueuses qui mènent au village ou à Saint-Fargeau (qui vaut le coup, cela dit !). Il se trouve en fait sur la D 955, entre Saint-Sauveur et Saint-Amand (dernier village de la Nièvre). Guédelon attire à lui seul des milliers de visiteurs chaque jour sur des routes qui étaient peu habituées à en voir passer autant...

Où dormir ? Où manger ?
Où boire un verre autour de Guédelon ?

Voir bien sûr nos adresses autour de Saint-Sauveur et Saint-Fargeau, les possibilités de logement étant restreintes en pleine saison.

Bon marché

🏠 *Chambres d'hôtes Le Châtelet :* chez Max Bourgoin, 7, rue du Châtelet, 89520 *Lainsecq.* ☎ 03-86-74-70-22. À 7 km au sud-est de Guédelon par la D 7 puis la D 45 ; dans le village. Double 50 € ; triple également. 📶 Réduc de 10 % sur le prix de la chambre à partir de la 4e nuitée sur présentation de ce guide. 3 chambres dans l'un des bâtiments d'une exploitation agricole.

Depuis 45 ans au service du tourisme (bien avant Guédelon). Coin cuisine à la disposition des hôtes. Accueil authentique et chaleureux.

|●| 🍸 *Le Carrouge :* 5, pl. de la Mairie, 89520 *Treigny.* ☎ 03-86-74-64-33. ● le.carrouge@wanadoo.fr ● Ouv le midi slt. Formules 12,50-18 €, carte 15-20 €. Café offert sur les menus, sur présentation de ce guide. À la croisée des chemins (« carrouge » en patois régional), un café-brasserie sympa comme tout, à la façade « car-rouge » aussi ! Pour casser la croûte sans attaquer son portefeuille, pour boire un verre à la petite terrasse. Pour la culture aussi : expos, concerts et soirées à thème.

À voir. À faire

👫👫👫 🚶 *Le chantier du château fort de Guédelon :* D 955, 89520 *Treigny.* ☎ 03-86-45-66-66. ● guedelon.fr ● ♿ (partiel). Sur la D 955, à 6 km au sud-ouest de Saint-Sauveur. Juil-août, tlj 10h-19h ; de mi-mars à fin juin, 10h-18h ; sept-début nov, 10h-17h30. Fermé de début nov à mi-mars et certains mer en mars-avr et sept-nov. Attention, caisses fermées 1h avt fermeture du chantier. Entrée : 14 € ; 5-13 ans 11 € ; 14-17 ans 12 €. Réduc à 12 € pour 1 adulte, sur présentation de ce guide. Visite guidée selon disponibilité des guides : 3 € (résa conseillée sur le site internet). Compter min 3-4h de visite. Pique-nique possible (aires abritées ou pas) et taverne d'inspiration médiévale.

Le chantier le plus visité de Bourgogne depuis 1997. Dans une carrière abandonnée s'élève, pierre après pierre, un château féodal. Un vrai, avec pont dormant, douves, tour maîtresse et tout le reste ! Une pure création utilisant les canons architecturaux instaurés par Philippe Auguste aux XIIe et XIIIe s. Plus incroyable encore, ce château est construit avec les moyens du XIIIe s, et les normes de sécurité et de santé du XXIe. Et en temps réel : les travaux ne seront pas terminés avant 2025. Et encore... Tout l'intérêt de Guédelon réside dans l'activité permanente que l'on découvre ici. Parallèlement à l'achèvement du château, il faudra rebâtir un village, autour, et faire en sorte qu'on continue, du monde entier, à venir ici rêver d'un Moyen Âge rassurant.

On a pu voir s'ériger, depuis près de 20 ans, les murs du château fort en construction, une première tour à 16 m du sol, les premières salles fermées, les peintures murales et les premières pièces de vie (cuisine, chambre...), tout cela en observant les artisans au travail (tailleurs de pierre, charpentiers, forgerons, tuiliers, cordiers, bûcherons...). Les techniques de construction postérieure au XIIIᵉ s sont dans la mesure du possible proscrites : les chevaux tirent les tombereaux de pierres, le forgeron bat les fers rougis à la forge...

L'E-MAIL REMONTE AU MOYEN ÂGE !

Aujourd'hui, le signe @ est entré dans notre quotidien, mais son origine daterait du Moyen Âge, comme abréviation du « ad » latin, le « d » entourant le « a ». Puis les Américains le reprirent au XIXᵉ s, comme abréviation de « at » pour désigner un prix. L'arobase a ainsi toujours figuré sur les machines à écrire depuis le XIXᵉ s, puis sur les claviers d'ordinateur avant d'être choisi par Ray Tomlinson, l'inventeur de l'e-mail en 1971.

L'YONNE

Les visiteurs (300 000 par an) reviennent tous les 2 ou 3 ans pour apprécier l'évolution des travaux. Leur engouement a d'ailleurs permis à cette entreprise de s'autofinancer, dès la troisième saison. Environ 70 personnes sont aujourd'hui salariées, rejointes par 600 stagiaires et bâtisseurs temporaires qui viennent s'initier quelques jours aux techniques de construction ! Au plus chaud de l'été, on ne sait plus ce qu'il faut admirer chez eux, leur compétence, leur résistance, ou leur patience envers les visiteurs à qui ils se doivent de donner tous les renseignements possibles et imaginables, avec le sourire.

À découvrir aussi, le moulin hydraulique à farine du XIIᵉ s, une reconstitution inspirée de vestiges retrouvés à Thervay dans le Jura. Il est situé à environ 500 m du chantier (10 mn à pied). Se munir de bonnes chaussures en période de pluie.

L'atelier de taille de pierre ouvert aux enfants *(6 € l'heure)* est également accessible aux adultes ; chacun retourne avec un souvenir unique et personnalisé de tuffeau taillé. À faire en famille.

➤ On peut, par un chemin, rejoindre à pied (5 km) le château de Ratilly, qui inspira Guédelon, bien que son architecture soit quelque peu différente.

🎭🎭 *Le château de Ratilly :* 89520 Treigny. ☎ 03-86-74-79-54. ● *chateaudera tilly.fr* ● *Bien fléché depuis Treigny ; à 1,5 km (chemin d'accès empierré). De fin juin à mi-sept, tlj 10h-18h ; sinon, horaires plus restreints ; sur résa en hiver. Entrée : 4 € ; gratuit moins de 12 ans.* On ne découvre vraiment le château, un peu perdu au milieu de nulle part et entouré de forêts, qu'arrivé en face de ses nombreuses tours. Bel édifice de pierre ocre (grès ferrugineux), construit en 1270. En guise d'anecdote, la Grande Mademoiselle, arrivant de Saint-Fargeau, y passa, mais, trouvant l'endroit si « petit et ennuyant », elle le surnomma le « désert ». Place forte huguenote en 1567, puis refuge pour les jansénistes au XVIIIᵉ s, Ratilly abrite un centre d'art vivant : atelier de poterie, expos, stages et concerts l'été.

🎭🎭 🚶 *Le parc animalier de Boutissaint :* 89520 Treigny. ☎ 03-86-74-07-08. ● *boutissaint.com* ● *À mi-chemin de Treigny et de Saint-Fargeau, sur la D 185. Tlj de fév à mi-nov, 8h-20h (dernier billet à 18h30). Entrée : 9 € ; réduc.* 400 animaux (cerfs, daims, biches, chevreuils, etc.) vivent en liberté sur 400 ha (visite libre ou itinéraires balisés). Il faut parfois un peu de patience pour les débusquer. Trois enclos de sangliers, bisons, cerfs, daims et mouflons (corses, à ne pas déranger dans leur sieste) permettent d'observer en toute tranquillité. Jolie petite chapelle à l'entrée et un gîte rural sur place, pour venir écouter le brame du cerf, ainsi que deux étangs pour pêcher (plus calme !). Location de VTT sur place.

🎭 🚶 *Le parcours aventure du Bois de la Folie :* D 185, à deux pas de Boutissaint. ☎ 03-86-74-70-33. ● *natureadventure.fr* ● *Se renseigner pour les horaires et tarifs.* Pour vous évader en famille dans les arbres, 130 ateliers répartis sur 10 parcours toutes catégories au cœur d'un parc de 8 ha. Aire de pique-nique.

SAINT-FARGEAU (89170) 1 693 hab. *Carte Yonne, A3*

« Petite » capitale de la Puisaye, touristique et charmante. Exilée à Saint-Fargeau, la cousine de Louis XIV a complètement transformé le château. Depuis, l'édifice s'est redécouvert une nouvelle jeunesse avec l'un des plus beaux son et lumière présentés en France, retraçant son histoire.

Adresse utile

🄸 *Office de tourisme « Cœur de Puisaye » :* 3, pl. de la République. ☎ 03-86-74-10-07. ● *puisaye-tourisme.fr ● De lun ap-m à sam, plus dim avr-nov ; en saison, ouv jusqu'à 19h les* j. de spectacle (ven-sam). 🛜 Visites commentées du beffroi en été et mise à disposition des clés pour les peintures murales de la chapelle Sainte-Anne et de l'église de Ronchères.

Où dormir ?

Camping

⛺ *Camping La Calanque :* lac du Bourdon. ☎ 03-86-74-04-55. ● *campingmunicipallacalanque@nordnet.fr ● camping-lacalanque.fr ● À 6 km au sud-est de Saint-Fargeau par la D 85 vers Saint-Sauveur et la D 185 vers Treigny ; fléché « Le Bourdon camping et base de loisirs ». De mi-avr à fin sept. Env 10 € pour 2.* Un côté nature et sauvage pour les emplacements herbeux très bien ombragés parmi les chênes (très calmes vers le petit sentier à droite du camping). Propre, très correct et bien équipé. Proximité de la base de loisirs et du lac. Jeux.

De prix moyens à chic

🏠 *Les Grands Chênes :* Les Berthes-Bailly. ☎ 03-86-74-04-05. ● *contact@hotellesgrandschenes.com ● hotellesgrandschenes.com ● 🍴 À 4 km du château de Saint-Fargeau, en direction* de Saint-Amand-en-Puisaye. *Doubles 85-110 €.* 🛜 Un vrai hôtel de charme, à 500 m du lac du Bourdon. Idéal pour se ressourcer, au calme, même si la route n'est pas loin. Jolies chambres mansardées, un coup de cœur pour celles, plus petites, avec terrasse et vue sur le parc.

🏠 |●| *Chambres d'hôtes Il était une fois... un jardin :* 2, rue Raymond-Vernay (route de Saint-Sauveur). ☎ 03-86-74-03-73. 📱 06-44-78-52-62. ● *iletaitunefoisjardin@free.fr ● iletaitunefoisjardin.free.fr ● Au centre du village. Congés : janv-fév. Chambres de charme 75-95 €. Repas 28 €, vin compris.* À deux pas du château, une adresse cachée qui plaira aux amateurs d'insolite car cette belle maison du XVIIIe s, nichée dans la verdure, appartient à une femme hors du commun. Dany a de la personnalité, comme ses chambres, riches de ses fantasmes et de ses souvenirs. Plonger dans la piscine chauffée.

Où dormir ? Où manger dans les environs ?

De bon marché à prix moyens

🏠 *Chambres d'hôtes Le Moulin Grenon :* chez Iris Van Royen, 89130 Mézilles. ☎ 03-86-45-49-92. ● *iris@vanroyen.fr ● lemoulingrenon.com ● À 14 km de Saint-Fargeau, par la D 965 vers Toucy ; fléché depuis Mézilles (D 7 vers Tannerre-en-Puisaye). Double 70 € ; dégressif à partir de 3 nuits.* Un petit gué sur le Branlin, un coin de campagne paisible, un vieux moulin. Une hôtesse (néerlandaise) exquise pour une maison de caractère ! Le luxe, c'est l'accueil, le cadre, le silence. Les chambres, coquettes, craquantes, s'ouvrent sur la rivière (une plus petite sur l'étang) ! Une belle adresse...

🏠 |●| *Le Moulin de Corneil :* 3, pl. Lucien-Gaubert, 89130 **Mézilles.**

☎ 03-86-45-41-94. 📱 07-83-40-49-17. ● lemoulindecorneil-mezilles.fr ● *Tlj en juil-août, sinon fermé dim soir, mar soir et mer. Menus 13-15 €, carte 23 €.* Au cœur du village, la belle adresse pour les amateurs de calme, de bonne viande et de plats de pays servis avec le sourire. Très jolie terrasse au bord de l'eau. Et des chambres d'hôtes pour ceux qui ne veulent plus repartir.

À voir. À faire

🕯 *La tour de l'horloge ou beffroi :* visite possible en été (infos à l'office de tourisme). En brique et en pierre, joliment rénovée, elle marque l'entrée de la vieille ville depuis le XVe s.

🕯🕯 *Les peintures murales de la chapelle Sainte-Anne :* dans le cimetière de la ville. La chapelle Sainte-Anne possède d'anciennes peintures murales du XVIe s représentant des scènes de la passion du Christ. Demander la clé à l'office de tourisme.

🕯🕯🕯 ⛄ *Le château de Saint-Fargeau :* ☎ 03-86-74-05-67. ● chateau-de-st-fargeau.com ● Tlj 10h-12h, 14h-18h (19h en été). Fermé de mi-nov aux Rameaux. Visite guidée de 30 mn. Entrée : 10 € ; réduc.
Dès le Xe s, ce château de conte de fées, en plein cœur du centre-ville, a commencé à faire parler de lui, mais ce sont les XVe et XVIIe s, surtout, qui l'ont vu

> **JEAN D'O**
>
> *Jean d'Ormesson passa sa jeunesse au château de Saint-Fargeau qui appartenait à sa mère. Normalien, agrégé et académicien, il épousa la fille de Ferdinand Béghin, magnat de la presse et du sucre (Béghin-Say). Bien pourvu par son mariage, ses livres se vendent, en plus, fort bien. C'est injuste.*

croître et s'embellir. Ses propriétaires les plus célèbres furent Jacques Cœur et Mlle de Montpensier, alias la Grande Mademoiselle, qui passa quelques années au château lors de son exil. Ce n'est pourtant pas à une touche féminine qu'on doit ce majestueux pentagone de brique rose, mais à Antoine de Chabannes, un autre propriétaire, qui a choisi la brique pour son intérêt défensif ! L'architecte Le Vau, à qui l'on doit Versailles, intervint aussi sur les façades et la cour intérieures. Mais c'est essentiellement le tour complet des charpentes qui vaut le coup d'œil : impressionnantes (1 000 t de poutres de chêne) ! Visite guidée passionnante des salons. Charpentes, écuries et parc (cinq anciennes locomotives à vapeur y sont exposées) en visite libre. En été, le spectacle historique son et lumière retrace parfaitement l'atmosphère autant que la vie de ces vieilles pierres qui semblent n'attendre que les projecteurs pour nous confier leurs secrets.

– *Promenade en calèche dans le parc du château :* tlj en été, sur résa le reste de l'année. ☎ 03-86-74-14-99. 📱 06-76-73-26-48. Tarif : à partir de 6 € ; réduc ; en complément de l'entrée au château ou à La Ferme. Environ 30 mn du château à sa ferme (selon promenade).

– *La Ferme du Château :* à 800 m. ☎ 03-86-74-03-76. ● ferme-du-chateau.com ● Avr-oct, w-e, j. fériés et vac scol tlj 10h-18h. Entrée : 7 € ; réduc. L'atmosphère d'une ferme et des gîtes où le temps s'est arrêté. On y trouve aussi une chambre d'hôtes en plein cœur de la ferme, pour rester dans l'ambiance. Le lendemain, réveil matinal à cause du coq, visite de la ferme, biberon aux animaux nouveau-nés, on va découvrir le travail du maréchal-ferrant, l'atelier de forgeron, etc.

L'YONNE

– **Visites aux chandelles :** ☎ 03-86-74-05-67. ● chateau-de-st-fargeau.com ● Entrée : 12 € ; réduc. Le jeu soir en juil (22h) et août (21h30). Le château s'anime à la nuit grâce aux comédiens et saltimbanques qui font revivre certaines scènes de son histoire. Résa conseillée.

– **Spectacle historique son et lumière :** ☎ 03-86-74-05-67. ● chateau-de-st-fargeau.com ● ♿ De mi-juil à fin août, ven soir et sam soir. Début du spectacle vers 22h (durée : 2h). Billets sur place, sur Internet ou par courrier ; pas de résa par tél. Entrée adulte : 18 € ; réduc. Prévoir une petite (et même une grosse) laine. Toute l'histoire du château et de la Puisaye sur 10 siècles, du Moyen Âge à l'arrivée des troupes américaines de la Libération. Avec des variantes selon les années, bien sûr. Pour ce spectacle, plus de 700 bénévoles sont mis à contribution, 6 000 costumes, cavaliers et ânes, pour le bonheur de plus de 30 000 spectateurs par an. Et depuis 2015, il est même en 3D !

🎭🎭 **Le musée de l'Aventure du son :** pl. de l'Hôtel-de-Ville. ☎ 03-86-74-13-06. ● aventureduson.fr ● Mai-sept, tlj 10h-12h, 14h-18h ; mars-avr et oct, tlj sf mar 14h-18h. Entrée : 6 € ; réduc. Enquête-jeu avec son smartphone. Unique, passionnant, drôle, attachant : un musée qui raconte, sans faire de bruit, mine de rien, toute l'aventure du son, des premiers phonographes aux transistors des années 1960. Des pièces rares (premières machines à dicter le courrier de 1888), des curiosités (gigantesque mæstrophone), les retrouvailles avec une vieille connaissance (Nipper le chien, la voix de son maître !) et quelques révélations : le juke-box existait dès les années 1910 et il s'appelait « phonotable ». Impressionnante machine orchestre pneumatique de 1930. Également des radios et instruments de musique mécaniques : le limonaire, l'orgue de barbarie et le piano bastringue.

DANS LES ENVIRONS DE SAINT-FARGEAU

🎭 🚶 **Le lac du Bourdon :** à 3 km au sud-est par la D 185. Grand réservoir artificiel (220 ha) aménagé pour alimenter en eau le canal de Briare. Plage de sable et baignade (surveillée en juillet-août), canoë-kayak, voile et planche à voile. Idéal les jours de grande chaleur.

ROGNY-LES-SEPT-ÉCLUSES

(89220)   780 hab.   Carte Yonne, A3

L'histoire de Rogny est liée à l'histoire du canal de Briare et des sept écluses. Ils font partie d'un gigantesque projet conçu par Henri IV et Sully dès 1597 pour relier la Méditerranée à l'océan et à la Manche au moyen de canaux reliant les rivières. Pour cela, il fallait unir la Loire à la Seine et donc franchir le seuil de 24 m séparant les deux bassins. C'est à Hugues Cosnier que revient le mérite de vouloir faire franchir cette colline aux bateaux. Il imagine alors cet ensemble de six écluses complétées plus tard par une septième. Les travaux rassemblèrent 12 000 ouvriers. En 1642, le canal fut livré à la navigation et les sept écluses fonctionnèrent jusqu'en 1880, date à laquelle elles furent remplacées par six écluses espacées sur le nouveau tracé du canal de Briare...
Aujourd'hui, Rogny compte 780 habitants, qui ne s'étonnent plus guère de voir des curieux venus du monde entier admirer cet ouvrage. C'est un petit village typique de Puisaye, calme et reposant, où vous pourrez séjourner et pratiquer de nombreuses activités nautiques (avec les bateaux Nicols), pédestres, équestres et même familiales.

Adresse utile

🛈 **Office de tourisme « Cœur de Puisaye » :** 2, rue Gaspard-de-Coligny. ☎ 03-86-74-57-66. ● puisaye-tourisme.fr ● Avr, mar-sam 10h-12h30, 14h-18h ; mai-sept, mar-dim 10h-12h, 15h-18h. 📶 Visites commentées sur résa. Boutique. Liste d'hébergements et de petites tables sympas au cas où vous auriez envie de prolonger votre séjour aux portes du Loiret.

À voir

🏛🏛 **Les sept écluses de Rogny :** un saut de trois siècles dans le temps pour voir combien le système initial des écluses était osé et leur franchissement impressionnant. La construction de l'édifice, ordonnée à la hâte par Henri IV, commença en 1604 pour être abandonnée à sa mort. Elle fut reprise en 1638 pour se terminer en 1642. Balade agréable le long du chemin de halage. Attention, familles : pas de garde-fou ! Grand feu d'artifice le dernier samedi de juillet.

DANS LES ENVIRONS DE ROGNY

🏛 **Le Ferrier de la Garenne :** à *Tannerre-en-Puisaye* (89350), à 24 km à l'est. En forêt, le plus grand site sidérurgique de la Gaule romaine. Les panneaux rencontrés vous précisent l'histoire du lieu : la production de fer à l'époque gallo-romaine, l'exploitation des scories de fer au XXe s. ● leferrierdetannerre.net ●

🏛 **Les Jardins d'eau « Pierre Doudeau » :** à *Bléneau* (89220), à 8 km au sud-est. Une véritable réserve botanique. Le parcours santé, l'île aménagée et les lavoirs du XIXe s invitent à la promenade et à la détente.

TOUCY (89130) 2 590 hab. *Carte Yonne, B3*

Toucy est le bourg natal d'un certain Pierre Athanase Larousse (1817-1875), qui se prit d'amour pour les mots et les sema à tous les vents. Né d'un père charron-forgeron et d'une mère aubergiste, il passa ici une enfance heureuse, entre l'école publique, la campagne et les livres. Dommage que sa maison natale héberge maintenant un fast-food !
Une petite ville qui s'anime surtout le samedi matin, quand toute la Puisaye ou presque se retrouve à son incontournable marché. Plusieurs commerces donnent le statut de poumon économique de la Puisaye icaunaise à la ville.

Adresse et info utiles

🛈 **Office de tourisme « Cœur de Puisaye » :** 1, pl. de la République. ☎ 03-86-44-15-66. ● puisaye-tourisme.fr ● Tt près de la statue de Pierre Larousse. En saison, mar-sam 10h-12h30, 15h-18h, plus lun 14h-18h juil-août ; hors saison, mar-sam 10h-12h30, 14h30-17h. 📶 Organise des visites guidées sur 3 thèmes : la ville, l'église et Pierre Larousse. Livret d'énigmes pour les enfants. Programme d'animations en tout genre l'été venu.
– **Marché :** ts les sam mat. Moins réputé que le Beau Marché des Rameaux (voir « Manifestations à Toucy et dans les environs »), mais labellisé « Saveurs et savoir-faire de Bourgogne ».

L'YONNE

Où manger ?

Prix moyens

|●| *La Mée Coinchotte :* 11, rue Paul-Bert. ☎ 03-86-44-20-32. ♿ *Rue qui donne sur la pl. Pierre-Larousse, à côté de la pharmacie. Tlj sf mer soir, dim, plus certains soirs en hiver. Formules déj en sem env 9-13 € ; menus 20-26 € ; carte 20 €.* On y déguste de belles salades, des pâtes ou une multitude de pizzas, un copieux plat du jour et des desserts de saison. C'est frais, copieux, et la salle à manger est pimpante. Déco moderne. Belle terrasse.

|●| *Le Délice des Galets :* 7, pl. de la République. ☎ 03-86-44-83-67. *Mer-dim. Menus 27-30 €.* Décor moderne et cuisine classique, du soigné, de l'attentionné. Valérie et son frère Éric Gallet sont de bons pros, ce dernier continuant de veiller sur son resto d'Auxerre, *Le Bourgogne,* qu'on aime bien aussi.

À voir. À faire

🎿 *L'église :* avec son chevet flanqué de deux tours du XIIe s reliées par un chemin de ronde, elle ressemble plus à une forteresse qu'à une église.

🎿 *La Galerie de l'Ancienne Poste :* pl. de l'Hôtel-de-Ville. ☎ 03-86-74-33-00. ● galerie-ancienne-poste.com ● *Jeu-dim 10h-12h30, 15h-19h. Fermé 2 sem en fév.* L'hôtel particulier du XVIIe s et l'ancienne poste (on s'en doutait) abritent cette superbe galerie dédiée à la céramique contemporaine. Six expos par an avec des céramistes de renom. Conférences. Espace librairie.

🎿 *La Galerie 14 :* rue Philippe-Verger. ☎ 03-86-44-04-11. Le saxophoniste américain Ricky Ford a ouvert cette galerie dans le but d'exposer des artistes peintres, sculpteurs et photographes internationaux. Organise un super festival de jazz (voir « Manifestations à Toucy et dans les environs »).

🎿🎿 🚶 *Le train touristique de Puisaye :* av. de la Gare, à Toucy. ☎ 03-86-44-05-58 ou 15-66 (office de tourisme). ● train-de-puisaye.com ● *Slt w-e et j. fériés début mai-fin sept. Se renseigner pour les horaires de départ. Ticket A/R : 7,50-12 € (plein tarif) selon longueur du trajet ; réduc enfants.* Billet forfaitaire à la journée, qui vous permet de descendre où vous voulez. Transport de vélos, voitures d'enfant, animaux de compagnie gratuit. À la croquignolette gare de Toucy, l'autorail *Picasso,* qui n'accuse pas moins d'un demi-siècle, vous trimbale dans une chaude ambiance de vacances à travers la campagne. Le trajet ? Toucy/Villiers-Saint-Benoît (environ 9 km à parcourir en 20 mn), tronçon de l'ancienne ligne Montargis-Clamecy, ou Toucy-Moutiers-La Bâtisse (ligne Gien-Auxerre, compter 1h). Demandez au conducteur de vous faire visiter la cabine de conduite et le compartiment moteur. Passionnant et ludique. Petit coin bar-boutique dans l'autorail. En gare de Toucy, visite complémentaire du musée des Ambulants de la Poste et du Musée ferroviaire. Animation formidable par des bénévoles sympas. Quiz destiné aux enfants.

🎿 *L'atelier Bernasse :* route de Fontenoy. 📱 06-14-79-04-70. ● atelierbernasse. fr ● *Sur résa. Entrée payante.* Restauration et entretien de véhicules anciens par des passionnés. Les véhicules sont exposés dans les bâtiments industriels de l'une des premières usines françaises de motos.

Manifestations à Toucy et dans les environs

– *Le Beau Marché :* sam des Rameaux, depuis tôt le mat et tte la journée. Marché traditionnel avec bestiaux et volailles.
– *Festival Théâtre et cirque :* w-e de l'Ascension, les années impaires. Théâtre et spectacles de rue sous chapiteau.

– *Festival de jazz :* *courant juil, ven soir et sam.* ● *toucyjazzfestival.com* ●
– *Apéros-concerts :* *juil-août, sam à partir de 18h30.* Des concerts gratuits sur les places publiques de Toucy.
– *Lune Estival à Pourrain :* *dernier ven et sam d'août.* Concerts, arts de la rue, nombreuses activités gratuites.
– *Les Estivales en Puisaye-Forterre :* *août.* ● *estivalesenpuisaye.com* ● Concerts classiques sur 10 jours, dans les églises de Puisaye ; concert de clôture à Toucy (fin août).
– *Foire aux châtaignes :* *89240 Diges, 3e sam d'oct.* Châtaignes grillées, jus de pomme... le marché d'automne par excellence.
– *Fête de la Pomme :* *à Dracy, mi-oct.* Variétés anciennes notamment.

DANS LES ENVIRONS DE TOUCY

L'YONNE

VILLIERS-SAINT-BENOÎT *(89130)*

🎭 🕴 *Le musée d'Art et d'Histoire de Puisaye :* *rue Paul-Huillard.* ☎ 03-86-45-73-05. ♿ *À 9 km au nord-ouest de Toucy ; dans le village. De mi-mars à mi-nov, tlj sf mar : 10h-12h, 14h-17h (18h mai-20 sept). Entrée : 5 € ; réduc ; gratuit 1er dim du mois.* Une jolie maison bourgeoise à l'ambiance XVIIIe s reconstituée avec sa cuisine poyaudine et le cabinet d'un érudit. Les grès de Puisaye et les faïences de l'Auxerrois constituent un bel ensemble de collections au 1er étage : des gourdes qu'attachaient les seigneurs à leurs selles aux œuvres de l'école de Carries, en passant par un rigolo pichet trompeur du XVIIe s. Dans la nouvelle aile moderne reliée par une galerie sont à l'honneur les sculptures bourguignonnes du XIIe au XVIe s, dont quelques chefs-d'œuvre de l'école de Dijon. Expos temporaires (minimum une par an) d'art contemporain.

🎭 *L'église Saint-Benoît :* elle abrite l'une des moins connues des fresques murales de la Puisaye, le *Dict des trois morts et des trois vifs* (XVe s). Clés auprès du musée (normalement) ou appeler Mme Girard au ☎ 03-86-45-74-47 (aux heures d'ouverture du musée).

PARLY *(89240)*

🎭 🕴 *Le centre d'art graphique de la Métairie Bruyère :* *Le Petit-Arran.* ☎ 03-86-74-30-72. ● *la-metairie.fr* ● *À 7 km au nord de Toucy ; suivre la route d'Auxerre (D 965) ; à 2 km, Parly est indiqué sur la gauche ; ensuite, suivre « La Métairie Bruyère ». Entrée : 3 € ; réduc. Visite des salles d'expos mer-dim 10h-12h, 14h-19h. Visite guidée des ateliers de gravure en taille-douce, de lithographie et de typographie juil-sept, mer-dim à 10h : 6 € (sur rdv hors saison).* Également des stages de gravure tte l'année pour les adultes, l'été pour les enfants. C'est ici l'un des rares sites en France où l'on pratique encore l'imprimerie « à la Gutenberg » sur d'anciennes presses. Équipe jeune, pro et très sympa, qui travaille avec les plus grands artistes ou maisons d'édition de luxe. Artistes en résidence dont les œuvres imprimées sont exposées chaque saison. Et grande exposition autour d'un artiste de réputation internationale.

➤ Autour de Parly, randonnée à thème à travers la châtaigneraie (6 km), classée « Arbres remarquables ».

LEUGNY *(89130)*

🎭 *Le Jardin de La Borde :* *lieu-dit La Borde.* ☎ 03-86-47-69-01. ● *contact@ la-borde.eu* ● *De mi-mars à mi-nov, ts les mar et derniers jeu et dim du mois,*

10h-18h. Tarif : 5 € ; visite guidée sur demande. Laissez votre GPS vous perdre sur une route forestière cahoteuse qui vous donnera le temps d'apercevoir un renard. Une fois franchie la grille du domaine, on ne peut qu'être séduit (comme tous les visiteurs fortunés qui viennent séjourner ici, en chambres d'hôtes de luxe) par le calme et le charme de ce parc botanique hors du temps et du monde. La grande serre, le potager de 1 600 m², les parterres à la française sont les joyaux de ce « Jardin remarquable ». Un lieu secret de la Puisaye qui donne une toute autre image de ce pays que certains ne font que traverser entre Paris et la Côte d'Azur.

LA FERTÉ-LOUPIÈRE

(89110)   560 hab.   *Carte Yonne, B2*

À 20 km au nord de Toucy par la D 955 puis à gauche (D 3). Petit village autrefois fortifié, dont l'église abrite la plus célèbre fresque murale de la Puisaye, l'une des six danses macabres que l'on connaisse en France.

À voir

¶¶ *L'église avec la danse macabre :* ☎ 03-86-73-14-87 (mairie). Visite libre tte l'année 9h-19h. Élevée à la fin du XVᵉ s, elle présente un ensemble très rare de peintures murales de cette époque angoissée. Intéressant plafond en bois, en forme de carène de navire renversée. Difficile de rater la fresque : elle court sur 25 m de mur et met en scène 42 personnages. Cette danse macabre (des squelettes entraînent des hommes dans leur ronde) avait, paraît-il, choqué un pape parce qu'elle plaçait tout le monde à égalité face à la mort, ecclésiastiques comme gens du peuple. Il l'avait donc fait recouvrir. Résultat : la fresque a traversé les siècles sans trop d'encombres. Grande luminosité des couleurs, dessins encore très marqués.

¶ *Les jardins d'Octave et du Prieuré :* ☎ 03-86-73-10-35. Visite libre 15 juin-15 sept, tlj sf lun et mer 10h-12h30, 14h30-19h. GRATUIT. En sortant de l'église, deux jardins imaginés et travaillés par les habitants eux-mêmes. Autour d'un potager à la française avec des arbres fruitiers, des fleurs et des vivaces, une pièce d'eau aménagée apporte détente et fraîcheur. Le second, visible près de la route, donne aux plus jeunes une idée de ce qu'était un jardin typique d'autrefois.

¶ En sortant des jardins, un village bien vivant vous accueille, mené par une association dynamique à découvrir dans la boutique-galerie du village : *Acanthe Village d'Artistes* (16, rue Pierre-de-Courtenay ; ☎ 03-86-73-14-24 ; ● acanthe89. com ● ; tlj sf lun-mar). Expositions estivales dans la grange du Prieuré et dans l'atelier du photographe.

DANS LES ENVIRONS DE LA FERTÉ-LOUPIÈRE

CHARNY (89240)

Adresse utile

🛈 *Office de tourisme de Charny-Orée de Puisaye :* 22 bis, Grande-Rue. | ☎ 03-86-63-65-51. ● puisaye-tourisme.fr ● De Pâques à mi-oct, mar-sam, 9h-12h30, 15h-18h (18h30 juil-août) et dim 10h-12h ; le reste de l'année, mar-sam 9h (10h dim)-12h, 14h-17h (sf mer et jeu ap-m). Expos mars-nov. Propose des topoguides sur 30 circuits de randonnées pédestres et à VTT en Puisaye. Calendrier des manifestations sur le site (fête de l'Été le 3e w-e de juin, vide-greniers le 1er w-e d'août, etc.).

À faire

🏃🏃 🚶 Le cyclorail de Puisaye : à la gare de Charny. 📱 06-32-45-63-91. ● cyclorail.com ● ♿ Tlj, sur résa. À partir de 8 €/pers, de 1h à la journée complète (4 adultes ou 5 pers dont un enfant de moins de 7 ans). La ligne Charny/Villiers-Saint-Benoît a repris du service grâce à M. Bertrand et son cyclorail, sur un parcours de 30 km max. Facile à manœuvrer, ludique et instructif à la fois. Son nouvel astrocyclorail permet de pédaler sur les rails tout en découvrant les planètes de notre système et les distances entre chacun d'entre elles. Démarrez sur le Soleil et atteignez Neptune à Villiers-Saint-Benoît. En chemin, deux aires de pique-nique pour faire un stop en famille et on passera même devant un curieux wagon qui est en fait une habitation ! Partiellement ombragée, cette balade n'a rien de sportive, elle est plutôt « décompressive ».

LA FABULOSERIE DE DICY (89120)

À elle seule, la fabuleuse *Fabuloserie* justifie que vous alliez vous perdre jusqu'au fin fond de la Puisaye. Même si le temps est à l'orage (le jardin est encore plus beau), même si vous n'avez pas le moral... Alain Bourbonnais, un architecte disparu en 1988, a légué à tous ceux qui suivent la visite une fabuleuse machine à rêver.

🏃🏃🏃 🚶 La Fabuloserie : ☎ 03-86-63-64-21. ● fabuloserie.com ● Par la D 943 (autoroute A 6, sortie n° 18), direction Montargis. Avr-début nov 14h-19h : juil-août, tlj ; sinon, w-e et j. fériés. Visite commentée : 2h. Entrée : 9 € ; enfant 5 € ; réduc. Expo temporaires.
Art brut ? Dubuffet a réservé l'appellation à sa collection léguée à Lausanne. Il a suggéré le nom « Art hors les normes » à Alain Bourbonnais, un architecte disparu en 1988, son fils spirituel. Une étiquette qui va finalement bien à cette étonnante collection, pour laquelle ce dernier a conçu un véritable labyrinthe où chaque salle a son ambiance particulière.
Dans le musée et le parc, vous découvrirez les œuvres émouvantes, insolites, « d'hommes du commun ». Ces autodidactes ont un jour eu l'irrépressible envie de transcender leur quotidien, banal, voire morose, en créant avec des matériaux de leur environnement proche, ce qui confère à l'ensemble de ces œuvres une étonnante diversité, sans références artistiques.
Fabuleuse *Fabuloserie* où la visite saute d'un dessin au crayon de couleur à la salle des Turbulents (personnages extravagants faits d'une armature grillagée recouverte de papiers, tissus...) d'Alain Bourbonnais, aux engrenages d'Émile Ratier, ou de la naïve usine nucléaire de monsieur Petit à la flippante « vie de Mauricette » de Francis Marshall. La visite se poursuit dans le parc où, après avoir croisé Clemenceau ou Jane Mansfield (statues de Camille Vidal, en béton peint et grandeur nature !), on voit tourner le manège extraordinaire de Pierre Avezard que l'on surnommait « petit Pierre », garçon vacher né sourd-muet : une tour Eiffel en bois d'acacia de 23 m de haut, des trains et des avions, des vaches, des danseurs en tôle peinte. Une machinerie pour enfants petits et grands qui rassure quant au monde actuel.

➤ En sortant du musée, profitez de la beauté du charmant village de Dicy en longeant la rivière. Et poussez jusqu'à Saint-Aubin-Château-Neuf pour suivre le chemin des arts : 30 œuvres d'artistes disséminées dans le village.

L'YONNE

LADUZ (89110)

♥♥♥ ⅄⅄ *Le musée des Arts populaires :* 22, rue du Monceau. ☎ 03-86-73-70-08. ● *laduz.com* ● ⅙ (rdc). À 12 km à l'est de La Ferté-Loupière et à 15 km au sud de Joigny. Juil-août, tlj 14h30-18h (et le mat selon disponibilité) ; juin et sept, w-e 14h30-17h30 ; hors saison, sur rdv. Fermé l'hiver. Visite non guidée ; compter 2h. Entrée : 8 € ; réduc ; gratuit moins de 4 ans. Maison d'hôtes sur place (résa longtemps à l'avance). Ce passionnant musée, qui n'y va pas de son couplet nostalgique, se veut juste un endroit où est conservée vivante la mémoire d'une civilisation rurale vieille de plusieurs millénaires mais disloquée en quelques décennies par l'industrialisation. Au départ, faute de vrais panneaux explicatifs, cette formidable accumulation d'outils et d'œuvres d'art donne un peu le tournis : sabots de mariage, poterie de Puisaye, vannerie, lanternes de procession, jouets anciens... Et puis on se laisse gagner par le calme du lieu, par sa poésie. On découvre le monde des galochiers, des bourreliers, on se pose dans le délicieux jardin avec un verre de cidre fermier, puis on explore à nouveau ce musée : œuvres proches de l'art brut, aubes de premiers communiants, chevaux de bois de manège... Impressionnante salle de jouets d'autrefois, qui rappellera des souvenirs ou fera rêver les plus jeunes. L'été, expos temporaires autour du textile et du papier.

– Avant de remonter vers Joigny, faites un détour pour visiter, à 10 mn de là, dans l'ancien moulin de *Villiers-sur-Tholon*, le *musée du Moule à chocolat* : ☎ 03-86-73-32-51. ● *lacharlotteauxchamps@laposte.net* ● *Tlj juil-août 14h30-18h et les w-e hors saison, jusqu'à 17h30. Compter 3 €.* Mieux vaut prendre rendez-vous avec Sylvie Langlet, ancienne chocolatière de *La Charlotte de l'Île*, à Paris, pour découvrir cette collection privée de 300 moules.

LE NORD DE L'YONNE,
AUX PORTES DU BASSIN PARISIEN

JOIGNY   (89300)   10 740 hab.   *Carte Yonne, B2*

Il faut voir d'abord Joigny depuis le pont d'Yonne : une enfilade de quais, puis la ville construite en amphithéâtre, avec ses maisons à pans de bois serrées les unes contre les autres comme si chacun voulait avoir à tout prix son petit morceau de vue. On profite ensuite de la vue inverse, celle depuis la rive gauche regardant la rivière et le pont

SI J'AVAIS UN MARTEAU...

On appelle les habitants de Joigny des Joviniens, mais aussi des Maillotins : ce nom leur a été donné au XVᵉ s, à la suite d'une révolte des habitants et vignerons de la cité contre un seigneur local, à coups de... maillet ! Ils voulaient lui signifier le grand tort qu'il avait de soutenir les Armagnacs contre les Bourguignons.

Saint-Nicolas, les belles halles Baltard et, derrière, la façade de l'hôtel de ville. On découvre ensuite, au hasard de ses rues tortueuses, de nombreux témoins d'un passé plus que millénaire qui vaut bien un label de « Ville d'art et d'histoire ». Et quelques adresses sympas qui permettent d'apprécier les bourgogne-côte-saint-jacques produits sur les coteaux joviniens.

Adresse et infos utiles

🛈 *Office de tourisme :* 4, quai Rago-bert. ☎ 03-86-62-11-05. ● joigny-tourisme.com ● ♿ De mi-juil à mi-sept, tlj sf lun mat, plus dim et j. fériés. Bel office avec boutique. Organise des visites guidées à thème (payantes) en été d'environ 1h30 (parfois insolites) ainsi que des visites le mardi et le jeudi pour les enfants (gratuites). *Pass été :* 4 visites thématiques pour 12 €.
– Consulter aussi : ● ville-joigny. fr ● pour découvrir les manifestations annuelles.
– *Marchés :* mer mat et sam mat. Marché traditionnel.

Où dormir ? Où manger ? Où sortir ?

Camping

⛺ *Camping municipal de Joigny :* 69, quai d'Épizy. ☎ 03-86-62-07-55. ● camping.joigny@orange.fr ● joigny-tourisme.com ● ♿ De l'A 6, sortie n° 18, direction Joigny par la D 943, puis direction centre-ville et Sens. Mai-sept. Forfait tente env 13 €. 41 empl. CB refusées. Entre le canal et l'Yonne et non loin du centre, un petit camping de bon confort avec quelques équipements de loisirs (minigolf, beach-volley). Aire pour camping-cars. Boulanger le matin en saison.

De bon marché à prix moyens

🏠 🍽 *Le Paris-Nice :* 8, rond-point de la Résistance. ☎ 03-86-62-06-72. ● parisnice@wanadoo.fr ● ♿ (resto slt). Resto tlj sf dim soir-lun. Congés : 1re quinzaine de janv, 2 sem en fév-mars, 2 dernières sem d'août. Double 58 €. Menus 18 € (en sem), puis env 20-40 €. 📶 Un apéritif maison offert sur présentation de ce guide. Une adresse ensoleillée, située sur ce qui était autrefois le chemin obligé pour la Côte d'Azur. Les chambres, gardent le nom d'étapes (optez pour « Lyon », « Nice » ou « Beaune »), mais c'est la table qui attire un public de tous âges. On vient ici se régaler d'une cuisine régionale traitée avec une touche de fantaisie et une pointe d'épices. Quant aux couleurs de la salle, elles donnent la pêche en toute saison. Terrasse sous les arbres.

🍽 *Brasserie du Pont :* 2, rue Basse-Pêcherie. ☎ 03-86-62-05-51. Au pied de la ville haute, en face du pont, juste derrière l'office de tourisme. Tlj sf dim. Congés : 1 sem en mai et 15 j. en août-sept. Repas autour de 15 €. Apéritif maison offert sur présentation de ce guide. Une petite cuisine régionale faite maison. Ce restaurant de quartier offre une agréable terrasse ombragée. L'adresse économique de Joigny.

🍽 ♪ *L'Escargot de Sab :* av. Roger-Varrey. ☎ 03-86-62-10-38. Tlj sf mar soir-mer. Menu du jour env 13 € déj en sem ; compter env 16 € le soir et le w-e. Une adresse originale, dans le bas de Joigny, près du marché. La salle, entièrement tapissée de pochettes de CD de jazz, donne le ton. Le propriétaire de ce pub-resto est un fou de musique, un passionné de blues, qui propose des soirées à thème et passe volontiers à la batterie. Bonne petite cuisine toute simple et généreuse, soirées brochettes et bœuf à gogo !

Chic

🏠 🍽 *Le Rive Gauche :* chemin du Port-au-Bois. ☎ 03-86-91-46-66.

● contact@hotel-le-rive-gauche.fr ● hotel-le-rive-gauche.fr ● *Sur... la rive gauche, face à la ville. Resto fermé dim soir oct-juin. Doubles 95-105 €. Menus 26 € (sf j. fériés)-51 €.* 📶 *Café offert sur présentation de ce guide.* Jérôme Joubert a travaillé 10 ans chez des étoilés avant de venir diriger les cuisines de cette bâtisse moderne aux airs de Nouvelle-Angleterre construite au bord de l'Yonne par la famille Lorrain, face à son célèbre 2-étoiles, au milieu d'un parc de 2 ha. Cuisine enjouée, actuelle, à l'image de ce cadre chaleureux ouvrant sur le jardin et la rivière. Terrasse agréable. Chambres agréables, confortables, climatisées, pour qui veut profiter du vin maison (on voit les vignes sur la colline, juste en face).

Où dormir ? Où manger dans les environs ?

De prix moyens à chic

🏠 |●| ***Auberge La Fontaine aux Muses :*** *89116 La Celle-Saint-Cyr.* ☎ *03-86-73-40-22.* ● *fontaineaux muses@aol.com* ● *fontaine-aux-muses.com* ● 🖐 *En sortant de l'A 6, prendre la route de Joigny (D 943), puis la D 194. Mai-sept, fermé lun, mar jusqu'à 17h ; oct-avr, fermé lun-jeu. Doubles 63-82 € ; familiales. Menus 38-44 €.* 📶 *Apéritif ou digestif maison offert sur présentation de ce guide.* Une adresse pleine de charme qui prend ses aises dans une belle maison bourguignonne du XVIIe s. On retrouve dans les pièces communes comme dans les chambres cet esprit rustique et chaleureux. L'accueil attentionné, la table attachée au terroir et à la créativité, le jardin fleuri, la piscine chauffée, le tennis et le miniparcours de golf sont autant d'arguments pour y séjourner. Sans parler des soirées jazz ni des vins du domaine !

🏠 |●| ***Auberge des Grandes Vignes :*** *89300 Villecien.* ☎ *03-86-63-11-74.* ● *contact@auberge-grandesvignes. com* ● *auberge-grandesvignes.com* ● *Resto slt pour les clients de l'hôtel. Doubles à partir de 60 €.* Un « Logis de France » classique qui réserve à ses clients un accueil chaleureux et une sympathique cuisine au feu de bois.

Où acheter de bons produits ?

⊛ ***Marché :*** *sous et autour de la halle, aux bords de l'Yonne, mer et sam mat.* Si vous cherchez un pâté en croûte d'exception, un boudin de première ou un fromage bourguignon, c'est là qu'il faut vous rendre, sans compter la fine fleur, ou plutôt les fins légumes des maraîchers !

⊛ ***Les Gourmandises de Justine :*** *11, av. Gambetta. Tlj sf lun.* Gourmandises chocolatées ou non, laissez-vous surprendre par les créations d'Anthony Normand. En été, glaces maison à savourer sans attendre !

À voir

🏛 ***L'église Saint-Thibault :*** *rue d'Étape. Infos auprès de* ● *joigny@paroisses89-ccf.fr* ● *Concerts d'orgue gratuits en été.* Reconstruite entre les XVe et XVIe s. Au-dessus du portail, très expressive statue équestre de saint Thibault due à Jean de Joigny. À l'intérieur, chœur bizarrement de guingois (il tourne vers la gauche) et superbes clés de voûte pendantes. Quelques statues, dont une Vierge à l'Enfant du XIVe s, au sourire aussi discret que celui de la Joconde ! Quelques beaux vitraux colorés du XIXe s. Très belle chaire Renaissance.

🏛🏛 ***Les maisons à pans de bois :*** entre Saint-Thibault et Saint-Jean, vous avez le choix ! Voir la jolie maison de l'arbre de Jessé, juste au bout de la rue Cortel. Place du Pilori, maison à pans de bois sculptés, égayés par des céramiques polychromes. Admirable *maison du bailli,* rue Montant-au-Palais, face à la porte

Saint-Jean (XIIe s) : demeure à pans de bois du début du XVIe s, façade de type champenois entièrement sculptée, portes et fenêtres en accolade.

🎯🎯 *L'église Saint-Jean-Baptiste* : perchée sur le plateau dominant la ville, l'église voisine avec le château Renaissance des Gondi et offre ainsi une vue presque italienne. La surprise se poursuit à l'intérieur. Après avoir passé le clocher-porche, on découvre la formidable voûte de pierre en berceau (XVIe s). Le berceau s'appuie sur des colonnes ornées de statues des apôtres et supporte un décor sculpté tout au long. Dans le bas-côté droit, monument funéraire (XIIIe s) d'Aélis, comtesse de Joigny, complet et original. On y observe notamment l'allégorie de l'insouciance.

🎯 *Le château des Gondi* : rue Dominique-Grenet, près de l'église Saint-Jean. De style Renaissance (fin XVIe-début XVIIe s). Construit par la famille de Sainte-Maure, le château (jamais achevé) et le comté sont achetés au XVIIe s par la famille de Gondi (le précepteur des enfants était un certain Vincent de Paul). Le château ne se visite qu'à l'occasion des Journées du patrimoine. Expositions temporaires.

🎯 *L'église Saint-André* : rue Notre-Dame. Plusieurs fois remaniée, l'église du quartier vigneron comporte quelques détails intéressants évoquant la vigne : sarments sculptés sur son portail, statue de saint Vincent, parabole des vignerons homicides sur un vitrail... Quelques beaux vitraux du XVIe au XIXe s. Chaque dernier week-end de juillet, fête de la commune libre de Saint-André.

🎯 *L'Atelier de Prinsac* : 2, rue Notre-Dame (quartier Saint-André). 📱 06-62-10-52-71. ● atelierdeprinsac.fr ● *Ouv sam 10h-12h, 14h-19h ; en sem, tirez la chevillette !* Une des plus vieilles maisons du quartier. L'atelier d'Alexandra est un lieu atypique, une vraie boutique de créateurs.

🎯🎯 🎯 *Le musée de la Résistance* : 5, rue Boffrand. ☎ 03-86-62-20-96. *Dans le centre, pas très loin des quais. Ouv mer et w-e mai-sept, slt mer et sam en avr et oct. GRATUIT. Visites guidées pour groupes (☎ 03-86-62-11-05).* Le plus ancien des musées de la Résistance en France, créé à l'initiative des membres du réseau jovinien Bayard en 1945. Le musée témoigne du combat d'hommes et de femmes contre l'occupant nazi et le régime de Vichy de 1940 à 1945. Expos temporaires.

🎯 *L'espace Jean-de-Joigny* : pl. Jean-de-Joigny. ☎ 03-86-91-49-61. ● ville-joigny.fr ● *Tte l'année : mer et ven 14h-19h, sam 10h-19h, dim 14h-18h.* Un ensemble de bâtiments contemporains qui a pris la place de l'ancienne cour des Miracles médiévale. Expositions temporaires d'art plastique et d'art décoratif.

🎯 *Les fortifications* : des différentes enceintes, il reste *la porte Saint-Jean* (place Saint-Jean), *la tour dite « de la prison »* (rue des Fossés Saint-Jean), *les remparts de la Guimbarde* (chemin de la Guimbarde) et *la porte du Bois* (rue de la Porte-du-Bois).

🎯 *L'atelier Cantoisel* : 32, rue Montant-au-Palais. ☎ 03-86-62-08-65. ● cantoisel.com ● *Ouv sur rdv.* Atelier d'art contemporain de grande qualité, dans une belle maison bourgeoise du XVIIIe s.

🎯🎯 *La côte Saint-Jacques* : à 1,5 km au nord par la D 20 vers l'aérodrome et Dixmont. Une belle route en lacet qui traverse le vignoble de Joigny. Superbe panorama du belvédère sur la ville et la vallée de l'Yonne. On pourra y suivre à pied une petite balade dans le vignoble ou profiter d'une visite organisée par l'office de tourisme.

À faire

– **Navigation sur l'Yonne :** Locaboat Holidays, quai du Port-au-Bois. ☎ 03-86-91-72-72. ● locaboat.com ● *À côté de l'hôtel* Le Rive Gauche. *Fin mars-début nov.* Grand choix de pénichettes de location sans permis (plus ou moins grandes) pour naviguer sur l'Yonne (au week-end ou à la semaine).

L'YONNE

– **Les Nuits maillotines :** *certains ven et sam d'été. Rens auprès de l'office de tourisme.* Des visites-spectacles retracent l'histoire de la ville, accompagnées de comédiens, de chanteurs, de musiciens. Un thème et un parcours différents chaque année depuis 1998.

– **Apéritifs-concerts :** *ts les sam de l'été, 19h-21h, dans différents cafés.* Un apéro sympa, musical, convivial et diversifié.

DANS LES ENVIRONS DE JOIGNY

MIGENNES *(89400)*

Arrêtez-vous en chemin, à **Laroche-Saint-Cydroine,** pour jeter un œil au superbe clocher octogonal et aux jolis chapiteaux de l'église romane, ouverte en été. Fondation clunisienne du XIe s. À Migennes même, viser l'église du Christ-Roi, la « Lourdes des Cheminots », telle un phare visible des voyageurs. Migennes, située à 150 km de Paris, constituait une halte obligatoire, le temps d'alimenter en eau et en charbon les locomotives...

ℹ ✺ Office de tourisme : *1, pl. François-Mitterrand. ☎ 03-86-80-03-70. ● tourisme-migennes.fr ● Nov-mars, lun-sam 9h30-12h30 et 14h30-17h30 ; avr-oct 18h30, plus dim 9h-12h juil-août.* Petite expo autour d'un fragment restauré de la **mosaïque gallo-romaine** polychrome et géométrique du Ve s découverte à Migennes en 1976. Elle est extraite du pavement d'une salle de 210 m^2 environ, l'une des mosaïques gallo-romaines les plus vastes de la Gaule du Nord.

VILLENEUVE-SUR-YONNE

(89500) 5 400 hab. *Carte Yonne, B2*

Son plan très géométrique s'explique. Cette gentille petite bourgade, entourée de murailles ouvertes par cinq portes encore visibles, a été créée de toutes pièces en 1163 par Louis VII. Une ville entière comme résidence secondaire, Sa Seigneurie ne se refusait rien ! Nombreux vestiges à découvrir au cours de la visite : donjon, tours, fossés, lavoirs, église, pont, portes fortifiées, relais de poste, maisons d'apparat, etc. La ville a aussi fait parler d'elle en donnant refuge à des visiteurs célèbres tels que le peintre Édouard Vuillard.

UN MÉDECIN TRISTEMENT CÉLÈBRE

Médecin à Villeneuve-sur-Yonne, le docteur Petiot a sombrement défrayé la chronique au lendemain de la Seconde Guerre mondiale. Jeune maire à 30 ans et apprécié de tous, il partit pour Paris... et finit sur l'échafaud pour ses 63 crimes commis pendant la guerre. Il proposait aux juifs de les faire passer en zone libre, mais, en réalité, il les gazait pour les dépouiller. Ensuite, il les faisait disparaître dans son fourneau de la rue Le Sueur, à Paris.

Adresse et infos utiles

ℹ Office de tourisme : *4, rue Carnot. ☎ 03-86-87-12-52. ● tourisme-sens. com ● Avr-juin et sept, mar-sam ; juil-août, tlj ; fermé oct-mars.*

🚆 Gare SNCF : *100, av. du 8-Mai-1945. ☎ 36-35 (0,40 €/mn).* Ligne Paris-Sens-Dijon.

Où dormir ? Où manger dans le coin ?

Bon marché

🏠 **Chambres d'hôtes et gîte rural chez Brigitte Soret :** *39, rue de Villeneuve-sur-Yonne, 89500 Les Bordes.* ☎ *03-86-96-06-42.* ● *brigitte.soret@ hotmail.fr* ● *À 7 km à l'est de Villeneuve, direction Dixmont ; au centre du village. Double 55 €, familiale 65 €.* Difficile de manquer cette adresse, bien visible sur la rue principale d'un agréable petit village, à la lisière des bois du pays d'Othe. 4 chambres colorées, toujours pimpantes. Miniterrasse avec jardinet. Accès indépendant, jeux pour les enfants, kitchenette.

Prix moyens

🏠 |●| **La Lucarne aux Chouettes :** *quai Bretoche, à Villeneuve-sur-Yonne.* ☎ *03-86-87-18-26.* ● *contact@lalu carneauxchouettes.fr* ● *lalucarneaux chouettes.fr* ● 🍴 *Resto tlj sf dim soir-lun. Doubles env 59-99 €. Formules env 17-25 € en sem ; menus env 30-40 €.*

Belle maison ayant appartenu naguère à Leslie Caron, actrice hollywoodienne tombée amoureuse de la Bourgogne. 3 chambres de charme assez cocooning. Élégante salle de restaurant avec tout ce qu'il faut de pierres, briques et poutres apparentes pour faire authentique, et une grande baie donnant sur la rivière. Terrasse et service sympas, carte et menus où vous devriez trouver votre bonheur du jour.

|●| **Les Bons Enfants :** *4, pl. de la Mairie, 89330 Saint-Julien-du-Sault.* ☎ *03-86-91-17-38. Dans la rue principale, près de l'église. Mer-dim. Formules déj en sem 18-26 €, menu 32 €.* Entre Joigny et Villeneuve, arrêtez-vous dans ce village aussi charmant qu'oublié. L'ancien relais de poste a été rendu une première fois à la vie, il y a 10 ans, par M. Lobies, éditeur et imprimeur de métier, qui a su donner leur chance à de jeunes chefs japonais. Nouvelle vie en 2015, nouvelle équipe, entièrement française cette fois. Retour au terroir. L'aventure continue...

À voir

🏰 **Les portes :** de vrais petits châteaux en fait, à chacune des entrées de la rue principale. Du XIIIe s, remaniées au XVIe s. Porte de Joigny et porte de Sens, qui abritent deux des musées de la ville.

🏰 **Les musées de Villeneuve :** *porte de Joigny, 2, rue Carnot ; musée-galerie Carnot, 4, rue Carnot ; porte de Sens, 99, rue Carnot. Horaires auprès de l'office de tourisme.* Dans le cadre historique d'une ville qui a su garder d'importants vestiges architecturaux, les collections municipales et privées présentent Villeneuve, son histoire, ses richesses. Il y a même une salle réservée à la gendarmerie départementale, qui relate 200 ans d'histoire de cette institution !

🏰 **L'église Notre-Dame :** construite entre le XIIIe et le XVIe s. Imposante façade qui mêle les influences champenoise et bourguignonne. Portail Renaissance. À l'intérieur, dans le bas-côté gauche, curieuse *Mise au tombeau* composite : personnages en stuc de la Renaissance et Christ en bois du XIVe s, qui fait – et est d'ailleurs – pièce rapportée (les bras ont été bricolés, comme l'a montré la radiographie).

🏰 **La grosse tour :** donjon de pierre, vestige de l'ancien château royal du XIIIe s.

DANS LES ENVIRONS DE VILLENEUVE-SUR-YONNE

🏰 **Saint-Julien-du-Sault et le musée du Patrimoine culturel :** *10, rue de l'Hôtel-Dieu, 89530 Saint-Julien-du-Sault.* ☎ *03-86-63-22-95. Juin-sept, w-e*

L'YONNE

14h30-18h30. Entrée : 4 € ; gratuit moins de 12 ans. Un village méconnu, à 8 km au sud de Villeneuve par la D 3, de l'autre côté de l'Yonne. Dans une belle demeure classée du XVIe s, objets et outils exposés évoquent les anciens métiers ou activités parfois disparus comme le flottage du bois ou le sciage de long. Une cave de vigneron, la reconstitution d'une forge et celle d'un intérieur fin XIXe s plongent les moins de 20 ans dans un univers lointain, qu'ils ne risquent pas de reconnaître. Très rare collection d'outils destinés à la fabrication des fleurs artificielles qui, à la Belle Époque, ornaient robes et chapeaux. En sortant, jetez un œil sur la collégiale Saint-Pierre : chœur élevé surmonté d'une belle charpente en bois, vitraux des XIIIe et XVIe s aux couleurs d'une étonnante vivacité.

Le cirque Star et son Chapi Parc : *Le Petit-Launay, 89330 Piffonds.* ☎ 03-86-86-44-87. ● *cirquestar.com* ● *À 12 km à l'ouest de Villeneuve. Juil-août, tlj sf sam et dim mat. Entrée : 15 € (parc, spectacle) ; réduc.* Le cirque *Star* tourne toute l'année et vient se poser chez lui, l'été, le temps d'animer ce parc de loisirs pas comme les autres, où l'on vient en famille découvrir cet univers magique qu'est resté le cirque. Un cirque d'aujourd'hui, avec des artistes qui ont la pêche. Représentations, ateliers, jetez un œil sur le site pour suivre leur actualité.

SENS

(89100)   26 500 hab.   *Carte Yonne, B1*

● Plan *p. 105*

À 1h en train de Paris, cette ville d'art, de foire et de marché est un vrai carrefour dans la région, et ce depuis des siècles. Des pages entières de l'histoire de France sinon d'Europe s'y sont inscrites. « De l'art compliqué d'histoire », disait Victor Hugo de la cathédrale, dont la flèche pointait déjà quand les Compagnons posaient à peine les premières pierres de Notre-Dame de Paris. Et le spectacle de la cathédrale illuminée, la nuit, fait accourir les foules le week-end, en été. En fait, en dépit de son riche passé et de son patrimoine historique, Sens n'est pas une ville-musée, mais une ville restée fidèle à ses traditions commerçantes, à découvrir le lundi, jour de grand marché, où tout est ouvert. Si vous préférez le calme, en revanche, passez un mardi...

UN PEU D'HISTOIRE

Sens commence à faire parler d'elle avec les Sénons, l'une des plus puissantes tribus gauloises (d'où ce nom de Sénonais qui colle à ses habitants). Commandés par Brennus, les Sénons envahissent l'Italie et s'emparent, en 390 av. J.-C., de Rome. Retour de manivelle : les Romains conquièrent la Gaule et trouvent sur les rives de l'Yonne un petit coin à leur goût. Pendant la *Pax Romana*, Sens, devenue capitale de la Sénonie, se couvre de villas raffinées, de temples et de thermes.
Son intégration dans le domaine royal par Henri Ier, en 1055, annonce une nouvelle période de prospérité. Sens devient l'une des capitales de la chrétienté. Ses prélats portent le titre de « primats des Gaules et de Germanie ». Le pape Alexandre III s'y réfugie, comme Thomas Becket, archevêque de Canterbury. En 1234, Saint Louis épouse en la cathédrale Marguerite de Provence. Le puissant archevêché de Sens commande même l'évêché de Paris. Une belle opulence mise à mal par les sursauts de l'Histoire : guerre de Cent Ans, guerres de Religion, Révolution... Par ailleurs, l'architecture de la célèbre cathédrale de Canterbury en Grande-Bretagne serait inspirée de celle de Sens.

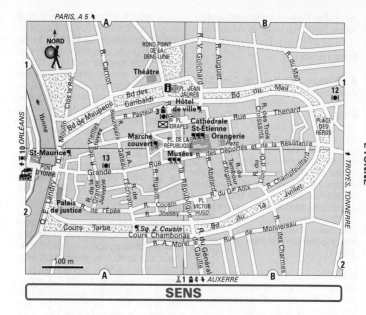

SENS

■	Adresse utile	
■ @	Office de tourisme	
⚠ ≜	Où dormir ?	3 Hôtel de Paris
⦿	Où manger ?	et de la Poste
	1 Camping municipal	4 Chambres d'hôtes
	d'Entre-Deux-Vannes	Les Cinq Sens
		10 Le Soleil Levant
		12 Le Crieur de Vin
		13 Le Clos des Jacobins

Adresse et info utiles

🗓 @ Office de tourisme de Sens et du Sénonais (plan A1) : pl. Jean-Jaurès. ☎ 03-86-65-19-49. ● tourisme-sens.com ● Mai-oct, tlj ; hors saison, fermé dim et j. fériés, plus mar mat déc-mars. 🛜 Audioguides et tablettes sur la cathédrale et le centre historique (6 € l'une ou 9 € les 2 visites). 3 rallyes pour les enfants avec des livrets découverte (2,80 €). Nombreuses visites tout au long de l'année. Location de vélos.

– **Marchés :** au centre-ville, lun tte la journée, ven mat (jusqu'à 13h) halles et parvis de la cathédrale ; mer et sam mat halles. Quartier des Champs-Plaisants, mer et dim mat. Quartier de la gare, jeu 17h-20h.

Où dormir ? Où manger ?

Camping

⚠ Camping municipal d'Entre-Deux-Vannes (hors plan par B2, **1**) : 191, av. de Sénigalia. ☎ 03-86-65-64-71. 🖥 06-77-63-90-61. ● espacevert@ grand-senonais.fr ● ville-sens.fr ● ♿ Sortie sud de Sens, à 1,5 km du centre. Ouv de mi-mai à mi-sept. Forfait tente env 13 €. 60 empl. À l'orée d'une zone commerciale du sud de la ville mais au bord d'une rivière miniature. Préférer les emplacements vers le fond, plus éloignés de la route.

Prix moyens

🛏 *Chambres d'hôtes Les Cinq Sens* (hors plan par B2, **4**) : chez Céline Godard, 33, rue du Général-de-Gaulle. 🛏 06-10-12-57-65. ● resa@lescinq sens.eu ● lescinqsens.eu ● À deux pas du centre-ville. Fermé dim soir. Double 80 €. 🛜 Un lieu de calme et de sérénité, de jour comme de nuit, telle est la devise de cette maison, véritable havre de paix à quelques minutes à pied de la cathédrale. Chambres confortables, aux coloris très doux, et parties communes où chacun trouvera son coin préféré, entre salon et jardin d'hiver.

|●| *Le Soleil Levant* (hors plan par A2, **10**) : 51, rue Émile-Zola. ☎ 03-86-65-71-82. ● contact@soleil-levant-sens. fr ● À l'ouest du centre-ville (franchir les 2 ponts). Tlj sf mer. Congés : fin juil-fin août. Formule en sem 19 € (impeccable) ; menus 24-39,50 € ; carte 40 €. Café offert sur présentation de ce guide. Un des grands classiques de la ville, depuis 25 ans, qui assure et rassure tant côté décoration (petite salle rustique) que côté cuisine aux tonalités traditionnelles.

Chic

🛏 |●| *Hôtel de Paris et de la Poste* (plan A1, **3**) : 97, rue de la République. ☎ 03-86-65-17-43. ● hotelparisposte@ orange.fr ● hotel-paris-poste.com ● ⚒ Au centre-ville, face à l'hôtel de ville. Resto fermé dim-lun. Doubles 76-155 €. Formule déj en sem 22 € en terrasse ; menus 45-68 €. 🛜 Réduc de 10 %

sur le prix de la chambre à partir de la 2e nuit, sur présentation de ce guide. Maison canoniale au XVIIIe s, ancien relais de poste, une alternative chic et confortable au cœur de la ville. Chambres cosy, voire luxueuses (superbes au rez-de-chaussée, sur la petite cour). Mais les moins spacieuses sont déjà très bien. La table de la 3e génération de Godard, avec Philippe, à découvrir au *Senon* ou en version brasserie au *Postillon*, selon votre budget, vos goûts et vos envies gustatives. À déguster sous la belle verrière du resto ou en terrasse.

|●| *Le Crieur de Vin* (plan B1, **12**) : 1, rue d'Alsace-Lorraine. ☎ 03-86-65-92-80. Fermé dim-mar midi hors saison. Congés : 2 sem en juin, 2 sem en août et 2 sem à Noël. Résa indispensable. Menus 28-35 € ; carte autour de 40 €. Un bistrot bourguignon sympa et généreux, une annexe de grande maison (*La Madeleine*) qui fait le bonheur des gourmets. Produits de qualité qui sortent de la même cuisine que pour la salle du gastro, située à l'étage. Impeccable sélection de vins de l'Yonne. Tout à côté, le ***Cav's***, du même propriétaire. Non, pas un caviste, cette fois, mais un minuscule comptoir à... viandes *(tlj sf dim)*.

|●| *Le Clos des Jacobins* (plan A2, **13**) : 49, Grande-Rue. ☎ 03-86-95-29-70. ● lesjacobins@wanadoo.fr ● Tlj sf mar soir-mer et dim soir. Formule déj en sem 22 € ; menus 32-45 €. Au fond d'un passage dans le quartier piéton de la ville (accès aussi par le parking des Jacobins), un resto aux allures de brasserie élégante, avec une jolie mise de table. Sourire à l'accueil pour cette adresse où se croisent les notables de la région. Du classique revisité par un regard neuf et un talent d'aujourd'hui.

À voir

🎭🎭🎭 *La cathédrale Saint-Étienne* (plan B1) : tlj sf dim mat. Audioguides et tablettes en loc à l'office de tourisme (6 €) ou commentaires téléchargeables sur le site internet. Ample nef d'un grand équilibre et d'une belle unité. Des piles fortes et des colonnes jumelées soutiennent en alternance une voûte d'ogives

UN BONNET SALUTAIRE

Sur le trumeau du foisonnant portail central de la cathédrale Saint-Étienne, on remarque une intéressante statue de saint Étienne. Celle-ci fut épargnée lors de la Révolution parce qu'un citoyen l'avait coiffée d'un bonnet phrygien !

sexpartite. Sur la gauche, monument de marbre noir (XVIe s) élevé par l'archevêque de Salazar à la mémoire de ses parents. Transept élevé entre le XVe et le XVIe s, quand le gothique se fait flamboyant. Dans le croisillon droit, exceptionnels vitraux du XVIe s dus à des artistes troyens : arbre de Jessé, légende de saint Nicolas... En rosace, le Jugement dernier. Chœur fermé par d'impressionnantes grilles en bronze du XVIIIe s. Le déambulatoire est la partie la plus ancienne de l'édifice. Sur le côté droit, quatre admirables vitraux du début du XIIIe s : scènes de la vie de saint Thomas Becket, vie de saint Eustache, l'Enfant prodigue, le Bon Samaritain. Dans la chapelle Sainte-Colombe, imposant mausolée du Dauphin, fils de Louis XV. Dans la chapelle absidiale, martyre de saint Savinien, un peu pompeux. Enfin, dans la chapelle Notre-Dame, intrigante Vierge à l'Enfant du XIVe s.

– Spectacle **Lumières de Sens** : *ts les ven, sam et veilles de fêtes de mi-juin à mi-sept, à la tombée de la nuit (25 mn).* Un événement original, poétique et spectaculaire basé sur la création scénique et multimédia et la diffusion d'images HD et 3D. En parallèle, la façade de l'église de Villeneuve-sur-Yonne prend elle aussi des couleurs.

✗✗✗ Les musées et le trésor de la cathédrale : *pl. de la Cathédrale.* ☎ 03-86-64-46-22. ● ville-sens.fr ● ♿ *(avec accompagnement par le personnel d'accueil pour certaines salles). Juin-sept et vac scol, tlj sf mar 10h-12h, 14h-18h ; oct-mai, mer et w-e aux mêmes horaires, ainsi que lun et jeu-ven ap-m. Entrée : 6,50 € (réduc sur présentation de ce guide) ; réduc ; gratuit moins de 18 ans.*

Depuis 30 ans, les différents musées de la ville se sont installés dans l'ancien palais des archevêques, ensemble architectural aussi somptueux que composite : une aile du XVIIIe s, deux autres Renaissance et le palais synodal (XIIIe s), avec ses cachots médiévaux (encore couverts de graffitis).

– Au rez-de-chaussée, intéressantes **collections pré et protohistoriques.** On verra notamment une sépulture et les vestiges d'une maison (dite « danubienne ») du Néolithique ; pour le Paléolithique, la *Vénus de Marsangy* (silhouette féminine taillée dans un minuscule morceau de silex) et surtout le « trésor » de Villethierry (âge du bronze), un surprenant ensemble de 867 épingles, bracelets, colliers... provenant du stock d'un artisan orfèvre et retrouvés dans un vase.

– Les **sculptures gallo-romaines** laissent imaginer l'importance de la ville autrefois. Impressionnante façade des Thermes (35 blocs sculptés remontés ici sur 7 m de haut et 13 m de large), complétée par deux grandes mosaïques dont l'une consacrée à Phaéton. Dans les caves voûtées, étonnant alignement de stèles funéraires. Dans une autre salle souterraine, mosaïque aux Cerfs exceptionnellement bien conservée (fin Ve-début VIe s) et la fameuse inscription (IIIe s) de Magilius Honoratus gravée sur 12 m et trois étages de blocs de pierre.

– Le **trésor de la cathédrale de Sens** reste un des plus importants de France et même d'Europe. Nombreuses pièces de tissus anciens, souvent d'origine orientale : suaire de saint Victor (soie façonnée perse du IXe s), samit byzantin, etc. Également des vêtements sacerdotaux de Thomas Becket, du XIIe s. Pièces d'orfèvrerie religieuse : la sainte châsse (coffret-reliquaire byzantin du XIIe s en ivoire finement sculpté), la sainte coupe (ciboire en vermeil de la seconde moitié du XIIe s), un précieux peigne en ivoire du VIIe s. Tapisseries du XVe s représentant l'Adoration des Mages et le Couronnement de la Vierge. Et un impressionnant manteau royal, don de Charles X en 1826.

– Dans une nouvelle salle destinée à accueillir la collection et dans l'ancienne galerie d'apparat des évêques est présentée l'importante **donation Marrey** présentant, entre autres, à côté d'une grande toile de Watteau, des œuvres des XIXe et XXe s ainsi que des tableaux flamands et néerlandais des XVIe et XVIIe s.

– Voir aussi, à l'extérieur, les jolis *jardins de l'Orangerie (tlj 8h-18h)* pour une petite promenade fleurie hors du temps. Les jardins particuliers de l'archevêché ont été remarquablement restaurés, et chaque saison apporte un éclairage nouveau sur les plantes médicinales, les plantes d'orangerie, les rosiers anciens. Expositions temporaires gratuites dans le bâtiment de l'Orangerie.

🕯 Le marché couvert *(plan A1) : face à la cathédrale.* Typique de l'architecture métallique Baltard du XIXᵉ s.

🕯🕯 Les vieilles maisons *(plan A2) :* la Grande-Rue en aligne un grand nombre. Poussez jusqu'à la *maison d'Abraham* (XVIᵉ s), à l'angle de la rue de la République et de la rue Cousin : une ancienne maison de tanneurs sur laquelle monte un arbre de Jessé, finement sculpté sur le poteau cornier (Flaubert tomba sous le charme, en 1864). Contiguë, et du même siècle, la *maison du Pilier* au porche intrigant. Remarquable *maison Jean-Cousin,* dans la rue Jossey, dont les façades à pans de bois datent de la même époque et qui possède un bel escalier à vis derrière un petit jardin.

🕯 L'hôtel de ville *(plan A1) : rue de la République.* Impossible à rater ! Très kitsch bâtiment du début du XXᵉ s. Sa flèche surmontée d'une étincelante statue de Brennus sent le règlement de comptes avec la cathédrale.

🕯 Le square Jean-Cousin *(plan A2) : proche du centre, sur le bd sud. Tlj 8h30-19h.* Construit sur le modèle défini par Édouard André, l'architecte paysagiste du parc de Vincennes, il perpétue la mosaïculture du XIXᵉ s et est resté dans sa conception d'origine. Certains arbres datent de la création du parc, en 1880. Fleurs à profusion, pour le bonheur des mariés et des jardiniers amateurs.

🕯 L'église Saint-Maurice *(plan A2) : de l'autre côté du pont d'Yonne (dans le prolongement de la Grande-Rue).* Pittoresque petite église du XIIᵉ s (avec son toit et sa flèche d'ardoises), posée sur une île.

🕯🕯 🚶 Le parc du moulin à Tan et ses serres tropicales *(hors plan par B2) :* ☎ 03-86-95-38-72. *À la sortie de la ville, direction Auxerre (indiqué sur la droite). Tlj 8h-20h30 (18h30 mars et oct, 17h30 nov-fév). Serres tropicales : en sem 13h30-17h, le w-e 14h-17h30 (17h oct-mars). GRATUIT.* Classé « Jardin remarquable », un parc de 15 ha qui fait partie des lieux les plus visités de Sens. À l'entrée, une succession de serres dédiées aux plantes tropicales qui nous éloignent quelques instants de Bourgogne. Plus de 1 500 variétés, des orchidées aux plantes carnivores en passant par les avocatiers, orangers, cacaoyers... Arboretum (avec miniferme), roseraie arbustive, promenade en sous-bois le long de la Vanne ou de la Lingue, plaine de jeux et zone d'observation de la faune. Cinq hectares supplémentaires donnent depuis peu au parc un côté prairie qui lui manquait.

Fêtes et manifestations

– **Fêtes de l'Âne :** *mi-janv.* Tradition médiévale qui remonte à l'époque où les habitants se moquaient du clergé en se déguisant.
– **Musicasens :** *début juil.* ☎ 03-86-95-67-54. Festival dédié à la musique, à la danse et aux arts de la rue.
– **Festival d'orgue :** *juin-sept, à la cathédrale. Rens au service culturel de la mairie :* ☎ 03-86-95-67-54. Une dizaine de récitals gratuits (avec retransmission vidéo sur grand écran) sur l'orgue du XVIIIᵉ s.
– **Fête de la Saint-Fiacre :** *début sept.* ☎ 03-86-95-38-72 *(parcs et jardins de la ville de Sens).*

DANS LES ENVIRONS DE SENS

SAINT-MARTIN-DU-TERTRE (89100)

🕯 🚶 Le Labyrinthe de Maïs : ☎ 03-86-64-38-24. *10 juil-31 août, tlj 14h-19h. Entrée : env 7 € (labyrinthe et visite libre de la ferme découverte) ; réduc.*

30 000 m² de labyrinthe en maïs au cœur d'un dédale végétal, une piste de kartings à pédales pour petits et grands, une promenade en rosalie au milieu des animaux de la ferme, plus de 60 jeux géants en bois, à l'abri dans une salle, une yourte et un chalet finlandais : qui dit mieux ? Claudine et Michel Groen ont trouvé un moyen original de présenter leurs animaux et leurs différentes cultures.

DÉRAPAGE INCONTRÔLÉ

Le 4 janvier 1960, Michel Gallimard proposa à Albert Camus de le remonter sur Paris à bord de sa puissante Facel-Vega. À Villeblin, au nord-ouest de Sens, c'est l'embardée. Ils meurent tous les deux. On retrouva dans la poche de Camus un billet de train pour Paris...

L'YONNE

PONT-SUR-YONNE (89140)

À 12 km au nord de Sens, direction Paris par la D 906. Ce bourg commerçant assez important draine habitants de la région et touristes, surtout les jours de marché, les mercredi et dimanche matin. Les autres jours, on se contente de passer le pont, qu'emprunte la D 906. L'un des premiers jetés sur l'Yonne (VIIᵉ s). Plus tard, Anglais, huguenots, et notamment les Autrichiens de l'épopée napoléonienne de 1814 en auraient fait un passage obligé. Quand on est pont, on est pont... Et puisqu'on est dans les histoires de ponts, allez jeter un œil en haut du bourg, si ça vous amuse, sur le **pont-aqueduc.** Typique de la construction dite « à la romaine », avec ses arcades à deux étages. Il est toujours en usage.

LE PAYS D'OTHE

Au sud-est de Sens, le pays d'Othe, qui se prolonge dans l'Aube voisine, a su garder un certain charme « douce France » : de profondes forêts sillonnées par de petites routes désertes, quelques bourgs surprenants avec leurs maisons tout en brique et des hameaux entourés de vergers de pommiers. Le pays d'Othe, c'est aussi un peu la touche normande de la Bourgogne, car il produit un excellent cidre fermier et un redoutable ratafia.

Adresse utile

⚑ Syndicat d'initiative du pays d'Othe : 2, pl. de l'Église, 89320 **Cerisiers.** ☎ 03-86-96-24-99. ● vanne-et-othe.com ● *Mar-sam 10h30 (9h30 mar)-12h30, 14h-18h30 (16h30 sam).* *Plus dim 10h-12h en juil-août. Fermé lun et mer mat. Topoguide en vente pour découvrir les 24 sentiers de randonnée à faire dans la région.*

À voir

⚒ Le musée de la Pomme et du Cidre du pays d'Othe : au hameau des Brissots, 89320 **Vaudeurs.** ☎ 03-86-96-25-37. ● cidrefrottier.com ● ♿. *À 6 km de Cerisiers, direction Saint-Florentin ; indiqué sur la gauche. Mars-nov, visite guidée tlj 15h-18h ; le mat et hors saison, sur rdv. Compter 40 mn de visite. Entrée : 2,50 € ; réduc.* Louisette Frottier, active militante pour la promotion de son pays, vous fera découvrir son étonnant et très impressionnant pressoir « à roue de perroquet » du XIXᵉ s et goûter son cidre, ses jus de pomme ou son ratafia. Si vous êtes gentil, elle poussera même la porte de sa cour, qui ouvre sur un adorable hameau.

🍴 *Le cidre fermier de Philippe Charlois :* *au hameau du Champion, 89320 Bœurs-en-Othe.* ☎ *03-86-88-00-29. Ts les w-e 9h-12h, 14h-18h ; tlj en juil-août. GRATUIT.* Dans les hauteurs d'un des plus jolis villages du pays d'Othe, une bonne adresse pour découvrir tout à la fois le cidre fermier et le jus de pomme des Charlois, sans parler des eaux-de-vie de fruits non traités distillées maison. Petit musée, caves, pressoirs et alambic pour s'imprégner de l'atmosphère du pays.

VILLENEUVE-L'ARCHEVÊQUE

| (89190) | 1 230 hab. | Carte Yonne, B1 |

Dans la vallée de la Vanne, à la lisière du pays d'Othe, une ville créée au XIIe s par l'archevêque de Sens. Au bout de sa grande rue, le beau portail de l'église Notre-Dame (XIIe-XVIe s) cache une intéressante *Mise au tombeau.* La ville vit défiler un certain nombre de personnalités au fil des siècles : en 1239, la reine Blanche de Castille et son fils, le roi Louis IX, y vinrent chercher la couronne d'épines du Christ, pour laquelle sera construite la Sainte-Chapelle à Paris. François Ier passa des fêtes de Pâques à l'abbaye de Vauluisant en 1542, puis ce furent Charles IX et le duc de Guise qu'amenèrent les guerres de Religion. Plus tard, Napoléon Ier et Joséphine firent un arrêt le temps de rencontrer le maire, puis le pape Pie VII quelques jours après. Victor Hugo s'arrêta le temps d'écrire à sa femme, de Gaulle y passa pour se rendre à Colombey-les-Deux-Églises, et nous, on va s'arrêter là car on se croirait dans un vieux film de Sacha Guitry : « Si Villeneuve m'était conté ».

Adresse utile

ℹ️ *Syndicat d'initiative de la vallée de la Vanne et du pays d'Othe :* *38, rue de la République.* ☎ *03-86-86-74-58.* ● villeneuve-archeveque.com ● vanne-et-othe.com ● *Juil-août, tlj sf* dim ap-m ; juin et sept, tlj sf dim-lun ; le reste de l'année, ts les mat mar-sam, ainsi que mer et sam ap-m. Propose des circuits de randonnée et des visites guidées de l'église sur réservation.

Où dormir ? Où manger ?

🏠 🍽️ *Auberge des Vieux Moulins Banaux :* *18, route des Moulins-Banaux.* ☎ *03-86-86-72-55.* ● moulins-banaux.fr ● ♿ *À la sortie du village, route d'Arces-Dilo. Resto fermé dim soir, le midi lun-mer hors saison. Doubles 76-96 €. Menus 16 € (déj en sem), puis 26-48 €.* 📶 Un moulin à eau peu banal (la « banalité » faisant référence au droit de ban, façon originale d'apporter de l'eau au moulin). Un bel emplacement, avec un jardin paisible pour l'apéro, une belle terrasse et une grande salle avec le mécanisme du moulin, des boiseries et de l'espace... Les chambres possèdent tout le confort et une certaine fantaisie. Préférer tout de même celles sur l'arrière. Restauration qui s'efforce, elle aussi, de ne pas tomber dans la banalité.

DANS LES ENVIRONS DE VILLENEUVE-L'ARCHEVÊQUE

🍴 *Les villages autour de la vallée de la Vanne* vous accueilleront si vous allez vous perdre à l'ouest de Villeneuve-l'Archevêque. *Chigy* produit l'eau courante qui alimente la capitale ; **La Postolle** possède une bien curieuse éolienne centenaire ; cours d'eau et belle église Saint-Maurice se livrent à **Vareilles** un combat gagné par Le Maquis (voir ci-après) ; et un centre métallurgique du IVe s a été mis au jour aux **Clérimois.**

Ⓣ **Le Maquis de Vareilles :** 2, rue de l'Érable, 89230 **Vareilles.** ☎ 03-86-88-31-15. ● lemaquis@laposte.net ● À 13 km au sud-ouest de Villeneuve-l'Archevêque. Ven soir-dim et j. fériés. Congés : 25 déc-fév. Café-épicerie-commerce équitable de campagne « art broc café » où tout est à vendre... ou presque. On peut aussi y prendre un pot ou casser la graine à prix doux (assiette de charcuterie, croque-campagne). Produits locaux, du pays d'Othe et d'ailleurs. Organise la « fête des Saints de glace » le 2e dimanche de mai.

🦌 **L'abbaye de Vauluisant :** 89190 **Courgenay.** ☎ 03-86-86-78-40. ● vauluisant. com ● À 9 km au nord de Villeneuve-l'Archevêque, aux frontières de la Bourgogne, de la Champagne et de l'Île-de-France. De mi-avr à fin oct, dim et j. fériés ap-m. Entrée : 6 € ; réduc. Visites commentées à 14h30 et 16h30. Cette abbaye cistercienne du XIIe s a vu passer bien des pèlerins et possédait même, au XIIIe s, une notoriété qui la faisait bénéficier d'un certain pouvoir. La Révolution mit fin à tout ça. Les vestiges datent des XVIe et XVIIe s, dont un bel escalier monumental de Franque, une belle porte fortifiée... mais on imagine bien encore l'ampleur du domaine à ses heures de gloire. Festival de Vauluisant (musique classique et jazz) organisé en juin ; expo gratuite tous les jours 14h-17h30 expos temporaires, et conférences toute l'année.

L'YONNE

LA CÔTE-D'OR

● Carte p. 114-115

ABC de la Côte-d'Or

❏ **Superficie :** 8 763 km².
❏ **Préfecture :** Dijon.
❏ **Sous-préfectures :** Beaune, Montbard.
❏ **Population :** 510 400 hab.
❏ **Densité :** 58 hab./km².
❏ **Signe particulier :** abrite le village de Liernais (Morvan),
centre de gravité de la zone euro.

Descendez les « Champs-Élysées de la vigne » de Dijon à Beaune, en suivant la célébrissime route des Grands Crus (qui a fêté ses 80 ans en 2017), où l'on a parfois bien du mal à se doubler et où chaque nom de village est connu du monde entier. Cette constellation de terroirs, les « climats » tels qu'on les appelle ici, fait partie depuis 2015 des sites inscrits au Patrimoine mondial de l'Unesco. Ici, la Côte-d'Or vous fait son cinéma sur écran géant. Rejouez le dernier Klapisch *Ce qui nous lie* sur la côte de Beaune ou *La Grande Vadrouille* de Meursault à Saint-Romain, là même où le film avec Bourvil et de Funès a été tourné, puis gardez des forces pour les Hautes-Côtes. Une descente sur la vallée de l'Ouche vous permet de rejoindre le canal à Pont-de-Pany, là où Depardieu et Dewaere jetèrent Miou-Miou à l'eau dans *Les Valseuses*. Quelques kilomètres d'une route express qui a tendance à faire la cour au canal, et vous voilà au pays de Vincenot et de Vercingétorix, deux célèbres moustachus : un musée en l'honneur du second a été créé à Alésia, redonnant vie à une microrégion peu visitée jusqu'alors. Prenez les chemins de traverse qui, des forêts du Morvan à la vallée de la Saône en passant par l'Auxois et les sources de la Seine, vous donneront envie de mordre la Côte-d'Or à pleines dents.

Et puis, envie d'escargots, d'œufs en meurette, de coq au vin, de jambon persillé, de tourte morvandelle, de fromage d'Époisses ? Il y aura heureusement toujours de belles et bonnes tables sur votre chemin, une auberge en plein Morvan, dans les forêts du Châtillonnais, près d'une rivière à truites ou sur la route des grands crus.

UN NOM EN OR

Au fait, d'où vient le nom Côte-d'Or ? Les Côte-d'Oriens vous le confirmeront : rien à voir avec le chocolat, d'origine belge ! Le seul département français dont le nom n'a pas de référence géographique tire son appellation de la couleur des vignes à l'automne. On doit ce trait poétique à un député (poète ?) de l'Assemblée constituante lors de la Révolution française.

Adresses et infos utiles

⬛ Côte-d'Or Tourisme (agence de développement touristique) **:** *19, rue Ferdinand-de-Lesseps, BP 1601, 21035* **Dijon** *Cedex.* ☎ *03-80-63-69-49.* ● *cotedor-tourisme.com* ● Et consultez ● *bouger-nature-en-bourgogne.com* ●, le site internet dédié aux loisirs nature.

⬛ Gîtes de France : *central de résas* Accueil et vacances, *basé à* **Dijon**. ☎ *03-80-45-97-15.* ● *reservation@gites-de-france-bourgogne.com* ● *gites-de-france.com* ● *Accueil téléphonique lun-ven 8h30-12h30, 13h30-18h (17h ven).*

⬛ CDRP 21 (Comité départemental de randonnée pédestre) **:** *9, rue Jean-Renoir, 21000* **Dijon**. ☎ *03-80-41-48-62.* ● *cotedor-randonnee.com* ● Pour toutes les infos sur les randonnées en Côte-d'Or.

– Pour partir à la découverte du département à pied, à vélo ou en canoë, téléchargez l'appli mobile « Balades en Bourgogne » sur ● *cotedor-tourisme.com* ●, indépendante de la connexion internet. 120 balades dont une quinzaine sur la route des Grands Crus.

Comment circuler ?

🚌 Gare routière de Dijon (plan A2) **:** *21, cours de la Gare.* ☎ *0825-88-88-26.* Des bus réguliers avec l'ensemble de la Côte-d'Or. Dessertes et horaires sur ● *keolisbourgogne.com* ● et ● *mobigo-bourgogne.com* ●

DIJON

(21000)   156 000 hab.   *Carte Côte-d'Or, C3*

● Plan *p. 116-117*

Dijon a longtemps gardé le goût de l'ordre, ça se voit, ça se sent. Regardez l'hôtel de ville, une noble bâtisse, presque ennuyeuse à force de symétrie. C'est quasiment tout ce qu'il reste de vraiment visible du Dijon des ducs, mais quel panache ! Après l'arrivée du tramway et depuis que l'hyper-centre a été rendu partiellement aux piétons... c'est le musée des Beaux-Arts qui connaît lui aussi une radicale métamorphose, dans l'ancien palais des Ducs. Des itinéraires cyclables ont été réaménagés au centre de la ville (avec le renforcement du *Vélodi,* le *Vélib'* dijonnais), des écoquartiers sortent de terre tout au long du tram, en attendant l'ouverture d'une ambitieuse Cité internationale de la gastronomie sur le site de l'ancien hôpital pour 2019. Dédié à la fois au tourisme, à la culture et au commerce, ce vaste centre d'affaires et commercial aura pour ambition de valoriser le repas gastronomique français inscrit au Patrimoine de l'Unesco depuis 2010 et les « climats » de Bourgogne depuis 2015. Bref, cette ville labellisée « Ville d'art et d'histoire » surfe sur la vague environnementale des grandes métropoles.

UN PEU D'HISTOIRE

Le castrum romain fit place à une *résidence ducale,* au temps des Capétiens. Après l'incendie de 1137, la ville qui va naître, à l'intérieur d'une nouvelle enceinte, ne va guère bouger jusqu'au milieu du XIXe s. Le décès, en 1361, du dernier Capétien, alors âgé de 17 ans, laisse le duché bourguignon sans héritier. La ville ainsi que le duché sont alors rattachés à la couronne de France, avant de tomber aux mains des **Valois.**

LA CÔTE-D'OR

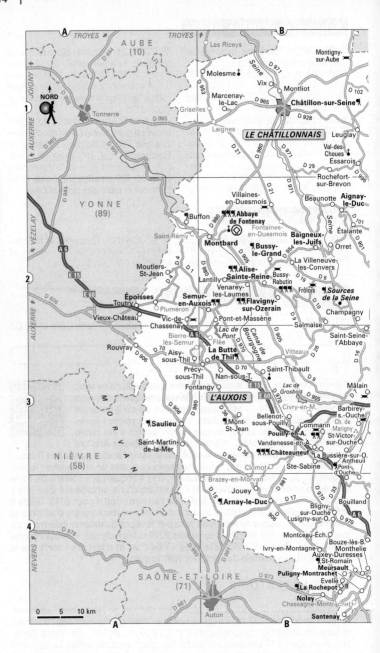

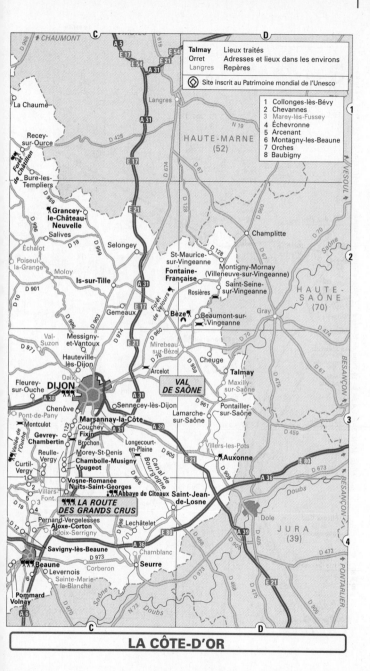

LA CÔTE-D'OR

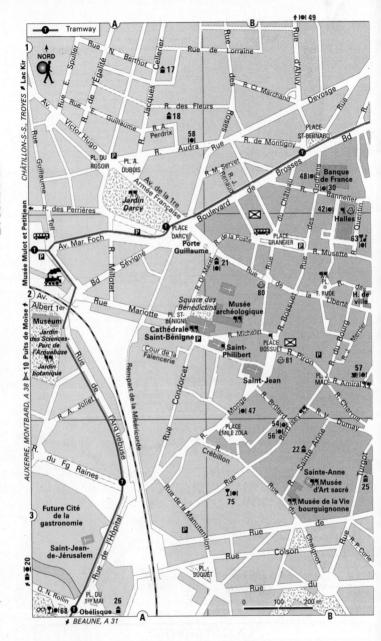

LA CÔTE-D'OR

■ **Adresse utile**

🛈 Office de tourisme du Grand Dijon

⛺🏠 **Où dormir ?**

10 Camping du lac Kir
11 Hôtel du Palais
12 Hôtel des Ducs
13 Hôtel Le Chambellan
14 Hôtel Le Jacquemart
15 Ethic Étapes Dijon –
   Centre de rencontres internationales
17 Hôtel Montchapet
18 Hôtel Victor Hugo
19 Hôtel des Allées
20 Chambres d'hôtes des Marcs d'Or
21 Quality Hôtel du Nord
22 Maison Philippe le Bon
24 Hôtel Wilson
25 Résidence Odalys City Les Cordeliers
26 Urabanalis

🍴 **Où manger ?**

30 Café de l'Industrie
32 Pépé Joseph
34 Fado à Mesa
36 Brasserie des Beaux-Arts
37 L'Un des Sens
40 La Maison des Cariatides
41 Le Temps des Ducs
42 D Z'Envies
47 Pourquoi Pas ?
48 Chez Léon
49 Le Coin Caché
50 Masami
52 The Little Italy
54 La Fine Heure
56 Le Piano qui Fume
57 La Causerie des Mondes
58 L'Essentiel
64 L'Alhambra
68 L'Arôme
70 Akatsuki

🍷🍴 **Où boire un verre ?**
🎶 **Où manger sur le pouce ?**
Où sortir ?

63 Le Quentin
64 La Salsa Pelpa
65 Chez Bruno
68 La Péniche Cancale
69 Au Vieux Léon
75 L'Âge de Raisin
76 Alchimia, café & galerie

🕸 **Où acheter de bons produits ?**

80 Boutique Maille
81 Pain d'Épices Mulot et Petitjean
82 Biscuiterie La Rose de Vergy
84 Boutique-atelier Moutarderie Fallot

DIJON

La tournée des grands ducs

En 1363, le roi de France Jean II le Bon donne le duché de Bourgogne à son quatrième fils, **Philippe le Hardi.** Celui-ci gouvernera durant 40 ans.

On se souvient surtout de lui pour le nouvel hôtel de ville, pour son mariage avec une riche héritière, Marguerite de Flandre, qui est **à l'origine de l'« État bourguignon »** et pour la fondation du prestigieux monastère destiné à abriter les tombeaux familiaux : la

LE FRANC DE L'INFORTUNE

Philippe le Hardi fut nommé ainsi alors qu'il n'avait que 14 ans, après sa célèbre phrase à la bataille de Poitiers en 1356 : « Père, gardez-vous à droite, père, gardez-vous à gauche. » Une injonction en vain puisque le roi de France fut fait prisonnier et emmené en Angleterre. C'est à cette occasion que fut créé le franc pour payer la rançon !

chartreuse de Champmol. Cela permettra de fixer à Dijon, pendant des décennies, peintres, sculpteurs, verriers et artistes de toutes disciplines.

Jean sans Peur, qui succède à Philippe le Hardi en 1404, est plus un manuel qu'un intellectuel. En pleine guerre de Cent Ans, il s'allie aux Anglais. Il a en face de lui son cousin Louis d'Orléans, un Armagnac qu'il finira par faire assassiner, déclenchant des hostilités sans fin, avant d'être lui-même trucidé en 1419 sur le pont de Montereau ! La dépouille fut ramenée à la chartreuse de Champmol.

Philippe le Bon, fils unique de Jean sans Peur, fut tout autant amateur de faste et de fêtes que de conflits. En 1430, il crée l'ordre de la Toison d'or, dont il ne reste rien ou si peu en Bourgogne. Les commerçants, les grands bourgeois, les financiers se font construire de magnifiques demeures autour du palais. Les six cheminées des cuisines ducales témoignent du faste du XVe s et de la politique de ce « grand duc d'Occident » qui créa en quelque sorte les premiers repas d'affaires.

En 1467, **Charles** hérite d'un duché prestigieux, à la dimension d'un royaume. Un cadeau empoisonné pour celui qui est devenu **le Téméraire.** Louis XI ne mettra que 10 années à venir à bout d'un homme belliqueux croyant un peu trop en sa force et ne voyant pas le travail de sape mené par le roi de France. On sait comment le Téméraire finit sous les crocs des loups, sous les murs de Nancy, un matin de janvier 1477. **Louis XI unit le duché à la couronne de France,** construisant une forteresse pour surveiller la place et mettant fin à un feuilleton passionnant.

Le temps de la colère

L'**installation du parlement à Dijon,** en 1480, entraîne l'arrivée au cœur de la ville d'une foule de magistrats et de gens d'office, qui vont faire construire à leur tour. L'ordre règne.

En dehors, ça va plutôt mal. Mais, en 1572, lors des guerres de Religion, le comte de Charny, lieutenant du roi, ainsi que le président Jeannin, au cours d'une mémorable séance du conseil de la Province, surent éviter les massacres de la Saint-Barthélemy. Vingt ans plus tard, le parlement manque être déchiré par les luttes d'influence. Le 5 juin 1595, Henri IV fait son entrée à Dijon après avoir défait la Ligue à la bataille de Fontaine-Française. Encore une fois, le pire a été évité.

La première moitié du XVIIe s est marquée par les épidémies de peste et de typhus. La colère des vignerons va provoquer la **révolte du « Lanturlu »** dans la nuit du 27 février 1630. À partir de 1646, sous le gouvernement des **princes de Condé,** la ville va devenir une vraie capitale provinciale : palais somptueux avec cour d'honneur et place royale, magnifiques hôtels et belles demeures particulières..., et accueille tous les 3 ans les états de Bourgogne. Ainsi naît, à partir de 1720, la future rue de la Liberté, un axe toujours majeur aujourd'hui. La cour d'honneur de l'hôtel de ville veut imiter celle du château de Versailles. En face, la place Royale, semi-circulaire, est bordée d'arcades. Ce n'est qu'en 1747 que tout sera achevé, soit un siècle après la pose de la première pierre. La période révolutionnaire fut ici moins sanglante qu'ailleurs, même si de nombreux monuments durent en souffrir. Certains et non des moindres disparaissent, comme la chartreuse de Champmol.

Dijon, ville mutante

En un siècle, Dijon passe de l'image de petite capitale de province vivant au rythme de l'escargot – son totem – à celui de métropole entendant jouer un rôle capital de par sa position à la croisée des chemins, entre Lyon et Strasbourg, le Bassin parisien et la Suisse, sans oublier le canal de Bourgogne qui passe à l'ouest. Remarquez au passage les panneaux touristiques sur l'autoroute aux abords de la ville, réalisés par des auteurs de B.D.

De tous les maires que Dijon connut, quelques-uns marquèrent le XXe s, à leur façon. Les années 1920 virent le sacre d'un ministre sous la IIIe République et initiateur de la Foire gastronomique de Dijon : Gaston Gérard. Dijon va faire rêver au travers de sa moutarde, son pain d'épices, son cassis, ses escargots.

Le chanoine Kir, élu triomphalement à 69 ans en 1945, fut certainement le plus populaire des maires de cette ville.

Robert Poujade, quant à lui, fut durant 30 ans le digne successeur de ces grands hommes qui ont su vivre avec le temps plus qu'avec leur temps. Dijon lui doit sa réputation de ville verte.

Son successeur depuis 2001, François Rebsamen, a eu, entre autres priorités, la lourde tâche d'insuffler un peu de vie à cette

> ## UN KIR, SINON RIEN !
>
> *Curé de campagne, le chanoine Kir, élu maire de Dijon en 1945, se dévoila orateur caustique, s'engageant dans des campagnes électorales épiques. Particulièrement vaillant, il resta maire jusqu'à l'âge avancé de 92 ans, votant « à l'unanimité », c'est-à-dire seul contre tous, la création – aux portes de la ville – du lac qui porte son nom et sortit de terre en 1964.*

ville-musée... Homme de gauche particulièrement adroit, il s'est installé dans la voie d'une rénovation à long terme. La ville-musée est devenue une ville-étape incontournable avec Beaune.

Adresses et infos utiles

🛈 **Office de tourisme du Grand Dijon** (plan C2) : 11, rue des Forges. ☎ 0892-700-558 (0,35 €/mn). ● destination-dijon ● Avr-sept, lun-sam 9h30-18h30, dim et j. fériés 10h-18h ; oct-mars, lun-sam 9h30-13h, 14h-18h et dim et j. fériés 10h-16h. Point d'accueil au Puits de Moïse (hors plan par A2). Propose de nombreuses visites guidées de la ville. Également des balades en Segway. Un bon plan : le Pass Dijon – Côte de Nuits qui permet de bénéficier de conditions d'accès privilégiées aux principaux sites. Labellisé « Accueil Vélo ».

■ **Consulat de Belgique** (hors plan par A1) : 99, rue de Talant. ☎ 03-80-58-33-58.

■ **Consulat de Suisse** (hors plan par C3) : 18, cours du Général-de-Gaulle. ☎ 03-80-38-16-47.

🚌 **Gare routière** (plan A2) : 21, cours de la Gare. ☎ 0825-88-88-26. Des bus réguliers avec l'ensemble de la Côte-d'Or : le Châtillonnais, le val de Saône, la Côte, l'Auxois, le Morvan... Dessertes et horaires sur ● mobigo-bourgogne.com/partenaires/transco.htm ●

■ **Location de voitures :** quelques loueurs à la gare comme **Hertz** (20, av. Foch ; ☎ 03-80-53-14-00 ; lun-ven 8h-12h, 13h30-18h ; sam 9h-12h, 14h-17h), ou **Avis** (☎ 0820-61-16-63 ; 0,112 €/mn).

■ **Central Taxi Radio Dijon :** ☎ 03-80-41-41-12.

– **Marchés :** mar, jeu et sam mat, autour des halles. Marché aux livres sam mat.

Comment circuler en ville ?

❶ **Tram** (plan A2) : pavillon Darcy, pl. Darcy. ☎ 03-80-11-29-29 (libre appel). ● letram-dijon.fr ● À deux pas de la gare et du centre, l'ancien office de tourisme est devenu le lieu de rendez-vous des adeptes du tramway, inauguré en 2012 (2 lignes).

🚌 **Transports urbains** (plan B2) : pl. Grangier. ☎ 03-80-11-29-29 (libre appel). ● divia.fr ● Le réseau dessert toute l'agglomération dijonnaise 5h30-0h30. Possibilité de télécharger le plan du réseau sur son smartphone.

🚌 **Divia City :** ttes les 6 mn env, 7h-20h. Navette gratuite en centre-ville. Bien pratique !

■ **Vélodi :** comme à Paris avec le *Vélib'*. Avec un bon réseau de pistes cyclables et 40 stations *Vélodi*, c'est le bonheur assuré. On s'inscrit via Internet (● velodi.net ●) ou son smartphone (● wap.velodi.fr ●). Compter 1 €, puis 0,50 €/30 mn (1re demi-heure gratuite). *Rens :* ☎ 0800-200-305 (libre appel).

Où dormir ?

Appartements

Chambres et appartements en ville, chez l'habitant, à la nuit, au week-end ou à la semaine : c'est la grande tendance du moment à Dijon comme ailleurs. Quelques adresses qu'on a trouvé tout à la fois sympas, cosy et originales : **Luxury Flat in Dijon,** qui a lancé la mode des appartements au calme, joliment conçus et équipés (📱 06-79-52-49-16 ; ● luxuryflatindijon. fr ●) ou d'autres, cachés dans des hôtels particuliers, tout aussi confortables et charmants (● myhomeindijon. com ● et ● appartements-a-part.com ●). Liste des appart'hôtels comme **Cityloft, Adagio...** à l'office de tourisme.

Camping

⛺ **Camping du lac Kir** (hors plan par A2, **10**) : 3, bd Chanoine-Kir. ☎ 03-80-30-54-01. ● contact@ camping-du-lac-dijon.com ● camping-du-lac-dijon.com ● Bus nos 12 ou 18, arrêt CHS-La Chartreuse. ⚒ Avr-oct. Forfait tente env 16 €. 121 empl. 🛜 Un site agréable, tout à côté de la promenade de l'Ouche et du canal. Épicerie et boulangerie. Restauration rapide, bar. Location de vélos. Plage du lac à 300 m.

Bon marché

🏠 **Urbanalis** (plan A3, **26**) : 4, rue du Pont-des-Tanneries. ☎ 03-80-

41-19-56. ● accueil@urbanalis.com ● urbanalis.com ● Nuitée à partir de 30 €, draps et petit déj compris ; double 35 €. 🛜 Foyer des jeunes travailleurs pour les 16-30 ans, cette résidence membre du réseau FUAJ accepte des locataires à la nuitée ou au mois. Chambres individuelles ou à 2 avec salle d'eau, frigidaire. Également des studettes. Cuisines à dispo, bibliothèque, laverie automatique.

🏠 **Ethic Étapes Dijon – Centre de rencontres internationales** (hors plan par C1, **15**) : 1, av. Champollion. ☎ 03-80-72-95-20. ● reservation@cri-dijon.com ● cri-dijon.com ● Bus direct depuis la gare (ligne 3). ♿ Accueil 24h/24. Nuitées 23-29,60 €, petit déj compris, mais linge en sus ; tarif dégressif dès la 2e nuit. Possibilité de ½ pens. 🛜 Ce centre d'hébergement entièrement rénové propose une centaine de chambres d'une capacité de 1 à 6 lits, équipées de douche et w-c (et TV pour celles à 1 ou 2 lits). Une adresse multiculturelle et pratique qui offre un hébergement de qualité à petit prix.

🏠 **Hôtel Le Chambellan** (plan C2, **13**) : 92, rue Vannerie. ☎ 03-80-67-12-67. ● hotel.lechambellan@free. fr ● hotel-chambellan.com ● Doubles 38-60 € avec ou sans w-c privés ; familiales également. 🛜 Avec sa cour intérieure du XVIIe s, *Le Chambellan* ravira les amateurs de vieilles pierres et du confort d'aujourd'hui. Vieille bâtisse au charme ancien dont les chambres donnent sur la rue ou sur la petite cour. Même direction qu'au *Jacquemart.*

Prix moyens

🏠 *Hôtel Le Jacquemart (plan C1-2, 14) :* 32, rue Verrerie. ☎ 03-80-60-09-60. ● contact@hotel-lejacquemart.fr ● hotel-lejacquemart.fr ● *Double 60 € ; familiale également.* 🛜 *Réduc de 10 % sur le prix de la chambre hors économique (douche et w-c sur le palier) pour une résa en direct (oct-avr), sur présentation de ce guide.* Au cœur de la vieille ville, dans le quartier des antiquaires, entre le palais des Ducs de Bourgogne et la préfecture. Une vieille et vaste maison du XVIIe s qui offre, au hasard de ses escaliers (plutôt raides pour le 3e étage !) et couloirs, des chambres agréables au confort très suffisant, à tous les prix (lavabo pour les moins chères). Les chambres économiques du 3e étage sont d'un très bon rapport qualité-prix. Accueil aimable et calme garanti.

🏠 *Hôtel Montchapet (plan A1, 17) :* 26, rue Jacques-Cellerier. ☎ 03-80-53-95-00. ● montchapet@aol.com ● hotel-montchapet.com ● *Bus n° 5 Quetigny-Chevigny, arrêt Darcy-Chaussier ; bus n° 4, arrêt Dubois.* 🚋 *Place-Darcy. À 5 mn à pied de la gare SNCF, derrière le jardin Darcy. Doubles 64-67 €.* 🛜 *Remise de 10 % sur le prix de la chambre (pour une résa en direct) sur présentation de ce guide.* Un hôtel simple et calme, dans un quartier qui l'est tout autant. Faux plafonds, copie de meubles anciens dans l'entrée, salon TV, chambres propres et quasi coquettes.

🏠 *Hôtel Victor Hugo (plan A1, 18) :* 23, rue des Fleurs. ☎ 03-80-43-63-45. ● hotel.victor.hugo@wanadoo.fr ● hotelvictorhugo-dijon.com ● *Bus n° 1 Quetigny-Chevigny, arrêt Darcy-Chaussier.* 🚋 *Place-Darcy. À 5 mn à pied de la gare SNCF. Doubles 50 (w-c sur palier)-67 €. Parking payant (offert sur présentation de ce guide).* 🛜 On ne vient pas au *Victor Hugo* pour s'éclater, l'ambiance étant plutôt sélecte. Mais tout est nickel dans la vingtaine de chambres rénovées, confortables et accueillantes de cette grande maison. Confort plus rudimentaire dans les chambres les moins chères, on s'en doute. Dormez en paix, fenêtre donnant sur le jardin.

🏠 *Hôtel des Allées (hors plan par C3, 19) :* 27, cours du Général-de-Gaulle. ☎ 03-80-66-57-50. ● hotelallees@gmail.com ● hoteldesallees.com ● *Bus n° 6 Longvic, arrêt Princes-de-Condé. Réception fermée dim et j. fériés 12h-17h. Doubles 70-77 € ; familiales également. Parking privé gratuit.* 🛜 Installé dans une ancienne villa, face aux « allées du Parc », balade préférée des Dijonnais au XIXe s, devenue rendez-vous des rollers et des joggeurs. Si la maison a de l'allure, les chambres font moins « grand genre » et ne sont pas très bien insonorisées. Jardin envahi par les oiseaux, calme garanti.

🏠 *Hôtel du Palais (plan C2, 11) :* 23, rue du Palais. ☎ 03-80-65-51-43. ● reservation@hoteldupalais-dijon.fr ● hoteldupalais-dijon.fr ● *Doubles 69-89 €.* 🛜 *Remise de 10 % sur le prix de la chambre (nov-mars) offert sur présentation de ce guide.* Dans une belle bâtisse du centre historique, petit hôtel familial. Certes pas d'ascenseur, mais un escalier en pierre qui dessert des chambres charmantes. Les prémium (supérieures), situées aux 1er et 2e étages, sont nettement plus vastes que les chambres standard, perchées sous les toits (clim pour ces dernières). Mansardées, celles-ci ne manquent pourtant pas de cachet, juste d'espace !

🏠 ◗◗ *Chambres d'hôtes des Marcs d'Or (hors plan par A3, 20) :* 9, rue des Marcs-d'Or. ☎ 06-77-90-46-81. ● bnb.dijon@gmail.com ● chambre-hote-dijon.com ● *Bus n° 13 Marcs-Giron, arrêt Bel-Air (10 mn de trajet).* ♿ *Compter 65-85 € pour 2. Appart également. Table d'hôtes 30 €.* 🛜 Dans une ancienne grange entièrement rénovée, avec accès indépendant, des chambres décorées avec goût et meublées en ancien. Petit déj servi soit sur la terrasse, soit dans la vieille salle à manger. Jardin à l'italienne caché, très sympa.

🏠 ◗◗ *Résidence Odalys City Les Cordeliers (plan B3, 25) :* 3-5, rue Turgot. ☎ 0825-562-562 (prix d'appel + 0,18 €/mn). ● lescordeliers@odalys-vacances.com ● *À partir de 80 € la nuit pour un 2-pièces 4 pers (linge de lit et* de toilette fournis, lits faits à l'arrivée et ménage quotidien). Une adresse récente dans un ancien cloître entièrement réaménagé, abritant 74 appartements tout confort. Charmante salle de restaurant où est servi un copieux petit déjeuner. Spa. Bref, un agréable refuge où se reposer à la faveur d'une étape gourmande en terre bourguignonne.

De prix moyens à chic

🏠 |●| *Quality Hôtel du Nord* (plan B2, **21**) : pl. Darcy. ☎ 03-80-50-80-50. ● contact@hotel-nord.fr ● hotel-nord.fr ● 🚇 Place-Darcy. Congés : 20 déc-8 janv. Doubles 106-122 € ; également des familiales. Menus 24-45 €. 📶 Apéritif offert sur présentation de ce guide. Les chambres situées dans les étages (ascenseur) sont contemporaines et d'un confort optimal avec double vitrage. Resto au cadre rustico-moderne et plats variés. Bar à vins dans la jolie cave voûtée, avec dégustation de fromages et de charcuteries.

🏠 *Hôtel des Ducs* (plan C2, **12**) : 5, rue Lamonnoye. ☎ 03-80-67-31-31. ● contact@hoteldesducs.com ● hotel desducs.com ● Doubles 72-120 € ; également des familiales. Parking payant. 📶 Idéalement placé à côté du théâtre et du palais des Beaux-Arts, l'hôtel a été rénové dans un style sobre et fonctionnel, sans excès de chaleur. Chambres assez spacieuses, confortables et bien équipées. Aux beaux jours, on prend son petit déj à l'air libre, sur la terrasse située à l'arrière.

🏠 *Hôtel Wilson* (plan C3, **24**) : 1, rue de Longvic. ☎ 03-80-66-82-50. ● hotelwilson@orange.fr ● wilson-hotel. com ● ♿ Doubles 90-135 €, familiales également. Parking payant. 📶 Remise de 10 % sur le prix de la chambre (résa en direct ou sur le site de l'hôtel) sur présentation de ce guide. Dans cet ancien relais de poste situé à l'orée du centre-ville, une trentaine de chambres classiques et confortables (également des chambres communicantes) avec poutres au plafond. Elles donnent sur la cour (pour les « supérieures ») ou la place. Petit déj servi dans une salle à l'imposante cheminée. Dans le même bâtiment se situe le resto de Stéphane Derbord, l'une des meilleures tables de la ville.

🏠 *Maison Philippe le Bon* (plan B3, **22**) : 18, rue Sainte-Anne. ☎ 03-80-30-73-52. ● contact@maisonphilippele bon.com ● maisonphilippelebon.com ● ♿ Doubles 100-140 € ; petit déj 15 €. Resto fermé sam midi et dim ; formules déj en sem 17-22 € ; menus 29-78 € ; bar ouv à partir de 17h. 📶 Apéritif offert sur présentation de ce guide. Un lieu très agréable pour passer des nuits tranquilles dans un quartier d'hôtels particuliers du XVIIe s. Demandez le dernier étage ainsi qu'une chambre sur jardin si votre bourse le permet. Design contemporain aux couleurs et confort d'aujourd'hui. On a un faible pour l'hôtel particulier, de l'autre côté du jardin, mais ce sont aussi les chambres les plus onéreuses. Propose également de la restauration à « la Closerie », dans la ravissante cour gothique.

Où manger ?

Très bon marché

|●| 🍷 *L'Alhambra* (plan C1, **64**) : 3, rue Marceau. ☎ 03-80-56-51-14. Tlj sf sam ap-m et dim 7h30-20h30. Repas le midi slt, formules env 15 €. Un des rendez-vous incontournables de ceux qui aiment manger (et boire) le midi dans un décor de bistrot, servis par une patronne au franc-parler. C'est ouvert du café-croissant à l'apéro-saucisson et fermé à l'heure où les restos de nuit voisins s'animent. Top à midi en tout cas.

|●| *Fado à Mesa* (plan C1, **34**) : 83, rue Jean-Jacques-Rousseau. 📱 06-68-36-72-74. Fermé dim (sf 3e dim du mois)-lun. Congés : août. Menus sandwich, planche et dégustation env 7-10 €. Ce comptoir portugais joue la fraîcheur et l'efficacité. Si vous aimez les sandwichs à la viande mais aussi les sardines millésimées, Victor, qui sait faire partager ses origines et ses passions, vous les servira avec le sourire. Pour accompagner le café, délicieux *pastéis de nata*.

Bon marché

|●| Ⓨ Brasserie des Beaux-Arts (plan C2, **36**) : 1, pl. des Ducs (dans la cour du musée). ☎ 03-80-66-45-36. Tlj sf mar 8h30-19h (service 12h15-15h). Formules et plats 16-19,50 €. Un vrai beau et bon resto installé dans l'ancien cellier des ducs, avec ses 2 terrasses, l'une côté cour, l'autre côté jardin qu'on choisit selon l'heure et l'envie. À l'intérieur, aménagement contemporain chaleureux, où chacun se love dans le coin qui lui convient, selon qu'il aime faire une dînette assis sur un canapé ou s'offrir un mange-debout pour dominer la salle.

|●| Café de l'Industrie (plan B1, **30**) : 15, rue des Godrans. ☎ 03-80-30-20-81. Tlj sf dim-lun et j. fériés. Congés : 3 sem en été, 1 sem fêtes de fin d'année et 1 sem au printemps. Menu env 14 € ; carte 20-25 € env. Digestif maison offert sur présentation de ce guide. Moins bistrot que ses voisins, plus troquet dans l'âme, l'Industrie ne fait pas dans l'industriel. Le bar se transforme le midi pour accueillir une clientèle soucieuse de manger assez vite, pas trop mal et à bon compte. Petite salle à côté. La table est bonne, les patrons sympas, c'est bien là le principal. Le soir, planchas et bar à vins. Terrasse sur la rue piétonne.

🍵 |●| La Causerie des Mondes (plan B2, **57**) : 16, rue Vauban. ☎ 03-80-49-96-59. Tlj sf dim-lun (ouv dim midi en saison). Env 15 €. Un salon de thé qui a conservé dans ses murs l'histoire de cette belle maison d'angle. Toutes les générations se retrouvent autour des thés ou cafés qui ont fait la réputation du lieu. Un salon dijonnais où l'on cause, boit, mange bio et bon à la fois. Toute la journée, délicieux plats salés ou sucrés et ambiance sympa. Accueil chaleureux. Terrasse très accueillante elle aussi. Un lieu rare et pas cher.

|●| Essayer aussi la très bonne cuisine maison de **L'Âge de Raisin** (voir « Où boire un verre ? »).

Prix moyens

|●| La Fine Heure (plan B3, **54**) : 34, rue Berbisey. ☎ 03-80-58-83-47. ● contact@lafineheure.fr ● Tlj sf dim-lun. Formules déj en sem 10-16 €, menus 25-35 € ; carte 35-40 €. Café offert sur présentation de ce guide. Une cave où manger original. Des mange-debout à l'entrée pour tester quelques-unes des 70 références de la cave et s'offrir une planche de cochonnailles ou de fromages fermiers (très belle carte). Près du bar, tables plus traditionnelles pour déguster tranquillement un bœuf bourguignon charolais au cassis, entre autres plats joliment cuisinés. Les vins sont proposés sur table au prix caviste. Un vrai lieu, de vrais pros, accueillants et compétents.

|●| Chez Léon (plan B1, **48**) : 20, rue des Godrans. ☎ 03-80-50-01-07. Tlj sf dim-lun et certains j. fériés. Formules déj mar-sam 15,90-19,90 € ; le soir, menus 26-31 € ; carte 30-40 €. Ce resto ne cesse d'évoluer tout en faisant mine de rester dans son jus : rien que du beau, à l'ardoise, et du bio, aussi, désormais. Du pied de cochon à l'andouillette en passant par l'entrecôte d'Angus ou le tartare maison, Chez Léon, tout est bon, même le cholestérol. Éric et sa fille, Camille, sont là pour conseiller les vins qui vont bien, et ça, ça nous va bien. Décor bistrot qu'on adore, mais la vue sur le parc de la Banque de France, quand on est en terrasse, n'est pas mal non plus.

|●| Pourquoi Pas ? (plan B2, **47**) : 13, rue Monge. ☎ 03-80-50-11-77. ● pourquoipas21@orange.fr ● Ouv le soir mar-sam, plus sam midi. Carte env 35 €. Café offert sur présentation de ce guide. Au tableau, juste quelques plats, choix volontairement restreint pour permettre au chef de tout envoyer lui-même. Les mélanges de couleurs attirent l'œil, les associations de saveurs rassurent, dès la première bouchée. Une bonbonnière cosy où la réservation est obligatoire, car l'adresse est devenue un « classique », si ce mot ne faisait peur. Et pourquoi pas ?

|●| Le Piano qui Fume (plan B3, **56**) : 36, rue Berbisey. ☎ 03-80-30-35-45. ● info@lepianoquifume.fr ● Tlj sf lun soir, mar soir, mer et dim. Formules déj en sem 9,90-17 € ; menus-carte 31-35 €. Café offert sur présentation de ce guide. Le nom est plus fantaisiste que l'accueil ou la cuisine, très « pro ». S'il fume, ce Piano, c'est que le chef qui l'utilise est seul à concocter des

LA CÔTE-D'OR

plats de saison qui ne trichent ni avec le goût ni avec les produits utilisés. Il est revenu dans la ville de ses débuts, après un joli parcours chez des étoilés célèbres. Sa carte, courte, lui permet de travailler les produits de saison et de régaler, à petits prix, une clientèle fidèle.

|●| Le Temps des Ducs *(plan C2, 41) : 96, rue de la Liberté, pl. de la Libération.* ☎ *03-80-30-25-30. Tlj. Formules déj 13-17 € ; plats env 10-20 €.* La plus vieille brasserie de Dijon qui date du XVIIIe s ! Les quatre grands ducs sont partout ici chez eux, sur les murs, les tables, les menus et même en terrasse. On peut y passer la journée, du petit déj en terrasse au cocktail du soir, à prendre dans une salle au premier très cosy, en passant par le plat du jour le midi (du sérieux, du savoureux, du copieux) ou la carte. Carte de 80 bières.

|●| L'Essentiel *(plan A1, 58) : 12, rue Audra.* ☎ *03-80-30-14-52. Mar-sam. Formules déj 18-23 € ; menus-carte 32-39 €.* Débusquez l'adorable cour avec sa terrasse sous le mûrier-platane, qui protège des grosses chaleurs et donne l'impression d'être dans le Var. Surtout quand arrive le rosé et un plat qui sent bon le Midi (même le soir !). Le chef s'est formé chez les grands et propose une formule épatante au déjeuner, avec des saveurs et des goûts inédits. Accueil pro, chaleureux, même en plein service.

|●| L'Arôme *(plan C1, 68) : 2 et 6, rue Jean-Jacques-Rousseau.* ☎ *03-80-31-12-46. Fermé mar-mer midi. Formules déj 16-20 € (sf dim) ; menus 23-34 €.* Dans sa cuisine de poche, le chef réalise des prodiges, jouant à sa façon des textures, des mélanges sucrés-salés pour réinventer des plats qu'il aime. Il propose notamment un menu terroir, parfait pour les touristes de passage. En salle, sa femme vous conseille parfaitement pour les vins.

|●| Akatsuki *(plan C3, 70) : 8, rue Coupée-de-Longvic.* ☎ *03-80-79-46-87. Fermé sam midi et dim midi. Formule déj 14,50 € ; bento 20 € ; tapas 4-8 €.* Une adresse fun et savoureuse à la fois où aller jouer des baguettes. Plat du jour ou bento, le midi. Le soir,

changement d'ambiance : le couple de restaurateurs travaille des tapas à la japonaise. Beignets au poulet, riz au thé vert avec dorade, etc. Pas de bruit, pas d'odeurs, que du bonheur !

|●| Pépé Joseph *(plan C1, 32) : 8 B, rue Marceau.* ☎ *03-45-83-69-62. Tlj sf lun. Formules déj mar-sam env 12-18 €, le soir 19-37 €.* Franck Schmitt a quitté la vie de château pour une vie de bistrotier à l'ancienne, où il peut faire dans le généreux, le sincère, la fraîcheur. Même les vins sont servis frais chez lui, les vins d'Alsace surtout, à redécouvrir en partageant un pot de rillettes de lapin à la coriandre verte ou une flammekueche au fromage de Cîteaux et à la moutarde. Chez lui, on mange, on rigole, on boit pas mal, et à prix doux. *La Java Bleue* passe en fond sonore, un film de Pagnol muet (un comble !) est projeté sur un mur. Sacré Pépé !

|●| ♥ The Little Italy *(plan C2, 52) : 25, rue Verrerie.* ☎ *03-80-30-58-37. Tlj sf lun et dim soir 9h30-22h. Formule déj 13 € en sem (café compris) et carte 25-30 €. Brunch dim.* Un lieu décalé façon décor loft new-yorkais, pour immigrés italiens ayant tué parrain et marraine. Une ambiance décontractée à souhait, 4 tables en terrasse, et des produits exclusivement italiens à déguster sur place, dans ce resto-épicerie. Côté desserts, pour ceux que ça botte, tiramisù, *panna cotta* aux fruits rouges et *cupcakes*.

|●| D Z'Envies *(plan B1, 42) : 12, rue Odebert.* ☎ *03-80-50-09-26. Tlj sf dim et j. fériés. Congés : 3 sem début janv. Formules déj 14-21 € ; sinon compter 31-36 €.* Une autre belle adresse autour du marché. Un bistrot dans le goût de l'époque, ouvert près des Halles par un ex-étoilé libéré de toutes contraintes : cet acrobate des cuissons rapides réalise une cuisine associant les saveurs du Maghreb et du Japon aux techniques culinaires françaises, qu'il détourne avec humour. Jouant sur les mots autant que sur les textures, David Zuddas fait partager ses envies du moment. Tout cela gentiment tarifé, servi rapidement, non sans attentions. À savourer en terrasse ou en salle, selon ses envies.

De chic à plus chic

I●I L'Un des Sens (plan C2, **37**) : 3, rue Jeannin. ☎ 03-80-65-75-58. Tlj sf dim-lun. Formules 19-23 € le midi ; le soir, menus 35-54 €. Ce petit cocon gourmand cartonne à chaque service. Les raisons du succès : déco d'aujourd'hui sur fond de vieilles pierres, carte courte, plats au goût exquis et visuellement parfaits... et seulement 20 couverts. C'est dire si la résa est fortement conseillée, surtout en fin de semaine. Dans le même esprit, des vins soigneusement choisis et servis au verre.

I●I La Maison des Cariatides (plan C2, **40**) : 28, rue Chaudronnerie. ☎ 03-80-45-59-25. ● lamaisondescariatides@orange.fr ● Tlj sf dim-lun. Menu déj 25 €, carte le soir 35-55 €. Résa. La maison a rendu son étoile, le chef a changé, mais c'est toujours une des tables les plus courues du quartier sauvegardé. Carte courte, pour ne travailler que le frais, le marché, avec des plats le midi qui ressemblent, en plus simple, à ce que vous pourrez découvrir le soir. Dans ce lieu mêlant vieilles pierres et déco dans l'air du temps, on aime toujours autant cette cuisine grande ouverte sur la salle, ce service aussi souriant qu'efficace et ces vins à la carte, pas donnés mais bien choisis. Terrasse cachée très agréable en été.

I●I Masami (hors plan par C2, **50**) : 79, rue Jeannin. ☎ 03-80-65-21-80. ● contact@restaurantmasami.com ● Tlj sf dim et j. fériés. Fermé 3 sem en août. Menus 14,50 € (déj en sem) et 24-54 €. Amateurs de parasols en papier et de sushis cotonneux, passez votre chemin. Ici, la feuille de shizu est véritable, le reste aussi : sûreté du geste, pureté du style. Ou l'inverse. Et surtout, le cuisinier a un vrai talent. Produits frais et assaisonnement subtils. À apprécier dans la petite salle très zen, presque spartiate. La cave est bourguignonne et judicieuse, mais on pourra en profiter pour découvrir d'authentiques sakés à l'étrange et surprenante suavité.

I●I Le Coin Caché (hors plan par B1, **49**) : 2, pl. Barbe. ☎ 03-80-55-35-55. Lun-ven. Formules déj 14,90-17,90 € ; carte env 35-45 €. Ce coin de rue caché des regards est un repaire. Un repère, aussi. Gens de théâtre, de la politique, habitués du quartier, tous y passent et repassent, heureux de pouvoir trouver une place en terrasse, sous la treille, mais pas mécontents d'être encore acceptés en salle. Venez un midi, pour la curiosité, et revenez un soir, juste pour le plaisir.

LA CÔTE-D'OR

Où dormir ? Où manger dans les environs ?

De prix moyens à chic

🛏 I●I Hôtel-restaurant La Flambée : 2, route de Chevigny, 21800 **Sennecey-lès-Dijon**. ☎ 03-80-47-35-35. ● hotel restaurantlaflambee@wanadoo.fr ● laflambee.fr ● À 2 km au sud-est de Dijon : prendre direction Dole ; accès direct sinon depuis la rocade est. Resto fermé sam midi et dim soir. Doubles très cosy 69-118 €. Menus 27,90-33 €. ☕ Café offert sur présentation de ce guide. Un break hors du temps, dans une grande salle au décor emprunté à un film de cape et d'épée. La vie de château, mais à la bonne franquette : devant la cheminée passent des charcuteries et des tourtes qui sentent l'artisanat authentique, des viandes parfaites mettant le vin à la bouche, des desserts à l'ancienne... Chambres douces et confortables, avec piscine.

🛏 I●I La Musarde : 7, rue des Riottes, 21121 **Hauteville-lès-Dijon**. ☎ 03-80-56-22-82. ● hotel.rest.lamu sarde@wanadoo.fr ● lamusarde.fr ● 🛏 À 10 mn de Dijon par la D 971, la « route de Troyes ». Resto fermé dim soir-lun en saison, lun-mar hors saison. Congés : 24 déc-15 janv. Résa impérative, surtout le w-e. Doubles 60-85 €. Menus 24-41,50 €, carte 40-50 €. Réduc de 10 % sur le prix de la chambre ou apéritif maison offert au resto, sur présentation de ce guide. Ancienne ferme du XIXe s transformée en un bel établissement à l'aise avec son temps. On n'est pas vraiment à la campagne mais on y est bien, surtout aux beaux jours, quand la terrasse

LA CÔTE-D'OR

vous tend les bras. Un lieu à l'atmosphère à la fois familiale, raffinée et décontractée. La salle de restaurant, lumineuse, ouvre sur le jardin. Cuisine terre-mer toujours originale et qui ne triche pas. On peut suivre, derrière la vitre, le travail de l'équipe qui œuvre en silence dans « l'aquarium ». Chambres confortables, au calme.

|●| **L'Auberge du Vieux Pressoir :** 2, pl. Anne-Laprévote, 21300 **Chenôve.** ☎ 03-80-27-17-39. ❶ T2, arrêt Chenôve. *Sur la route des Grands Crus, au sud de Dijon. Sur la pl. principale du village. Le midi lun-sam et le soir ven-sam. Congés : 1 sem en fév, 3 sem en août. Menus déj 16,50 €, puis 20-28 € ; carte 30-35 €.* Voilà un bistrot de village ultra-convivial avec sa terrasse qui déborde sur la place. Le midi, le menu du jour est une aubaine. C'est du costaud, du délibérément rétro (quoique, tout de même, interprété) et dans le faitout, direct. Tout est

excellent et de qualité irréprochable. La cave est pareillement intégriste : que des propriétaires de Marsannay et de Gevrey-Chambertin !

🏠 **Gîte le P'tit Clos :** *impasse du Cul-de-Sac, 21380* **Messigny-et-Vantoux.** 📱 *06-84-94-59-26.* ● nathalie.martin555@orange.fr ● auptitclos.fr ● *Compter 460-770 €/sem selon période, w-e possible. Confirmer la résa avt de venir.* ☏ À 7 km de Dijon, au cœur d'un vieux village joliment revenu à la vie, une maison indépendante, à l'orée d'un bois, aménagée comme une classe d'école pas triste, avec des transats sur la pelouse pour réviser ses devoirs. Les enfants sages iront chez le propriétaire admirer son musée Tintin et sa maquette d'un circuit de petit train, étonnante de réalisme. Également un autre gîte, *Le P'tit Atelier (75 €/nuit sans petit déj, 350 €/sem),* mignon tout plein, dont le thème de la déco se trouve dans le nom !

Où boire un verre ? Où manger sur le pouce ? Où sortir ?

Dans le centre ancien

♈ Si le soleil vous incite à vous poser sur une **terrasse,** essayez celles de la **place François-Rude** *(plan B2),* rendez-vous du Tout-Dijon, du café du matin à l'apéro du début de soirée. Les maisons anciennes qui bordent cette placette accueillent toutes un bar ! Faute de place au soleil, allez vous réfugier dans les rues voisines ou autour des **halles** *(plan B1-2),* autre lieu de vie incontournable du centre ancien avec la **rue des Godrans** *(plan B1-2),* à deux pas.

♈ Sinon, si vous ne trouvez pas votre bonheur autour du marché, poussez jusqu'à la **place de la Libération,** d'une minéralité qui donne forcément soif. Idéal pour une petite faim de nuit ou une grosse soif de jour : 4 ou 5 bars avec terrasse tout autour comme **Le Café Gourmand,** bar à vins squatté par bon nombre de fonctionnaires de la mairie le midi ou **Les Enfants du Rock** qui fait aussi resto et grignoterie.

♈ |●| ♪ **Le Quentin** *(plan B2, 63) :* 6, rue Quentin. ☎ 03-80-30-15-05.

● qbistrot@gmail.com ● ♿ *Fermé dim lun midi, mer, jeu. Congés : de fin déc à mi-janv. Planche 10 € env.* ☏ Face aux halles, le bistrot tendance et incontournable... à l'image de sa terrasse. Vins de petits producteurs, servis au verre, bons et pas chers. Pour grignoter, de belles planches de charcuterie et de fromage, en provenance directe des halles.

Plus au nord, autour de la place de la République

Les **rues Marceau** et **du Général-Fauconnet** *(hors plan par C1)* cachent quelques adresses hautes en couleur. Plus sage, plus bobo, le **quartier Jean-Jacques-Rousseau** marque des points, en attendant une rénovation qui serait la bienvenue.

♈ ♪ **La Salsa Pelpa** *(plan C1, 64) :* 1, rue Marceau. ☎ 03-80-73-20-72. *Tlj sf sam midi et dim-lun.* Les voûtes en pierre rassurent, les rideaux couleur sang donnent le ton, les grilles ouvrent sur un espace que la nuit magnifie. Jusqu'à 23h, on sert ici une cuisine à la fois brésilienne, mexicaine et cubaine (paella, *cataplane*...), qui invite à boire et ensuite à danser, pour faire passer le trop-plein de calories. Le week-end, réservez vos tables, surtout quand la terrasse est elle aussi de sortie.

♀ |●| *Chez Bruno* (plan C2, **65**) : 80, rue Jean-Jacques-Rousseau. ☎ 03-80-66-12-33. Tlj sf dim-lun, à partir de 18h. Bar à vins et bar à jambons, comme l'indique l'enseigne. Un bar à des kilomètres des concepts branchés *lounge*. Les clients sont debout, verre à la main, tandis que Bruno Crouzat sert ses vins de producteurs qu'il connaît par cœur ! Il les accompagne d'assiettes à sa façon, marie le crottin de Chavignol au sauvignon et la charcuterie aveyronnaise aux plus belles références de Bourgogne ou d'ailleurs. Des vins d'anthologie, des « introuvables », sélection d'un passionné-exalté. Le soir, l'ambiance monte au fil des verres... et des amis viticulteurs.

♀ *Alchimia, café & galerie* (plan C2, **76**) : 13-15, rue Auguste-Comte. ☎ 03-80-46-10-42. Mar-sam slt le soir. Café nouvelle vague sympa, pour boire et voir. À la carte, vins et bières s'assortissent de planches ou de grignotages salés. Quant aux murs, ils ont la parole, étant dédiés aux arts visuels de tous poils.

♀ *Au Vieux Léon* (hors plan par C2, **69**) : 52, rue Jeannin. ☎ 03-80-67-78-93. 18h-1h30. Poussez jusqu'à la rue Jeannin, encore dans son jus. On adore notamment ce bistrot iconoclaste. Avec ses tonneaux et ses grandes tablées, c'est le rendez-vous des zicos et des bohèmes. Musique française pour boire un verre au son des flonflons et de l'accordéon...

Quartier Berbisey

♀ ♪ Pas mal de *bars* fréquentés par la jeunesse dijonnaise dans l'un des derniers quartiers un peu populaires du centre-ville : la *place Émile-Zola* et la *rue Berbisey* (plan B2-3), où le *Crockodil* programme régulièrement des concerts et où les fans d'Yves Jamait retrouvent leur chanteur dijonnais préféré au bar de *L'Univers*.

♀ |●| *L'Âge de Raisin* (plan B3, **75**) : 67, rue Berbisey. ☎ 03-80-23-24-82. Ts les soirs mar-sam à partir de 18h. Formule 23 € le soir ; assiettes « grignote » ou charcuterie-fromage à partir de 10 €. L'antithèse du *Tord-Boyaux* de Pierre Perret, mais la gouaille dans l'assiette et le verre ! Car dans le « boui-boui » en question, au bout de la rue Berbisey, la nappe vichy à carreaux rouges et la caricature des *Tontons flingueurs* donnent à l'établissement un cachet digne de ce bon Dijon chanté par Jamait. Que du bon, du maison, de l'authentique ! Des vins sélectionnés avec amour, des plats mitonnés avec soin par madame, des assiettes de charcuterie qui donnent soif.

Au sud, côté canal

♀ ∞ |●| *La Péniche Cancale* (plan A3, **68**) : port du Canal, 14, av. Jean-Jaurès. ☎ 03-80-43-15-72. ● public@peniche cancale.com ● penichecancale.com ● Mar-sam en saison ; ouv slt le soir jeu-sam hors saison. 📶 Construite en 1951, cette péniche a transporté toutes sortes de marchandises pendant plus de 50 ans avant d'être réhabilitée en lieu de sorties, à la fois bistrot gourmand et cabaret flottant. C'est dans la cale que se déroulent les festivités. On s'y retrouve pour déguster un verre de vin, une bière ou un jus de fruits artisanal. On n'hésite pas non plus à y grignoter quelques bons produits du terroir le midi au resto *So Fish* tout en découvrant un groupe de musique, des comédiens, un photographe, etc. Un lieu propice aux échanges, avec une programmation tout sauf à fond de cale !

Où acheter de bons produits ?

⊛ ♟ ***Les Halles*** (plan B1-2) : mar, jeu (à l'intérieur), ven et sam mat. Ne manquez surtout pas le marché du samedi, sous les halles à l'ancienne,

LA CÔTE-D'OR

au cœur de Dijon : c'est le plus coloré, le plus animé. Nombreux restos et bistrots avec terrasse tout autour. Et même au cœur des halles avec une buvette haute en couleur. De mi-mai à fin septembre, brunch le dimanche dans un esprit guinguette *(25 € adultes, 12 € enfants)*. À proximité, vous pouvez jeter un œil aux expos d'art contemporain proposées par le FRAC, dans les bâtiments des anciens *Bains du Nord (16, rue Saint-Quentin)*.

⚜ **Boutique Maille** *(plan B2, 80)* : 32, rue de la Liberté. ☎ 03-80-30-41-02. ● maille-boutique.dijon@unilever.com ● Tlj sf dim 10h-19h. Une superbe vitrine à l'enseigne d'une marque qui a plus de 300 ans d'existence : « Il n'y a que Maille qui m'aille. » Vente de moutarde à la pompe ou au pot (plus de 60 variétés) et pots copies d'anciens. Également des vinaigres aux goûts originaux.

⚜ **Pain d'Épices Mulot et Petitjean** *(plan B2, 81)* : 13, pl. Bossuet. ☎ 03-80-30-07-10. ● mulotpetitjean. fr ● Tlj sf dim-lun mat, 10h-12h, 14h-19h. Drôle de maison d'allure et d'esprit médiévaux pour abriter un paradis du pain d'épice : en forme de sabot, cloche, poisson, ou tout simplement de « pavé de santé » à l'ancienne, glacé-mince et nonnettes fourrées. Autres boutiques rue de la Liberté *(tlj sf dim ap-m)* et place Notre-Dame *(mar-sam 9h-12h, 14h-19h)*. Ne pas manquer le musée ouvert en 2017 par la maison *Mulot et Petitjean,* bd de l'Ouest à Dijon.

⚜ **Biscuiterie La Rose de Vergy** *(plan C2, 82)* : 1, rue de la Chouette. ☎ 03-80-61-42-22. Mar-sam 10h-12h30, 14h-19h (en continu sam). Une bien jolie biscuiterie, installée au rez-de-chaussée d'une des plus belles demeures à colombages du vieux Dijon, entièrement rénovée dans les couleurs pain d'épice, justement. Petit coin salon de thé pour déguster les biscuits et les pains d'épice pur miel, spécialités maison. Vente également de confitures, bonbons, etc.

⚜ **Boutique-atelier Moutarderie Fallot** *(plan C2, 84)* : 16 A, rue de la Chouette. ☎ 09-54-04-12-62. Tlj en continu. Une boutique qui a redonné à Dijon un peu de sa fierté moutardesque, puisque la moutarde Fallot, la seule « authentique moutarde de Dijon », produite à Beaune de façon artisanale, à la meule, dans des locaux que vous aurez tout le loisir de visiter, a un atelier-boutique en plein cœur de ville, tout à côté de la maison Millière (voir plus loin).

À voir

– *L'accès aux collections des musées municipaux de Dijon (sf le musée Magnin et le Consortium donc) est gratuit, hors expos temporaires. Ils sont fermés le mar.*
➢ Départ du palais des Ducs *(plan C2),* où commence et s'achève toute balade ici-bas. Pour vous aider, l'office de tourisme a créé un petit guide pratique, le *Parcours de la chouette* (payant), qui vous invite à suivre des petites flèches triangulaires portant le symbole fétiche des Dijonnais. Compter 1 à 2h (ou plus si l'on visite). Il existe une version « junior » avec un cahier ludique et instructif. Sinon, possibilité de suivre une visite guidée (● visitdestinationdijon.com ●) ou de faire le parcours en... Segway !

Le Dijon des ducs de Bourgogne

🎭🎭🎭 **Le palais des Ducs** *(plan C2)* : pl. de la Libération. ☎ 0892-700-558 *(office de tourisme ; 0,34 €/mn)*. Visite de la **tour Philippe-le-Bon** ttes les 45 mn tlj sf lun 10h30-12h, 13h45-17h30 avr-11 nov ; le reste de l'année, slt le w-e à 11h, 12h, 14h, 15h et 16h, et mar ap-m à 14h, 15h et 16h ; résa indispensable à l'office de tourisme. Entrée : 3 €. Visite des **salles du palais** et de la **tour de Bar** : voir le musée des Beaux-Arts, ci-après. Visite guidée du palais des Ducs (cuisines, salle des festins et certaines salles hautes de la tour Philippe-le-Bon, accès slt *lors de cette visite), w-e slt. Infos à l'office de tourisme.*

La rénovation du musée permet désormais au visiteur de se faire une petite idée de ce qu'était le palais médiéval, construit entre 1364 et 1455, qui avait disparu au XVIIᵉ s derrière les façades classiques du nouveau palais des États. Partie la plus visible, la tour Philippe-le-Bon, dont la haute silhouette domine la ville ancienne, a été construite de 1450 à 1455. Elle symbolise la

GAME OF BURGUNDY

L'histoire complexe des ducs de Bourgogne inspira nombre d'auteurs français et étrangers. Parmi ceux-ci, l'écrivain américain George R. R. Martin pour sa série de romans Le Trône de Fer, *plus connue encore depuis son adaptation à l'écran... Game of Thrones. Il est d'ailleurs venu visiter spécialement le palais des Ducs en 2014, entouré d'une foule d'admirateurs.*

puissance du duc au cœur de la ville et abrite l'escalier qui desservait le palais médiéval. On vous conseille la montée au sommet, même si vous allez nous maudire au bout de quelques marches, parce que ça grimpe sérieusement ! Mais la vue devrait vous redonner le sourire, d'autant que la meilleure façon de comprendre cette ville secrète, c'est encore de la prendre de haut.

À la sortie, traversez le beau passage voûté d'ogives (ex-salle des joyaux des ducs) entre la cour d'honneur et le petit square des Ducs, joliment réaménagé (idéal pour une pause), d'où l'on découvre le palais côté pile.

À gauche, les hautes fenêtres gothiques sont celles de la grande salle des gardes. Cette vaste salle, qui abrite aujourd'hui les tombeaux des ducs de Bourgogne, était la salle des festins, entièrement rénovée et servant de point d'orgue au parcours Moyen Âge et Renaissance du musée des Beaux-Arts. La découverte du palais se poursuit cour de Bar, métamorphosée elle aussi du dallage au toit de la nouvelle entrée du musée (un toit doré qui a fait beaucoup parler de lui !). Ne manquez pas les cuisines ducales et leurs six immenses cheminées où l'on pouvait cuire des bœufs entiers.

Juste en face se dresse la tour de Bar, construite par Philippe le Hardi au XIVᵉ s, ce qui en fait la partie la plus ancienne du palais.

✦✦✦ *Le musée des Beaux-Arts (palais des Ducs de Bourgogne ; plan C2) :* ☎ 03-80-74-52-70. ● mba.dijon.fr ● &. *(accès partiel). Tlj sf mar : sem 10h-18h30, w-e et j. fériés 10h30-19h. Fermé 1ᵉʳ janv, 1ᵉʳ et 8 mai, 14 juil, 1ᵉʳ et 11 nov, 25 déc. GRATUIT. Nomade (tablette) : 4 €. Bonne idée : on peut emprunter des sièges pliants à l'entrée. Également des casiers à pièces et un bar-restaurant dans la cour (tlj 8h30-19h). Le musée subissant de gros travaux de rénovation et d'extension sur plusieurs années, les sections d'art moderne et contemporain, ainsi que XVIIᵉ, XVIIIᵉ et XIXᵉ s sont fermées jusqu'en 2019 (64 salles !).*

L'un des plus anciens musées de France, installé dans le palais des ducs de Bourgogne. Autrement dit, un lieu chargé d'histoire, en pleine rénovation, ne vous laissez pas impressionner par les échafaudages ! Une première tranche a permis de remettre en valeur le bâti médiéval et d'installer les nouveaux espaces muséographiques consacrés à la période du haut Moyen Âge à la Renaissance (Vᵉ-XVIᵉ s). Des lieux désormais en adéquation avec les œuvres présentées, telle est l'idée maîtresse de cette opération d'envergure. Une 2ᵉ tranche de travaux donnera lieu progressivement à la mise en place de nouveaux circuits qui permettront sans aucun doute au musée de reprendre sa place parmi les plus importants de France, du fait notamment de l'étendue de ses collections enrichies des dépôts du Louvre au XIXᵉ s.

En pénétrant dans la cour de Bar, impossible de ne pas remarquer cette imposante toiture dorée, alliage de cuivre et d'alu, amenée à se patiner avec le temps. Une belle touche de modernité qui ne fait pas l'unanimité ! La cour totalement remodelée constituera le centre névralgique, d'où l'on accédera aux différents espaces du musée.

L'accueil et la billetterie se situent dans une belle et vaste salle qui constituait l'échansonnerie du palais, idéalement placée avec accès direct aux caves et au grand cellier du rez-de-chaussée. Un escalier à vis permettait de desservir facilement les appartements du Duc au 1er étage. L'accès aux salles d'expo se fait par le grand escalier du Prince (du XVIIIe s) au pied duquel on trouve une table médiatique tactile avec application interactive en 3D.

LES RISQUES DU MÉTIER

L'entrée du musée se trouve dans l'ancienne échansonnerie. L'échanson était l'officier chargé de servir à boire à une personne de haut rang, mais aussi de goûter les boissons par crainte d'empoisonnement en raison des nombreuses intrigues de cour. Une charge risquée certes, mais certainement pas déplaisante en Bourgogne.

Du Moyen Âge à la Renaissance (début XVIe siècle)

Parcours chronologique sur 3 étages susceptible d'évoluer avec la 2e tranche de travaux.

– Au *1er étage*, la **salle du Duché** présente une série de **portraits des ducs** de Bourgogne dont la plupart sont des copies. Chronologie et carte géographique à l'appui permettent de saisir d'un coup d'œil l'étendue de leur puissance mais aussi la richesse de la cour avec le tableau *La Fête champêtre à la cour* (de Philippe le Bon).

Mais, c'est dans la salle des gardes que l'on sent revivre le faste du temps des grands-ducs. Les **tombeaux** de Philippe le Hardi et Jean sans Peur (des cénotaphes en réalité, puisque ce sont des monuments funéraires) soutenus par les célèbres pleurants, et la spectaculaire cheminée de style gothique flamboyant se détachent sur les murs enduits dans des tons rose-cassis, couleur emblématique de la ville (c'est toujours mieux que le jaune moutarde !). Le premier tombeau en entrant dans la salle, le plus ancien, est l'œuvre de Claus Sluter, un artiste des Flandres, alors partie intégrante

LES PRINCES DES FLEURS DE LYS

En récompense de son courage au côté de son père Jean II le Bon, à la bataille de Poitiers en 1356, son 4e et dernier fils, Philippe, y gagna le surnom de Philippe le Hardi et reçut en apanage le duché de Bourgogne. Le blason des ducs de Bourgogne (bandes diagonales jaunes et bleues) intégra alors les fleurs de lys, emblème familial et dynastique des descendants de Saint Louis.

du royaume de Bourgogne. Les pleurants (42 par cénotaphe) sont en albâtre et révèlent un ensemble vivant et particulièrement novateur dans la statuaire de l'époque : prenez le temps d'observer les attitudes, l'expression, la variété des sentiments (extra celui qui se cache sous sa cape et se mouche), les drapés fluides... Un travail étonnant et remarquable. Toutes les catégories de populations sont représentées : en tête du cortège (se placer au niveau de la tête des gisants) l'église avec l'évêque dont un servant tient la crosse, suivi des moines chartreux, puis des « bourgeois », membres de la famille ducale. La parité n'est pas encore d'actualité : aucune femme n'est visible ici ! Un ensemble à admirer absolument depuis la tribune au *2e étage.*

Dans la salle voisine sont exposés deux imposants **retables** sculptés peints et dorés de la **chartreuse de Champmol** (XIVe s). Sculptés par Jacques de Baerze, ils ont été peints par Melchior Broederlam. Deux retables se font face : celui de la crucifixion consacré à l'histoire de la Vierge et du Christ ; et celui des saints et martyrs qui évoque la décollation de saint Jean-Baptiste, le martyr de sainte Catherine et la tentation de saint Antoine. Au grand raffinement des volets extérieurs peints (couleurs éclatantes, notamment ce bleu outremer, un pigment rare à l'époque) s'ajoute la splendeur des décors sculptés intérieurs, ciselés telles des pièces d'orfèvrerie. De vrais livres d'images.

Les salles suivantes, principalement au *3e étage,* présentent les collections générales médiévales du musée : des objets religieux, des armures, des armes aux noms lyriques parfois, une tapisserie du siège de Dijon en 1513, l'élégante crosse en filigrane d'argent doré de Robert de Molesme (le fondateur de l'abbaye de Citeaux) et pas mal de tableaux de qualité inégale. Ne pas manquer toutefois *La Nativité* du Maître de Flémalle, un des chefs-d'œuvre du musée réputé pour sa modernité, où pour la première fois une scène religieuse intègre un décor profane. La qualité picturale hyperréaliste, l'éclat des couleurs et la force des détails témoignent d'une grande maîtrise de la peinture à l'huile, technique pourtant récente à l'époque. Observez la juxtaposition des scènes : au premier plan la nativité (Marie, Joseph, les bergers adorateurs et les sages-femmes, autour de l'Enfant Jésus, bien malingre), au 2e plan un paysage dans lequel on s'immerge grâce à une route qui serpente jusqu'à une bourgade, au pied d'un château, où fourmillent de nombreux détails. Au dernier plan, en haut à gauche, derrière une montagne mystérieuse, presque inquiétante, l'élément divin symbolisé par l'astre scintillant. Nous voilà en état de grâce !

Les maîtres de la Renaissance italienne sont accrochés dans la galerie de Bellegarde au *1er étage* et représentés par Véronèse, Vasari et Titien pour ne citer que les plus célèbres.

|●| ▼ En ressortant, faites une pause à la *Brasserie des Beaux-Arts* : voir « Où manger ? ». Un beau et bon resto aménagé dans l'ancien cellier des ducs, avec ses 2 terrasses.

🎬🎬 *La rue Verrerie* (plan C1-2) : bordée par un bel ensemble de maisons à pans de bois dans l'esprit du Moyen Âge. Cette rue est l'épicentre d'un quartier fort agréable, riche en boutiques d'antiquaires, de design... Formant un angle avec la *rue Chaudronnerie,* un ancien hôtel de commerçants dijonnais inspiré par la Renaissance italienne. Autre curiosité, toujours rue Chaudronnerie, au n° 5, la maison aux Trois-Pignons, édifiée vers 1440. Intéressante façade par sa géométrie et par son architecture à pans de bois. En face, sur la place, la *maison des Cariatides,* qui abrite l'une des grandes tables de la ville. La vue sur l'arrière de la maison des Cariatides révèle deux tours gothiques et une galerie de bois à portiques.

🎬🎬 *L'église Notre-Dame* (plan C2) : tlj 7h30 (9h dim)-19h ; non accessible pdt les offices. Construite au XIIIe s, c'est la doyenne des églises de Dijon et certainement la plus familière à ses habitants. Façade remarquable, avec toute une série de gargouilles surmontées d'une attraction célèbre : qu'il pleuve ou qu'il vente, le *Jacquemart* tape mécaniquement toutes les heures depuis 1383, tirant avec

DRAME À NOTRE-DAME

Les gargouilles originales de l'église Notre-Dame auraient causé la mort d'un usurier venu s'y marier, à la suite d'une chute accidentelle (d'une gargouille, pas de l'usurier) vers 1240. Démontées à la demande des successeurs de la victime, elles furent remplacées bien plus tard par de fausses gargouilles commandées en 1880.

philosophie sur sa bouffarde, sans rancune envers ceux qui l'ont rapporté (Philippe le Hardi l'avait déclaré prise de guerre), avec son horloge, du beffroi de Courtrai. Depuis, il a été doté d'une femme, Jacqueline, et de deux enfants, Jacquelinet et Jacquelinette (vous imaginiez quoi comme prénoms ?), qui sonnent les demi-heures et les quarts.

L'église a été édifiée au milieu d'un quartier populaire dans un espace plus que restreint, ce qui a contraint ses maîtres d'œuvre à une jolie prouesse technique pour obtenir la légèreté et l'impression d'ampleur que l'on ressent à l'intérieur. À la droite de l'autel se trouve l'une des plus anciennes statues de Vierge de France, vraisemblablement du XIe s. Les Dijonnais ont pour cette Vierge en bois une dévotion particulière. André Malraux l'admira tout en lui trouvant une « face d'idiote de village visitée de l'Éternel » ! Le bras nord du transept conserve cinq vitraux d'origine, vieux de plus de 700 ans ! Également une tapisserie des Gobelins (*Terribilis*, 1950) illustrant l'évacuation inespérée de l'ennemi en 1513 et 1944.

🦉🦉 *La rue de la Chouette* *(plan C2)* **:** au chevet de l'église, de belles maisons à pans de bois, dont la maison Millière (au n° 10), construite en 1483. Sur son toit ont été perchés, au début du XXe s, un chat et une chouette. À côté, au n° 8, admirer l'*hôtel de Vogüé*, le premier hôtel particulier édifié au début du XVIIe s à Dijon sur le modèle des hôtels particuliers parisiens. Majestueux porche d'entrée ouvrant sur une cour au portique sculpté. À la conception classique de l'édifice s'allie tout le raffinement décoratif de la Renaissance italienne jusqu'aux toits recouverts de tuiles vernissées. Une autre chouette a donné son nom à cette rue. Découvrez-la, usée par le temps et les hommes, sculptée sur l'angle d'un contrefort de Notre-Dame, face à la plaque n° 9 au sol. Cette chouette fétiche est la gardienne de tous les vœux et secrets des Dijonnais (heureusement qu'elle est sourde et aveugle !). Elle n'exaucera les vôtres que si vous la caressez de la main gauche, celle du cœur.

🦉 En continuant tout droit vers l'ouest, vous parvenez aux *halles* et leurs ribambelles de terrasses de restos et cafés tout autour. Vous pouvez jeter un œil aux expos d'art contemporain proposées par le *FRAC,* dans les bâtiments des anciens Bains du Nord *(16, rue Saint-Quentin).*

🦉🦉 *La rue des Forges* *(plan B-C2)* **:** piétonne et à l'ombre du palais, on y trouve de petites résidences que s'était fait construire l'entourage des ducs. Au n° 34, l'hôtel d'Henri Chambellan, maire en 1490, représente le nec plus ultra de l'architecture médiévale en France. Si c'est ouvert, longez le couloir pour découvrir, côté cour, un joyau du gothique flamboyant, avec sa galerie de bois ouvragé et l'escalier à vis qui se termine par une exceptionnelle statue de jardinier porteur de la voûte. À côté, au n° 38, façade Renaissance de la maison Maillard. Exubérance florale et animale : chou bourguignon, mufle de lion, guirlandes de fleurs. Au n° 40, l'hôtel Aubriot (XIIIe et XXe s) offre ses statues de la Justice et de la Force. Au n° 54, l'hôtel Morel-Sauvegrain du XVe s.

🦉🦉 *La place François-Rude* *(plan B2)* **:** une place piétonne animée avec ses bars en terrasse, au nom du sculpteur dijonnais qui a réalisé le plus célèbre bas-relief de l'Arc de triomphe à Paris : *La Marseillaise.* Les jours de marché, il est même difficile d'y circuler. Le point de mire, c'est la statue-fontaine du Bareuzai.

🦉🦉 🚶 *Le Musée archéologique de Dijon* *(plan B2)* **:** 5, rue du Docteur-Maret. ☎ 03-80-48-83-70. Tlj sf mar 9h30-12h30 et 14h-18h. Fermé 1er janv, 1er et 8 mai, 14 juil, 1er et 11 nov, et 25 déc. GRATUIT.
Une véritable machine à rêver qu'abrite l'aile principale de l'abbaye bénédictine Saint-Bénigne. Voyez dans la cour d'entrée les sarcophages mérovingiens.
– Montez d'abord jusqu'au *2e étage* de l'ancien dortoir de l'abbaye bénédictine, construit par l'abbé Hugues d'Arc au XIIIe s. Vous découvrirez un vaste panorama de la présence de l'homme en Bourgogne, de la préhistoire au Moyen Âge, avec les sites incontournables de la région : Alésia, Les Bolards, Mâlain... Un paradis pour les « chercheurs d'or », des boucles d'oreilles de l'époque mérovingienne à la copie du magnifique bracelet de La Rochepot (1,3 kg d'or pur).
– *Au niveau 1* : les voûtes gothiques accueillent les sculptures d'époques romane et gothique, ainsi que les expos temporaires. Mise en couleurs et en lumière réussie.
– *Au niveau 0* : l'univers magique de la déesse des Sources de la Seine Sequana, à qui l'on offrait des ex-voto dans l'espérance d'une prochaine guérison. Représentant les parties du corps atteintes par le mal, ces rares sculptures de bois constituent un ensemble exceptionnel, l'un des seuls témoignages de l'art et des

croyances populaires en Gaule avant et pendant l'occupation romaine. Prenez le temps de visiter l'ancienne salle capitulaire et le scriptorium, en jetant plus qu'un œil aux étonnants fragments de monuments funéraires représentant des scènes de la vie d'autrefois : marchand de vin et ses clients, charcutier avec son boudin et son bac à sang...

🕯🕯 *La cathédrale Saint-Bénigne* (plan A-B2) : *tlj 8h30-19h30. Crypte ouv 8h30-18h (17h en hiver et pause-déj), tlj sf dim mat. Entrée : 2 € ; accès intérieur et extérieur.*
Cinq églises ont été successivement construites sur le lieu de la découverte du sarcophage de saint Bénigne, longtemps le saint le plus aimé des Dijonnais avant que l'on apprenne qu'il n'avait peut-être jamais existé. En 1272, la chute d'une tour ayant écrasé le chœur, l'abbé Hugues d'Arc entreprit de reconstruire entièrement l'église romane dans le nouveau style gothique. Admirez l'élévation très pure de la nef et du chœur, typiques du gothique bourguignon, avec ses fenêtres hautes et élancées. Le clocher, le plus élevé de la ville aux 100 clochers, culmine à 93 m.
De fait, de l'immense abbatiale rebâtie à partir de 1001 par Guillaume de Volpiano, religieux envoyé de Cluny pour réformer une abbaye qui sombrait dans la décadence, ne subsiste aujourd'hui que la *crypte.* Surprenant édifice. Une vaste rotonde copiée sur celle conçue pour le tombeau du Christ à Jérusalem (il n'en existe apparemment que huit dans le genre dans le monde). Des colonnes en nombre forment trois cercles autour de la crypte. Deux d'entre elles supportent encore leur chapiteau d'origine, orné d'un homme en prière, taillé d'un coup de ciseau un peu malhabile, rare exemple de sculpture préromane. Vestiges d'un sarcophage du IIe s. Dans le prolongement de la rotonde, chapelle mortuaire du VIe s (plus probablement du IXe s).
Visites guidées gratuites des combles, toitures et soupentes, du carillon de 63 cloches (avec ou sans démonstration sonore !), de la chambre des cloches ou du musée de l'Orgue.

🕯 *L'église Saint-Philibert* (plan B2) : *GRATUIT lors des expos temporaires, mai-sept. Possibilité de visites guidées ; infos à l'office de tourisme.* La seule église romane de la ville jouxte la cathédrale. C'était la paroisse à la fois la plus civique et la plus remuante de Dijon ; en effet, ce quartier abritait la corporation des « culs bleus » (vignerons !). La jolie flèche à crochets fut élevée au début du XVIe s. Après avoir servi d'entrepôt et d'écurie après la Révolution, l'église fut victime d'une attaque de sel qui la rongea littéralement à partir des années 1970. Après 10 ans de recherches et de tests pour sauver cet édifice, Saint-Philibert a rouvert ses portes en 2011 et accueille des expositions d'art contemporain. Le choix a été fait de laisser visibles les marques de sa dégradation et des efforts gigantesques menés pour la sauver. Impressionnant !

Le Dijon des parlementaires

🕯 *La place Bossuet* (plan B2) : de beaux hôtels entourent la statue de Bossuet, accolée à l'église dans laquelle il a été baptisé, aujourd'hui transformée en théâtre, un comble pour un homme qui prisait peu les comédiens.

🕯🕯 *La rue Berbisey* (plan B2-3) : bel alignement d'hôtels particuliers, sur la droite. Au n° 23, petit hôtel de Ruffey (ouvert en semaine), élevé en 1752 pour

LA CÔTE-D'OR

un gros Richard (de Ruffey), président de la Chambre des comptes. Au n° 27, petit hôtel Berbisey, bijou revu au XVIII° s. Au n° 25, grand hôtel Berbisey, élevé à partir de 1657 pour un conseiller au parlement. Au n° 21, hôtel Legouz de la Berchère, au portail orné d'allégories de la Justice et de l'Abondance. Au n° 19 (accès sur demande par le resto *Les Œnophiles*, rue Sainte-Anne), hôtel le plus ancien, qui abrite une merveilleuse petite cour gothique et appartint à Thomas Berbisey, secrétaire de Louis XI. Au n° 3, hôtel Le Compasseur, avec sa tourelle du XVI° s qui joue les curieuses, penchée sur la rue ! Au n° 6, hôtel Bretagne de Blancey, le seul qui ait osé franchir la rue pour se mêler, à gauche, au bon peuple des petits commerçants et cafetiers.

Laissez-vous emmener à deux pas, rue Brûlard *(plan B2-3)*, au n° 2, pour pousser la grille (accès public) de l'hôtel Bouchu d'Esterno et profiter de la paix du petit jardin. Ou encore rue Sainte-Anne *(plan B3)*, dans le charmant jardin Jean-de-Berbisey, sous l'emblème du Loup et de l'Agneau.

🎭 🚶 *Le musée de la Vie bourguignonne et d'Art sacré* *(plan B3)* : *17, rue Sainte-Anne.* ☎ *03-80-48-80-90.* ♿ *(par ascenseur). Tlj sf mar 9h30-12h30 et 14h-18h. Fermé 1er janv, 1er et 8 mai, 14 juil, 1er et 11 nov, et 25 déc. GRATUIT.*
Un des musées les plus attachants de la ville. Collection étonnante d'objets pour plonger au cœur de la vie quotidienne du XIX° s, rassemblée dans les pièces entourant l'ancien cloître du monastère des Bernardines. Toute une rue commerçante de la fin du XIX° et du début du XX° s a été reconstituée au 1er étage. Il ne s'agit pas d'une simple enfilade de devantures, mais d'une atmosphère de rue, avec ses recoins où l'on découvre ici un atelier de fourrure, là une blanchisserie, une pharmacie... Des enseignes, des affiches en font revivre d'autres.
Salon de lecture, expositions temporaires, projection de films et atelier pour les enfants sous les combles.

🎭 *Le musée d'Art sacré (plan B3)* : *15, rue Sainte-Anne. Même numéro de tél, mêmes horaires que le précédent.* Installé dans l'ancienne église Sainte-Anne, au dôme vert visible de loin et ancienne propriété des cisterciennes de l'abbaye Notre-Dame-de-Tart, le musée présente sculptures, peintures, mobilier et vases liturgiques, objets de piété populaire provenant principalement de Côte-d'Or. Il possède aussi une importante collection de vêtements et ornements liturgiques, ainsi que de saintes reliques.

MAIS OÙ EST PASSÉE LA MOUTARDE DE DIJON ?

La moutarde de Dijon est la plus célèbre au monde. Or la culture de la moutarde a pratiquement disparu de Bourgogne, dans les années 1960, au profit du Canada. Aujourd'hui, plusieurs exploitations agricoles la remettent timidement au goût du jour. Si la graine de moutarde refleurit, il n'en est pas de même de sa production, la dernière usine purement dijonnaise ayant été transplantée hors de la ville...

🎭 *La rue Amiral-Roussin (plan B-C2)* : vous voilà au cœur du Marais dijonnais, secteur maintenant piéton. Poussez la porte du n° 23 (ouvert le week-end), ancien hôtel d'un avocat au parlement ; belle façade sur cour, au répertoire sculpté caractéristique de la Renaissance (il y a du Sambin dans l'air, des p'tits choux de travers...). Au n° 19, admirez le porche finement ciselé de l'ancienne église de la Madeleine, construite pour la communauté des Hospitaliers de Saint-Jean-de-Jérusalem, installée dans la ville depuis le XII° s. Au n° 9, hôtel reconstruit pour Claude Marc, greffier en chef au parlement.

🎭 *Le quartier du Palais (plan C2)* : la rue du Palais vous mène tout droit vers l'ex-parlement de Bourgogne, devenu le *palais de justice*. C'est là que la bourgeoisie dijonnaise pouvait venir s'anoblir, jusqu'à la Révolution, en achetant charges et offices. Assez mimi à l'extérieur, avec son pignon de belle allure et son porche d'entrée aux colonnes de pierre rose. L'original de la belle porte en bois, signé Sambin, se trouve au musée des Beaux-Arts. À l'intérieur, grande salle des pas perdus, dont le plafond ressemble à la carène d'un bateau renversée, et chambre dorée au somptueux plafond à caissons datant de 1522.

À l'arrière du palais de justice, rue Jean-Baptiste-Liégeard, beau déploiement d'échauguettes au revers de l'*hôtel Legouz Gerland.* L'entrée de l'hôtel, au n° 21, rue Vauban, annonce une cour très différente, très grand style, aménagée au XVIIIe s. Des lions superbes et généreux gardent la maison. En ressortant, jetez un œil sur l'hôtel Bouhier, parlementaire dijonnais et bibliophile d'exception.

Puisqu'on parle bouquins, suivez le chemin des écoliers pour revenir rue de l'École-de-Droit et entrez à la *bibliothèque municipale,* pour goûter le silence et admirer la beauté de la salle de lecture installée dans l'ancienne chapelle du collège des Godrans (jésuites). Elle abrite plus de 200 000 volumes et 3 000 manuscrits, dont les plus fameux sont ceux de l'abbaye de Cîteaux (début XIIe s).

🎭🎭 *Le musée Rude* (plan C2): 8, rue Vaillant. ☎ 03-80-74-52-70. *Tlj sf mar: sem 10h-18h30, w-e et j. fériés 10h30-19h. Fermé 1er janv, 1er et 8 mai, 14 juil, 1er et 11 nov, et 25 déc. GRATUIT.* Aménagé dans le chœur et le transept de l'ancienne église Saint-Étienne (tandis que la nef accueille la bibliothèque), ce musée est tout petit mais il vaut assurément le coup d'œil. Il faut dire que le moulage grandeur réelle du *Départ des volontaires* (1792) de l'Arc de triomphe de l'Étoile a de quoi impressionner. Amusez-vous à découvrir les moulages des autres sculptures de François Rude. Le musée abrite des éléments du castrum gallo-romain ; recueillez-vous devant, ça se fait rare !

🎭 *L'église Saint-Michel* (plan C2): *tlj 7h-19h (fermée pdt les offices).* Un merveilleux gâteau empilant savamment gothique et Renaissance, avec comme cerises les deux boules dorées rutilantes au sommet des tours du XVIIe s. Admirable Jugement dernier du tympan central. Originales boiseries des quatre piliers de la croisée du transept avec deux bancs arrondis qui épousent les colonnes.

➢ Revenir par la *rue Jeannin,* très animée le soir par les lycéens et étudiants des bahuts voisins. Du moins dans sa partie bistrotière, car, comme pour la rue Berbisey (et c'est assez typique du caractère dijonnais), elle présente un double visage : austère d'entrée de jeu, avec ses hôtels particuliers jamais ravalés ; popu à la sortie.

🎭🎭 🏃 *Le musée Magnin* (plan C2): 4, rue des Bons-Enfants. ☎ 03-80-67-11-10. ● musee-magnin.fr ● *Tlj sf lun 10h-12h30, 13h30-18h. Fermé 1er janv et 25 déc. Entrée : 3,50 € ; réduc ; gratuit moins de 26 ans (et enseignants) et pour ts le 1er dim du mois. Audioguide (versions enfants, malvoyants et malentendants disponibles).* Cette belle collection de peintures françaises et étrangères a été léguée à l'État en 1938, avec l'hôtel particulier du XVIIe s (un des plus beaux de Dijon), un musée en soi avec sa remarquable cage d'escalier du XVIIe s et son mobilier d'époque. Entre chambres, boudoirs, salons et alcôves, on goûte avant tout au charme hors du temps de cet édifice. D'Allori à Girodet, de La Hyre à Champaigne, on découvre également cet ensemble étonnant d'œuvres des écoles italienne, flamande, hollandaise et française, du XVIe au XIXe s, ainsi que des meubles et objets d'art, le tout réuni par l'amateur d'art Maurice Magnin au XIXe s. Notamment une superbe collection d'esquisses du XVIIIe s. Ces œuvres et ces noms peu connus, mais souvent tout aussi remarquables que les plus illustres, traduisent le regard tout en finesse de Magnin sur son époque, s'inscrivant plus dans l'évolution que dans la révolution. Remarquez les encadrements dorés des tableaux, qui en ajoutent au côté magique des lieux. Tout au long de l'année, le musée propose des concerts de musique classique dans sa cour.

🎬🎬🎬 *Le palais des États (plan B-C2) :* rue de la Liberté. Visite de l'intérieur possible w-e et j. fériés, mais slt avec guide : 6 € ; réduc. Infos et résas à l'office de tourisme du Grand Dijon.

Retour au point de départ pour finir, côté cour, la balade dans le Dijon des parlementaires. Les états de Bourgogne sont les seuls en France à avoir réussi à faire construire un bâtiment spécialement à leur usage, et quel bâtiment ! Véritable palais joignant l'utile au somptueux, il englobe l'ancien palais des Ducs et pérennise ainsi le lieu du pouvoir politique autour duquel se développe la ville depuis des siècles.

Jetez plus qu'un œil à la *chapelle des Élus* (accès gratuit par l'office de tourisme du Grand Dijon, 11, rue des Forges), que les élus de la province firent édifier, reflet de l'art de Versailles sous le règne de Louis XV. Méconnue, enclavée dans les bâtiments des États, son chevet, visible de la rue des Forges, est le seul indice qui trahit sa présence. Sa hauteur démesurée lui permet de bénéficier de la lumière du jour ; sompteux décor sculpté sur les parois, autel en marbre. Traverser la cour de Flore pour reprendre la rue de la Liberté. Dans le passage, avec un peu de chance, une exposition organisée au 1er étage vous permettra d'emprunter l'*escalier Gabriel,* remarquable autant par sa conception (sous ses tribunes se cachent en réalité les locaux des archives) que par sa belle rampe en fer forgé. Il mène au *salon d'Apollon,* antichambre de l'ancienne salle des États de Bourgogne. Le décor actuel, qui date de la fin du XIXe s, est d'un pompeux, voire d'un pompier avec l'inénarrable tableau des *Gloires de la Bourgogne.*

Au bel ensemble du palais des Ducs et du palais des États correspond la place de la Libération conçue en éventail, devenue le lieu de rendez-vous dijonnais à la mode : nombreuses terrasses en été, l'arrivée de jeux d'eau ayant permis de rafraîchir les esprits surchauffés par toute cette pierre. De là, on voit parfaitement comment Jules Hardouin-Mansart, premier architecte du roi, a intégré avec beaucoup de respect, soi-disant, le vieil hôtel des ducs de Bourgogne dans le palais des États.

À voir, côté jardins

À l'exception du parc des Grésilles qui reste ouv en permanence, les autres parcs et jardins ouvrent de 7h30 au coucher du soleil, et le parc municipal des Sports 7h-22h avr-sept, 8h-20h oct-mars.

🎬🎬 🚶 *Le jardin Darcy (plan A1-2) :* pl. Darcy. Créé en 1880 en plein centre pour rafraîchir les poumons des ouvriers de l'époque, dans un souci d'hygiène morale. Imaginé autour du réservoir construit par l'ingénieur Darcy pour amener l'eau en ville, un assemblage d'escaliers et de balustrades encadre des vasques en terrasses d'où l'eau s'écoule en cascade, dans le style italien alors en vogue. À voir pour le fameux ours blanc de Pompon, sculpteur animalier cher aux Dijonnais, qui n'est pas de lui mais de son élève Martinet.

🎬 🚶 *Le parc des Carrières-Bacquin :* rue des Marmuzots. Bus n° 5 Talant, arrêt Ziem. Au nord-ouest du centre. Entre la gare et l'avenue Victor-Hugo, l'ancien front de taille d'une carrière a été utilisé pour créer bassin et cascade artificielle face à un amphithéâtre de verdure. Jardin de rocaille, étang romantique, enclos animaliers, minigolf et buvette, jeux pour enfants.

🎬🎬 🚶 *Le jardin des Sciences – Parc de l'Arquebuse (plan A2) :* 14, rue Jehan-de-Marville et 1, av. Albert-Ier. ☎ 03-80-48-82-00. Tlj sf mar, sam mat, dim mat et j. fériés 9h-12h30, 14h-18h. Fermé 1er janv, 1er et 8 mai, 14 juil, 1er et 11 nov, et 25 déc. Résa vivement conseillée. Entrée libre pour le jardin et le muséum, mais payante pour le planétarium ; gratuit moins de 6 ans. Programme annuel d'événements festifs, conférences-débats, expos *temporaires liés à la biodiversité.* En plein cœur de Dijon et fort de ses trois entités (muséum, jardin botanique et planétarium), le jardin des Sciences offre une vision transversale sur l'ensemble des sciences de la nature, mettant en relief la relation entre l'homme et son environnement.

À l'entrée du parc, le *muséum,* point de départ de la visite, a été rénové, devenant un des musées les plus en avance sur son temps. Il présente l'histoire du vivant et de la biodiversité. Les expositions temporaires sont présentées à l'autre bout du jardin, au pavillon du Raines, plus récent. Éducatif et drôlement bien fait.

Quant au *planétarium Hubert-Curien,* construit de l'autre côté du jardin, il est tout à la fois lieu de spectacle, d'exposition permanente, de conférences... Animations numériques avec la projection de plusieurs spectacles traitant par exemple de l'évolution des espèces, de la diversité du vivant...

Belle balade pour y arriver à travers le *jardin botanique,* véritable invitation à une délicieuse flânerie dans l'univers de la biodiversité végétale sauvage et cultivée. Le ruisseau du Raines, avec ses cygnes et sa collection vivante d'anatidés (des canards, quoi !), sépare le pôle botanique d'un arboretum romantique où les écureuils sautillent parmi des arbres rares et parfois centenaires (statues, temple d'amour, mais aussi hôtel à insectes, ruches d'abeilles domestiques, prairie fleurie...). Un parcours tactile permet aux personnes déficientes visuelles de découvrir les essences d'arbres présentées dans l'arboretum.

À voir. À faire à l'écart du centre

🍴 **Le Consortium** *(plan C3) :* 37, rue de Longvic. ☎ 03-80-68-45-55. ● leconsortium.fr ● *Mer-dim 14h-18h (nocturne ven jusqu'à 20h, gratuit 17h-20h). Entrée : 5 €, gratuit moins de 18 ans. Visites guidées gratuites, sur inscription, 1er jeu du mois à 12h30 ; pour les enfants, mer des vac scol à 15h ; sans inscription ts les ven à 18h30 ; et « visites flash » les w-e.* Un bel espace, grand, blanc, très blanc, pour accueillir les grands noms de l'art contemporain. Expos renouvelées tous les 3 mois. Également des concerts de musique actuelle.

🍴 👫 **Le parc de la Colombière** *(hors plan par C3) :* cours du Parc. Bus n°s 11 ou 18, arrêt Parc-de-la-Colombière ou Colombière. À la périphérie sud-est de Dijon, vers Longvic. Les « allées du Parc », longue avenue commençant place Wilson et bordée de nombreuses maisons du XIXe s, mènent jusqu'à l'ancienne résidence d'été du prince de Condé. Dès 1688, ce bon prince avait mis le domaine de la Colombière à la disposition des citadins, lançant la mode des jardins publics. Ce parc à la française, réalisé par un élève de Le Nôtre, reste un des lieux de promenade favoris des familles dijonnaises. On y vient avec les enfants voir les animaux dans leurs enclos. Hors des sentiers battus, on trouve les fragments de l'ancienne voie romaine reliant Lyon à Trèves.

🍴 **Le musée Mulot et Petitjean** *(hors plan par A1) :* 6, bd de l'Ouest. ☎ 03-80-30-07-10. ● mulotpetitjean.fr ● *Pas loin de la chartreuse de Champmol. Mar-sam 10h-12h30, 14h-18h30. Entrée : 8 € ; réduc.* La célèbre fabrique de pain d'épice Mulot et Petitjean a plus de 220 ans d'existence et a rénové son usine pour l'ouvrir à la visite en 2017. Un musée ludique, *vintage* et innovant avec des reconstitutions allant du quai de réception des épices à la galerie, en passant par la fabrique traditionnelle, l'atelier ou le laboratoire de recherche et développement.

🍴 **Les pressoirs des ducs de Bourgogne** *(hors plan par A3) :* 8, rue Roger-Salengro, 21300 **Chenôve.** ☎ 03-80-51-55-70 (mairie). 🚋 T2 Chenôve-Centre. *Accès (bien) fléché. Juil-août et 3 premiers w-e de sept, tlj 10h-13h, 14h-18h le w-e, slt l'ap-m en sem. GRATUIT.* Parmi les plus anciens pressoirs connus, même s'ils n'ont pas été construits au XIIIe s par la duchesse de Bourgogne, comme le veut la légende, mais au début du XVe s, sous les ducs de Valois. Ils ont été prévus pour presser le marc de 100 pièces de vin. Superbe charpente en chêne, soutenue par des piliers qui évoquent quelque cathédrale. Système de pression par deux contrepoids en pierre de 5 t. Tous les ans, le 3e week-end de septembre, un pressoir est remis en marche lors de la fête de la Pressée.

➤ ⚲ *La combe à la Serpent* (hors plan par A2) : *bus n° 3 Fontaine-d'Ouche, arrêt Bachelard.* Le plus grand espace vert aux portes de la ville, au fond du quartier de la Fontaine-d'Ouche, poussé dans les années 1960 entre les collines et le lac Kir. Plus de 300 ha, en dénivelée, bois, plaine... Plus de 30 km de chemins bien balisés, complétés par des liaisons avec d'autres combes récemment réaménagées, comme la combe Persil et la combe Saint-Joseph. Observatoire pour les amoureux des astres. Montez jusqu'au parc à daims et rejoignez Corcelles-les-Monts, où vous attend sur la place du village un café-resto de campagne, *Le Petit Arlette* (☎ 03-80-42-90-04 ; *tlj sf dim*), tenu par une dame adorable (Arlette, évidemment...) qui vous donnera de quoi grignoter. Sur les murs du bistrot, grandes toiles peintes par des artistes du cru réputés.

➤ *Balade au long de l'Ouche* (hors plan par A3) : depuis le centre-ville, en passant par la rue Monge, démarre une coulée verte, longue de 2,2 km, en direction du lac Kir *(hors plan par A1)*. Arrêtez-vous pour visiter le **Puits de Moïse** (Ⓣ *T 3 CHS-La Chartreuse ; tlj 9h30-12h30, 14h-17h janv-mars et nov-déc ; ferme à 17h30 avr-oct ; entrée : 3,50 €, réduc ; possibilité de s'inscrire à une visite guidée, rens auprès de l'office de tourisme).* Magnifique et pathétique vestige de la chartreuse de Champmol, la nécropole des ducs de Valois, aujourd'hui enfermée au sein de l'hôpital psychiatrique. Un lieu étonnant, à découvrir absolument. Simplement, pensez que vous êtes dans un hôpital. Piste cyclable et sentier vous mènent jusqu'à Plombières, faisant un moment un brin de cour au canal de Bourgogne.

➤ *Le lac Kir* (hors plan par A1) : *bus n° 12, arrêt Lac ou Parc-à-Bateaux (pour la base nautique).* Avec ses 30 ha d'espaces verts, c'est la promenade préférée des Dijonnais toute l'année. L'été, le site se métamorphose en « Dijon-plage » ; la « mer Kir », en quelque sorte ! Baignade surveillée, volley, tennis, minigolf avec buvette et terrasse, base nautique, parcours de santé, et même une location de transats en juillet-août. Face au lac, saluez le frère du zouave du pont de l'Alma (tous deux ont été sculptés par le dijonnais Georges Diébolt).

➤ *L'observatoire du lac Kir* (hors plan par A1) : *en venant du centre, au croisement avec le bd Chanoine-Kir ; à droite au feu, petite route escarpée (fléchage « Observatoire lac Kir »), puis 1re à gauche dans un quartier résidentiel.* Pour embrasser tout le site d'un seul regard et se promener sur les sentiers balisés du *parc de la Fontaine-aux-Fées.*

Fêtes et manifestations

– *L'Été on continue, Dijon en continu :* juin-fin sept. *Rens à l'office de tourisme ou sur* ● visitdijon.com ● Une vingtaine de festivals, spectacles, concerts, expos... *L'Estivade (fin juin-début juil)* accueille les pratiques amateurs. Les festivals *Carte blanche, Garçon la note* et *Dièse* intègrent ce vaste programme de l'été dijonnais en lui donnant des couleurs plus actuelles.
– *Fêtes de la Vigne :* fin août-début sept. ● fetesdelavigne.fr ● Soirées à thème, Festival international de folklore (un an sur deux, prochain

en 2018), artisanat du monde, bals... tout cela mériterait d'être repensé, pour revenir à une vraie fête... de la Vigne !

– *Tribu Festival :* fin sept-début oct. Rens : ☎ 03-80-28-80-42. ● *tribufes tival.com* ● Sympathique festival autour du jazz, des musiques électroniques et du monde.

– *Foire internationale et gastronomique :* 1re quinzaine de nov. Rens : ☎ 03-80-77-39-00. 10 journées qui prolongent une tradition qui se perd dans la nuit des temps.

LA ROUTE DES GRANDS CRUS

Durant toute l'histoire, cette Côte-là a suscité bien des convoitises... de la part des chanoines. Du côté de Beaune, c'est l'influence d'Autun et de Cluny qui domine. On est déjà au sud ! Du côté de Dijon, les évêques de Langres, qui sont également ceux de Dijon jusqu'au XVIIIe s, ont la haute main sur les clos les plus fameux, comme celui de Bèze. Les moines de Cîteaux, établis dans la plaine il y a 900 ans, arriveront trop tard pour avoir les beaux morceaux. Ils créeront tout de même le clos de Vougeot, ce qui n'est pas si mal, il faut l'avouer ! Mais le vin de Bourgogne n'est pas l'apanage des abbayes, ni même celui des grandes familles, comme en témoigne le nombre de bons petits producteurs. Plus que l'étiquette importent les petits rendements et la qualité, qu'on se le dise !

Il est cependant difficile de comprendre les vins qui se font ici. Le cépage ne pose guère de problème, on le sait : à quelques rares exceptions, il s'agit de pinot noir pour les rouges et de chardonnay pour les blancs. Les appellations sont donc essentiellement géographiques... « climati-ques », dit-on ici ! Mais au fait, qu'est-ce qu'il a de si original, le « climat » bourguignon, pour être mis à toutes les sauces (au vin, certes) et pour avoir mérité son classement au

LA LANGUE, MODE D'EMPLOI

Avec le nez, la langue est l'outil de base pour apprécier le vin. Quelques rappels anatomiques avant toute bonne descente (terme bien approprié en Bourgogne, où la cave est le haut lieu de la maison) : le sucré se goûte grâce au bout de la langue, le salé sur les côtés avant, l'acidité sur les côtés arrière et l'amer sur le fond de la langue. Le mauvais vin, lui, se goûte un peu partout, mais là, recrachez, l'anatomie ne peut rien pour vous !

Patrimoine mondial de l'Unesco en 2015 ? Il désigne, en réalité, à chaque fois, un bout de terre valant souvent son pesant de cailloux, identifié sous son nom propre depuis le Moyen Âge et qui doit sa personnalité, unique au monde, aussi bien au sous-sol qu'au sol, à son exposition qu'à son... microclimat. Ailleurs, on appelle ça des « crus ». La Bourgogne en compte plusieurs centaines !

LA CÔTE, DE DIJON
À NUITS-SAINT-GEORGES

LA CÔTE-D'OR

MARSANNAY-LA-CÔTE

(21160)   5 200 hab.   *Carte Côte-d'Or, C3*

Marsannay-la-Côte, la « banlieue rurale » de Dijon, fut longtemps célèbre pour son rosé, qui tapait joyeusement dans les têtes. Unique en Bourgogne, sa production remonterait vers 658, période où le pinot noir garnissait les coteaux. Au fil des ans, les vignerons de Marsannay-la-Côte n'ont cessé de se battre pour voir reconnues les qualités de leurs vins, au point d'obtenir une AOC en 1987 pour les trois couleurs de leur palette : rouge, rosé et blanc. ➢ *Trois sentiers de découverte* balisés (« Village-Vignoble », 3,8 km ; « Milieu forestier », 5,3 km ; et « Combes », 8,9 km), ainsi qu'un circuit des tables d'orientation de 20 km pour flâner aux portes de la Côte de Nuits.

Où dormir dans le coin ?

🏠 *Chambres d'hôtes Les Brugère :* 7, rue Jean-Jaurès, 21160 **Couchey**. ☎ 03-80-52-13-05. ● brugeref@ free.fr ● francoisbrugere.wifeo.com ● À 2 km de Marsannay, en direction de Fixin, en plein centre. Mars-nov. Double 74 €. CB acceptées. 📶 Dégustation offerte sur présentation de ce guide. Un mignon village dans les vignes dont le nom invite au repos, dans les 3 chambres du seigneur de ces lieux, qui saura vous faire découvrir les vins de sa propriété. Maison ancienne de caractère (bourguignon, évidemment) et départ de belles balades à vélo.

FIXIN

(21220)   810 hab.   *Carte Côte-d'Or, C3*

L'un des villages de la Côte de Nuits, Fixin (prononcez « Fissin » !) produit essentiellement des rouges un rien sauvages, très structurés. Il faut les découvrir au *Manoir de la Perrière* (visite sur résa, ☎ 03-80-52-47-85), par exemple, où les ducs de Bourgogne avaient leur pavillon de chasse, cédé ensuite aux moines de Cîteaux. Ne partez pas sans avoir jeté un coup d'œil au lavoir rond de 1827, alimenté par de l'eau ferrugineuse à un carrefour de la route des Grands Crus ! Et faites un crochet par la commune voisine de Fixey pour le four banal couvert de lauzes.

Où manger ?

🍴 *Le Clos Napoléon :* 4-6, rue de la Perrière. ☎ 03-80-52-45-63. Tlj. Formules 14,90-17 € (déj en sem), menus 22-48 €. Une des vraies bonnes tables de la Côte de Nuits, tout à la fois rassurante, accueillante et réjouissante. Pas de sophistication dans cette belle bâtisse où même la pierre et les poutres ont pris un coup de jeune, depuis quelques années, tout comme la cuisine de terroir. Terrasse délicieusement ombragée, au pied des vignes. Les vins proviennent de la cave, qu'on peut visiter tout à côté, et les prix restent doux.

À voir

🍴🍴 **Le parc Noisot :** ☎ 03-80-52-45-52 (mairie) et office de tourisme de Gevrey-Chambertin. Accès fléché. Parc ouv tte l'année (slt à pied) ; musée à 150 m, slt 20 mai-15 sept, le w-e 14h30-18h30. Entrée : 2,50 € ; gratuit moins de 12 ans. Un curieux parc-musée dominant le village et consacré au culte impérial. Originaire d'Auxonne, dans le val de Saône, Claude Noisot a combattu à Wagram, en Espagne, fait la campagne de Russie, accompagné Napoléon à l'île d'Elbe. Les Cent Jours ? Waterloo ? Il en était. Retiré sur ses terres, et plutôt argenté par un heureux mariage, le vieux grognard commanda au sculpteur dijonnais François Rude ce *Napoléon* s'éveillant à l'immortalité, que l'on a baptisé ici plus simplement *Le Réveil de Napoléon*. Le buste du sculpteur se trouve à quelques mètres. Noisot aménagea un parc autour du monument, créa un petit musée nostalgique et fit tailler dans la roche 100 marches (sur le sentier qui parcourt la combe de Fixin). Panorama au sommet sur le val de Saône, le Jura et les Alpes (par temps clair !). Site d'escalade et sentiers de balades balisés.

🍴 **L'église de Fixey :** à env 1 km (ne pas confondre avec celle de Fixin !). ☎ 03-80-52-45-52 (mairie). Peut-être le plus ancien monument d'art roman de la Côte, puisque cette église se trouvait là dès 902. Superbe de simplicité, de pureté, elle voue l'un des cultes les plus anciens à saint Antoine, cet ermite invoqué pour la guérison de nombreuses affections contagieuses. Il donna son nom à l'ordre des Antonins, dont l'emblème orne la porte d'entrée.

DANS LES ENVIRONS DE FIXIN

🍴 **Le château de Brochon** (21220) : à 500 m au sud par la D 122. ☎ 03-80-52-93-01. ● lyc21-liegeard.ac-dijon.fr ● De mi-juil à mi-août, jeu-dim ; visites guidées à 14h30 et 16h30. Entrée payante. Au milieu des arbres, caché par un moche lycée des années 1960, un château étonnant, dans le style néo-Renaissance, construit à la fin du XIXe s par un personnage original qui avait été sous-préfet. Enfin, pas

CÔTE À CÔTE

Député sous le Second Empire, bien marié et donc libre de son temps et de son argent, le sous-préfet Stéphen Liégeard, qui fit construire le château de Brochon, publia aussi un livre en 1887 sur la Riviera. Cet ouvrage ne passa guère à la postérité en dehors d'une formule célèbre : pensant à sa chère Côte-d'Or, il inventa... la « Côte d'Azur » !

n'importe lequel ! Se piquant de poésie, Stéphen Liégeard inspira à Alphonse Daudet, alors qu'il était à Carpentras, *Le Sous-préfet aux champs* !

I●I **La Table d'Éole :** 9, pl. Jolyot-de-Crébillon, 21220 Brochon. ☎ 03-45-83-56-10. Au centre du village. Ouv mar-sam le midi et ven-sam le soir. Formules 13,90-15,90 €, planche-apéro 14 € ; menu 30 €. L'ancien bistrot du village est devenu une des tables les plus accueillantes de la côte. Clientèle locale tout comme les produits ! On mange frais, autour d'un plat du jour savoureux et généreux, accompagné d'un vin de la côte tant qu'à faire. La carte est un vrai bonheur, c'est simple, c'est joliment et gentiment servi aussi.

GEVREY-CHAMBERTIN

(21220) 3 260 hab. *Carte Côte-d'Or, C3*

Au cœur du village vigneron, on se demande ce qui se passe derrière ces hauts murs, ces façades aveugles couvertes parfois de lierre ou de glycine pour donner un peu de vie. Car la vie, ici, en dehors des vendanges qui créent une certaine animation, c'est ce qui aurait plutôt tendance à manquer. Heureusement qu'il y a de nombreuses bonnes adresses où pousser la porte, pour tous les budgets. Le village a fait parler de lui en 2012 quand son château, aux mains de 7 héritiers, fut racheté par un milliardaire chinois.

Adresse utile

🏢 *Office de tourisme :* 1, rue Gaston-Roupnel. ☎ 03-80-34-38-40. ● ot-gevreychambertin.fr ● Tlj sf dim hors saison. 📶 Visites guidées en saison. Cartes et guides de randos (pédestres et VTT) payants. Livret pour les enfants pour parcourir Gevrey. Vente de billets TER.

Où dormir ? Où manger ?

Bon marché

🍽 *La Jeannette :* 1, rue Gaizot. ☎ 03-80-33-41-95. ● maccarine@hotmail.com ● Dans le centre, pas loin de l'office de tourisme. Tlj sf mer 10h-19h (16h dim). Congés : vac de la Toussaint. Menu 15,50 €, plats 6-12 €. Café offert en fin de repas sur présentation de ce guide. Tout ici est vintage, de la déco tendance *girly* aux 2-3 tables en formica jusqu'à notre débrouillarde Jeannette elle-même, un vrai personnage ! Comme il y a toujours du monde, on tire les rallonges, on se fait de la place, on se régale de bons petits plats simples du midi et on se pince : tout cela pour moins que le prix d'une bouteille de bourgogne !

De chic à beaucoup plus chic

🏨 *Hôtel Arts et Terroirs :* 28, route de Dijon. ☎ 03-80-34-30-76. ● info@hotel-arts-et-terroirs.com ● hotel-arts-et-terroirs.com ● Doubles 95-128 € ; familiales également. Parking et garage. 📶 Kir ou crémant offert sur présentation de ce guide. La route longe la maison ? Pas de panique ! Ici, tout se passe côté jardin, les vignes en fond de décor. Élégantes chambres cosy aux tons doux, atmosphère apaisante d'un bel hôtel qui se met en quatre (étoiles) pour vous servir avec le sourire. Petit déj à prendre dans le jardin aux beaux jours, ainsi que des planches de charcuterie, sur demande. Bar à vins. Motocyclistes bienvenus (garage à disposition).

🏨 *Hôtel Les Grands Crus :* rue de Lavaux. ☎ 03-80-34-34-15. ● contact@hoteldesgrandscrus.com ● hoteldesgrandscrus.com ● Ouv 15 mars-30 nov. Doubles 90-100 € ; petit déj 13 €. 📶 Un hôtel rassurant, style vieille France. Les touristes l'adorent car ils peuvent rentrer sans problème après une étude approfondie des crus locaux. La façade est austère et les chambres n'ont rien de design, mais elles sont confortables. Les moins chères, situées au 2e étage, sont mansardées et offrent le même confort que les autres.

🏨 🍽 *La Rôtisserie du Chambertin :* 6, rue du Chambertin. ☎ 03-80-34-33-20. ● contact@rotisserie-chambertin.com ● rotisserie-chambertin.com ● Doubles 154-335 €. Bistrot Julien, tlj sf dim-lun. Menus 28-38 €, carte env 30 €. Petit hôtel de 9 grandes chambres, impressionnant de sérénité et de sobriété dans cette ancienne maison de tonnelier du XVIIIe s. Les chambres sont soignées, des salles de bains aux lumières joliment étudiées aux couleurs jouant avec le bois. Côté bistrot, cuisine de terroir qui se sent bien dans son assiette, comme on dit par ici. Belle carte des vins, mais fallait-il le préciser ? ●| **Chez Guy & Family :** 3, pl. de la Mairie. ☎ 03-80-58-51-51. ● info@chez-guy.fr ● Tlj sf dim-lun hors saison.

Menus 24,50 €, puis 32-50 €. Café offert sur présentation de ce guide. Chez Guy, on travaille en famille, on aime la vie, les bons produits, la cuisine de saison, les cuissons justes et les goûts francs. On aime que les clients, comme les vins, soient servis à bonne température. Terrasse bien agréable, qui constitue l'épicentre du village. Service très attentionné pour vous accompagner dans la découverte des vins du cru (quelques introuvables).

À voir

🎋 **L'église Saint-Aignan :** bien ancrée au sommet du vignoble, elle a été construite du XIIIe au XVIe s. Son enduit rose doit sa couleur, dit-on, au vin qu'on y aurait versé. De très belles boiseries avec figures du Christ et de la Vierge, des stalles Louis XIV agrémentent le chœur ; autel Louis XV. La grille du sanctuaire

LE CHAMP DE BERTIN

Jusqu'en 1847, le village s'appelait Gevrey. Mais un fermier du nom de Bertin avait planté une parcelle qui allait devenir célèbre et Louis-Philippe autorisa l'adoption du patronyme Chambertin pour ce grand cru.

date de 1710. Cuve baptismale de la fin du XVe s et statue de saint Jean-Baptiste (début du XVIe s) dans un costume et une attitude qui évoquent l'école allemande. Belles pierres tombales.

DANS LES ENVIRONS DE GEVREY

🎋 **Morey-Saint-Denis** (21220) **:** à 3 km. Comme Gevrey l'a fait pour le chambertin, Morey s'est adjoint, en 1925, le nom du cru saint-denis. Quelques grands crus à retenir : bonnes-mares, clos-de-la-roche, clos-saint-denis, clos-des-lambrays et clos-de-tart. À découvrir en se promenant dans ce village qui abrite quelques anciennes et typiques maisons de vignerons, avec des escaliers sous auvent.

⊕ **Le Caveau des Vignerons :** 3, pl. de l'Église. ☎ 03-80-51-86-79. Tlj 10h30-13h, 14h-18h30 ; fév, slt ven-dim. Fermé janv. Plus de 170 appellations vendues au prix de la propriété. Certains vins en dégustation gratuite, venant de la plupart des vignerons du village.

🎋 **La combe Lavaux :** à 4 km, circuit de 8 km dans la combe pour randonneurs avertis ; infos à l'office de tourisme. La nature sauvage, dans une réserve naturelle qui recèle une faune et une flore rares. La profonde dépression de la combe, bordée de corniches rocheuses, offre depuis son « sommet » un magnifique point de vue sur le vignoble.

Festival

– **Musique au Chambertin :** sept.-oct. ● musique-au-chambertin.org ● Résas à l'office de tourisme. Festival de musique classique, chanson, jazz... Repas bourguignons et dégustation des vins du cru.

CHAMBOLLE-MUSIGNY

(21220)   315 hab.   *Carte Côte-d'Or, C3*

Village très attachant, avec un vin qui annonce un changement de « climat », d'où son nom de « perle du milieu ». On passe de la force du chambertin à la grâce de la Romanée, pour parler vigneron. Des « climats » aux noms évocateurs : « Les Amoureuses », « Les Charmes », « Derrière la grange ».
Belles peintures murales dans l'abside de l'église (1539). Respect pour le tilleul planté sous Sully (XVIe s) dans le petit coin bucolique à côté de l'église.

LA CÔTE-D'OR

Où manger ?

|●| *Le Millésime* : *1, rue Traversière.* ☎ *03-80-62-80-37.* ● *info@restaurant-le-millesime.com* ● *Face au château. Tlj sf dim-lun. Congés : 1re quinzaine d'août et 31 déc-15 janv. Formule déj en sem 19,90 €, menus à partir de 32 €, carte env 40-45 €. Café offert sur présentation de ce guide.* Une halte sur la route des Vins. L'une des meilleures tables de la Côte, respectant les saveurs, les produits et les prix, ce qui frôle l'exploit. La cuisine épurée vous offre des échappées terre-mer par-delà l'horizon des rangs de vignes. Et le sommelier vous convaincra certainement de passer par le caveau viticole à côté...

VOUGEOT

(21640)   200 hab.   *Carte Côte-d'Or, C3*

La plus petite commune de la Côte, qui s'étire entre les coteaux et la route, que vous rejoignez ici. Vougeot doit son nom célèbre à... de l'eau ! Un pont à péage fut érigé au XVIe s sur la rivière, la Vouge.

L'attraction, c'est bien sûr le célèbre château du Clos de Vougeot, au milieu des vignes, emplacement si inhabituel en Bourgogne. Un lieu qui a vu naître les premières relations publiques dans les années 1930. Puisque le bourgogne se vendait mal dans le monde, c'est le monde entier qui fut invité à venir le déguster et à faire du château la plus belle table d'hôtes de France, autour de la confrérie des chevaliers du Tastevin, fondée

UN VERRE ÇA VA, MAIS À PIED

Tous les grands vins se dégustent dans un verre à pied. Et les autres gagneraient à l'être. Seul un verre à pied permet d'apprécier le vin par l'œil, le nez, la bouche. Ne jamais tenir un verre à pied autrement que par sa base ou sa « jambe », sinon les doigts réchaufferaient le contenu. Enfin, ce type de verre permet d'admirer la « robe » sans passer pour un obsédé (le cul de la bouteille ne faisant plus rêver !).

en 1934 sur le modèle des confréries vineuses d'autrefois.

Où dormir ?

⌂ *Hôtel de Vougeot* : *18, rue du Vieux-Château.* ☎ *03-80-62-01-15.* ● *contact@hotel-vougeot.com* ● *hotel-vougeot.com* ● ♿ *Congés : env*

16 déc-16 janv. Doubles 69-135 €, familiales également. Possibilité de plateau-repas 23 € sur résa. 📶 *À l'arrivée, un verre de vin de l'année offert sur présentation de ce guide.* Dans ce petit village, on ne s'attend pas à trouver un bel hôtel comme celui-là. Calme, avec 16 confortables et larges chambres d'une sobre rusticité, donnant sur la rue ou la cour. Plusieurs avec vue sur le clos (et accès direct). Caveau de dégustation. Accueil attentionné jusque dans les détails.

À voir

🎭🎭🎭 Le château du Clos de Vougeot : ☎ 03-80-62-86-09. ● closdevougeot. fr ● *Avr-oct, tlj 9h-18h30 ; nov-mars, 10h-17h (17h sam tte l'année). Visite libre et guidée 45 mn ; dernier départ 1h avt fermeture. Entrée : env 8 € ; réduc ; gratuit moins de 8 ans. Visites guidées (payantes) à 11h30 et 14h30. Pas de dégustation ni de vente, mais une boutique culturelle dédiée au vin.*
Le château, qui se dresse majestueusement au milieu de ses 50 ha de vignes, est l'œuvre des bons moines de Cîteaux, qui étaient venus là au XIIe s pour trouver du vin de messe convenable. De cette époque demeure le cellier, cette grande salle qui servait autrefois de cave aux moines. Le château, d'inspiration Renaissance, aurait été édifié autour de 1550 auprès du cellier et de la cuverie (XVe s). Une cuverie qui vaut à elle seule la visite, avec ses quatre pressoirs gigantesques qui permettent d'imaginer les vendanges d'autrefois. Dans la cour qui la précède, une sculpture d'un viticulteur qui ploie sous la charge de son panier : c'est *Le Porteur de bénaton,* d'Henri Bouchard. Montez à l'étage dans le dortoir des moines où est projeté le film panoramique *« Jamais en vain, toujours en vin »* (c'est la devise de la confrérie) : des prises de vue aériennes assez bluffantes et une immersion dans l'histoire prestigieuse du château et de la confrérie, le tout raconté par Pierre Arditi.
Confisqué pendant la Révolution, le château fut sauvé de la destruction un siècle plus tard grâce à Léonce Boquet qui le restaura. Vendu au lendemain de la Seconde Guerre mondiale à un groupement de familles de la Côte, il est aujourd'hui le fer de lance de la confrérie des chevaliers du Tastevin. Ces amateurs de bonne chère organisent chaque année de fameux chapitres (banquets) pour quelques centaines d'épicuriens, chevaliers avertis ou en passe d'être intronisés.
– Parmi les événements culturels marquants qui ont lieu chaque année au château, signalons le *festival Musique et Vins au Clos de Vougeot* qui a lieu la dernière quinzaine de juin en partenariat avec les solistes du Metropolitan Opera de New York. Également *Livres en vignes* (fête du Livre) le dernier week-end de septembre (l'entrée du château est alors gratuite).

VOSNE-ROMANÉE

(21640)   470 hab.   *Carte Côte-d'Or, C4*

Comme Andorre, le très discret (pour vivre heureux, vivons cachés !) domaine de la Romanée-Conti (1,8 ha, soit 5 000 à 10 000 bouteilles par an), le vignoble le plus cher du monde, est géré par deux coprinces, représentant les deux familles propriétaires depuis un demi-siècle. Depuis 1232, il a changé neuf fois de famille et doit son nom actuel au prince de Conti, qui l'acheta en 1760, au nez et à la barbe de Mme de

LA CÔTE-D'OR

Pompadour. Pour sa part, la Romanée-Saint-Vivant (6,5 ha) fut l'œuvre des moines de Saint-Vivant de Vergy (voir le circuit des Hautes-Côtes de Nuits, plus loin).

Où dormir ? Où manger à Vosne et dans les environs ?

🏠 **Chambres d'hôtes du Petit Paris :** 6, rue du Petit-Paris, 21640 **Flagey-Échézeaux.** ☎ 03-80-62-84-09. ● petitparis.bourgogne@free.fr ● petitparis.bourgogne.free.fr ● À partir de la D 974, au rond-point de Vougeot, prendre la direction du centre de Gilly, puis suivre les flèches ; au pont Chevalier (1679), traverser la Vouge, la maison est à votre gauche. Compter 95 € pour 2. 🛜 Joli parc planté d'arbres centenaires au bord de la rivière de la Vouge. Un site protégé et bucolique qui a vu défiler les élégants au XIXᵉ s, d'où le nom. 4 chambres agréables et sans chichis, aménagées dans les dépendances d'une maison du XVIIᵉ s. Ateliers de peinture car Nathalie Buffey est artiste peintre.

🍴 **Restaurant Le Vintage :** ruelle du Pont, 21700 Vosne-Romanée. ☎ 03-80-61-59-59. ● hotel-leriche bourg.com ● Tlj. Formules le midi en sem 19-25 €, menus 35-72 €. Restaurant accueillant à la déco contemporaine avec une terrasse cachée. Cuisine de jeune chef formé chez des grands, qui a beaucoup voyagé et travaillé pour en arriver à cette belle simplicité. C'est également un hôtel cosy et discret avec spa d'où l'on bénéficie d'une vue sur les vignes ou le village.

🍴 **Christian Quénel :** 12 pl. de l'Église, 21640 **Flagey-Échézeaux.** ☎ 03-80-62-88-10. Fermé dim soir et mer. Formule le midi en sem à 20 € (25 € dim), menus 32-55 €. Une jolie surprise à l'ombre du clocher de Flagey. Une table à l'ancienne, au bon sens du terme, où l'on déjeune à prix tout doux, et dîne en retrouvant le vrai goût des légumes, qui accompagnent ici un poisson ou une viande cuits parfaitement. Service gentil comme tout. Terrasse abritée.

NUITS-SAINT-GEORGES

(21700)   5 660 hab.   Carte Côte-d'Or, C4

L'histoire de Nuits-Saint-Georges remonte, vous vous en doutiez, à la nuit des temps. Elle commence avec le développement d'une cité gallo-romaine florissante dans la plaine, au lieu-dit Les Bolards. Au XVIᵉ s, le bourg s'entoure de remparts (hélas, démolis), édifie en son centre un beffroi en 1619 (dont le carillon rythme toujours l'activité de la ville !) et se dote, grâce aux dons multiples, d'un hospice dont

NUITS SUR LA LUNE

La petite ville de Nuits-Saint-Georges est connue jusque sur la Lune, depuis que les astronautes d'Apollo XV ont donné en 1971 son nom à un cratère, en hommage à ce vieux Jules Verne. Relisez Autour de la Lune, les héros boivent une bouteille de vin de Nuits pour célébrer « l'union de la Terre et de son satellite » ! Espérons qu'ils n'ont perdu aucun point.

les produits du domaine viticole sont toujours vendus aux enchères le troisième dimanche de mars. Ses vieilles rues, ses demeures anciennes, ses maisons à portail ou sa promenade du Jardin-Anglais font de Nuits-Saint-Georges une gentille petite ville, amoureuse de ses vins autant que de sa tranquillité.

Adresse utile

🏠 **Office de tourisme :** *3, rue Sonoys.* ☎ *03-80-62-11-17.* ● *ot-nuits-st-georges.fr* ● *Juin-sept, tlj sf dim ap-m ; oct-mai, fermé dim et j. fériés plus sam ap-m déc-fév.* 📶 Infos sur la « route du Cassis », un itinéraire dans les Hautes-Côtes de Nuits à la rencontre de producteurs locaux de cassis. Topoguides de randos (payants). Parcours d'orientation, guide de visite de la ville pour les enfants (gratuit), géocaching (chasse au trésor) et appli mobile « Pays de Nuits-Saint-Georges ». Sinon, ateliers dégustation et balades en calèche. Billets à prix réduit pour le Cassissium, l'Imaginarium, la *Maison aux mille truffes et champignons*. Encore plus intéressant : un *pass* pour 11 visites entre Dijon et Nuits-Saint-Georges à 20 €, valable 1 an. Boutique.

– *Bon à savoir :* tous les spots de pique-nique de la région sont répertoriés sur le site de l'office de tourisme et sur leur appli mobile « Pays de Nuits-Saint-Georges ».

Où dormir ? Où manger ? Où boire un verre ?

De bon marché à prix moyens

🏠 **Hôtel-bar de l'Étoile :** *5, pl. de la Libération.* ☎ *03-80-61-04-68. Au centre du bourg. Tlj sf mar soir-mer. Congés : déc-janv. Double 48 €.* 📶 *Remise de 5 € à partir de la 2e nuit sur présentation de ce guide.* Ce petit hôtel familial n'a effectivement qu'1 étoile sur sa plaque réglementaire, et dessinée sur son toit en tuiles vernissées à la bourguignonne. Chambres au confort plus ou moins rudimentaire, rénovées et tranquilles sur l'arrière. Bar d'habitués où traîner au comptoir pour tout savoir de l'actualité du canton. Grande terrasse pour les beaux jours et sirops sympa (ça change !).

🍸 🍴 **O'Bar@20 :** *9, pl. de la République.* ☎ *03-80-61-01-69. Sur la pl. centrale avec terrasse. Tlj sf lun et dim soir. Planches env 15-22 €.* Le bar à vins qui monte, en pleine Côte ! Ambiance *lounge* façon Beaune, des vins au verre que l'on peut choisir et déguster les yeux fermés, accompagnés de charcuterie et autres produits régionaux haut de gamme. Et comme ici on ferme tard, vos Nuits ne seront plus les mêmes !

Chic

🏠 **Hostellerie Saint-Vincent :** *23, rue du Général-de-Gaulle.* ☎ *03-80-61-14-91.* ● *info@hostellerie-st-vincent.com* ● *hostellerie-st-vincent.com* ● ♿ *À la sortie de la ville en direction de Beaune. Doubles 94-116 € ; familiales également.* Une hôtellerie traditionnelle de qualité et des chambres au confort incontestable, spacieuses et avec vue sur l'arrière. Bar avec espace dégustation et restaurant.

🏠 🍴 **Hôtel La Gentilhommière – Restaurant Le Chef Coq :** *13, vallée de la Serrée.* ☎ *03-80-61-12-06.* ● *contact@lagentilhommiere.fr* ● *lagentilhommiere. fr* ● ♿ *À 10 mn du centre-ville (fléché depuis le centre). Resto fermé mar soir et sam midi. Doubles 98-115 € ; suites et familiales. Formule déj en sem 24,90 € ; menus 32-59 € ; carte env 75 €.* 📶 *Apéritif maison offert sur présentation de ce guide.* Une cuisine réussie, bien dans l'air du temps, sur fond de terroir revisité. Le midi en semaine, menu remarquable à prix tout doux. Superbe terrasse aux beaux jours, piscine et tennis. On se sent bien dans cette belle et immense maison, en pleine nature, où l'on prend le temps de vivre. Chambres ou suites thématiques et ethniques, toutes de plain-pied et alignées comme dans un motel !

Achats

⊗ **Fruirouge et Compagnie :** *40, Grande-Rue (la rue piétonne).* ☎ 03-80-27-31-59. ● *epiceriefer miere@fruirougeetcompagnie.com ● Tlj sf dim-lun 9h30-12h30, 14h30-19h.* Ici, on fait dans la qualité fermière certifiée terroir et issue du savoir-faire des producteurs locaux. Créations de la ferme *Fruirouge,* que vous allez pouvoir visiter dans les Hautes-Côtes, à Concœur (confitures, jus, nectars, sirops, etc.), mais aussi tout pour un pique-nique gourmand : terrines, vins...

À voir

🍷 **Le Musée municipal :** *12, rue Camille-Rodier.* ☎ 03-80-62-01-37. *2 mai-31 oct, tlj sf mar 10h-12h, 14h-18h. GRATUIT. Demander le programme d'ani- mations.* Un petit musée passionnant, installé dans la maison de Camille Rodier. Dans les caves voûtées, sculptures, vaisselle, bijoux, ex-voto, etc. évoquent l'acti- vité sociale, économique et religieuse à l'époque gallo-romaine sur le site voisin des Bolards. Puis des tombes mérovingiennes témoignent d'une époque peu connue... Au 1er étage, expo temporaire annuelle.

🍷🍷 🏃 **Le Cassissium :** *8, passage Montgolfier.* ☎ 03-80-62-49-70. ● *cassis sium.fr ●* ♿ *(label Tourisme et Handicap). Avr-11 nov, tlj 10h-13h et 14h-19h ; 12 nov-mars, mar-ven 10h30-13h, 14h30-17h (18h sam et vac scol). Fermé 25 déc et 1er janv. Visite de 1h30-1h45 (dernier départ 1h45 avt fermeture). Entrée : 9 € (avec audioguide) ; réduc ; gratuit moins de 12 ans.* Le site de production des liqueurs *Védrenne* joue la carte de la visite familiale dans son vaste espace d'expo, moderne et ludique, consacré au cassis. Film de 15 mn, animations visuelles, olfactives et gustatives pour découvrir les vertus de cette petite baie noire, qui arrive massivement dans les usines (600 t par an, dont 70 % produites en Bour- gogne) avant de suivre un processus qu'on découvre ensuite dans l'unité de pro- duction (visite guidée obligatoire). Le tour se termine par le chai de vieillissement des eaux-de-vie de Bourgogne et la dégustation... Boutique autour du cassis et de produits régionaux.

🍷 🏃 **L'Imaginarium :** *av. du Jura.* ☎ 03-80-62-61-40. *En face du Cassissium.* ● *imaginarium-bourgogne.com ●* ♿ *Tlj 10h (14h lun)-17h (dernière visite) ; la boutique ferme à 19h. Entrée : 10-21 € ; réduc. Compter min 1h30 de visite.* C'est pour explorer le monde des « vins à bulles » que le groupe Boisset a décidé de leur consacrer une exploration sensorielle complète, de la vigne à la table, à proximité immédiate de son lieu de production. Le site comprend un son et lumières de 40 mn (« Sacrée Vigne »), une découverte interactive et joliment scénographiée qui plonge dans l'histoire de l'homme et de la vigne, à travers leurs outils. S'ensuit une amusante partie sur la vinification même, « Magie des Bulles », étape par étape. Dégustation (y compris de vins non effervescents, plusieurs formules, dont une intéressante comprenant trois premiers crus). Boutique.

🍷 🏃 **Le site gallo-romain des Bolards :** *lieu-dit Les Bolards, route de Seurre. Du centre-ville, prendre la direction de l'autoroute (A 31), à droite au 2e rond- point, puis continuer tt droit. Visite guidée tte l'année, sur rdv au Musée muni- cipal.* La cité perdue des Bolards conserve ses secrets malgré de nombreuses fouilles menées depuis 1948. Des caves, ateliers, boutiques et un important centre religieux comprenant un mithræum (temple dédié à Mithra) ont été mis au jour. En territoire éduen s'est développée entre le Ier s av. J.-C. et la fin du IVe s apr. J.-C. une cité active qui disparut à l'époque des invasions.

LES HAUTES-CÔTES DE NUITS

Situées à l'ouest de l'axe Dijon-Beaune, les Hautes-Côtes ont remplacé sur les cartes, mais pas dans le langage courant ni dans les cœurs, l'Arrière-Côte, terme plus vrai, plus bourguignon, mais moins vendeur aux yeux des vignerons. De Nuits à Beaune, plutôt que de filer directement, emprunter la D 25 et musarder sur les petites routes de ce *pays des fruits rouges*. En alternance avec la vigne sont venues s'ajouter des cultures de framboisiers et cassissiers qui ont acquis une belle réputation. Les petites routes vous mènent à travers forêts, collines et crêtes dégarnies jusqu'à des villages où l'on peut encore trouver des artisans authentiques et des vignerons ayant le sens de l'accueil. On n'est pas sur la Côte, comme on dit ici, même si l'océan des vignes n'est pas loin.

LA CÔTE-D'OR

Où dormir ? Où manger dans le coin ?

Bon marché

🏠 *Gîte d'étape de la Trentinière :* ferme de la Trentinière, 21420 **Bouilland.** ☎ 03-80-61-42-64. ● latrentiniere@hotmail.fr ● Sur la D 18, à 3 km au nord-ouest. De mi-mai à fin sept. Nuitée 16 € (draps et petit déj en plus). CB refusées. Possibilité de panier-repas sur résa. Boisson offerts sur présentation de ce guide. Dans sa ferme, Marie-Jeanne Jouquet est toujours aussi sympathique et communicative. Gîte d'étape avec dortoir et chambres.

De prix moyens à chic

🏠 |○| *Chambres d'hôtes Le Val de Vergy :* Pellerey, Le Val-de-Vergy, **Curtil-Vergy.** 📱 06-73-49-63-09. ● puvis-de-chavannes@wanadoo.fr ● valdevergy.com ● À 500 m du village. Congés : déc-fév. Compter 80-90 € pour 2. Également gîte. Difficile de trouver mieux pour un séjour dans le vignoble des Hautes-Côtes, grâce à cette ancienne maison de vigneron du XVIIIe s. Les chambres et la salle

commune, loin des décos formatées, ont tout ce qu'il faut comme poutres et meubles de famille. La cheminée est là pour vous accueillir si la température baisse. Et pour le reste, pré, jardin, terrasse... le bonheur !

🏠 *Hôtel Le Manassès :* rue Guillaume-de-Tavanes, **Curtil-Vergy.** ☎ 03-80-61-43-81. ● yves.chaley@aliceadsl.fr ● hotelmanasses.com ● Congés : déc-fév. Doubles avec bains 85-110 €. 📶 Apéritif maison offert sur présentation de ce guide. Hôtel à la fois kitsch et bon chic bon genre. La vue depuis les chambres est splendide, le calme règne. On « petit-déjeune » à la bourguignonne. Dégustation de vins épique tous les soirs à partir de 18h. Et visite du petit musée du Vin installé dans une ancienne grange.

|○| *Le Petit Bonheur :* 6, rue Beauvois, **Curtil-Vergy.** ☎ 03-80-61-31-03. Tlj sf mar-mer. Formule déj en sem 14,50 €, menus env 29-35 €. Ambiance « Le petit bonheur est dans le pré » dans ce resto tout simple qui se donne avec cœur à ce coin de campagne. Concerts tous les mois et cuisine du terroir qui font battre le nôtre !

À voir

🗡 *Le village de Reulle-Vergy (21220) :* ce presque hameau a longtemps été déserté, au pied du château détruit. Envahi par les artisans dans les années 1970, Reulle-Vergy a retrouvé des habitants et, chaque week-end de Pentecôte, ouvre ses maisons le temps d'un carrefour artisanal haut en couleur locale. Toute l'année, on peut visiter l'atelier du bijoutier-joaillier Firouza (☎ 03-80-41-37-86 ; ● firouza. fr ●). Grimpez jusqu'à l'*église* (rarement ouverte), dédiée à saint Saturnin, construite à partir du XIIe s. Le sentier de la butte de Vergy (13 km) longe les ruines de l'ancienne forteresse qui rayonna, aux alentours de l'an 1000, sur toute la région et permet de profiter du panorama sur les Hautes-Côtes. Au passage, jetez un œil au monastère Saint-Vivant (affilié à l'abbaye de Cluny). C'est aujourd'hui une propriété privée.

> ### MAL AU CŒUR
>
> *L'amant de la châtelaine de Vergy, mort en croisade, avait demandé que son cœur soit remis à sa bien-aimée. Mais le mari (certainement jaloux) intercepta le « cadeau », le confia à son cuisinier et le fit servir à table à la châtelaine, qui trouva cela fort bon... avant d'apprendre l'ignoble et indigeste vérité.*

🏃 Une belle route conduit de **Bévy** (à l'ouest de Reulle et l'Étang-Vergy) à **Collonges-lès-Bévy** et à son château du XVIIe s.

Vient ensuite **Chevannes,** avec sa petite église dotée d'une flèche bourguignonne polychrome. Par Meuilley, dirigez-vous ensuite vers **Arcenant,** la capitale des fruits rouges, afin d'admirer son église du XIVe s, ses grottes ainsi que le puits Groseille et le monument du maquis (visibles du chemin du site de l'Écartelot), et surtout pour goûter la production locale. *Jean-Baptiste Joannet* (☎ 03-80-61-12-23 ; ● cremedecassis-joannet.com ●) fabrique et vend directement ses crèmes de cassis, de framboise et de fraise. Un régal. Autre curiosité : le *site gallo-romain de L'Écartelot*, à **Arcenant** (*dans le bois du même nom ; ☎ 03-80-61-24-70 ; ♿ ; tte l'année – mais attention à la période de la chasse... – visites guidées sur rdv*). Ensemble rural du début de notre ère, sanctuaire, bassin d'alimentation en eau.

🏃 *La ferme Fruirouge :* à *Concœur* (21700). ☎ 03-80-62-36-25. *Accès fléché par les D 25 et D 109. Tlj sf mar-mer.* Isabelle et Sylvain Olivier produisent et transforment les fruits rouges. Belles et subtiles originalités : moutarde au cassis, ketchup au cassis, beurre de fruits (cassis), vinaigres, ratafia et somptueuses confitures gourmandes (à la bassine). Accueil charmant.

🏃 *Les Truffes de l'Or des Valois :* château d'Entre-Deux-Monts, Corboin, 21700 **Concœur.** ☎ 03-80-33-38-21. ● truffedebourgogne.fr ● *Fléché depuis Corboin. Appeler avt.* Repérer le romantique château du XVIIIe s avec ses douves en eau, posé entre forêts, champs et collines. Il abrite une boutique consacrée à la truffe de Bourgogne et ses produits dérivés. Démonstration de cavage avec chien dans la truffière à proximité. Également une boutique à Dijon.

🏃 Depuis Arcenant, la route qui rejoint Beaune en passant par Pernand-Vergelesses et Aloxe-Corton vous fait d'abord traverser **Échevronne,** autre village célèbre pour ses crèmes et liqueurs de fruits rouges (maisons en pierre, lavoirs, chapelle du XIIe s dans l'église). À peine 3 km d'embardée permettent d'atteindre la *Maison aux mille truffes et champignons* située à **Marey-lès-Fussey** (☎ 03-80-30-08-91, ● mille-truffes-champignons.com ●), un parcours ludique et une boutique pour découvrir la truffe de Bourgogne.

🏃 *Bouilland* (21420) *:* depuis Arcenant, suivre la combe de Pertuis jusqu'à Bruant. Les eaux bouillonnantes du Rhoin ont sans doute donné leur nom à ce village dominé par de magnifiques falaises.

LA CÔTE, DE NUITS-SAINT-GEORGES
À BEAUNE

La Côte tout entière est assise sur un banc de calcaire dur et compact, le calcaire de Comblanchien, village que vous traverserez très vite pour rejoindre Beaune. Les dalles du musée du Louvre, celles de la gare de Lyon, l'aéroport d'Orly, l'Opéra de Paris, les marches du Sacré-Cœur, tout ça vient d'ici !

ALOXE-CORTON (21420) 170 hab. *Carte Côte-d'Or, C4*

Ses vignes exposées au sud-est et au midi produisent de grands vins rouges et un blanc magnifique comme le corton-charlemagne, « monument historique » produit sur 72 ha ici et à Pernand-Vergelesses. Cédé en 775 à la collégiale de Saulieu par l'empereur Charlemagne, le clos Charlemagne est à l'origine de ce grand cru. On peut faire une visite intéressée au château Corton-André, du XVe s, sous le prétexte de l'admirer ses toits aux tuiles vernissées, tout en allant déguster ses vins et visiter ses caves.

Où dormir chic ?

🏠 *Hôtel Villa Louise :* 9, rue Franche. ☎ 03-80-26-46-70. ● contact@hotel-villa-louise.fr ● hotel-villa-louise.fr ● À côté du château. Doubles env 98-180 € ; petit déj 17 € ; suites également. 🛜 Un verre de vin maison/pers offert sur présentation de ce guide. Un charme fou et de jolies chambres pour se réveiller au milieu des vignes. Belle terrasse et vue sur le vignoble pour certaines, sans parler du pigeonnier, romantique à souhait. Une adresse très courue en automne, qui respire la sérénité et le goût exquis de la famille Perrin, aussi productrice de vins. Petite piscine (couverte et chauffée), hammam, sauna. Un coup de cœur.

🏠 *Chambres d'hôtes la Passerelle des Corton :* 12, rue des Corton. ☎ 09-50-52-63-64. ● passerelledescorton@gmail.com ● lapasserelledescorton.fr ● Face à l'entrée du château. Doubles 96-110 €. 🛜 Des vignes tout autour jusque sur les murs pour cette pittoresque maison solitaire, ne manquant pas de romantisme. À l'intérieur, des chambres à la déco classique et un brin grandiose, dans un esprit assez british. Un emplacement de rêve en tout cas et un accueil aux petits soins, prodigue en infos sur la région.

DANS LES ENVIRONS D'ALOXE-CORTON

🍴🍴 *Pernand-Vergelesses :* accroché au flanc d'une colline, un des plus beaux villages de la Côte, avec ses belles maisons aux toits de tuiles vernissées. Pernand-Vergelesses offre, depuis la statue de la Vierge, un magnifique panorama sur son vignoble, fierté de ses habitants. Une fierté bien placée, surtout en ce qui concerne le corton et le corton-charlemagne, mais ses vins rouges courants ont aussi du caractère et ses aligotés sont à bénir.

– *La route entre Pernand et Magny-lès-Villers :* emprunter la C 5, sur 3 km, à travers vignes, combe et collines coiffées d'arbres. Bien plus joli que la route départementale !

SAVIGNY-LÈS-BEAUNE
(21420) 1 450 hab. *Carte Côte-d'Or, C4*

Un joli village ceinturé de vignes et de champs, où des murs de pierres sèches bordent les propriétés de leurs traits crayeux. Site naturel par sa vallée et ses falaises rocheuses, Savigny recèle un château bâti au XIVe s, restauré au XVIIe s. Aujourd'hui, il a une double vocation : viticole et muséographique. À découvrir avec les autres curiosités du village, dont ces nombreuses inscriptions qui jalonnent les murs. Enfin, la Cousinerie de Savigny est une amicale de gens qui assurent la promotion des vins de Savigny. Sa convivialité est légendaire !

« SANTÉ ! » ET SANCTI

« Les vins de Savigny-lès-Beaune sont des vins nourrissants, théologiques et morbifuges », peut-on lire rue Leclerc. Nourrissants ? Avec modération ! Théologiques ? Savigny n'échappe pas à la règle : l'évêque d'Autun, l'abbaye de Cîteaux, les carmélites de Beaune ou les moines de Maizières y furent tous propriétaires de vignobles. Mais morbifuges ? On a oublié que le vin fut un remède miracle, notamment comme antidépresseur et comme antiseptique.

Adresse et info utiles

🛈 *Office de tourisme Beaune & Pays beaunois :* 4, pl. Fournier. ☎ 03-80-21-63-70. ● beaune-tourisme.fr ● *Juin-sept, mar-sam 9h30-12h30, 14h-18h30 ; le reste de l'année, horaires plus restreints.* Vente de billets d'activités touristiques (patrimoine, caves, loisirs) et résas d'hébergements de dernière minute. Visites guidées et parcours découverte « Si Savigny m'était conté » *(2 €).*

– *Bienvenue à Savigny :* un w-e début mai. Fête et découverte des différents climats de l'appellation savigny-lès-beaune en compagnie des producteurs.

Où dormir ? Où manger ?

🏠 🍽️ *L'Ouvrée :* 54, rue de Bourgogne. ☎ 03-80-21-51-52. ● contact@louvree.fr ● louvree.fr ● *Doubles 62-72 €. Formules déj en sem 17-20 € ; menus 29-39 €.* 📶 À l'entrée de la vallée de Fontaine-Froide, un archétype d'hôtel de campagne qui traverse le temps. Grand classique beaunois pour se mettre au vert dans le beau parc arboré ou sur la terrasse, sous les tilleuls. Chambres rénovées sans être du dernier cri, mais prix raisonnables. Au resto, grand choix de menus proposant du filet de bœuf en pot-au-feu ou une daube de joue de bœuf, notamment. Excellent accueil.

À voir

🎋 *L'église Saint-Cassien :* clocher roman en tuf à base carrée surmonté d'une flèche octogonale du XIIe s, elle cache une superbe fresque du XVe s représentant des anges et des saints arborant les instruments de la Passion, attribuée à l'école de Van der Weyden. Nef du XVIIIe s.

🎋 Beaux lavoirs au passage, et très ancien four, dit « de la Communauté », *rue Eulalie-Fion* (c'est son nom !). Lever le nez pour déchiffrer les nombreux proverbes, inscriptions et dictons gravés sur le fronton des maisons : « Il ne faut pas donner son appât au goujon quand on peut espérer prendre une carpe. »

🎋🎋 🧗 *Le château :* ☎ 03-80-21-55-03. ● chateau-savigny.com ● ♿ *(parc). De mi-avr à mi-oct, tlj 9h30-18h30 ; le reste de l'année, 9h-12h, 14h-17h30. Fermé 3 premières sem de janv et 25 déc. Entrée : 10 € ; 10-16 ans 5 € ; réduc ; gratuit moins de 9 ans. Compter 2h de visite (dernière entrée 1h30 avt fermeture).*

Château construit en 1340, percé de multiples fenêtres au XVIIe s. L'actuel proprié-taire, Michel Pont, lui a rendu sa vocation viticole (17 ha de vignes en exploitation), et les caves des XIVe et XVIIe s suffiraient à attirer bon nombre de visiteurs. Comme c'est un fou de motos, il en possède 250 anciennes, exposées au 2e étage. Le rez-de-chaussée et le 1er étage ont été aménagés en salles de réception (logique !), mais le proprio a réussi à placer un musée de la Maquette, à côté (2 300 modèles). De plus, dans le parc planté de vignes, une centaine d'avions de chasse dont un F16 (des vrais, cette fois) sont noyés dans le décor. Une quatrième collection : une trentaine de modèles Abarth, autant de voitures avec lesquelles l'heureux homme participa à des courses internationales. Une cinquième de tracteurs et autres enjambeurs de vignes. Ajoutez à cela une sixième, pour revenir à la vocation viticole : le musée du Matériel vitivinicole, avec les outils ancestraux pour élaborer du vin. Et même un musée des Camions de pompiers ! On pourrait y passer une journée entière

🍴 *Le domaine Chandon de Briailles :* *1, rue Sœur-Goby.* ☎ *03-80-21-52-31.* *GRATUIT (parc slt). Magasin de vin.* Beaucoup ignorent encore les merveilles cachées de ce beau domaine viticole, dont le nom est associé depuis 1834 à une vieille famille de la Côte. Un vrai décor pour comédie de Marivaux que cette « folie » du XVIIIe s. À l'arrière, caché de la route par un mur de pierres sèches, un jardin à la française, avec ses allées de buis et sa roseraie, vous mène jus-qu'à une étrange grotte en forme de coquille, alternant pierres percées et pierres d'échantillon.

LA CÔTE-D'OR

BEAUNE   (21200)   23 000 hab.   *Carte Côte-d'Or, C4*

● Plan *p. 154-155*

Beaune fait partie de ces hauts lieux touristiques que l'on peut visiter en toute saison. Au printemps, quand la vigne reverdit, quand sortent les premières terrasses et les décapotables des fils de bonne famille En été, quand les rues grouillent de tou-ristes aux sons du Festival international d'opéra baroque. En **automne, quand flotte dans l'air le parfum du raisin commen-çant sa mue En hiver, quand la vigne ne dort que d'un œil et qu'il fait bon aller, de vignes en caves et de caves en tables, goûter à un art de vivre typi-quement bourguignon.**
Beaune reste une cité secrète, où de hauts murs et des grilles ouvragées bordent des rues silencieuses. Est-ce parce que la ville est cerclée par des remparts et des bastions comme un tonneau par ses douelles ?
Le rapport au tonneau est d'ailleurs essentiel pour comprendre et les vins et les hommes. Ici, on a beau vivre avec son époque, on aime le bois. Il rassure, tout comme les portraits de ces hommes illustres qui ont donné leurs noms aux grandes maisons de négoce, noms qui résonnent mieux que ceux des nouveaux « repreneurs » américains, japonais, néerlandais ou même fran-çais, dont on a déjà été suffisamment attristé de devoir accepter, avec les capitaux, certains conseils de gestion
Longtemps repliée sur ses secrets d'alcôve ou de fabrication, Beaune et ses Hospices, l'un des premiers Monuments historiques visités en France, s'est ouverte à une vitesse fabuleuse sur le monde extérieur, devenant réellement la capitale d'une Bourgogne viticole au carrefour des voies ferrées et rou-tières de l'Europe d'aujourd'hui.

LA CÔTE-D'OR

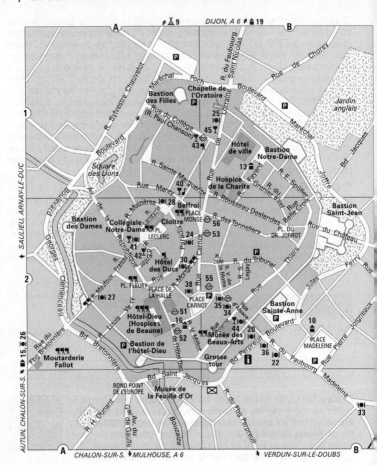

UN PEU D'HISTOIRE

Des frères convers travaillant les vignes des abbés de Cîteaux aux salariés actuels œuvrant pour les Hospices, le vin reste encore le meilleur fil rouge pour raconter l'histoire de Beaune. Pas besoin de remonter jusqu'aux Éduens. Encore que l'invention du tonneau, à la place des bonnes vieilles amphores, c'est quand même à eux qu'on la doit.

Même le christianisme naissant dut s'adapter aux mœurs locales : quand la Vierge à l'Enfant apparut sur les armes de la ville, ce dernier tenait une grappe dans sa menotte.

Au Moyen Âge, ce sont les riches marchands drapiers qui se chargèrent du négoce du vin. Beaune joua le rôle de *place forte et capitale judiciaire* du duché

LA CÔTE-D'OR

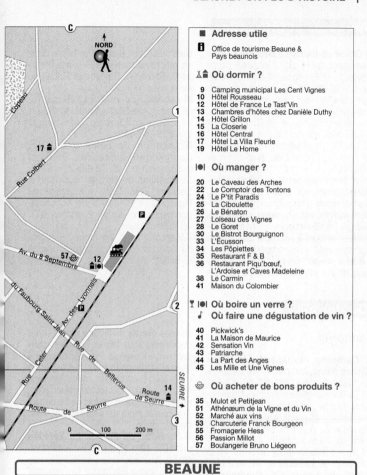

■ **Adresse utile**

🛈 Office de tourisme Beaune &
Pays beaunois

⌗🏠 **Où dormir ?**

9 Camping municipal Les Cent Vignes
10 Hôtel Rousseau
12 Hôtel de France Le Tast'Vin
13 Chambres d'hôtes chez Danièle Duthy
14 Hôtel Grillon
15 La Closerie
16 Hôtel Central
17 Hôtel La Villa Fleurie
19 Hôtel Le Home

|●| **Où manger ?**

20 Le Caveau des Arches
22 Le Comptoir des Tontons
24 Le P'tit Paradis
25 La Ciboulette
26 Le Bénaton
27 Loiseau des Vignes
28 Le Goret
30 Le Bistrot Bourguignon
33 L'Écusson
34 Les Pôpiettes
35 Restaurant F & B
36 Restaurant Piqu'bœuf,
L'Ardoise et Caves Madeleine
38 Le Carmin
41 Maison du Colombier

♈ |●| **Où boire un verre ?**
♪ **Où faire une dégustation de vin ?**

40 Pickwick's
41 La Maison de Maurice
42 Sensation Vin
43 Patriarche
44 La Part des Anges
45 Les Mille et Une Vignes

✿ **Où acheter de bons produits ?**

35 Mulot et Petitjean
51 Athénæum de la Vigne et du Vin
52 Marché aux vins
53 Charcuterie Franck Bourgeon
55 Fromagerie Hess
56 Passion Millot
57 Boulangerie Bruno Liégeon

BEAUNE

de Bourgogne, avant que les ducs ne lui préfèrent Dijon. Au début du XVIIe s, les ordres religieux, tirant profit des bonnes âmes et du vignoble, occupèrent plus de la moitié de la surface habitable, donnant à la ville cette architecture particulière encore visible aujourd'hui.

Lorsque Beaune perdit, au XVIIIe s, son importance stratégique, les terrasses des bastions et les fossés furent transformés en jardins. Quant aux caves des fortifications, devenues inutiles, elles furent acquises par la nouvelle bourgeoisie de négociants. Ce fut elle aussi qui récupéra ces propriétés à la Révolution, quand furent désaffectés les domaines religieux. Ce qui fit dire à l'écrivain bourguignon Raymond Dumay : « Beaune est la seule ville au monde entourée d'un rempart de bouteilles. »

LA CÔTE-D'OR

Adresses et info utiles

🚹 *Office de tourisme Beaune & Pays beaunois* (plan B2) : *accueil porte Marie-de-Bourgogne, 6, bd Perpreuil.* ☎ 03-80-26-21-30. ● *beaune-tourisme.fr* ● *Avr-oct : lun-sam 9h-18h30 (19h juin-sept), dim et j. fériés 9h-18h. Nov-mars : lun-sam 9h30-12h30 et 13h30-18h ; dim et j. fériés 10h-12h30 et 13h30-17h.* Également un « Point I » au 1, rue de l'Hôtel-Dieu, tlj sf dim nov-mars 10h-13h et 14h-18h (9h30 juin-sept). Nombreux services : billets d'activités touristiques (patrimoine, caves, loisirs), résas d'hébergements de dernière minute, etc. Plusieurs visites guidées : « De ville en cave », visites audioguidées et tours à vélo pour parcourir le vignoble avec un accompagnateur.
– *Bon à savoir :* on peut bénéficier de tarifs réduits sur les entrées de certains sites du coin en prenant les billets dans les offices de tourisme (Beaune, Meursault, Santenay, Savigny et Nolay) ou sur ● *beaune-tourisme.fr* ●

■ *Location de voitures : Hertz, 16, av. Charles-de-Gaulle.* ☎ 03-80-22-22-41. *Europcar, 53, route de Pommard.* ☎ 0825-358-358.

■ *Location de vélos* (plan C2) : *Bourgogne Randonnées, 7, av. du 8-Septembre.* ☎ 03-80-22-06-03. Suggestions de circuits touristiques. *Beaune Vélo Tour, 4, impasse du Pigeou.* ▪ 06-23-31-15-93. Accompagnement dans la région, stages VTT, vélos électriques.
– *Marché :* sous les halles. Produits de bouche mer mat, grand marché sam mat.

Où dormir ?

Camping

⛺ *Camping municipal Les Cent Vignes* (hors plan par A1, 9) : *10, rue Auguste-Dubois.* ☎ 03-80-22-03-91. ● *campinglescentvignes@mairie-beaune.fr* ● *visionbourgogne.com/accommodation/camping-les-cent-vignes* ● ♿ *À 200 m de la D 974 ou 1 km de l'A 6, sortie nº 24. 15 mars-31 oct. Forfaits tente env 15-18 €. 116 empl.* Accessible en 10 mn à pied depuis le centre-ville. Ombragé et emplacements bien délimités par des haies. Terrain multisports. Resto.

De bon marché à prix moyens

🏠 *Hôtel Rousseau* (plan B2, 10) : *11, pl. Madeleine.* ☎ 03-80-22-13-59. ● *hotelrousseaubeaune@orange.fr* ● *hotel-rousseau.com* ● *Doubles 52 €* (douche sur le palier)-65 €, petit déj compris (mais succinct). CB refusées. 📶 Café offert sur présentation de ce guide. Un hôtel à la mode d'autrefois. Une maison de famille tenue par une dame souriante et affairée qui veille sur ses clients en bonne grand-mère et qui vient vous fermer les volets pendant votre absence. Pour le reste, une douzaine de chambres à l'ancienne mais très bien tenues, avec ou sans salle de bains (mais toujours avec w-c), rafraîchies à grand renfort de fleurettes. Aux beaux jours, le petit déj se prend dans le jardin.

🏠 ●❙● *Hôtel de France Le Tast'Vin* (plan C2, 12) : *35, av. du 8-Septembre.* ☎ 03-80-24-10-34. ● *hoteldefrance-beaune.com* ● *Resto ouv lun-ven midi et soir, plus les soirs le w-e. Doubles env 68-118 €. Formules déj en sem 14,50-18 €, menus 16-38 €.* Garage privé payant. 📶 Un dynamisme bienvenu dans un quartier pas très folichon. Chambres impeccables et calmes, ne manquant ni de charme ni de confort (clim). Certaines donnent même sur une terrasse intérieure très agréable. Au resto, des formules sympathiques (comme le service) laissant toujours du choix sans rogner sur la qualité. Le midi, cuisine de brasserie ; carte plus fournie le soir. Terrasse.

🏠 *Chambres d'hôtes chez Danièle Duthy* (plan B1, 13) : *5, rue Jean-Belin.* ▪ 06-64-66-06-51. ● *dduthy@*

wanadoo.fr ● beaunenuit.com ● Compter 75-78 € pour 2. 📶 Remise de 10 % à partir de la 2e nuit, sur présentation de ce guide. Dans une petite rue tranquille, à deux pas (allons, quelques dizaines) du centre historique. La maison est toute petite, mais on a ses aises dans les 2 chambres, même si la « Rouge » est plus spacieuse. Plaisante déco. Accueil souriant et décontracté.

Chic

🏠 **Hôtel Grillon** (plan C3, **14**) : 21, route de Seurre. ☎ 03-80-22-44-25. ● joel.grillon@wanadoo.fr ● hotel-grillon.fr ● ♿ Prendre la direction Seurre-Dôle sur le bd périphérique. Congés : janv. Doubles 89-135 €. 📶 Une vieille maison de famille avec jardin, piscine et terrasse l'été, pour le petit déj. Chambres climatisées, joliment aménagées dans la maison ancienne, qui n'a rien de vieillot. 4 grandes « supérieures » dans une rotonde. Le joli jardin et le charme du lieu compensent l'éloignement relatif du centre-ville.

🏠 **Hôtel Central** (plan A2, **16**) : 2, rue Victor-Millot. ☎ 03-80-24-77-24. ● hotel.central.beaune@wanadoo.fr ● hotelcentral-beaune.com ● Congés : 2 sem en janv, 25 déc et 1er janv. Doubles 69-110 €. Parking payant. 📶 Une bouteille de crémant offerte sur présentation de ce guide slt si résa directe avec l'hôtelier. Une maison calme et accueillante qui mérite bien son nom, avec fenêtres en trompe l'œil en façade. Les chambres ouvertes sur la cour sont agréables, et en été, la clim appréciable (dans certaines seulement). Ne manque qu'un lifting dans les parties communes et ce serait parfait. Fait aussi resto.

Où manger ?

Si vous ne trouvez pas votre bonheur ici, allez piocher un peu plus loin dans les bars à vins et autres lieux sympas qui jouent parfois des coudes dans le centre-ville.

De prix moyens à chic

🍴 **Le Bistrot Bourguignon** (plan A2, **30**) : 8, rue Monge. ☎ 03-80-22-23-24.

🏠 **Hôtel La Villa Fleurie** (plan C1, **17**) : 19, rue Colbert. ☎ 03-80-22-66-00. ● contact@lavillafleurie.fr ● lavillafleurie.fr ● Fermé en janv. Doubles 78-98 € ; familiale 4-5 pers. 📶 À deux pas du centre ancien, petite villa 1900 avec un jardin de poche. Ce dernier fait craquer les Anglais qui adorent le look très british de cette maison complètement transformée par Monique Chartier. Un intérieur chaleureux, un accueil souriant et une dizaine de chambres meublées avec goût, climatisées.

🏠 **Hôtel Le Home** (hors plan par B1, **19**) : 138, route de Dijon. ☎ 03-80-22-16-43. ● info@lehome.fr ● lehome.fr ● ♿ Doubles env 75-110 € ; familiales également. 📶 En venant de Dijon, on voit à peine cette vieille maison bourguignonne cachée dans la verdure, derrière un mur, à l'entrée de la ville. Accueil charmant, déco (inévitablement !) à l'anglaise, salon de lecture ou de travail au 1er étage, chambres rénovées, donnant sur le jardin (qu'on préférera, of course, à celles côté route). Très beau et bon petit déj.

🏠 **La Closerie** (hors plan par A2, **15**) : 61, route de Pommard. ☎ 03-80-22-15-07. ● closeriehotelbeaune@wanadoo.fr ● hotel-lacloserie-beaune.com ● À 1 km du centre-ville en direction d'Autun et Chalon-sur-Saône, après la moutarderie Fallot. Doubles 92-126 €. Parking gratuit. 📶 De toute évidence, la bâtisse ne dégage pas de charme débordant, et si les chambres réservent un confort standard appréciable mais prévisible, l'accueil est quant à lui serviable et chaleureux, de jour comme de nuit ! Bon petit déj, et grande piscine inattendue dans le jardin à l'arrière.

Tlj sf dim-lun. Formules déj en sem 14,90-19 € ; carte 35-40 €. Bar à vins, tendance jazz certains soirs. 2 petites salles : l'une au fond pour les concerts, l'autre prolongée l'été d'une terrasse sur la rue piétonne. Une déco de bric et de broc avec fauteuils et canapés, d'inamovibles potes du patron pour faire monter l'ambiance au gré des verres de vin et quelques gentils plats élaborés façon bistrot.

|●| Le Caveau des Arches *(plan B2, 20)* : 10, bd Perpreuil. ☎ 03-80-22-10-37. ● *info@caveau-des-arches. com* ● *Tlj sf dim-lun. Congés : 3 sem courant août et autour des fêtes de fin d'année. Résa conseillée. Menus env 25-56 €. Café offert sur présentation de ce guide.* Un caveau du XVe s avec 2 salles voûtées, ça plaît toujours. La carte est suffisamment riche pour que vous trouviez votre bonheur. Côté vins, la cave, sacrément bien lotie, charmera les connaisseurs.

|●| Le P'tit Paradis *(plan A2, 24)* : 25, rue Paradis. ☎ 03-80-24-91-00. ● *lep titparadis@outlook.fr* ● *Proche des Hospices. Tlj sf dim-lun ; plus jeu soir déc-fév. Menu-carte 29 €* avec quelques supplétifs. Le chemin du paradis gustatif. Juste en face du musée du Vin, un petit resto à la déco sobre et aux couleurs aussi fraîches que la cuisine maison, proposée à prix gentils. Goûtez donc au pavé de charolais au beurre d'époisses. Terrasse en été.

|●| La Ciboulette *(plan B1, 25)* : 69, rue de Lorraine. ☎ 03-80-24-70-72. *Tlj sf lun-mar. Congés : 3 sem en fév et 1re quinzaine d'août. Formule déj 21 € ; menus 29,90-40 €.* Une petite maison gentiment retapée dont ses propriétaires dirigent avec rigueur. Ici, on vous servira, dans un décor sobre, une cuisine bourguignonne de qualité, faisant le bonheur des touristes comme des Beaunois, ce qui est plutôt rassurant.

|●| Le Comptoir des Tontons *(plan B2, 22)* : 22, rue du Faubourg-Madeleine. ☎ 03-80-24-19-64. ● *lestontons@wanadoo.fr* ● *Près de la pl. Madeleine (parking gratuit), à 5 mn du centre-ville. Fermé dim-lun, ouv le soir slt. Congés : courant août. Compter 40-45 €.* Pépita et Richard, son « bonhomme » comme elle l'appelle devant les habitués, ont réussi à fidéliser une clientèle qui apprécie la rigueur des cuissons, le goût des préparations et le caractère bien trempé de Dame Pépita, qui officie seule en cuisine et privilégie les produits bio. Réservez votre table pour passer une soirée dans un décor ensoleillé ou tournez-vous vers la formule bar à vins.

|●| Le Goret *(plan A2, 28)* : 2, rue Maizières. ☎ 03-80-22-05-94. *Fermé dim-lun, mar midi et jeu soir. Congés :* août. Plats 15-25 €. Café offert sur présentation de ce guide. En plein centre, une adresse qui sort du lot et des conventions : ici, pas d'entrées, mais un plat unique à ragaillardir un ogre ! Un choix délibérément restreint affiché à l'ardoise, que le chef vient commenter en prenant la commande. Vous aurez compris qu'on est ici dans un bouchon monomaniaque, qui décline la cochonnaille selon l'inspiration, en format XXL, le tout servi sur une large planche en bois. Quant au cadre, il est comme la cuisine, aussi rustique que sympathique !

|●| Restaurant F & B *(plan B2, 35)* : 6-8, rue d'Alsace. ☎ 03-80-21-04-19. *Tlj sf dim. Menus 18-21 € le midi en sem, puis 28-38 € ; carte 35-40 €. Café offert sur présentation de ce guide.* Un vrai bar à vins où l'on mange bien, sur la petite place Carnot, qui vaut bien la grande. Petite terrasse sympa et une déco intérieure branchée. La carte alterne quelques classiques revisités et des en-cas très qualitatifs. Cuisine simple, avec de beaux produits, et des bouteilles qui dépassent volontiers le terroir bourguignon.

|●| Les Pôpiettes *(plan B2, 34)* : 10, rue d'Alsace. ☎ 03-80-21-91-81. *Tlj sf mar-mer. Menus 16-19 € le midi, puis autour de 29 € ; brunch dim 22-26 € ; carte 35-45 €.* De l'humour, de la bonne humeur et de l'houmous : les volubiles Aurora et Giada, 2 sœurs rital, ont mis la cuisine bourguignonne à la sauce méditerranéenne. Elles pratiquent l'intégration culinaire à leur façon jusqu'à l'incontournable tiramisu rhubarbe, figue et pain d'épice.

|●| Restaurant Piqu'bœuf *(plan B2, 36)* : 2, rue du Faubourg-Madeleine. ☎ 03-80-24-07-52. ● *contact@piqu boeuf.com* ● *Tlj sf mar-mer. Congés : 8-25 janv et 27 juin-19 juil. Formule déj en sem 16 € et menus 25-37 €. Digestif maison offert sur présentation de ce guide.* Installé dans une belle maison du XVIIIe s, un resto spécialement dédié aux amateurs de viande : savoureuses grillades de bœuf charolais cuites à la braise ou au gaz de roche volcanique (en été), toujours devant les clients. Un resto aux couleurs du temps, agréable au goût comme à l'œil.

lol *Caves Madeleine (plan B2, 36)* : 8, rue du Faubourg-Madeleine. ☎ 03-80-22-93-30. ● cavesmade leine@hotmail.com ● Tlj sf mer et dim. Congés : 27 fév-9 mars, 16 août-4 sept, 20 déc-4 janv. Menu déj en sem 23 €, plats à l'ardoise 18-24 €, menu dégustation 53 €. Descendez 2 marches et vous voici dans une salle façon caveau « tchin-tchin mais pas bling-bling » comme ils disent, avec ses murs tapissés de grands noms du coin, ses tablées en bois et l'opinel sur la table. Bons plats du jour, selon l'envie du chef qui aime bien servir lui-même, ça le démange. Un endroit dynamique où tout est bon, même le pain !

lol *Maison du Colombier (plan A2, 41)* : 1, rue Charles-Cloutier. ☎ 03-80-26-16-26. Tlj sf dim. Congés : vac scol de Noël. Env 35 € le repas. Le chef a choisi de quitter le monde des étoilés et de la gastronomie de luxe pour la liberté avec ce bar-restaurant où il fait bon de se retrouver à la fraîche, en été, sur la terrasse, devant des tartines aux truffes de Bourgogne (ben oui, quand même !) et un verre de vin du pays. À l'intérieur, côté bar ou côté salon, c'est encore plus cosy, plus beaunois.

lol *L'Ardoise (plan B2, 36)* : 14, rue du Faubourg-Madeleine. ☎ 03-80-21-41-34. ● lardoisebeaune@gmail.com ● Marsam, le soir slt. Congés : courant août et fêtes de fin d'année. Compter 25-35 €. Digestif offert sur présentation de ce guide. Décidément, on ne s'ennuie pas faubourg Madeleine ! Parmi la brochette de bonnes petites tables, ce bistrot chicos sympa propose une ardoise extra : viandes, burgers, clubs-sandwichs le tout maîtrisé à merveille par un chef qui ne perd rien des conversations depuis la grande table ouverte. C'est qu'ici, vins (et quels vins !) au verre aidant, les décibels montent vite.

De chic à plus chic

lol *Loiseau des Vignes (plan A2, 27)* : 31, rue Maufoux. ☎ 03-80-24-12-06. ● loiseaudesvignes@bernard-loiseau. com ● Tlj sf dim-lun. Le midi, menus-carte à partir de 25 € ; le soir, menus 59-119 €. Une création maligne et savoureuse qui restitue l'âme de La Côte d'Or à Saulieu : le bonheur de l'assiette, certes, mais surtout un esprit bourguignon réinventé avec naturel et talent. Ici, tout y est : l'accueil, le cadre, la carte réalisée par un chef formé à bonne école et quelque 70 bouteilles proposées à la dégustation au verre pour réviser vos leçons d'histoire du vin. Au déjeuner, menu du jour attrayant, et carte à prix, certes, plus conséquent midi et soir. Service dynamique.

lol *Le Bénaton (hors plan par A2, 26)* : 25, rue du Faubourg-Bretonnière. ☎ 03-80-22-00-26. ● reservation@ lebenaton.com ● À la sortie de Beaune, direction Meursault. Fermé mer-jeu, plus sam midi déc-mars. Menus 34 € (déj en sem), puis 60-95 €. Apéritif maison offert sur présentation de ce guide. Du terroir revisité avec une touche asiatique et de la cuisine d'aujourd'hui, inventive, qui ne s'endort pas dans son assiette ! Ambiance zen, décor dépouillé, en complète harmonie avec une carte qui varie selon les saisons et les envies d'un chef sorti de sa coquille. En été, le jardin japonais est vraiment idéal pour un repas en amoureux ou même entre amis. N'hésitez pas à prendre le menu du marché (il change tous les jours) et choisissez à la carte un vin d'ici.

lol *L'Écusson (plan B3, 33)* : 2, pl. du Lieutenant-Dupuis. ☎ 03-80-24-03-82. Un peu à l'écart du centre, près de la pl. Malmedy. Tlj sf mer et dim. Menus 30 € (déj en sem)-100 €. La technique, voilà ce qui différencie la cuisine d'assemblages décoratifs de la vraie cuisine. Elle seule peut sublimer une patate sautée, une tranche de ventrèche ou une tomate confite. Cave très bourguignonne et originale. Terrasse à l'arrière.

lol *Le Carmin (plan A2, 38)* : 4 b, pl. Carnot. ☎ 03-80-24-22-42. Mar-sam. Menus midi en sem 25-35 €, puis 55-125 €. Le chef étoilé a fait ses gammes régionales auprès des grands du piano et du vin avant de se poser ici, au plus près du marché et de ses producteurs fétiches. L'intérieur est sobre et classe mais pas classieux, dans les tons zen, à l'image de la cuisine, juste élégante. Les plats révèlent un subtil mélange de curiosité, de fausse simplicité et de rigueur.

Où dormir ? Où manger dans les environs ?

De prix moyens à chic

🏠 **Le Parc de l'Hostellerie :** 13, rue du Golf, 21200 **Levernois.** ☎ 03-80-24-63-00. ● leparc@levernois.com ● hotelleparc.fr ● Par la D 970, direction Verdun-sur-le-Doubs, puis à gauche. Congés : de début fév à mi-mars. Doubles à partir de 75 €. Animaux non admis. ☎ Une vieille maison adorable, avec son parc aux arbres centenaires envahis par les oiseaux. Derrière la façade couverte de vigne vierge, des chambres pleines de charme, ayant chacune leur atmosphère, leur décor. Cour fleurie, en terrasse, pour un petit déj bucolique. Et un superbe resto au bord de l'eau

|●| **Bistrot du Bord de l'Eau :** rue du Golf, 21200 **Levernois.** ☎ 03-80-24-89-58. ● lebistrot@levernois.com ● Entrée par le parc de l'Hostellerie de Levernois. Ouv tlj, sf le soir mar-mer en saison ; fermé le soir lun, mar, jeu et dim hors saison. Menus 30-34 € déj lun-ven, carte env 40-45 €. Une entrée gratuite dans un site touristique partenaire offerte sur présentation de ce guide. Dans la campagne beaunoise, un hôtel-restaurant somptueux qui ne se prend pas (trop) au sérieux, et propose une formule bistrot épatante. Le chef revisite les grands classiques franco-bourguignons au travers d'un menu-carte astucieux et sincère. Le potager pourvoit en légumes de saison et les produits du marché sont au rendez-vous. À savourer en terrasse au bord de la Bouzaize, charmante rivière qui serpente dans un parc de 5 ha, ou alors dans les anciennes cuisines du XVIIIe s.

|●| **Restaurant L'Ô à la Bouche :** 11, rue Basse, 21200 **Levernois.** ☎ 03-80-20-01-40. ● loalabouche21@orange.fr ● Fermé mer, plus mar hors saison. Congés : janv. Menus 16 € (déj en sem)-41 € ; carte env 40 €. Café offert sur présentation de ce guide. Un cadre idyllique, surtout en été quand les tables débordent sur la terrasse à l'ombre du figuier et jusque dans le jardin, au bord de la mare. Dans la salle ouverte sur l'extérieur, les tables bien espacées préservent l'intimité des discussions : un confort qui devient trop souvent l'exception. Au déjeuner, la formule est une aubaine. Cuisine appliquée et soigneuse, service prévenant.

|●| **La Bouzerotte :** 25, route de Beaune, 21200 **Bouze-lès-Beaune.** ☎ 03-80-26-01-37. ● contact@labouzerotte.fr ● Au bord de la D 970. Tlj sf lun-mar. Congés : vac de fév et 1 sem fin août. Menus 25-38 €, et menus truffes. Café offert sur présentation de ce guide. Une authentique auberge de campagne, avec une vraie atmosphère ! De vieilles tables en bois, des meubles rustiques, une cheminée avec un feu de saison dans la grande salle claire. Terrasse aux beaux jours. Carte succincte, bien équilibrée entre terroir et créativité. La surprise est à l'arrivée des assiettes : fraîcheur et qualité des produits, belle présentation. Vous serez conquis, ne serait-ce que par le bœuf aux morilles. Conseils sur le choix des vins par la maîtresse de maison, ancienne sommelière.

Où boire un verre ?
Où faire une dégustation de vin ?

Le choix est vaste entre les caves-restaurants citées précédemment, les caves-boutiques ou les caves-visites mentionnées plus loin, les bars listés ici Toutes les formules existent.

🍷 **Les Mille et Une Vignes** (plan B1, 45) **:** 61, rue de Lorraine. ☎ 03-80-22-03-02. ♿ Fermé dim-mar. À voir la devanture et la déco, disons pour tous les goûts, on imagine mal que se cache ici un vrai bar à vins qui propose de vieux millésimes à prix décents. Un bistrot où l'on se retrouve vite entre amis si l'on se laisse entraîner par Marine, grande fan de rugby, autour d'une assiette de terrine maison, de fromage ou autres tapas à la bourguignonne.

Ⓨ ♪ Pickwick's (plan A1, 40) : 2, rue Notre-Dame. ☎ 03-80-22-55-92. Tlj sf dim-lun. Happy hour 18h-19h. Situé derrière la basilique, dans l'ancien quartier des chanoines, un pub inattendu à la chaleureuse déco, bien feutrée, où se côtoient bons vins de propriétaires et nombreuses bières importées de la perfide Albion. Et même une mousse locale à base de gingembre.

Ⓨ |●| La Maison de Maurice (plan A2, 41) : 8, rue Fraisse. ☎ 03-80-20-84-93. ● lamaisondemaurice-beaune. com ● Lun-sam 10h-22h. Assiettes de charcuterie ou de fromage. On est dans une « cave à manger » futée. La cour centrale, dans l'esprit salon marocain, est un lieu convivial, et le maître des lieux d'excellent conseil. On choisit sa bouteille parmi une large sélection de toutes les régions de France, qu'on déguste sur place au prix caviste. Une petite faim ? Consultez le tableau, les plats sont simples et bons. On peut même louer une chambre ou toute la maison pour se croire presque dans un riad.

Ⓨ |●| La Part des Anges (plan B2, 44) : 24 bis, rue d'Alsace. ☎ 03-80-22-07-68. Tlj sf dim (plus lun hors saison). Resto-bar à vins tendance chic et branché. Cadre lounge à la déco néomoderniste sobre, comme il se doit, avec belle verrière et petite terrasse pour voir et être vu ! Ambiance feutrée côté bar pour déguster une assiette de salaisons avec un verre de vin. Cuisine de terroir revisitée et service sympathique. Tapas espagnoles ou bourguignonnes servies à toute heure.

Ⓨ Sensation Vin (plan A2, 42) : 1, rue d'Enfer. ☎ 03-80-22-17-57. ● sensation-vin.com ● Tlj (sf lun déc-avr) 10h-19h. Congés : 1re quinzaine de janv. Dégustation tlj sf sam à 14h30 (8 vins, 35 €). Sans rdv, mais mieux vaut s'informer et s'inscrire. Également journées et w-e de dégustation. Un concept innovant qui fait fureur : déguster du vin avec un pro, ancien directeur de l'école des vins de Bourgogne, et aborder la route des Vins en parlant du vin, des vins, de ses sensations autour d'une table (lumineuse) ou dans le petit caveau.

Ⓨ ⊛ ♜ Patriarche (plan A-B1, 43) : 7, rue du Collège. ☎ 03-80-24-53-78. ● patriarche.com ● Tlj 9h30-11h30, 14h-17h30 (ferme à 17h w-e et j. fériés oct-mars). Fermé 1er janv et 25 déc. Visite libre : env 17 €, dégustation comprise (10 vins). Compter 1h. Noble destinée pour ce couvent du XVIIe s converti en caves de stockage par un négociant en vins à la Révolution : 5 km de galeries voûtées et plusieurs millions de bouteilles bien au frais servent d'écrin à cette visite d'un autre monde, des bouteilles en libre service disposées sur des tonneaux en fin de parcours. Dégustation commentée par des sommeliers avec achat possible en bout de course, bien sûr.

LA CÔTE-D'OR

Où acheter de bons produits ?

Vin

On trouve des vins rouges correspondant grosso modo à 2 grands types, selon qu'ils tirent sur Savigny ou sur Pommard. Les uns sont des vins tanniques, robustes, puissants, d'une robe intense et foncée, tandis que les autres sont plus ronds, plus souples.

⊛ **Athénæum de la Vigne et du Vin** (plan A2, 51) : 5, rue de l'Hôtel-Dieu. ☎ 03-80-25-08-30. ● athenaeum.com ● Tlj 10h-19h en saison. Fermé 1er janv et 25 déc. Amusant, passionnant, un vrai lieu de rencontre autour du vin, à la fois librairie, papeterie, disquaire, boutique de déco et cave bien sûr.

⊛ **Marché aux vins** (plan A2, 52) : 7, rue de l'Hôtel-Dieu. ☎ 03-80-25-08-20. ● marcheauxvins.com ● Avr-nov, tlj 10h-19h ; déc-mars, tlj 10h-12h, 14h-19h. Entrée : 10-27 € (4-9 vins dégustés + 1 ou 2 premiers crus et grands crus). Un lieu de mémoire (les caves et la chapelle de l'ancienne église des Cordeliers des XIIIe et XVe s), où l'on peut déguster du vin tous les jours.

⊛ **Nuiton-Beaunoy, cave des Hautes-Côtes :** 93-95, route de Pommard. ☎ 03-80-25-01-03. ● nuiton-beaunoy. com ● À 1,5 km env du centre-ville en direction d'Autun et Chalon-sur-Saône, au niveau du rond-point. Janv-mars, lun-sam 10h-12h, 14h-18h ; avr-juin et oct-nov, tlj 10h-12h30, 14h-19h ; juil-sept, tlj 9h-19h ; déc, tlj 10h-12h et 14h-18h. Un vaste espace de dégustation ouvert sur les vignes pour une union de 115 vignerons proposant une soixantaine de références. Pour tous les palais et porte-monnaie ! Dégustations gratuites et livraison à domicile.

Spécialités du terroir

⊛ **Charcuterie Franck Bourgeon** (plan B2, 53) : 9, pl. Monge. ☎ 03-80-22-13-22. Tlj sf dim ap-m et lun, 8h-19h (pause le midi sam). Comment rester indifférent devant la vitrine de ce charcutier qui fabrique terrines appétissantes, hures originales et autres verrines colorées ? Mais surtout un des meilleurs jambons persillés, à ajouter au pique-nique.

⊛ **Passion Millot** (plan B2, 56) : 1, pl. Monge. ☎ 03-80-22-10-35. Fermé lun. Le confiseur-chocolatier dans toute sa splendeur. Grande spécialité : les burgondines, un praliné au chocolat très fin, enrobé d'un sucre glacé lui permettant de voyager. Mais surtout, d'étonnants et détonants chocolats à la moutarde ou à la ganache de vin rouge.

⊛ **Boulangerie Bruno Liégeon** (plan C2, 57) : 29, av. du 8-Septembre. ☎ 03-80-22-24-97. Fermé jeu. Emportez, pour un pique-nique, le « pain des hospices » au maïs torréfié ; vous nous en direz des nouvelles ! Également des glaces maison savoureuses : au lait d'amande et fleur d'oranger, c'est un régal.

⊛ **Fromagerie Hess** (plan B3, 55) : 7, pl. Carnot. ☎ 03-80-22-90-70. Tlj sf dim ap-m. Épicerie fine toute en longueur. Ça sent bon ! Sélection de fromages maison aux saveurs régionales : moutarde, cassis, pain d'épice.

⊛ **Mulot et Petitjean** (plan B2, 35) : 1, pl. Carnot. ☎ 03-80-22-06-18. Janv-mars, mar-ven 9h-12h, 14h-19h, plus sam 9h-12h30, 14h30-19h. Avr-déc, lun-ven 9h-12h, 14h-19h ; w-e et j. fériés 9h-12h30, 14h30-19h. Du pain d'épice artisanal depuis 1796 !

À voir

Garez votre voiture en périphérie, Beaune se parcourt à pied. Coup de cœur pour la mise en scène nocturne qui met sous les feux des projecteurs sept monuments, illuminés de 22h à 0h30 en été, ainsi qu'à la tombée de la nuit autour des fêtes de fin d'année et lors des festivals (de mi-juin à mi-septembre entre autres).
– Un seul billet d'entrée donne accès au musée du Vin et au musée des Beaux-Arts. Tarif : 5,80 € ; réduc.

🎭🎭🎭 **L'hôtel-Dieu** (plan A2) : rue de l'Hôtel-Dieu. ☎ 03-80-24-45-00. ● hos pices-de-beaune.com ● ♿ De mi-mars à mi-nov, tlj 9h-18h30 ; le reste de l'année, tlj 9h-11h30, 14h-17h30. Dernier billet 1h avt fermeture. Entrée : 7,50 € avec audioguide ; réduc ; gratuit moins de 10 ans.

Un rare témoignage de l'architecture civile de la fin du Moyen Âge. Il faut pénétrer dans la cour d'honneur pour avoir le choc de ces toits de tuiles émaillées multicolores en terre cuite, dessinant d'extraordinaires figures géométriques, et décorés d'une cinquantaine de girouettes.
On doit cet hôtel-Dieu à Nicolas Rolin (1376-1462), chancelier du

HIPS !

La vente du vin des Hospices permettait d'offrir les soins aux indigents. À l'époque, les deux grands remèdes étant la prière et le vin, l'un s'avérait plus efficace que l'autre. L'ivresse calmait la douleur tout en favorisant le sommeil et redonnait un peu le moral. Les malades avaient droit à deux litrons par jour.

duc de Bourgogne Philippe le Bon et homme de bien ; du moins en avait-il. Lorsqu'il créa l'hôpital, en 1443, Louis XI, toujours charitable, aurait dit : « Il a fait assez de pauvres dans sa vie pour pouvoir aujourd'hui les abriter ! » Ainsi naquit l'hôtel-Dieu, sur une architecture d'inspiration flamande, qui fonctionna sans interruption jusqu'en 1971. Les derniers malades partirent en 1984.

Par ici la visite

La visite des Hospices donnerait presque envie de tomber malade, devant la **« salle des Pôvres »,** avec son célèbre plafond, ses lits à colonnes bien alignés (mais deux malades par lit, et tête-bêche !), habillés de blanc et rouge. Un décor somptueux « entre les soins et la prière » s'achevant sur une **chapelle** gothique, servant l'été de salle pour des concerts baroques haut de gamme. La literie vous dit quelque chose ? Probablement une réminiscence de *La Grande Vadrouille* ! On admirera aussi la **salle Saint-Hugues,** réservée aux malades les plus riches et dont les peintures murales illustrent des miracles de Jésus, puis la salle Saint-Nicolas attenante avec une maquette en paille de l'hôtel-Dieu, datant du XVIIIe s. Petit film sur la confection de la fameuse coiffe en cornette portée par les religieuses. La **cuisine** a été intelligemment reconstituée avec sa vaste cheminée gothique égayée par un savant tournebroche à automate datant de 1698. La visite continue avec la **pharmacie** et ses pots de verre et de faïence dont les noms laissent rêver : « poudre de cloportes », « yeux d'écrevisses », « poudre de noix vomique »

Traversez la **salle des tentures** et ses magnifiques collections (remarquable *Saint-Antoine parmi les tourterelles,* XVe s) avant d'aller admirer le clou des Hospices : le **polyptyque du Jugement dernier,** attribué à Rogier Van der Weyden. C'est l'une des plus célèbres œuvres de la peinture flamande du XVe s. L'éclairage est parfait. Le Christ en majesté (très beau mouvement de plissés) est

LE CLOS DU MARÉCHAL PÉTAIN

Pendant la guerre, un préfet vichyste imposa la création de cette cuvée aux Hospices de Beaune. Elle bénéficia aussitôt du titre de premier cru. Et pourtant, le premier millésime de 1942 fut calamiteux. « Sabotache » ?

assis sur un arc-en-ciel, symbole des liens qui unissent les cieux et la terre. Sous ses pieds, l'archange saint Michel pèse les âmes avec beaucoup d'élégance et sans parti pris. À sa droite, les maudits, une expression d'horreur indicible dans les visages, filent vers l'enfer. À gauche, les bienheureux sont accueillis au paradis. Par ailleurs, les Hospices sont aussi propriétaires d'un vignoble prestigieux d'une soixantaine d'hectares répartis en de nombreuses parcelles. Au fil des années, ce patrimoine s'est constitué grâce à des legs ; des arpents de terre ont aussi servi de monnaie d'échange à certains malades pour payer leurs soins. C'est ce vin qui est chaque année mis aux enchères le 3e dimanche de novembre (on en trouve aussi en vente à la boutique).

🎭 **La collégiale Notre-Dame** (plan A2) : pl. du Général-Leclerc. ☎ 03-80-24-77-95. Tlj 9h-17h (19h juin-sept). *Visite des tapisseries : de mi-avr à mi-nov, dim-jeu 14h-17h ; ven-sam 10h-12h, 14h-17h. Fermé pdt les offices. Entrée libre.* Bel exemple d'art roman bourguignon, qui s'est vu adjoindre au cours des siècles un décor gothique (portail et chevet), un clocher et une chapelle du XVIe s. Au XIXe s, l'inévitable Viollet-le-Duc n'a pas pu s'empêcher d'y ajouter une galerie couverte. Collection de tapisseries, du XVe s, consacrées à la vie de la Vierge dans le chœur. Prenez le temps d'admirer le cloître et le logis du XVe s. En sortant, choisissez votre route en votre âme et conscience : la rue Paradis ou la rue d'Enfer.

🎭 🚶 **Le musée du Vin** (plan A2) : rue d'Enfer, dans l'hôtel des Ducs. ☎ 03-80-24-56-92. *Avr-sept, tlj sf mar 10h-13h, 14h-18h ; mars et oct-nov, tlj sf lun-mar 10h-13h, 14h-17h. Fermé 1er janv et 25 déc. Dernier billet 45 mn avt fermeture. Entrée : env 9 € ; enfant env 4 € ; réduc ; gratuit moins de 11 ans. Billet couplé avec* *le musée des Beaux-Arts.* Depuis 1947, un vrai musée des arts et traditions populaires, rénové en 2017. Toute l'histoire de la vigne et du vin, de l'Antiquité à nos jours. Une maquette du vignoble explique parfaitement la topographie et le phénomène de « climat » bourguignon, étayée par des explications sur l'importance des conditions naturelles. Très beaux pressoirs dans la cuverie de l'ancienne résidence des ducs de Bourgogne (en accès libre). Dans la dernière salle, tapisserie de Jean Lurçat sur le motif du vin.

ƛƛ Balade en ville *(plan A2) :* au hasard des rues, vous découvrirez des façades chargées d'histoire. Les riches drapiers construisirent des maisons avec des échoppes où tout se traitait, au sens strict, sur le volet. Il suffit de pousser, parfois avec force, quelques portes pour découvrir de magnifiques cours dissimulées aux regards Baladez-vous du côté de la *place Fleury (plan A2)* et son hôtel de Saulx (XVe et XVIIe s), le long de la *rue Maufoux (plan A2)* et de la *rue Monge (plan A2),* aux toits très rapprochés jusqu'à la *place Monge (plan A-B2).* Derrière la statue de Gaspard Monge, étonnant beffroi du XIVe s, d'un aspect tout flamand.

ƛ Le Dalineum *(plan A-B2) :* 30, pl. Monge. ☎ 09-67-01-63-13. *Tlj 11h-18h. Entrée : 7 € ; réduc.* C'est dans un hôtel particulier du XVIIIe s qu'un collectionneur privé a réuni une riche collection d'œuvres de Dalí : 250 dessins, peintures, sculptures et mobilier. Des œuvres mondialement connues dont la *Vénus de Milo aux tiroirs,* le *Rhinocéros* et le fameux *Bocca Sofa* en forme de bouche.

ƛƛ Le musée des Beaux-Arts *(plan B2) :* porte Marie-de-Bourgogne, 6, bd Perpreuil, et rue Poterne. ☎ 03-80-24-56-92 ou 98-70 (le w-e). *Avr-sept, tlj sf mar 10h-13h, 14h-18h ; janv-mars et oct-nov, tlj sf lun-mar 10h-13h, 14h-17h. Fermé 1er janv et 25 déc. Entrée : env 6 € ; enfant env 4 € ; réduc ; gratuit moins de 11 ans. Billet couplé avec le musée du Vin.* Le musée possède quelques belles pièces de peintures, sculptures et dessins, depuis le XVIe s jusqu'au XXe s : *Vierge à l'Enfant, La Liseuse* de Jean Raoux, *La Bénédiction de Jacob* de Girolamo Troppa Également des peintures de Ziem et sculptures de Préault.

ƛƛƛ La moutarderie Fallot *(plan A2) :* 31, rue du Faubourg-Bretonnière. ☎ 03-80-22-10-10. ● fallot.com ● *Visites « Découvertes » (musée slt) ou « Sensations fortes » (davantage axée sur la production pour cette dernière avec en plus visite de l'usine). Résa obligatoire, parfois plusieurs j. à l'avance. Compter 1h15. Entrée : 10 € (dégustation comprise); réduc ; gratuit moins de 10 ans.* La recette de sa longévité et du succès, depuis 1840, cette moutarde multicolore la doit aux produits de base hyper sélectionnés dont elle use et abuse pour se faire belle et bonne, tout en changeant de couleurs selon l'humeur (25 en tout). Et à un exercice journalier qui explique son piquant et cette saveur incomparable : le broyage à la meule de pierre. Ce qui ne l'empêche pas de s'offrir des liftings réguliers, se faisant plaisir avec un espace muséographique style écomusée, avant de relancer la « véritable moutarde de Bourgogne » frappée d'IGP (indication géographique protégée), produite à 100 % avec du vin blanc aligoté et des graines cultivées en Bourgogne. Pour faire ses emplettes, un espace de vente et de dégustation très « concept » : *Enjoy Fallot.* Les classiques de la maison y côtoient les dernières créations et une sélection de moutardes du monde.

ƛ ƛ Le parc de la Bouzaise *(hors plan par A1) :* rue du Faubourg-Saint-Martin. *Tlj 9h-21h avr-oct (juin-juil 22h), 8h-18h fév-mars, 8h-17h nov-janv ; le w-e, ouverture à 9h.* Entouré de vignes, classé depuis 1943, c'est le refuge des familles beaunoises, qui connaissent nombre des 740 arbres de cet adorable jardin anglais. Location de barques en saison. Et point de départ de la véloroute Beaune-Santenay (22 km par Pommard, Volnay, Meursault, Puligny et Chassagne). Des randos vers la montagne de Beaune et le Pays beaunois démarrent au parc (parking aisé). Demander la brochure « 30 itinéraires de randonnée pédestre » à l'office de tourisme. Dans le prolongement du parc se trouve celui *de la Creuzotte.* Ce jardin, totalement pionnier dans son concept, invite les promeneurs à découvrir la nature en déambulant sur des cheminements surélevés afin de préserver la flore et la faune.

🏃🏃 *Le circuit des remparts :* commencez le circuit par la tour de l'hôtel-Dieu et remontez le temps jusqu'au XIIe s, quand la ville commença de boucler cette ceinture qu'elle consolidera au XVe s, sur l'ordre de Louis XI. Remarquez au passage les toits, les petits jardins. La tour des Dames, aux pierres taillées en bossage, abrite deux étages de caves. Du bastion des Lions, transformé en jardin public, au bastion Notre-Dame, rien ne vous empêche de tricher en coupant par la place Marey et les rues du vieux Beaune. Ne cherchez pas le château, dans la rue du même nom. La maison *Bouchard Père et Fils* a gardé le nom de ceux qui, en 1810, achetèrent le château de Beaune et transformèrent les puissants bastions, construits pour la guerre, en caves de vieillissement. Située entre le château et le bastion Sainte-Anne, la tour Renard, avec sa couverture en lave, date probablement du XIVe s. À ne pas confondre avec la petite tour des Billes, accolée à la grosse tour, sur le rempart Madeleine.

LA CÔTE-D'OR

À faire dans les environs

■ *Veuve Ambal :* le Pré-Neuf, à **Montagny-lès-Beaune.** ☎ 03-80-25-90-81. ● *veuveambal.com* ● ♿ Tlj sf 1er janv, 11 nov et 25 déc. Départ des visites à 10h30, 11h30, 14h30, 15h30, 16h30 (et 17h30 avr-sept) avec dégustation : 7 € ; réduc ; gratuit

moins de 12 ans. La maison *Veuve Ambal* élabore des crémants depuis la fin du XIXe s. Un parcours didactique à travers le site de production, des films et un parcours dédié aux enfants. Intéressant et moins commercial que prévu.

La région par la terre

■ *Attelage Beaune Passion :* 26, route de Seurre. 🖥 06-87-60-08-29. ● *gilles_bardini@orange.fr* ● Découverte du vignoble en calèche tirée par 2 chevaux.
■ *Kick'n'Go :* départ du parc de la Bouzaize. 🖥 07-68-23-64-00. ● *contact@kickngo.fr* ●

Découverte du vignoble, des forêts et des villages pittoresques sur la route des grands crus en... trottinette électrique tout terrain et tous niveaux !
■ *Bourgogne Vélo Évasion :* départ du parc de la Bouzaize. ● *info@bourgogne-evasion.fr* ● Visite du vignoble à vélo.

La région par les airs

➢ *ULM et hélicoptère :* aérodrome de Beaune-Challanges, route de Seurre.

■ *Héli Travaux :* ☎ 03-80-22-30-67. ● *helitravaux.com* ● Vols 8-30 mn sur la base de 3 pers max. Survol en ULM de Beaune ou des Côtes de Beaune et de Nuits.

■ *Beaune Montgolfière :* 🖥 06-51-56-82-56. ● *beaune-montgolfiere.fr* ● Vol découverte, mais aussi vol à 2, de nuit, etc.

Fêtes et manifestations

– *Festival international du film policier :* fin mars-début avr. ☎ 03-80-24-58-51. ● *beaunefestivalpolicier.com* ● Transfuge de Cognac, sous l'égide de Claude Lelouch.
– *Scène d'été, côté cours, côté jardins :* juil-sept. Représentations théâtrales et spectacles de rue, « apéroésies », déambulation médiévale, garden-party Programmation musicale éclectique.
– *Festival international d'opéra baroque :* tt le mois de juil. ☎ 03-80-22-97-20. ● *festivalbeaune.com* ● Concerts des plus prestigieux ensembles mondiaux

ven-dim dans la cour des Hospices ou dans la collégiale Notre-Dame. Un pari gagné depuis 30 ans par une poignée d'amateurs fous de baroque réunis autour d'une Beaunoise étonnante, Anne Blanchard.

– **Ciné Rétro :** *tt le mois d'août, dans l'ancienne chapelle Saint-Étienne. Infos :* ☎ 03-80-24-90-57. Ici, on renoue avec l'épique époque des débuts du cinéma. Étonnant voyage dans les années 1920 !

– **Jazz à Beaune, festival jazz et grands vins de Bourgogne :** *sept-oct.* ☎ 09-64-38-82-97. ● *jazzabeaune.fr* ● Plus blues, swing et New Orleans que free jazz.

– **Vente aux enchères des vins des Hospices de Beaune :** *3ᵉ dim de nov.* Chaque cuvée est offerte par lots et sous la dénomination qui rappelle les donateurs. La vente des vins signale surtout les tendances du marché : reprise ou stagnation. Bon an mal an, elle rapporte aux Hospices une coquette somme.

– **Lumières à Beaune ! :** *du 21 juin aux Journées du patrimoine et lors des festivals.* ☎ 03-80-24-58-51. ● *beaune.fr* ● Créations visuelles dans des sites emblématiques de la ville sur l'histoire et le patrimoine de la cité, complétées par une visite audioguidée de Beaune, en téléchargeant des commentaires sur son téléphone portable.

– **Beaune Blues Boogie Festival :** *déc.* ☎ 03-80-24-88-94. ● *lacomedieduvin. com* ● La musique jazz des années 1940 dans les versions les plus festives et chaleureuses qui soient.

– **Festival Mômes et Merveilles :** *de mi-déc à mi-janv.* ☎ 03-80-24-56-78. Spectacles pour enfants.

LA CÔTE, DE BEAUNE À SANTENAY

Une Côte qui change d'atmosphère. D'austère, de cistercienne, elle devient clunisienne, dans l'esprit comme dans la forme. Est-ce à Puligny ou à Chassagne que la terre est « si rare, si précieuse que l'on prend soin de racler ses chaussures en quittant la vigne » (Jean-François Bazin) ? Si, de Dijon à Beaune, ce sont surtout des rouges qui ont marqué votre chemin vineux, de Beaune à Santenay sont rassemblés tous les grands blancs, du meursault au montrachet.

POMMARD   (21630)   600 hab.   *Carte Côte-d'Or, C4*

Un village de caractère ; même le donjon du XVIIᵉ s est carré, ce qui l'oppose à la traditionnelle élégance élevée du gothique et aux courbes douces du roman, plus familières en ces parages. Avant d'entrer dans le village, on croise la croix de Pommard ; elle marquait au Moyen Âge l'heureuse issue d'un passage à gué difficile. Pommard est connu dans le monde entier pour ses vins rouges puissants et charpentés, qui furent les préférés d'Henri IV et de Louis XV, pour ne citer que ces soiffards-là.

Où dormir ? Où manger ?

🏠 ●▮● **Hôtel du Pont :** *rue Marey-Monge.* ☎ 03-80-22-03-41. ● *hotelrestaurantdupont.fr* ● Double 76 €. 📶 Petit hôtel de village avec des chambres mignonnes et agréables qui bénéficient du cachet des vieilles bâtisses (poutres). Au rez-de-chaussée, un bistrot avec une terrasse qui enjambe un cours d'eau et où l'on peut manger simple et bourguignon.

|●| Restaurant Auprès du Clocher : *1, rue de Nackenheim.* ☎ *03-80-22-21-79. Tlj sf mar-mer. Menus 26 € (déj), puis 35 € (sf dim midi)-74 €.* Jean-Christophe Moutet (qui a servi le bon roi Lameloise pendant 11 ans) aime manifestement travailler dans les villages vignerons bourguignons. Après Mercurey, Meursault, Beaune et Chagny, on le retrouve enfin chez lui, à l'étage d'une vieille maison vigneronne, à 10 m du clocher du village. Vue panoramique, décor à la fois classique et moderne, tout comme la cuisine. Et superbe carte des vins (avec quelques introuvables).

Où déguster des douceurs ?

✿ **Appellation Chocolat :** *5, pl. de l'Europe.* ☎ *03-45-63-85-89.* ● *appellation-chocolat.fr* ● *Mar-sam 9h30-19h.* Incongrue, une chocolaterie au pays du vin ? Pas tant que ça quand on a le doigté et l'art des assemblages du couple Dessolins. Truffes colorées selon les saisons, sarments au marc de pommard, parfums bourguignons comme la moutarde, le cassis ou le pain d'épices Attendez-vous à une dégustation raffinée digne de ses illustres voisins.

À voir

🎭🎭 **Le château de Pommard :** *15, rue Marey-Monge.* ☎ *03-80-22-07-99.* ● *chateaudepommard.com* ● *Tlj 9h30-18h30 (17h30 de mi-nov à mars), dernier départ 1h avt fermeture. Fermé 25 déc et 1er janv. Entrée : 25 € ! Gratuit moins de 18 ans.* Il en impose, le célèbre château XVIIIe s posé au milieu des vignes qui s'étirent à perte de vue ! Vingt hectares qui produisent ce grand vin parmi les grands, dont le nom fait à lui seul frétiller les papilles des amateurs du monde entier. Si, depuis la cour d'honneur pavée où sont exposées deux sculptures de Dalí (*Saint Georges terrassant le dragon* et *La Licorne*), la perspective est si majestueuse, c'est en partie grâce aux Compagnons du Tour de France qui ont rénové le château pendant 3 ans. Le point d'orgue de la visite se passe évidemment en sous-sol : ce sont les caves somptueuses, où s'alignent quelque 300 000 bouteilles. Quatre vins en dégustation et vente à la clé, mais le Saint-Graal se paie plein pot ! La visite comprend aussi la cuisine et un petit musée du Vin, où on est passés vite fait. La galerie d'art expose chaque année d'intéressantes expos d'art contemporain.

VOLNAY (21190) 330 hab. *Carte Côte-d'Or, C4*

Pommard et Volnay, c'est un peu comme entre les O'Timmy et les O'Hara (relisez vos vieux *Lucky Luke* !), une querelle de clochers qui remonte à la nuit des temps et se prolonge jusqu'à Meursault : « Entre Pommard et Meursault, c'est toujours Volnay le plus haut. » Référence géographique à sa position dominante sur les coteaux du vignoble Même les vins sont frères ennemis, car les volnays, dont beaucoup de premiers crus sont célèbres, sont fins, délicats, féminins. Sinon, Volnay est un adorable village appuyé à flanc de coteau

– Élégance des Volnay : *dernier sam de juin.* ● *pascalbouley@wanadoo.fr* ● Fête et dégustations. Une personnalité féminine préside la journée devenant ambassadrice des vins de Volnay.

Où manger ?

|●| Le Cellier Volnaysien : 2, pl. de l'Église. ☎ 03-80-21-61-04. ● le.cellier.volnaysien@orange.fr ● Sam soir et ts les midis sf mer. Congés : 20 déc-11 janv. Formule déj en sem 19,90 €, repas 25-38,50 €. Apéritif maison offert sur présentation de ce guide. Un caveau avec de grandes tables en bois, cadre on ne peut plus rustico-bourguignon pour déguster les vins en direct de la propriété (château de Savigny-lès-Beaune) et d'autres, donc à prix accessibles. Avec quelques spécialités faciles à imaginer : coq à la lie, œufs en meurette

DANS LES ENVIRONS DE VOLNAY

� Monthelie : un des villages les plus typiques de la Côte de Beaune, bâti à flanc de coteau, avec ses ruelles étroites, sa belle église romane du XIIe s, son château aux toits colorés. De la D 73, en haut de la colline, remarquable panorama sur la région. Les grands vins rouges de Monthelie sont charpentés et acquièrent avec le temps un bouquet ample et harmonieux. Ses premiers crus se distinguent par leur élégance et leur finesse.
– Printemps de Monthelie : 3e w-e d'avr. 🖀 06-64-46-10-17.
Dégustation-vente de vin, animations et gastronomie.

🏌 Auxey-Duresses : ce paisible village de vignerons garde l'entrée d'un pittoresque vallon, placé autrefois sous la protection d'un camp romain. Église avec deux curiosités à ne pas manquer : le clocher orné de pyramidions et le retable du XVIe s. Vins blancs à découvrir et vins rouges ayant un air de famille avec ceux de Pommard ou de Volnay. La route continue vers les Hautes-Côtes. Revenir sur Meursault en cherchant à repérer dans les vignes ces maisons de vignerons authentiques que sont les cabottes.
– Coup d'œil, coup de cœur : caves ouvertes à Auxey-Duresses, 3e w-e d'oct. ☎ 03-80-21-21-05. ● coupdoeilauxey@wanadoo.fr ●

MEURSAULT   (21190)   1 620 hab.   Carte Côte-d'Or, B4

Rime avec « oh », la bouche s'arrondissant pour goûter d'avance les grands vins blancs, issus du chardonnay, aux saveurs de noisette et d'amande grillée ! À leur apogée, ils ont des saveurs de beurre et de miel Village prospère, agréable et tranquille, c'est un excellent point de chute pour qui veut sillonner le vignoble.
Et si vous avez l'impression de bien connaître la mairie avec ses tuiles vernissées, c'est que vous n'avez pas manqué les rediffusions de *La Grande Vadrouille,* le lieu ayant servi de siège à la kommandantur dans le film, ainsi qu'à la scène de l'Allemand qui louche.

Adresse utile

🛈 Office de tourisme : pl. de l'Hôtel-de-Ville. ☎ 03-80-21-25-90. ● beaune-tourisme.fr ● Juin-sept, lun-sam 9h30-12h30, 14h-18h30 (j. fériés 9h30-12h30) ; le reste de l'année, horaires plus restreints. Organise des visites guidées payantes du village (*La Grande Vadrouille à Meursault*) avec dégustation de juin à septembre.

Où dormir ? Où manger ?

Camping

⏷ *Camping La Grappe d'Or :* 2, route de Volnay. ☎ 03-80-21-22-48. ● info@camping-meursault.com ● camping-meursault.com ● ♿ À 400 m de la D 973 et 1 km de la D 974. 1er avr-15 oct. Forfaits tente 15,50-20 € selon saison. 130 empl. Mobile homes 4 pers 315-450 €/sem. 📶 (payant). Sur présentation de ce guide, une bouteille de chardonnay offerte pour 1 sem louée en mobile home. Un camping arboré, au cœur des vignobles, avec des emplacements en terrasses. Tennis, location de vélos. Piscine et bassin ludique (toboggan). Resto.

Prix moyens

🛏 |●| *Hôtel Les Arts :* 4, pl. de l'Hôtel-de-Ville. ☎ 03-80-21-20-28. ● hotel.restaurant.les.arts.meursault@ wanadoo.fr ● hotel-restaurant-les-arts.fr ● De mi-fév à mi-déc. Resto fermé lun-mar. Double 60 €. Formules 15-17 € ; menus 24-29 €. 📶 Une situation idéale fait de ce petit hôtel simple une bonne alternative pour visiter Meursault. Une dizaine de chambres avec télé, douche ou bains. L'ensemble est correct, propre et calme (quelques chambres derrière la petite cour). À table, dans la salle à manger rustique ou en terrasse sur la place, cuisine régionale bien balancée.

🛏 *Chambres d'hôtes chez Noël et Colette Chouet :* 4, rue du Moulin-Foulot (juste en face du château). ▤ 06-60-80-72-27. ● colettechouet@ wanadoo.fr ● domainechouet.com ● Double 77 €. 📶 Cette belle maison recouverte de glycine abrite 3 belles chambres à l'étage. 2 d'entre elles se partagent la salle de bains, pour une même famille seulement. Petit déj servi dans la spacieuse pièce à vivre, chaleureuse avec ses murs de pierre. Plein de tuyaux des proprios qui appartiennent à la plus ancienne famille de vignerons de la ville (18 générations !).

LA CÔTE-D'OR

À voir

🎎 *Le château de Meursault :* ☎ 03-80-26-22-75. ● chateau-meursault.com ● *En été, tlj visites à 10h30, 11h30, 14h, 15h, 16h et 17h ; en hiver, visite à 10h30, 14h et 16h en sem, plus 11h30, 15h et 17h le sam (plus restreint le dim). Entrée : 21 € (7 vins en dégustation).* Impossible de traverser le village sans évoquer ce château mythique entouré de 60 ha de vignes réparties sur une centaine de parcelles différentes. Moult premiers crus (meursault « Les Charmes », aloxe-corton, savigny-lès-beaune « Les Peuillets ») dont on vous vantera les qualités durant la dégustation, moment fébrilement attendu après une visite pour laquelle il est difficile de s'emballer complètement, compte tenu du prix. Selon l'affluence, la dégustation commentée est plus ou moins expédiée, mais on vous poussera systématiquement à l'achat N'empêche que les 3 500 m² de caves cisterciennes à double voûte (XIVe-XVIe s) où reposent des milliers de bouteilles sont vraiment exceptionnelles ! Et que la déambulation devant les œuvres de peinture contemporaine est plutôt plaisante.

🎎 *La léproserie :* admirez, en contrebas de la route lorsque vous arrivez par la D 974, le superbe portail roman de la léproserie, fondée au XIIe s par Hugues II, duc de Bourgogne, et restaurée en 2015.

🎎 *L'église Saint-Nicolas :* belle église du XVe s, qui était la chapelle du château féodal, actuel hôtel de ville. À la suite d'un incendie vers 1480, les abbés de Cluny la firent rebâtir, élevant une flèche octogonale de 57 m avec crochets et petits arcs-boutants. Bel édifice avec son portail principal, ses vitraux et sa Vierge à l'Enfant en pierre polychrome du XIVe s.

À faire

➤ *Le sentier des Buis :* un circuit familial de 11,5 km pour aller jusqu'à Monthelie entre forêts de pins et vignobles.

➤ *Le sentier Meursault-Blagny :* le site de Saint-Christophe domine le village et le vignoble (accès fléché). Une aire de pique-nique s'ouvre sur un panorama grandiose, à 180°, sur les vignes. C'est le point de départ d'une rando de 9 km balisée. Optez sinon pour *Meursault en famille,* un kit pour une découverte amusante du sentier botanique de Saint-Christophe *(30-45 mn ; 5 € le kit, auprès de l'office de tourisme).*

➤ *La voie des Vignes :* à vélo, un itinéraire idéal pour découvrir les premiers crus de Meursault.

Festival

– *Festival de musique de Bach à Bacchus :* *2de quinzaine de juil.* Un festival qui est aussi l'occasion de rencontres bien arrosées. Organisé par Yves Henry, pianiste de talent, il rassemble autour du piano amateurs de vin et amoureux du classique.

PULIGNY-MONTRACHET

(21190)   470 hab.   *Carte Côte-d'Or, B4*

Village de vins réputés dans le monde entier : montrachet, chevalier-montrachet, bâtard-montrachet, etc. Le vocable « bâtard » fait référence au Grand Bâtard Antoine, fils illégitime du duc Philippe le Bon, qui reçut en héritage certaines terres de ces villages. Un vin de roi, ça n'empêche, le plus grand vin blanc sec du monde, dit-on, et on n'est pas chauvin en Bourgogne (encore que le Montrachet, c'est le mont pelé, le mont chauve, donc) ! « Il faut le boire à genoux et la tête découverte », disait Alexandre Dumas, qui n'a pas vécu ici que d'amour et d'eau fraîche, manifestement Et attention, ne prononcez pas le « t » dans Montrachet, sacrilège !
Si Puligny produit presque exclusivement des vins blancs, avec de superbes « climats », Chassagne se partage entre blancs et rouges, avec un terroir qui se prolonge vers Santenay et évolue vers le pinot noir.

Où dormir ? Où manger ?

Chic

🏠 *Chambres d'hôtes Le Domaine des Anges :* pl. du Pasquier-de-la-Fontaine. ☎ 03-80-21-38-28. ● *domainedesanges@yahoo.fr* ● *domainedesangespuligny.com* ● *Congés : 15 déc-5 janv.* Doubles 90-140 €. Table d'hôtes sur demande 40 €. 📶 C'est dans cette maison de caractère située sur la paisible place du village que les propriétaires britanniques reçoivent leurs hôtes comme des amis, avec une gentillesse naturelle. Séjour cocooning en vue, dans ce havre de paix au confort 5 étoiles. Des chambres au charme *so British,* mariant élégamment pierres aux murs et poutres au plafond, avec des lits *king size* impeccables. Délicieux petit déj et dîners (dignes de grandes tables !) pris dans une salle à manger accueillante et fleurie.

Beaucoup plus chic

⌂ *Hôtel La Chouette :* 3 bis, rue des Creux-de-Chagny. ☎ 03-80-21-95-60. ● info@la-chouette.fr ● la-chouette.fr ● Congés : 26 nov-7 janv. Doubles 150-160 €, petit déj compris. Animaux non admis. 🛜 Sur présentation de ce guide, réduc de 10 % sur le prix de la chambre pour une résa en direct. Chambres confortables à souhait (certaines familiales, d'autres avec terrasse), cosy comme tout, dans cette grande maison bourguignonne à la lisière du village. Salles de bains spacieuses et modernes. Adresse idéale ouverte sur le vignoble, pour séjourner au calme, dans le beau jardin ou dans le salon classique, au coin du feu, près de l'apaisante bibliothèque.

⌂ |●| *La Maison d'Olivier Leflaive :* 10, pl. du Monument. ☎ 03-80-21-95-27. ● maison@olivier-leflaive.com ● olivier-leflaive.com ● 🍴 Resto tlj sf dim. Sur résa slt. Congés : 22 déc-début fév. Doubles 150-270 €. Menus 33-65 €, carte env 70 €. 🛜 Kir offert sur présentation de ce guide. Une idée originale, esprit « table de dégustation », qui permet de déjeuner à la bourguignonne en goûtant plusieurs vins du domaine. À conseiller aux amateurs voulant boire intelligemment ! Dégustations commentées autour d'un menu simple et unique. Également des chambres de charme si vous êtes converti.

SANTENAY (21590) 920 hab. *Carte Côte-d'Or, B4*

Sans trop insister sur les bienfaits de ses eaux thermales (l'ouverture d'un centre thermal est d'ailleurs en projet), connues depuis l'Antiquité, Santenay produit de remarquables vins et se situe à la croisée de pistes cyclables et voies pédestres, dont l'Eurovélo route. La voie verte, qui suit le tracé de l'ancienne voie ferrée, relie Santenay à Nolay (9 km).

Adresse et info utiles

🛈 *Office de tourisme :* gare SNCF. ☎ 03-80-20-63-15. ● beaune-tourisme.fr ● Juin-sept, tlj 9h30-12h30, 14h-18h30 ; fin mars-mai et oct, mar-sam ; nov-mars, les ap-m mar, jeu et sam. Location de vélos. Topoguides et circuits en vente à l'office. Vente de billets d'activités touristiques (patrimoine, caves, loisirs).

🚃 *TER* et correspondance avec le TGV à Montchanin. Pas de billetterie sur place ; le billet est en vente à bord du TER.

Où camper ? Où manger ?

⛺ *Camping des Sources :* av. des Sources. ☎ 03-80-20-66-55. ● camping-de-santenay@orange.fr ● aquadis-loisirs.com/camping-des-sources ● 🍴 À 2 km du centre-ville et de la gare SNCF (fléché). Pâques-Toussaint. Forfaits tente 15-18 €. Mobile homes 210-550 €/sem. 150 empl. Un must dans le genre, avec des emplacements spacieux, certains avec vue sur la montagne et les vignobles. Nombreuses voies vertes et pistes cyclables. Piscine et tennis extérieurs au camping, mais limitrophes (accès payants).

|●| *Le Terroir :* 19, pl. du Jet-d'Eau. ☎ 03-80-20-63-47. ● restaurant.le.terroir@wanadoo.fr ● 🍴 Tlj sf jeu et dim soir, plus mer soir hors saison. Congés : 10 déc-15 janv. Menus 22 € (déj)-42 €, carte 50-60 €. Café offert sur présentation de ce guide. Vous

apprécierez la cuisine d'un jeune chef plein de talent, d'audace et d'imagination. Une des belles tables qui réinventent le terroir régional. Plaisir assuré dès le 1er menu. Mais les amateurs ne manqueront pas la « fricassée du braconnier », aux escargots, puisqu'on est en Bourgogne. En été, profitez d'une belle salade sur la terrasse en bord de place Service agréable.

À voir

✗ L'église Saint-Jean-de-Narosse : *le w-e en été 15h-19h.* Église des XIIIe et XVe s. Porche roman, voûte gothique, belles statues de bois polychrome du XVe s (saint Martin, saint Roch) et une Vierge au dragon du XVIIe s.

✗ Le château : ☎ 03-80-20-61-87. ● *chateau-de-santenay.com* ● *Caveau et dégustation. Tlj avr-nov. Visite du chai et des caves sur rdv avr-nov, tlj sf mer à 10h30, 14h et 16h : env 8 €.* Majestueuse demeure seigneuriale des IXe, XIVe et XVIe s, qui appartenait jadis à Philippe le Hardi. Accès libre au parc.

✗ Le moulin Sorine : moulin à vent du XIXe s, retapé en 1995. Visite sur demande à l'office de tourisme.

✗ Le mont de Sène *(ou les Trois-Croix) :* ancien lieu de culte celte et romain. Panorama exceptionnel.

DES HAUTES-CÔTES À LA VALLÉE DE L'OUCHE

NOLAY   (21340)   1 560 hab.   *Carte Côte-d'Or, B4*

Aux confins de la Côte et des Hautes-Côtes, si dans ce paysage où paissent paisiblement les charolaises, où grimpent les vignes sans se presser non plus, surgit un clocher dentelé qui, au fur et à mesure de votre approche, s'enfonce au milieu de maisons hautes, c'est Nolay qui vous accueille.

Adresse utile

🛈 @ *Office de tourisme Beaune & Pays beaunois :* 13, av. de la République. ☎ 03-80-21-80-73. ● *beaune-tourisme.fr* ● *Juin-sept, lun-sam 9h30-12h30, 14h-18h30 ; le reste de l'année,* mar-sam et horaires plus restreints. Propose en saison des visites guidées de la ville (certaines en nocturne et théâtralisées, 5 €). Vente de billets d'activités touristiques (patrimoine, caves, loisirs).

Où dormir ? Où manger ?

Camping

⋏ **Camping Les Chaumes du Mont :** route de Couches. ☎ 09-67-26-37-55. 🖥 06-85-33-03-42. ● leschaumes dumont@orange.fr ● ⅋ En arrivant de Beaune, prendre la rue à gauche au niveau de l'hôtel de ville ; c'est à env 300 m du centre-ville. Avr-oct. Forfaits tente 9-15 € pour 2. Caravanes 84-105 €/sem. 70 empl. Un camping bien paisible à taille humaine : emplacements en terrasse, dans la verdure et au calme, au bord d'un plan d'eau. Baignade en été et 3 courts de tennis (payant). Restaurant (pizzeria, crêperie).

De bon marché à prix moyens

🏠 **Hôtel des Halles :** 6, pl. Monge. ☎ 03-80-21-76-37. ● contact@hotel-la-halle-nolay.com ● hotel-la-halle-nolay.com ● Dans le centre du vieux bourg, en face de l'église. Double 72 €. Cette maison ancienne située sur la place piétonne abrite d'adorables chambres pimpantes, auxquelles on accède par un escalier étroit. Elles affichent des tonalités gaies et sont amoureusement meublées à l'ancienne. Tout aussi adorable, la petite cour intérieure transformée en jardin où est servi le petit déj quand le soleil joue les invités. Accueil d'une vraie gentillesse.

|●| **Le Burgonde :** 8, pl. de l'Hôtel-de-Ville. ☎ 03-80-21-71-25. ● jean-noel.aprikian764@orange.f ● Tlj sf dim soir, mar soir-mer, plus lun soir hors saison. Plats du jour déj en sem 14-17 € ; menus à partir de 23,50 €. Une adresse rare qui fait le bonheur des gourmets de Nolay : un resto incontournable où les familles se retrouvent pour les petits et grands événements entre 2 déjeuners dominicaux. Une franche convivialité aussi appréciée des touristes. Dans l'assiette, une cuisine de terroir réussie. Service agréable.

|●| **Midupi :** 35, rue de la République. ☎ 09-80-39-95-35. Ouv mer soir-dim midi. Résa conseillée. Menus midi en sem 20-25 € ; menu-carte 36 € le soir. Une poignée de tables rondes bien espacées dans cet ancien bazar, des canapés en cuir au fond, et un duo sympathique : lui aux fourneaux, elle en salle, toujours élégante, et tous deux bien décidés à régaler d'une cuisine innovante. Le menu, qui offre peu de choix et ne permet pas de faire l'impasse sur l'entrée ou le dessert, change chaque semaine pour mettre en avant les produits de saison.

LA CÔTE-D'OR

À voir

🏛 **Le quartier ancien :** belles maisons à pans de bois et encorbellements, qui ont gardé la trace du blason des corporations qu'elles abritaient. L'église Saint-Martin, du XVe s, abrite quelques belles statues des XVe et XVIe s, et un amusant clocher en pierre qui a conservé ses sculptures originales. La pièce maîtresse du quartier, ce sont les halles, puissantes et sobres, qui s'animent depuis 1388 de marchés et de foires en tout genre (dont une, célèbre, à la brocante et aux antiquités, les week-ends de Pâques et du 15 août). Une charpente monumentale soutient le toit immense, à quatre pans, recouvert de laves bourguignonnes. Entre l'église et les halles, un petit bar sympa permet de se poser en terrasse et de profiter à plein de cette belle place harmonieuse. Quant à la petite chapelle Saint-Pierre (XVIe s), située sur la place du même nom, c'est la seule survivante parmi les 15 chapelles que Nolay possédait au Moyen Âge.

Fête

– **De Cep en Verre :** début août. Rens à l'office de tourisme. Nolay est en fête, une fête gourmande, culturelle, artisanale, ludique... Rallye pédestre dans les vignes, « paulée » (menu gastronomique).

LA CÔTE-D'OR

LA ROCHEPOT   (21340)   260 hab.   *Carte Côte-d'Or, B4*

Joli paysage de carte postale, avec le château-forteresse aux toits de tuiles vernissées accroché à son éperon rocheux. En contrebas, le village, riche de maisons anciennes où, çà et là, on reconnaît une arcade gothique empruntée au château lors d'une destruction partielle à la Révolution.

Où dormir ?

🏠 *Chambres d'hôtes La Pauline :* rue de l'Orme. ☎ 03-80-21-72-80. *Dans le village, monter vers le château et suivre le fléchage. Compter 65 € pour 2.* 2 chambres d'hôtes installées de chaque côté de la petite rue, dans d'anciennes maisons typiquement bourguignonnes. Le petit déj est servi dans une belle salle rustique avec cheminée et pierre jusqu'au sol. Lucienne et Marc Fouquerand sont des vignerons aux petits oignons pour leurs hôtes, et vous pourrez déguster hautes-côtes-de-beaune, aligoté, santenay 1er cru et un excellent volnay 1er cru Chanlins. Accueil chaleureux. Petite terrasse sympathique.

À voir

🎥🎥 *Le château :* 📱 06-59-55-55-07. ● *larochepot.com* ● *Fév, avr-juin et de sept à mi-nov, tlj sf mar 10h-17h. Mars et de mi-nov à déc, le w-e, vac scol de Noël et sur résa. Juil-août, tlj 10h-18h. Entrée : env 8 € ; réduc ; gratuit moins de 7 ans. Visite libre env 30 mn (visite guidée sur demande).* Avec ses toitures de tuiles vernissées et ses tours rondes et carrées, cette forteresse médiévale perchée sur son piton rocheux semble sortie d'un conte de fées bourguignon revu façon Disney. Ce que vous voyez est en fait la reconstitution fidèle et assez récente (elle a un siècle) d'un château fort du XVe s, ancienne demeure de la famille Pot, chevaliers de la Toison d'or et familiers de la cour des ducs de Bourgogne. Au XIXe s, le colonel Sadi Carnot, digne fils de son père, restaura le château d'après les plans du Moyen Âge, mobilisant, dit-on, les 600 habitants du village, au chômage technique pour cause de phylloxéra. Voir notamment la cour intérieure avec son jardin, son puits et sa terrasse, les trois chambres de la tour Marlot dont une chambre chinoise (lit de l'ancienne Chine, cadeau de l'impératrice Tseu Hi à Sadi Carnot), les chemins de ronde et la chapelle où se trouve l'exposition sur la reconstruction du château.

DANS LES ENVIRONS DE LA ROCHEPOT

🚶 *Baubigny, Orches, Évelle :* juste au nord, un semis de hameaux juchés au pied de superbes rochers ou à mi-pente dans un site plaisant. Idéal pour une randonnée du genre costaud. Au-dessus d'Orches, beau panorama bucolique pour un pique-nique improvisé.

🚶 *Le château de Corabœuf :* à **Ivry-en-Montagne**, à 11 km au nord par la D 906. ☎ 03-80-20-22-87. ● *chateaudecoraboeuf.com* ● *À la sortie d'Ivry, sur la route de Nolay. Pâques-oct. GRATUIT.* Bâtiments des XIIIe et XIXe s, granges fortifiées et pavillons forment un ensemble architectural original, caractéristique d'une maison forte féodale. Exposition sur l'histoire du château dans la salle voûtée du donjon à tourelles d'angle.

🏃 **Saint-Romain** (21190) : *à 6 km au nord.* Pittoresque village abrité par ses falaises et au-dessus, à 400 m, cirque naturel avec une vue à couper le souffle sur les villages en contrebas. Église du XVe s et ruines du château médiéval, qui servait de cellier fortifié aux ducs de Bourgogne.

🏠 |●| **Le Bistrot de Guillaume – Hôtel Les Roches :** *bas du village, pl. de la Mairie.* ☎ 03-80-21-21-63. ● lesroches.farrl@wanadoo.fr ● lebistrotguillaume.com ● Fermé mar-mer ; résa indispensable en basse saison. Congés : fêtes de fin d'année. Doubles 55-80 €. Menus 18 € (midi en sem)-29 €. 📶 Une auberge de campagne longtemps fief des marcheurs, qui est devenue une des bonnes petites tables du pays, le nom de Crotet aidant. Guillaume est le petit dernier d'une famille de restaurateurs célèbre par ici. Il a hérité de son paternel le goût pour une cuisine de pays qui ne triche pas, et de sa mère un caractère certain. Belles chambres, si l'on veut prolonger le séjour.

LA CÔTE-D'OR

LA VALLÉE DE L'OUCHE

Carte Côte-d'Or, B-C3-4

Cette adorable vallée forme un triangle entre Bligny-sur-Ouche au sud, flirtant avec les Hautes-Côtes déjà traversées précédemment, Sombernon au nord et les portes de Dijon (depuis l'A 38). On y longe le canal de Bourgogne sur sa partie la plus sinueuse. Il vous faudra rejoindre Pont-d'Ouche, village dominé depuis 1959 par l'incongru via-

MIOU-MIOU À LA BAILLE

C'est le long du canal de Bourgogne, dans la vallée de l'Ouche que Bertrand Blier tourna en 1974 la célébrissime scène des Valseuses *dans laquelle Depardieu et Dewaere décident de jeter à l'eau Miou-Miou... un peu trop agaçante à leur goût.*

duc de l'autoroute A 6. Le canal y passe au-dessus de l'Ouche, grâce à un pont, curiosité à ne pas manquer, d'autant qu'on peut se requinquer dans une guinguette que l'on aime bien. En remontant vers le nord, via La Bussière, à pied, à vélo ou en péniche, vous découvrirez les charmes de la vallée de l'Ouche. Et quelques adresses cachées qui font le bonheur des Dijonnais le week-end.

Adresse utile

🏢 **Office de tourisme de Bligny :** *21, pl. de l'Hôtel-de-Ville, à Bligny-sur-Ouche* (21360). ☎ 03-80-20-16-51. ● ot.blignysurouche@wanadoo.fr ● ot-cantondeblignysurouche.fr ● Avroct, mar-sam 9h30-12h30, 14h-18h, plus 9h-13h dim-lun et j. fériés maisept. 📶 Toutes les infos sur la partie sud de la vallée, sur terre comme dans les airs. Produits locaux.

🏢 Sinon Point Info à **Sombernon** (21540) pour les infos sur la partie nord de la vallée.

– **Marché :** mer mat à **Bligny** ; foire le 3e mer du mois.

Où dormir dans la vallée ?

Bon marché

🏠 **Ô Berges de l'Ouche :** *21410 Saint-Victor-sur-Ouche.* ☎ 03-45- 83-60-18. ● valleedelouche.com ● 🏕 Compter 21-23 €/pers la nuitée sans ou avec cuisine à disposition ; petit déj env 6 €. Entre AJ, chambre d'hôtes et gîte d'étape, cette grande baraque non dénuée de charme avec son solide balcon face à la végétation luxuriante est un lieu atypique dans sa gestion, son organisation. En fait, on y loge à la carte ! Jolies chambres avec salle de bains pour 1 à 6 personnes. Et les prestations s'adaptent aussi à vos besoins : avec ou sans draps, avec ou sans petit déj... pour court, moyen et plus long séjour. Une adresse idéale pour les familles, les cyclistes et même les cavaliers (prés pour les chevaux).

Prix moyens

🛏 I●I *Ferme du Pigeonnier :* 21360 *Montceau-Écharnant.* ☎ 03-80-20-23-23. ● *contact@ferme-du-pigeonnier.fr* ● *ferme-du-pigeonnier.fr* ● *Face à l'église. Compter 68 € pour 2 ; familiale ; dégressif. Table d'hôtes 25 €.* 📶 *Remise de 10 % sur le prix de la chambre à partir de 4 nuits, sur présentation de ce guide.* On élève ici non pas des pigeons mais des charolaises et – rien à voir – on produit du fromage de chèvre. La maison a de l'allure, les 3 chambres à la ferme sont spacieuses, toutes carrelées et fonctionnelles, donnant sur un jardinet pour 2 d'entre elles.

🛏 *Chambres d'hôtes L'Escarboucle :* 2, pl. du 11-Novembre-1918, 21360 *Bligny-sur-Ouche.* ☎ 03-80-20-02-62. ● *contact@escarboucle-maisondhotes. fr* ● *escarboucle-maisondhotes.fr* ● *Doubles 80-110 €.* Cette élégante demeure de bourg en pierres de taille abrite un havre de paix inventé par Jean-Philippe et Yann. Aux murs de 3 des 4 chambres, des repros XXL de tableaux évoquant « une femme et son bijou ». Cet écrin raffiné se prolonge jusqu'à l'Ouche qui coule des jours heureux au fond du jardin plein de couleurs et sur les bords duquel vous mettrez peut-être la main sur la mystérieuse escarboucle.

Plus chic

🛏 *Chambres d'hôtes La Saura :* route de Beaune, 21360 *Lusigny-sur-Ouche.* ☎ 03-80-20-17-46. 📱 06-81-29-57-42. ● *la-saura@wanadoo.fr* ● *la-saura.com* ● *Juste au sud de Bligny. Doubles 125-145 €, dégressif.* 📶 *Jolie* propriété bourgeoise avec une grande pelouse devant, une piscine en contrebas et les toits et le clocher du village en fond de tableau. La source *(la saura)* de l'Ouche n'est qu'à deux pas. Un écrin privilégié pour des chambres spacieuses, pleines de charme, chacune avec sa personnalité. Les pierres d'origine (XVIIIe-XIXe s) ont été mises en valeur, traduisant l'âme rustique et sereine des lieux.

Où manger dans la vallée ?

Bon marché

I●I *Le Bistrot du Port :* Pont-d'Ouche *(21410), à 2 km de Thorey-sur-Ouche.* 📱 06-80-02-17-38. ● *port.booking@ gmail.com* ● *bistrotduport.weebly. com* ● ♿ *De mi-avr à début oct. En saison, ouv le midi, plus le soir mer-dim ; hors saison, ouv le midi slt sf mar. Salades et plats 10-15 €, et des pizzas. Café offert sur présentation de ce guide.* Ce bistrot-épicerie-bar a tout pour plaire, en bord de canal avec de vénérables péniches pour faire la causette. Accueil jovial de Sonya, qui propose une carte toute simple, toute fraîche avec des desserts pas en reste.

Concerts en saison. Le mignon pont-canal à proximité en voit passer du monde l'été, entre cyclistes, plaisanciers et randonneurs.

I●I *L'Ouche Gourmande :* 1, pl. de la Mairie, 21410 *Barbirey-sur-Ouche.* ☎ 03-80-43-24-79. 📱 06-23-48-61-26. *Juste en face des jardins. Ouv le midi sf mer, plus le soir ven-sam. Menu env 14 € (déj en sem), plats 7-16 €.* Intérieur gris à la mode du moment ou terrasse sur la place du village pour une cuisine traditionnelle de bonne facture, juste en face des fameux jardins de Barbirey. Une halte agréable dans cette vallée décidément riche en (bonnes) surprises.

De chic à plus chic

|●| O P'tit Repère du Goût : 8, rue des Vieilles-Carrières, 21410 **Fleurey-sur-Ouche.** ☎ 03-80-41-30-92. En marge de la D 905, entre Dijon et Sainte-Marie-sur-Ouche. Congés : 1 sem en fév, 2 sem début août et 1 sem en nov. Tlj sf lun, mer soir et dim soir. Menu du marché 13,90 €, plats 16-24 €, carte env 35-45 €. Apéritif offert sur présentation de ce guide. Au bord du canal, un de ces restos qui font le bonheur des marins d'eau douce de passage en quête d'authenticité. Un chef assez adroit pour avoir su réinventer des classiques comme le chausson d'escargots à la crème d'ail ou le burger de charolais. Le tout servi dans une salle lumineuse et moderne ou dans une véranda spacieuse. Pour la balade digestive, aller voir l'ancien lavoir, situé au bord de l'Ouche.

|●| La Ferme de la Ruchotte : La Ruchotte, 21360 **Bligny-sur-Ouche.** ☎ 03-80-20-04-79. ● auberge@laruchotte.com ● À 4 km du centre-ville, par la route qui monte en longeant l'église ; suivre le fléchage ensuite. Repas slt sur résa, mar et ven-dim midi. Menu unique 50 € ; vins (bio) en supplément. Une ferme-auberge travaillant des produits bio, produits sur place ou locaux. Surtout, le fermier est un chef, un vrai. C'est un maniaque de l'excellence, des races et des variétés anciennes. Ses bêtes sont élevées dans les règles de l'art, puis rôties ou cuisinées avec tout autant d'amour et de sérieux. Et c'est à une vraie fête qu'il nous convie dans sa jolie salle à manger... Un coup de cœur qui a cependant son prix !

≜ Bistrot des Moines et 1131 : abbaye de la Bussière, D 33, 21360 **La Bussière-sur-Ouche.** ☎ 03-80-49-02-29. ● info@abbayedelabussiere.fr ● 2 tables au choix, selon son budget. Au Bistrot des Moines (le midi lun-sam et le soir lun-mar), menus 29-38 € pour une cuisine de marché, raffinée et un brin canaille. Au 1131 (mer-dim soir), on change de registre avec des menus à... 98-125 €. Tout cela servi dans le cadre exceptionnel d'une ancienne abbaye cistercienne entre élégantes colonnades, galeries ouvragées et douce lumière des vitraux. Atmosphère un peu surréelle et feutrée, digne d'un château écossais transplanté en Bourgogne.

À voir. À faire

⚸ Les sources de l'Ouche : Lusigny-sur-Ouche (21360). Remontez jusqu'aux sources de l'Ouche par un chemin bucolique dans ce joli village de pierre avec des petits ponts qui enjambent le ruisseau et pas un hideux fil électrique pour dénaturer le site. Un vrai décor de film ! La Vierge noire, sur le flanc de la colline, est restée un lieu de pèlerinage fréquenté.

⚸ L'église Saint-Germain-d'Auxerre : Bligny-sur-Ouche (21360). Belle église à clocher roman, autrefois située dans l'enceinte d'un château fort détruit au XVe s.

⚸ ⚐ Le musée Papotte – Artisanat et vie rurale : 7, rue du Moulin-Papotte, **Bligny-sur-Ouche** (21360). ☎ 03-80-20-12-71. Mai-juin et sept, dim et j. fériés 14h30-18h ; juil-août, tlj 14h30-18h. Entrée : 4 € ; réduc. Un musée sur l'artisanat et la vie rurale animé par de passionnés (et passionnants) bénévoles. Formidable exposition d'outils en état de fonctionnement. On y a par exemple découvert un miroir aux alouettes (eh oui, cela existe !). Sont également reconstitués l'intérieur d'une modeste maison de ferme ainsi qu'une véritable salle de classe du XIXe s. Démonstration de métier à tisser.

⚸⚸ Le chemin de fer touristique de la vallée de l'Ouche : Bligny-sur-Ouche (21360). ☎ 03-80-20-17-92. ▯ 06-30-01-48-29. ● chemindefervalleedelouche. blogspot.com ● Au départ de l'ancienne gare de Bligny. Juil-août, tlj ; mai-juin et sept, slt dim et j. fériés. A/R : env 9 € ; enfant 3-10 ans env 3 €. Montez à bord d'un tortillard d'autrefois pour une promenade de 1h30 aller-retour le long de la vallée jusqu'à Pont-d'Ouche. On se laisse bercer au rythme du petit train filant à la vitesse de 25 km/h à peine, entre forêts et prairies.

🛪🛪 **Les jardins de Barbirey :** *Barbirey-sur-Ouche* (21410). ☎ 03-80-49-08-81. ● jardinsdebarbirey.com ● ⚓ *Mai et sept-oct, w-e et j. fériés 14h-18h ; juin-août, tlj sf lun 14h-19h. Entrée : 6 € ; réduc. Compter 2h.* Visite des jardins privés, classés « Jardin remarquable » de ce château qui ne se visite pas. Les terrasses de l'ancien potager à la française ont été restituées avec leurs parterres cernés de buis et leurs bassins. Côté parc, d'inspiration plus à l'anglaise malgré les topiaires, le cheminement en 4 circuits parmi les 8 ha se fait sous des arbres séculaires, contourne l'étang et la rivière et traverse le bois pour rejoindre le verger. Dans la prairie se succèdent, au fil des saisons, anémones, pervenches, géraniums, ancolies et autres colchiques... Le domaine accueille des manifestations autour des plantes et ouvre aussi ses portes à un festival branché de création de spectacles vivants, « Entre cour et jardins ».

🏠 Possibilité de passer une nuit dans ce cadre magnifique : plusieurs chambres d'hôtes au château (● resabarbirey@gmail.com ●, 110-140 €), quand elles ne sont pas réservées pour des mariages. Quel bonheur quand on ouvre les volets !

🛪 🏃 **Le château de Mâlain** (21410) **et les fouilles gallo-romaines :** *au nord de l'A 38, en retournant sur Pont-de-Pany et la vallée de l'Ouche.* Bénévoles et habitants fouillent et remontent patiemment les vestiges du château surplombant le village. Il est vrai qu'il a fière allure, de loin comme de près ! Ils y ont aménagé un jardin de fleurs et de légumes. *Visite possible : de mi-avr à oct, w-e 14h-18h (19h en août, tlj en juil). Entrée : env 3 € ; réduc. Visites guidées sur rdv.* ☎ 03-80-23-66-08. ● malaingam@laposte.net ● gam.malain.fr ● Un autre chantier, à l'entrée du village, a permis de retrouver dans un état exceptionnel tout un quartier de *Mediolanum,* l'ancienne cité gallo-romaine. Pour découvrir les trésors déterrés, il faut se rendre au musée *(ouv en juil, tlj 14h-18h),* dans le village ou au musée archéologique de Dijon.

🛪 *Sillonner l'Arrière-Côte :* entre le canal de Bourgogne et l'axe Dijon-Beaune, accessible de la plupart des villages de la vallée, en se laissant guider par son instinct plutôt que par les panneaux. Si vous craignez vraiment de vous perdre, au milieu des champs de moutarde, mieux vaut suivre toujours la D 33, remonter jusqu'à Pont-de-Pany, d'où il faut prendre cette fois la direction d'Urcy ; la petite route longe le canal de Bourgogne.

Plus haut, sur le plateau, la nature est restée très sauvage, ouvrant sur d'immenses panoramas d'une beauté grave et sereine. Des forêts apaisantes, des prés qui invitent à se dégourdir les jambes, un relief tourmenté mais pas speed pour autant : vous êtes arrivé dans un pays qui n'existe que dans la mémoire des gens du coin, l'Arrière-Côte, terme plus vrai, plus évocateur que celui de Hautes-Côtes, qui l'a pourtant remplacé aujourd'hui sur les cartes (voir précédemment la partie sur les Hautes-Côtes de Nuits).

🛪 Une halte s'impose, avant Urcy, devant le *château de Montculot* pour rêver comme Lamartine qui venait s'y « enivrer de solitude ». Le poète, venu s'y réfugier après la mort de Julie, passait ses journées à lire les vieux livres de la bibliothèque en faisant la grasse matinée au fond de son lit. Il y composa une partie des *Méditations poétiques,* entre deux promenades à pied ou à cheval. Le château actuel, qui date du XVIIIe s, ne respire pas la joie de vivre. Pas de visite.

🛪 Jolies petites routes peu fréquentées pour redescendre dans la vallée. De La Bussière-sur-Ouche, une autre jolie route, souvent empruntée par des cyclistes et des randonneurs, mène, à travers bois et champs, jusqu'à Châteauneuf-en-Auxois.

Fête et manifestation

– **Saint-Sébastien :** *3e sam de janv.* Une fête moins médiatisée que la Saint-Vincent, qui se déroule la semaine suivante dans un des villages de la Côte. L'ancien et le nouveau bâtonnier distribuent aux familles des « michottes », petits pains symbolisant l'entraide sur laquelle est fondée cette confrérie.
– **Festival Bligny Imitation** (FBI) **:** *en avr.* Comme son nom l'indique, le rendez-vous des imitateurs...

ARNAY-LE-DUC (21230) 1 830 hab. *Carte Côte d'Or, B4*

Au croisement de la D 906 et de la D 981, Arnay-le-Duc constitue l'une des portes du Morvan. On peut imaginer le bourg qui s'est formé, au Xe s, sous la protection du château féodal de la Motte-Forte, en se promenant dans les environs immédiats de la tour du même nom, où se tiennent chaque été des expos. Devenir simple chef-lieu de canton n'a pas dû être chose facile à supporter pour cette cité fortifiée qui, depuis 1342, pour avoir appartenu au domaine ducal, s'appelle Arnay-le-Duc. Pendant près de 500 ans, elle fut le chef-lieu d'un baillage important, comme en témoignent les belles demeures bourgeoises, résidences de nombreux gentilshommes... La ville est aussi le siège de la confrérie de la poule au pot, destinée à promouvoir le pays d'Arnay et ses richesses gastronomiques. Quel rapport entre la poule, le pot et le roi ? Lors des guerres de Religion, le jeune prince de Navarre – le futur Henri IV – participa à la bataille d'Arnay en 1570. Vainqueur de 12 000 catholiques, avec seulement 4 000 protestants, il s'installa en ville et fit ripaille. Quant à la poule au pot, vous connaissez...

Adresse utile

🏢 **Office de tourisme :** 6, pl. Bonaventure-des-Périers. ☎ 03-80-90-07-55. ● *arnay-le-duc.com* ● *Tlj sf dim, plus lun nov-avr. Juil-août, tlj sf dim.* Visites « gourmandes », jeu de piste pour les enfants (livret gratuit, « Arnay à la loupe »), visites commentées de la ville sur demande, expo. Infos sur les nombreuses randos dans le coin.

Où dormir ? Où manger ?

⚑ **Camping de l'Étang de Fouché :** rue du 8-Mai-1945. ☎ 03-80-90-02-23. ● *info@campingfouche.com* ● *campingfouche.com* ● 🏕 *À 500 m du centre-ville. Avr à mi-oct.* Forfaits tente pour 2, 15-25 €. 209 empl. Mobile homes et chalets 4-6 pers, 219-756 €/sem. Ombragé, avec des emplacements séparés par des haies. Nombreuses activités : location de vélos, baignade surveillée dans l'étang (aires de pique-nique, plage, toboggan et parcours de santé), belle piscine, jeux, pêche, etc. Épicerie, snack et resto.
🏠 ▮●▮ **Chez Camille :** 1, pl. Édouard-Herriot. ☎ 03-80-90-01-38. ● *chez-camille@orange.fr* ● *chez-camille. fr* ● *Au centre du bourg, sur la D 981. Double 90 € ; familiale. Menus 25 € (lun-sam le midi)-49 €.* Nombreux forfaits, notamment pour les moins de 12 ans ! 🛜 Au pied de la vieille ville, c'est une auberge presque mythique

de la nationale 6, à la mode d'autrefois avec ses volets bleus. Sous une grande verrière avec plantes et fauteuils en osier, un décor de place du village a été recréé ! Intéressant rapport qualité-prix dès le 1er menu. Également des chambres confortables, dans un esprit vieille France, nettement moins chères dans l'annexe, l'*Hôtel Clair de Lune.*

I●I *Le Café du Nord :* 12, pl. Bonaventure-des-Périers. ☎ 03-80-64-10-50. ● cafedunord.eu ● Près de l'office de tourisme. Congés : 15-28 fév et 2 sem fin oct. Tlj en juil-août ; hors saison, le midi sf mer, plus le soir ven-sam. Menu 24 €, carte 28 €. Apéritif offert sur présentation de ce guide. Cet ancien café du XVIIIe s a retrouvé le sourire depuis quelques années et a conservé sa délicieuse déco d'antan. Brasserie, salon de thé, lieu d'expos, concerts, ciné, théâtre, vente de produits régionaux... Les vieux murs ne devaient pas s'attendre à un tel programme !

Où dormir dans les environs ?

🛏 *Le Domaine des Prés Verts Spa :* 10-12, impasse des Prés-Verts, hameau de Pochey, 21230 **Jouey.** ☎ 03-45-44-05-60. ● info@domainedespresverts.com ● domainedespresverts.com ● À 8 km au nordouest d'Arnay-le-Duc par la D 906 ; dépasser Jouey, c'est 2 km plus loin. Doubles à partir de 140 €, cabanes à partir de 220 € ; petit déj 17 €. ☏ En rase campagne, à plusieurs kilomètres du premier commerce, les Robinson romantiques choisiront la roulotte luxe avec spa privatif (*Le Refuge*) ou la cabane spa luxe perchée à 7 m (*La Réserve*). De vrais nids douillets et un équipement au top dans ce boutique-hôtel insolite, unique en son genre. Les chambres aménagées dans l'ancienne étable (*Le Logis*) sont plus abordables, et l'une d'elles peut loger jusqu'à 6 personnes. Grande pelouse avec sauna, hammam et cabine de massage. En prime, location de 2 CV et vélos électriques.

À voir

🏃 *La vieille ville :* après avoir visité l'église Saint-Laurent (jeu-visite à disposition à l'office de tourisme), prenez le temps d'admirer les anciennes maisons à arcades et colombages de la rue Saint-Honoré et les belles maisons anciennes de la rue des Trois-Tourelles. Sans oublier le château des princes de Condé (il ne se visite pas). Quoi que vous fassiez, vous vous retrouverez place Bonaventure-des-Périers (poète contemporain de Clément Marot). Admirez-y la maison Bourgogne, édifice Renaissance du XVIe s abritant l'office de tourisme. À proximité, une surprenante galerie d'arts primitifs. La tour médiévale constitue le seul vestige de l'ancien château fort de la Motte-Forte.

🏃 *La Maison régionale des arts de la table :* 15, rue Saint-Jacques. ☎ 03-80-90-11-59. ● musee-artsdelatable.fr ● De mi-avr au 11 nov, tlj 10h-12h, 14h-18h. Entrée : 6 € ; gratuit moins de 8 ans. Dans une superbe bâtisse du XVIIe s (l'ancien hospice Saint-Pierre), la maison régionale ouvre ses portes pour une expo annuelle de plus de 7 mois autour des éléments essentiels de l'art de vivre : arts de la table, alimentation, gastronomie et gourmandise. Profitez de l'expo pour admirer l'ancienne cuisine (collection d'étains et de faïences), la chapelle et le jardin.

🏃 *La petite maison de la RN 6 :* 9, rue de la Gare, site de la Barive. ☎ 03-80-64-37-09. ▣ 06-14-51-23-42. En sortie de ville. Avr-sept, mer et ven-dim 10h-18h. Entrée : 1 €. Pour les nostalgiques de la fameuse route des vacances Paris-Lyon qui traverse la ville, petit musée installé dans une ancienne maison de garde-barrière.

Manifestations

– **Cyclosportive Claudio-Chiappucci :** *début juin.* ● cyclo-claudiochiappucci.fr ●
3 parcours ouverts à tous, en présence de Claudio Chiappucci, ancien coureur
cycliste connu. Le vainqueur gagne son poids en vin de Bourgogne...
– **Nocturnes estivales :** *juil-août, certains jeu soir.* Ambiance festive et musicale,
restauration en plein air, producteurs régionaux et artisanat dans le centre-ville.

LE SUD DE L'AUXOIS

LA CÔTE-D'OR

C'est tout l'Auxois, nord et sud, qui est classé « Pays d'art et d'histoire »,
avec Châteauneuf en épicentre... Et c'est à Commarin, village tranquille, que
vécut l'écrivain bourguignon Henri Vincenot, où il écrivit, entre autres, *La
Billebaude* et *Le Pape des escargots.* Henri Vincenot est l'homme qui donna
aux Bourguignons, par-delà le folklore de sa tenue et de ses propos, une
conscience autant que des racines. À commencer par les règles et les bases
d'un vrai repas : le lard, le vin, la crème, épaisse, onctueuse... et la conversation ! « Il faut manger en compagnie (la famille, les amis sont la meilleure)
et jaser ! »
– Le programme des visites ludiques à effectuer en famille et des ateliers du patrimoine est disponible dans les offices de tourisme du secteur ou sur le site ● pays-
auxois.com ●

CHÂTEAUNEUF   (21320)   80 hab.   *Carte Côte-d'Or, B3*

Classé « Plus beau village de France », il l'est notamment le soir quand son
château est tout illuminé, au-dessus des plaines environnantes. Paysage
magnifique et carte de visite pour tout l'Auxois. Comment résister à la vue de
ce splendide nid d'aigle, souvent photographié avec le canal et un bateau au
premier plan ? Châteauneuf plaît tellement aux étrangers qu'ils ont racheté
bon nombre des vieilles maisons médiévales, ce qui crée, l'été, une atmosphère assez originale. Très pittoresque, avec son château médiéval, ses
halles, sa promenade et son église du XVe s, devant laquelle on peut jouir d'un
superbe panorama sur l'Auxois. Difficile, l'été, d'échapper au bain de foule,
entre les marchés, les brocantes, les fêtes de tout poil...

Où dormir ? Où manger dans le coin ?

Camping

⚠ **Le Lac de Panthier :** *1, chemin
du Lac, sur la D 977 bis, 21320 **Vandenesse-en-Auxois**.* ☎ 03-80-49-21-
94. ● info@lac-de-panthier.com ● lac-
de-panthier.com ● ⚑ À 2,5 km. Début
avr-début oct. Forfaits tente pour 2
avec voiture et électricité 19-28 €
selon saison. Chalets et mobile homes
46-120 €/nuit pour 4-6 pers. 🛜 Camping de grand confort (c'est un 4-étoi-
les avec piscine, sauna, resto dominant le lac, épicerie...), calme et bien

ombragé, entre l'orée de la forêt et une petite rivière, à deux pas du lac. Les emplacements les plus recherchés... mais les moins intimes sont d'ailleurs situés face au lac. Location de vélos.

Prix moyens

🛏 **Hostellerie du Château :** *à gauche du château, dans le village.* ☎ *03-80-49-22-00.* ● *contact@hostellerie-de-chateauneuf.com* ● *hostellerie-de-cha teauneuf.com* ● *Hôtel fermé mar-mer hors saison. Congés : de mi-déc à mi-janv. Doubles 65-80 €.* 🛜 *Café offert sur présentation de ce guide.* Cet hôtel est situé dans le cœur historique de ce minuscule village médiéval. Très confortable, il reste une étape tranquille et agréable. Chambres toutes simples et de taille variable, rénovées, certaines avec vue sur le château. Resto de bonne tenue avec ses terrasses. Choisissez la plus petite, avec ses tables donnant sur le château féerique le soir quand il est illuminé. Grillades cuites au feu de cheminée.

🛏 **Chambres d'hôtes chez Annie Bagatelle :** *rue des Moutons.* ☎ *03-80-49-21-00.* ● *jean-michel. bagatelle@wanadoo.fr* ● *chezbaga telle.fr* ● *Au cœur du village. Compter 70-80 € pour 2.* 🛜 Par une ruelle, on accède à cette ancienne bergerie avec cour intérieure. 4 chambres charmantes avec jolie cheminée ou lit en mezzanine pour les familles ! Gâteau, miel et confitures maison au petit déj.

🍽 **Auberge du Marronnier :** *pl. du Marché.* ☎ *03-80-49-21-91. Fermé les soirs lun-jeu en basse saison. Congés : de mi-nov à mi-déc et de début janv à mi-fév. Menus 14,50-30 €.* Café offert sur présentation de ce guide. Salle d'auberge de campagne et, quand le temps le permet, charmante terrasse sur la place du village. Inévitablement un peu touristique, mais le service a le sourire, et la cuisine, d'une stricte orthodoxie bourguignonne, un certain allant. Honorables plats du jour, viandes charolaises ou jambon persillé, à arroser à l'heure de l'apéro d'un verre de petit blanc de l'Auxois. Que de bons souvenirs ! Il faut dire que l'accueil, extra, y fait beaucoup...

Plus chic

🛏 🍽 **Château de Sainte Sabine :** *8, route de Semur, 21320 **Sainte-Sabine**.* ☎ *03-80-49-22-01.* ● *info@ saintesabine.com* ● *saintesabine. com* ● *À quelques km au sud. Resto fermé mer midi en saison, lun-mar hors saison. Congés : janv-fév. Doubles 115-250 €. Menus 26 € (déj en sem), puis 45-59 € ; carte 60-80 €.* 🛜 *Apéritif maison offert sur présentation de ce guide.* Le château, de fort belle allure, domine la vallée et offre un panorama à couper le souffle sur la forêt et, à l'horizon, la cité médiévale de Châteauneuf. Modernes, lumineuses et ultra confortables, les chambres s'ouvrent sur une campagne verdoyante. Belles salles de bains avec pierre de Bourgogne. Depuis le resto très réputé et la terrasse, une vue dont on ne se lasse pas sur le parc et l'étang. Parc animalier de 8 ha où gambadent daims et paons. Bref, la grande classe pour un séjour en apesanteur.

À voir

🎭🎭 **Le château :** ☎ *03-80-49-21-89.* ● *bourgognefranchecomte.fr/chateau neuf* ● *Tlj sf lun et certains j. fériés 10h-12h30, 14h-17h45 (ouvre à 9h30 et ferme à 18h45 de mi-mai à mi-sept). Visite guidée de 45 mn (incluse et optionnelle, selon affluence). Dernière entrée 17h en hiver, 18h en été et fermé 12h-14h. Entrée : env 5 € ; réduc ; gratuit le 1er dim du mois oct-avr. Nombreuses animations (ateliers enfants mer ap-m en été, concerts, spectacles, visites théâtralisées...).* La curiosité principale de Châteauneuf reste son château médiéval, avec ses cinq tours, construit au XIIe s par Jean de Chaudenay et offert plus tard par Philippe le Bon à son fidèle conseiller Philippe Pot, dont le macabre tombeau avec huit pleurants a été reconstitué dans la chapelle (l'original se trouve au Louvres). Ce spécimen si bien conservé de l'architecture militaire bourguignonne au XVe s servit de lieu de tournage au *Jeanne d'Arc* de Rivette en 1993.

On peut flâner dans la cour, découvrir l'histoire du château dans le **centre d'interprétation,** scruter l'horizon depuis la salle à manger (celle avec maquette), avant d'aller admirer la cheminée de la grande salle et la chapelle décorée de belles peintures murales (XVe s). Viennent ensuite les différents appartements dans une douce odeur d'encaustique, passant du Moyen Âge aux XVIe, XVIIe et XVIIIe s. La lumière entre enfin et les tapisseries sur les murs ont fait place à la toile de Jouy.

Manifestation

– **Marché médiéval :** *un w-e de juil, les années paires.* Les rues exhalent les épices, les confitures au miel et le fumet des rôtis. Du four à pain sortent boules dorées et tartes, tandis que sur la place, bœufs, cochons et moutons grillent devant vous.

DANS LES ENVIRONS DE CHÂTEAUNEUF

Prenez la petite route qui, de virage en virage, vous mène de l'autre côté du canal de Bourgogne, à Vandenesse-en-Auxois. Promenade conseillée le long du canal ou sur les sentiers balisés pour atteindre un très beau panorama sur le lac de Panthier et Commarin, village tranquille où vécut l'écrivain bourguignon Henri Vincenot.

🍴🏰 *Le château de Commarin :* 21320. ☎ 03-80-49-23-67. ● commarin.com ● *À 6 km au nord. Avr-Toussaint, tlj 10h-18h (19h juil-août). Visite slt guidée des appartements (1h). Visite libre du parc tte l'année, en continu vac d'été, ponts et dim. Entrée : env 8 €, extérieur slt env 3 € ; réduc. Boutique de produits régionaux.* Ce village tranquille possède l'un des plus beaux châteaux de la région, tout en mesure et équilibre : deux grandes grilles, de longues allées, des pièces d'eau, un beau parc à l'anglaise de 35 ha (pas fleuri, autant le savoir), des douves, des écuries classées du XVIIIe s, de vastes cuisines avec un piano géant du XIXe s... L'ensemble a une gueule terrible. Même s'il est bien antérieur, c'est à partir du XVIIe s qu'il s'éveilla vraiment, avec Marie-Judith de Vienne qui aménagea l'intérieur avec goût. Depuis, rien n'a changé : décoration et mobilier sont intacts, à l'image des exceptionnelles tapisseries héraldiques du XVIe s.

La particularité de ce château vient de la famille de Vogüé, qui en est propriétaire depuis des siècles. Pendant la Révolution, l'aïeul était tellement aimé qu'il fut protégé jour et nuit par ses paysans armés de fourches et de faux. Ce fut l'un des rares nobles rescapés de la région. Aujourd'hui, c'est toujours un Vogüé qui gère et entretient le château familial. Il y habite avec sa famille.

À noter que c'est à Commarin que vécut l'écrivain Henri Vincenot, chantre du terroir et de la région du canal de Bourgogne. Mais sa maison est fermée, seule une plaque évoque sa mémoire.

– Possibilité de pique-niquer dans le parc et petite terrasse face au château où l'on peut déguster produits régionaux et boissons (vin du château !). Idéal pour un casse-croûte avec la plus belle vue que l'on puisse imaginer !

POUILLY-EN-AUXOIS

(21320)   1 625 hab.   *Carte Côte-d'Or, B3*

Le plus intéressant à Pouilly, c'est ce qu'on ne voit pas en traversant cette bourgade commerçante où se croisent les usagers de l'autoroute et les

vacanciers qui se promènent sur le canal de Bourgogne : sa célèbre voûte de 3 333 m (ici, on ne parle pas de tunnel) qui unit la Seine et le Rhône, empruntée depuis 1832 par le canal de Bourgogne avant de resurgir à l'air libre. Repérer la verrière moderne réalisée par l'architecte japonais Shigeru Ban.

ENTRE TROIS EAUX

À Pouilly-en-Auxois, vous êtes arrivé, mine de rien, sur le toit du monde occidental. Incroyable ligne de partage des eaux, où le « Pape des escargots », personnage fétiche de Vincenot, l'écrivain bourguignon, aimait aller pisser : « Trois gouttes pour la Manche, trois gouttes pour la mer des Atlantes et trois gouttes pour la Méditerranée. Amen ! »

Adresses utiles

🛈 *Office de tourisme Pouilly en pays d'Auxois :* port de Plaisance, 1, rue de la Coopérative. ☎ 03-80-90-77-36. ● info@pouilly-auxois.com ● pouilly-auxois.com ● Tte l'année sf vac de Noël, lun-sam 9h-12h30, 14h-17h (18h, voire 18h30 avr-oct) ; plus dim l'été. 📶 Fait aussi capitainerie. Labellisé « Accueil Vélo ».

■ *Maison de pays de l'Auxois-Sud :* en bordure de l'A 6, sortie péage ; au rond-point, direction Créancey. ☎ 03-80-90-75-86. ● maison-auxois. com ● Lun-sam 10h-18h (18h30 en juil-août), dim et j. fériés 15h-18h. On y trouve de bons produits régionaux et des objets d'artisanat (115 producteurs, quand même !).

Où dormir ? Où manger dans le coin ?

Camping

⛺ *Camping Vert Auxois :* 15, rue du Vert-Auxois. ☎ 03-80-90-71-89. 📱 06-82-93-33-90. ● contact@camping-vert-auxois.fr ● camping-vert-auxois.fr ● ♿ À 500 m du bourg. Début avr-début oct. Forfaits tente pour 2, 11-14 €. 70 empl. Hébergements locatifs 4-7 pers 270-480 €/sem (nuitée possible). Réduc de 5 % sur présentation de ce guide. Camping au bord du canal de Bourgogne, dans un environnement agréable avec des haies variées pour séparer les emplacements. À taille humaine surtout et accueillant pour les enfants. Sympa, les « Canadas treks », des tentes confortables avec terrasse. Bloc sanitaire mixte, fonctionnel et moderne, mais pas toujours très intime, autant le savoir.

De bon marché à prix moyens

🏠 🍴 *Hôtel-restaurant de la Poste :* pl. de la Libération. ☎ 03-80-90-86-44.

● hoteldelapostepouilly@orange.fr ● hoteldelaposte-pouilly.fr ● Resto tlj sf dim-lun. Congés : de mi-nov à début déc. Doubles 65-77 €. Menus 14,50 € (déj en sem), puis 21-42 €. 📶 Apéritif maison offert et 10 % sur la chambre (déc-mars) sur présentation de ce guide. Une auberge à l'ancienne qui reste une des bonnes adresses régionales, idéale pour une halte rustique, dans une chambre ou devant une assiette. Cuisine fine comme un ragoût d'escargots, une entrecôte charolaise ou des quenelles de brochet, mais pas tout au même repas, ou alors ne vous plaignez pas en cas d'insomnie.

🏠 *Chambres d'hôtes chez Martine Denis :* 7 et 15, rue de Pouilly, 21320 *Bellenot-sous-Pouilly.* ☎ 03-80-90-71-82. ● mrdenis@club-internet.fr ● chambresdhotes bellenot.com ● À 2 km au nord-ouest de Pouilly par la D 108. Compter 62 € pour 2. 📶 Sur présentation de ce guide, réduc de 10 % accordée pour un séjour de 1 sem. Une grande propriété paisible, face aux vertes prairies de l'Auxois, appréciée autant pour l'accueil que pour la propreté et le confort de ses 3 chambres, toutes simples (même si l'une d'elles, « Les Boutons d'or », possède cheminée et four à pain !).

À voir. À faire

🛥 *Balades sur le canal à bord de* **La Billebaude**, *bateau électrosolaire :* *gérées par l'office de tourisme, résa obligatoire au* ☎ *03-80-90-77-36.* ● *cap-canal.fr* ● *Avr-oct. Compter 13-17,50 € l'A/R.* Comme les mariniers du début du XXᵉ s, empruntez le tunnel souterrain traversé par le canal sur 3,3 km. Également des circuits thématiques de 2h à la journée, voire une formule duo bateau-petit train touristique l'été seulement.

🎨 *Le sentier créatif « Dessine-moi le canal de Bourgogne » :* neuf stations de dessin ponctuent un sentier de 3,5 km autour du port de plaisance.

🎨 *Les sentiers balisés :* 200 km de sentiers autour des lacs de Cercey, Panthier, Grosbois, Chazilly et Le Tillot, réservoirs aménagés autour de Pouilly pour alimenter en eau le canal de Bourgogne et qui font le bonheur des pêcheurs. Fiches de randonnées en boucle (distances variées) proposées à l'office de tourisme.

🎨 ♿ *Le sentier de la Madone :* situé sur les hauteurs de Pouilly, c'est un parcours de 560 m accessible à tous les publics, y compris aux personnes en fauteuil ou non voyants (accès sécurisé et panonceau traduit en braille). Là-haut, une table de lecture du paysage et des tables pique-nique...

DANS LES ENVIRONS DE POUILLY-EN-AUXOIS

🎨 *Le contre-réservoir de Grosbois :* à 13 km au nord, sur la commune de **Grosbois-en-Montagne** (21540). Dans un agréable environnement de prés, collines et bois, cette étendue d'eau de 15 ha date de 1830 et avait été créée pour fournir le canal en eau. Beau point de vue. Zone de baignade surveillée, populaire en été, tables de pique-nique, terrains de sport, pêche et sentier-découverte sur la faune et la flore.

🎨 *L'église de Saint-Thibault* (21350) : à 13 km au nord-ouest par la D 970. ♿ *Visite libre, sinon visites guidées pour les groupes sur rdv au* ☎ *03-80-64-61-04.* Qui ne sentirait battre un peu son cœur en découvrant, au sein d'un petit village, surplombant un paysage typique du coin, cet ancien prieuré avec un chœur de cathédrale pour une nef de village ? Ce bijou d'architecture gothique est la fierté de ce village, notamment pour la hardiesse, l'élégance de ce chœur du XIIIᵉ s. Celui-ci contraste avec le reste de l'édifice, reconstruit au XVIIIᵉ s après un incendie. Il faut évidemment imaginer les pèlerins du XVᵉ s faisant 30 km à pied pour venir se reposer dans ce prieuré dépendant de l'abbaye de Cluny, célèbre pour avoir recueilli les reliques de saint Thibault. On peut voir, dans la chapelle Saint-Gilles, l'énorme coffre en bois peint, du XIVᵉ s, qui les renfermait. Superbe retable du XIVᵉ s dans le chœur.

MONT-SAINT-JEAN (21320)

À 13 km à l'ouest par la D 977 bis, puis la D 36. Une merveille de petit bourg féodal, pittoresque à souhait au sommet de sa butte. Belle promenade sous les arbres menant au château actuel qui est le vestige d'une forteresse dont les origines remontent au Xᵉ s. Remarquable église Saint-Jean-Baptiste, dont certaines parties datent du XIIᵉ s avec quelques transformations au fil du temps. Nombreuses maisons anciennes.

– **Le musée de la Vie rurale et de l'Église XIIe et XVe s :** ☎ 03-80-84-31-22. Juil-août, dim 15h-18h. GRATUIT. Ateliers de ferblantier, de sabotier et de menuisier.

Où boire un verre ?

♣ **Café associatif Le Là Itou :** ☎ 03-80-84-38-08. Les rires résonnent sur la colline de Mont-Saint-Jean ! Au Là Itou, on cultive humour, fantaisie et recettes originales ; en témoigne celle de la Chanvrette, un mélange exclusif et secret. Oui, c'est bien en plein dans l'Auxois que vous pouvez faire du cirque, du théâtre, ou encore simplement participer à une exposition-débat ! Autant vous dire qu'entre les soirées contes, concerts, boums, brocantes, le programme est chargé !

Où acheter de bons produits de l'Auxois dans le coin ?

🐌 **Aurélien Febvre :** 21, rue Avau, 21350 **Thorey-sous-Charny.** ☎ 03-80-64-65-12. 📱 06-73-26-90-12. ● domaine-aurelien-febvre.fr ● À 6 km au nord-est de Mont-Saint-Jean. Sur rdv. Aurélien a relancé en 2002 ce petit vignoble de l'Auxois, en agriculture biologique. Visite de l'exploitation, cours d'œnologie et, bien sûr, dégustation de ses vins naturels (sans sulfites), dont un rouge et un blanc originaux, vieillis dans des jarres en terre cuite !

LA BUTTE DE THIL

Carte Côte-d'Or, B3

À mi-chemin entre Saulieu et Semur-en-Auxois, impossible d'échapper à cette grosse colline plantant ses 490 m d'altitude au milieu de la plaine. Du sommet, on profite évidemment du spectacle des environs, l'Auxois d'un côté, le Morvan de l'autre. On comprend instantanément pourquoi une grosse tour carrée monte la garde ici depuis le Moyen Âge. Et pour peu que le ciel se teinte de gris, entre les ruines du château et celles de la collégiale, on peut trouver l'endroit d'un total romantisme.

Adresse utile

🏢 **Bureau d'information touristique des Terres d'Auxois :** 1B, route de Maison-Neuve, 21390 **Précy-sous-Thil.** ☎ 03-80-64-40-97. ● precy-tourisme.com ● ♿ Dans le village, au pied de la butte. Mar-sam, 9h30-12h30, 14h-17h30, fermé sam ap-m oct-mars. 📶

Où dormir ? Où manger dans les environs ?

Bon marché

🏠 **Chambres d'hôtes Les Forges :** 18, chemin rural des Forges, 21390 **Aisy-sous-Thil.** ☎ 03-80-64-53-86. ● dangiroudeau@aol.com ● À 6 km à l'ouest de la butte par la D 70. Compter 45 € pour 2. 📶 4 chambres, dont une familiale, aménagées dans une ancienne ferme, à l'écart du logis des propriétaires, qui sont par ailleurs charmants, voire passionnants. Garage pour abriter votre cheval à moteur. Cuisine à disposition.

|●| Ferme-auberge La Morvandelle : 21390 **Fontangy.** ▓ 06-78-80-88-68. ● ferme-auberge-lamorvandelle@orange.fr ● ♿ À 8 km au sud-est de la butte par la D 36. Pâques-nov. sur résa, w-e et j. fériés slt. Formule 18 €, menu unique env 25 €. Voici une bonne ferme-auberge où vous pourrez goûter salmis de pintade, œufs en meurette, etc. Une cuisine de grand-mère... et de référence régionale. De plus, vente de superbes produits fermiers.

Prix moyens

|●| Ici M'aime : 4, route de Paris, 21530 **Rouvray.** ☎ 03-80-64-74-56. À 22 km à l'ouest. Ouv tlj sf dim soir et lun midi. Formule 20 € (le midi en sem), carte et formules 26-48 €. Rouvray, faut vouloir y aller. On y trouve pourtant ce resto tendance avec des matériaux, des couleurs, une déco de notre temps.

Ardoise au mur, pour avoir le temps de choisir. Le chef n'écrit que l'essentiel, pour laisser la surprise, visuelle, olfactive. L'ail des ours, au printemps, la truffe, en hiver, il sait où aller les chercher, pas bien loin. Simple et beau.

Chic

⌂ Château de Beauregard : 21390 **Nan-sous-Thil.** ☎ 03-80-64-41-08. ● beauregard.chateau@wanadoo.fr ● chateaudebeauregard.net ● À 5 km au sud-est de la butte par la D 10. Pâques-Toussaint. Compter 100-145 € pour 2. 📶 Apéritif offert sur présentation de ce guide. En pleine nature, cet ancien château du XIIIe s, remanié au XVIIe, domine le petit village de Nan. Le bâtiment, affichant déjà un cachet superbe, a magnifiquement été restauré en maison d'hôtes. Confort douillet, chambres spacieuses et lit à la polonaise. Beau petit déj. Balades dans le parc.

LA CÔTE-D'OR

À voir

⚔ 🚶 Le château et la collégiale : ces deux monuments se partagent le sommet de la butte de Thil d'où l'on profite du panorama. Pour le château (▓ 06-08-23-24-19 ; ● forteresse-de-thil.fr ●), visite guidée slt, Pâques-juin et sept-oct w-e et j. fériés 11h-18h ; juil-août, tlj sf lun 10h-18h30. Entrée : 4 € ; réduc. Construit entre le IXe et le XIVe s, ce serait l'un des plus vieux de France. Derrière les murs d'enceinte percés d'étroites meurtrières, on découvre le donjon massif et carré, des salles médiévales où subsistent de vastes cheminées, etc. Visite épique avec Perceval, le proprio passionné et par ailleurs magicien ! Extra pour les enfants qui peuvent s'amuser avec des jeux du Moyen Âge. Plusieurs animations dont la célèbre **Fête médiévale des Seigneurs de Thil,** le 2e week-end d'août. À l'autre extrémité de la butte se dresse la collégiale. Le temps a laissé sa marque sur cette église fondée en 1340, mais elle conserve de précieux vestiges. Elle est désormais privée. En été, des concerts permettent heureusement d'en voir l'intérieur.

LE NORD DE L'AUXOIS

Un périple à travers de calmes paysages sur les traces de grands hommes : des perdants magnifiques comme Vercingétorix à Alésia ou Bussy-Rabutin retiré dans son château de Bussy ; des visionnaires qui allaient à leur façon changer la face du monde, des forges de Buffon à l'abbaye de Fontenay, empreinte de l'esprit de saint Bernard.

SEMUR-EN-AUXOIS

(21140) 4 450 hab. *Carte Côte-d'Or, B2*

Que l'on arrive par le nord ou par l'ouest, la vue est doublement saisissante : le pont Joly le bien nommé, les remparts, les tours du donjon, les maisons à pans bois et les hôtels particuliers, la flèche de la collégiale, la falaise finissant dans l'Armançon et toute la ville qui se reflète dans ses eaux calmes... Quelle jolie ville !

Adresse utile

🛈 *Office de tourisme des Terres d'Auxois :* 2, pl. Gaveau. ☎ 03-80-97-05-96. ● *tourisme-semur.fr* ● *À l'entrée de la cité médiévale. Juil-août, tlj ; le reste de l'année, lun-sam et certains w-e fériés (Pentecôte...).* Visites guidées de la cité médiévale et visioguides en location (ou appli téléchargeables), y compris en langue des signes. Parcours fléché au sol (demander le livret), les *3 Enceintes.* Circuit découverte en petit train en juillet-août. Labellisé « Accueil Vélo ».

Où dormir ? Où manger ?
Où boire un verre dans le coin ?

De bon marché à prix moyens

🏠 *Hôtel Les Cymaises :* 7, rue du Renaudot. ☎ 03-80-97-21-44. ● *hotel.cymaises@wanadoo.fr* ● *hotelcymaises.com* ● *Au cœur de la vieille ville. Double 79 €. Parking.* L'occasion de pousser la porte d'une des nombreuses maisons bourgeoises du vieux centre sauvegardé. Celle-ci, en forme de L, ne manque pas d'allure. Les chambres impressionnent moins, meublées à l'ancienne et pas toujours bien isolées mais elles présentent tout le confort attendu. Le charme suranné des lieux, l'emplacement central avec parking privé et l'accueil très professionnel complètent le tableau.

🍴 *La Table de l'Hostellerie :* route de Saulieu. ☎ 03-80-97-28-28. ● *info@hostellerie.fr* ● *À 1 km du centre. Tlj sf sam midi et dim soir. Formules déj en sem 16-24 €, menu 27 €.* Passons sur l'architecture extérieure discutable pour découvrir à l'intérieur une salle moderne et toute vitrée, tournée vers les toits de Semur. Les habitués aiment profiter autant de la vue que du talent du chef, tourné lui vers la région. Les plats soignés font honneur à ce cadre aéré, dans une ambiance feutrée mais pas guindée. Grands noms de Bourgogne servis au verre. Également des chambres confortables, autour d'une piscine.

🍴 *Aux Vieux Pavés :* 4, rue du Vieux-Marché. ☎ 03-80-92-27-45. *Dans le vieux centre. Fermé dim soir-*

lun et mer soir. Formule midi en sem 13,50 €, carte 25-30 €. Une agréable ambiance de bistrot se dégage de cette adresse discrète, lovée dans un coin de rue. Carte tendance traditionnelle avec des spécialités de poissons et de viandes qui se valent, en plus de l'inévitable et non moins délicieux bœuf bourguignon. Le chef choisit ses produits avec soin et réinvente le menu en fonction du marché. Une adresse présentant une indéniable personnalité !

I●I ↟ *Le Saint-Vernier : 13, rue Févret.* ☎ *03-80-97-32-96. Dans une petite rue qui descend de la pl. Notre-Dame vers les remparts. Tlj. Menu du chef 12,90 € (déj en sem), menus 20-32 €.* C'est d'abord un bar. « À vin » dit l'enseigne, avec une assiette gourmande pour les accompagner. Mais on pourrait aussi le classer dans « Bistrot de quartier », voire « Adresse branchée ». Pas de la grande cuisine, mais une ambiance chaleureuse et sonore prisée des jeunes (et de ceux qui ont su le rester).

I●I *Restaurant Le Pari des Gourmets : 10, rue du Lac, 21140 Pont-et-Massène.* ☎ *03-80-97-11-11.* ● *lepa ridesgourmets@laposte.net* ● *À 4 km au sud de Semur, direction lac de Pont.*

Congés : vac de Noël. Fermé dim soir, plus dim midi hors saison. Formule déj en sem 12,90 € ; ardoise et menus 20-35 €. Dans une grande construction des années 1950, à proximité du lac de Pont (mais sans vue particulière), un accueillant resto familial repris par deux frères passés dans de bonnes maisons. Cuisine actuelle, qui a du goût et de l'idée en fonction des saisons. L'été, profiter de la terrasse sous la tonnelle.

Chic

🛏 *Hôtel de la Côte d'Or : 1, rue de la Liberté.* ☎ *03-80-97-24-54.* ● *info@ auxois.fr* ● *auxois.fr* ● *Doubles 85-115 € selon saison ; chambre et par nuit offert sur présentation de ce guide.* En plein centre-ville, cet ancien relais de poste est le plus vieil établissement hôtelier de la région. La façade a été refaite à l'ocre bourguignon, tandis que les chambres thématiques proposent un confort bien actuel. Cheminée dans certaines, baignoire balnéo ailleurs, poutres apparentes au 2e étage, sous les combles (ascenseur), triple vitrage. Au rez-de-chaussée, une belle chambre familiale mélangeant pierre et bois.

Où acheter de bons produits ?

🍰 *Pâtisserie Alexandre : rue de la Liberté.* ☎ *03-80-97-08-94.* Produit la spécialité de la ville : le *granit rose*, un biscuit aux amandes, bigarreaux, chocolat orange et éclats de noisette.

🍰 *Biscuiterie Mistral : route de Dijon.* ☎ *03-80-89-66-66.* ● *biscuits-mistral.*

fr ● *À 1 km du centre-ville. Lun et sam 9h-12h30, 13h30-18h30 ; mar-ven 9h-18h30.* Depuis 1954, *Mistral* confectionne madeleines et quatre-quarts. Magasin d'usine et visite possible.

À voir

🏛 Pénétrez à pied dans la ville historique par les ***portes Sauvigny*** et ***Guillier,*** au niveau de l'office de tourisme et de la ***Barbacane.*** La devise de la cité, inscrite sur cette belle porte fortifiée du XIVe s, devrait vous rassurer : « Les Semurois se plaisent fort en l'accointance des estrangers. » On accède à la rue Buffon, piétonne et commerçante, bordée de maisons anciennes.

🏛🏛 *La collégiale Notre-Dame : en été, visites possibles avec l'Association des amis de la collégiale ; infos à l'office de tourisme.* Au début du XIIIe s, l'accroissement du nombre d'habitants conduisit à la construction d'une des plus belles églises gothiques de Côte-d'Or, restaurée au XIXe s par Viollet-le-Duc. Le tympan

LA CÔTE-D'OR

de la porte des Bleds (des Blés !) conte avec moult détails la légende de saint Thomas. Sur l'une des colonnes rampent deux escargots de Bourgogne. À l'intérieur, l'étroitesse de la nef (6,50 m) surprend par rapport à son élévation (21 m) et sa longueur (66 m). Les bas-côtés sont bordés de chapelles aux vitraux remarquables des XVe et XVIe s. Au fond du déambulatoire, magnifique vitrail où un archange pose une couronne de lauriers sur la tête de soldats français de 14-18. Dieu avait-il choisi son camp ? Dans les chapelles dites des Drapiers et des Bouchers, côté nord, figurent des scènes particulières à ces deux corporations. Du même côté, très belle *Mise au tombeau*, une sculpture polychrome (1490) appartenant à l'école bourguignonne.

🏛 *La tour de l'Orle-d'Or :* visite guidée possible en été et certains w-e de juin et sept. Infos à l'office de tourisme. À voir en redescendant de la collégiale par la rue Févret, qui débouche sur la rue du Rempart. C'est la plus imposante (44 m de haut) des tours rondes qui marquaient les angles de l'ancien donjon. En face, un joli théâtre à l'italienne reconstruit en 1903 et réhabilité en 2017. Très beau point de vue sur le pont Pinard, la cité et l'Armançon.

🏛 *La promenade du rempart :* plantée de tilleuls, à l'extrémité du quartier du château. Belle vue sur l'Armançon. Descendre vers la rivière par des ruelles débouchant à hauteur du pont Joly, qui fut jeté sur l'Armançon au XVIIIe s. Depuis la promenade du rempart, si l'on emprunte l'escalier de la Poterne ou la rue Basse-du-Rempart, on parvient au pont des Minimes. Autre très belle vue sur l'ensemble de la ville, avec ses remparts, ses vieilles maisons, ses tours massives. Balade pleine de charme par les rues de Vaux et des Tanneries, le quai d'Armançon...

🏛🏛 *Le Musée municipal :* côté cour, 3, rue Jean-Jacques-Collenot. ☎ 03-80-97-24-25. Avr-oct, tlj sf mar 14h-18h ; nov-mars, mer-sam 14h-18h. Groupes tte l'année sur résa. Entrée payante.
Installé dans l'ancien couvent des Jacobines du XVIIe s, un musée au charme fou et à la richesse tout à fait inattendue, dont on a eu la bonne idée de conserver la muséographie du XIXe s. Mêmes les étiquettes n'ont pas bougé ! Il est de surcroît animé par une équipe passionnée et passionnante.
Voir notamment les plâtres originaux d'œuvres célèbres, dus pour l'essentiel à Augustin Dumont (1801-1884) dont *Génie de la Liberté* qui se trouve aujourd'hui au sommet de la colonne de Juillet, place de la Bastille à Paris. *Au 1er étage,* galerie de géologie-paléontologie comptant 10 000 fossiles de l'Auxois-Morvan et salle de zoologie à la manière d'un cabinet de curiosités. *Au 2e étage,* section archéologie et plusieurs tableaux de Corot au milieu d'un bel ensemble de peintures, accrochés à la mode du XIXe s.

Fêtes

– *Fêtes traditionnelles de la Bague :* autour du 31 mai. La cité médiévale renoue avec les fêtes d'antan. La *course des Chausses* fait partie des festivités incontournables. Pour la petite histoire, cette célèbre course à pied se déroulait déjà à Semur en 1566 et le premier arrivé gagnait... une paire de bas tricotés : les chausses. Le 31 mai, l'animation la plus attendue reste la *course de chevaux de la Bague,* tradition remontant à 1639. Le vainqueur se voit récompensé par une chevalière en or aux armes de la ville. Pour la dernière des courses, dite *de la Timbale,* les chevaux sont attelés à un sulky sans effectuer plus de trois foulées au galop.
– *Fête médiévale :* un w-e en mai-juin (se renseigner à l'office de tourisme). Marché médiéval, animations, défilé... Costumé et pittoresque.
– *Fête de Marie :* autour du 15 août (selon jour). Fête de la patronne de la ville avec feu d'artifice sonorisé et thématique.

DANS LES ENVIRONS DE SEMUR-EN-AUXOIS

La Maison pour tous de Semur-en-Auxois propose chaque été des visites de différents villages des alentours (se renseigner à l'office de tourisme).

🎋 **Le lac de Pont :** *à 6 km au sud de la ville, par la D 103.* Sentier forestier de 12 km faisant le tour de ce lac artificiel, mais tout en méandre. Activités nautiques, baignade surveillée en été, pêche... Le cadre est vraiment sympa. Camping sur place.

🎋 **Le potager du château de Lantilly :** *7, rue Saint-Antoine, 21140 **Lantilly**.* 📱 *06-14-09-55-69 et 06-66-16-58-78.* ● *clairedevirieu@gmail.com* ● *À 8 km au nord de Semur par la D 103N. Juin-3e sem de sept, mar-sam 10h-12h, 14h-18h ou sur rdv. Entrée : 5 € ; gratuit moins de 18 ans.* Le château du XVIIIe s planté sur les hauteurs face à la vallée des Laumes vaut en soi le coup d'œil. Mais direction le vaste potager entièrement clos de murs que la famille de Virieu a ressuscité de manière peu conventionnelle avec ses haies de buis en ellipses, à mi-chemin entre l'esprit à la française et le jardin fleuri à l'anglaise. Un jardin de tous les jardins en quelque sorte, classé « remarquable » où l'on retrouve des aromatiques, un jardin d'eau, une cabane en dur sortie d'*Hansel et Gretel,* une éolienne sur une île...

🎋 **Le château de Bourbilly :** *21140 **Vic-de-Chassenay**.* ☎ *03-80-97-05-02.* ♿ *(sf la chapelle). À 10 km au sud-ouest par la D 9. Visite guidée du château de mi-juil à août slt, tlj sf mar, 13h30-18h (sur résa pour les groupes de 10 pers, de mai à mi-sept). Entrée : 8 € , parc compris ; réduc ; gratuit moins de 10 ans.* L'ancien château familial de la marquise de Sévigné, femme de lettres à sa manière, fut sauvé de la ruine après la Révolution. Ses vastes salles habitées abritent des souvenirs, des collections de coffres et lustres de Venise. Dans la chapelle contemporaine, le « Paradisus », anthologie des portraits des propriétaires depuis la moitié du XVe s. Une visite guidée qui rend passionnante la découverte d'un des plus anciens châteaux de Bourgogne.

LA CÔTE-D'OR

ÉPOISSES   (21460)   740 hab.   *Carte Côte-d'Or, A2*

Protégé par des douves et des remparts, le cœur du village a beaucoup de charme. À 12 km à l'ouest de Semur par la D 954, l'endroit est célèbre pour son fromage, né au début du XVIe s, et pour son château où la marquise de Sévigné venait reposer sa plume. C'est par l'une de ses fameuses lettres que l'on entendit parler pour la première fois, à l'extérieur, du fromage fabriqué près de cette ancienne place forte édifiée entre le XIVe et XVIIIe s. Les fermières des environs réussirent à s'approprier les secrets des moines cisterciens, pères de ce fromage à la belle croûte bien bourguignonne. Napoléon en raffolait et Brillat-Savarin le considérait en son temps comme le « roi des fromages ».

Où dormir ? Où manger ?
Où sortir dans le coin ?

🍽 🍷 **La Pomme d'Or :** 5, rue des Forges, à Époisses. ☎ 03-80-96-35-88. ♿ Ts les midis et sur résa le soir. Menus du jour (midi en sem) env 10-14 € ; menus 18,50-28 €. 📶 Un ancien relais de poste du XVIIe s, devenu bon an mal an un modeste bar PMU de village... Il reste une bonne halte pour le voyageur affamé ou assoiffé. Au menu, des plats à base d'époisses et des vins de pays de l'Auxois servis au verre.

🏠 |●| **Chambres d'hôtes la Vigne du Pont :** 14, rue de l'Église, 21460 **Vieux-Château.** ☎ 03-80-96-32-23. 📱 06-61-95-82-33. ● lavigne dupont@gmail.com ● lavignedupont. com ● À 7 km au sud-ouest. Fermé Noël-jour de l'An. Double 59 €, table d'hôtes 25 €. 🛜 Point de château dans ce bourg très campagnard, mais un cottage à côté de la maison des proprios où l'on accueilli par une divinité indienne et un bassin. Le ton est donné. Les 2 adorables chambres se situent à chaque niveau. Accueil disponible et petit déj copieux pour les sportifs qui ont bien fait de s'écarter un peu du canal...

🍴 ○○ |●| **Café-théâtre Le Saint-Valentin :** 2, pl. de Verdun, 21460 **Toutry.** ☎ 03-80-96-41-41. ● kfevalentin. com ● ♿ À 5 km à l'est d'Époisses par la D 954. Plat unique env 10 €. Résa conseillée. Le centre névralgique de ce village qui fait à la fois tabac, articles de pêche et bonbons ! Certains soirs, c'est aussi une ambiance garantie pour des concerts qui ne vous coûteront que vos consommations. Philippe Dal'Dosso a su remplir son carnet d'adresses d'artistes aussi éclectiques et talentueux que sympathiques.

Où acheter de l'époisses ?

⊛ **Fromagerie Berthaut :** dans le village (indiqué). ☎ 03-80-96-44-44. ● fromagerie-berthaut.com ● Mar-sam 9h30-12h15, 14h-18h, plus dim en juil-août 10h-12h30. Boutique sur place où l'on trouve aussi d'autres produits régionaux.

À voir

🎭 **Le château d'Époisses :** au centre du village. ☎ 01-42-27-73-11. ● chateau depoisses.com ● Visite du parc tte l'année, tlj 9h-18h. Visite guidée de l'intérieur en juil-août, tlj sf mar 10h-12h, 15h-18h. Entrée : env 8 € ; 2 € pour le parc seul ; réduc. L'élégant château, où Mme de Sévigné aimait séjourner quand elle venait en Bourgogne s'occuper du domaine hérité de ses parents à Bourbilly (voir plus haut), reste la propriété de la famille de Guitaut depuis 1672. Mieux vaut suivre la visite commentée pour découvrir, au milieu des beaux salons (essentiellement des XVIIe, XVIIIe et XIXe s), le souvenir des personnages illustres qui y ont séjourné : le Grand Condé, Chateaubriand, la reine Elizabeth II... Sinon, promenade libre à l'intérieur de cette double enceinte de fortifications magnifiques enserrant maisons médiévales, chapelle, colombier du XVIe s avec 3 000 cases et une magnifique charpente. Un lieu clos fascinant et attachant. Ne pas hésiter à en faire le tour par les jardins.

DANS LES ENVIRONS D'ÉPOISSES

🚶 **L'apothicairerie de l'hôpital Saint-Sauveur :** 21500 **Moutiers-Saint-Jean.** 📱 06-86-68-55-85 (association Monsieur Vincent). À 10 km au nord, à mi-chemin avec Montbard (où l'on retrouvera le canal). Juil-août slt, mer et w-e 14h-17h (18h dim). Entrée : 2,50 € ; réduc ; gratuit moins de 12 ans. Nichée au sein de l'ancien hôpital Saint-Sauveur, cette pharmacie du XVIIe s possède une magnifique collection de 224 pots en faïence, piluliers, chevrettes servant à conserver huiles et sirops... le tout posé dans des niches en bois, séparées par des colonnettes torsadées. Belle collection d'étains du XVIIIe s.

🎥 En sortant, visite possible du **palais abbatial** de Moutiers-Saint-Jean et, en contrebas du village, ne manquez pas les très attachants **jardins Cœurderoy,** en terrasse avec des portiques en rocaille Renaissance *(juil-août, tlj 11h-19h ; visite libre et gratuite).* Datant du XVIIᵉ s et clos de murs, ils comptent 9 portes, 3 bassins et une nymphée.

ALÉSIA (ALISE-SAINTE-REINE)

(21150)   600 hab.   *Carte Côte-d'Or, B2*

À 12 km au nord de Semur se cache Alise-Sainte-Reine, un village sur les hauteurs également dénommé Alésia, célèbre pour sa bataille qui opposa César à Vercingétorix. On y trouve les ruines de la ville gallo-romaine. À ses pieds, à 3 km, l'ingénieux centre d'interprétation, opportunément posé au milieu de cette plaine de toutes les convoitises constitue une halte historique majeure.

En 1839, la découverte, sur le mont Auxois, d'une inscription en langue gauloise comportant le bout de phrase *in Alisiia* avait confirmé ce que l'on savait depuis le Moyen Âge et grâce aux érudits de la Renaissance. Les fouilles d'une grande précision dépêchées par Napoléon III et menées par les militaires de 1861 à 1865 mirent au jour le double système de fortifications enserrant l'oppidum, des armements gaulois et romains ainsi

UNE BATAILLE DE SPÉCIALISTES

Des dizaines de communes à travers la France se sont prises pour Alésia (Syam, Alaize, Guillon...), mais aucune n'a pu fournir les preuves matérielles d'un tel siège. Et pas un archéologue, français ou étranger, n'a vraiment remis en question la localisation de la défaite de Vercingétorix à Alise-Sainte-Reine.

que des monnaies de toutes les tribus impliquées dans le conflit.

Cent ans plus tard, d'autres fouilles permirent de recueillir de nouveaux objets directement associés au siège : armes, clous de chaussures de légionnaires et même balles de fronde au nom du lieutenant de César, *Titus Labienus.* Des fouilles qui se sont largement appuyées sur les centaines de photographies aériennes réalisées par René Goguey. Toute une documentation précieuse que le MuséoParc Alésia a su bien mettre en valeur.

Avec Vercingétorix, une autre vedette locale n'était pas triste non plus : le chanoine Kir, maire de Dijon, parrain d'une boisson célèbre et de bons mots terribles, du style « Les grèves, il n'y a qu'une solution : il faut payer les gens » ! Il repose en paix au cimetière d'Alésia, visité par tous ceux qui vont ensuite trinquer à son souvenir, en redescendant.

Chacun pourra allonger son breuvage avec l'eau de la source qui aurait jailli sur le lieu du martyre d'une jeune chrétienne : Reine. Le culte de ses reliques et de l'eau miraculeuse de cette source a fait les beaux jours du village pendant des siècles. Pour accueillir les dizaines de milliers de pèlerins un hôpital fut construit, à l'initiative de la très secrète société du Saint Sacrement.

Adresse utile

🛈 **Office de tourisme du pays d'Alésia et de la Seine :** 1, av. de la Gare, 21150 **Venarey-les-Laumes.** ☎ 03-80-96-89-13. ● alesia-tourisme. net ● À 1 km du canal, dans le Centre d'art et de congrès, grand bâtiment moderne accolé à la gare. Tte l'année lun-sam : avr-sept 9h30-12h30,

14h-19h ; oct-mars 10h-12h, 15h-17h. Organise des balades guidées en saison et autres manifestations.

■ ***Location et réparation de vélos :*** *avec* ***Rando Fitness Venarey Cycles,*** *au port du canal, 2, route de Semur, 21150* ***Venarey-les-Laumes.*** ☎ *03-80-96-01-33.* ● *vcrf.fr* ● *Mar-sam 9h-12h, 14h-18h30.* Location sur résa et réparation.

Où dormir ? Où manger dans le coin ?

Camping

⛺ ***Camping municipal :*** *15, rue du Docteur-Roux, à* ***Venarey-les-Laumes*** *(21150).* ☎ *03-80-96-07-76.* ● *camping@vll.fr* ● *venareyleslaumes.fr* ● ♿ *Au bord de la D 905. De début avr à mi-oct (chalets tte l'année). Forfait tente env 12 € pour 2. 65 empl. Hébergements locatifs 315-420 €/sem, nuitée possible.* Beau camping, bien ombragé, près d'un plan d'eau aménagé et d'une rivière. Une poignée de chalets (2 à 4 et 5 à 7 personnes), dont un équipé pour personnes handicapées.

Bon marché

🍽 ***Le Bistrot de Louise :*** *7, rue Eugène-Edon, 21150* ***Venarey-les-Laumes.*** ☎ *03-80-89-69-94. Non loin du rond-point menant à la gare. Fermé le soir dim-mar. Formule 14,90 € (midi en sem), menus 22-26,50 € (slt les soirs et w-e).* Une affaire qui tourne à plein régime, menée par une équipe pétillante de femmes, dans une salle moderne et animée, aux teintes acidulées. Dans l'assiette, on joue la carte régionale avec escargots, cassis et viandes locales en ticket gagnant.

🍽 ***Self-service du MuséoParc :*** *accès aux visiteurs slt, mêmes horaires. Formules env 11-15 €.* Pratique à défaut de gastronomique pour manger sur place lors de la visite du musée. On profite d'une magnifique terrasse panoramique ou de grandes baies ouvrant sur le paysage alentour.

Chic

🍽 ***Auberge du Cheval Blanc :*** *9, rue du Miroir, 21150 Alise-Sainte-Reine.* ☎ *03-80-96-01-55.* ● *regis.bolatre@free.fr* ● *Au centre du bourg (fléché). Fermé dim soir, lun et mar. Formule déj (sf dim) 20 € ; menus 35-52 €.* Belle salle aux pierres apparentes, où, l'hiver, un feu crépite dans l'immense cheminée. Le chef utilise les produits du potager et du marché. Équipe jeune en salle comme en cuisine (visible depuis l'entrée), où l'on s'active pour que l'aspect classique du répertoire ne rime pas avec soporifique.

À voir

Le MuséoParc Alésia comprend le Centre d'interprétation et, à 3 km, les vestiges de la ville gallo-romaine. ☎ *03-80-96-96-23.* ● *alesia.com* ● *De mi-fév à nov : tlj 10h-17h fév-mars et nov, 19h juil-août, 18h avr-juin et sept-oct. Billet : 10-12 € selon saison, audioguide inclus (8-10 € Centre d'interprétation seul, env 4 € vestiges seuls) ; réduc ; gratuit moins de 7 ans. Visites guidées et animations en supplément. Résa en ligne possible. Pass « Visitez Malin » avec l'abbaye de*

LE COMBAT DES CHEFS

En 52 av. J.-C., César commandait une colonne de 10 légions. Une légion comprenant 4 000 hommes, le décompte a de quoi faire trembler : l'armée romaine représentait plus de 100 000 hommes avec les auxiliaires, des milliers de chariots transportant vivres, armes et butins, ainsi que 40 000 bêtes de somme. Le tout s'étalait sur 30 km ! En face, Vercingétorix alignait, lui, 80 000 valeureux guerriers.

LA CÔTE-D'OR

Fontenay et le château de Bussy-Rabutin. Sinon Pass archéo avec le musée Rolin à Autun, le musée de Bibracte et le musée du Pays châtillonnais, Trésor de Vix.

★★★ 🏃 *Le Centre d'interprétation : durée moyenne 3h30. Restauration sur place.* Inauguré en 2012, le Centre d'interprétation met un formidable coup de projecteur sur la mythique bataille d'Alésia, qui donna son nom a une station de métro parisien bien qu'elle fut perdue par les Gaulois. Mais elle reste curieusement dans les esprits un grand sujet de fierté nationale, une idée véhiculée depuis Napoléon III ! Le bâtiment cylindrique bardé de bois, conçu par l'architecte Bernard Tschumi (parc de la Villette, musée de l'Acropole à Athènes), est à lui seul un événement architectural dans la région ! L'imposant volume mêlant verre et béton a permis de composer un espace scénographique vivant et aéré, associant objets archéologiques et représentations animées. Le Centre d'interprétation a choisi de développer neuf thèmes, en plus du film de 18 mn : le site, les Gaulois, les Romains, César et la République, la guerre des Gaules, l'an 52 av. J.-C., le siège de la bataille, la redécouverte archéologique du site, et le mythe. Maquettes, dispositifs multimédia, écrans tactiles, fresques, reconstitutions d'armes, objets retrouvés sur des fouilles : l'accent est mis sur la pédagogie et sur la volonté d'immerger le visiteur en 52 av. J.-C., en le laissant observer la campagne alentour, qu'on ne perd pas de vue ; depuis la terrasse sur le toit, avec un panorama à 360°, l'imagination galope vite, et on s'attendrait presque à revivre le siège ! En été, c'est à l'extérieur qu'ont lieu les démonstrations de légionnaires et de combattants gaulois, qui manient les armes et s'interrompent volontiers pour expliquer les fondements de leur organisation. Pour les enfants, une ludothèque pour permettre aux parents de visiter tranquillement. Malin !

🏃 *Les vestiges de la ville gallo-romaine : à 2,5 km en traversant le village d'Alise, à droite à la statue de Jeanne d'Arc. Horaires et tarifs : se reporter au Centre d'interprétation. Compter 1h. Parcours fléché avec notice explicative.* Le village gallo-romain comprenait un théâtre, un temple, un sanctuaire et un forum fermé par une basilique civile. À proximité s'élève le monument d'Ucuétis, lieu de culte et de réunion des célèbres bronziers d'Alésia. La visite se poursuit par les quartiers artisanaux et d'habitation.

🏃 *La statue géante de Vercingétorix : à 600 m de la ville gallo-romaine (7 mn à pied). En voiture, dans Alise, à la statue de Jeanne d'Arc, prendre à gauche.* Du haut de ses 6,60 m, un bon résumé à elle seule de la mythologie gauloise telle qu'on nous l'apprenait autrefois : épée de l'âge du bronze, moustache à la gauloise, chevelure à la mérovingienne...

🏃 *L'hôpital Sainte-Reyne : 26, rue de l'Hôpital, Alise-Sainte-Reine.* 📞 *06-86-93-50-73 (association Desnoyers-Blondel).*

RIXE DE CONFUSION

En faisant Obélix livreur de menhirs, Goscinny et Uderzo nous ont bien fait rigoler, mais ils ont créé une belle confusion dans nos esprits naïfs. Soyons clairs, les menhirs remontent à des millénaires en arrière. L'erreur s'explique : avant le XIXe s, les historiens ne connaissaient pas l'existence de peuples antérieurs aux Gaulois, en France. Ils n'avaient alors qu'une idée fixe : ce qui était très ancien était obligatoirement... gaulois.

● *association.desnoyers-blondel@orange.fr* ● ⛄ *Visite guidée mer ap-m slt, début juil-fin août sur rdv. Entrée : 4 € ; réduc ; gratuit moins de 12 ans.* Jolie petite apothicairerie (186 pots de pharmacie classés) cachée à l'arrière de la magnifique chapelle baroque de cet hôpital toujours en activité depuis sa fondation en 1659. On découvre une ancienne salle de malades, la salle du conseil d'administration du XVIIe s, ainsi qu'une lingerie réaménagée en bibliothèque. Dans la chapelle, une série unique de 13 cartons de tapisserie retracent la vie de sainte Reine, peints de 1620 à 1645. Six d'entre eux ont bénéficié récemment d'une restauration exemplaire. Ne pas manquer le point de vue sur l'ensemble du site d'Alise et d'Alésia.

🏃 *L'église Saint-Léger :* rue du Palais, dans Alise. Coincée entre deux maisons du village, une petite église très ancienne (certaines parties remontent aux VIIᵉ et Xᵉ s !). Plan inspiré de celui des premières basiliques chrétiennes : inévitable abside en cul-de-four, belle charpente coiffant la nef.

Manifestations

– *Les Musicales en Auxois :* 1ʳᵉ quinzaine d'août. 📱 06-62-09-78-68. ☎ 03-80-96-20-24. Un double plaisir : découverte musicale et patrimoniale sur 10 sites peu connus, servant d'écrin à une programmation originale.
– *Le Martyre de sainte Reine :* dernier w-e d'août. ☎ 03-80-96-89-13. 📱 06-11-72-58-89. ● alesia-tourisme.net ● *Entrée payante.* Cette manifestation rend hommage à une chrétienne canonisée pour avoir été martyrisée au IIIᵉ s par un certain Olibrius, proconsul des Gaules. Pour l'occasion, tout le village se mobilise : cérémonies, pièces de théâtre en costumes d'époque, retraite aux flambeaux. Et grand cortège historique le dimanche matin. Certains prient, d'autres rient.

FLAVIGNY-SUR-OZERAIN

(21150)   370 hab.   *Carte Côte-d'Or, B2*

Petit bourg fortifié, classé parmi les « Plus beaux villages de France » et perché sur un escarpement rocheux dominant la campagne environnante. Un aspect médiéval utilisé pour le tournage du film *Le Chocolat* avec Juliette Binoche et Johnny Depp. Dans l'abbaye bénédictine, construite au VIIᵉ s, on fabrique toujours les bonbons à l'anis.

BONBONS À L'ANIS

Une douceur très ancienne puisque ce sont les Romains qui rapportèrent cet anis d'Orient pour soigner leurs soldats de la dysenterie, pendant le siège d'Alésia. On prétend que Louis XIV avait toujours ces bonbons sur lui pour cacher son haleine pestilentielle due à un bout de gencive arraché !

Adresse et info utiles

🏠 *Maison au Donataire :* 9, rue de l'Église. ☎ 03-80-96-25-34. Avr-oct. Petit point d'info sur Flavigny, géré par l'association des Amis de la cité (plan gratuit). Liste des hébergements sur ● alesia-tourisme.net ● (plusieurs jolies chambres d'hôtes dans le village).
– Pas de distributeur au village.

Où dormir ? Où manger ?

🏡 *Chambres d'hôtes Algranate-Maison du Tisserand :* 3, rue Lacordaire. 📱 06-08-89-93-82. ● marie@algranate.com ● algranate.com ● Compter 104-143 € pour 2 (dégressif). Table d'hôtes 16 €. Dans l'une des demeures centenaires de Flavigny offrant de jolies vues sur les collines. On passe par le salon de musique pour gagner les 2 chambres (dont une familiale) au charme rustique, meublées avec raffinement. Agréables salles de bains. Petit déj vivifiant et bio à base de scones, compotes et pain d'épice maison. Et Marie vous emmènera certainement visiter sa *Maison des arts textiles* à deux pas.

|●| *La Grange :* pl. de l'Église. ☎ 03-80-96-20-62. ● lagrange21150@gmail.com ● ♿ Ouv 12h30-18h : mars-début vac de Pâques et nov, dim et j. fériés ; début vac de Pâques-fin oct, tlj sf lun (juil-août tlj) ; fermé déc-fév. Groupes sur résa. Plats 6-20 € (à emporter, sur commande). Une quinzaine d'agricultrices et agriculteurs font découvrir leurs bons produits de la ferme derrière la grande porte en bois qui donne en plein sur la place de l'église. Un régal ! Laissez-vous guider par les bonnes odeurs et ne manquez pas les « quatre-heures soupatoires ».

En vente, produits de la ferme (miel, confiture, vin, terrines, escargots, fromage...).
|●| *Restaurant de l'Abbaye :* esplanade des Fossés. ☎ 03-80-96-27-77. Tlj en saison, sinon fermé mar soir-mer et jeudi soir (résa conseillée). Formules déj en sem 15-20 €, plats 16-22 €. Café offert sur présentation de ce guide. À l'entrée du village, à deux pas du parking. Une adresse simple et pratique dotée d'une salle joliment apprêtée dans un style classique et d'une terrasse. Propose une honnête cuisine traditionnelle, servie avec le sourire.

À voir

ጳጳ 🚶 *La fabrique d'anis artisanale :* dans l'abbaye. ☎ 03-80-96-20-88. ● anis-flavigny.com ● Tlj sf w-e et j. fériés 9h-12h. Congés : 1er janv, 1er mai et 25 déc. GRATUIT. Visite guidée de la fabrique (15 mn).
Depuis le XVIe s, on y produit les fameux petits bonbons à l'anis. On aime autant les bonbons que le cadre de cette fabrique sise dans une ancienne abbaye fondée sous Charlemagne par le chef burgonde Widerad ! *L'atelier de dragéification* est ouvert à la visite : c'est d'ici que sortent chaque année plus de 250 millions de « bien bons bonbons », et la production ne cesse d'augmenter ! De nouveaux parfums viennent régulièrement s'ajouter à la gamme. Et les petites boîtes métalliques, toujours aussi joliment rétro, perpétuent aussi la tradition.
– À l'arrière de la boutique, *musée* tout petit tout mimi, installé dans 2 pièces, où l'on découvre quelques secrets de fabrication des bonbons à partir de 3 ingrédients : les graines d'anis vert, le sucre (de canne, bio ou de betterave) et les huiles essentielles de Grasse. L'histoire de cette entreprise hors du commun est passée en revue à travers l'évolution des gravures qui ont fait le succès des petites boîtes. Le couple de bergers représenté sur les couvercles en a vu passer des propriétaires jusqu'à la famille Troubat en 1923.
– *Boutique* et *café des Anis* sur place *(tlj sf 1er mai, 25 déc et 1er janv)*. On y trouve apéro anisé (forcément), biscuits maison, glaces artisanales et vins au verre.

ጳ *La Maison des arts textiles et du design :* 3, rue Lacordaire. 📱 06-08-89-93-82. ● marie@algranate.com ● algranate.com ● Visite guidée slt, sur rdv, à partir de 14h. Entrée musée : 5,50 €. Tout à la fois centre de ressources, musée du patrimoine rural et atelier, ce lieu paisible et accueillant s'attache à l'histoire textile de la Bourgogne et nous initie à ses techniques. Expo de différents métiers à tisser. La visite guidée par Marie, passionnée et passionnante, permet de pénétrer ce monde artistique et allégorique dans la mouvance « Arts & Crafts » où tout part de la nature, des couleurs, des saveurs et des matières : chanvre, laine, soie...

ጳጳ *Le vieux village :* il faut se promener au hasard des ruelles tortueuses et agrémentées de rosiers anciens, à la découverte des tourelles d'escaliers et d'une foule de maisons anciennes. Quelques jolis spécimens dans la rue de l'Église, avec la maison au Loup (levez les yeux vers sa gargouille et vous comprendrez d'où vient son nom...) du XIIIe s. Également la maison au Donataire (où se trouve le point info), de style Louis XII et aux élégantes fenêtres, ainsi que l'église Saint-Genest, sa tribune et son jubé. En face, sur la place, peut-être reconnaîtrez-vous la façade de la chocolaterie de Juliette Binoche.

⚜ *Le domaine de Flavigny-Alésia :* Cyril Raveau, pont Laizan, à 2 km en contre-bas du village. ☎ 03-80-96-25-63. ● domainedeflavignyalesia.com ● Tlj 10h-18h ou 19h. L'ancienne dépendance monastique de l'abbaye de Flavigny abrite cuverie et salle de dégustation. Les 13 ha du vignoble, un des plus anciens de France (répertorié dès 741), produisent des vins des coteaux de l'Auxois (IGP). Très beaux vins blancs, rouges et rosés (le beurot ou pinot gris, notamment, sont remarquables, souvent primés au niveau international). Accueil avisé et prix doux. Goûter également la *Gourmandise du Colombier,* un vin liquoreux aux arômes de miel, de coing et de sous-bois.

DANS LES ENVIRONS DE FLAVIGNY-SUR-OZERAIN

🏃 *Les sources de la Seine :* à 2 km de Source-Seine (indiqué). Le célèbre fleuve chanté par tant de poètes commence là son périple par un ridicule filet d'eau qu'on franchit en deux pas sur une minuscule passerelle, le pont Paul Lamarche (mine de rien, c'est le premier pont sur la Seine !). Une fausse grotte de pierre percée, un peu kitsch, protège depuis le XIXe s (et sur proposition d'un certain baron Haussmann) la source principale de la Seine, propriété de la ville de Paris et une statue de la nymphe Sequana. On en oublierait presque l'importance du site archéologique : un ancien sanctuaire gaulois et gallo-romain d'où proviennent de remarquables ex-voto (les Gaulois prêtaient à l'eau de la source des vertus miraculeuses) en bois, pierre ou bronze trouvés en trois campagnes de fouilles archéologiques et exposés au Musée archéologique de Dijon.

🏃 *Le château de Frôlois (21150) :* à 15 km à l'est de Flavigny sur la D 103. ☎ 03-80-96-22-92. ● route-des-ducs.com/chateau-de-frolois ● Visite guidée slt, ttes les heures 13h30-18h30, en juin et août. Entrée payante. Construit aux alen-tours de l'an Mil sur un éperon rocheux, puis remanié au XIVe s, ce château féodal un peu secret mérite le détour, ne serait-ce que pour son site exceptionnel, visible de loin. La visite permet d'admirer la chambre d'Antoine de Vergy, le grand salon, la salle à manger et le petit salon d'hiver. Voir, en sortant, les chapiteaux et statues de la remarquable église du XIIIe s, si elle est ouverte.

🏃 *Salmaise (21690) :* à 20 km au sud-est de Flavigny sur la D 10. Village ins-crit comme « Haut Lieu de Bourgogne », à plus d'un titre. L'église (chœur du XIIIe s), les halles communales armoriées (XIIIe s), les puits, les fontaines cou-vertes de laves, les lavoirs, les vieilles rues en font tout le charme. Sans oublier les vestiges du château bâti par les Mont-Saint-Jean au XIIe s, dominant la val-lée de l'Oze, et la pâtisserie artisanale (rue de la Croix), où l'on vient chercher macarons, gâteaux apéritifs, pâtés en croûte et autres productions maison. De mai à octobre, l'Association des amis de Salmaise propose toutes sortes d'ani-mations : visites, concerts, soirées à thème (☎ 03-80-35-84-99 ; ● salmaise.fr/association-les-amis-de-salmaise ●).

🏃 *L'école-musée de Champagny (21440) :* ☎ 03-80-35-09-31. Pâques-juin et sept-Toussaint, dim et j. fériés 15h-18h ; juil-août, tlj sf lun 15h-18h. Visite commentée d'env 1h. Entrée : 4 € ; réduc. En 1851, le conseil municipal du vil-lage admirait les plans d'une construction qui allait abriter une salle de classe, un logement pour l'instit et, à l'étage, une mairie. Installé en 1856 pour l'ouverture de l'école, le mobilier ne fut jamais retouché par la suite. Tables, ardoises, bancs, tableaux noirs... le temps ici s'est arrêté...

🏃 *L'église abbatiale de Saint-Seine-l'Abbaye (21440) :* sur la D 971, entre Source-Seine et Dijon. ☎ 03-80-35-00-44 (office de tourisme). Mieux vaut télé-phoner avt de s'y rendre. Saint Seine fut le fondateur d'un important monastère dont ne subsiste aujourd'hui qu'une splendide église gothique, la plus ancienne de Bourgogne. À l'intérieur, un superbe autel, véritable dentelle de pierre, des stalles du XVIIIᵉ s, des peintures murales du XVIᵉ s retraçant la vie de saint Seine en 22 tableaux, des pierres tombales.

🄸 *Office de tourisme :* *pl. de l'Église, 21440 Saint-Seine-l'Abbaye.* ☎ *03-80-35-00-44.* ● *cc-forets-seine-suzon.fr* ● *De juil à mi-sept, tlj sf lun* *et jeu 10h-12h30, 15h-18h30. Sinon, slt mar, jeu et ven.* Propose toute une série de visites guidées des sites des environs.

BUSSY-LE-GRAND

(21150)   270 hab.   *Carte Côte-d'Or, B2*

LA CÔTE-D'OR

Ce village a abrité, à quelques siècles d'écart, deux personnages anticonformistes, **Roger de Rabutin (1618-1693) et Douglas Gorsline (1913-1985).** Ils méritent largement le détour que vous ferez pour visiter leurs demeures marquées, ô combien, par leur présence.

À voir

🖈🖈🖈 *Le château et les jardins de Bussy-Rabutin :* à 2 km du village. ☎ *03-80-96-00-03.* ● *chateau-bussy-rabutin.fr* ● ♿ *(partiel). De mi-mai à mi-sept, tlj 9h15-13h, 14h-18h ; hors saison, 9h15-12h, 14h-17h. Fermé certains j. fériés. Entrée : env 8 € ; réduc ; gratuit moins de 26 ans, étudiants et enseignants européens. Visites libres ou guidées selon l'affluence.*
Ancienne maison forte entourée de douves en eau, le château de Bussy fut reconstruit par la famille de Rabutin au XVIIᵉ s au cœur d'un domaine de 30 ha. On admire d'abord la cour d'honneur pour découvrir les quatre grosses tours rondes flanquant les angles de cet édifice en U, acquis par l'État en 1929. Quel panache ! Le cousin de Mme de Sévigné, Roger de Rabutin (1618-1693), comte de Bussy et célèbre homme à femmes, y écrivit une *Histoire amoureuse des Gaules* qui dévoilait les aventures galantes de la Cour. Pas étonnant que Louis XIV en prît ombrage et l'embastillât : mieux vaut prévenir que guérir ! Puis il fut exilé dans son château pendant 16 ans. Pour se venger, ce grand gamin passa son temps à décorer la demeure familiale et fit dessiner, sur certains murs, des devises cinglantes et les visages des maîtresses du roi.
Voir, parmi les dizaines et dizaines de portraits qui ornent les murs, la fameuse galerie des rois de France, le reluisant salon de la Tour dorée, des portraits de grands hommes de guerre... Le parc est planté face au village de Bussy-le-Grand que l'on aperçoit en fond de tableau. Il a fait l'objet d'une complète restructuration, prenant pour principe la restitution du plan du jardin à la française du XVIIᵉ s, idéalisé, avec parterres cernés de buis, cabinets de verdure, labyrinthe et bosquets délimités par des allées en étoile.

🖈 *Le musée Gorsline :* 5, route d'Étormay. ☎ *03-80-99-30-78.* ● *musee-gorsline. com* ● ♿ *(partiel). À 2 km du village. Expos temporaires (programme et horaires sur le site). Donation bienvenue.* Séduits par la beauté de la région et l'accueil des habitants, Douglas et Marie Gorsline ont posé là bagages et chevalets en 1965. Cela ne les a pas empêchés de voyager à travers le monde, de la Chine à Venise, de Florence à New York. Partout, le regard du peintre a su se traduire en des œuvres originales « à double foyer », jouant à fond sur les illusions d'optique, exposées aujourd'hui dans le monde entier... et ici, à Bussy, dans cette ancienne bergerie remarquablement aménagée. Depuis leur mort, une équipe de fidèles entretient leur mémoire à tous deux.

MONTBARD

(21500)   5 800 hab.   *Carte Côte-d'Or, B2*

Le TGV a mis à 1h de Paris cette petite ville industrielle qui ne mériterait pas, somme toute, que l'on s'y arrête, si le grand naturaliste Buffon ne l'avait tant marquée de sa présence. On visitera donc le parc et l'ancienne résidence de ce précurseur de l'écologie, sans oublier les célèbres forges situées non loin.

LA CÔTE-D'OR

GEORGES-LOUIS LECLERC, COMTE DE BUFFON

Né en 1707, Georges-Louis Leclerc Buffon (1707-1788) succède à Jussieu à l'Académie des sciences et devient administrateur des jardins du Roi (actuel Jardin des plantes de Paris) tout en poursuivant des recherches en botanique, en physique et en métallurgie.

L'ORIGINE DU BABOUIN

Buffon était en conflit avec son banquier. Quand il fit le classement des primates, il nomma babouin le singe le plus laid. C'était le nom dudit banquier...

Ami de Daubenton, de Jean-Jacques Rousseau et du ministre Maurepas, Buffon parvient régulièrement à s'isoler de la cour de Louis XV, passant 8 mois par an à Montbard. Châtelain avisé mais un voisin pas toujours des plus commode, il agrandit sa propriété, aménage des jardins en terrasses et installe un observatoire et sa bibliothèque dans les tours de l'ancien château ducal surplombant la ville. Pionnier dans de nombreux domaines, Buffon a également laissé en héritage à sa ville un important savoir en matière sidérurgique grâce à ses célèbres forges, première « usine modèle » du siècle des Lumières (voir « Dans les environs de Montbard »).

On lui doit surtout la fameuse et colossale *Histoire naturelle* (36 volumes, plus 8 autres après sa mort), publiée sur 40 ans, où tous les sujets (ou presque) des sciences naturelles sont soigneusement décrits et analysés. Succès immédiat avec 3 réimpressions en 6 semaines pour les 2 premiers volumes et une traduction dans plusieurs langues. Rien à envier, donc, à l'*Encyclopédie* de Diderot, qui parut à la même époque.

Adresses utiles

🛈 Office de tourisme du Montbardois : *pl. Henri-Vincenot, à la gare.* ☎ 03-80-92-53-81. ● ot-montbard. fr ● ♿ *Lun-sam 9h-13h, 14h-17h30 (18h avr-oct), plus dim en juil-août 10h-13h, 14h-17h30.* 📶 Location de vélos (● velibourgogne.fr ●). Boutique.

Accueil disponible et efficace.
■ Location de voitures : *Europcar, rue Michel-Servet,* ☎ 03-80-92-35-00 *(lun-ven et sam mat 8h-12h, 14h-18h).* Et **Renault Rent,** *route de Saint-Rémy,* ☎ 03-80-92-00-00.

Où dormir ? Où manger dans le coin ?

⛺ **Camping Les Treilles :** *rue Michel-Servet.* ☎ 03-80-92-69-50. 📱 06-84-11-59-11. ● camping.lestreilles@montbard.com ● montbard.com ● ♿ *Accès par la rocade Pierre-Mendès-France et*

la route de Châtillon. Avr-oct. Selon saison, forfaits tente env 12-14 €. 80 empl. Mobile homes 157-505 €/sem. Réduc de 50 % pour un séjour de 2 sem en minichalet (calculé sur le tarif de base à

LA CÔTE-D'OR

la nuitée) sur présentation de ce guide.
À l'écart de la ville, la verdure fait oublier le voisinage, pas très emballant. Tout confort. Pas mal d'installations (terrain de tennis, jeux pour les enfants, volley...) et, juste à côté, le centre nautique en accès gratuit pour les campeurs (4 bassins, sauna, hammam, toboggan, etc.). Animations estivales, dépôt de pain, barbecues, tables pour pique-nique.

📷 |●| *Le Marronnier :* 6, route des Forges, 21500 **Buffon.** ☎ 03-80-92-33-65. ● lemarronnier.buffon21500@gmail.com ● lemarronnier-buffon.com ● ⚲ À 6 km au nord-ouest par la D 905.

Resto tlj midi et soir. Congés : 23 déc-31 janv. Doubles 60-80 €. Menu déj en sem 13 € ; menus 21-34 €. Bar d'habitués, resto de village et de passage, et petit hôtel de 5 chambres, *Le Marronnier,* c'est tout cela à la fois. Côté chambres, c'est impeccable : look contemporain, calme et clim. Et si vous avez peur de la route, demandez une chambre qui donne sur l'arrière, mais vous manquerez la vue apaisante sur le canal qui coule juste de l'autre côté de la route. Côté table, honnête cuisine rustico-classique, servie en salle ou en terrasse (mais plus sous le marronnier... qui a disparu !).

À voir. À faire

🐾🐾 *Le parc Buffon :* sur les hauteurs de la ville, près de l'église. ☎ 03-80-92-50-42. GRATUIT. *Visites guidées et payantes des tours et du cabinet de travail de Buffon, avr-oct, mer-dim.* Dominant la ville, c'est une succession de jardins en terrasses, reliés par de beaux escaliers fleuris. On peut simplement s'y balader le nez au vent ou visiter avec un guide les deux tours (dont celle de l'Aubespin, du XIVᵉ s, au sommet de laquelle Buffon se livrait à des expériences sur le vent) et le cabinet de travail (sur le seuil duquel s'est agenouillé Jean-Jacques Rousseau). Remarquer la statue de Daubenton, l'autre enfant du pays avec à ses pieds un couple de mérinos.

🐾 🐾 *Le musée Buffon :* Orangerie, rue du Parc-Buffon. ☎ 03-80-92-50-42. ⚲ *Dans une ancienne orangerie, face à l'entrée basse du parc. Mer-dim 10h-12h, 14h-18h (ferme à 17h et le mat en sem oct-mars). Fermé vac d'hiver. GRATUIT.* L'ancienne Orangerie, entièrement restaurée, abrite le musée consacré à Buffon, mais aussi à son ami Daubenton (1716-1800), médecin, anatomiste et minéralogiste, mais savant oublié qui naquit 9 ans plus tard également à Montbard et qui contribua pourtant à de nombreux volumes de l'encyclopédie. Le musée offre un voyage dans l'esprit scientifique des Lumières à travers des objets scientifiques des XVIIIᵉ et XIXᵉ s et des pièces de collection. Également des expos temporaires sur les rapports entre l'art et la science.

🐾 *Le musée des Beaux-Arts :* rue Piron. ☎ 03-80-92-50-42. *Sur résa.* Dans une ancienne chapelle des Ursulines du XIXᵉ s, œuvres d'artistes locaux des XIXᵉ et XXᵉ s et expos temporaires.

🐾 *Le centre aquatique Amphitrite :* rue Michel-Servet, à côté du camping. ☎ 03-80-89-15-20. ● ca-amphitrite.fr ● *Tte l'année, tlj.* Centre nautique moderne avec 4 bassins, un sauna, un hammam, un toboggan, etc.

DANS LES ENVIRONS DE MONTBARD

🐾🐾 *Les forges de Buffon (21500) :* ☎ 03-80-92-10-35. ● grandeforgedebuffon.com ● ⚲ *À 6 km au nord-est par la D 905. Avr-Toussaint, tlj sf mar 10h-12h, 14h30-18h ; juil-août, tlj 10h-18h ; visites guidées possibles (et passionnantes !) en été à 15h, 16h et 17h. Visite libre ou guidée : 7 € ; réduc ; gratuit moins de 12 ans. Le billet donne droit à un tarif préférentiel dans d'autres sites, dont l'abbaye de Fontenay.* Buffon était célèbre pour ses publications sur les oiseaux et les mammifères. Mais il étudia aussi les minerais. Voilà pourquoi il créa ces forges... à 60 ans, en 1768, pour les étudier et poursuivre ses expériences sur les minéraux. Elles constituent un rare et remarquable exemple des préoccupations rationalistes et de l'harmonie prônées par les Lumières au XVIIIe s, prémisse au développement industriel du siècle suivant. Cas unique à l'époque, elles réunissaient au même endroit les 3 métiers de la métallurgie : extraction, fonderie et ferronnerie. L'économie de temps et de transport en fit une affaire très rentable. Il était riche, le bougre ! On visite les forges et la roue à aubes actionnant les soufflets, installée au bord d'une rivière, et le pavillon Buffon. Magnifique ! Dans la grange, une expo relate 30 ans de restauration.

L'ABBAYE DE FONTENAY

Carte Côte-d'Or, B2

L'un des monuments absolument majeurs de toute visite en terre bourguignonne, à 6 km de Montbard. Visites nocturnes « à la bougie » en été et concerts de temps à autre.

Comment y aller ?

➤ Pas de bus, malheureusement, depuis Montbard. La solution la plus simple reste donc la voiture. On peut aussi récupérer un vélo à l'office de tourisme, mais il faut savoir que la route n'a rien de bucolique et qu'elle n'est pas sécurisée pour les cyclistes, à moins de connaître les chemins de traverse pour s'y rendre. Il existe d'ailleurs une randonnée sans difficulté particulière, qui longe le ru de Fontenay et s'enfonce dans la forêt (GR 213 ; boucle de 11,5 km). Une belle balade pour ceux qui disposent de temps.

À voir

◎ 🚶🚶🚶 **L'abbaye de Fontenay :** *21500 Marmagne,* à 3 km à l'est de Montbard. ☎ 03-80-92-15-00. ● abbayedefontenay.com ● Pâques-Toussaint, tlj 10h-18h ; le reste de l'année, tlj 10h-12h, 14h-17h. Entrée : 10 € en visite libre et 12,50 € en visite guidée ; réduc. Le billet donne droit à un tarif préférentiel dans d'autres sites dont les forges de Buffon. Visite libre ou guidée (en saison slt ; départ ttes les heures). Compter 1h. L'état de préservation de l'abbaye est unique en Europe. Elle a conservé son église, ses bâtiments claustraux et ses dépendances : boulangerie, forge, pigeonnier, hôtellerie, cloître, dortoir. On voit aussi les rares et magnifiques vestiges de l'industrie papetière qui permit la sauvegarde du site après la Révolution. Les énormes travaux de restauration, on les doit au banquier et collectionneur d'art Édouard Aynard. Ne pas manquer l'*église abbatiale* aux dimensions imposantes, à la simplicité toute cistercienne. Dans le transept à gauche, on remarquera, dans cet ensemble si épuré, la statue typiquement bourguignonne de Notre-Dame de Fontenay (XIVe s). À l'étage, le *dortoir des moines de chœur* est abrité par une charpente du XVe s en chêne (l'originale a brûlé dans un incendie), en forme de carène de navire renversée. De la fenêtre, on plonge sur les *jardins,* classés « Jardins remarquables ». Au centre des bâtiments monastiques, le *cloître* roman est remarquable pour sa broderie d'arcades et ses colonnes massives, qui n'alourdissent pourtant pas la perspective. La *forge,* où a été reconstitué un marteau hydraulique (4 années de recherche ont été nécessaires !), est l'une des plus anciennes d'Europe et la plus grande de France. La métallurgie faisait partie des nombreux savoir-faire des cisterciens, qui excellaient dans les travaux manuels, leur permettant ainsi de vivre en autarcie. Une boutique, un audiovisuel et une salle lapidaire complètent l'ensemble.

LE CHÂTILLONNAIS

LA CÔTE-D'OR

CHÂTILLON-SUR-SEINE

(21400)   5 900 hab.   *Carte Côte-d'Or, B1*

Sur cette terre de passage régnait, six siècles avant notre ère, une superbe Gauloise. Ou du moins était-elle très puissante, si l'on en juge par l'énorme vase de bronze qu'on lui fit fondre en Grèce et qui fait aujourd'hui l'orgueil du musée du Châtillonnais. Comme son nom l'indique, ce joli bourg au nord du département est baigné par la Seine, dont les eaux sont grossies par la Douix, source vauclusienne qui jaillit au pied d'une falaise en pleine ville. Plusieurs fois prise d'assaut et bombardée en 1944, elle conserve de belles traces de son passé.

Adresse utile

🛈 *Office de tourisme du pays châtillonnais :* 1, rue du Bourg. ☎ 03-80-91-13-19. • chatillonnais-tourisme.fr • | *Tte l'année lun-sam ; plus dim mat juil-août.* Visites guidées de la ville (1h30). Accueil chaleureux.

Où dormir à Châtillon et dans les environs ?

Campings

⚠ *Camping municipal Louis-Rigoly :* esplanade Saint-Vorles. ☎ 03-80-91-03-05. • camping-chatillon-sur-seine@ orange.fr • mairie-chatillon-sur-seine. fr • À 1 km des D 928 et D 71. 1er avr-30 sept. Forfait tente env 14 €. 51 empl. Hébergements locatifs 255-370 €/ sem. CB refusées. Un joli site, près de l'église Saint-Vorles, ombragé et agréable. Beaux emplacements spacieux. Barbecue à disposition.
⚠ *Camping Les Grèbes du Lac de Marcenay :* 5, rue du Pont-Neuf. ☎ 03-80-81-61-72. • marcenaylac@ gmail.com • campingmarcenaylac. com • ♿ Au sud-est par la D 953, puis

la D 965. Forfaits tente env 15-20 € selon saison. 90 empl. Hébergements locatifs 315-455 €/sem. 📶 Joliment situé, juste au bord du lac, et bien ombragé. Baignade surveillée en été. Location de mobile homes pour 4 personnes. Rivière à 1 km. Location de vélos et prêt de canoës. Piscine.

Bon marché

🏠 *Hôtel Le Magiot :* rue du Magiot, 21400 *Montliot-et-Courcelles.* ☎ 03-80-91-20-51. • lemagiot@ orange.fr • lemagiot-21.com • ♿ Double 59 €. 📶 Un hôtel moderne, propre et correct, au calme côté jardin, avec des chambres de plain-pied.

LA CÔTE-D'OR

À voir. À faire

🏃 *La source de la Douix :* indiquée par des panneaux. On préfère prendre la rue du Maréchal-Leclerc jusqu'au pont jeté sur la Seine, où l'on bénéficie d'une très belle vue sur l'église Saint-Vorles ; tournez à droite en longeant la Seine jusqu'à l'ancienne porte de la ville, vous serez alors tout près de la résurgence de la Douix. Savourez le moment présent auprès de cette fontaine vauclusienne, puis retournez sur vos pas pour prendre les escaliers qui mènent sous la tour de Gissey, ancienne tour du château fort. Prenez à droite pour monter jusqu'à l'église Saint-Vorles. Superbe point de vue là encore.

🏃🏃 *L'église Saint-Vorles :* esplanade Saint-Vorles. ☎ 03-80-91-50-50. *De mi-avr à mi-juin et sept, w-e et j. fériés 14h30-16h30 ; de mi-juin à fin août, tlj 10h30-12h, 14h30-17h30 ; le reste de l'année, sur résa pour les groupes (*☎ *03-80-91-13-19).* Dominant la ville, un édifice de l'an 1000 de toute beauté. Remarquable sépulcre du XVIᵉ s. Chapelle souterraine où se serait produit le miracle de la lactation de saint Bernard (une statue de la Vierge s'anima et dirigea un jet de lait de son sein dans la bouche... du saint). Redescendre ensuite en ville par l'escalier qui se trouve en face de l'église. Tourner tout de suite à droite par la rue des Évolots, d'où l'on peut découvrir les quartiers anciens.

🏃🏃 *Le musée du Pays châtillonnais, Trésor de Vix :* 14, rue de la Libération. ☎ 03-80-91-24-67. ● musee-vix.fr ● *Tlj sf mar sept-juin, 10h-17h30. Fermé 1ᵉʳ janv, 1ᵉʳ mai, 11 nov, 24-25 et 31 déc. Entrée : 7 € ; réduc.* Sinon *Pass archéo avec le musée Rolin d'Autun, le musée de Bibracte et le site d'Alésia.*
Le musée du Pays châtillonnais est installé dans les bâtiments conventuels de l'abbaye Notre-Dame de Châtillon. Il présente un panorama élargi de l'histoire du Châtillonnais de la préhistoire à la période moderne : de la dame de Vix à l'histoire de la métallurgie du XIXᵉ s. À voir également, un cabinet de curiosités présentant notamment une collection d'oiseaux de la région naturalisés.
Incontournable, le trésor de Vix (VIᵉ s av. J.-C.) comprend, entre autres, cet énorme vase en bronze (cratère) haut de 1,64 m et pesant 208 kg, qui reste l'attraction numéro un du Châtillonnais. C'est le plus important récipient en bronze que nous ait transmis l'Antiquité grecque. Une copie de ce cratère est visible dans une autre vitrine afin de mieux visualiser la sépulture découverte à Vix, qui renfermait également les restes d'une femme portant un torque en or, travail celtique unique. Une dame très mystérieuse que cette dame de Vix, dont les archéologues pensent avoir redécouvert le palais (une demeure digne des premiers rois de Rome).

➤ 🏃 Des *circuits pédestres* jalonnés de plaques explicatives sur les monuments et sites remarquables de la ville ont été mis en place. Une façon sympa de parcourir les quartiers Saint-Vorles, Saint-Nicolas, Marmont et Chaumont.

|●| ∞| *Cabaret La Calèche :* 1, rue du Faubourg-Saint-Nicolas, 21520 *La Chaume.* ☎ 03-80-93-55-66. ● cabaretlacaleche@orange.fr ● caba retlacaleche.fr ● *À env 10 km vers l'est. En soirée, ven et sam à 20h ; en matinée, dim à 12h. Compter 60 €/adulte tt compris.* Rien à voir avec Michou, même si les 2 principaux créateurs viennent de Paris. Grandes tablées, rires assurés. Du vrai, du velu, dans la salle du moins. Une revue transformiste haute en couleur, tout en paillettes, plumes et strass, alliant rires et émotion. Un repas-spectacle pour tous les publics, avec réservation obligatoire.

Fêtes et manifestations

– *Carnaval :* 3ᵉ *sam de mars. Rens :* ☎ *03-80-91-50-50 (mairie).* Synonyme de *Tape-Chaudron* et de *fête du Crémant.* Un défilé de chars ponctué par

quelque 500 bidons et chaudrons agités frénétiquement. Une tradition qui a traversé les siècles. En complément indispensable, pour arroser la fin de l'hiver, la *fête du Crémant*.
– ***Journées châtillonnaises :*** *1er w-e de juin*. Exposition artisanale et grande vente annuelle de la race bovine locale : la race brune.
– ***Semaine musicale Saint-Vorles :*** *dernière sem d'août. Rens à l'office de tourisme.*

DANS LES ENVIRONS DE CHÂTILLON-SUR-SEINE

🕯 Le site de Vix : *à 7 km au nord-ouest par la D 971 (ex-N 71), puis suivre le flé-chage.* C'est au pied de la grosse colline (à 306 m d'altitude exactement) du mont Lassois qu'a été découvert le trésor de Vix. On suivra la petite route qui grimpe jusqu'au sommet pour la vue panoramique sur la plaine environnante et la petite *église Saint-Marcel,* du XIIe s *(mai-sept, dim et j. fériés slt, 15h-18h30).*

🕯 🚶 Le lac de Marcenay : *à 15 km à l'ouest par la D 965.* Créé par les moines de Molesme, c'est aujourd'hui, avec ses 90 ha, un des plus grands lacs de Côte-d'Or. Joli site, réserve ornithologique et activités : pêche, balades à cheval...
– Expo-vente de produits régionaux dans l'ancienne halle au charbon d'un haut-fourneau du XVIIIe s, posée sur la digue du lac *(juil-août, tlj 15h-19h ; avr-juin et les 15 premiers jours de sept, le w-e slt, 15h-18h30).*

🕯 L'abbaye de Molesme : *à 23 km au nord-ouest par la D16. Ne se visite pas, mais on voit assez bien le bâtiment de l'extérieur.* Bâtiment conventuel et cour du cloître d'une célèbre abbaye bénédictine fondée en 1075, par dom Robert. C'est d'ici que partirent, en 1098, 12 moines en direction de la forêt de Cîteaux où ils fondèrent une abbaye qui allait entrer dans l'histoire...

🕯 Le château de Montigny-sur-Aube : *à 25 km au nord-est par la D 965.* ☎ 03-80-93-55-23. ● chateaudemontigny.com ● *Parc, extérieurs du château et chapelle accessibles de mai à mi-nov, mar-dim 14h-18h30 ; le reste de l'année, lun-ven sf j. fériés 10h-12h, 14h-16h30. Tarif : 8 € ; réduc.* Monument historique de style Renaissance édifié en 1550, avec son parc et ses vergers-potagers (label-lisés « Jardin remarquable »). Dégustation possible de sorbets, jus de fruits ou déjeuners champêtres à la *Table des Jardiniers.*

➤ 🕯 Balade dégustation de crémant : *à faire en voiture ou à vélo, selon la façon dont on tient soi-même la route.* Balade dégustation de crémant de Bourgo-gne de chaque côté de la Seine, entre **Massingy** *(domaine Brigand et œnocentre Ampelopsis dédié à l'évolution de la vigne et au vin ;* ● *oenocentreampelopsis. magix.net* ●*)* et **Chaumont-le-Bois,** *à 2 km d'Obtrée (musée de la Vigne, GRA-TUIT ; visite dans les vignes et dégustation chez M. Bouhelier,* ☎ *03-80-81-95-97 ;* ● *bouhelier-vigneron.com* ●*).* Pour les accros, rien ne vous empêche d'emprunter la « route du Crémant ». Tout au long, les vignerons châtillonnais vous ouvriront leurs caveaux.

LA FORÊT DE CHÂTILLON   *Carte Côte-d'Or, B-C1*

Dépliez votre carte : c'est cette grosse tache verte qui s'étend au sud-est de Châtillon. Le plus grand massif forestier de Côte-d'Or, avec 9 000 ha d'une nature miraculeusement préservée (le marais des Brosses cache par exemple une faune et une flore d'une vraie rareté). L'homme, pourtant, y a vécu de longue date : les fouilles menées autour d'Essarois ont révélé que les

Gallo-Romains s'y plaisaient déjà. Dans les petits villages qui cernent la forêt, de nombreuses communautés de Templiers ont laissé quelques étonnants vestiges. Et la forêt de Châtillon a, pendant la Seconde Guerre mondiale, servi de refuge aux résistants à l'occupant nazi. Au carrefour des routes forestières typiques au plan en étoile qui sillonnent la forêt, un imposant monument a été élevé à la mémoire de ces maquisards. Dans les années à venir devrait être inauguré le « parc national des forêts de Champagne et Bourgogne », englobant la forêt de Châtillon.

Adresse utile

🛈 Point infos touristiques : à la Maison de la Forêt. *Lire ci-dessous* « À voir. À faire en forêt de Châtillon ».

Où dormir ? Où manger ?

🏠 **|●| Chambres d'hôtes L'Abbaye du Val des Choues :** 21290 **Essarois.** ☎ 03-80-81-01-09. ● contact@ abbayeduvaldeschoues.com ● abbayeduvaldeschoues.com ● *Au cœur de la forêt ; prendre la route des étangs depuis Voulaines. Compter env 90-110 € pour 2 ; suite familiale également. Table d'hôtes 30 €, vin et café compris.* En voyant ces chambres d'hôtes aménagées dans les anciennes cellules, les frères convers n'en reviendraient pas ! Les chambres sont simples, décorées à l'ancienne, dans un site enchanteur. Quel bonheur d'ouvrir sa fenêtre, le matin, sur la vaste cour de l'abbaye fleurie de roses et égayée par le chant des oiseaux, avec la forêt alentour ! Balades jusqu'à l'étang voisin des Marots.

|●| Le Sabot de Vénus : 13, Grande-Rue, 21290 **Bure-les-Templiers.** ☎ 03-80-81-00-28. ♿ *Ouv tlj sf dim, j. fériés, et le soir lun-jeu. Congés : 1 sem vac scol de fév et 3 sem en août-sept. Formule déj en sem 15 € ; menus 25-38 € ; carte 30-40 €. Café offert sur présentation de ce guide.* Comme un pied de nez au récurrent discours sur la désertification des campagnes, petit bar-tabac-resto-traiteur-gîte tenu par une jeune équipe accueillante. Si vous êtes dans le coin, on vous incite à encourager l'initiative : salle toute pimpante et bonne cuisine à prix serrés.

À voir. À faire en forêt de Châtillon

🏃 **La Maison de la Forêt :** 1, ruelle de la Ferme, 21290 **Leuglay.** ☎ 03-80-81-86-11 ou 82-50. ● maison-foret.com ● *Avr-début sept et vac scol de la Toussaint, mar-ven 9h-12h, 14h-18h ; w-e 14h-18h. Entrée : 5 € ; réduc.* Expositions autour de la forêt et du bois, grimpe dans les arbres, sorties nature, visites guidées en forêt, parcours GPS à la découverte des chants d'oiseaux.

🏃 **Recey-sur-Ource** (21290) **:** Recey est comme couronné de villages semés çà et là, blottis dans un frais vallon ou escaladant les pentes. Le bourg lui-même est bâti en amphithéâtre sur les pentes du Grand-Foiseul, haut de quelque 442 m. À la fin du XVIe s, il fut entouré d'importantes fortifications dont subsiste la partie nord avec quelques tours. À 3 km, on peut voir de la route la « Courroirie », ancienne église des Chartreux de Lugny remontant aux premières années du XIIIe s, convertie aujourd'hui en gîte rural. De Recey, prendre la direction de Saint-Broing-les-Moines (c'est fléché) pour découvrir le très ancien marais des Brosses (un sentier aménagé de 250 m permet d'en percer tous les mystères).

🏃 🚶 **L'abbaye du Val des Choues :** 21290 **Essarois.** ☎ 03-80-81-01-09. ● abbayeduvaldeschoues.com ● ♿ *(partiel). Avr-juin et sept, tlj sf mar 13h-17h ;*

juil-août, tlj 10h-18h ; oct-Toussaint, w-e slt, 13h-17h. Entrée : env 8 € ; réduc. Repas de la meute des chiens (autour de 150), l'ap-m vers 16h (tlj en juin-août et dim en mi-saison s'il fait beau). Au cœur de la forêt, nichée dans un vallon, une ancienne abbaye cistercienne du XIIᵉ s qui a résisté à la Révolution. Fondée par Eudes III, duc de Bourgogne. Un musée avec quelque 500 trophées de cervidés et une salle de la Forêt vivante pour découvrir tous les habitants de la forêt, du blaireau au sanglier. Le musée-opéra de la Vénerie porte un nouveau regard sur la chasse à courre en l'associant à... l'art contemporain ! Également salle des Échos, salle de la Toison d'or, galeries d'exposition, parc animalier. Reconstitution de jardins à la française avec de beaux bassins de pisciculture. Nombreuses randonnées et balades en forêt.

🦌 *Rochefort-sur-Brevon (21510) :* à la lisière sud de la forêt domaniale de Châtillon. Un joli village groupé autour d'un étang, et l'un des sites les plus admirés du Châtillonnais, marqué par l'ancienne activité sidérurgique avec des édifices encore très préservés et le magnifique château du maître de forges.

AIGNAY-LE-DUC   (21510)   410 hab.   *Carte Côte-d'Or, B2*

Le duc, c'est Robert Iᵉʳ, premier duc capétien, fils de Robert le Pieux, roi de France, qui reçut le duché de Bourgogne en 1033 et habita le château d'Aignay. Au XVᵉ s, le pays était un centre de commerce de draps, toiles et cuirs très important. Les guerres de Religion et les invasions lui furent fatales.

Où dormir dans le coin ?

🛏️ |●| *Chambres d'hôtes La Demoiselle :* 4, rue Sous-les-Vieilles-Halles. ☎ 03-80-93-90-07. ● claude.o. bonnefoy@orange.fr ● maisonlade moiselle.com ● Compter 52 € pour 2. Table d'hôtes sur résa 24 €, vin compris. 📶 Belle maison de maître du début du XVIIIᵉ s. La propriété de Claude et Myriam Bonnefoy se caractérise par son traitement minéral spécifique à la région. Repas servi près de la cheminée, dans le séjour. Jardin, vue sur le village et l'église du XIIIᵉ s.

🛏️ |●| *Maison d'hôtes Manoir de Tarperon :* chez Soisick de Champsavin, 21510 **Beaunotte**. ☎ 03-80-93-83-74. ● manoir.de.tarperon@wanadoo. fr ● tarperon.fr ● À 5 km au nord-ouest d'Aignay, au-delà de Beaunotte, par la D 901. Avr-oct. Compter 80 € pour 2. Table d'hôtes 20 €. 📶 Niché dans un écrin de verdure, gentil manoir du XVIIIᵉ s remanié par l'arrière-grand-père de Soisick au XIXᵉ s. Une demeure de famille riche en souvenirs, dont ceux de Jean Bart, corsaire plein de panache, anobli et nommé chef d'escadre par Louis XIV. 5 chambres plus craquantes les unes que les autres et une maison totalement ouverte aux hôtes, du vaste hall à la cuisine campagnarde, en passant par l'immense salon et la salle à manger aux portraits, et encore l'atelier où peindre, modeler, chanter, danser...

À voir

🦌 Belles maisons du XVIᵉ s, lavoirs intéressants et bien restaurés, ancienne forge. Ensemble architectural : lavoir de la Margelle et maison de tanneur, illuminé. Église Saint-Pierre-et-Saint-Paul construite au XIIIᵉ s, une des plus belles du Châtillonnais, avec un somptueux retable Renaissance en pierre, où neuf scènes de la Passion sont sculptées en haut-relief, peintes et dorées.

DANS LES ENVIRONS D'AIGNAY-LE-DUC

🏃 *Étalante (21510) : à 5 km au sud-est par la D 101.* Petit village un peu accroché à la pente. En contrebas, source de la Coquille aménagée (site idéal pour pique-niquer). Pour les marcheurs, insolite circuit des Girouettes, qui fait le tour des nombreuses fermes isolées, bâties pour la plupart aux XVIe et XVIIe s. Celle de *La Pothière*, sur la D 901, plus près d'Aignay-le-Duc, une belle ferme forte (XVe-XVIe s), étant la plus connue *(w-e et j. fériés, sur rdv slt au ☎ 03-80-93-80-06 ;* ● *lapothiere@aol.com* ●*).*

BAIGNEUX-LES-JUIFS

(21450)   320 hab.   *Carte Côte-d'Or, B2*

Il aura suffi d'une autorisation de s'installer donnée vers la fin du XIIIe s à une colonie juive pour que le village trouve ce déterminatif qui intrigue tant les visiteurs. Bel ensemble de maisons anciennes des XVe et XVIe s, avec tourelles octogonales. Église gothique du XIIIe et joli lavoir. À 5 km, château début Renaissance de Jours-les-Baigneux. Beaucoup d'allure.

Où dormir dans les environs ?

🏠 ●I● *Chambres d'hôtes les Clos d'Orret :* le bourg, 21450 **Orret.** ☎ 03-80-96-59-21. ● chambres@ clos-orret.com ● clos-orret.com ● À 4 km à l'est. De fin fév à mi-nov. Compter 74-84 € pour 2. Table d'hôtes sur résa 22-30 €. 🛜 Sur présentation de ce guide, réduc de 10 % sur le prix de la chambre à partir de 4 nuits. En faisant une balade à travers champs, c'est bien de la musique que l'on entend au loin, remplaçant le meugle-ment des vaches ! La maison d'hôtes d'Anne-Lise et Jacques héberge trou-peau d'instruments dans une magni-fique ferme du XVIe s. Entre les larges murs en pierre d'époque, chacun peut improviser un concert (la grange a été aménagée à cet effet). La maison propose 4 chambres, toutes décorées avec soin et conservant l'authenticité des lieux. Sans oublier une vue impre-nable sur le val de Seine, une solide table d'hôtes, et beaucoup d'autres activités pour un dépaysement cham-pêtre et culturel garanti !

DANS LES ENVIRONS DE BAIGNEUX-LES-JUIFS

🏃 *Le musée du Matériel agricole :* 21450 *La Villeneuve-les-Convers.* ☎ 03-80-96-21-08. ♿ *À 9 km de Baigneux. Ouv sur demande auprès de Guy Languereau. Entrée à vot' bon cœur ; gratuit moins de 12 ans.* Un musée insolite sur 2 000 m², qui rend hommage à la vocation première du pays de Baigneux : une centaine de tracteurs, machines à vapeur, matériel de battage et de culture. Outils datant de 1850 à 1950.

🏃 *Le château de Villaines-en-Duesmois (21450) : à 5 km de Baigneux.* Château ducal du XIVe s. Exposition permanente sur la géologie (notamment la pétrogra-phie) dans le Châtillonnais. Il ne reste que les quatre tours en cours de sauvegarde. Nombreuses maisons anciennes dans le village, dont l'ancien presbytère. Photos d'hier et d'aujourd'hui de Villaines. Remarquable mare circulaire à 2 km, sur la route de Montbard.

DE LA SEINE À LA SAÔNE

Au nord-est de Dijon s'étendaient autrefois des terres très convoitées. Entre la Tille et la Vingeanne, était-on bourguignon, champenois ou franc-comtois ? Querelles dépassées qui n'empêchent pas cette région d'être l'une des plus paisibles du département. Les châteaux d'apparat n'y sont-ils pas plus nombreux que les forteresses ? Si vous aimez l'eau (la région porte aussi le nom de « pays des trois rivières ») et la verdure, vous allez être servi.

LA CÔTE-D'OR

GRANCEY-LE-CHÂTEAU-NEUVELLE

(21580)   290 hab.   *Carte Côte-d'Or, C2*

Important patrimoine historique : remparts du Xe s, porte fortifiée, collégiale Saint-Jean du XIIIe s, église Saint-Germain du XVe s. À découvrir avec le sentier des remparts, qui court sur 5,5 km. Magnifiques illuminations de l'ensemble des fortifications. Et pour garder la forme, suivez le sentier des Girolles, sur 22 ou 24 km (!), ou celui de Saint-Germain (3 km).
– *Point information tourisme :* pl. de la Mairie. ☎ 03-80-75-63-45. Visites guidées.

DANS LES ENVIRONS DE GRANCEY-LE-CHÂTEAU-NEUVELLE

🏃 *Salives (21580) :* à 16 km au sud-ouest par la D 959, la D 112 puis la D 19d. Beau donjon de l'an 1000, le seul en Bourgogne de cette époque avec sa porte à... 12 m du sol ! Agréable promenade des remparts autour du village médiéval fortifié et de ses 12 tours restaurées. Église médiévale intéressante par son architecture et ses sculptures. Autre curiosité : la source de la Tille jaillissant sous l'église, dans le lavoir (voir la plaquette sur le circuit des Lavoirs dans le Châtillonnais). Très beau jeu de lumière, œuvre d'un artiste contemporain. Tennis et golf.

IS-SUR-TILLE   (21120)   11 600 hab.   *Carte Côte-d'Or, C2*

Tous les amateurs de mots croisés connaissent cette « gare de triage » en deux lettres... Is, pour remercier de tant de célébrité, organise, le 3e week-end de mai, le festival de Mots croisés. C'est aussi le berceau de la truffe de Bourgogne (fête de la Truffe et des Papilles le 3e samedi d'octobre). C'est enfin l'une des communes les plus dynamiques de la Côte-d'Or en matière d'art floral, autour du thème de la rose. À part ça... quelques vestiges d'enceinte et agréable promenade des Capucins.

Adresse utile

🛈 @ **Office de tourisme :** pl. de la République. ☎ 03-80-95-24-03. ● covati-tourisme.fr ● Mai-oct mar-sam 9h30-12h30, 14h-18h, plus dim et j. fériés en juil-août 9h30-13h ; le reste de l'année, horaires restreints.

Où dormir ? Où manger ?

🛏 🍴 **Auberge Côté Rivière :** 3, rue des Capucins. ☎ 03-80-95-65-40. ● cote.riviere@wanadoo.fr ● hotel-restaurant-coteriviere.com ● ♨. Resto fermé dim soir-lun. Doubles 85-135 €, familiales également. Formules déj (sf dim) 17-26 € ; menus 26-41 €. 📶 Située dans la partie la plus bucolique du petit bourg, une belle maison de caractère, avec un parc ombragé et une terrasse au bord de l'Ignon, bien agréables en été. Pour les jours gris, une grande salle rustico-chic avec cheminée et plusieurs salons. Bien bonne cuisine de saison, dans le style bourguignon. Pain maison, produits frais. Beau petit menu du jour. Chambres cosy, exquises et confortables.

DANS LES ENVIRONS D'IS-SUR-TILLE

🎋 🚶 **Le petit train des Lavières :** ☎ 03-80-95-36-36. De mi-juin à mi-sept, dim et j. fériés 15h-19h. Compter env 2 € pour les grands ; réduc. Un petit train touristique, tiré par son locotracteur Diesel, pour une balade champêtre sympa comme tout, dans des wagons découverts. Circuit en boucle dans une forêt de pins.

🎋 **Selongey (21260) :** à 10 km au nord-est par la D 959 et la D 3. Le bourg figure dans le Larousse pour avoir été, en 1953, le lieu d'une révolution. C'est ici que Frédéric et Henri Lescure ont inventé la fameuse cocotte-minute SEB, ensuite fabriquée dans leur usine. À voir, la petite chapelle Sainte-Gertrude, élevée en 1530.

UNE UTILISATION SUPRENANTE !

Loin de s'intéresser à la cuisine fusion, depuis des décennies, le Commissariat à l'énergie atomique utilise les cocottes-minute pour transporter les matériaux radioactifs. On n'a rien trouvé de plus pratique... et pas cher.

🎋 **Gemeaux (21120) :** à 6 km au sud-est par la D 112. Des siècles d'histoire avec, entre autres, sa voie romaine, ses halles du XVe s.

FONTAINE-FRANÇAISE

(21610)   930 hab.   Carte Côte-d'Or, D2

Un long ruban vert déroulé de chaque côté d'une rivière d'apparence nonchalante, entouré de prairies au sud, de cultures maraîchères au nord... tel apparaît le val de Saône. Une vallée particulièrement convoitée au fil des siècles, notamment autour de ses villes fortifiées où les habitants se sont regroupés.

C'est à Fontaine-Française que s'est déroulé l'ultime épisode des guerres de Religion. Un monument commémoratif, aujourd'hui lieu de pique-nique, sur la route de Saint-Seine, à 1 km, rappelle la victoire remportée par Henri IV le 5 juin 1595 contre les troupes de la Ligue, commandées par le duc de Mayenne. Celui qui ne risque pas d'avoir un monument, c'est Gallas, qui, en 1636, à la tête des troupes suédoises, détruisit nombre de châteaux sur son passage. Pour se venger, on fait une mégafête, de Selongey à Saint-Jean-de-Losne, tous les... 50 ans. La dernière ayant eu lieu en 1988, vous avez encore le temps de prendre des places pour la prochaine !

Où dormir ? Où manger dans le coin ?

Camping

⚊ **Camping du Trou d'Argot :** rue Basse, 21610 **Montigny-Mornay** (Villeneuve-sur-Vingeanne). ☎ 06-77-51-69-33. ● schneider.nathalie@yahoo.fr ● camping-du-trou-argot.com ● À 8 km au nord-est par la D 960. De mi-avr à mi-oct. Forfait tente 9 € en hte saison. 30 empl. Hébergement locatif en hte saison 160 €. CB refusées. Au bord de la rivière, à l'écart d'un vieux village accroché sur le coteau.

De prix moyens à chic

⚊ |●| **Château de Rosières :** 21610 Saint-Seine-sur-Vingeanne. ☎ 03-80-75-96-24. ● info@chateau derosieres.com ● chateauderosieres. com ● À 8 km à l'est par la D 960, puis la D 30 après Saint-Seine ; à 3 km de la sortie du village, entre étangs et forêt, les pieds dans les 2 départements – la Côte-d'Or et la Haute-Saône. Doubles 60-114 € ; familiale. Table d'hôtes 30 €, vin compris. 🛜 Un château du XVIe s qui ne manque pas d'allure. Son

propriétaire ne cesse de l'aménager, entre deux trains (il travaille comme contrôleur à la SNCF, ce qui en fait un châtelain pas vraiment comme les autres !). Des chambres avec carrelage du XVe s, et une suite avec porte de la même époque et des murs peints à la chaux, plus chère évidemment.

⚊ **Commanderie de la Romagne :** 21610 **Saint-Maurice-sur-Vingeanne.** ☎ 03-80-75-90-40. ● xavier.quenot@ wanadoo.fr ● romagne.com ● À 12 km au nord-est par la D 960, puis la D 128. Compter 85 € pour 2. Aux confins de la Champagne et de la Franche-Comté, sur une boucle de la Vingeanne, voici une ancienne commanderie de Templiers fondée en 1144 et dont les fortifications furent renforcées à la fin du XVe s. Après la bataille de Fontaine-Française, Henri IV y installa son camp et ses poules ! Vous n'aurez rien à lui envier, puisque vous serez accueilli dans de superbes chambres d'hôtes (une chambre, une suite et un appartement) aménagées dans le bâtiment du pont-levis ; un lieu où les pierres se marient avec l'eau et les bois. Idéal pour rêver du trésor des Templiers.

À voir

🍴 **Le château :** ☎ 03-80-75-80-40. ● chateau-fontainefrancaise.fr ● Juil-août, tlj sf lun-mar, 10h-12h, 14h-18h. Sept, w-e slt. Visite guidée (compter 40 mn). Entrée : 6 € ; réduc. Demeure parfaite du XVIIIe s, témoignage de la splendeur au Siècle des lumières, mais surtout d'un remarquable équilibre maison-environnement. Beau parc à la française avec 372 tilleuls taillés en portique, alignés comme pour une revue militaire, et des buis taillés en boule, pour égayer. Belle perspective sur la pièce d'eau.

DANS LES ENVIRONS DE FONTAINE-FRANÇAISE

🍴 *Le château de Beaumont – Maison des champs :* 21310 Beaumont-sur-Vingeanne. ☎ 03-80-47-74-05. À 6 km au sud par la D 27. Visite de la maison en juil et sept slt, tlj sf dim 14h30-18h30. Tarif : 4 €. Jardin ouv en saison, sans rdv et gratuit. Maison édifiée au XVIIIᵉ s par le chapelain de Louis XV. Belles dimensions, savantes proportions, ornementation type des hôtels particuliers parisiens.

🍴 *Le château de Rosières :* 21610 Saint-Seine-sur-Vingeanne. ☎ 03-80-75-96-24. À 5 km à l'est par la D 960. Tte l'année, 9h-19h. Visite libre (compter 20 mn). Entrée : 4 € ; gratuit moins de 18 ans. Chemin de ronde avec mâchicoulis, cheminées monumentales, boiseries intéressantes, magnifique plafond à la française, de quoi fantasmer un peu. Pour rêver tout à fait, on peut même y dormir loin du monde et du bruit (voir plus haut « Où dormir ? Où manger... ? »).

🍴 *Champlitte (70600) :* à 17 km au nord-est par la D 960. Ce gros bourg de Haute-Saône cache un intéressant musée des Arts et Traditions populaires, mais aussi des musées de la Vigne et du Vin, et des Arts et Techniques 1900. L'histoire du bourg est plutôt étonnante, en lien avec le Mexique. Plongez-vous dans le *Routard Franche-Comté* !

CASE DÉPART

Ruinés par 7 années de gel successives, des dizaines de vignerons de Champlitte émigrèrent dès 1833 à San Rafael, dans les environs de Veracruz (Mexique). Ils suivirent Stéphane Guénot, un idéaliste généreux qui leur vendit des terres à bas prix. La communauté française y est toujours présente et doit sa prospérité à la vanille.

BÈZE   (21310)   650 hab.   *Carte Côte-d'Or, C2*

Allez savoir pourquoi les gens sourient toujours lorsqu'on leur parle de ce village qui porte le nom de la rivière qui le traverse ! Il se présente d'emblée comme un petit bourg de caractère, doté d'une maison à baies ogivales des XIIᵉ et XIIIᵉ s, de nombreuses maisons à colombages, d'un petit lavoir des sœurs et d'une tour d'Oysel (XIVᵉ s) aux murs épais.
L'ancienne abbaye fut à l'origine de l'un des très grands crus de Bourgogne : le clos-de-bèze, à Gevrey-Chambertin.

Où dormir ? Où manger ?

🛏 🍴 *Auberge de la Quatr'heurie :* rue des Ponts, face à l'église. ☎ 03-80-75-30-13. ● quatrheurie. com ● Tlj. Double 80 €. Formules déj en sem 14-16 €, menus 25-55 €. Ambiance paysanne dans cette taverne aux 6 cheminées et d'un autre temps où l'abus d'alcôves n'est pas dangereux et où l'on sert un verre de vin pour 2 écus ! Différentes salles aux sols de guingois pour déguster une cuisine traditionnelle honnête. Les chambres ne dépareillent pas, la plupart avec baldaquin. Elles portent toutes un nom désuet mais ne sont pas dénuées de charme pour autant.

À voir

🍴 🚶 *Les grottes de Bèze :* ☎ 03-80-75-31-33 (appeler en cas de grosse pluie). ● beze.fr ● Mai-juin et sept, tlj sf lun non fériés 10h-12h, 14h-17h45 ;

juil-août, tlj 10h-12h, 14h-18h ; avr et oct, w-e et j. fériés, plus ap-m des vac scol 10h30-12h et 14h-17h30. Entrée : 5,50 € ; réduc. Lac souterrain illuminé. Promenade à pied et en barque sur près de 300 m. Belle balade ensuite le long de la Bèze pour aller à la découverte de la deuxième source vauclusienne de France.

DANS LES ENVIRONS DE BÈZE

🎋 *La forêt de Velours :* une forêt profonde où l'on rencontre encore quelques vieilles bâtisses du XIXe s, qu'habitaient autrefois les charbonniers. Elle fut découpée en étoile pour faciliter le rabattage du gibier lors de chasses à courre.

🎋 *La culture du houblon :* si vous êtes amateur de bière, vous vous régalerez du spectacle du houblon, cultivé en bord de route, entre Bèze et Beire-le-Châtel et introduit par les Alsaciens et les Lorrains au milieu du XIXe s. Plus au sud sur la D 960 on aperçoit le *château d'Arcelot*.

LA CÔTE-D'OR

TALMAY   (21270)   470 hab.   Carte Côte-d'Or, D3

Le village de Mme Sans-Gêne, à mi-chemin de Bèze et Auxonne, mérite une petite halte, autour de son château et de la ferme-auberge dudit château.

Où camper dans le coin ?

⛺ *Camping La Chanoie :* 46, rue de la Chanoie, 21270 **Pontailler-sur-Saône.** ☎ 03-80-67-21-98. 📱 06-80-50-59-21. ● camping.municipal1@orange.fr ● cotedor-tourisme.com ● ♿ De l'A 39, sortie Soirans ; de l'A 31, sortie Arc-sur-Tille. Ouv de mi-mars à mi-oct. Forfait tente 14 €. 160 empl. Chalets 225-575 €/sem. 🛜 Tout fleuri, tout sympa, en bord de Saône. Location de vélos et label « Accueil Vélo », au bord de la « voie bleue ». Dépôt de pain.

À voir. À faire dans le coin

🎋 *Le château :* accès par la rue Thénard, près de l'église. ☎ 03-80-36-13-09. ● chateau-talmay.com ● *Visite guidée normalement à 15h30 et 17h (compter 45 mn). Entrée payante.* Un haut donjon du XIIIe s attire les regards de ceux qui s'arrêtent, songeurs, devant les grilles de la propriété. Aménagé au XVIIe s avec boiseries et mobilier d'époque, il domine un château classique du XVIIIe s et un parc avec jardins à la française.

➤ 🎋 🥾 *Le circuit des monuments, rivière et nature :* rens à l'office de tourisme de Pontailler-sur-Saône, ☎ 03-80-47-84-42. ● capvaldesaone-tourisme.fr ● Topoguides en vente sur place. Autour de Talmay, balade pédestre de 11 km (balisage blanc pas toujours évident) au fil de l'histoire, du château à la maison natale de Mme Sans-Gêne, vers la Saône, avant de revenir par la chapelle du Frêne et sa fontaine d'eau vive.

🎋 *Les Canalous :* 21270 **Pontailler-sur-Saône.** ☎ 03-85-53-76-74. ● canalousplaisance.fr ● *Loc au w-e ou à la sem.* Location de bateaux habitables pour 2 à 12 personnes, que l'on peut piloter sans permis.

DANS LES ENVIRONS DE TALMAY

🏹 *Le pont-levis de Cheuge* (21310) : *à 6 km au nord-ouest par la D 112d.* Un peu à l'écart du village (point de vue par la route de Jancigny, sur le pont), étonnant pont-levis du XIXᵉ s sur le canal de la Marne à la Saône, où a été tourné *La Veuve Couderc* avec Alain Delon et Simone Signoret. Le bistrot du village conserve pieusement, accrochées à ses murs, des photos du tournage.

AUXONNE　　(21130)　　7 830 hab.　　*Carte Côte-d'Or, D3*

Ville de garnison pour les uns, capitale de l'oignon ou arrêt pain-beurre et café sur la route du ski pour les autres... Cette petite cité, forte de son passé de ville frontière, est devenue bien agréable avec son port de plaisance à 500 m du centre-ville, adossé à 400 m de fortifications du XVIIᵉ s. Auxonne cultive le souvenir de Bonaparte qui séjourna ici à deux reprises, en 1788-1789, puis en 1791, entre deux longs semestres de congés en Corse.

Adresse et info utiles

🛈 *Office de tourisme :* 11, rue de Berbis. ☎ 03-80-37-34-46. ● capvaldesaone-tourisme.fr ● Face à l'église. Lun-sam (plus dim de mi-juin à mi-sept) 9h30-12h30, 14h-18h ; fermé sam ap-m en hiver.
– *Croisières commentées sur la Saône :* ts les ven juil-août. Infos à l'office de tourisme.

Où dormir ? Où manger dans le coin ?

Camping

🏕 *Camping de l'Arquebuse :* route d'Athée, à Auxonne. ☎ 03-80-31-06-89. ● camping.arquebuse@wanadoo.fr ● campingarquebuse.com ● À 150 m de la D 905. De mi-janv à mi-déc. Forfaits tente env 19-22 €. 100 empl. Bungalows jusqu'à 5 pers 300-800 €/sem selon capacité. Un camping bien équipé en bord de Saône. Piscine et restauration. Location d'embarcations à pédales.

De prix moyens à chic

|●| *Le Nymphéa :* 32, rue de Franche-Comté, 21760 **Lamarche-sur-Saône.** ☎ 03-80-32-02-50. 🍴 À 10 km au nord par la D 976. Accès par le petit chemin à côté du Domaine Saint-Antoine (sur la D 976). Tlj. Résa plus qu'indispensable. Formules déj en sem 14-17 € ; carte env 25-30 €. Le Nymphéa fleurit en bord de Saône. Une guinguette où l'on vient d'abord pour les copieuses fritures d'ablettes et d'autres poissons servis dans la grande salle, ou à la terrasse fleurie qui domine les berges, là où accostent les bateaux. Mais entre terrines et salades, fritures, poisson, viande et volaille, l'estomac hésite. D'autant que l'accueil est super sympa et naturel avec la pétillante jeune patronne.

🛏 |●| *Domaine Saint-Antoine :* 32, rue Franche-Comté, 21760 **Lamarche-sur-Saône.** ☎ 03-80-47-11-33. ● lesaintan toine@wanadoo.fr ● le-saint-antoine.fr ● 🍴 À 10 km au nord par la D 976. Double 88 € ; également des suites « jardin ». Formules 15-20 € (déj en sem), menus 28-48 € ; carte env 35-40 €. 🛜 La déco à thème, personnalisée selon les chambres, est revue régulièrement. Pimpantes, fonctionnelles et (très) spacieuses pour certaines, elles sont un poil plus calmes sur l'arrière. Très bonne cuisine de terroir, agrémentée de plantes aromatiques. Fraîcheur et couleurs mises en exergue par un service souriant et efficace. Piscine couverte ; sauna et hammam (payants).

À voir

¶¶ *L'église Notre-Dame :* le transept méridional date du XIIe s, tandis que le reste fut construit du XIIIe au XIVe s, le porche ayant été rajouté en 1516. Le guide signale en un heureux amalgame qu'il faut voir « orgues, chaire à prêcher, lutrin, aigle en bronze de 1562, statue de la Vierge au raisin du milieu du XVe s, saint Antoine polychrome de la fin du XVe, christ de pitié du XVIe ». Montée à la tour de l'église le vendredi en juillet et août.

¶¶ En sortant, prenez le temps d'admirer les *maisons des XVIe et XVIIe s,* avant d'aller jeter un œil aux *fortifications* et à l'*arsenal* d'artillerie construit par Vauban. Il sert de halles, le vendredi, pour le marché.

Manifestation

– *Carnaval d'Auxonne :* 1er dim de mars. Rens à l'office de tourisme. Un des plus importants de la région, depuis près d'un siècle.

LA CÔTE-D'OR

SAINT-JEAN-DE-LOSNE

(21170)   1 270 hab.   *Carte Côte-d'Or, C4*

Sa situation, au confluent de la Saône et des canaux de Bourgogne et du Rhône au Rhin, lui a valu d'être, depuis le XIXe s, la capitale de la batellerie. Saint-Jean-de-Losne est aujourd'hui le premier port fluvial de plaisance européen, « surbooké » en été.

Adresse utile

🏠 @ *Office de tourisme Rives de Saône :* 2, rue de la Liberté. ☎ 03-80-37-15-70. ● saone-tourisme.fr ● Avr-sept, lun-sam 10h-12h30, 14h-18h ; plus dim en juil-août et 15 août 9h-13h.

Oct-mars, mar-mer et ven slt. Balade des mariniers avec panneaux, appli téléchargeable gratuitement ou tablette (3 circuits thématiques).

Où camper ?

⛺ *Camping Les Herlequins :* au lac de Chour. ☎ 03-80-39-22-26. ● ludovic.billard@sfr.fr ● stjeandelosne.fr/le-camping-restaurant-les-herlequins ● 🚲 À 1 km du bourg. Ouv tte l'année.

Forfaits tente env 13-16 €. 65 empl. Camping classique sur les bords de la Saône. Baignade non surveillée. Location de vélos et kayaks à proximité. Jeux pour enfants. Restauration rapide.

À voir. À faire

¶ *L'église Saint-Jean-Baptiste :* gothique (XVIe s). Un immanquable édifice de brique élancé comme un gratte-ciel. Clocher à tourelle et toits très pentus, recouverts de tuiles vernissées pour bien se rappeler qu'on est en Bourgogne. À l'intérieur, chaire à prêcher (1604), stalles (1748), orgue (1768), maître-autel avec baldaquin (1784).

⚐ Musée de la Batellerie : 5, rue de la Liberté. ▣ 06-41-75-25-13. ● musee-saintjeandelosne.com ● Tlj avr-oct 10h-12h, 14h30-18h30 ou sur rdv. Entrée libre ; visite commentée payante. Pour tout savoir sur la batellerie. Dans l'escalier : Vierge bourguignonne (XVe s) en chêne, réemploi d'un élément de pan de bois.

⛵ Croisière sur la Saône : ▣ 06-07-42-75-54. ● bateauvagabondo.com ● Propose des croisières simples ou avec repas au départ de Saint-Jean-de-Losne.

➤ Parcours écopagayeur : ☎ 03-80-77-92-78. ● pagaies-des-bords-de-saone. fr ● Concept original pour découvrir sur la Saône la faune et la flore des rivières en canoë canadien (bien stable), topoguide en main. Il suffit de suivre l'audioguide à déclenchement GPS. Itinéraires de 2h à une demi-journée entre Saint-Jean et Seurre.

Fêtes et manifestations

– **Salon fluvial :** au printemps.
– **Pardon des mariniers :** 3e w-e de juin. Grande fête de la Batellerie. Une fête solennelle avec une flotte de péniches superbement décorées et une grand-messe donnée sur l'une d'elles.
– **Salon du livre et du vieux papier :** 11 nov. Les bouquinistes envahissent la ville.
– **Saint-Nicolas :** dim le plus proche du 6 déc. Arrivée de saint Nicolas sur la Saône, défilé et grand marché à travers la ville.

DANS LES ENVIRONS DE SAINT-JEAN-DE-LOSNE

⚐ Le château de Longecourt-en-Plaine (21110) **:** 2, rue du Château. ☎ 03-80-39-88-76. À 15 km au nord-ouest par la D 968. Sur rdv slt ; visite guidée (compter 1h). Entrée : env 5 €. Visite libre des extérieurs. Beau château Renaissance remanié au XVIIIe s. Extérieur de brique et de stuc (très abîmé) dans le goût italien de l'époque. Entouré de douves et de tours rondes, cet ancien rendez-vous de chasse des ducs de Bourgogne est la propriété de la famille de Saint-Seine depuis trois siècles. Dans le parc, des arbres du même âge et une belle collection de rosiers, un peu plus jeunes, dans le jardin. Le château abrite également des chambres d'hôtes.

SEURRE   (21250)   2 600 hab.   Carte Côte-d'Or, C4

Cette petite ville tranquille s'étirant le long des berges accueillantes de la Saône est à la fois proche des diables et du Bon Dieu. Les diables étant peints sur des fresques à l'église de Bagnot, Dieu étant chez lui partout ailleurs dans ce plat pays, naguère marécageux et forestier. Lequel vit, en 1098, s'élever un monastère bâti en bois et torchis qui allait devenir célèbre dans le monde entier : Cîteaux.

Adresse utile

▣ **Office de tourisme Rives de Saône :** maison Bossuet, 13, rue Bossuet. ☎ 09-61-38-56-11. ● saonetourisme.fr ● Avr-fin sept, tlj sf dim et j. fériés 9h-11h30, 14h-17h30. Circuit découverte de la ville « Parcours patrimoine Jacquemart » avec un petit fascicule.

Où dormir ? Où manger dans les environs ?

♠ |●| *Le Cascarot :* 2, *Grande-Rue,* 21250 *Lechâtelet.* ☎ *03-80-47-01-94.* ● *cascarot.eu* ● *Entre Saint-Jean-de-Losne et Seurre, en marge de la D 976. Fermé lun-mar. Doubles à partir de 90 € ; également des apparts. Menus 20-27,50 €.* Une adresse qu'il faut dénicher, idéale pour les cyclistes (location de vélos), située sur l'Eurovélo 6 et la Voie bleue. Une jolie récompense

en tout cas à l'arrivée que cet ancien hôtel réhabilité, dans un environnement bucolique, surplombant légèrement un méandre de la Saône. Derrière les volets grenat se cachent des chambres élégantes et des appartements tout confort. Au rez-de-chaussée, bar et restauration sur commande. Une halte privilégiée en immersion dans le village.

À voir

⚒ *L'hôtel-Dieu :* 14, *Grande-Rue-du-Faubourg-Saint-Georges.* ☎ *03-80-20-39-19.* ● *ch-seurre.net* ● ♿ *Visite guidée et payante sur rdv.* Parcours aménagé pour une très belle alternative aux Hospices de Beaune. Toujours en activité, l'hôpital renferme, dans sa partie ancienne (XVIIe-XVIIIe s), de véritables trésors : apothicairerie avec une belle collection de faïences, cuisines, grande salle des hommes avec ses anciens lits clos, chapelle.

⚒ *Le musée de la Saône et des Gens de la Saône :* 13, *rue Bossuet.* ☎ *09-61-38-56-11. Avr-fin sept, tlj sf dim et j. fériés 9h-11h30, 14h-17h30. Entrée : 2,50 €.* C'est l'office de tourisme... dans la maison familiale de Bossuet (XVIe s), où vécurent les ancêtres du grand prédicateur, bourgeois aisés qui exerçaient le métier de charron, et dont plusieurs furent échevins ou maïeurs. Beau bâtiment en brique rouge, typique de l'habitat local. Outre l'office de tourisme, l'endroit abrite aujourd'hui une galerie d'exposition (ancien atelier des Bossuet) et un musée de trois étages regroupant des pièces du patrimoine naturel et traditionnel du val de Saône (céramique et archéologie, batellerie, vieux métiers à l'origine de l'industrie de la prothèse).

⚒ *L'étang Rouge, écomusée en plein air du val de Saône :* rue de Franche-Comté. ☎ *09-61-38-56-11. À la sortie de la ville, direction Saint-Aubin. Accès libre.* Suite quasi obligatoire du musée de la Saône et des Gens de la Saône (avec reconstitution de fermes, maisons bressanes ou bourguignonnes, granges, pigeonniers). Une passionnante réhabilitation du patrimoine local et naturel sur 6 ha. Nombreuses manifestations : brocantes, saveurs d'automne, visites gourmandes... Pour les enfants, animations « Le Mystère de l'étang Rouge » (inscriptions et kits sur place auprès des offices de tourisme de Saint-Jean de Losne et Seurre, payant).

L'ABBAYE DE CÎTEAUX
Carte Côte-d'Or, C4

🎬🎬 *Sur la D 996, à l'est de Nuits-Saint-Georges, près de Saint-Nicolas-lès-Cîteaux.* ● *citeaux-abbaye.com* ● ♿ *(label « Tourisme et Handicap »). Mai-début oct et vac scol de la Toussaint, 9h45-18h30 (dernière visite à 16h30 ou 17h) ; fermé dim mat, les mat de l'Ascension et du 15 août, ainsi que lun-mar en mai-juin et sept, lun en juil-août. Visites guidées slt, durée 1h15 (mieux vaut réserver au* ☎ *03-80-61-32-58 ou sur* ● *visites@citeaux-abbaye.com* ●*) : 7,50 € ; 6,50 € sur présentation de ce guide ; gratuit moins de 12 ans (accompagnés de leurs parents). Un petit livret interactif est distribué à chaque enfant. Film sur la vie des* *moines,* Un arbre de vie *(22 mn). Expos « La journée du moine » et « La grande histoire de Cîteaux ». Boutique avec notamment vente de fromage de Cîteaux (tlj sf lun non fériés et dim mat).*

Abbaye fondée à la fin du XIe s, berceau de l'ordre cistercien, eh oui ! C'est parmi les « cistels » (roseaux) d'une forêt marécageuse que Robert de Molesme (1029-1111) décida d'ériger en 1098 ce monastère pour vivre selon la stricte règle de saint Benoît, dans l'esprit de pauvreté, de travail et de prière. La poignée de pionniers fut rejointe 15 ans plus tard par le futur saint Bernard, personnage passionné, flamboyant et très engagé dans les débats de son temps. Huit siècles après, le 2 octobre 1898, une nouvelle poignée d'hommes a réoccupé les lieux d'où les moines avaient été chassés à la Révolution, et aujourd'hui, une trentaine de frères y vivent.

CÎTEAUX DIT, SITÔT FAIT

En 2009, quatre moines de Cîteaux ont émigré à Munkeby en Norvège pour créer un nouveau monastère. Située quasiment sur le cercle polaire, cette nouvelle antenne vient rejoindre la grande famille cistercienne qui a essaimé partout dans le monde. La dernière création remontait au... XVe s !

Ne soyez pas surpris, il n'y a plus grand-chose à voir du Cîteaux du XIIe s : seuls deux des bâtiments qui ont échappé au massacre de la Révolution sont encore visibles du public. À l'étage, la *bibliothèque* (XIIIe et XVIe s), restaurée, offre aux visiteurs une exposition des premières enluminures créées à Cîteaux, au XIIe s et une maquette de l'abbaye en 1720. On peut également visiter la seule galerie restante du *cloître des copistes,* lui aussi restauré dans les tons d'époque et doté de cellules adjacentes. L'exposition « Cîteaux, une terre et des frères » propose, dans le *noviciat* (partie encore accessible du *définitoire*), une piste de réflexion sur la gestion des biens naturels que les moines ont pratiquée pendant des siècles avec l'eau, la forêt et les ressources de leur domaine. Le parcours guidé permet de comprendre la spiritualité et l'organisation cistercienne, celle qui voit aujourd'hui, sur cinq continents, dans plus de 350 monastères, des communautés vivantes marcher sur le chemin ouvert ici par les « aventuriers du nouveau monastère ». Un document audiovisuel très bien fait donne à lire le déroulement historique des neuf siècles écoulés et la vie actuelle des moines.

LA SAÔNE-ET-LOIRE

ABC de la Saône-et-Loire

❏ *Superficie :* 8 575 km².
❏ *Préfecture :* Mâcon.
❏ *Sous-préfectures :* Chalon-sur-Saône, Autun, Charolles et Louhans.
❏ *Population :* 556 000 hab., plus du tiers des Bourguignons.
❏ *Point culminant :* le signal de la Mère-Boitier (758 m).
❏ *Signes particuliers :* 2 « Grands Sites de France » (Solutré Pouilly Vergisson et Bibracte – Mont Beuvray) ; 13 chefs étoilés ; 3 vignobles (côte chalonnaise, mâconnais et beaujolais).

Quand on rejoint Mâcon depuis Dijon ou Beaune, l'apparition au loin de villages aux toits de tuiles douces et rondes à la romaine, accompagnée d'un changement de climat et d'atmosphère, d'une lumière soudain plus gaie, est un signe qui ne trompe pas. Mieux qu'un panneau frontalier, il indique le passage irrémédiable du « Nord » au « Sud ». Bienvenue en Saône-et-Loire, le département le plus méridional de la Bourgogne-Franche-Comté.

UNE TERRE DE TRANSIT(ION)

Au sud, vigne omniprésente et villages opulents, tandis que le nord du Mâconnais laisse sa forêt prendre le dessus. Entre les deux, le paysage ondoie paisiblement. Pâtures, céréales et vignes s'y côtoient sans heurts, et nos amis ruminants y sont nombreux. Au nord, la petite agriculture traditionnelle régresse, la campagne se désertifie, les villages se vident hors saison... Vallées, routes de crêtes plus intimes, architectures rurales émouvantes de simplicité rugueuse et de charme.

LAMARTINE VOIT ROUGE

Lors de la révolution de 1848, les Parisiens marchèrent sur l'hôtel de ville pour réclamer l'instauration du drapeau rouge comme nouvel emblème national. Le Mâconnais Lamartine était alors ministre des Affaires étrangères. Il s'interposa dans un célèbre discours improvisé pour sauver de justesse le drapeau bleu-blanc-rouge. Sans lui, la France arborerait aujourd'hui un drapeau ressemblant à celui de la Chine !

Une fois passé le **Tournugeois**, il vous reste toute la plaine de la **Bresse bourgui-gnonne** à découvrir, avant de repartir vers Chalon-sur-Saône, la capitale économique du pays. La **Côte chalonnaise** cache quelques petites merveilles que nous allons essayer de vous faire découvrir.

Le voyage dans ce sud de la Bourgogne passe tout naturellement par le **Charolais** et le **Brionnais**, terres méconnues, riches en patrimoine roman, avant de se poursuivre, selon le temps et l'envie, entre une Loire qui, quoique fort discrète, a donné la moitié de son nom à ce département, et les bords du **canal du Centre**. Trait d'union entre Saône et Loire, entre Digoin et Chalon, les deux villes-portes du département, le canal du Centre est long de 112 km. Réalisé au XVIIIe s par l'ingénieur-architecte Émiland Gauthey, il fut le principal vecteur du développement industriel local avant de devenir l'un des pôles touristiques du XXIe s.

D'autres destinations que les routes du Vin s'ouvrent au tourisme, lentement, car l'arrière-pays a du mal à se détacher de ce qui fut longtemps sa première raison d'être, le travail industriel : Toulon-sur-Arroux, Montceau-les-Mines, Le Creusot... Vous voilà arrivé aux portes du **Morvan**, entre Bibracte et Autun, qui racontent à elles seules une autre histoire, développée dans un autre chapitre.

Adresses et infos utiles

ℹ Destination Saône & Loire (ADT) : 389, av. De-Lattre-de-Tassigny, 71000 **Mâcon.** ☎ 03-85-21-02-20. ● info@ adt71.com ● destination-saone-et-loire.fr ● Toutes sortes de brochures sur les circuits (route des Vins notamment), la voie verte, les hébergements, les établissements labellisés « Tourisme et Handicap », etc.

– **Aventures mômes :** demander à l'ADT la brochure qui recense plus de 100 sites sympa pour les 4-14 ans (visites et activités). La liste des prestataires est consultable sur ● destination-saone-et-loire.fr ● et dans la brochure « Aventures mômes » (téléchargeable sur le site). Découpage en plusieurs thèmes : balades et découvertes, parcs de loisirs et animaliers, culture et patrimoine, ateliers créatifs et sports mécaniques.

– **La route des châteaux :** demander dans les offices de tourisme la liste des 16 châteaux de Bourgogne du Sud que l'on peut visiter : ● chateauxen bourgognedusud.com ● Pour un billet d'entrée acheté, réduction dans les autres châteaux.

– **Country Break :** ● country-break-bourgogne.fr ● Tout un choix de séjours et week-ends en Bourgogne du Sud, proposés par le département, entre visites et repos, activités sportives et gastronomie, etc.

■ **Gîtes de France Saône-et-Loire :** esplanade du Breuil, BP 522, 71010 **Mâcon** Cedex. ☎ 03-85-29-55-60. ● info@gites71.com ● gites71.com ● Accueil téléphonique lun-ven 9h-12h, 13h-18h (16h45 ven).

➤ **Réseau de bus :** infos avec la plate-forme de ts les transports en Saône-et-Loire, Mobigo. ☎ 03-80-11-29-29. ● saoneetloire71.fr/se-deplacer/transport-en-commun/reseau-buscephale ●

VOIE VERTE, RANDO, VÉLO

Vallées fluviales de la Loire et de la Saône, côte calcaire du Mâconnais et du Chalonnais, bocages du Charolais-Brionnais, étangs de la Bresse, Morvan... la Saône-et-Loire dispose d'un potentiel considérable pour la pratique de la randonnée (pédestre, équestre, cycliste). Vous allez aimer, d'autant que tables et caves sont là pour redonner forces, sourire et moral, au cas où vous auriez perdu les uns ou les autres en cours de route.

La **voie verte** qui a fêté ses 20 ans en 2017 dispose de 220 km de pistes goudronnées, utilisant aussi bien les anciennes voies de chemin de fer que les chemins de halage, mais ce sont en tout quelque 400 km d'itinéraires cyclables qui ont été

© DSL/Aurélien Ibanez/Bourgogne Live Prod

SÉJOURS EXTRA-SENSORIELS
EXCLUSIVEMENT EN SAÔNE-ET-LOIRE

> Votre séjour dans une campagne unique
> au sud de la Bourgogne, élégante et sensuelle,
> gourmande et spirituelle, pour succomber
> à de multiples expériences qui libèrent les sens

ÊTES-VOUS PRÊT À ÊTRE L'INVITÉ D'UN MONDE IRRÉSISTIBLEMENT INTENSE ?

> ## COUNTRY BREAK
> ### À 1H15 DE PARIS ET 40MN DE LYON

❯ COUNTRY-BREAK-BOURGOGNE.FR

Destination
Saône & Loire

L'agence de développement touristique et de promotion
du territoire de Saône-et-Loire
389, av. de Lattre de Tassigny - 71000 Mâcon - France

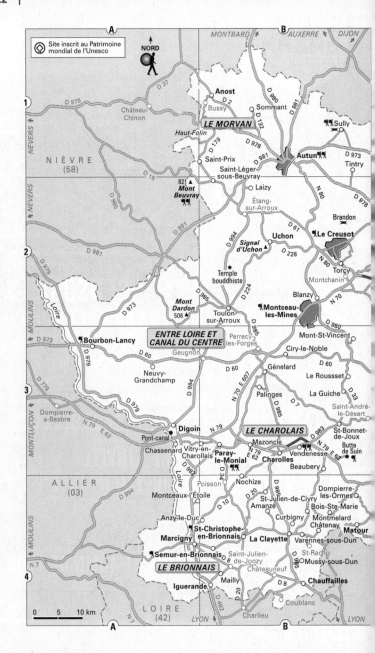

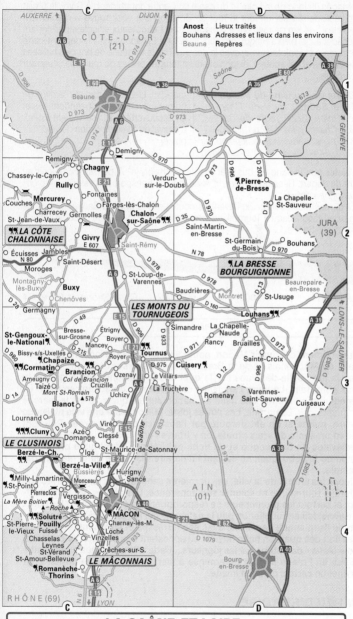

aménagés, le long de la Loire et du canal du Centre notamment. À Givry, le projet ambitieux de réaliser un jour le tour de Bourgogne à vélo trouve véritablement sa « voie » : 44 km de rêve entre bocages, forêts et coteaux viticoles, permettant d'accéder aussi bien à Buxy, Cormatin que Cluny. Indispensable : le dépliant-carte *Voies vertes et cyclotourisme,* avec le descriptif de la vingtaine de boucles balisées (voies vertes et véloroutes), disponible dans tous les offices de tourisme situés sur le parcours.

🛈 **Office de tourisme du Mâconnais Val de Saône :** *gare de Charnay-Condemine, 2727, route de Davayé, 71850* **Charnay-lès-Mâcon.** ☎ *03-85-21-07-14.* ● *charnay.com* ● *Juil-août, tlj 9h-13h, 14h-19h ; avr-juin et sept-oct,* *mer-dim.* Lieu de départ et d'arrivée de nombreux itinéraires de randonnées et de découverte, qu'ils se fassent à pied, à cheval ou à vélo (location de vélos sur place).

➤ Noter que la ligne de bus Mâcon-Cluny-Chalon (n° 7) permet de revenir au point de départ. Résa obligatoire, la veille, pour le transport des vélos (● *mobigobourgogne.com* ●).
➤ Pour les plus courageux, l'aventure continue le long de la Saône, depuis les quais de Mâcon jusqu'à Tournus, en attendant que la boucle soit bouclée jusqu'à Chalon-sur-Saône.

MÂCON (71000) 36 000 hab. *Carte Saône-et-Loire, C4*

● Plan *p. 225*

Pour vraiment découvrir Mâcon, petite ville active à la frontière du Beaujolais, du Mâconnais et de la Bresse, il faut traverser la Saône. Là, vous avez la plus belle des vues sur le quai et ses maisons bien alignées, le vieux pont Saint-Laurent, l'ancienne cathédrale se détachant en fond. Le samedi matin, il règne une belle animation sur les quais : c'est le marché sur l'esplanade Lamartine. Les autres jours, Mâcon reste une ville plaisante à vivre, même si on est dérouté par l'absence de centre réel. Pourtant Mâcon présente de vrais atouts, on y trouve l'une des plus belles maisons médiévales de Bourgogne et un riche patrimoine. Il faut juste prendre le temps de le débusquer, en suivant l'itinéraire « Le tracé de la plume » par exemple.
Saluons les efforts de la ville, ces dernières années, pour renouer avec son potentiel touristique et soigner son apparence. Les places ont subi un lifting, et surtout les promeneurs se réapproprient progressivement les bords de Saône, faisant oublier un peu la nationale qui longe la rivière : construction de l'esplanade Lamartine avec ses terrasses et jeux pour les enfants, réfection des quais en halte fluviale où accostent des bateaux de croisière, « voie bleue » parcourue par les joggeurs... Cette ville qui vit quasiment naître l'aviron en France semble déterminée à filer droit sans se retourner pour corriger un certain défaut d'image.

UN PEU D'HISTOIRE

L'histoire plaide pour une mise en avant de ce lieu stratégique qui fut un port important dès le IIIe s avant notre ère. Les Romains y bâtirent un castrum : Matisco, bien placé sur la via Agrippa, la grande voie reliant Lugdunum (Lyon) aux provinces

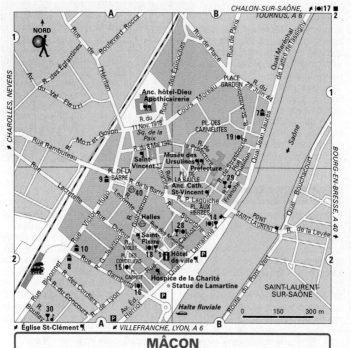

MÂCON

du Nord. À partir de 536, la création d'un évêché, et, quelques années plus tard, l'arrivée des reliques de saint Vincent de Saragosse ne font qu'accroître l'importance du bourg.

Lors du partage de l'empire de Charlemagne en 843, Mâcon devint une ville frontière, la Saône marquant la limite entre le royaume de France et le royaume de Germanie. En 1455, Charles VII cède à nouveau le Mâconnais à Philippe le Bon, duc de Bourgogne. Dernier transfert en 1477, à la mort de Charles le Téméraire, lorsque toute la Bourgogne revient à la France.

Aujourd'hui, Mâcon est une ville active, bénéficiant toujours de son rôle charnière entre Bresse, Beaujolais et Mâconnais. Son salon annuel des vins (avec le concours des grands vins de France) a acquis une réputation mondiale et, à mi-chemin sur la route des vacances méditerranéennes, la ville et ses environs constituent une véritable étape gastronomique et culturelle.

L'HYDROBASE DE MÂCON

Dans les années 1930, la Saône à Mâcon fit l'objet d'une activité aussi peu banale que spectaculaire : la compagnie britannique Imperial Airways *en avait fait une escale technique pour ses colossaux hydravions sur les lignes Southampton-Le Cap et celles en provenance d'Asie. Une piste « d'amerrissage » idéale qui vit passer 211 vols commerciaux entre 1938 et 1939. La guerre mit fin à cette éphémère hydrobase.*

Adresses et infos utiles

🏠 *Office de tourisme du Mâconnais Val de Saône* (plan A2, **1**) **:** 1, pl. Saint-Pierre. ☎ 03-85-21-07-07. ● visitezlemaconnais.com ● Juil-sept, tlj 9h-19h (10h-12h30, 14h30-18h dim) ; juin, lun-sam 9h30-12h30, 14h-18h30, plus dim ; le reste de l'année, mar-sam slt. Autre bureau (voir le chapitre d'intro sur le département) à *Charnay* au départ de la voie verte : ☎ 03-85-21-07-14. Tlj en juil-août (mer-dim début avr-début nov). Billetterie touristique dans les 2 lieux d'accueil. Promenades à thème originales et visites guidées de la ville en été. Infos sur les 8 circuits touristiques, culturels et gastronomiques de la *route des vins mâconnais-beaujolais*, à travers environ 80 villages-étapes (guides touristiques gratuits, ● route-vins. com ●). Location de vélos.

■ *Maison mâconnaise des vins* (hors plan par B1, **2**) **:** 484, av. De-Lattre-de-Tassigny. ☎ 03-85-22-91-11. ● contact@maisondesvins.com ● Tlj 10h-19h. Superbe espace accueil-présentation-vente des vins du Mâconnais. Fait à aussi bar et restaurant midi et soir.

➤ *Bus :* ☎ 03-80-11-29-29. ● buscephale.fr ● Lignes directes avec Cluny, Tournus et Chalon. Pour Paray-le-Monial ou Marcigny, changer à Cluny.

🚄 *2 gares TGV :* Mâcon-ville centre (plan A2) et gare Mâcon-Loché-TGV (à 7 km). Bus avec le réseau de la ville TRéMA, ligne E (☎ 03-85-21-98-78. ● trema-bus.fr/fiches_horaires ●) ou avec le réseau inter-urbain Buscéphale, ligne n⁰ 7 (coordonnées ci-dessus). Sinon, des navettes ponctuelles mises en place par la SNCF.

■ *Location de voitures :* Hertz (201, chemin des Jonchères, *Charnay-lès-Mâcon,* à 800 m de la gare TGV ; ☎ 03-85-20-92-61) ; Avis, ☎ 08-20-61-16-62 (0,112 €/mn) et Europcar, ☎ 03-85-20-14-14, à la gare TGV Loché-Mâcon. Attention, pas d'agence à la gare du centre-ville (ce serait trop simple...).

■ *Taxis :* RadioTaxi Mâcon, 📱 06-11-48-64-68 ; Allô Mâcon Taxis, 📱 06-08-84-04-97 ; *Taxi Service,* 📱 06-34-64-13-65. ProxyMobil, 📱 07-61-17-93-38. ● proxymobil.fr/fr/page-daccueil/ ● (taxi touristique à la carte, pratique pour se rendre à la roche de Solutré par exemple ; résa possible à l'office de tourisme).

Où dormir ?

Prix moyens

🏠 *Brit Hotel Mâcon Centre* (plan A2, **8**) **:** 1, rue Bigonnet. ☎ 03-85-38-18-10. ● macon@brithotel.fr ● hotel-macon.brithotel.fr ● Assez central et pas loin de la gare. Doubles 76-96 €. Garage payant à proximité. 📶 Hôtel à l'angle de rues passantes, qui se métamorphose peu à peu au goût et aux couleurs actuels. Les chambres sont spacieuses, de bon confort ; celles sur cour sont plus calmes. Petit jardin agréable en été.

🏠 **Hôtel de Bourgogne** (plan A2, 9) : 6, rue Victor-Hugo. ☎ 03-85-21-10-23. ● info@hoteldebourgogne.com ● hotel debourgogne.com ● Doubles climatisées 70-105 €, familiales également. Parking privé payant. 📶 Hôtel ancien aux larges murs, rénové et modernisé, donnant sur une place fleurie et ombragée, à deux pas du quartier piéton. Les chambres, décorées avec soin, ouvrent sur la rue ou sur l'arrière de la maison. Un certain charme dès qu'on est à l'intérieur (belle montée d'escalier dans le hall, patio pour patienter). Tours, détours, demi-étage, petits escaliers et recoins.

🏠 **Hôtel Best Western d'Europe et d'Angleterre** (plan B1, 7) : 92-109, quai Jean-Jaurès. ☎ 03-85-38-27-94. ● info@hotel-europeangleterre-macon. com ● hotel-europeangleterre-macon. com ● Doubles standard 78-114 € ; familiales. Parking payant sur résa. 📶 Si vous aimez les établissements de caractère, celui-ci a conservé le sien en l'adaptant aux goûts d'aujourd'hui. La reine Victoria, l'Aga Khan, Marcel Pagnol ou encore Colette ont naguère séjourné dans cet ancien couvent du XVIIIᵉ s, sur les quais de la Saône. Chambres au design contemporain, climatisées et particulièrement bien insonorisées, vraiment grandes pour certaines (idéal pour une famille). Bar à vins. Salle tonique pour le petit déjeuner.

🏠 **Ibis Styles Mâcon Centre** (plan A2, 10) : 91, rue Victor-Hugo. ☎ 03-85-39-17-11. ● ibisstyles.com ● Doubles env 90-100 €, petit déj-buffet inclus ; familiales. Garage privé payant. 📶 Hôtel idéalement situé au cœur de la ville, à deux pas de la gare centrale de Mâcon. Chambres modernes et climatisées. Idéal pour un court séjour au calme. Jardin avec piscine. Bar.

Où manger ?

🍴 🍷 On peut désormais compter sur les **restaurants** en enfilade **face au quai Lamartine** (plan B2, 14). Des adresses pour tous les budgets, depuis les burgers maison à petits prix de **Jo Burger** jusqu'à la brasserie chic **Le Comptoir des Halles**. Terrasses abritées de la nationale (mais pas du bruit !) avec un plus non négligeable : ces établissements sont ouverts tous les jours, même le dimanche.

🍴 🍷 Certains Mâconnais déjeunent ou dînent dans des adresses qui ne sont pas sur ce guide mais que l'on pourrait indiquer sur la carte tant elles sont proches. Il suffit de passer le pont, elles sont dans le département voisin, l'Ain et la région voisine, Auvergne-Rhône-Alpes.

Bon marché

🍴 🍷 **Le Carafé** (plan B2, 28) : 15, rue Saint-Nizier. 📱 06-85-85-14-58. Mer-sam. Formule midi en sem 17 €. Joli cadre en cave voûtée où les bouteilles servent de déco. De quoi émoustiller les papilles dans cette chaleureuse adresse à boire et à manger proposant une carte de bistrot différente chaque semaine. Surprise d'une fois sur l'autre, en fonction du marché ! Suggestions fines de vins au verre.

🍴 **Crêperie Er Bleimor** (plan A2, 16) : 12, rue Gambetta. ☎ 03-85-39-02-22. Fermé sam soir, dim et lun. Congés : 23 juil-23 août env. Carte env 15-20 €. La meilleure crêperie bretonne de la région, à tel point que la maison a été désignée par l'office de tourisme de Rennes ambassadrice de la Bretagne à Mâcon ! Même si les murs bleu et blanc font plutôt rêver à une île grecque. Les crêpiers utilisent de la farine biologique et naturelle. Les cidres viennent des meilleurs producteurs. L'andouille vient de Guémené, un signe que les connaisseurs apprécieront !

🍴 **La Dolce Vita** (plan A2, 15) : 23, pl. Émile-Violet. ☎ 03-85-39-13-11. ● restoladolcevita@orange.fr ● Tlj sf dim-lun et j. fériés. Congés : 1 sem en fév, 1 sem en juin, 2 sem en août et 1 sem à Noël. Formules déj à partir de 13 € ; carte env 25-30 €. Apéritif maison offert sur présentation de ce guide. Un petit resto qui fait parler de lui pour son cadre, changeant au fil des humeurs et des voyages du patron, autant que pour son plat du jour, le midi et pour sa cuisine maison, simple. L'été, sympathique terrasse. De l'autre côté de la place, l'*Epikure* (tlj sf dim-lun), un 2ᵈ établissement, plutôt bar à vins, celui-là.

|●| Le Bazar Café (plan A2, **18**) : 34, rue Joseph-Dufour. ☎ 03-85-50-72-44. ♿ Ouv lun-ven le midi et le soir sur résa. Congés : 3 premières sem d'août. Formules 10,90-14,90 €. Soirée tango un ven/mois. Café offert sur présentation de ce guide. Le gentil bazar, il est dans l'adorable vitrine qui donne d'autant plus envie d'entrer que la carte du jour est attractive. Du simple, du bio, du bon, du fait maison qui ne triche pas, à prix doux. Bières locales et vins de pays. Terrasse et salon de thé.

De prix moyens à chic

|●| L'Éthym'sel (plan A2, **16**) : 10, rue Gambetta. ☎ 03-85-39-48-84. ♿ Juil-août, tlj sf dim-lun ; sept-juin, fermé mar soir-mer et dim soir. Formules en sem 16,50-19 € ; menus 34-54 € ; carte env 45-50 €. Entre la gare et le quai Lamartine, on s'arrête volontiers ici pour profiter d'une cuisine de bistrot soignée à base de produits frais. Personnel très accueillant. Viande charolaise servie avec de solides frites, à commencer par le tartare. On se régale dans un cadre clair, moderne et agréable.

|●| Ma Table en Ville (plan B1, **19**) : 50, rue de Strasbourg. ☎ 03-85-30-99-91. ● info@matableenville.fr ● Tlj. Menus déj 19-25 € ; sinon 39-58 €. Après avoir fait ses classes chez de grands noms bourguignons et lyonnais, le chef a entrepris un tour du monde avant de revenir dans sa région natale. Sa cuisine est le résultat de ces périples, actuelle, naturelle, riche en saveurs tout en respectant les produits. Déco urbaine décalée juste comme il faut, et bel accueil en salle de sa femme. Terrasse côté rue, accueillante elle aussi. Carte des vins avec uniquement des vignerons qu'ils aiment. On aime aussi.

|●| Le Poisson d'Or (hors plan par B1, **17**) : allée du Parc. ☎ 03-85-38-00-88. ♿ À 1 km du centre, direction Paris, à droite à la piscine municipale, en bord de Saône. Tlj sf mar-mer et dim soir. Menus 27 € (déj en sem), puis 32-85 €. Les reflets des eaux de la Saône et les rivages ombragés sont à vous depuis les grandes baies vitrées et la terrasse de cet agréable restaurant familial, au calme, à l'extérieur du centre-ville. Déco contemporaine et chaleureuse, boisée, aux tonalités positives. Un accueil et un service particulièrement attentionnés ajoutent au plaisir d'une savoureuse cuisine gastronomique terre-mer et basse température qui ne s'endort pas sur le terroir. La cuisine est assurée par le père et le fils, le service par leurs épouses.

Où dormir ? Où manger dans les environs ?

Se reporter également à notre chapitre « Le Sud et les monts du Mâconnais ».

Camping

⛺ **Camping municipal** : 1, rue des Grandes-Varennes, 71000 **Sancé**. ☎ 03-85-38-16-22. ● camping@ville-macon.fr ● macon.fr ● ♿ À 3 km au nord du centre-ville, au bord de la D 906. De mi-mars à oct. Forfaits tente 2 pers env 15-17 €. 245 empl. Sur un terrain de 5 ha, herbeux, plat et ombragé, au bord de la Saône. Piscine.

De bon marché à prix moyens

🏠 **Chambres d'hôtes Les Tournesols** : chez Marcelle Rouveyrol-Lafond, 1147, route de Dracé, 71680 **Crêches-sur-Saône**. ☎ 03-85-36-50-22. ● rouveyrol.com ● À 10 km au sud de Mâcon. Double 56 €. 📶 Réduc de 10 % pour 2 j. consécutifs, sf juil-août, *sur présentation de ce guide.* Une vieille demeure beaujolaise qui fut une distillerie sous Napoléon. Elle abrite 5 chambres agréables dont 3 studios de plain-pied. Piscine chauffée et jardin avec terrasse. Également une cuisine extérieure. Une maison qui aime les chiens et les chats.

🏠 ❘●❘ *La Vieille Ferme :* bd du Général-de-Gaulle, 71000 **Sancé.** ☎ 03-85-21-95-15. ● contact@ hotel-restaurant-lavieilleferme.com ● hotel-restaurant-lavieilleferme.com ● *À 5,5 km du centre de Mâcon (8 mn en voiture). Sortie nord de Mâcon par la D 906. Doubles 58-72 €. Formule déj en sem 17 €. Menus 25-45 €.* 📶 Ancienne ferme à laquelle a été adjoint un petit complexe hôtelier avec piscine. La partie moderne construite façon motel abrite des chambres spacieuses, plaisantes et ouvertes côté Saône et campagne. Train en fond sonore, autant prévenir. Salle de resto agréable (décor rustique, meubles anciens), mais aux beaux jours, c'est la terrasse qui remporte tous les suffrages. Cuisine classique, exécutée avec sérieux.

De chic à plus chic

🏠 ❘●❘ *Le Moulin du Gastronome :* 540, route de Cluny, 71850 **Charnay-lès-Mâcon.** ☎ 03-85-34-16-68. ● moulindugastronome@wanadoo.fr ● moulindugastronome.com ● *Resto tlj sf dim soir et lun, plus mar midi hors*

saison. Double 98 €. Menus 20 € (déj en sem)-70 €.* 📶 *Café offert sur présentation de ce guide.* Un petit hôtel à taille humaine, rustique, pratique, avec piscine et tilleuls centenaires dans le parc. Près d'un axe routier passant, mais c'est bien insonorisé. Attractive cuisine classique, surtout, réalisée par un chef amoureux des produits. Coin terrasse bienvenu le soir en été.

🏠 *Les Maritonnes :* 513, route de Fleurie, D 32, 71570 **Romanèche-Thorins.** ☎ 03-85-35-51-70. ● chateauxhotels. com ● *À 10 km au sud de Mâcon. Doubles à partir de 89 €.* 📶 L'établissement haut de gamme du sud mâconnais, un genre de villa à 2 ailes perpendiculaires, doté d'une vingtaine de chambres contemporaines ou plus classiques, toutes au confort irréprochable. Table chic sur place, le *Rouge et Blanc,* piscine et toutes les infos pour goûter les meilleurs beaujolais alentour.

🏠 *Chambres d'hôtes Château des Poccards :* 120, route des Poccards, 71870 **Hurigny.** ☎ 03-85-32-08-27. ● chateau. des.poccards@orange.fr ● chateaudes poccards.fr ● *À 7 km de la sortie Mâcon-Nord. Doubles 120-150 €.* 📶 Un château toscan dans le Mâconnais, on croit rêver ! Planté sur une colline, au milieu d'un parc de 3 ha, il abrite 5 chambres magnifiques, spacieuses, lumineuses et meublées à l'ancienne. Petit déj servi dans un salon baroque et terrasse avec vue sur le parc. Piscine. Une étape haut de gamme.

LA SAÔNE-ET-LOIRE

Où boire un verre ? Où sortir ?

🍸 *Les bars face au quai Lamartine* (plan B2, 14) *:* les adresses à la mode se situent près de la Saône. Essayer notamment le *Café des Arts,* reconnaissable à ses chaises gentiment colorées, le *Blue Note* avec ses billards à l'étage et le *Voltaire* qui fait plus dans le néon. Terrasses à touche-touche abritées de la nationale par de la verdure et chaude ambiance certains soirs.

🍸 🎵 *La Cave à Musique* (plan A2, 30) *:* 119, rue Boullay. ☎ 03-85-21-96-69. ● cavazik.org ● Une institution de la nuit mâconnaise, gérée par l'association Luciol. Concerts de toutes les musiques actuelles (rock, pop, métal, surtout).

🍸 🎵 *Le Galion* (plan B2, 29) *:* 46, rue Franche. ☎ 03-85-38-39-45. 🍴 Tlj à partir de 22h. Apéro dinatoire jeu-sam 19h-22h. Très beau cadre (voûte médiévale) et style pub. Beaucoup de monde le week-end.

🍸 Citons aussi un lieu original, le *Zing AT* (plan A2, 18), face au *Bazar Café,* salon de thé forcément décalé (voir « Où manger ? »). L'*Epikure,* autre bar à vins et à manger, à deux pas de *La Dolce Vita,* des mêmes propriétaires (voir aussi « Où manger ? »). Et un bar à vins qui fait aussi cave à manger, à deux pas de la place Saint-Pierre et de la mairie, très couru par les habitués, **Le Carafé** *(plan B2, 28 ; 15, rue Saint-Nizier ;* 📱 *06-85-85-14-58 ; mer-sam).*

🍷 🎵 Quant au **Crescent** (☎ *03-85-* *39-08-45 ;* ● *lecrescent.net* ●, *près de l'église Saint-Pierre – plan A2),* programmation à découvrir sur son site.

Où acheter de bons produits ?

⊛ **Marché du samedi matin** *(plan B2)* : esplanade Lamartine. Un marché haut en couleur, où se retrouvent les producteurs des environs et où vous pourrez, entre autres, faire le plein de fromages de chèvre.

⊛ **Les Halles Saint-Pierre** *(plan A2)* : *derrière l'église Saint-Pierre. Mar-jeu et dim 8h-14h (13h dim), ven-sam 8h-18h30.* Cette ancienne coopérative agricole réhabilitée accueille désormais des halles alimentaires où l'on peut aussi s'attabler pour un verre *(« apéros du ven » juin-juil, 18h30-21h).* Un mot d'ordre : le circuit court !

⊛ **Pâtisserie Noyerie** *(plan A2, 40)* : *39, rue de la Barre.* ☎ *03-85-38-31-11. Mar-sam et dim mat.* Parmi les spécialités, l'*idéal mâconnais* et la fameuse gaufrette mâconnaise, une gaufre fine roulée en cigarette.

À voir

Pour découvrir le patrimoine de la ville, suivre le « Tracé de la plume », un parcours fléché avec dépliant gratuit à l'office de tourisme (1h à 2h) proposant aussi des pauses gourmandes. Appli mobile possible.

🍗 **L'ancienne cathédrale Saint-Vincent** *(plan B2)* : 240, rue de Strasbourg. ☎ 03-85-39-90-38. *Juin-sept slt, tlj sf dim mat, lun et certains j. fériés, 10h-12h, 14h-18h. GRATUIT.* De la cathédrale ne subsistent plus que le narthex et deux tours octogonales (la tour nord conserve l'horloge de la ville, ce qui a sauvé l'édifice de la démolition totale !). On se demande bien comment la cathédrale tient encore debout. La base du monument est faite d'un petit appareillage de pierre roman du XIe s et se présente des arcatures lombardes. Plus haut, on passe aux parties des XIVe et XVe s. On distingue bien les différentes campagnes de construction. Bout de nef en gothique primitif et narthex roman du XIe s. À l'intérieur, très rare tympan traité en frise. Dans l'entrée, restes de fresque à droite (polychromie). Sarcophages, vestiges du couvent des Cordeliers.

🍗🍗 **Le musée des Ursulines** *(plan B1)* : *allée de Matisco et rue des Ursulines.* ☎ *03-85-39-90-38.* ♿ *(entrée au 5, rue de la Préfecture, ascenseur et prêt de fauteuils roulants). Tlj sf dim mat, lun et certains j. fériés, 10h-12h, 14h-18h. Entrée : 2,50 € ; gratuit moins de 26 ans. Également expos temporaires.* Installé dans l'ancien couvent des Ursulines datant du XVIIe s, qui servit de prison en 1793 (le père de Lamartine y fut incarcéré), puis de caserne jusqu'en 1829. Il est organisé en trois sections.

LAMARTINE : UN TRAIN D'AVANCE

C'est grâce à Lamartine que la ligne ferroviaire Paris-Lyon traverse aujourd'hui le département de la Saône-et-Loire. Il avait compris l'importance du chemin de fer pour le développement économique. À l'époque, des communes ne voulaient pas payer les infrastructures nécessaires. Aujourd'hui, quand le TGV passe à Mâcon-Loché, ayez une pensée pour ce poète connecté avant l'heure.

– Au **rez-de-chaussée**, le département d'**archéologie** présente le résultat des fouilles entreprises par ici (de la préhistoire à la période gallo-romaine). Voir notamment le *Trésor de Mâcon,* mis au jour en 1764, mais des répliques seulement :

les originaux de ces 8 petites statuettes en métal du IIIe s se trouvent au British Museum, ce qui les a certainement sauvées, contrairement aux... 30 000 autres pièces de ce même trésor, disparues à jamais au XIXe s car fondues ! Du Moyen Âge, enseigne de marchand de vin de la ville du XIIIe s. Statues et beaux fragments de sculpture de l'église Saint-Vincent. Ne pas manquer non plus les curieuses pièces d'échec qui n'existent plus aujourd'hui (le char tiré par des chevaux est devenu la tour), l'évêque est devenu le fou, etc.

– Au **1er étage, l'espace Alphonse de Lamartine** (1790-1869) revient sur la vie et l'œuvre de cet enfant du pays, écrivain et homme d'État. Ses souvenirs sont aussi racontés à travers le travail de la vigne qu'il décrivit dans ses textes. Le reste de l'étage évoque la **vie mâconnaise** mais aussi les activités liées au fleuve.

– Les salles du **2d étage** vous font revivre cinq siècles de création artistique du XVIe s au XXe s. Parmi les pièces maîtresses, une *Vénus au miroir* du XVIe s, une scène antique de Le Brun (XVIIe s), un *Portrait de monseigneur de Valras* par Greuze (XVIIIe s), mais aussi, pour le XIXe s, Monet, Corot, Courbet, Fantin-Latour, Puvis de Chavannes... Parmi les peintres locaux, Hippolyte Petit Jean et Gaston Bussière, remarquable pour ses jeux de lumière, comme si des spots éclairaient ses tableaux ! Enfin, des œuvres du XXe s dont un tableau inattendu de Le Corbusier.

🏃🏃 **L'ancien hôtel-Dieu** (plan A1) **:** sq. de la Paix (entrée 344, rue des Épinoches). Rens au musée des Ursulines : ☎ 03-85-39-90-38. Visite de l'apothicairerie juin-sept, tlj sf dim mat et lun (et 14 juil), 14h-18h. En dehors de ces périodes, sur rdv. GRATUIT.

L'apothicairerie date de 1775 et est abritée dans un établissement hospitalier toujours en activité. Les plans de cet édifice furent dessinés par Soufflot, l'architecte du Panthéon, ce qui explique l'importance de son dôme d'une ampleur étonnante et d'une hauteur remarquable pour l'époque. Originalité architecturale : les salles des malades s'ordonnent autour de la chapelle en rotonde, pour que ceux-ci puissent suivre la messe de leur lit. Un vaste couloir favorisait la circulation de l'air. L'apothicairerie présente une très belle collection de pots de pharmacie en faïence de Mâcon, dans de superbes boiseries Louis XV en loupe d'orme et frêne. Le décor des fenêtres reproduit celui des vitrines. Sur les pots et tiroirs, inscription des produits populaires de l'époque : colophane, coloquinte, os de cœur de cerf (!), colle de poisson, soye en coton, yeux d'écrevisses, etc. Noter les deux superbes vases de 1 m de haut, appelés à l'époque « pots de monstre », c'est-à-dire pots à montrer. Ils contenaient surtout les préparations les plus élaborées : la « thériaque », ou panacée universelle, le « mithridate », etc.

🏃 **La nouvelle cathédrale Saint-Vincent** (plan A1) **:** en face de l'hôtel-Dieu, de l'autre côté de la place. Une architecture néoclassique et mastoc – osons le dire – que Napoléon adorait. L'architecte n'est autre que Guy de Gisors, le copieur de l'Antiquité, auteur de la Madeleine et du palais Bourbon à Paris. C'est ici que furent célébrées, le 4 mars 1869, les obsèques d'Alphonse de Lamartine (il repose au cimetière de Saint-Point).

À QUEL SAINT SE VOUER ?

Napoléon offrit une grosse somme d'argent pour la construction de la nouvelle cathédrale Saint-Vincent, qu'on baptisa en « renvoi d'ascenseur »... Saint-Napoléon ! Toujours aussi modeste le petit. Quand l'empereur abdiqua, elle devint... Saint-Louis, en hommage à Louis XVIII. Mais à son retour de l'île d'Elbe, on rechangea vite le nom en... Saint-Vincent pour éviter que cela ne tourne au vinaigre.

🏃 **L'hôtel de ville** (plan A-B2) **:** quai Lamartine (et pl. Saint-Pierre). Lun-ven 8h30-18h, sam 9h-12h. Il occupe l'ancien hôtel de Montrevel de 1750, édifié pour le président du parlement de Bourgogne. En 1792, la municipalité s'y installe, et à la fin du XIXe s, le maire de l'époque fait construire les deux ailes en retour sur la place Saint-Pierre. Côté quai, sobre façade Louis XVI avec rampe à balustre courant en corniche et angelots. À l'intérieur, boiseries d'époque dans la salle des mariages, belle montée d'escaliers avec rampe en fer forgé dominant le hall d'entrée.

🗶 **Le quai Lamartine** *(plan B2)* : jusqu'au **pont Saint-Laurent,** cher aux Mâconnais, il occupe l'emplacement d'une ancienne petite île et d'un ancien bras de la Saône, comblé au XVIIIe s. Devant la mairie, promenade ombragée avec la **statue de Lamartine.** Si les nouvelles générations ont un peu oublié l'écrivain, elles apprécient manifestement les travaux réalisés en son nom, sur les quais : jardin aromatique, scène sur l'eau, jeux pour les enfants, manège, bars et snacks. L'hiver, c'est là que se retrouvent les amateurs de vin chaud, pendant le marché de Noël...

🗶 **L'église Saint-Pierre** *(plan A2)* : pl. Saint-Pierre. Construite en 1860, dans un style néoroman, par Berthier, un élève de Viollet-le-Duc. Façade élégante, avec ses trois niveaux d'arcatures ouvragées et sa rosace centrale. Deux tours de pierre ajourées presque gracieuses s'élèvent au-dessus. À l'intérieur cependant, on ressent moins cette impression de légèreté.

🗶 **Le site archéologique de l'église Saint-Clément** *(hors plan par A2)* **:** 1, pl. Saint-Clément, à 500 m au sud de la gare. Ouverture du site sur demande auprès du musée des Ursulines (☎ 03-85-39-90-38). Lieu de sépulture des premiers évêques de Mâcon puis basilique funéraire pour les notables, elle a été utilisée depuis le VIe s jusqu'en 1972. Des sondages archéologiques ont révélé que 14 siècles d'histoire s'y étaient succédé, en mettant au jour plus de 450 sépultures.

TONNEAU TOURNANT

L'ancien hospice de la Charité (plan A3) fut fondé en 1621 par saint Vincent de Paul lui-même. Remarquer en façade son « tonneau tournant » qui date du XVIIIe s, une pièce très rare. Il permettait l'anonymat aux mères qui souhaitaient abandonner leur bébé. Il suffisait de placer le nouveau-né dans cette sorte de tourniquet et de sonner la cloche pour qu'il soit tout de suite recueilli à l'intérieur.

Petite balade dans le centre

🗶 La **rue Carnot** *(plan A-B2)*, piétonne, reste l'un des axes commerciaux de la ville. On aperçoit encore quelques **traboules,** d'étroites ruelles couvertes ou de simples couloirs qui permettaient de parvenir directement à la Saône. Au n° 40, une belle porte Renaissance. Au n° 79 vécut et mourut un homme qui eut inconsciemment un poids énorme dans l'histoire : Jean-Baptiste Drouet. C'est lui qui reconnut Louis XVI et la famille royale à Varennes et qui les fit arrêter, alors qu'ils étaient en fuite vers l'étranger. En disgrâce pendant la Restauration, il était venu s'installer sous un faux nom à Mâcon où il vécut très discrètement avant d'y mourir en 1824.

🗶 Place aux Herbes s'élève la **maison de Bois** *(plan B2)*, devant laquelle on passa longtemps en jetant un œil soit outré, soit amusé, quelques figures grivoises, voire licencieuses, y étant gravées : personnages à masques de singes, parfois nus ou habillés seulement d'un chapeau, et représentation de dragons et autres animaux fantastiques. De beaux panneaux de bois sculptés pour cette demeure datant de l'an 1500 environ, certainement taverne et maison close à l'époque, dont on se demande toujours par quel miracle elle a réussi à parvenir jusqu'à nous !

Manifestations

– **Salon des vins de Mâcon :** *fin avr.* Un événement incontournable depuis six décennies, le grand concours des vins de France ! Chaque année, 2 000 dégustateurs de 17 nationalités différentes testent 10 000 échantillons.
– **L'Été frappé :** *début juil.-fin août.* ☎ 03-85-39-71-47. Pas un soir sans une manifestation culturelle, un concert ou un spectacle pour enfants... et toujours gratuit ! Remarquable programme.

LE SUD ET LES MONTS DU MÂCONNAIS

Au départ de Mâcon, l'homme le mieux placé pour nous guider resterait bien sûr Lamartine : dans ce *Val lamartinien* qui commence au pied de Solutré, dans les monts du Mâconnais, pour s'achever aux portes du Clunisois, entre Berzé et Igé. C'est sa route que nous emprunterons, après avoir fait un détour buissonnier dans un Sud mâconnais presque entièrement consacré aux vignes.

Le Mâconnais est le plus vaste des vignobles de Bourgogne : 6 500 ha. Un tempérament déjà méridional. C'est d'abord une région de vins blancs (pouilly-fuissé et saint-véran notamment). Quant aux rouges, si agréables, ils annoncent le beaujolais voisin plus que la côte-de-beaune...

En effet, alors qu'on trouve en Saône-et-Loire deux grands crus du Beaujolais (le saint-amour et le moulin-à-vent), le chenas et le juliénas se répartissent des deux côtés de la limite départementale.

ROMANÈCHE-THORINS

(71570)   1 767 hab.   *Carte Saône-et-Loire, C4*

Un petit village à l'extrême sud de la Saône-et-Loire, que l'on rejoint par la D 906 et qu'un enfant du pays a rendu célèbre au-delà des frontières du Beaujolais : un certain Georges Duboeuf. Le roi du beaujolais nouveau, c'est bien ça, oui... Les rêveurs ne manqueront pas de se rendre au moulin à vent, devenu l'emblème du célèbre cru du Beaujolais. Vue imprenable sur le vignoble et table d'orientation.

LA FIÈVRE DU MANGANÈSE

Le sous-sol à l'est de Romanèche recèle un taux élevé de manganèse. De ce gisement, le plus important en France, plus de 400 000 t furent extraites. Si le site est aujourd'hui recouvert de vignes AOC, la science a immortalisé le village en désignant le minerai de manganèse riche en baryum par le terme... romanéchite, qui n'a rien d'une maladie contagieuse.

LA SAÔNE-ET-LOIRE

Où dormir ? Où manger ?

🏠 |O| *La Maison Blanche :* N 6, 957, *La Maison-Blanche.* ☎ 03-85-35-50-53. ● contact@hotel-lamaisonblanche.fr ● hotel-lamaisonblanche.fr ● ✗. *À côté de Touroparc. Resto tlj sf dim soir-lun. Doubles 53-83 € ; familiales également. Menus 17 € (midi lun-sam), puis 29-37 €.* 📶 Bâtiment situé au bord d'une route très fréquentée, qu'il faut découvrir de l'intérieur, le temps de goûter aux spécialités comme les cuisses de grenouilles ou les viandes charolaises. Jolie piscine à l'arrière.

À voir

🎣 🎣 *Le Hameau Dubœuf :* 796, route de la Gare. ☎ 03-85-35-22-22. ● hameauduboeuf.com ● ✗. *À la frontière du Rhône. Tlj sf 25 déc, 10h-18h (l'hiver, mieux vaut se renseigner). Tarif : 20 € ; réduc ; un enfant de moins de 15 ans gratuit pour un adulte payant. Entrée « Un jardin en Beaujolais » et « Adventure Golf » (ouv selon saison) : 12 € ; enfant 3-15 ans 8 €. Entrée unique pour chacun des 3 sites, mais billet valable plusieurs mois (vérifier la date d'expiration). Déplacements en petit train ou en sulkys (chevaux à pédales). Café du Hameau, situé dans le hall des pas perdus avec petite terrasse, sinon pique-nique possible au jardin.*
C'est en 1993 que Georges Dubœuf inaugura son célèbre *Hameau du Vin* et, depuis, des milliers de visiteurs passent chaque année volontiers une journée dans ce vaste univers destiné à l'imaginaire du vin, et principalement du beaujolais. Un hameau qui a une âme, celle qu'a su lui insuffler la famille Dubœuf, et un musée du Vin à découvrir en famille (les enfants ne sont jamais oubliés) pour se laisser prendre au charme de l'évocation, à la beauté des objets présentés, témoins d'un temps disparu.
– Entrée au *hameau* par un buffet de gare du début du XXe s, pour prendre les billets. Immenses espaces et très beau décor, rien n'a été négligé pour séduire le visiteur. Musée du Vin, musée de cire, théâtre d'automates racontant les quatre saisons de la vigne, diaporama et film en 3D évoquant avec humour la fin des vendanges, cinéma dynamique avec un écran géant de 8 m x 8 m, où l'on part sur les traces du Beaujolais à bord de nacelles animées... Et un savoureux théâtre optique : si vous ne saviez pas encore que Noé fut le premier des vignerons, vous allez devoir remonter au Déluge, en deux temps et trois dimensions. Balade panoramique sur les collines du Beaujolais et du Mâconnais grâce à une maquette animée (évidemment !).
Dégustation à la fin de la visite du *Hameau* et immense boutique (évidemment !).
– Juste en face du *Hameau,* la visite continue : découvrez l'ancienne gare, la *Gare du vin* et son circuit sur le monde des trains et du chemin de fer avec, en pièce maîtresse, le wagon impérial de Napoléon III.
– Et puis gardez des forces car il y a encore un autre site à voir : *Un jardin en Beaujolais,* tout près de l'espace de vinification des établissements Dubœuf, implanté côté Rhône, sur la commune de Lancié (à quelques minutes en petit train). Six jardins à thème à découvrir de mi-avril à mi-octobre, pour connaître les senteurs des fleurs, d'écorces de fruits ou d'épices qui font les arômes du vin. Quant à la visite de l'espace de vinification, elle donne une juste idée de l'entreprise Dubœuf aujourd'hui. Golf paysager.

🎣🎣 *Le musée départemental du Compagnonnage :* ☎ 03-85-35-83-23. ● musee-compagnonnage.cg71.fr ● ✗. *(partiel). Tlj : juin-sept, 10h-18h ; le reste de l'année, 14h-18h. Fermé 1er mai et 15 déc-1er janv. Entrée : 4 € ; réduc ; gratuit moins de 18 ans, personnes handicapées et pour ts le 1er dim du mois. Audioguide compris. Compter env 1h.* Intéressant musée présentant le compagnonnage en charpenterie à travers la vie de Pierre-François Guillon, né à Romanèche qui laissa une œuvre considérable. Il avait créé une école de tracé de charpente dont le rayonnement s'étendait aux quatre coins de la France, en Suisse et jusqu'aux États-Unis. Présentation des métiers du bois et nombreuses superbes maquettes de projets. Sachez que le tracé de la charpente du musée a été classé au Patrimoine immatériel de l'humanité par l'Unesco !

🚶 🎿 ***Touroparc :*** *400, rue du Parc, La Maison-Blanche.* ☎ *03-85-35-51-53.* ● touroparc.com ● *Tlj sf 1ᵉʳ janv, 24-25 et 31 déc à partir de 9h. Entrée : env 18,90-23,90 € selon saison ; enfant 3-12 ans 15,90-19,50 €.* Un parc zoologique avec une serre tropicale, un vivarium, des expositions sur les vieux métiers et les minéraux. Une place de village du Beaujolais a été reconstituée, avec 30 boutiques et ateliers d'autrefois. Restauration sur place (mais pas hors saison) et attractions diverses, dont une base aquatique ouverte en été.

DE ROMANÈCHE À SOLUTRÉ PAR LE VIGNOBLE

::

🌿 ***Saint-Amour-Bellevue*** *(71570) :* *à 3 km à l'ouest de la D 906, 9 km de Solutré et 10 km au sud de Mâcon.* Dans un paysage de collines ondulantes et moutonnantes dédiées à la vigne, faites un détour par le Beaujolais saône-et-loirien pour goûter aux vins de ce village au si joli nom, qui vit au rythme du vignoble. Dans le bourg, le thème de l'amour est représenté sous forme de petits ou grands cœurs, peints avec fantaisie, dessinés naïvement, ou sculptés ici et là sur les murs, les volets, les façades et les enseignes. Pour l'anecdote, les habitants de Saint-Amour s'appellent les sanctamoriens. Un peu tue-l'amour !

🏠 ***Chambres d'hôtes Le Raisin Bleu :*** *71570* ***Pruzilly-en-Beaujolais,*** *à 3 km au-dessus de Saint-Amour.* ☎ *03-85-35-10-17.* ● lerai sinbleu@gmail.com ● leraisinbleu. free.fr ● *De l'église de Pruzilly, 300 m par une petite route. Compter 65 € pour 2.* 📶 Le raisin est bleu, le vin blanc ou rouge, et cette maison qui n'est pas vieille voit le monde en vert, car admirablement située à flanc de coteau, entourée de vignobles, avec l'horizon du Beaujolais à perte de vue. Elle abrite 3 chambres agréables et calmes, décorées sobrement. On est reçu par une hôtesse charmante et aimable.

🏠 🍴 ***Auberge du Paradis :*** *au lieu-dit Le Plâtre-Durand, 71570 Saint-Amour-Bellevue.* ☎ *03-85-37-10-26.* ● auber geduparadis.fr ● ⚓ *(au resto). Resto ouv le soir mer-dim, plus le midi sam-dim. Congés : janv, Toussaint, Noël et Jour de l'an. Doubles 160-260 €. Menu dégustation 72 €. Formule midi 15 € au bistrot.* 📶 Une adresse chic et haut de gamme, avec des chambres confortables, à la déco sophistiquée et jacuzzi. Cuisine du monde servie dans une très jolie salle à manger aux couleurs claires. Menu-carte au gré de l'inspiration du chef, toujours en quête de perfection avec un attrait pour les épices et les mélanges audacieux sucrés-salés. Il a ouvert un bistrot tendance juste à côté, orienté cuisine familiale, pas guindé et nettement plus abordable : ***Joséphine à Table*** *(tlj sf dim-lun).* Tons gris dans l'air du temps et cuivres astiqués pour la déco. Idéal à midi pour être sûr de bien manger dans le coin.

🌿 ***Saint-Vérand*** *(71570) :* *au nord de Saint-Amour-Bellevue.* C'est l'ultime village du Beaujolais avant d'entrer en Mâconnais ! Nombreuses et intéressantes maisons vigneronnes, dont la maison de la Balmontière, du XVIIIᵉ s. Église du XIVᵉ s fort bien restaurée, avec flèche de pierre.

🏠 🍴 ***Moulin de Saint-Vérand :*** *La Roche, 71570* ***Saint-Vérand.*** ☎ *03-85-23-90-90.* ● moulindesaint verand.fr ● *Resto ouv le soir, le w-e, plus le midi en sem sur résa. Doubles 75-120 €. Plats et assiettes gourmandes 9-25 €.* 📶 Beaucoup de charme pour ce bâtiment en pierre, au bord d'une rivière et aux abords très fleuris. Il abrite une vingtaine de confortables chambres ainsi que 2 roulottes VIP (avec salle d'eau et chauffage) dans le grand parc. Vieux meubles, terrasse aux beaux jours et vue sur la piscine : un cocktail gagnant pour se poser en toute quiétude. À la carte, une cuisine régionale traitée avec savoir-faire, fraîche et à base de produits locaux. Également des chambres d'hôtes et gîtes à proximité *(à partir de 55 € pour 2)*. Fait agence de voyages et propose des balades à 2 CV dans les vignes.

Leynes *(71570) : à 15 km au sud-ouest de Mâcon et au nord de Saint-Vérand.* Ce village, qui s'étage sur une colline orientée au sud-est, possède pas mal de charme, une pittoresque grand-place et une jolie église du XVIe s.

|●| *Le Fin Bec :* pl. de la Mairie. ☎ 03-85-35-11-77. Tlj sur résa. Menus et carte env 30-40 €. Dans la partie haute de la place, petit resto sans prétention côté déco mais avec un vrai chef qui travaille en fonction des saisons. Accueil agréable et bon enfant. Cuisine régionale de qualité : quenelles de brochet, confit de joue et queue de bœuf... Ici les végétariens ne sont pas à la fête. En salle ou en terrasse, c'est tout bon. Des vins de propriétaires à prix modérés.

|●| *Le Relais Beaujolais-Mâconnais :* pl. de la Mairie. ☎ 03-85-35-11-29. Dans le bas de la place. Le midi sf mar. Formule 13,50 € ; menus 21-25 €. Rendez-vous des ouvriers, des employés du vignoble, des gens de passage et des habitués. Pascal et Séverine cultivent leur différence et proposent un menu ouvrier fixe... avec tout de même un petit choix de desserts. Uniquement des produits de saison, et c'est bien bon.

Vinzelles *(71680) : à 7 km de Leynes et de Mâcon.* Pouilly-vinzelles est une très bonne appellation. Depuis Saint-Vérand, on peut se rendre directement à Vinzelles, dont le nom vient du latin *vincella* (« petite vigne »), en passant par Chaintré, son restaurant étoilé *(La Table de Chaintré, ☎ 03-85-32-90-95, fermé dim soir-mar),* ses châteaux privés et son église du XIIe s.

Loché *(71000) :* ce petit village du vignoble a donné son nom à la gare de TGV de Mâcon-Loché, située au bout de la route (500 m). Incroyable sensation de passer aussi vite de la très grande vitesse au silence millénaire des vignes ! C'est tout le charme de Loché et son mignon clocher octogonal, dont le nom est surtout à l'origine de l'appellation du village : le pouilly-loché, délicieux vin blanc, rival de son proche voisin le pouilly-vinzelles.

🏠 *Chambres d'hôtes Fleur de Vignes :* chez Chantal et Jean-Claude Delorme, 1188, chemin des Boutats. ☎ 03-85-35-67-41. ● domaine@fleur devignes.com ● fleurdevignes.com ● Entre la mairie et l'église, sur la droite de la rue en venant de la gare TGV. Compter 63 € pour 2. 🛜 Grande et belle maison rénovée par un couple de vignerons récoltants. On dort dans 2 belles chambres coquettes et fleuries, aux noms fleuris. Petit déj servi en terrasse, dans le patio intérieur. Possibilité de dégustation et d'achat de vins du domaine.

|●| *Café de la Gare :* face à l'ancienne gare, 2705, route de Davayé, 71850 **Charnay-lès-Mâcon**. ☎ 03-85-34-87-99. À 6 km à l'ouest de Mâcon. Le midi, tlj sf sam. Congés : vac scol de Noël. Menu env 15,50 € (sf dim et j. fériés), plats 13-19 €. Idéalement située près de l'office de tourisme et du point de départ de la voie verte, une bonne « Table de pays » tenue par des personnes souriantes et affables. Excellent service. Beaucoup de monde en salle et en terrasse, l'été, sous le platane. Coin jeux pour les enfants.

Fuissé *(71960) :* entre Vinzelles et Solutré, c'est évidemment la petite capitale de la célèbre appellation pouilly-fuissé. La vigne semble d'ailleurs envahir le cœur de ce village propret et a déjà fait le tour de l'église. On y trouve caves et chambres d'hôtes en grappe, mais aussi l'une des plus belles maisons à galerie de la région (auvent avec une vingtaine de colonnes de pierre). Le mont Pouilly domine le paysage avec ses 484 m.

🏠 |●| *Chambres d'hôtes La Source des Fées :* chez Philippe Greffet, le bourg, 116, route du May. ☎ 03-85- 35-67-02. ● contact@lasourcedesfees. fr ● lasourcedesfees.fr ● Doubles 128-168 €. 🛜 Un manoir patiné par le temps et un domaine au sein des vignes du Beaujolais (caveau de dégustation). Le jardin est traversé par 2 sources. Ressourcez-vous ! Chambres charmantes et personnalisées, décorées avec goût et recherche. Espace massage et relaxation. Boutique sur place.

🛏 |●| *Chambres d'hôtes La Maison du Hérisson : le bourg, 15, route du May.* ☎ *03-85-50-90-79.* ● *reserva tion@lamaisonduherisson.com* ● *lamai sonduherisson.com* ● *Face au parking central. Doubles 90-130 €.* De magnifiques chambres d'hôtes aménagées dans une ancienne forge. Offrez-vous

la suite, côté cour, pour mieux profiter du jardin et du calme.

|●| *L'Ô des Vignes : au centre du bourg.* ☎ *03-85-38-33-40.* ● *cham bru@me.com* ● *Fermé mar-mer. Menus env 17 € à la brasserie, 26 € (le midi lun-sam)-69 € au resto gastronomique.* La belle table du pays, reprise par Sébastien Chambru, un jeune chef revenu au pays pour commencer une nouvelle vie. Parfait pour un déjeuner de soleil, en terrasse, sous les platanes. Un mélange des goûts et des matières très subtil. Beaucoup de charme.

🍇 *Chasselas (71570) : sur la gauche de la D 31, après Leynes, en montant vers Solutré.* Chasselas ! Une délicieuse variété de raisin de table produite à Moissac a pris le nom de ce petit village du Mâconnais. Le village se blottit sur les versants du vignoble. Ses belles maisons à galerie se serrent autour d'une église des XIIe et XIVe s et d'un beau château hérissé de trois tours médiévales. Curieusement, celui-ci ne domine pas le village comme à l'habitude. On ne voit que l'extérieur *(accès à la cour 10h-12h, 14h-18h)*, mais cave-dégustation.

LA SAÔNE-ET-LOIRE

SOLUTRÉ POUILLY VERGISSON

(71960)   380 hab.   Carte Saône-et-Loire, C4

La célèbre roche de Solutré domine plus que jamais la région. Elle s'avance dans le paysage comme une étrave de navire, et, s'il n'y avait le patchwork des vignes, ce fier escarpement calcaire, torturé et modelé par des millénaires de vents puissants, suggérerait bien quelque cliché de « l'Ouest », le vrai... La forme en proue de ce rocher est due aux coraux silicifiés qui composent les couches du sommet et qui le protégèrent de l'érosion.

En choisissant Solutré comme lieu de pèlerinage annuel, le président Mitterrand contribua quelque peu à la notoriété du village. Il y grimpait rituellement à chaque Pentecôte, sous l'œil des caméras à partir de son élection en 1981. Et jamais vraiment seul... Nombre de dinosaures de la politique ou du spectacle l'accompagnaient. Mais si Solutré est classé site préhistorique de renommée internationale, c'est quand même pour d'autres raisons...

Solutré est réputé pour son site archéologique et pour avoir donné son nom à une période du Paléolithique supérieur. Ce fut pendant 55 000 ans un espace de chasse pour les hommes des cinq grandes cultures de l'époque : Moustérien (Périgord), Aurignacien (Haute-Garonne), Gravettien (Périgord), Solutréen et Magdalénien (Périgord). Périodes qui s'étendirent de 50 000 à 10 000 ans av. J.-C. Ils vinrent chaque année au printemps se mettre en embuscade, au pied de l'escarpement rocheux, sur ce lieu de migration des animaux et purent ainsi tuer rennes et chevaux par milliers, dépeçant et boucanant leur viande sur place. On retrouva d'ailleurs un véritable « magma » d'os d'près de 1,50 m d'épaisseur à certains endroits.

« GRAND SITE DE FRANCE », SI FIER, SI FRAGILE

Une jolie route sinue dans le vignoble et mène de Solutré au village de Vergisson et vers d'autres villages du Rhône. Vus d'en haut, les éperons rocheux de Vergisson et de Solutré sont comme deux jumeaux, « deux navires pétrifiés dans un océan de vignes » selon Lamartine. Ce paysage superbe mais fragile constitue un ensemble naturel prestigieux, classé parmi les « Grands Sites de France », au même titre que Bibracte – Mont Beuvray près d'Autun dans le Morvan, le Puy-de-Dôme ou le pont du Gard.
Ce site a obtenu le label « Grand Site de France » en 2013, afin de préserver sa faune et sa flore et améliorer ses conditions d'accueil.

Infos pratiques

– **Grand site de Solutré :** *ouv avr-sept 10h-18h et oct-mars 10h-17h. Fermé 1er mai et 15 déc-15 janv.*
– Se garer obligatoirement au parking gratuit, puis de là : environ 200 m jusqu'à la **Maison du Grand Site de** *France Solutré Pouilly Vergisson (gratuite) avec expos, infos et café-restauration ; 200 m jusqu'au musée de Préhistoire (payant) ; 1,1 km jusqu'au sommet de la Roche (gratuit, compter 1h A/R).*

Où dormir ? Où manger près du grand site ?

Voir aussi plus haut nos bonnes adresses à Fuissé, car les deux villages, quoique frères ennemis, se complètent aux yeux (et au palais) des amateurs de pouilly-fuissé.

Bon marché

⌂ **La Grange du Bois :** *lieu-dit La Grange-du-Bois, 71960 Solutré-Pouilly.* ☎ 03-85-35-85-28. ● *lagrangedubois. webnode.fr ● À 2 km de la roche de Solutré. Double 55 € ; également gîte. Table d'hôtes sur résa 22 €.* 🛜 Rapport emplacement/prix imbattable dans le coin, sur une hauteur face aux 2 roches et à la chaîne du Jura. Les 3 chambres, toutes ravissantes et bien tenues, permettent chacune de loger une famille. Salle commune entièrement vitrée. Une adresse « Accueil paysan » spontanée et sympa avec son potager bio, ses poules, sa buvette, ses casse-croûtes et l'ambiance anti-stress. Idéal pour les marcheurs et autres amoureux de la nature.
|●| **Auberge de la Patte d'Oie :** *40, route des Allemands, 71960 Davayé.* ☎ 03-85-35-86-50. ● *ed.lapattedoie@ gmail.com ● Resto fermé le soir lun-mar et mer tte la journée. Formules pèlerin env 15-20 € ; menus 21,50-29 €.* Du beau, du bon, du plaisant, dans un cadre lui-même très agréable. Grande terrasse, grand parking, on comprend pourquoi c'est pris d'assaut par les Mâconnais. Mais le service est du coup parfois débordé.
|●| **Auberge des 2 Roches :** *2, pl. de l'Église, 71960 Vergisson.* ☎ 03-85-21-33-41. ● *auberge.des2roches@ orange.fr ● Fermé mar soir-mer ; ouv dès 8h. Menus 20-32 €.* Entre bistrot de bourg et salle de resto avenante derrière ses baies vitrées, cette auberge se situe pile-poil entre Vergisson et Solutré. Vue comprise dans le prix des menus, encore plus sympa en terrasse. À la carte, une cuisine traditionnelle et régionale de bon aloi.

De prix moyens à chic

⌂ **Chambres d'hôtes chez Annie et Juliaan Stadsbader-Abeloos :** *Le Puyé, 71960 Vergisson.* ☎ 03-85-35-84-69. ● *stadsbader.juliaan@orange. fr ● Double env 70 €.* Ici, vous n'apprendrez peut-être pas le patois bourguignon mais vous devriez vous régaler d'un autre accent et d'un art de vivre du Nord. Belle et grande maison moderne, avec des chambres un poil kitsch mais tout confort. 2 kitchenettes à disposition. Superbes petits déj avec des confitures et des charcuteries artisanales.

🏛 |●| *La Courtille de Solutré :* dans le bourg de **Solutré**. ☎ 03-85-35-80-73. ● lacourtilledesolutre@live.fr ● lacourtilledesolutre.fr ● ♿ (resto). Resto ouv mer midi-dim soir, fermé dim soir hors juil-août. Doubles 90-110 €. Menus 24-28 € le midi, 39,50-43,50 € le soir. 🛜 La maison de campagne telle qu'on la rêve. Chambres très agréables, au calme, pour amoureux du design et de la récup' ayant des envies de luxe et de confort. Cuisine remarquable de justesse et de goût, elle aussi, n'utilisant que des produits frais de la maison. Charmante terrasse ombragée.

À voir. À faire

🎬 *La Maison du Grand Site de France Solutré Pouilly Vergisson :* ☎ 03-85-35-82-81. ● grandsite@cg71.fr ● rochedesolutre.com ● Programme d'animations « l'Agenda en fête » tte l'année à consulter sur le site internet. Expos, boutique, snack, le tout dans un cadre étonnant (jardin avec terrasse et vue, vieux pressoir « à grand pont » qui fut utilisé jusqu'à la fin du XIXᵉ s.). L'objectif de la Maison est de sensibiliser le public à la beauté fragile de ce grand site naturel où la main de l'homme a joué un rôle crucial. Également des infos sur les 5 circuits balisés en accès libre, à découvrir avec l'application gratuite (smartphone) « Solutré Rando » : la roche de Solutré (4 km), le sentier des Crêtes (8 km), entre Pouilly et Fuissé (8 km), vers Lamartine (13 km) et circuit des 3 Roches (14 km).

🎬 🚶 *Le musée de Préhistoire :* ☎ 03-85-35-85-24. Mêmes horaires et même site internet que la Maison du Grand Site. ♿ Entrée : 5 € ; réduc ; gratuit moins de 18 ans, pour les personnes handicapées et pour ts le 1ᵉʳ dim du mois. Audioguide compris. Une muséographie entièrement repensée et modernisée pour faciliter le parcours de chacun dans cette étonnante machine à remonter le temps. Impeccablement dissimulé dans les entrailles de la roche de Solutré, au-dessus du parking, le musée présente bien sûr de riches collections archéologiques autour de plusieurs thèmes forts : 50 000 ans de présence humaine à Solutré (eh oui !), la chasse et les techniques de chasse et l'histoire des recherches menées ici : en 2004, la découverte exceptionnelle de deux perles en ivoire a permis de mieux comprendre la place du site de Solutré dans l'Europe préhistorique. La première, en forme de panier, est caractéristique de sites du sud de la France tandis que la seconde, en forme de disque, se rattache au nord de l'Europe. Voir également les ossements de trois Néandertaliens découverts récemment à Vergisson. Vers - 30 000 ans, Solutré semble ainsi s'inscrire au carrefour de deux traditions culturelles de la préhistoire. Dernier thème, bien sûr, le cheval, qui fut l'animal le plus chassé à Solutré avec le mythe de la chasse à l'abîme. Autrefois présenté au Muséum de Lyon, un squelette de cheval réalisé à partir des ossements de chevaux retrouvés à Solutré a été spécialement restauré et reconstitué pour la nouvelle scénographie. Et pour prolonger le plaisir, un parc archéologique et botanique sur 1,3 ha, avec un sentier de découverte du milieu naturel (roches, plantes, arbres...).

🎬 *La roche de Solutré :* grimpette facile jusqu'au sommet (493 m). Compter environ 1h aller-retour. Beau panorama, ça va de soi (par beau temps, jusqu'aux Alpes). François Mitterrand avait dit un jour : « J'aime cet endroit car de là-haut je vois tout ce qui bouge et tout ce qui ne bouge pas. »

🍖 Dans le village, belles demeures traditionnelles de vignerons. Église avec un chœur roman du XIIᵉ s.

BALADE DIGESTIVE

Suite à un repas de famille à Pâques, Danielle et François Mitterrand gravirent la roche et ravis de cette balade souhaitèrent renouveler cette sortie l'année suivante à la même période. La météo étant très mauvaise cette fois-là, il fallut repousser le rendez-vous familial. C'est ainsi qu'ils montèrent au sommet de la roche de Solutré chaque année, à la Pentecôte, de 1982 à 1995.

LA SAÔNE-ET-LOIRE

🏔 *Vergisson :* une année, le président Mitterrand fit une farce aux journalistes en gravissant Vergisson au lieu de Solutré (quasiment aussi haut, 485 m) ! Idéalement orienté au sud-est, Vergisson jouit d'un microclimat et produit aussi un excellent pouilly-fuissé.

🏔🏔 *Panorama des 2 Roches :* à 500 m du parking de Solutré. Le spot idéal pour découvrir à la fois Solutré et Vergisson, en imaginant qu'il y a fort longtemps les deux sommets formaient une même falaise ininterrompue, orientée sud-est.

■ *« Anecdote », la découverte en marchant :* Hervé Josserand, 📱 06-82-02-86-82. ● anecdote-balades@wanadoo.fr ● anecdote-balades.com ● Guide de pays, Hervé est un passionné qui vous propose des balades et visites accompagnées (éventuellement avec âne bâté) hors du temps et des sentiers battus. Balades à la demi-journée ou à la journée.

LE VAL LAMARTINIEN

Au-delà de Solutré, sur la route pour Cluny, vous voilà dans une des plus belles régions de l'arrière-pays, toute vallonnée, où rôde encore l'âme de Lamartine, son plus illustre occupant. Le poète vécut au sommet de sa carrière artistique et politique au château de Saint-Point que l'on peut apercevoir de l'extérieur. Voir aussi le cimetière adossé à l'église du village, où il est enterré. Quant au village de Milly, il s'est adjoint le nom Lamartine au début du XXe s, en hommage au poète. C'est ici que le grand homme passa une partie de son enfance (de 4 à 10 ans) et il y fut très heureux. Milly fut une source prodigieuse d'inspiration.

Où camper ? Où manger ?

⛺ *Camping du Lac :* route Lamartine, 71520 **Saint-Point**. ☎ 03-85-50-52-31. ● reservation@campingsaintpoint.com ● campingsaintpoint.com ● ⚒ Avr-oct. Forfait tente 2 pers env 12 €. 80 empl. Chalets et mobile homes également. Sur 2 ha, un camping avec pas mal de commodités (snack, machines à laver, etc.), bien situé et au calme. Jolies balades dans les environs. Location d'embarcations à pédales.

|●| *L'Auberge de Jack :* 2, pl. de l'Église, 71860 **Milly-Lamartine**. ☎ 03-85-36-63-72. ⚒ Fermé le soir et lun. Congés : 1 sem en mars, 3 sem en sept-oct. Menus 13,50 (déj en sem)-32,50 €. Café offert sur présentation de ce guide. Une chaleureuse auberge de village, qui enchante les gens d'ici et ceux de passage depuis près de 40 ans. Accueil souriant et aimable. Il y a un petit bar et une salle traditionnelle (affiches de cinéma) où l'on dévore, au coude à coude, la meilleure andouillette du coin ou le pot-au-feu de charolais le jeudi midi en hiver. Aux beaux jours, quelques tables dehors devant l'église.

À voir

🏔 Pour se rendre à Saint-Point depuis Solutré, suivre la D 31, puis la D 45, vers Tramayes, par le col de Grand-Vent. Au sud de la route s'élève *le signal de la Mère-Boitier*, point culminant des monts du Mâconnais (758 m). On y accède par une route de 4,5 km depuis Tramayes, puis par 300 m de chemin caillouteux en pente raide. Superbes échappées sur les vallées et paysages pleins de sereine beauté. Les derniers arpents de vigne s'effilochent, se mêlant doucement aux pâtures et à la *teppe*, cette toundra herbeuse parsemée de buissons malingres. Après le col, descente livrant toute la vallée de la Valouze et, au loin, Saint-Point.

🎯 *L'église de Saint-Point :* bordant le parc, une mignonne église romane avec un vieux cimetière dont on a gardé les tombes les plus anciennes bien dans la tonalité des lieux. Intéressant clocher carré à deux étages. À l'intérieur, gros piliers, le banc des Lamartine bien sûr, une fresque gothique dans le chœur figurant le Christ en majesté. Deux tableaux peints par la femme de Lamartine : *Sainte Geneviève* et *Sainte Élisabeth*. Noter, dans le transept, la « litre », bandeau noir peint sur les murs des églises quand le seigneur mourait, avec ses armoiries (ici, la famille de Saint-Point).
Contre le mur du cimetière, adossé au parc du château, s'élève la petite chapelle abritant les *tombeaux de Lamartine* et de sa famille (sa mère, sa belle-mère, sa fille Julia, sa femme Marianne, et Valentine de Cessiat, sa nièce, qui réussit à éviter la vente du château et la dispersion des souvenirs).

🎯 *Le château de Saint-Point :* ● chateaulamartine.com ● Le père de Lamartine offrit ce château à son fils en 1820, en avance sur héritage, pour son mariage. D'origine médiévale, avec de grosses tours auxquelles Lamartine ajouta une terrasse et, plus tard, une aile dans le style gothique romantique. L'ensemble présente un aspect hétéroclite évident ! Le célèbre poète y vécut comme un gentilhomme campagnard, recevant ses amis : Victor Hugo, George Sand, Chopin, Liszt, Charles Nodier, Eugène Sue, Ponsard...

🎯 Pour rejoindre Pierreclos, suivre la route de « montagne » passant par le *col des Enceints* (529 m). Nature vraiment sauvage. On trouve dans ces massifs du Mâconnais beaucoup de forêts composées de sapins Douglas, de différentes variétés de chênes mais aussi des érables, hêtres, châtaigniers, etc.

🎯🎯 🏃 *Le château de Pierreclos :* 71960 **Pierreclos.** ☎ 03-85-35-73-73. ● contact@chateaudepierreclos.com ● chateaudepierreclos.com ● *Au sud de Milly-Lamartine. Avr-juin et sept-oct, mer-ven et dim, 14h-18h ; juil-août, tlj sf sam 10h-18h. Fermé nov-mars. Entrée : 7,50 € ; enfant 7-12 ans 5 € ; réduc ; gratuit moins de 7 ans. Livret-jeu et activités pour les enfants dès 3 ans. Plusieurs animations culturelles au fil de l'année.* Sur sa colline, Pierreclos a fort belle allure avec son donjon du XIIIᵉ s et sa grosse tour du XVIᵉ s couverte de tuiles vernissées, et il s'intègre superbement dans le paysage. Lamartine y puisa l'inspiration de *Jocelyn*. On dit aussi qu'il fut un temps l'amant de Nina, la femme du fils du châtelain, dont il aurait eu un enfant (une plaque le rappelle à l'entrée du site).
Au centre d'une grande terrasse offrant une vue magnifique sur le vignoble mâconnais, ce château massif conserve fièrement le souvenir de neuf siècles d'histoire. De style composite, il fut remanié plusieurs fois du XIIᵉ au XVIIIᵉ s. L'élément le plus original du château est le monumental escalier à vis spiralée (unique en France par ses dimensions). Une véritable prouesse technique, car l'axe de l'escalier se déroule en torsade en même temps qu'il le monte.
La visite est libre et plonge le visiteur dans l'ambiance du Moyen Âge. De la chapelle du XIIᵉ s, il ne reste que le clocher, l'abside et le chœur. À noter, les très beaux chapiteaux du XIIᵉ s. Dans la salle du Chevalier, on peut essayer les armes et protections utilisées au Moyen Âge. À voir aussi, l'immense cuisine avec deux très grandes cheminées et une broche qui fonctionne comme un mécanisme d'horloge, la boulangerie et ses fours, et la salle des épices. On peut accéder au sommet de la tour et découvrir la vue depuis les échauguettes.

🎯🎯 *La maison de Lamartine :* 71960 **Milly-Lamartine.** ☎ 03-85-37-70-33. *En plein bourg. Appeler pour connaître les conditions de visite.* C'est ici que le grand homme passa une partie de son enfance. La famille Lamartine s'y installa en 1794.

En 1830, le poète a 40 ans. Déjà bien connu et riche, il acquiert la maison de Milly au moment du partage des biens familiaux, ainsi que les 50 ha de vignes qui l'entourent. On imagine le déchirement que fut la vente du domaine en 1860, par un Lamartine ruiné et criblé de dettes alors que Milly fut une source prodigieuse d'inspiration. La demeure est toujours habitée par la même famille depuis 1861.
Le lierre grimpant de la façade, planté par la mère de Lamartine, est toujours présent sur les murs !

ESPRIT ES-TU LÀ ?

Les membres de la famille Sornay, actuels propriétaires de la maison de Lamartine à Milly, ne descendent pas de l'écrivain. Leur ancêtre était le notaire qui, en 1861, avait racheté à Lamartine sa maison. Il avait juré au poète, peiné par la vente, qu'il prendrait soin de sa demeure et qu'il transmettrait son souvenir aux générations futures. Promesse respectée, l'âme de Lamartine est toujours là !

BERZÉ-LA-VILLE

(71960)   520 hab.   *Carte Saône-et-Loire, C4*

Village qui donne déjà un aperçu du Clunisois, avec son côté coquet et fleuri, et ses belles maisons à galerie. Au hasard des rues, vous rencontrerez vieux lavoirs, puits à deux étages, meules à plâtre, etc. L'église paroissiale, à l'architecture toute simple, date du XIIe s. Sur son clocher carré à baies géminées tourne toujours une girouette aux armes de l'abbaye de Cluny. Monter jusqu'à la roche Coche, à 455 m, pour bénéficier d'un superbe panorama sur le Mâconnais. Ça change de Solutré !

À voir

🏃🏃 *La chapelle des Moines :* ☎ 03-85-36-66-52. *Mai-juin et sept, tlj 9h-12h, 14h-18h ; juil-août, tlj 9h-12h30, 13h30-18h ; mars-avr et oct-nov, tlj 10h30-12h, 14h-17h30. Fermé déc-fév. Entrée : env 4 € ; gratuit moins de 12 ans. Billet couplé avec le château de Berzé-le-Châtel : env 9 €. Sinon billet couplé avec l'abbaye de Cluny : env 11 €.*
Curieuse destinée que celle de cette chapelle située sur les terres du doyenné de Berzé (qui dépendait de l'abbaye de Cluny et la fournissait en céréales). Saint Hugues aimait venir s'y reposer des vicissitudes du pouvoir spirituel. La chapelle est contemporaine de la célèbre abbaye de Cluny III. Au cours des siècles, elle se retrouva cernée par une habitation et fut convertie en grange.
À l'extérieur subsiste le décor de bandes et arcatures lombardes. Ce n'est qu'en 1887 qu'un prêtre découvrit ces admirables fresques. L'abbaye ayant été démolie en 1798, la chapelle constitue donc un témoignage unique de l'art de la fresque clunisienne de cette époque. Foisonnement des couleurs et raffinement de son style dont on perçoit encore les influences byzantines, c'est l'émerveillement ! Sur le cul-de-four, remarquable Christ en majesté, de 4 m de haut, entouré des apôtres. À ses pieds, portraits de neuf martyrs. Accès à la chapelle basse où sont présentés l'historique et l'objet des différentes fresques.

DANS LES ENVIRONS DE BERZÉ-LA-VILLE

🏃🏃 *Le château de Berzé-le-Châtel* (71960) : ☎ 03-85-36-60-83. ● berze.fr ● *À 4,5 km au nord-ouest de Berzé-la-Ville. Juil-août, tlj 10h-18h ; avr-juin et sept, visite tlj sf lun 14h-17h ; ouv 10h-12h, 14h-18h lors des grands w-e du printemps ; le reste de l'année, sur rdv pour les groupes. Entrée : env 7 € ; réduc. Billet couplé avec la chapelle des Moines : env 9 €.* Bien assis sur son éperon, impossible qu'il vous échappe : c'est le château le plus imposant du Mâconnais. Édifié du Xe au XIIIe s autour d'une chapelle carolingienne et d'un puits de 40 m taillé dans le roc, il fut le siège de la première baronnie du Mâconnais. Accès par un gros châtelet flanqué de 13 tours des XIIIe et XVe s. Sur les terrasses, vergers, potager et jardins à la française. Vente de vins de la propriété.

🏃 Le château de Monceau : *à 6,5 km au sud-est de Berzé-la-Ville, sur les hauteurs de Prissé (71960), à gauche de la N 79, sur la route de Mâcon.* ☎ 03-85-37-81-52. Petit détour par ce château à flanc de colline pour faire plaisir aux fans de Lamartine. Il ne se visite pas, mais l'extérieur et la chapelle sont accessibles. Lamartine le reçut en héritage en 1833 et il partagea son temps entre cette demeure et Saint-Point. Belle façade flanquée de deux pavillons. Jusqu'en 1850, de nombreux amis littéraires et politiques y vinrent lui rendre visite. Les mordus déboucheront dans les vignes du château le curieux *Pavillon des Girondins* ou *Solitude de Lamartine*, ce petit pavillon octogonal en bois où Lamartine se retirait pour écrire.

🏃 Igé (71960) : *à 7,5 km au nord-est de Berzé-la-Ville.* Le village niché dans un vallon, entouré de collines ondulantes, mérite le détour pour la jolie chapelle du hameau voisin de **Domange.** L'église date du XIe s et possède un beau clocher à arcatures lombardes et baies géminées. C'est aujourd'hui un lieu d'exposition et de concert.

LE CLUNISOIS ET LE HAUT-MÂCONNAIS

Terre d'art et de savoir-vivre dans la partie sud de la Saône-et-Loire, le Clunisois est une petite région qui attire des visiteurs émerveillés par l'harmonie qui émane de ces paysages bien préservés et de son riche patrimoine. Autour de Cluny et de Cormatin, la nature invite à emprunter les chemins de traverse : à pied ou à vélo, le regard s'attarde là sur une croix ou un lavoir ancien, ici sur une maison paysanne ou un manoir ayant connu des jours meilleurs avant d'attaquer la tournée des églises romanes – un peu de spécificité du pays. Une balade hors du temps, dans des paysages vallonnés couverts de forêts et de pâtures, entre les monts du Mâconnais à l'est et les monts du Charolais à l'ouest.

MATOUR   (71520)   1 030 hab.   *Carte Saône-et-Loire, B4*

Au cœur de moyennes montagnes, étagées de 772 à 1 012 m, à l'extrémité sud de la Bourgogne, Matour se situe à mi-chemin entre Cluny et La Clayette. Station verte de vacances et de randonnées, avec quatre circuits balisés, dont un notamment qui monte au col de la Croix-d'Auterre.

LA SAÔNE-ET-LOIRE

Adresse utile

🛈 *Office de tourisme :* 2, pl. de l'Église. ☎ 03-85-59-72-24. • tourisme-haut-clunisois.com • Juil-août, tlj 9h30-12h30, 14h30-18h30 ; mai-juin, mar-sam ; le reste de l'année, lun-ven. Expo-vente d'objets d'artisanat régional et produits du terroir.

Où camper ? Où manger ?

⚔ *Camping Le Paluet :* 2, rue de la Piscine. ☎ 03-85-59-70-92. • lepaluet@matour.fr • matour.fr • ♿. À quelques centaines de mètres en dessous du bourg. Mai-sept. Forfaits tente 15-19 € (moins cher pour les randonneurs). 73 empl. Location de tentes équipées et de chalets pour 4 à 8 personnes. Tennis. Piscine.

🍴 *Chez Christophe Clément :* 1, route de Saint-Pierre-le-Vieux (pl. de l'Église, au centre). ☎ 03-85-59-74-80. Tlj sf dim soir et lun soir hors saison (fermé ts les soirs). Congés : 2 sem début oct et autour des fêtes de fin d'année. Résa conseillée (surtout en basse saison). Formule déj en sem 13 € ; menus à partir de 23 €. Digestif maison offert sur présentation de ce guide. Le papa du chef était charcutier. On vient de loin pour goûter à « l'andouillère du père Clément » – de merveilleuses andouillettes accompagnées de cuisses de grenouilles au chou –, mais aussi aux œufs en meurette... et pour admirer la collection de coqs maison. Façade fleurie et cadre agréable. Une 2e salle (la *Coq Aie Try,* en v.o. !), dans un style bistrot à l'ancienne, est réservée aux groupes, mais vous pouvez toujours visiter.

Où dormir ? Où manger dans les environs ?

Camping

⚔ 🏠 🍴 *Le Village des Meuniers :* Les Meuniers, 344, rue du Stade, 71520 **Dompierre-les-Ormes.** ☎ 03-85-50-36-60. 📱 07-70-16-27-08. • contact@villagedesmeuniers.com • villagedesmeuniers.com • ♿. Avr-oct (tte l'année pour les gîtes). Forfaits tente 17-36 € pour 2. 86 empl. Un très beau camping à 450 m d'altitude, sur 4 ha et en terrasses, offrant une vue panoramique. Chalets tout confort, mobile homes et gîtes. Grands emplacements herbeux entourés de haies, bien arborés. Snack, piscine, etc.

De bon marché à prix moyens

🏠 🍴 *Chambres d'hôtes chez Jean Dorin :* Écussol, 71520 **Saint-Pierre-le-Vieux.** ☎ 03-85-50-40-99. À 7,5 km au sud-est de Matour ; très jolie route pour y aller. Fermé dim. Double 55 €. Table d'hôtes 15 €. Une ferme à la sortie du hameau, avec une bien belle vue sur les monts du Beaujolais. 4 chambres dans une petite maison indépendante. Éleveurs de volailles, Marie-Noëlle et Jean Dorin reçoivent le soir à leur délicieuse table d'hôtes et proposent leurs vins produits sur les coteaux juste au-dessus de la maison. Piscine et jardin.

🏠 🍴 *Le Saint-Cyr :* le bourg, 71520 **Montmelard.** ☎ 03-85-50-20-76. • lesaintcyr@cegetel.net • lesaintcyr.fr • ♿. À 9 km au nord-ouest de Matour. Fermé le midi lun-mar, plus le soir ven et dim hors saison. Congés : vac scol de fév zone A et vac de la Toussaint. Doubles 61-65 €. Gîtes 4 pers. Repas env 30 €. 🛜 Réduc de 10 % sur le prix de la chambre hors juil-août et apéritif maison offert sur présentation de ce guide. Sur une colline, à 544 m, un petit hôtel-restaurant-gîte tenu par un couple dynamique. Quelques chambres confortables, avec vue panoramique sur le bocage, les monts et les forêts. 2 gîtes également et une piscine chauffée. Sans compter la vraie bonne cuisine du pays dans une salle donnant sur ce vaste paysage vert.

À voir

♜ ⚕ La Maison des patrimoines : *manoir du Parc.* ☎ 03-85-59-78-84.
● maison-des-patrimoines.com ● ♿ *Juil-août, tlj sf mar 14h-19h ; avr-juin et sept-oct, tlj sf lun-mar 14h-18h. Fermé le reste de l'année. Entrée : 4,60 € ; réduc.* Cette élégante demeure historique du XVIIIe s, entourée d'un grand parc, présente une exposition interactive originale sur les patrimoines locaux. Histoire, nature et tradition sont les trois thèmes principaux de la visite, ponctuée de bornes interactives, animations sonores, films et jeux. Manifestations saisonnières comme les sorties nature pour découvrir les plantes comestibles ou médicinales, les champignons, et stages de sourcier ou de vannerie...

DANS LES ENVIRONS DE MATOUR

DOMPIERRE-LES-ORMES *(71520)*

À 9 km au nord de Matour.

♜ ⚕ LAB 71 : ☎ 03-85-50-37-10. ● lab71.fr ● *Avr-mai et oct, lun-ven 14h-18h ; juin-août, tlj 10h-18h ; le reste de l'année, sur résa. Entrée : 4,50 €.* Site du département conçu pour apprendre en s'amusant sur la thématique du développement durable. De nombreux ateliers scientifiques, pédagogiques et interactifs en lien avec les programmes scolaires permettent aux jeunes d'explorer l'univers des sciences, de l'innovation et des cultures. Expos temporaires, techniques et artistiques en période estivale dans ce beau bâtiment en osmose parfaite avec le paysage environnant.

♜ L'arboretum domanial de Pézanin : en 1903, Philippe Levêque de Vilmorin choisit le vallon semi-montagnard de Pézanin, dont un étang occupe le fond, pour créer, sur 27 ha, un *arboretum*. Ce mot employé au XIXe s désignait un lieu de collection et de culture d'espèces et de variétés d'arbres sélectionnés pour pouvoir les étudier de près. Actuellement géré par l'Office national des forêts, l'arboretum de Pézanin compte quelque 500 espèces originaires du monde entier.

LA SAÔNE-ET-LOIRE

CLUNY   *(71250)*   4 540 hab.   *Carte Saône-et-Loire, C3*

● Plan *p. 247*

L'un des points forts de tout voyage en Bourgogne, une fascinante immersion dans ce qui fut le cœur et le moteur spirituel et religieux de l'Europe médiévale. À Cluny, labellisée « Cité de caractère de Bourgogne-Franche-Comté », se trouvent les vestiges du plus grand monastère de la chrétienté aux XIIe et XIIIe s, un complexe d'architecture romane à la fois religieuse, militaire et civile. Malgré l'usure du temps et les vicissitudes de l'Histoire, cette abbaye, qui influença longtemps tout l'Occident, conserve une capacité d'évocation prodigieuse. Quant à la ville même, elle est encore presque entièrement contenue dans ses limites médiévales, aucun modernisme incongru dedans et au-dehors n'étant venu troubler le rêve. L'intelligente politique de conservation menée par la Ville et le Centre des monuments nationaux a permis de conserver la personnalité et le charme de l'ensemble. C'est peut-être là que réside le vrai trésor de Cluny : si 90 % de l'abbaye ont été mis au jour, 90 % de la ville médiévale restent à explorer !

Et puis il y a l'atmosphère particulière de Cluny, qui cache de bonnes petites adresses pour qui aime les tables bien vivantes autant que les vieilles pierres, et qui s'anime aux premiers rayons du soleil, en attendant le jour béni (facile, ici !) où tout son centre deviendra réellement piéton.

UN PEU D'HISTOIRE

L'abbaye est **fondée en 910** par Guillaume, duc d'Aquitaine. C'est Bernon, abbé de Baume-les-Messieurs et Gigny (dans le Jura), qui préside à la naissance de l'abbaye, et l'acte fondateur stipule qu'elle sera totalement indépendante de tous les pouvoirs, à l'exception de celui du pape. C'est la règle de saint Benoît qui est adoptée.

UN ABBÉ POUR SEPT PAPES !

À Cluny, l'élection de l'abbé se faisait exclusivement par ses pairs : on dit que le vote à bulletins secrets aurait été inventé à cette occasion. Il permit en tout cas l'émergence de véritables « patrons » d'abbaye, en général choisis jeunes. C'est ainsi qu'en 2 siècles il n'y eut que 6 grands abbés à Cluny contre... 42 papes à Rome !

Un rayonnement européen et de grandes réformes

Cluny va devenir la « capitale » d'un **empire religieux** et temporel considérable qui comprend 10 provinces et plus de 1 400 prieurés clunisiens (sans compter filiales, succursales et autres)... et plus de 10 000 moines. Étonnant : on découvre encore aujourd'hui des sites, comme en Pologne par exemple. L'influence de Cluny sur tous les grands problèmes de son temps sera énorme : reconquête de l'Espagne, organisation des grands pèlerinages, relations avec le Saint Empire germanique, l'Angleterre normande, le royaume capétien, réforme grégorienne, liens et discussions avec l'Église d'Orient, etc. Cluny intervient également dans le domaine des arts, de la musique, de la peinture, de l'orfèvrerie. Sa liturgie et sa pompe deviennent d'une richesse incroyable (opposées à d'autres ordres monastiques beaucoup plus austères). Il faut imaginer de longues processions occupant plus du tiers de la journée, des milliers de cierges, de multiples chants et des cloches qui sonnent à la volée quasiment tout le temps... Et tout le beau monde qui vient rendre visite à Cluny : princes, rois, papes, évêques. C'est à Cluny que les cardinaux portent pour la première fois leur célèbre couvre-chef.

Le règne des grands abbés

Il y eut d'abord **Bernon,** le fondateur. **Odon** lui succède, bien entendu élu démocratiquement en 926. En 942, **Aymard** prend la suite. Il contribue à augmenter largement le nombre des établissements dépendants de l'abbaye et entame la construction d'une nouvelle église abbatiale. En 964, **Mayeul** poursuit l'édification de l'église (**Cluny II,** dans la terminologie des archéologues). Il marque considérablement son « règne » : ami des empereurs d'Allemagne, conseiller d'Hugues Capet et également grand réformateur. Il refuse de devenir pape à Rome pour mieux servir Cluny.

Odilon de Mercœur succède à Mayeul en 994 et régnera 54 ans. Avec lui, c'est le véritable décollage de Cluny. Il ira neuf fois à Rome dénouer les intrigues, résoudre de graves problèmes. Il est à l'origine de la « trêve de Dieu » et de la création de la fête des Morts. Surtout, il lance l'idée de la « grande reconquête » chrétienne de l'Espagne sur l'Islam, puis sa mise en œuvre. Il entame un gros travail de centralisation et d'organisation de l'« empire », qui possède désormais une richesse fabuleuse.

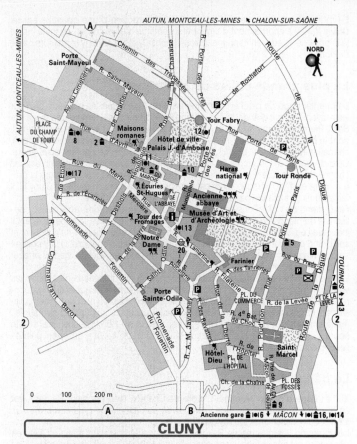

CLUNY

	Adresse utile		10	Hôtel de Bourgogne
🅱	Office de tourisme	🍴		Où manger ?
🏕 🏠	Où dormir ?		6	Restaurant de l'Hôtel de l'Abbaye
	2 Chambres d'hôtes Maison Tandem		8	Le Potin Gourmand
	3 Camping Saint-Vital		11	La Locanda
	4 Chambres d'hôtes Le Clos de l'Abbaye		12	La Halte de l'Abbaye
	5 Cluny Séjour		13	Le Café du Centre
	6 Hôtel de l'Abbaye		14	Le Pain sur la Table
	7 Hôtel Saint-Odilon		16	Hostellerie d'Héloïse
	8 Le Potin Gourmand		17	Au Bon Point
	9 Chambres d'hôtes La Maison des Gardes			Où acheter de bons produits ?
			20	Pâtisserie-chocolaterie Germain

Odilon meurt, et **_saint Hugues,_** un vrai Bourguignon (de Semur-en-Brionnais), reprend en 1049, à l'âge de 25 ans, une abbaye prospère qu'il va mener à son apogée. De nouveaux monastères indépendants adhèrent à Cluny, l'argent entre à flots. Un dicton rapporte que « partout où le vent vente, l'abbé de Cluny a rente ».

Le moment est donc venu d'entamer la construction d'une nouvelle église, **Cluny III**. Il y a énormément d'argent et il continue d'en entrer en quantité inouïe (à la prise de Tolède, en Espagne, le roi Alphonse VI offre à Cluny la majeure partie du butin !).

La plus grande église de la chrétienté

Le premier coup de pioche est donné en 1088. Saint Hugues possède bien sûr les moyens de voir grand : 187 m de long (une longueur seulement dépassée par Saint-Pierre de Rome au XVIe s), une vaste avant-nef, cinq nefs, deux transepts, dont le plus long mesure 77 m de large, un chœur immense avec déambulatoire, chapelles rayonnantes, cinq clochers. Le tout sur 30 m de hauteur sous voûte. Quand Hugues meurt, après 60 ans de bons et loyaux services, l'église n'est pas encore achevée. C'est son successeur, **Pons de Melgueil**, qui en assure la pré-ouverture en 1120, lorsque la nef est terminée. Dès la mise en route de Cluny III, il fait démolir une grande partie de Cluny II pour agrandir le cloître.

Finalement, en 1122, Pons est congédié et c'est **Pierre le Vénérable** qui symbolisera le dernier grand abbé de Cluny. Sous son règne, en 1130, le pape Innocent II inaugure l'église officiellement, alors qu'il ne reste plus que l'avant-nef à couvrir et son grand portail à construire. Sous l'autorité de Pierre le Vénérable, Cluny connaît ses derniers moments de gloire. Le malheureux Pierre Abélard vient y oublier Héloïse et se réconcilier avec l'Église.

L'abbatiale fera l'admiration de toute l'Europe. Ce qui stupéfie le plus, outre les volumes impressionnants et l'harmonie des lignes, c'est l'époustouflante décoration. D'abord les fresques, dites de l'école du mont Cassin, absolument éblouissantes, et les sculptures, dont les chapiteaux rescapés, aujourd'hui au Farinier, restituent toute la splendeur. Quant aux fresques, pour s'en faire une idée, il reste heureusement celles de la chapelle aux Moines à Berzé-la-Ville, qui furent peintes probablement par les mêmes artistes.

Le début de la fin

XIIIe s : **l'âge d'or est terminé.** L'ordre de Cîteaux, créé par saint Bernard, est en train de supplanter celui de Cluny, avec son ascétisme plus conforme aux idéaux du christianisme. Du XIVe au XVIe s, la guerre de Cent Ans, le conflit franco-bourguignon, les guerres de Religion vont considérablement affaiblir Cluny en désorganisant son empire, en empêchant les entrées d'argent, en permettant à de nombreux monastères de reprendre leur liberté. Trésor, bibliothèque et archives, pillés en 1562 par les protestants, disparaissent à jamais. Coup de grâce avec l'ingérence du pouvoir royal qui intervient désormais dans la nomination des abbés, par le biais de la commende. La charge est toutefois encore très recherchée (et aux revenus substantiels), puisque Richelieu et Mazarin ne la refusent pas. Les abbés des XVIIe et XVIIIe s appartiennent tous à de nobles familles (les Conti, La Rochefoucauld, La Tour d'Auvergne), mais cela n'empêche pas l'**inéluctable déchéance.** Rongé par les querelles doctrinales, l'ordre subit une dernière humiliation : en 1744, un décret place l'abbaye sous les ordres directs de l'évêché de Mâcon. C'en est fini de l'indépendance de Cluny ! En 1750, ce qui reste de Cluny II, du cloître et des bâtiments médiévaux attenants, est rasé et on construit de nouveaux bâtiments monastiques autour d'un grand cloître de style classique. À l'ouest, la belle façade gothique du palais du pape Gélase et l'imposante écurie de Saint-Hugues (1095) ne seront paradoxalement sauvées de la destruction que par la Révolution.

En 1789, rideau ! Les derniers moines sont dispersés en 1791. Comme beaucoup d'autres, l'abbaye, bien national, est vendue sous le Directoire. **De 1798 à 1823, elle servira de carrière** et sera systématiquement dépecée. En 1801, une rue dite « scélérate » est percée dans la nef. En 1811, les clochers du chœur sautent à l'explosif. Pour la petite histoire, c'est l'horloge du petit clocher dans le transept droit qui le protège de la destruction : il était bien utile pour donner l'heure aux halles. Le transept gauche disparaît avec l'installation des haras voulus dès 1806 par Napoléon. Enfin, en 1823, le transept droit, avec le clocher de l'Eau-Bénite et la tour de l'Horloge, ainsi que le petit transept (avec la chapelle Jean-de-Bourbon) sont définitivement sauvés. Les travaux de restauration ont connu un grand élan pour *2010*, à l'occasion du *1 100ᵉ anniversaire de l'abbaye*, mais la réhabilitation du site se poursuivra encore pendant plusieurs années.

Arriver – Quitter

➢ *En bus :* avec le *réseau Buscéphale,* liaisons avec Mâcon, Chalonsur-Saône et la gare TGV de Mâcon-Loché. À Cluny, arrêt à l'ancienne gare SNCF et surtout rue Porte-de-Paris, le plus pratique pour accéder au centre-ville.

➢ *À vélo :* en passant par la rue Porte-de-Paris, *la voie verte de Cluny* pénètre jusqu'au centre-ville. Pratique ! Entrer à vélo ou à pied dans Cluny est autrement magique qu'en voiture, même décapotable.

Adresses et infos utiles

🅸 *Office de tourisme* (plan A1-2) : tour des Fromages, 6, rue Mercière. ☎ 03-85-59-05-34. ● cluny-tourisme. com ● ♿ Avr-sept, tlj 9h30-18h30 (pause à midi en avr) ; oct-mars, lunsam (plus dim en oct) 9h30-12h30, 14h30-17h. Fermé les 1ᵉʳ janv, 1ᵉʳ et 11 nov, 25 déc. ☎ Central de réservation hôtelière et billetterie en ligne. Boutique bien fournie. Nombreuses fiches de randonnées dans toute la région. Pour les différentes options de visites de l'abbaye et de la ville, se reporter à la rubrique « À voir ».
– *Ronde de nuit aux flambeaux :* juil-août. Participation : 10 € ; enfant 12-16 ans 5 € ; gratuit moins de 12 ans,

flambeaux fournis. Sans résa, départ à 20h45 à l'office. Sans résa, dates et infos à l'office, annulation en cas de pluie. Partez sur les pas de Gérard Thélier, historien local, conteur et guide conférencier, qui fait revivre, en costumes d'époque, l'histoire et le patrimoine de la ville, de ses paroisses et de l'abbaye.
■ *Location de vélos :* LudiSport, ancienne gare, pl. des Martyrs-de-la-Déportation. 🅸 07-83-91-62-59 ou 06-62-36-09-58. ● ludisport.com ● VTT, rollers, etc. Intéressant système de navette si vous êtes trop fatigué pour revenir (carte itinéraire disponible à l'office de tourisme).

Où dormir ?

Camping et auberge de jeunesse

⚑ *Camping Saint-Vital* (hors plan par B2, 3) : rue des Griottons. ☎ 03-85-59-08-34. ● camping. st.vital@orange.fr ● ♿ À 300 m du CD 980. Pâques-Toussaint. Forfait tente env 12 € pour 2. 171 empl. Chalets 369-459 €/ sem. 🛜 Un 3-étoiles agréable et ombragé, à prix modérés. Piscine municipale gratuite pour les clients.

Boutique de dépannage et de produits régionaux. Accès direct à la voie verte.
🛏 *Cluny Séjour* (plan B2, 5) : 22, rue Porte-de-Paris. ☎ 03-85-59-08-83. ● clunysejour71@gmail.com ● clunysejours.fr ● ♿ Congés : fêtes de fin d'année. Résa conseillée. Nuitée à partir de 22 €/pers en chambre 2-5 lits, petit déj en sus. Doubles privées à partir de 60 €. 🛜 Installée dans l'un des bâtiments du XVIIIᵉ s de l'abbaye (la ciergerie), c'est une sorte d'AJ (environ 70 lits) bien tenue et vraiment pratique. En prime, accueil jovial ! Chambres au

calme, douches à chaque étage. Également une option chambre double avec salle d'eau privée, plus haut de gamme. Parking et garage à vélos.

Prix moyens

🛏 ❙●❙ *Hôtel de l'Abbaye* (hors plan par B2, **6**) : 14 ter, av. Charles-de-Gaulle. ☎ 03-85-59-11-14. ● hotel@abbaye-cluny.fr ● abbaye-cluny.fr ● Tlj sf mar. Doubles 55-85 €. Menus 23-34 €, plat autour de 15 €. 🛜 Un couple clunisothaï a insufflé à cet établissement sa double culture et un nouveau départ tout en couleur. Igor aux fourneaux, May à l'accueil et des clients de toutes les générations, ravis de l'ambiance conviviale qui règne ici. Les chambres sont toutes confortables avec au choix le charme du moderne ou la nostalgie d'antan pour celles qui ne sont pas encore rénovées. Quant à l'excellente table, elle fait l'unanimité, de la Bourgogne à l'Asie, entre nems d'escargots et charolais mariné façon thaïe.

🛏 *Chambres d'hôtes Le Clos de l'Abbaye* (plan A1, **4**) : chez Claire et Pascal Bouvrot-Lardy, 6, pl. du Marché. 📱 06-25-45-30-95. ● closdelabbaye.cluny@gmail.com ● closdelabbaye.fr ● Doubles 70-80 € ; triple et quadruple. 🛜 Grand jardin, grande maison, grand confort, à deux pas du centre. 3 chambres, dont une suite de caractère, à la déco sobre et lumineuse, où les boiseries anciennes et le béton ciré font bon ménage.

🛏 *Hôtel Saint-Odilon* (plan B2, **7**) : Belle-Croix. ☎ 03-85-59-25-00. ● contact@hotelsaintodilon.com ● hotelsaintodilon.com ● ♿ À côté de l'hippodrome et de la piscine, à moins de 10 mn à pied du centre. Double 69 €. 🛜 Une construction récente, style « motel monastique », qui respecte l'environnement. Une architecture basse, rappelant une ferme, avec sa tour carrée et ses deux ailes. Chambres fonctionnelles et de bon confort, aux coloris plaisants, avec vue sur les champs. Tout concourt à en faire une agréable étape.

🛏 *Chambres d'hôtes La Maison des Gardes* (plan B2, **9**) : chez Philippe et Hélène Beaulieu, 18, av. Charles-de-Gaulle. ☎ 03-85-59-19-46. ● contact@lamaisondesgardes.com ● lamaisondesgardes.com ● Doubles à partir de 70 €. Familiale également. 🛜 Une belle demeure de caractère, en plein cœur de la ville, sorte de petit manoir resté en partie dans son jus, comme le parc. Très belles chambres dans la maison même, décorées avec un goût très sûr par une propriétaire aux petits soins.

Chic

🛏 *Hôtel de Bourgogne* (plan B1, **10**) : pl. de l'Abbaye. ☎ 03-85-59-00-58. ● contact@hotel-cluny.com ● hotel-cluny.com ● Doubles 89-135 €. 🛜 Une vénérable maison d'une quinzaine de chambres qui a retrouvé vie et fraîcheur, édifiée en 1817 sur le site de l'ancienne abbaye. L'idéal est de pouvoir profiter du jardin et de la terrasse aux beaux jours, mais la grande salle, hors saison, a un petit côté romantique quand le feu crépite dans la cheminée.

🛏 ❙●❙ *Le Potin Gourmand* (plan A1, **8**) : 4, pl. du Champ-de-Foire. ☎ 03-85-59-02-06. ● lepotingourmand@wanadoo.fr ● potingourmand.com ● ♿ Resto ouv mer-dim le midi, mar-dim le soir. Doubles jusqu'à 195 € env. Menus 33-45 €. Au bistrot, formules 16-20 € (mer-dim à midi), menu 36 € le soir. 🛜 C'est un lieu original, une ancienne fabrique de poterie transformée en petit hôtel de charme arrangé avec beaucoup d'imagination et de fantaisie, doté d'un spa. Cour intérieure, gros murs anciens couverts de vigne vierge, très belles chambres à la déco personnalisée, certaines évoquant les voyages et les pays lointains. Au resto, cuisine goûteuse, servie dans une salle à manger de caractère. À moins d'opter pour le côté bistrot à L'Arquebuse. Accueil jovial dans tous les cas.

🛏 *Chambres d'hôtes Maison Tandem* (plan A1, **2**) : 21, rue d'Avril. 📱 06-67-27-82-46. ● maison-tandem.com ● Doubles 90-130 €. 🛜 Dans l'une des rues historiques de Cluny, cette demeure cossue a été repensée intégralement avec les standards d'aujourd'hui, dans un style et un goût extrêmes. Les 4 chambres thématiques présentent de beaux volumes, l'une d'entre elles se trouvant dans la dépendance du jardin. Mobilier rétro et classe, entre authenticité et modernité. Une adresse chic et choc.

Où dormir dans les environs ?

Prix moyens

🏠 |●| *Chambres d'hôtes de la Pierre Folle :* La Pierre-Folle, 71250 Cluny. ☎ 03-85-59-20-14. ● lapierrefolle@sfr.fr ● lapierrefolle.com ● De Cluny, direction Mâcon ; à 3 km au rond-point, 2e sortie vers la N 79 (sur la gauche donc) et, 300 m plus loin, petit chemin sur la gauche. Congés : janv-fév. Double 85 €, également une suite. CB acceptées. 🛜 Une vieille ferme dans les champs, sur le versant d'un mont boisé. Le bâtiment en U cache un patio intérieur sur lequel donnent les chambres. Elles ont toutes une décoration soignée et recherchée, mariant le bois et la pierre dans un style écolo branché. Piscine. Excellent accueil.

🏠 *Chambres d'hôtes La Ron-zière :* Collonges, 71250 **Lournand.** ☎ 03-85-59-14-80. ● blanc.brigitte@hotmail.fr ● laronziere.fr ● ♿ Le village est à 5 km au nord de Cluny ; accès par la D 981 vers Taizé ; ne pas prendre par la route qui va vers Lournand, mais la 3e à gauche. Congés : fin nov-fin mars. Double 61 €. 🛜 5 chambres d'hôtes dans un grand corps de ferme remarquablement restauré, sur un flanc de colline dominant une belle vallée du Clunisois. Accueil aimable de Brigitte et Bernard, éleveurs de charolais. Ils conseillent des circuits de rando dans la région. Un point de chute idéal le temps du festival de Lournand.

Chic

🏠 |●| *Chambres d'hôtes de la ferme de Champvent :* Champvent, 71220 **La Guiche.** ☎ 03-85-24-61-19. ● contact@ferme-champvent.com ● ferme-champvent.com ● ♿ À env 30 km au nord-ouest de Cluny, et 6 km de Saint-Bonnet-de-Joux. Compter 85-140 €/chambre (jusqu'à 4 pers). Table d'hôtes 25 €, boisson comprise. 🛜 En pleine campagne, dans un vallon boisé entouré de prairies, on est accueilli par des chevaux, des ânes et des moutons, au bord d'un étang, et surtout par une femme charmante et joviale (son époux est paysagiste). Des vieux murs de ferme, un intérieur restauré et modernisé avec un grand sens esthétique, des chambres impeccables et calmes. À la table d'hôtes, produits de la région, cuisine familiale et naturelle.

Où manger ?

De très bon marché à bon marché

|●| *Au Bon Point* (plan A1, **17**) : 1, pl. du Champ-de-Foire. ☎ 03-85-59-23-24. Ouv le midi lun-sam, plus le soir ven-sam. Menu 13,50 €, carte env 20 €. Café offert sur présentation de ce guide. À l'écart de l'agitation, un restaurant discret qui brille par le rapport qualité-prix de ses menus. Carte affichant une bonne cuisine locale qui change fréquemment. Salle ou jolie terrasse à l'arrière, près d'un parking.

|●| *Le Pain sur la Table* (hors plan par B2, **14**) : Le Pont-de-l'Étang. ☎ 03-85-59-24-50. ● lepainsurla table@orange.fr ● ♿ À deux pas de la voie verte. Le midi slt, sf lun (plus dim hors saison). Menus 12-23 €. Un resto-boulangerie bio, qui sert des repas élaborés à partir de produits locaux, sains et naturels, variant selon les saisons. Idéal pour grignoter sain et léger, sur la jolie terrasse en surplomb de la rivière Grosne (un vrai plus aux beaux jours) ou en salle. Plats du jour en version « mini » pour les enfants.

|●| *Le Café du Centre* (plan A-B2,

13) : 4, rue Municipale. ☎ 03-85-59-10-65. Tlj dès 7h, sf dim soir-lun. Formule 13 €, salades et plats du jour 9,50-13 €. Un café patiné par les ans (jolie façade en bois à l'ancienne) et toujours bien vivant, de jour comme de nuit. Il s'enflamme les soirs de match, ronronne à l'heure de la sieste, s'anime pour l'apéro. De vrais personnages, en salle comme derrière le bar. Si vous cherchez à manger sain, bien, pas cher et folklo, n'hésitez pas. Charolais extra, andouillette, burger maison...

|●| *La Locanda (plan A1, 11) :* 8, rue de la République. ☎ 03-45-47-85-86. ● lalocandacluny@gmail.com ● Mar-sam, plus le dim sur résa. Plats 10-15 €. Cette épicerie fine italienne propose aussi de bons petits plats de la Botte, préparés de manière presque informelle en arrière-boutique. L'endroit est tellement petit avec sa poignée de tables qu'il déborde dehors à même la route. Pâtes maison, salades fleurant bon le soleil et apéros à l'italienne, sans oublier les petits déj bio le samedi matin... Une expérience aussi goûteuse que sympathique.

|●| *La Halte de l'Abbaye (plan B1, 12) :* 3, rue de la Porte-des-Prés. ☎ 03-85-59-28-49. ● halte.cluny@gmail.com ● Tlj. Formule déj en sem 14,50 €, menu 23,50 €, carte env 25 €. À 200 m de l'abbaye, une bonne table locale à l'écart de la grande rue animée. Accueil familial et jovial. Cuisine bourguignonne soignée et copieuse, d'un bon rapport qualité-prix. Salle toute simple et sans prétention, et quelques tables en terrasse en bord de rue.

Prix moyens

– Ne pas oublier les très bonnes tables de l'*Hôtel de l'Abbaye (plan B2, 6)* et du *Potin Gourmand (plan A1, 8)*. Se reporter à « Où dormir ? ».

|●| 🏠 *Hostellerie d'Héloïse (hors plan par B2, 16) :* 7, route de Mâcon, Le Pont-de-l'Étang. ☎ 03-85-59-05-65. ● hostelleriedheloise.com ● ♿ À deux pas de la voie verte. Resto fermé dim soir, mer et jeu midi. Congés : fin juin-début juil et fin déc-fin janv. Double 72 €. Menus 21 € (déj en sem), puis env 28-52 €. 🛜 Une maison de 1800, sincère, accueillante, où l'on vient plus pour la cuisine du chef que pour les chambres, si on aime le calme. Un cadre rajeuni et une cuisine faite pour ceux qui aiment prendre leur temps. Pas une cuisine de notable, non, on n'est plus à l'époque où Mitterrand venait ici. Une cuisine juste, goûteuse, avec de beaux produits bien travaillés. Réservez pour dîner en terrasse, sur la Grosne.

Où acheter de bons produits ?

🍬 🍴 *Pâtisserie-chocolaterie Germain (plan A-B2, 20) :* 25, rue Lamartine. ☎ 03-85-59-11-21. Tlj. Pour les gourmand(e)s, l'adresse où faire le plein de douceurs, comme le rocher de Solutré, les perles bourguignonnes, les amandes caramélisées enrobées de chocolat, la truffe du moine, etc. Salon de thé et glacier tout à côté, en terrasse.

À voir. À faire

Pour une visite guidée de l'abbaye et de la ville, l'office de tourisme propose 3 options :
– *Avec plan-guide cité-abbaye :* en plus du billet jumelé abbaye, musée et accès à la tour des Fromages, 3 circuits autoguidés dans la cité médiévale en suivant les clous (plan fourni). Compter 2h30. Tarif : 11 € ou 2 € pour le plan-guide seul.
– *Avec tablette numérique :* la même chose mais en plus détaillé, en utilisant une tablette numérique (+ 4 € de loc). Compter 2h30.
– *Avec un guide :* en juil-août à certaines heures, départ et résa à l'office de tourisme. Durée : 1h-2h30. Tarif : 3,50 € cité médiévale seule, 13,50-14,50 € avec l'abbaye.

L'abbaye de Cluny *(plan B1-2)*

Horaires et billets communs à l'abbatiale et au musée : juil-août, tlj 9h30-19h ; fermé à 18h avr-juin et sept, à 17h oct-mars. Fermé certains j. fériés. Entrée : 9,50 € ; réduc ; gratuit pour les Européens de moins de 26 ans. Sinon billet couplé avec la chapelle des Moines de Berzé : env 11 €. Compter 2h30. ● cluny.monuments-nationaux.fr ●

🎭🎭 **Le musée d'Art et d'Archéologie :** ☎ 03-85-59-12-79. Riche collection de sculpture romane religieuse et civile, hébergée dans le palais Jean-de-Bourbon, fleuron du gothique. On peut y voir une restitution d'une partie du Grand Portail, témoin majeur de l'apogée de l'art roman en Occident, ainsi qu'un film (8 mn) reprenant les dernières découvertes. En préalable à la découverte de la cité et de l'abbaye, une grande maquette du bourg au XIIIᵉ s permet de saisir l'importance de Cluny à son zénith. Une « maison romane » permet par ailleurs de découvrir les peintures des façades à cette époque. Hommage à Kenneth John Conant (1894-1984), un Américain qui a consacré 40 années de sa vie à la redécouverte de Cluny. La visite se termine par la bibliothèque ancienne, l'occasion d'admirer les derniers livres des moines clunisiens (imprimés du XVᵉ au XVIIIᵉ s). Également des expos temporaires.

🎭🎭🎭 **La grande abbatiale restituée** *(plan l'abbaye de Cluny) :* ☎ 03-85-59-15-93.
– À l'intérieur du **palais du pape Gélase,** sur la grande place, un vaste espace d'accueil donne accès à la billetterie et à la boutique de l'abbaye.
– Dans la **salle d'introduction** à la visite, une grande frise chronologique illustrée permet de découvrir et de comprendre les moments clés de l'histoire de l'abbaye. Tout le long du parcours, des maquettes tactiles illustrent ces étapes. Un *film en images de synthèse* (16 mn), Maior Ecclesia, vous entraîne dans une visite virtuelle de la grande église en partie disparue avec ce qui ressemblait à une forêt de piliers dans la longue nef.
– Le **passage Galilée,** du XIIᵉ s, reliait Cluny III à l'avant-nef de Cluny II et était utilisé pour les grandes processions des bénédictins.
– Longer le mur de l'église pour arriver dans le **grand transept.** Celui-ci étonne par l'ampleur de ses volumes et, surtout, par l'incroyable sentiment d'élévation qu'il procure. Et pourtant, des 74 m de transept, il ne reste plus, aujourd'hui, que 25 m ! Là il faut faire appel à son imagination. À l'époque de sa gloire, l'abbaye comptait une centaine de colonnes et piliers. *Ce qui reste debout aujourd'hui ne représente que 8 % de la surface de l'immense église des origines,* un ensemble entre construction et ascension, un pont entre le ciel et la terre, financé par de riches donateurs qui s'achetaient ainsi une place au paradis. L'ensemble était orienté vers l'est, là où chaque jour la lumière évince les ténèbres. Sous le clocher de l'Eau bénite, à la deuxième travée, la coupole sur trompes et quatre arcs brisés s'élève à plus de 30 m. Songez par ailleurs que le sol était couvert d'un tapis de marbre.
– Continuer plus en avant, le long du collatéral rescapé jusqu'au **petit transept** sud. On y trouve la **chapelle Bourbon** de style gothique flamboyant qui en remplaça une autre au XVᵉ s, à l'initiative de l'abbé Jean de Bourbon. Entrée par une porte à accolade. Superbe vantail en bois de l'époque, parvenu jusqu'à nous par miracle. À l'intérieur, série de prophètes, représentés en entier mais complètement recroquevillés sur eux-mêmes pour former une console. Au-dessus, il y avait les apôtres sous des dais finement ciselés. Fines clés de voûte. Il faut imaginer tout ce décor peint de vives couleurs et doré. Une curiosité : le petit oratoire qui, pour le confort de l'abbé, était chauffé. La petite baie lui permettait de suivre l'office sans décoller du feu !
– La grande **galerie** permet l'accès au **grand cloître** du XVIIIᵉ s, de style assez sévère. Il fut construit après 1750 à la place du cloître roman. Dans la cour, grand cadran solaire. Dans la **salle capitulaire** des vestiges du chœur de Cluny II. La dalle carrée supportait un autel. Des banquettes étaient installées tout autour de la salle sur deux niveaux d'assise.

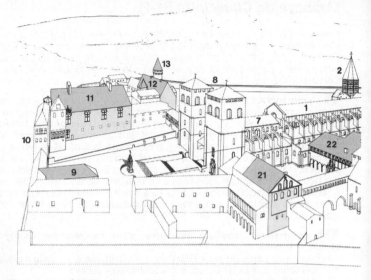

1 Église abbatiale Saint-Pierre-et-Saint-Paul
2 Clocher des Bisans
3 Clocher du Chœur
4 Clocher des Lampes
5 Clocher de l'Eau bénite
6 Tour de l'Horloge
7 Narthex
8 Barabans
9 Anciennes prisons
10 Double porte et pavillon de Guise
11 Palais Jean-de-Bourbon
12 Palais Jacques-d'Amboise

– **Les jardins et les bâtiments monastiques du XVIIIᵉ s** *(plan B2)* **:** certains sont occupés aujourd'hui par l'École nationale des arts et métiers. La longue façade de style classique et les ailes présentent de magnifiques ferronneries de style rocaille. Élégance des façades des ailes, avec leurs arcs concaves encadrant le fronton triangulaire. Tout au fond des jardins, la tour Ronde, du XIIIᵉ s, témoin de l'ancienne enceinte du monastère.

JOLI COUP DE PUB

En 985, les moines eurent l'idée de demander au pape des reliques des apôtres saint Pierre et saint Paul. Rien n'était plus sacré. Très vite, avec ces os à ronger, l'abbaye attira des milliers de pèlerins de toute l'Europe... et des donations colossales en découlèrent.

– Depuis les jardins, observer le **clocher de l'Eau bénite** (celui de l'église abbatiale), un modèle d'équilibre et d'harmonie. De forme octogonale, sur trois niveaux assurant chacun sa fonction dans cette remarquable architecture. Le premier est aveugle, le deuxième présente des arcatures, avec juste une baie ouverte au milieu. Le décor, particulièrement élaboré, assure la transition avec le dernier étage, qui est très ouvragé. Plus d'ouvertures, des fines colonnes à cannelures verticales, des arcatures de type lombard, tout concourt à alléger progressivement la masse du clocher, à lui donner beaucoup d'élégance, sans pour autant diminuer l'impression de puissance, de solidité. Beaucoup de clochers s'en inspireront par la suite.
– **Le Farinier** *(plan B2)* **:** l'un des plus beaux bâtiments à usage domestique de l'abbaye. Édifié au XIIIᵉ s à côté de la **tour du Moulin** (une grosse tour carrée).

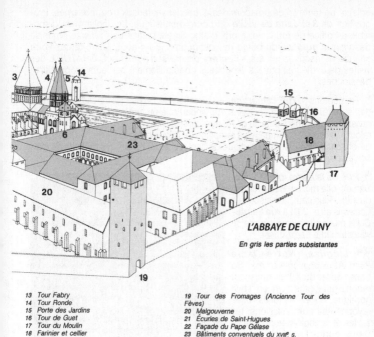

L'ABBAYE DE CLUNY

En gris les parties subsistantes

13 Tour Fabry
14 Tour Ronde
15 Porte des Jardins
16 Tour de Guet
17 Tour du Moulin
18 Farinier et cellier
19 Tour des Fromages (Ancienne Tour des Fèves)
20 Malgouverne
21 Écuries de Saint-Hugues
22 Façade du Pape Gélase
23 Bâtiments conventuels du XVIIIe s.

Il fut raccourci de 20 m pour permettre la construction de l'aile sud du nouveau monastère. À l'origine, le Farinier se divisait en trois parties : en bas, le cellier aux superbes voûtes d'ogives ; au-dessus, le magasin à farine ; et à l'étage, le grenier à blé. Cette dernière salle étonne par son immense volume et, surtout, par sa magnifique charpente de bois d'origine, en chêne et châtaignier, en forme de carène renversée.

Dans ce cadre idéal, exposition des chapiteaux retrouvés de l'abbatiale. Hommage aux travaux de K. J. Conant qui redécouvrit Cluny. Table d'autel en marbre, probablement celle qui fut consacrée par Urbain II en 1095.

🥾 *La tour des Fromages (plan A1-2) : rue Mercière. Compris dans le billet groupé à 11 € ou accès seul à 2 €.* Datée du XIe s, elle abrite l'office de tourisme (mêmes horaires). L'un des éléments de l'abbaye les plus anciens, dont le but était d'afficher le pouvoir de l'abbaye. Ne pas manquer d'y grimper pour la vue. Expo sur le travail colossal de réhabilitation mené par l'association des Amis de Cluny. Maquette du site. De là-haut on réalise que Cluny est aussi une ville verte (alors qu'au sol on est plutôt marqué par l'aspect minéral !). Amusez-vous à retracer mentalement les murailles de l'abbaye en suivant les toits des maisons qui y étaient adossées.

Dans le bourg monastique

La balade en ville, balisée de belles maisons romanes, possède beaucoup de charme. De nombreuses boutiques ont conservé leur vieille devanture en bois, et on tente ici de proscrire des autres les matériaux trop modernes. Proposition de *3 circuits de visite* du bourg monastique. Le dépliant est disponible à l'office de tourisme, à prix d'ami. Sinon, l'office de tourisme organise des *visites guidées* du bourg monastique en juillet-août. Enfin, tentez votre chance et inscrivez-vous à « *Secrets de maison* » *(mai-oct, GRATUIT),* des visites de demeures privées proposées ponctuellement par leurs propriétaires passionnés.

🎒 Remontons la *rue Lamartine,* en direction de l'église Notre-Dame : au n° 9, demeure du juge Mage, du XVIe s, qui appartint à un ancêtre de Lamartine. Puis ravissante maison romane au n° 15, avec petites baies en plein cintre. À l'angle, un rajout XVIe s avec colombages à remplage de brique et fenêtre à meneaux. Au rez-de-chaussée, pittoresque boutique de dentellerie, où l'on trouve du linge de maison en point de Cluny.

🎒 *Rue de la Barre* (place Notre-Dame), jolie maison des Dragons du XIIe s. Plus haut, la maison des Échevins au n° 20. La *rue Sainte-Odile* mène à la rustique porte de ville du même nom (XIIIe s).

🎒🎒 *L'église Notre-Dame* (plan A2) : pl. Notre-Dame. Sa base date du XIIe s mais fut reconstruite plus tard en style gothique. Notez les jolies roses rayonnantes aux croisillons, les stalles et les boiseries du XVIIe s. Deux curiosités : le « pidou berlu » (ou veilleur éberlué), étonnante tête à trois faces mais seulement quatre yeux située à droite au-dessus de l'autel, et le dernier étalon de la tuile mâconnaise (à droite dans la nef, près du confessionnal). Sur le parvis, une fontaine du XVIIIe s.

LE TRAIN DU DESTIN

Principal de collège, militant de la SFIO, le père de Danielle Gouze (épouse de François Mitterrand) avait refusé de recenser les élèves juifs de son collège. Révoqué par Vichy, il vint à Cluny où il survécut grâce à des cours particuliers. Il hébergea des membres de la Résistance. Sa fille s'engagea à 17 ans en tant qu'agent de liaison et rencontra en 1944 François Morland, nom de code de François Mitterrand. Pour tromper la vigilance de la Gestapo dans un train, elle joue les amoureuses et l'embrasse... Ils se marient bien vite le 28 octobre 1944.

🎒 Plus haut, place de l'Abbaye, les *écuries de Saint-Hugues* (plan A1). Hostellerie des pèlerins à la fin du XIe s, elle a vu sa façade joliment rénovée. Au rez-de-chaussée, on logeait les chevaux. Au pignon sud, un beau lion sculpté, en hommage au roi de Castille, l'un des grands donateurs de Cluny.

🎒 Quelques pittoresques demeures encore : *rue de la République,* celle du puits des Pénitents (au n° 25, tout en haut). Exquise façade percée d'une grande arche, l'ancienne échoppe. Au-dessus, série de petites baies romanes à colonnettes, dites claires-voies, aux décors ciselés. *Rue d'Avril,* trois autres maisons étonnantes (dont l'hôtel de la Monnaie, suivre le fléchage « maisons romanes ») rappellent que cette ville recèle la plus importante concentration de maisons romanes et gothiques de France (et quasiment d'Europe, puisqu'elle vient en seconde position derrière Venise !).

🎒 Jolie balade vers le haut de la ville, en direction du cimetière. On y découvre, avec un vestige du rempart – la tour et la porte Saint-Mayeul –, un intéressant aspect du Cluny fortifié. En redescendant, on suit le tracé de l'ancien fossé, aujourd'hui boulevard circulaire planté de tilleuls, jusqu'à la promenade du Fouettin. Au passage, laissez-vous conter, à l'entrée de la *rue du Merle,* l'histoire de ce drôle d'oiseau devenu l'emblème du quartier. Une légende vieille de 600 ans qui rappelle le passage en ces lieux de Blanche de Castille, qui y gagna un joli page, répondant au nom de Dumerle !

🍴 Au sud de la ville s'élève l'*église Saint-Marcel* (plan B2) dont on admire le délicieux clocher octogonal du XIIe s. Celui-ci hérita au XVIe s d'une fine flèche de brique qui épouse fort bien l'ensemble. Jolie vue depuis la route de la Digue (la D 980) qui suit la rivière Grosne.

🍴 *L'hôtel-Dieu* (plan B2) : pl. de l'Hôpital. ☎ 03-85-59-59-59. Visite libre et gratuite de la chapelle et de la salle des malades tte l'année 9h-17h (en dehors des offices). Visites guidées de l'apothicairerie et de la salle des administrateurs, slt sur rdv. Entrée : 3 € ; gratuit moins de 16 ans. Construit par le cardinal de Bouillon, abbé de Cluny, en 1683. Visite doublement attachante de la chapelle (avec salles des malades autour), de la salle des administrateurs, de l'apothicairerie, de la salle Saint-Lazare. On découvre dans la chapelle des statues qui devaient orner le tombeau de F.-M. de La Tour d'Auvergne, frère de Turenne et, surtout, père du cardinal de Bouillon, abbé de Cluny de 1683 à 1715. Dans une châsse, des fragments de la crosse de saint Hugues. Surtout, on découvre, ébahi, le plafond peint en 2003 par Chaimowicz, qui s'est refusé à jouer la carte de l'art contemporain, préférant la légèreté d'une création un peu hors du temps.

🍴 👫 *Le haras national* (plan B1) : ☎ 03-85-59-85-19. 📱 06-22-94-52-69. ● equivallee-cluny.fr/haras-national-de-cluny/ ● Visites guidées avr-sept (horaires variables selon période). Env 7 € ; gratuit moins de 16 ans. Activités et animations à destination du jeune public, avec livret de visite. Au pied de l'abbaye, le haras national a été créé, en 1806, pour répondre aux besoins des armées de Napoléon. Les étalons sont logés principalement dans les écuries construites à l'emplacement de l'ancienne église abbatiale... et avec ses pierres ! De la cour d'honneur, on a la plus jolie vue du clocher de l'Eau bénite.

La visite permet de découvrir les écuries, les chevaux et les différentes races, la sellerie et la collection de véhicules hippomobiles. Aujourd'hui, le cheval devient non seulement un trait d'union entre un projet important de valorisation culturelle de l'abbaye, mais aussi un facteur du développement d'un pôle hippique sportif, Équivallée Cluny. Manifestations hippiques et présentations toute l'année.

– *Les Mercredis au haras* : de mi-juil à fin août, mer à 14h. 📱 06-22-94-52-69. Entrée : env 10 € ; réduc. Une initiative magnifique. Un grand moment d'émotion, avec la présentation en musique des étalons dans la cour d'honneur, la visite du haras animée de différents ateliers, et surtout, des numéros d'artiste équestre pleins de poésie, de tendresse. Exposition à thème dans la sellerie d'honneur.

– *Spectacle équestre « Manège »* : début juil-début sept, mar et ven à 21h, sur résa. Entrée : env 15 €. La cour d'honneur du haras se transforme en scène de spectacle.

Fêtes et manifestations à Cluny et dans les environs

– *Manifestations équestres* : tte l'année. ● equivallee-cluny.fr/haras-national-de-cluny/ ● hippodromes-centre-est.com ● Concours et courses hippiques.

– *Pépète Lumière* : 24h en continu en mai ou juin. ● pepte-lumiere.com ● Créations alliant musique, poésie et land art.

– *Bourgogne Tribal Show* : 2 sem en mai-juin. Expo d'arts premiers.

– *Grand Bastingue* : 2 j. en mai ou juin. ● grandbastingue.com ● Festival de reggae à l'abbaye !

– *Festival de musique contemporaine* : début juil.

– *Les Grandes Heures de Cluny* : 2 sem fin juil-début août. ● grandesheures decluny.com ● Festival de musique classique, devenu lui-même un classique, à l'abbaye et à Notre-Dame.

– *Festival de Lournand* : fin juil, à *Lournand* et dans les communes avoisinantes. ● festival-lournand.com ● Spectacles vivants à prix tout doux.

– *Ciné-Pause :* *fin juil-début août à **Donzy-le-National** et **La Vineuse**.* ● *cine pause.org* ● Festival de cinéma.
– *Jazz Campus :* *2de quinzaine d'août.* ● *jazzcampus.fr* ● Ateliers et concerts.
– *Marché des potiers :* *ts les 2 ans (années paires), en août.*
– *Fête de la Pomme :* *1 w-e en oct.* Expo de centaines de pommes, dégustation, vente, etc. Venez, on se fend la poire tout en s'instruisant et en découvrant de produits régionaux et artisanaux.

BLANOT (71250) 150 hab. *Carte Saône-et-Loire, C3*

À 11 km au nord-est de Cluny, frémissement de plaisir en arrivant à Blanot. Déjà, tout le coin est charmant et paisible tandis que le village semble faire la sieste. Par les rues pentues, on parvient à l'église et au prieuré. Quelques maisons à galerie, des fontaines et des lavoirs, et un ancien four à pain que l'on découvre en suivant les *murgers*, ces murs en pierres sèches typiques du coin. Quelques artisans d'art, dont un potier qui fait de belles choses. Et une adresse pour vous restaurer, encensée par les locaux.

Où dormir ? Où manger ?

🏠 *Les Chambres de Blanot :* dans le bourg. 📞 06-11-01-74-94. ● chambres deblanot.fr ● Doubles 60-75 €, dégressif dès la 2e nuit ; familiales. 📶 Si comme nous vous êtes tombé amoureux de Blanot, rien de tel que d'y passer la nuit pour profiter de l'ambiance et de la nature alentour. Trois savoureuses chambres, « Réglisse », « Chocolat » et « Caramel », dotées de douches à l'italienne. Un rapport qualité-prix tip-top.

|●| *Auberge du Prieuré :* pl. de l'Église. 📞 03-85-36-09-96. ● auberge-de-blanot@orange. fr ● ♿ Fermé en hiver et lun-mar hors saison. Carte 15-30 €. Café offert sur présentation de ce guide. Un sauvetage, celui de l'ancien resto du village, qui a retrouvé vie et couleurs grâce à Françoise et Florence. Carte courte, rassurante, mêlant saveurs d'ailleurs et produits d'ici.

Où dormir ? Où manger dans le coin ?

⚕ *Camping des Grottes :* Rizerolles, 71260 **Azé**. 📞 03-85-33-36-48. ● camping-aze@outlook.fr ● ♿ Au sud-est de Blanot, sur le site des grottes d'Azé. De mi-mai à mi-sept. Tente en hte saison env 18 €. 77 empl. Larges emplacements et ombrage bienvenu sous les bouleaux. Piscine chauffée.
🏠 |●| *Frédéric Carrion Cuisine-hôtel et spa :* pl. André-Lagrange, 71260 **Viré**. 📞 03-85-33-10-72. ● contact@ hotel-restaurant-carrion.fr ● hotel-restaurant-carrion.fr ● ♿ À 5 km au nord de Clessé. Resto fermé lun-mar. Doubles 145-210 €, promos sur Internet. Menus env 30 € (déj en sem), puis 65-76 €. 📶 Un drôle de « cuisine-hôtel » créé par un des chefs les plus novateurs du pays, Frédéric Carrion. Au centre d'un village vigneron resté dans son jus, l'ancien relais de poste du XVIIe s est devenu un hôtel tendance avec des tables multicolores pour vous accueillir et des chambres totalement décalées. Mais l'essentiel reste cette cuisine « d'instant et d'instinct » qui donne au terroir une vision tonique et savoureuse. Le chef propose même des pique-niques gastronomiques dans les vignes de Viré-Clessé... à bicyclette !
|●| *La Virée Gourmande :* 8, pl. André-Lagrange, 71260 **Viré**. 📞 03-85-37-40-82. ♿ En plein centre. Fermé dim, le

soir lun et mer. Formules avec vin et café 14,60-16,50 € (midi lun-ven), menus 27,50-42 €. Intérieur moderne et lumineux dans une structure étonnante en bois, aux formes contemporaines. Propose des menus de saison, des plats créatifs et goûteux. Une belle affaire à midi. Terrasse donnant sur les vignes.

À voir

%% *L'église :* une de nos chouchoutes, comme on dit par ici ! Avec le prieuré et les demeures en pierres sèches tout autour, belle homogénéité architecturale. Édifiée au XIe s sur une ancienne nécropole mérovingienne. Clocher à arcatures aveugles qui semble disproportionné.

% *Le prieuré :* face à l'église, il date du XIIe s, modifié au XVIe s. C'est un prieuré qui abrita la prévôté des moines de Cluny (autrement dit les gestionnaires laïques), aujourd'hui privé et rénové (ne se visite pas). Il arbore une élégante tourelle et un petit air fortifié qui lui sied bien. Pendant la guerre de Cent Ans, ça devait parfois servir. Porche voûté, invitant à l'évasion vers la campagne...

%% %% *Les grottes de Blanot :* à 2 km au nord du village, au hameau de Fougnières. ☎ 03-85-50-03-59. ● blanot.fr ● *Tlj en été, plus certains j. et w-e en mai-juin et sept, 12h-19h. Visite guidée slt : env 6 € ; réduc, y compris pour la grotte d'Azé tte proche. Compter 1h15. Authentiques sorties spéléo ven soir sur résa.* Un gouffre en fait avec de nombreuses salles étagées sur 80 m de profondeur, festival de concrétions, stalactites et autres mites. Visite en boucle de ce site jamais occupé par l'homme ou les animaux, en empruntant 625 marches. Il fut découvert en 1739.

DANS LES ENVIRONS DE BLANOT

%% %% *Les grottes d'Azé (71260) :* ☎ 03-85-33-32-23. ♨ *Au sud-est de Blanot, à 12 km à l'est de Cluny par la D 15. Pâques-Toussaint, visites guidées slt, à heure fixe tlj, résa obligatoire. Env 8 € ; réduc.* C'est la plus longue caverne de Bourgogne : parcours de 1 000 m aménagé sur quatre niveaux avec même une rivière souterraine. Outre la balade dans les concrétions les plus pittoresques, on observera des vestiges peu communs, comme des squelettes d'ours vieux de plusieurs centaines de milliers d'années, les restes d'un des 10 lions de caverne connus en France, etc. Musée archéologique regroupant plus de 2 000 pièces de la préhistoire au Moyen Âge.

% *Le circuit des églises romanes au sud et à l'est de Blanot :* relisez le roman dans ce secteur riche en églises de campagne, pas toujours ouvertes, mais remarquables déjà de l'extérieur. Un circuit qui plonge également au cœur du vignoble. Au sud-est d'Azé, inhabituel et adorable clocher de **Laizé *(71870)*,** particulièrement élégant avec son hourd (véritable « collier » défensif digne des châteaux forts !). Pas loin, à **Clessé *(71260)*,** clocher octogonal à tuiles vernissées polychromes. À 7 km à l'est de Blanot, clocher barlong (court et rectangulaire) et pittoresque auvent à **Bissy-la-Mâconnaise *(71260)*.**

⊛ *Domaine Michel :* à Cray, 71260 **Clessé.** ☎ 03-85-36-94-27. *Tlj sf dim et j. fériés. Dégustation sur rdv.* Deux frères, Denis et Frank, véritables amoureux de leur vigne, sont parmi les derniers à vendanger encore à la main. Ils vous feront découvrir ces vins fruités, gouleyants à souhait et d'un remarquable rapport qualité-prix. Accueil chaleureux.

% *De Blanot à Cormatin par le mont Saint-Romain :* de Blanot, suivre la D 446 puis la D 187 vers Prayes. Route délicieuse jusqu'au col de la Croix. Puis on plonge dans la forêt domaniale, avant de tourner à droite pour le mont

Saint-Romain (579 m), le plus haut « pic » du Nord-Mâconnais. Au sommet, table d'orientation et panorama total sur toute la région, y compris par très beau temps sur les Alpes, le Jura, le Morvan, les monts du Charolais... Belles balades dans les sous-bois. Retrouvez la D 187 en direction de Cormatin. Très jolie route, par le col de Pistole et le hameau de Fragnes, qui court le long de la montagne.

🎥 Avant de parvenir à Cormatin, faites une halte au *hameau de Lys (Chissey-lès-Macon, 71460)* avec ses belles et solides demeures à galeries qui dissimulent une petite église émouvante de simplicité. On y trouve aussi plusieurs artisans d'art et un incongru musée de la natation (☎ 03-85-50-78-06) !

🎥 Dernier arrêt à 1 km de Cormatin, au *hameau de La Bergerie (Chissey-lès-Macon, 71460)* pour jeter un œil à une non moins incongrue pyramide de Khéops en cours de construction (au 1/5 quand même), dans le jardin d'un passionné (☎ 03-85-50-71-62) !

LE CHÂTEAU DE CORMATIN

(71460) — *Carte Saône-et-Loire, C3*

🎥🎥 🏃 **Pas moins de 60 000 visiteurs font chaque été le détour par Cormatin pour admirer le château de ce petit village à quelques kilomètres au nord de Cluny.**
Les trois amateurs passionnés qui, depuis 1980, se sont lancés dans sa restauration ne sont ni des nobles ni les héritiers du dernier châtelain. Anne-Marie Joly, Pierre Almendros et Marc Simonet-Lenglart sont sans fortune particulière mais pas sans relations ni antécédents : ils sont archiviste, historien et historien de l'art.

UN PEU D'HISTOIRE

Cette demeure, toujours ceinte de ses douves en eau, est un précieux témoignage de l'époque Louis XIII. Le château fut construit par **Antoine Du Blé d'Huxelles,** seigneur de Cormatin. Membre du parti catholique, en lutte contre Henri IV, il profita de la guerre pour piller sans vergogne le pays avant de virer de bord à la conversion du roi. En récompense, Henri IV le nomma gouverneur de la région. En 1605, grâce à sa fortune, il fit construire le château. Son fils Jacques lui succéda en 1611. Ce dernier se maria avec une riche héritière. Pendant que son époux guerroyait, celle-ci s'occupait de la décoration du château, en référence directe avec ce qui se faisait de mieux à Paris. Les travaux furent interrompus en 1629 par la mort de Jacques Du Blé.
Au moment de la Grande Peur de 1789, **Sophie Verne,** héritière des Du Blé (par la main gauche), sauva le château de l'incendie en ouvrant sa cave à vin aux émeutiers. En 1812,

UN LIVRE QUI FAIT TOUJOURS RECETTE(S)

C'est au château de Cormatin que fut rédigé, en 1651, le premier livre de recettes moderne : Le Cuisinier François. *Son auteur, François Pierre de La Varenne, était officier de bouche du marquis. Son livre, qui eut de nombreuses éditions, marque le passage de la cuisine médiévale à la cuisine moderne. On y trouve entre autres les recettes du bœuf à la mode, des œufs à la neige et de la bisque.*

sa fille, **Nina de Pierreclau,** reçut souvent au château le jeune **Alphonse de Lamartine.** Après les promenades à cheval, ce n'étaient que parties de bateau sur la rivière, concerts en plein air, roucoulades sous les charmilles et jeux plus ou moins innocents dans le labyrinthe. De cette liaison naquit en 1813 le dernier descendant des Du Blé, qui régnaient depuis six siècles sur Cormatin...

À la Belle Époque, **Raoul Gunsbourg,** directeur de l'opéra de Monte-Carlo, l'acheta et y reçut **Cécile Sorel, Chaliapine, Saint-Saëns, Sarah Bernhardt, Caruso, Massenet...** On invitait le public local à se mêler aux personnes de marque pour écouter, dans le parc, les plus grandes voix du siècle ! De cette époque était resté le manuscrit original des *Contes d'Hoffmann,* fameux opéra d'Offenbach, retrouvé en 1982 sous un tas de gravats.

La Grande Guerre mit fin à la fête. Il fallut attendre six décennies pour que les ronces soient arrachées et que la vie revienne.

Où dormir ? Où boire un verre dans les environs ?

Autant la restauration du château lui-même fut une réussite, autant celle destinée à combler les affamés de nourritures moins culturelles aura toujours posé un problème dans ce gros bourg qui concentre à lui seul une grande partie de la population touristique du département. Vous pouvez tenter votre chance sur une des terrasses, face à l'entrée du château, ou acheter de quoi pique-niquer dans le village. Bonnes adresses en revanche dans les environs immédiats, entre Cormatin et Tournus (voir chapitre suivant).

🏠 **Chambres d'hôtes du monastère Notre-Dame :** *chez Valérie et Alfred de La Chapelle, au bourg de **Savigny-sur-Grosne** (71460).* 📱 *06-21-33-27-58.* ● *alfredelachapelle@orange. fr* ● *À 5 km au nord de Cormatin, en allant vers Saint-Gengoux-le-National. Doubles 70-85 €. Une bouteille de mâcon villages offerte sur présentation de ce guide. Au sommet d'une colline,* dominant un paysage paisible de prés et de vignes, c'est un vieux et grand monastère, réaménagé par des vignerons passionnés de vieilles pierres. Les sœurs bénédictines y priaient encore en 2005. Utiliser la petite cloche pour sonner avant d'entrer. Seulement 3 chambres, décorées et arrangées avec soin, jouissant d'une belle vue sur la vallée. Vente de vin sur place.

🍴 **Café Le Papyllon :** *2, route de Cluny, 71460 **Ameugny-Cormatin.*** 📞 *03-85-59-64-55. Tlj à partir de 15h, sf mar hors saison. Avt d'arriver au château de Cormatin, dans un tournant, à l'entrée du village.* On s'arrête chez Wolfgang pour déguster une de ses fameuses bières. Allemand d'origine mais Français d'adoption, Wolfgang vous accueille, chope à la main, pour vous servir, dans un éclat de rire, au bar ou dans la cour. Également du thé bio pour les plus rangés ou ceux qui continuent sur la voie verte à proximité.

À voir

Rens : 📞 *03-85-50-16-55.* ● *chateaudecormatin.com* ● ♿ *Du 1er avr à mi-nov, tlj 10h-12h, 14h-17h30 (18h30 de mi-juin à mi-sept et en continu de mi-juil à mi-août). Entrée parc et salles 1900 : 6 € ; visite guidée des appartements XVIIe s et des jardins : 10 €, réduc.*

Côté château

La visite du château – ou plutôt « au château », tant les propriétaires ont à cœur de faire revivre le quotidien de l'époque – permet de remonter aisément le temps.

Entrée par une belle porte où l'on note l'influence italienne, pour découvrir *l'escalier monumental.* À cage vide sur plan carré, de 21 m de haut, c'est le plus ancien et le plus vaste conservé en France.

Arrivée dans *les salles dorées,* dont il est impossible de décrire toutes les richesses. C'est un témoignage exceptionnel du style Louis XIII en matière de décoration. En voici les principaux points : l'antichambre de l'appartement de la marquise ; ici, on tient avant tout à affirmer sa fidélité au roi, d'où le portrait de Louis XIII au-dessus de la cheminée. Dans la chambre de la marquise, omniprésence du bleu lapis-lazuli, symbole de la fidélité féminine en amour (le mari était souvent à la guerre !). Au-dessus de la cheminée, Vénus et Vulcain, allégorie du feu de l'amour conjugal et maternel. Fleurs et fruits en abondance évoquent la fécondité. Superbe cabinet des Merveilles avec le portrait du marquis et collection de « curiosités » (coquillages, animaux empaillés, cristaux, etc.).

Vient ensuite la pièce la plus étonnante : le *cabinet de Sainte-Cécile* (1625). Décor extrêmement précieux pour ce lieu de méditation partagé par quelques rares intimes. L'or et le lapis-lazuli y dominent. L'antichambre du marquis fut transformée en cuisine à la Révolution. Restée en l'état, elle est très pittoresque. La visite guidée se termine dans la chambre du marquis, ornée de grandes tapisseries du XVIIe s d'après Le Brun.

Côté jardin

Le parc à lui seul vaut la balade. Tous les éléments composant un jardin du XVIIe s sont là : parterres fleuris à l'anglaise ou à la française, bosquets pour la lecture ou la conversation, allées pour les promenades, miroir d'eau pour la contemplation. Tout un itinéraire menant logiquement au labyrinthe de buis, étape initiatique inévitable. Le potager quant à lui abrite l'été un fort sympathique salon de thé

QUI A VU GORBI ?

Le 31 mars 1993, 50 journalistes attendaient derrière la grille du château. Mitterrand avait invité Gorbatchev à Cormatin. Le Président russe visita le château et se promena dans le labyrinthe du jardin. Perdu, il s'écria : « C'est terrible, je ne sais plus où j'en suis, j'ai l'impression d'être au milieu du Soviet suprême. »

tandis que les jardiniers « s'amusent » chaque année à croiser formes et couleurs, pour mieux surprendre les visiteurs. Prenez votre temps, c'est en fin de journée que les jardins sont les plus séduisants, et on y accède toujours après la fermeture du château.

Ne pas rater l'allée Lamartine avec ses tilleuls bicentenaires, et plus loin, de hauts cyprès chauves, repaires de hérons cendrés au bord d'un étang tranquille.

DANS LES ENVIRONS DE CORMATIN

🍴 *Taizé* (71250) : à 5 km au sud, tout petit village qui a gagné une notoriété mondiale quand s'y est implantée la communauté religieuse œcuménique créée par Roger Schutz. Ce dernier fut assassiné en 2005, en pleine cérémonie, par une hystérique. La ferveur n'a pas diminué, et les jeunes affluent à Taizé pour prier pour la paix dans le monde.

🍴 *Le circuit des églises romanes, au nord de Cormatin :* en remontant vers le nord, par la D 981, d'autres églises romanes vous attendent, à *Malay* (quel équilibre, quelle harmonie !), *Ougy* (église séduisante et lavoir pas mal non plus), *Saint-Hippolyte...* Cette dernière présente un insolite clocher fortifié coincé entre deux tours !

LES MONTS DU TOURNUGEOIS

Suite d'un des plus beaux parcours en Bourgogne du Sud parmi les monts du Tournugeois. Après Chapaize et Brancion, c'est toujours un grand moment d'émotion de pouvoir visiter la mère de toutes les églises romanes du pays : Saint-Philibert, à Tournus.

CHAPAIZE   (71460)   160 hab.   *Carte Saône-et-Loire, C3*

À 5 km de Cormatin sur la route de Tournus. On quitte peu à peu le Clunisois pour entrer dans le Tournugeois. Sur place, la splendide église, datant de l'an 1000 et ultime vestige d'un monastère, est typique du premier art roman et donne une idée assez précise de ce que put être Cluny II.

On est d'abord frappé par la hauteur inhabituelle du clocher (35 m). Deux étages de fenêtres géminées et longues arcatures lombardes. Chevet aux lignes harmonieuses. À l'intérieur, nef centrale imposante, aux énormes piliers ronds surmontés de chapiteaux dénués de décor, en forme de triangles renversés. La belle pierre blanche prodigue, malgré le peu d'ouvertures, une certaine luminosité. Derrière le chevet, l'ancien presbytère avec une tourelle. Du côté nord, la tour de guet est le seul vestige du mur d'enceinte érigé au XVIe s. Le village présente une homogénéité architecturale assez réussie. Maisons anciennes fleuries, parfois à galeries appelées « meurots ».

Où dormir ? Où manger ? Où boire un verre dans le coin ?

🛏 **Chambres d'hôtes La Ferme :** chez M. et Mme de La Bussière, 71460 **Bissy-sous-Uxelles.** ☎ 03-85-50-15-03. ● dominique.de-la-bussiere@wanadoo.fr ● bourgogne-chambres-hotes.fr ● À 6 km au nord-est de Cormatin ; à l'entrée du village, à côté de l'église. Doubles 71-82 €. 📶 Ferme de caractère (vieille de 500 ans) dans laquelle les propriétaires proposent 6 chambres, dont 2 familiales, assez typiques de la région, avec de jolies couettes. Vue sur le jardin, les prairies et la campagne. Accueil familial et dynamique. Petit déjeuner avec fromages de la ferme, en saison.

🛏 **Chambres d'hôtes la Griolette :** chez Micheline et Jean Welter, 71460 **Bresse-sur-Grosne.** 📱 06-76-06-71-27. ● la-griolette@club-internet.fr ● la-griolette.com ● À moins de 10 km au nord. Double env 75 €. Réduc de 10 % sur le prix de la chambre sept-juin, sur présentation de ce guide. 📶 Une vieille maison typique du pays, à 600 m de l'église. Des suites familiales et une grande chambre indépendante. La déco de cette bonbonnière, les petits bibelots, l'accueil chaleureux et attentionné, tout cela concourt à créer une atmosphère douillette. Beau jardin clos et piscine. Petit déj royal !

🍴 **Le Saint-Martin :** au bourg de Chapaize. ☎ 03-85-50-13-08. ♿ Fermé lun-mar, plus mer et jeu midi hors saison. Résa conseillée. Menus 27-34 €, plats à partir de 15 € (le midi slt). Café *offert sur présentation de ce guide.* Face à l'église de l'an 1000, nouvelle vie pour ce sympathique resto-bistrot de village où l'on sert les clients toujours dans la bonne humeur et avec attention. Chaises et tables en teck en terrasse sur le parvis. Cuisine à prix sages dans un cadre bien agréable. Belle carte proposée par un jeune chef simple et sympa, amoureux lui aussi des beaux produits.

|●| ⵣ ***Crêperie la Coquele :*** *au bourg de Chapaize.* ☎ *03-85-34-39-09. Tlj sf jeu-ven 10h-18h. Compter 15-20 €.* À deux pas de l'église, ici les nourritures terrestres sont bio, faites maison et sans complication. Galettes bien sûr, mais aussi glaces, boissons, thés du monde entier. Une halte bienvenue aussi bien pour manger que pour un verre.

DANS LES ENVIRONS DE CHAPAIZE

⚲ ***L'archiprieuré des Dames de Lancharre :*** *sur la route de Tournus, peu après Chapaize.* Il fut fondé au XIᵉ s par les seigneurs de Brancion pour les filles des familles nobles de la région. N'ayant pas fait vœu de pauvreté, celles-ci possédaient leur propre maison et le droit d'avoir une servante. Obligées de quitter les lieux lors de la Contre-Réforme, en 1626, les religieuses s'installèrent à Chalon-sur-Saône. Au XVIIᵉ s, l'église perdit sa nef. Vestige de la porte de l'enclos monastique. Là aussi, belle vision sur le chevet et les belles toitures de lauzes. Intéressantes pierres tombales des XIIIᵉ et XIVᵉ s.

BRANCION   (71700)   260 hab.   *Carte Saône-et-Loire, C3*

À l'écart de la D 14, à mi-chemin (12 km) de Cormatin et Tournus, voici l'un des plus séduisants villages de Saône-et-Loire, perché depuis le Moyen Âge sur son promontoire rocheux au pied d'un imposant château dominant le vaste horizon du Tournugeois. Ce château avait une position hautement stratégique, contrôlant les mouvements et les flux entre la vallée de Saône et celle de la Grosne. Le minuscule village, labellisé « Cité de caractère Bourgogne Franche-Comté » regroupe une vingtaine de maisons à peine, serrées au pied du château et on ne recense aucun habitant permanent ! Très fréquenté en haute saison, le site n'a cependant pas vendu son âme au diable du progrès. Au contraire, voici un village réservé aux piétons et certaines rues sont gazonnées.

UN PEU D'HISTOIRE

Le fondateur de Brancion fut probablement Warulfe de Brancion, né vers 875. Au XIᵉ s, les seigneurs de Brancion étaient tellement puissants qu'on les surnommait les « Gros ». Rien d'affectueux là-dedans. En fait, ils passaient leur temps à piller les terres de l'abbaye de Cluny, à partir en croisade et à faire des cadeaux à l'abbé pour obtenir le pardon. Josserand de Brancion avait poussé le bouchon tellement loin que le pape Eugène II l'excommunia en 1147. Il fit alors amende honorable, offrit aux moines une forêt et... recommença. En 1180, le roi Philippe Auguste dut lui-même intervenir avec ses troupes pour faire cesser ses exactions. Le plus célèbre des Brancion fut Josserand IV qui partit en croisade avec Saint Louis et mourut à la bataille de Mansourah, en 1250. Son fils Henry rapporta son corps en France et offrit de nouvelles terres aux abbayes pour faire pardonner toutes les persécutions passées de la famille. Ruiné par les dons et les croisades, il fut contraint de vendre le château en 1259 au duc de Bourgogne, Hugues IV. À partir de là, la famille perdit toute puissance.

Où dormir dans les environs ?

⋏ 🏠 I●I *Chambres d'hôtes et ferme-auberge de Malo :* Malo, 71240 **Étrigny.** ☎ 03-85-92-21-47 ou 28-50. ● fam@aubergemalo.com ● auberge malo.com ● 🛇 À 8 km au nord par la D 159. Forfait tente et véhicule pour 2 env 11 € (mai-oct). Chambre env 60 €. Menus et plats 13-25 €. Dans un petit hameau, une ferme-auberge rustique et nickel. Ici ça sent bon la campagne et les produits maison. Volailles, porcs et charcuteries à l'honneur. Une poignée de chambres d'hôtes, équipées avec réfrigérateur. Également un camping à la ferme au bord de la rivière dans un site semi-ombragé. Vélos à disposition et balade en calèche parfois.

🏠 *Chambres d'hôtes chez Sylvie et Thierry Meunier :* le bourg, 71700 **Royer.** ☎ 03-85-51-03-42. ● thierry meunier3@orange.fr ● dormiraroyer. com ● À 3 km de Brancion et 7 km de Tournus. De mars à mi-nov. Double 57 €. 📶 Réduc de 10 % pour 2 nuits consécutives hors juil-août sur présentation de ce guide. Dans un village à flanc de coteau, dominé par une forêt sur la crête des collines, une maison vigneronne parmi les prés, les jardins et les arbres. Ensemble de maisonnettes de charme, avec des chambres spacieuses et fraîches, à la décoration très soignée. Cuisine commune. Accueil jovial et attentionné.

À voir

🌂🌂 ♞ *Le château :* rens association La Mémoire médiévale, ☎ 03-85-32-19-70. ● chateau-de-brancion.fr ● Avr-sept, tlj 10h-12h30, 13h-18h30 (17h oct-11 nov). Visite libre : 6 € ; réduc. Visite avec audioguide : 7 €. Animation enfants (prêt de costumes) et fête médiévale le 3ᵉ w-e de juil.

Toujours propriété du comte de Murard mais géré par une association de Saône-et-Loire, ce site est entretenu et animé par une poignée de bénévoles qui organisent les visites, gèrent la boutique, surveillent les travaux. L'impressionnante porte d'entrée date du XIIᵉ, mais les bâtiments suivants ont été érigés au XIVᵉ s par le duc de Bourgogne. Très endommagé durant les guerres de Religion, le château fut vendu comme bien national à la Révolution, avant de redevenir propriété familiale. L'ensemble, noyé dans la verdure et le chant des oiseaux, revêt aujourd'hui beaucoup de charme.

Par ici la visite

La visite commence naturellement par la **tour de Beaufort** qui défendait la porte de ville : noter les archères qui permettaient de tirer dans trois directions. Dans le *logis de Beaufort,* cheminée avec armes des ducs (Charles le Téméraire). *Logis de Beaujeu* avec grandes baies ogivales et escalier monumental. *Tour du Préau,* qui renfermait les archives. Vestiges de fenêtres polylobées et reste de cheminée monumentale. Petit poste de guet et latrines de l'époque. Dans le *donjon,* au-dessus de la cheminée, le récit de Joinville sur la mort de Josserand IV. De là-haut, au bout des 87 marches, l'un des points de vue les plus romantiques qui soient sur le village, dont on savoure l'urbanisme désordonné et les variétés de toits au milieu d'une belle végétation. En point de mire, l'adorable église peinte dans le ciel.

🌂🌂 Délicieuse balade dans le village au long de vieilles et charmantes **demeures** du XIIIᵉ au XVIᵉ s, dont une ancienne hostellerie. Au milieu, spectaculaire **halle** du XVIᵉ s, intacte. Charpente en châtaignier (antiaraignées) entièrement chevillée en bois. Noter les échancrures sur les piliers pour poser les étals et la dalle du peseur au sol.

LA SAÔNE-ET-LOIRE

🎥🎥 *L'église Saint-Pierre :* *mêmes horaires que le château.* Un de nos coups de cœur ! Construite au XIIᵉ s, elle présente une architecture sobre en petit appareillage de pierre et un toit en lauze. Émouvante de simplicité, elle est marquée par une petite influence cistercienne avec son chevet particulièrement bien proportionné et sa belle flèche de pierre à quatre pans. L'intérieur est sombre et mystérieux à souhait. Admirez la voûte en berceau brisé. Le plus intéressant, ici, ce sont les peintures murales de la fin du XIIIᵉ s et le beau gisant en pierre de Josserand IV. Au-dessus, une peinture murale retrouvée sous son enduit de chaux et montrant la pesée des âmes (dans le châle). Inhabituelles pierres tombales ovales.

🎥 De l'esplanade, devant l'église, le paysage s'ouvre à l'infini sur la campagne. Tout en bas, la silhouette de l'église de *La Chapelle-sous-Brancion.* Ici pas de pieds de vigne, mais, au loin, les points blancs des vaches charolaises...

DANS LES ENVIRONS DE BRANCION

🎥 *Le domaine viticole des Vignes du Maynes et le musée de l'Outillage de l'artisanat rural :* *rue des Moines, Sagy-le-Haut, 71260 Cruzille.* ☎ 03-85-33-20-15. ● vignes-du-maynes.com ● *Situé à 6 km env au sud de Brancion, sur la D 61 en allant vers Azé. Sagy se trouve à 1 km au sud du bourg de Cruzille. Visite libre (sf période de vendanges), sur résa slt.* Ce domaine pratique une agriculture en bio-dynamie. Il propose trois pôles de visite : la cave de vieillissement traditionnelle, la salle de cuvage avec les vieux pressoirs en bois et, enfin, le musée de l'Artisanat où sont représentés une quarantaine de vieux métiers avec plus de 3 500 outils. Également une salle de dégustation où se trouve une très belle collection de verres soufflés du XVIIIᵉ s à nos jours. Comme le musée se trouve au sein d'un domaine viticole, vous pourrez aussi visiter les chais et une cave sur pilier et voûtes croisées, avec des pressoirs de la fin du XIXᵉ s, et faire une halte dégustation des vins du domaine.

🎥 *Ozenay (71700) :* *à 6 km à l'ouest de Tournus, sur la D 14.* Dans l'un des premiers contreforts des monts du Tournugeois, un petit village (220 habitants) de caractère, aux grosses maisons traditionnelles de vignerons. Imposant château des XIIIᵉ et XVIIᵉ s, église du XIIᵉ s d'allure massive, avec un auvent du XVIIIᵉ sur piles de pierre. Le tout est recouvert de pierre de lave (comme le château, d'ailleurs).

TOURNUS (71700)   5 941 hab.   *Carte Saône-et-Loire, C3*

● Plan *p. 269*

Entre Dijon et Lyon, étape discrète dans ce long couloir fluvial et routier (la D 906 et l'A 6) qui conduit plus bas vers le Rhône, la ville de Tournus est un lieu de passage depuis plus de 2 000 ans. Hier comme aujourd'hui, elle est la halte bienvenue des pèlerins et des voyageurs en route vers le grand Sud. Tournus était déjà un castrum-étape pour les Romains au Iᵉʳ s de notre ère. Cœur spirituel et historique de Tournus depuis l'an 1000, l'abbaye Saint-Philibert est le monument phare qui a fait la renommée de cette ville à taille humaine, étirée en longueur, le long de la Saône.
Plusieurs vénérables demeures anciennes, sur lesquelles un œil averti saura dénicher toutes sortes de détails architecturaux intéressants : portes murées, fenêtres dépourvues de leurs meneaux, ruelles et passages

mystérieux, signes oubliés de la ville, témoignages du passé qui ne s'offrent vraiment qu'aux poètes et aux curieux... Les gourmets auront noté que Tournus compte 4 chefs étoilés.

UN PEU D'HISTOIRE

Le véritable décollage de la ville eut lieu en 875, avec l'arrivée des moines de Noirmoutier chassés par les incursions vikings. Ils se virent attribuer par le roi Charles le Chauve la colline de Saint-Valérien où les reliques de saint Philibert (fondateur de Jumièges, mort à Noirmoutier en 685) vinrent tenir compagnie à celles du saint local. Lieu de pèlerinage, bien sûr, qui devint rapidement très populaire. Cet engouement enrichit inévitablement la ville, et, à la fin du Xe s, démarra la construction d'une nouvelle abbaye.
Pillée par les protestants en 1562 (disparition de la prestigieuse bibliothèque), l'abbaye échappa cependant aux violentes destructions de la Révolution grâce à son affectation au culte constitutionnel.

Adresse et info utiles

ℹ️ Office de tourisme (plan A1) : 2, pl. de l'Abbaye. ☎ 03-85-27-00-20. ● tournus-tourisme.com ● Juil-août, tlj 9h30-13h, 14h-18h45 ; tlj jusqu'à 18h Pâques-juin et sept ; janv-fév et nov-déc, tlj sf dim jusqu'à 17h30. 📶 Circuit piéton « Sur les pas de Gerlannus », croisières en bateau sur la Seille, location de vélos, circuits VTT, ULM... tous les moyens sont bons ici pour vous faire découvrir le pays. Vente de vins régionaux à prix producteurs.
– **Marché :** sam mat tte l'année. Spécialités régionales.
– **Garçon la note :** en juil-août. « Un soir, un bar, un concert ».

Où dormir ? Où manger ?

Camping

⛺ Camping de Tournus (hors plan par A1, **6**) : 14, rue de Canes. ☎ 03-85-51-16-58. ● camping-tournus@orange.fr ● camping-tournus.com ● ♿ À 900 m du centre-ville. Avr-sept. Forfait tente env 17 € pour 2. 96 empl. Bien situé, en bord de Saône. Beaucoup d'espace pour camper sous les arbres et équipements de bon confort. Loue également des cabanes.

De bon marché à prix moyens

🍴 La Maison de Marion (plan A1, **8**) : 9, rue Gabriel-Jeanton. ☎ 03-85-51-26-25. Plats 5-10 €. Face à l'entrée de l'abbaye, cette épicerie fine propose quiches, salades et sandwichs à petit prix. Rien de plus, c'est juste pratique pour grignoter à midi.

🍴 La Bohème (plan B2, **9**) : 57, rue de la République. ☎ 03-85-32-97-03. Tlj sf mer et dim. Formule été 15 €, menus 23-27 €. Dans la rue semi-piétonne au centre, repérez la discrète devanture cachée parmi de vénérables façades. L'endroit n'est pas bien grand, mais tout un monde se découvre dans l'assiette, des petits plats traditionnels ou non, mitonnés sous vos yeux. Sympa de l'entrée ou dessert. Alors forcément, en sortant « on est heureux » comme disait Charles.

Chic

🏠 🍴 Hôtel Aux Terrasses (plan B3, **7**) : 18, av. du 23-Janvier. ☎ 03-85-51-01-74. ● courrier@aux-terrasses.com ● aux-terrasses.com ● ♿ Resto fermé dim-lun. Doubles à partir de 100 €. Menus 26 € (déj en sem), puis 40-95 €. 📶 Une auberge en bord de route qui abrite l'une des meilleures tables de la ville. 2 grandes salles séparées par le salon. Accueil attentif et élégant. Jean-Michel Carrette est passé par les meilleures maisons de France, dont *Troigros* à Roanne. À la carte, un mélange original de cuisine traditionnelle bourguignonne très soignée et une cuisine plus personnelle. Service dans le jardin aux beaux jours.

▮●▮ *Bistrot Le Rempart* *(plan A1, 10) :* 2-4, av. Gambetta. ☎ 03-85-51-10-56. ● reception@lerempart.com ●

Tlj. Menu 19,90 € (*déj lun-sam*), plats 13-24 €. C'est la brasserie du Quartier Gourmand, l'un des étoilés de Tournus. Mais le cadre assez kitsch, avec son faux cloître clunisien couvert d'une verrière et ses « ponts du soupir » au-dessus de la route, reste plutôt chic et feutré. En revanche, c'est bien une vraie étoile qui brille jusque dans l'assiette. Côté bistrot ou restaurant gastronomique, le chef est le même, mais pas les prix !

Où dormir ? Où manger dans les environs ?

Voir aussi nos bonnes adresses dans les monts du Tournugeois et dans la Bresse voisine.

Camping

⛺ *Camping Le National 6 :* à Uchizy, au port. ☎ 03-85-40-53-90. ● camping.uchizylen6@wanadoo.fr ● camping-lenational6.com ● À 400 m de la D 906, à 2,5 km à l'est de la commune d'Uchizy et à 6 km au sud de Tournus. Avr-sept. Forfait tente env 22 € pour 2. 125 empl. Loc de bungalows et chalets 2-5 pers 375-485 €/sem. Tranquillou en bord de Saône et bien ombragé. Petite restauration sur place et piscine.

Prix moyens

▮●▮ *L'Escale :* promenade du barrage, 71290 *La Truchère* (7 km au sud de Tournus). ☎ 03-85-51-23-00. Tlj sf mar. Congés : déc-fév. Menus 23-25 €, repas env 30 €. Apéritif maison offert sur présentation de ce guide. Au bord de la Seille, la terrasse couverte est un enchantement aux beaux jours. On vient ici avant tout pour les fritures, les grenouilles et les poissons. Possibilité de faire une balade en bateau sur la Seille, en face du resto.

▮●▮ *Auberge du Col des Chèvres :* Dulphey, 71240 *Mancey*. ☎ 03-85-51-06-38. ● contact@auberge-coldeschevres.fr ● À 6 km à l'ouest de Tournus, sur la route de Cormatin. Tlj sf mer soir, sam midi et dim soir. Menu 14,50 €

(midi en sem), repas env 30 €. Coup de cœur pour cette auberge. Avec sa femme, en salle, et lui en cuisine, Laurent Para joue une carte locale en lui apportant sa touche de professionnalisme. Du goût, de l'idée, des couleurs, des petits prix, pas de chichis, tout ce qu'on aime. Terrines sympas, plats du jour aux allures exotiques. Grande terrasse côté rue, et salle à l'ancienne pour les jours gris.

Chic

🏠 *Chambres d'hôtes La Maison des Cœurs :* chez Monique Joly, hameau de Pingeon, 71700 *Boyer*. ☎ 03-85-51-78-14. ● maisondescoeurs@orange.fr ● À 2 km de Tournus, direction Mancey, franchir le pont au-dessus de l'autoroute ; au sommet de la côte, à l'intersection marquée par un gros pin, prendre la petite route en face sur env 1,5 km (fléchage). Doubles 85-90 €. 📶 Réduc de 10 % accordée à partir de la 2e nuitée sur présentation de ce guide. Dans le cadre d'une jolie propriété entourée d'un vaste jardin, 3 chambres aussi agréables que confortables et aménagées avec soin. Accueil chaleureux.

▮●▮ *L'Auberge des Gourmets :* 9, pl. de l'Église, 71700 *Le Villars*. ☎ 03-85-32-58-80. ● laubergedesgourmets@orange.fr ● ♿ À 3 km au sud de Tournus, sur la route de Mâcon. Fermé dim soir et mar-mer. Congés : 3 sem en janv, 1 sem en juin et 1 sem à la Toussaint. Menus 22 € (déj en sem), puis 28-65 € ; carte env 45 €. Café

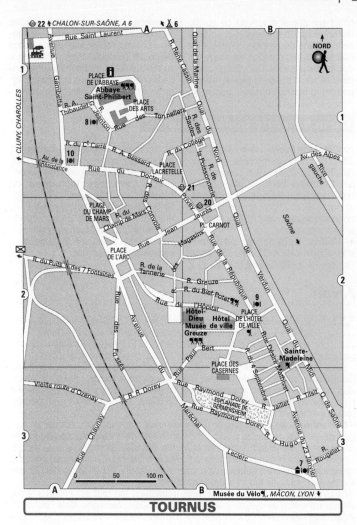

TOURNUS

- ■ **Adresse utile**
  - ❶ Office de tourisme

- ⚕ 🏠 ⦿ **Où dormir ? Où manger ?**
  - **6** Camping de Tournus
  - **7** Hôtel Aux Terrasses
  - **8** La Maison de Marion
  - **9** La Bohème

- **10** Bistrot Le Rempart

- ⊛ **Où acheter de bons produits ?**
  - **20** Crèmerie Évelyne Giroud
  - **21** Gilles Lathuillière
    pâtissier-chocolatier
  - **22** La Cave des Vignerons
    de Mancey

offert sur présentation de ce guide. Daniel Rogié tient avec savoir-faire cette maison de charme, à l'ombre de l'église romane, dans un joli village qui surplombe la Saône. Une plaque transparente sur le sol de la salle à manger permet d'apercevoir une partie de l'immense cave souterraine remplie de bonnes bouteilles. Résa obligatoire si vous voulez avoir une chance de goûter une cuisine de saison qui a su renouveler la tradition, le tout servi dans une ambiance très conviviale. Terrasse ombragée pour les beaux jours.

Où acheter de bons produits ?

⊛ **Crèmerie Évelyne Giroud** *(plan B2, 20) :* 63, rue du Docteur-Privey. ☎ 03-85-51-70-66. *Tlj sf dim ap-m et lun.* Ce maître fromager affineur propose une large gamme de fromages, et notamment les musts de la Bourgogne : époisses, Ami du Chambertin, chèvre mâconnais...
⊛ **Gilles Lathuilière pâtissier-chocolatier** *(plan A-B1, 21) :* 55, rue du Docteur-Privey. ☎ 03-85-51-06-61. *Tlj sf dim ap-m et lun.* Spécialité d'entremets traditionnels comme le tournusien, ou de chocolat (comme le greuze-émotion).
⊛ **La Cave des Vignerons de Mancey** *(hors plan par A1, 22) :* D 906. ☎ 03-85-51-71-62. *Tlj.* Appellations mâcon et bourgogne, bons rapports qualité-prix, accueil bien sympathique. Des vins à découvrir à l'aide d'un espace scénographique.

À voir

❦❦❦ ⊀ **L'abbaye Saint-Philibert** *(plan A1) :* infos à l'office de tourisme, 2, pl. de l'Abbaye (☎ 03-85-27-00-20). ♿ *(accès partiel). 8h30-19h (9h-18h oct-avr). GRATUIT. Loc d'audioguides à l'office de tourisme : 5 €. Pour les enfants 6-13 ans, visite audioguidée avec prêt d'un baladeur MP3 et d'un parchemin (2,50 €).*
– Saint-Philibert fait partie des premières églises construites autour de l'an 1000. On retrouve sur *la façade* tous les éléments du style roman primitif : les bandes lombardes, le petit appareillage de pierre assez rustique, l'ornementation employée de façon subtile (ici, les frises de pierre). Clocher du XIIᵉ s en calcaire rose superbement ornementé.
– *Le narthex :* une des parties les plus anciennes, massive, assez écrasante avec peu de lumière. Noter les piliers ronds énormes, mais ça n'étonne pas quand on songe qu'il leur faut supporter la lourde chapelle Saint-Michel au-dessus. Quelques peintures murales : dans la travée avant la nef, Christ en majesté et, à sa gauche, crucifixion et blason à damier d'une famille noble donatrice. Curieux tombeaux circulaires (pour les morts qu'on enterrait debout).
– *La grande nef :* gros contraste avec le narthex. Ici, tout est presque léger, élancé, lumineux, de style toujours dépouillé. Le plus remarquable reste l'utilisation ingénieuse des voûtes transversales, à la manière des arches d'un pont, technique peu habituelle qui permettait de ne pas peser sur les côtés et assurait, bien sûr, plus de stabilité et de solidité à l'ensemble. Beaux piliers roses. Le magnifique grand orgue sculpté en nid d'hirondelle semble comme suspendu dans le vide. Il fut construit en 1629.
– Derrière la chaire, *niche gothique* avec fresques figurant une procession funéraire. Au-dessus, l'abbé, la Vierge et le Christ. Statue de Notre-Dame la Brune du XIIᵉ s.
– *Le chœur* a été reconstruit au XIIᵉ s et on utilisa la pierre blanche de Tournus, plus tendre, plus facile à sculpter. C'est le maître orfèvre Goudji qui a réalisé le mobilier liturgique contemporain du chœur, dont le reliquaire de saint Philibert. Dans *le déambulatoire,* les colonnes et les chapiteaux de la rotonde ont été refaits au XIXᵉ s (sans grâce, ni légèreté !). Cependant, ceux du pourtour sont du XIᵉ s et délicatement travaillés. On peut également admirer des mosaïques du XIIᵉ s représentant des signes du zodiaque et des activités liées à la saison estivale (en tout bien tout honneur).

– *La crypte :* c'est une vraie petite église souterraine. Au centre, trois nefs à fines colonnes (pour l'époque !) et chapiteaux à feuilles d'acanthe, entourées d'un déambulatoire et de chapelles rayonnantes. Noter la voûte brute de décoffrage, cendres et chaux, avec des bouts de bois (visiblement jamais achevée). Dans l'axe, tombeau de saint Valérien, martyr décapité par les Romains. En 979 eut lieu la translation de ses reliques (dispersées lors des guerres de Religion). Chapelle avec fresques du XIIᵉ s (Christ pantocrator).

– *La chapelle Saint-Michel :* retour à l'entrée du narthex, pour emprunter l'escalier à vis menant à cette « église dans l'église ». Au contraire du narthex, sombre et trapu, ici, l'architecture se révèle presque aérienne ! Trois nefs et voûte en berceau s'élevant à plus de 12 m, soutenue par quatre gros piliers ronds.

Les bâtiments conventuels
Continuer sur la droite, après la porte menant à la chapelle Saint-Michel.

– *L'ancien parloir :* il abrite un petit musée lapidaire avec les chapiteaux des galeries du cloître détruites et les deux statues-colonnes qui trônaient sur le clocher : saint Philibert et sa crosse, et saint Valérien avec sa palme de martyr.

– *Le cloître :* il ne reste qu'une galerie accolée à l'église, mais le jardin est complet. Du cloître, très belle vue sur l'ensemble de l'église et le clocher de style clunisien surmontant la croisée de transept, avec son appareillage de pierre finement taillée.

– *La salle capitulaire :* chaque matin, les moines se réunissaient dans cette salle pour écouter un chapitre de l'Évangile. Reconstruite en gothique au XIIIᵉ s, avec d'élégantes croisées d'ogives sur colonnes à chapiteaux.

– Sortie par la *place des Arts,* pour admirer le chevet à cinq chapelles. Appareillage assez archaïque, en épis ou arêtes de poisson. De l'autre côté de la place, le logis abbatial du XVᵉ s. Porte en gothique flamboyant et fenêtres à meneaux et à accolade.

Autour de l'abbaye

Un circuit piéton a été mis en place, avec marquage au sol et plan. Pour les enfants de 6 à 13 ans, plan avec devinettes, un cadeau à la clé. Ces plans sont disponibles à l'office de tourisme.

🎯🎯 Au XVIIᵉ s, les moines firent bâtir autour de l'abbaye des maisons qui épousèrent la forme de l'enceinte monastique, dont il subsiste d'importants vestiges. Rendez-vous rue des Tonneliers pour la *tour de Quincampoix* (Xᵉ-XVᵉ s) englobée dans l'habitat, puis rue Jeanton pour la *tour du Portier* (Xᵉ-XVIIᵉ s) qui symbolisait l'entrée de ville. Revenant vers l'abbaye, on longe l'ancien réfectoire et le cellier. Devant la façade, les deux tours de la *porte des Champs* (Xᵉ-XIIᵉ s). Aux nᵒˢ 15-17, rue de Tronfois, *maison du Roy Guillaume* (XVIIᵉ s).

🎯 L'*église Saint-Valérien* du XIᵉ s, aujourd'hui désaffectée, rue A.-Bessard. Place Lacretelle, la boulangerie présente de belles fenêtres à meneaux Renaissance. *Rue du Docteur-Privey,* jolies maisons aux nᵒ 13, 38, 45, 60 et 62.

🎯 *Rue de la République,* aux nᵒˢ 3 et 5, la maison Guérard (XVᵉ-XVIᵉ s). Admirer au nᵒ 2, *place Carnot,* le logis de la Tête Noire (XIVᵉ-XVIᵉ s) ; superbe façade à colombages. Au nᵒ 17, élégante façade Louis XV de l'hôtel Lacroix-Laval : arcades, frise sculptée, hautes fenêtres, mascarons, balcon en fer forgé. *Rue Greuze,* au nᵒ 5, maison Greuze (où vécut le peintre durant son enfance).

🎯🎯 Continuer la rue Greuze jusqu'à un étroit passage médiéval (sur la gauche). Il débouche sur la *rue du Bief-Potet* (plan B2), l'une des ruelles les plus pittoresques de la ville. C'est là que vivaient les tanneurs au Moyen Âge. Les balcons et encorbellements mangent la moitié de la ruelle. À droite de la ruelle, un peu plus loin, original escalier à vis extérieur à colombages.

🎯 Retour *rue de la République.* Du nᵒ 41 au nᵒ 47, intéressants détails architecturaux à saisir. Au nᵒ 63, l'hôtel d'Aubonne (XVIIᵉ-XVIIIᵉ s) en pierre rose. En

(texte vertical dans la marge :) **LA SAÔNE-ET-LOIRE**

face, à l'angle de la place de l'Hôtel-de-Ville, ancien *hôtel de l'Escargot* de la famille de Tournus (1616), avec sa tourelle d'angle en encorbellement (évoquant un escargot...).

🏃 Charmante *place de l'Hôtel-de-Ville* *(plan B2)*, du XVIIIe s. Statue de Greuze au milieu. Suivre la *rue Désiré-Mathivet*. Au n° 2, hôtel Jean-Magnon avec de belles fenêtres à meneaux et accolade. Niche en gothique fleuri avec Vierge. Du n° 44 au n° 54 et aux n°s 43-45 (entre les rues Jules-Ferry et E.-Jaillet), remarquable succession d'arcades commerciales médiévales. C'est le quartier de l'église Sainte-Madeleine, où vous découvrirez beaucoup de demeures anciennes.

🏃 *L'église Sainte-Madeleine* *(plan B2-3)* : rue Désiré-Mathivet. Du XIIe s, remaniée au XVe. Remarquable porche roman aux profondes voussures retombant sur des colonnettes délicatement ciselées. Grande richesse du décor, différent d'une colonne à l'autre. Élégante porte en bois de style Louis XV.

🏃🏃🏃 *L'hôtel-Dieu et le musée Greuze* *(plan B2)* : 21, rue de l'Hôpital. ☎ 03-85-51-23-50. ♿ Avr-oct, tlj sf mar et 1er mai 10h-13h, 14h-18h. Entrée : 5 € ; réduc. Beau portail de pierre rose avec grille en fer forgé. L'hôtel-Dieu se divise en deux sections : la partie hospitalière, dont la visite est complétée par le jardin des « simples » (plantes médicinales), et le musée Greuze, consacré à ce peintre originaire de Tournus.
– *Les salles des malades :* remarquables ! La première fut ouverte en 1675 par le cardinal de Bouillon, abbé de Tournus, désireux que la ville se dotât enfin d'un hôpital convenable. Elle comprend une vingtaine de lits, et les soins sont assurés par les sœurs de Sainte-Marthe. Au XVIIIe s, création de la salle des hommes et de la chapelle, et, à la Révolution, de celle des soldats. Les trois salles convergent vers l'autel de manière à ce que tout le monde puisse bénéficier de l'office. Difficile d'imaginer que l'hôpital ne ferma qu'en 1982 ! Organisation hospitalière logique pour l'époque : grands volumes pour que l'air circule, lits en box, « couloirs de soins » pour préserver l'intimité des malades.
– *L'apothicairerie :* l'une des plus belles de Bourgogne. Dans une salle avec carrelage et plafond peint d'origine, meubles à rayonnages et colonnettes torses en noyer et chêne accueillent une belle collection de 300 pots en faïence de Nevers. Dans l'ancienne salle de chirurgie, exposition des étains. Voir aussi le sol et les boiseries de l'ancienne apothicairerie de la Maison de Charité de Tournus, déplacés là.
– *Le musée Greuze :* installé dans les anciennes chambres des sœurs (on peut même observer les salles des malades par une fenêtre). Évidemment, quelques œuvres de l'artiste né à Tournus (1725-1805), exposées par roulement au 1er étage ainsi qu'une section peinture (écoles flamande, française et italienne du XVe au XXe s). Pour la sculpture (salle consacrée à Désiré Mathivet, artiste local) et l'art contemporain, monter au 2e étage. Également, au rez-de-chaussée, une section archéologie, afin d'approcher l'histoire de Tournus et de son pays depuis le Paléolithique jusqu'à l'époque mérovingienne (outils, céramiques, plaques de ceinturon en fer damasquiné, etc.).

🏃 *Le musée du Vélo Michel-Grézaud* *(hors plan par B3)* : Le Pas-Fleury, av. Maréchal-de-Lattre-de-Tassigny (D 906 Sud). ☎ 03-85-20-01-28. ● enviesdevelo.com ● Avr-sept, mar-dim 14h-18h30 ; oct, le w-e 14h-18h30. Entrée : 6 € ;

POURQUOI UN MAILLOT JAUNE ?

On doit la création du Tour de France au journal L'Auto, l'ancêtre de L'Équipe, qui prit de court Le Vélo, son concurrent ! Joli coup de pub pour ce journal aux pages jaunes qui déclina cette couleur jusque dans le fameux maillot porté par le premier du classement. Le journal continua à paraître en zone occupée pendant la Seconde Guerre mondiale et fut interdit de publication en 1945, accusé de collaboration. Fin de tour par la petite porte !

réduc ; gratuit moins de 6 ans. Un espace de 600 m² pour les passionnés de petite reine et ceux qui n'en connaissent pas forcément un rayon. Tous les modèles, de toutes les époques, de l'antique draisienne de 1818 au vélo en carbone soufflé de Chris Boardman (1992). On peut aussi essayer des vélos rigolos ! Un hommage sympathique à la passion du créateur du musée, ancien boucher-charcutier qui n'a pu voir son rêve se réaliser, mais qu'une équipe de bénévoles continue d'entretenir.

DANS LES ENVIRONS DE TOURNUS

🏃 *Le circuit des églises romanes du Tournugeois :* si vous n'avez pas encore votre compte de belles églises romanes, vous pouvez revenir sur Ozenay et continuer vers Chardonnay (qui a donné son nom au célèbre cépage). On aperçoit la flèche du clocher d'***Uchizy,*** à 2 km : le dernier étage servait de tour de guet. Vous pouvez poursuivre votre circuit par celles de ***Farges-lès-Mâcon*** (10 km au sud de Tournus, sur la D 906) et du ***Villars*** (3 km au sud de Tournus, sur la D 906).

🏃 *La réserve naturelle nationale de La Truchère-Ratenelle (71290) :* à 6 km au sud (suivre le fléchage). Situé au confluent de la Seille et de la Saône, en limite du département de l'Ain, un milieu riche en plantes aquatiques protégées, oiseaux migrateurs, insectes rares et plantes carnivores qui les boulottent, sur fond de dunes de sable éolien vieux de 5 000 ans, venues se perdre au milieu des tourbières et des chênes. Sentier de découverte.

🏃 *Le village de La Truchère (71290) :* le village a plutôt des allures de petit port de pêche et de plaisance, le long de la rivière Seille, avec ses nombreux bateaux amarrés et ses quais de pierre construits par les prisonniers prussiens au temps des guerres napoléoniennes. Quelques restaurants sur place, face à cette rivière bien tranquille.

LA BRESSE BOURGUIGNONNE

Tournus est une des portes de la plaine de la Bresse, le pays le plus à l'est de la Bourgogne : une vaste campagne verdoyante et bocagère de 1 690 km², composée de 88 communes et peuplée de 70 000 habitants. Un pays délimité naturellement à l'ouest par la Saône et à l'est par les monts du Jura.
C'est en quelque sorte le plat pays de la Saône-et-Loire. Un immense lac il y a quelques millions d'années, qui a conservé en héritage un réseau dense de rivières, rus, ruisseaux et étangs découpant le bocage. Aujourd'hui, l'ancienne Bresse se partage entre deux régions et trois départements. La Révolution française s'y entendait pour dépecer les anciennes provinces. Quand on dit « plat », il faut d'ailleurs moduler, le paysage n'est nullement mièvre. Région principalement agricole, à l'habitat dispersé, proposant la plus séduisante architecture rurale qui soit.

UN VASTE ÉCOMUSÉE

La Bresse possède en outre des productions particulières comme son fameux poulet à pattes bleues et plumes blanches (aux normes d'élevage précises : c'est la seule volaille au monde à posséder une AOC), la pôchouse, délicieuse matelote de poisson de rivière, quand elle est bien réalisée... Sans oublier, dans un autre genre d'idées, la belle armoire bressane, etc. Traditions culturelles et folklore très riches et vivaces, comme en témoignent les nombreuses antennes de l'écomusée. En Bresse, tous les chemins mènent en fait à l'*écomusée de la Bresse bourguignonne,* dont le siège est à Pierre-de-Bresse, tout au nord. Il possède 13 antennes dans des sites différents répartis dans le territoire que vous allez traverser, en vagabondant selon votre humeur. Voici quelques-unes de ces annexes :
– à Saint-Martin-en-Bresse : la Maison de la forêt et du bois ;
– à Saint-André-en-Bresse : la ferme Plissonnier ;
– à Rancy : les Chaisiers et Pailleuses ;
– à Ménétreuil : le moulin de Montjay (Maison de l'eau) ;
– à Romenay : la ferme du Champ bressan, le musée du Terroir ;
– à Verdun-sur-le-Doubs : le musée du Blé et du Pain ;
– à Ratte : le moulin de la Croix.

CUISERY   (71290)   1 660 hab.   *Carte Saône-et-Loire, C-D3*

À 8 km à l'est de Tournus, au sud-ouest de la Bresse bourguignonne. Ce village sort de son anonymat grâce aux artistes et aux bouquinistes implantés sur cette terre qui ne manque pas d'atouts pour les retenir. En revanche, elle manque encore de touristes, car le flux passe plus à l'ouest...

Adresse utile

🏛 *Office de tourisme du Pays de la Bresse bourguignonne :* 32, pl. d'Armes. ☎ 03-85-40-11-70. ● cuisery.fr ● bresse-bourguignonne. com ● Juil-août, mar-sam 9h30-12h30, 14h-18h ; hors saison, mar-sam sf mer ; plus 1er dim du mois tte l'année.
– Concerts gratuits et expos en été, pl. Saint-Pierre.

Où dormir ? Où manger dans le coin ?

De prix moyens à chic

🛏 🍴 *L'Hostellerie Bressane :* 56, route de Tournus, à Cuisery. ☎ 03-85-32-30-66. ● contact@hostelleriebressane.fr ● hostelleriebressane.fr ● Resto fermé dim soir-mar midi. Doubles 75-120 €. Formules 19-25 € (le midi en sem), menus 32-55 €. 📶 La belle adresse de la région, avec des chambres au calme côté jardin, dont certaines disposent d'un bout de terrasse. Celles de l'annexe sont de plain-pied, avec terrasse et parking. Belle salle de resto pour gourmets prenant le temps de vivre. Service attentif et carte attrayante.

🛏 🍴 *Chambres d'hôtes Élément Terre :* 33, route du Château, 71370 *Baudrières.* ☎ 09-84-18-01-66. 📱 07-82-78-80-92. ● contact@elementterre71.com ● elementterre71. com ● À 15 km au nord de Cuisery par la D 933. Doubles 60-85 € ; familiales. Table d'hôtes (sur résa slt) 22 €. 📶 Une adresse verte et au vert. Il y a la grange, entièrement retapée selon des normes environnementales et qui abrite aujourd'hui 4 chambres avec cuisine à disposition. Il y a la production de légumes en permaculture. Mais aussi la tranquille rivière Ténarre pour pêcher, les repas bio et surtout l'accueil forcément nature d'une adorable famille. Un havre où l'on s'efforce de limiter son empreinte carbone !

🛏 |●| **Chambres d'hôtes de l'ancien Hôtel du Lion d'Or :** 87, rue du 19-Mars-1962, 71290 **Simandre.** ☎ 03-85-37-77-67. 📱 06-08-42-60-31. ● chatard.veronique@gmail.com ● À 9 km au nord de Cuisery par la D 933. Double 65 €. 📶 C'est l'hôtel historique sur la place du marché avec sa façade zébrée, ses parquets qui craquent et sa salle de bal début XXe s à l'arrière. Véronique et Denis en ont fait le centre névralgique du village, où l'on vient à nouveau guincher. Ils ont surtout aménagé de ravissantes chambres d'hôtes à l'ancienne sous les combles, où l'on se croirait en vacances chez tante Jeanne. Tout un concept et un lieu formidable de vie. Pour manger, il n'y a que la rue à traverser jusqu'à l'**Hôtel-resto de la Gare,** une autre résurrection (formule 13,50 €, menus 19-34 €), menée par Béa et son mari, qui conseillent leurs vins les yeux fermés. Deux coups de cœur en un !

À voir

🎭 **Le Village du livre :** ● cuisery-villagedulivre.com ● Passer à l'office de tourisme, 32, pl. d'Armes pour prendre une plaquette le présentant en détail. La grande rue compte une dizaine de bouquinistes, dont certains ouverts à l'année. On y trouve aussi un relieur et une imprimerie à l'ancienne. En fait, le village revit surtout le 1er dimanche du mois (8h-19h), lors du **marché du livre.** D'autres manifestations sont proposées, comme le Salon de la bande dessinée et du polar, le Salon du disque et des CD, le Printemps des poètes, le concours de nouvelles, la Nuit du livre en juillet et août, etc.

🎭 🧍 **Le Centre Éden :** rue de l'Église. ☎ 03-85-27-08-00. ● centre-eden. com ● ♿ Vac scol de printemps-vac scol de la Toussaint : juil-août, tlj 10h-18h ; hors saison, tlj sf lun et 1er mai, 14h-18h. Entrée : 5 € ; réduc ; gratuit moins de 6 ans et pour ts le 1er dim du mois. Un centre de découverte des richesses naturelles et des paysages de la Bourgogne selon 3 grands thèmes : forêts, bocages et milieu fluvial. Muséographie vraiment réussie et vivante avec une maquette 3D de la Bourgogne, un film de 15 mn, une fourmilière en activité, une « salle des indices » interactive, une ruche transparente, un jeu de senteurs, des aquariums au-dessus desquels on peut marcher... La mise en valeur scénographique du parc de l'ancien château complète la visite. Expositions temporaires et séances de Planétarium. Parfait pour les enfants (et les grands) !

DANS LES ENVIRONS DE CUISERY

🍴 **La ferme du Champ bressan :** à Romenay (71470), à 10 km au sud de Cuisery. ☎ 03-85-76-27-16. De mi-mai à fin oct, tlj sf mar, 10h-12h, 14h-18h. Entrée : 3,50 € ; réduc. Jetez un coup d'œil à cette antenne de l'écomusée de la Bresse bourguignonne. Mobilier bressan, outils, objets domestiques et costumes régionaux. Prenez le temps ensuite de visiter ce village médiéval qui possède encore deux portes fortifiées et de belles demeures à colombages.

🍴 **Les Chaisiers et Pailleuses :** au musée de Rancy (71290). ☎ 03-85-76-27-16. ♿ Sur la D 971, à mi-chemin entre Cuisery et Louhans. 15 mai-30 sept, tlj sf mar 14h-18h ; le reste de l'année, sur demande pour les groupes. Entrée : 3,50 € ; réduc. Deux siècles de cette petite industrie locale (jusqu'à 700 emplois en 1985 parmi lesquels 400 pailleuses !) vous sont ici contés. Reconstitution d'un atelier et démonstration. Après cette intéressante visite, laîche, raponse, rangeoir, bourroir, tourniquet... ne devraient plus avoir de secrets pour vous.

LOUHANS (71500) 6 950 hab. *Carte Saône-et-Loire, D3*

Capitale de la Bresse bourguignonne, une petite ville discrète qui possède la plus longue rue à arcades de France. Ne ratez surtout pas le marché du lundi matin, un marché pas comme les autres. Peut-être à cause du cadre théâtral de ses arcades, plus sûrement grâce à son naturel étonnant où couleurs, visages, sourires et accents jaillissent avec force du fond du bocage. Beauté de la province qui résiste à grand renfort de sagesse et bon sens. Vous aussi, faites preuve de raison en laissant votre voiture loin du centre, les embouteillages pouvant atteindre des sommets ! Attendez la fin du marché pour repartir.

LA SAÔNE-ET-LOIRE

Adresses utiles

🛈 *Office de tourisme du Pays de la Bresse bourguignonne :* 1, pl. Saint-Jean. ☎ 03-85-75-05-02. ● info@bresse-bourguignonne.com ● bresse-bourguignonne.com ● *Tte l'année, lun-sam 9h30-12h (12h30 juin-sept), 14h-18h (18h30 juin-sept) ; sam ferme à 17h-18h selon saison.*
■ *Les Canalous :* ☎ 03-85-53-76-74.

● canalous-plaisance.fr ● *Loc au w-e ou à la sem.* Location de bateaux habitables de 2 à 12 personnes, que l'on peut piloter sans permis.
– La *voie verte « La Bressane »* relie Chalon-sur-Saône à Lons-le-Saunier sur un parcours de 65 km et passe par Louhans-Châteaurenaud.

Où manger ?

De bon marché à prix moyens

Ce ne sont pas les petits cafés sympas qui manquent, surtout le lundi évidemment, jour de fête nationale bressane, si vous avez déjà avalé votre tête de veau, le plat typique du pays, un peu plus tôt dans la matinée, comme tout un chacun par ici : le *Saint-Jean,* sur la place du même nom, en face de l'office de tourisme (petits plats sympas et assiette de pays) ; le *Bar de l'Hôtel de Ville* (alias « Chez Dudule », 10, pl. du Général-de-Gaulle), avec sa terrasse sous la pergola en fer forgé ; et le *Saint-Martin* (74, Grande-Rue), en plein milieu des arcades, avec une belle terrasse en avancée de rue.

|●| *Restaurant L'Hutau :* 9, rue des Bordes. ☎ 03-85-75-35-94. ● lhutau@wanadoo.fr ● *À 200 m de la rue à* arcades, très central. *Fermé jeu, plus mer soir hors saison. Menus 13 € (déj en sem),* puis *26-34 €. Café offert sur présentation de ce guide.* Petit resto familial et accueillant, qui a ses fidèles depuis près d'un quart de siècle. Tête de veau, grenouilles, poulet de Bresse, mais surtout les corniottes salées (une rareté bressane), tels sont les plats favoris du chef. La cuisine est savoureuse et les prix sages.
|●| *Chez Alex :* 19, rue Lucien-Guillemaut. ☎ 03-85-72-25-19. *Lun-sam, le midi slt. Menus mar-ven env 14 €, lun et sam env 17 €* puis le *lun 23 €.* 🛜 *The place* pour déjeuner le lundi, jour de marché, autour d'une tête de veau (si, si, essayez !). Aux beaux jours, toutes tables dehors (mais en bord de route) pour une cuisine de ménage présentée sans façons, dans une joyeuse et bruyante animation.

Où dormir dans les environs ?

⌂ *Chambres d'hôtes La Ferme des Fourneaux :* chez Fabienne et Christian Thébert, 419, rue du Carruge, 71500 **Saint-Usuge**. ☎ 03-85-72-18-12. ● *fermedesfourneaux.com* ● À 6 km au nord, par la D 13, direction Saint-Germain-du-Bois. À partir de 70 € selon nombre d'occupants (2-5 pers). ☎ Une jolie ferme bressane, en brique et colombages, rénovée avec beaucoup d'amour et où l'accueil ne manque pas d'humour. Maraîchère, Fabienne sera peut-être sur les marchés quand vous arriverez, mais son mari, Christian, vous accueillera, au milieu des plaques et des cafetières émaillées, des vieilles machines à sous et des fourneaux qui ont donné leur nom à cette drôle de maison. Quant aux chambres, elles sont toutes différentes, climatisées, joliment décorées et d'un confort incroyable. Le petit déj est un grand moment lui aussi, et on ne parle pas de l'heure sacro-sainte de l'apéro. Et puis il y a la terrasse, la piscine, cachée, superbe, le parc pour la détente...

⌂ |●| *Chambres d'hôtes La Ferme de Marie-Eugénie :* 225, allée de Chardenoux, 71500 **Bruailles**. ☎ 06-15-15-32-25. ● *info@lafermedemarieeugenie. fr* ● *lafermedemarieeugenie.fr* ● À 8 km au sud de Louhans par la D 972 vers Cuiseaux. Ne pas aller au bourg de Bruailles, c'est dans la direction opposée ! Au niveau d'un grand bois sur la droite (Chardenoux), prendre une route qui y conduit (panneau indicateur). Congés : autour de Noël. Double 135 €. Repas 35 €. C'est la plus belle maison d'hôtes de charme de la Bresse, les prix sont en conséquence mais justifiés. Voici, en pleine campagne, une grande ferme bressane du XVIIIe s, restaurée et aménagée avec un goût exquis par Marie-Eugénie, une femme accueillante et débordante d'imagination.

À voir

....

🎭🎭🎭 *Le grand marché du lundi :* le mat (ainsi que l'ap-m des lun fériés pour le tt commerce), le long des arcades, pl. de l'Église et champ de foire. C'est l'événement incontournable hebdomadaire. Promenade de la Charité, à deux pas du centre, se déroule le marché à la volaille de Bresse, où les connaisseurs vérifient avec sérieux le bleu des pattes et l'immaculé des plumes. À l'entrée, la « Bressane », l'un des rares monuments aux morts consacrés à la guerre de 1870.

🎭🎭🎭 *L'Hôtel-Dieu :* rue du Capitaine-Vic. ☎ 03-85-75-54-32. Tlj sf mar : mars et nov-déc, visites guidées à 14h30 et 16h ; avr-oct, à 10h30, 14h30 et 16h. Fermé janv-fév, 1er mai et 25 déc. Entrée : 5 € ; réduc.
Fondé en 1682, ce bel hôpital en pierre rose de Préty fonctionna jusqu'en 1977. Pendant trois siècles, les sœurs de l'ordre de Sainte-Marthe ont assuré l'accueil et les soins des malades et des indigents. Les salles aux immenses dimensions rappellent celles de Beaune, mais il y a ici, en plus, une espèce d'humanité poignante, une atmosphère authentique comme si le dernier malade était parti la veille. L'hôtel-Dieu possède ainsi toujours sa vieille patine, ses lits clos en bois et les anciens lits en fonte à ruelle. Sa chapelle, qui permettait à tous les malades de suivre messe et sermon, renferme un magnifique puits de lumière.
L'apothicairerie reste l'une des plus belles d'Europe, avec une collection exceptionnelle de faïences des XVe-XVIe s de style italo-hispano-mauresque. Vases contenant des médications ayant, sauf erreur, disparu des ordonnances depuis pas mal de temps : sang de bouc séché, yeux d'écrevisses pilés, poudre de mille fleurs, etc.

🎭 *L'église Saint-Pierre :* à l'origine gothique, elle se compose de deux églises. La seconde fut construite au XVIIIe s, lorsque la population augmenta. Beau

LA SAÔNE-ET-LOIRE

toit de tuiles polychromes vernissées. À l'intérieur, superbe vitrail moderne dans la fenêtre du fond et chaire en chêne ciselé du XVIIe s.

🎥🎥 **Le musée de l'Imprimerie :** *29, rue des Dôdanes.* ☎ *03-85-76-27-16.* ● *ecomusee-bresse71.fr* ● ♿ *Lun et jeu-sam 14h-18h, plus sam 9h-12h. Fermé janv-fév et 25 déc. Entrée : 3,50 € ; réduc. Audioguide : 2 €.* L'ancienne impri-

DU PLOMB DANS L'AILE

Le journal L'Indépendant, *contrairement à la majorité de ses concurrents, fonctionnait toujours au plomb au moment de sa fermeture, avec du matériel (au regard strict de la rentabilité) obsolète depuis longtemps ! Résultat : ce musée est un exemple unique en France d'imprimerie de presse, modèle années 1930, conservée intégralement dans ses locaux d'origine !*

merie du journal *L'Indépendant* ferma en 1984, après un siècle d'existence. Les ateliers et machines furent conservés en l'état. Une occasion émouvante de découvrir les dessous d'un journal à toutes les étapes. Et toutes les archives sont consultables !

🎥🎥 **Le Musée municipal :** *même adresse, mêmes horaires. GRATUIT.* Il occupe les 1er et 2e étages et a le charme de ces petits musées de province capables de nous présenter des peintres locaux de talent comme Auguste de Loisy, Pierre Lenoir, Jules Guillemin. Même si parfois les cadres se révèlent plus beaux que les œuvres, elles ont toutes, au fond, un petit quelque chose à raconter. Au 1er, elles sont exposées dans un appartement témoin des années 1930 avec son mobilier d'origine. Au 2e, par une fenêtre, on aperçoit une très belle reconstitution d'un atelier de peintre.

🎥🎥 **La Grande-Rue et autour :** avec ses 157 arcades du XIIIe au XVIe s, la Grande-Rue présente un ensemble exceptionnellement préservé. Arcades de toutes les formes, toutes les matières (calcaire, grès, bois, brique, etc.). Arrêtez-vous dans une des pâtisseries (elles ont presque toutes un salon de thé) pour goûter à la fameuse *corniotte,* pâte à choux sur fond de pâte brisée, grande spécialité louhannaise. Les corniottes étaient à l'origine préparées par les sœurs de l'hôtel-Dieu le jour de l'Ascension et vendues devant l'église. *Chez Cadot,* autre spécialité : les *gaudiches,* petits sablés à base de farine de gaude.

🎥🎥 **Le musée Histoire et Culture des sourds :** *14, rue Edgard-Guigot.* ● *clsfb. fr* ● *Mer 14h-16h30, jeu 9h30-11h30 et 14h-16h ou sur rdv. Entrée : 3 € ; gratuit moins de 12 ans.* Musée consacré aux sourds, leur lutte contre l'isolement et la défense de leurs droits civiques. Louhans est la ville natale de Ferdinand Berthier, premier sourd-muet à accéder au grade de professeur à l'Institution nationale des sourds-muets. Il fonda la société universelle des sourds-muets.

🎥 👫 **Le musée de l'Ours :** *452 A, rue des Écoles.* 🖳 *06-19-03-13-97.* ● *musee delours@orange.fr* ● *Mer et sam-lun, 14h-18h et sur rdv. Entrée : 2 € ; réduc.* Le musée privé d'une passionnée d'ours en peluche !

🚤 🎥 **Bateau « Le Moussaillon » :** *au départ de Louhans. De mi-avr à mi-oct. Durée : 1h45. Tarif : 11 € ; réduc.* Croisières sur la Seille.

DANS LES ENVIRONS DE LOUHANS

🎥🎥 **La Grange Rouge :** *71500 La Chapelle-Naude. À 5 km au sud-ouest par la D 12.* ☎ *03-85-75-85-75. Mar-ven 9h-12h, 13h30-17h30.* Ne pas rater, au sud-ouest de Louhans, la Grange Rouge, superbe maison traditionnelle à colombages du XVIIe s, et son marché aux puces (les premiers week-ends de juillet, août et septembre, et le dernier week-end de septembre). Ambiance garantie.

Nombreuses activités à la Grange Rouge toute l'année : stages et ateliers de toutes sortes, concerts, rencontres, veillées, etc.

🍴 *Sainte-Croix (71470) : à 7,5 km au sud de Louhans, par la D 996.* Le château du village a appartenu à la famille de Mme d'Artagnan. Anne-Charlotte de Chanlecy, baronne de Sainte-Croix, fut la seule femme (légitime !) du célèbre mousquetaire gascon. Après leur séparation, elle revint sur ses terres où elle mourut en 1683. Une association de passionnés a créé l'*Espace d'Artagnan,* à côté de l'église, pour rendre hommage à son épouse. Initiation à l'escrime pour les enfants et toutes sortes d'activités. *Ouv sur rdv tte l'année.* ▤ *06-81-86-90-13.* ● *association-dartagnan.fr* ● *Participation : 2 €.*

🍴 *Varennes-Saint-Sauveur (71480) :* au sud de Sainte-Croix et à 14 km à l'ouest de Cuiseaux, ne pas manquer de voir la tuilerie du XVIIe s, classée Monument historique, avec ses toits à larges pentes *(ouv sur résa, voir site de l'écomusée)* ainsi que l'ancien relais de diligences, belle demeure à pans de bois.

🍴 *Le musée de la Mémoire cuisellienne : 71480 Cuiseaux.* Autre antenne de l'écomusée de la Bresse bourguignonne, à 23 km au sud-est de Louhans, dans l'enceinte de l'ancien château des princes d'Orange, au centre-ville. *15 mai-30 sept, tlj sf mar 14h-18h. Entrée : 3,50 € ; réduc.* De la vigne à l'usine, la vie quotidienne de générations de vignerons, présentée dans la cave et dans « la maison ». Les cuiselliens paysans-vignerons deviennent paysans-ouvriers. Dès l'entrée, 18 films tournés en Bresse bourguignonne par l'écomusée et 3 œuvres de l'artiste plasticien Antoine de Bary. Espaces consacrés aux bouilleurs de cru cuiselliens, au « pressage et cuvage », une cave reconstituée et un atelier de tonnelier avec ses outillages. Voir aussi la pièce à vivre et le film Jules Morey et fils : heurts et malheurs d'une aventure humaine et industrielle.

PIERRE-DE-BRESSE

(71270)	2 039 hab.	Carte Saône-et-Loire, D2

Grande plaine bressane que l'on traverse pour arriver à ce petit village hors du temps où tout converge vers le château (remarquable ensemble du XVIIe s) transformé en écomusée. En fait, c'est celui-ci qui sera votre seul but de visite par ici : il en vaut la peine...

Où manger ? Où boire un verre dans le coin ?

|●| 🍷 *Hôtel de la Poste :* 9, pl. Comte-André-d'Estampes, 71270 Pierre-de-Bresse. ☎ 03-85-76-24-47. Tlj sf mar soir et mer hors saison. Menus 14 € (déj en sem), puis 25-52 €. La bonne petite auberge villageoise qui fait bar et resto, avec sa terrasse sur la place face au château. Cuisine bressane à prix doux.
|●| *Ferme-auberge La Bonardière :* chez Nicolas Roguet, 71330 **Bouhans**. ☎ 03-85-72-43-11. À 4 km à l'est de Saint-Germain-du-Bois, à peu près à mi-chemin entre Pierre-de-Bresse et Louhans. D'avr à mi-nov, sur résa et ven soir-dim soir slt. Compter env 15-30 €. Une bonne table, authentique et copieuse, dans une ferme d'élevage (poulets, chapons, poulardes, dindes). Si vous n'avez pas encore goûté le poulet de Bresse à la crème, c'est le moment. De plus, vente directe de bons produits locaux à la ferme. Visite possible de l'exploitation.

LA SAÔNE-ET-LOIRE

À voir

¶¶ ṫ L'écomusée de la Bresse bourguignonne : ☎ 03-85-76-27-16.
● ecomusee-bresse71.fr ● Tte l'année, 10h-12h, 14h-18h, sf sam et dim mat
1er oct-14 mai. Congés : Noël-Jour de l'an. Entrée : 7 € ; réduc. Visite guidée mar à
15h (10 €). Visite libre du parc.

Il est rare en France de voir un écomusée installé dans un si élégant et majestueux
château. Celui-ci a appartenu aux comtes de Thiard. Arrivée majestueuse par une
large cour avec parterres, encadrée par les communs. Architecture en U avec
quatre grosses tours surmontées d'un lanternon.

Vous découvrirez à l'intérieur une expo permanente expliquant de façon didactique et ludique à la fois l'histoire de la Bresse, son écosystème, ses métiers
anciens et les multiples aspects de ses traditions.

– Au 1er étage : présentation de la Bresse (rivières, pêche, forêt, etc.). Histoire politique, charte de franchise de Cuiseaux, souvenirs de la Révolution
française. Section ethnographique : beaux meubles paysans, objets domestiques, jouets anciens, bercelonnettes ou « bré » (berceau local), armoires
de mariage, vielles traditionnelles, atelier du sabotier, etc. Petites machines
agricoles. Insolite vaisselier-horloge. Voir également la galerie « Une vie de
château » présentant les portraits des anciens propriétaires et du mobilier.

– Au 2e étage : galerie « Habiter et bâtir en Bresse bourguignonne hier et aujour-
d'hui », avec de nombreux éléments d'architecture comme des portes, lucarnes,
croix de cheminée... ainsi que des maquettes. Dans l'une des tours, la collection
Noirot d'animaux naturalisés possède une borne multimédia qui permet d'écouter
différents chants d'oiseaux.

|●| Salon de thé en rotonde ravissant, avec parquet et moulures... et aussi de bonnes pâtisseries, glaces, etc. Animations-contes en mars et avril et piano-bar de juillet à septembre. Sai-son de concerts (musique de chambre) en octobre et novembre.

– **Marché des potiers :** ts les 2 ans, années impaires, en août.

DANS LES ENVIRONS DE PIERRE-DE-BRESSE

ṫ Le plan d'eau biologique de La Chapelle-Saint-Sauveur : à env 6 km au sud
de Pierre-de-Bresse par la D 13. Il s'agit d'un étang biotope de 1 500 m², deuxième
réalisation de ce type en France. Fini le chlore, graviers et végétaux servent de
nettoyants naturels à ce bassin de baignade parfaitement intégré à son environnement. Sur place, vestiaires, snack-bar et aire de pique-nique.

¶¶ La Maison de l'agriculture bressane : maison Collinet (antenne de l'écomusée), 71330 **Saint-Germain-du-Bois** (18 km au sud). ☎ 03-85-76-27-16.
ḱ (partiel). 15 mai-30 sept, tlj sf mar 14h-18h. Entrée : 3,50 € ; réduc. Très
intéressant. Vous saurez tout sur l'élevage des poulets de Bresse. Étonnant.
On y apprend aussi que des petites manufactures bressanes construisirent des
centaines de tracteurs de 1934 à 1964. Génie de l'invention également pour les
charrues, adaptées aux demandes des agriculteurs. Âge d'or des batteuses
de 1880 à 1955. Au rez-de-chaussée, la culture du maïs et du blé en Bresse,
et un vrai poulailler. Au 1er étage, l'atelier du maréchal-ferrant et du bourrelier.

– **ṫ Foire de la Balme :** dernier w-e d'août, à **Bouhans** (71330), à quelques km
au nord-est de Saint-Germain. Ne pas rater cette foire qui est la plus importante de
la région et qui existe depuis 1645 ! Fête foraine et jeux anciens en prime.

ṫ La Maison de la forêt et du bois : dans le hameau de Perrigny, 71620 **Saint-
Martin-en-Bresse**. ☎ 03-85-76-27-16. À 25 km à l'ouest, direction Chalon-
sur-Saône. 15 mai-30 sept, tlj sf mar 15h-19h. Entrée : 3,50 € ; réduc. Dans une
ancienne école, présentation des essences de bois rencontrés dans la Bresse.

Reconstitution de l'atelier du menuisier et du charron. Sentier de découverte. Site d'interprétation de la place de Perrigny (lavoir, trieur à grains).

🐾 🚶 *Le musée du Blé et du Pain :* 2, rue de l'Égalité, 71350 **Verdun-sur-le-Doubs.** ☎ 03-85-76-27-16. Au confluent des 2 rivières, près du pont Saint-Jean à 23 km à l'ouest de Pierre-de-Bresse par la D 73. Tlj 14h-18h. Congés : 25 déc-1er janv. Entrée : 3,50 € ; réduc. Dans une belle demeure du XVIIIe s, la dernière des antennes de l'écomusée de Bresse. Normal de trouver une telle maison au débouché des grandes plaines céréalières du val de Saône. C'est à Verdun que s'élevèrent les premiers grands silos à blé dans les années 1930. Origines de la culture du blé dans le monde, histoire de la meunerie et des moulins, tous les métiers de la boulange, maquettes de moulins et de batteuses, collection de pains historiques. Le village vivant pour le blé et l'eau, pas étonnant donc que l'on y mitonne cette délicieuse matelote de poisson de rivière : la *pauchouse.* Visitez en passant l'*église Saint-Jean* et la *chapelle des Treize,* bâtie par 13 familles de la ville qui échappèrent à la Grande Peste de 1348.

CHALON-SUR-SAÔNE ET LA CÔTE CHALONNAISE

CHALON-SUR-SAÔNE

(71100)   45 500 hab.   *Carte Saône-et-Loire, C2*

● Plan p. 282-283

La grande ville industrielle du département, la plus peuplée aussi, et qui, par l'une de ces bizarreries légendaires de la Révolution, ne fut pas désignée comme préfecture. Pourtant Chalon possède un vrai centre, avec une intéressante vieille ville autour, une île (Saint-Laurent) sur la Saône, une vraie, avec une rue principale où tous les restos sont au coude à coude pour retenir le passant. La ville de l'image (Niépce, c'est ici !) cherche un peu la sienne, entre une côte vineuse qui porte son nom mais se porte très bien toute seule (voir le chapitre « Chagny et la Côte chalonnaise ») et toute cette eau (confluence de la Saône et du canal du Centre) qui coule à ses pieds. Nos lecteurs photographes iront, bien entendu, rendre visite au fascinant musée Nicéphore-Niépce. Les amateurs d'archéologie romaine, quant à eux, trouveront matière à s'émerveiller au musée Denon. Bref, une plaisante ville de culture, d'ailleurs labellisée « Ville d'art et d'histoire » qui affectionne aussi ses constructions nouvelles en bois.

UN PEU D'HISTOIRE

Idéalement située, la ville fut depuis son origine un grand centre et port commercial, choisie par l'importante tribu gauloise des Éduens, puis Jules César (elle

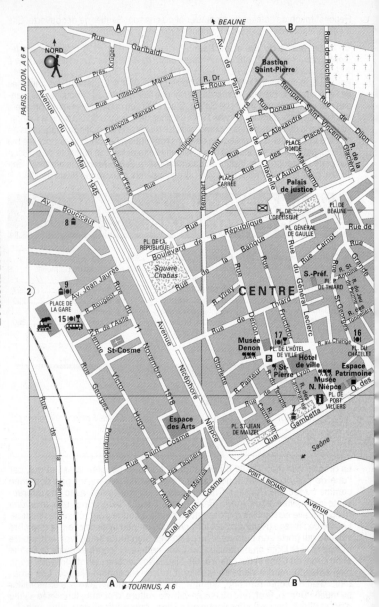

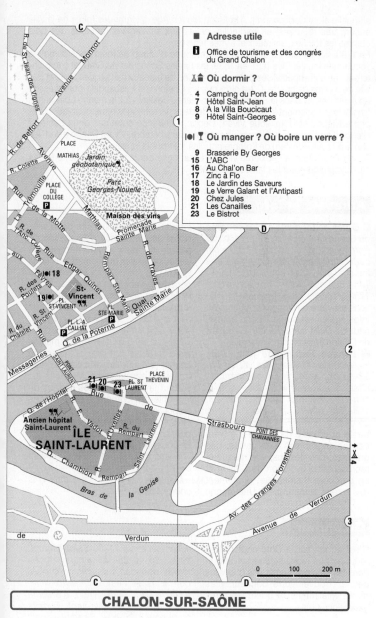

Adresse utile

Office de tourisme et des congrès du Grand Chalon

Où dormir ?

4 Camping du Pont de Bourgogne
7 Hôtel Saint-Jean
8 À la Villa Boucicaut
9 Hôtel Saint-Georges

Où manger ? Où boire un verre ?

9 Brasserie By Georges
15 L'ABC
16 Au Chal'on Bar
17 Zinc à Flo
18 Le Jardin des Saveurs
19 Le Verre Galant et l'Antipasti
20 Chez Jules
21 Les Canailles
23 Le Bistrot

CHALON-SUR-SAÔNE

s'appelle alors *Cabilonnum*). À la fin du Moyen Âge, les grandes foires de la ville étaient très réputées, en particulier celles aux sauvagines (bébêtes des bois comme les fouines, blaireaux et autres renards).

En 1793, l'ouverture du canal du Centre donne un coup de fouet considérable à l'économie locale. Plus tard, en 1839, les usines Schneider du Creusot y implanteront une unité spécialisée dans la fabrication de bateaux métalliques civils et très vite de navires de guerre. C'est ainsi que les Chalonnais « esbaudis » purent assister à des essais, dans la Saône, de sous-marins destinés à... la marine bolivienne ! Chalon est également le berceau natal de deux personnages remarquables : Nicéphore Niépce et Dominique Vivant Denon. Différence entre ces deux génies ? Niépce a su capter la lumière mais est resté dans l'ombre, Vivant Denon a sorti les chefs-d'œuvre (de l'art) de l'ombre pour les mettre à la lumière.

Aujourd'hui, c'est la deuxième ville de Bourgogne par la population et l'une des plus dynamiques sur le plan économique.

Adresses et info utiles

🛈 Office de tourisme et des congrès du Grand Chalon (plan B2-3) : 4, pl. du Port-Villiers. ☎ 03-85-48-37-97. ● offi cedetourisme@achalon.com ● acha lon.com ● Avr-oct, tlj 9h30-12h30 et 14h-18h ; nov-mars, mar-sam jusqu'à 17h30. Loc de vélos. En été, « animations estivales de l'office de tourisme ». Infos également sur le bateau-promenade *Le Delta* sur la Saône, au départ de Chalon (résa en ligne possible).

■ **Espace Patrimoine** (plan B2) : 24, quai des Messageries. ☎ 03-85-93-15-98. ● animation.patrimoine@ chalonsursaone.fr ● ♿ Juin-sept, tlj 10h-18h, sf 1er mai. Oct-mai, mar-dim 10h-13h, 14h-18h ; fermé 1er janv et 25 déc. GRATUIT. Visite architecturale et urbaine de la ville à travers des photographies, des cartes, des gravures, des dessins, une maquette représentant l'évolution de Chalon et un parcours thématique. Également des expos temporaires. Une bonne

introduction avant la visite de la ville. Noter que le service d'Animation du patrimoine assure toute l'année des visites générales ou thématiques de la ville et des ateliers pour les enfants en période de vacances scolaires.

■ **Maison des vins de la Côte chalonnaise** (plan C2) : 2, promenade Sainte-Marie. ☎ 03-85-41-64-00. ● info@maisonvinsbourgogne.com ● Tlj sf dim 9h-19h. Cette jolie maison avec terrasse, un peu à l'écart du centre, présente la particularité d'être traversée par un arbre. Mais elle est surtout là pour vanter les mérites du vignoble qui entoure Chalon et des 5 appellations village : bouzeron, rully, givry, mercurey et montagny. Resto de bonne réputation à l'étage.

■ **Location de voitures : Hertz,** rue Thénard. ☎ 03-85-90-80-30. Lun-sam 8h-12h, 14h-18h (17h sam).

– *Marchés :* tlj sf lun, dans différents endroits de la ville.

Où dormir ?

C'est en fait sur la Côte chalonnaise toute proche (voir chapitre suivant) et dans les environs immédiats que vous devriez trouver votre bonheur, plus qu'en ville même, à quelques rares exceptions près.

Camping

⛺ **Camping du Pont de Bourgogne** (hors plan par D3, 4) : rue

Julien-Leneveu, 71380 **Saint-Marcel.** ☎ 03-85-48-26-86. ● campingcha lon71@wanadoo.fr ● camping-chalon. com ● ♿ À l'est du centre-ville, à 600 m de la N 73. Sinon, A 6 sortie n° 26 Chalon-Sud. Avr-sept. Forfaits tente pour 2, 30-40 €. 93 empl. Locatif également. 📶 Fort bien situé en bord de Saône, près du golf et de la piscine. Ombragé.

Prix moyens

🛏 **Hôtel Saint-Jean** (plan B3, **7**) : 24, quai Gambetta. ☎ 03-85-48-45-65. ● reservation@hotelsaintjean.fr ● hotelsaintjean.fr ● Doubles 62-102 € ; familiales. Un des rares établissements situés en bord de Saône (et en retrait de la circulation). Ancien hôtel particulier décoré avec goût. Cage d'escalier spectaculaire avec ses belles marches et son faux marbre patiné du début du XXᵉ s. Grandes chambres, simples, bien tenues et lumineuses. Accueil pro et chaleureux.

De chic à plus chic

🛏 **À la Villa Boucicaut** (plan A2, **8**) : 33 bis, av. Boucicaut. ☎ 03-85-90-80-45. ● alavillaboucicaut@orange.fr ● la-villa-boucicaut.fr ● ♿ Doubles 79-99 €. Parking payant. ☏ Un petit déj/chambre et par nuit offert sur présentation de ce guide. La façade peinte avec fantaisie de ce joli petit hôtel, situé à 2 mn du centre, cache des chambres calmes et subtilement décorées, aux salles de bains agréables. Ce style particulier et personnalisé est l'œuvre de Laure Campana, la charmante propriétaire, pleine d'idées. Il y a un feu de bois au salon pour les jours ordinaires, un bout de jardin pour les jours ensoleillés, un bain bouillonnant et un spa sous véranda pour la remise en forme...

🛏 **Hôtel Saint-Georges** (plan A2, **9**) : 32, av. Jean-Jaurès (pl. de la Gare). ☎ 03-85-90-80-50. ● reservation@le-saintgeorges.fr ● le-saintgeorges.fr ● ♿ ☏ Face à la gare. Doubles 118-128 €. ☏ Réduc de 10 % sur le prix de la chambre nov-mars, sur présentation de ce guide. Cette belle adresse d'hôtel classique abrite des chambres de bon confort donnant sur la place de la Gare. Il est fréquenté aussi pour sa brasserie, située au rez-de-chaussée (voir « Où manger ? »).

Où manger ? Où boire un verre ?

Que ce soit pour un repas ou pour un verre, la vie nocturne animée se trouve **rue de Strasbourg,** dans l'île Saint-Laurent. Calme plat alentour, sauf durant **Chalon dans la rue** et **Garçon la note,** les manifestations de l'été.

Dans le centre ancien

Bon marché

🍴 **Le Jardin des Saveurs** (plan C2, **18**) : 16, rue aux Fèvres. ☎ 03-85-48-24-05. Mar-sam (midi slt). Plats du jour autour de 10-13 € ; carte env 15-20 €. Café offert en fin de repas, sur présentation de ce guide. Un petit coin de terre belge dans une rue piétonne du vieux Chalon, qui sert aussi de salon de thé et où il fait bon grignoter le midi, autour d'un plat du jour sain et savoureux. Pâtes, risottos, salades... et bières belges bien sûr.

🍴 **Le Verre Galant** (plan C2, **19**) : 8, pl. Saint-Vincent. ☎ 03-85-93-09-87. Tlj sf dim soir. Résa nécessaire, les places sont comptées ! Formule déj en sem 14,90 €, carte env 25 €. Apéritif maison offert sur présentation de ce guide. Terrasse très appréciée sur la jolie place piétonne, au pied de la cathédrale. Style et décor bistrot à l'ancienne et bons petits plats de ménage style tête de veau ou marmite du pêcheur. Excellente sélection de vins.

🍴 **L'Antipasti** (plan C2, **19**) : 5, rue aux Fèvres. ☎ 03-85-49-29-92. Fermé dim soir-mar midi. Plats 12-16 €. La carte est italienne, le patron est italien, les produits sont italiens, l'ambiance est italienne... Le chef cuisine devant ses clients, les nappes à carreaux rouge et blanc égaient les tables jusque dans la rue et les prix sont tout doux. Chapeau bas ! Et ce n'est pas la boutique de droite – un chapelier comme on n'en fait plus – qui nous contredira.

🍴 ⌸ **Zinc à Flo** (plan B2, **17**) : 14, pl. de l'Hôtel-de-Ville. ☎ 03-85-93-41-44. Tlj sf dim. Plat 11 €. Le midi, 3 plats du marché au choix. L'après-midi, des pâtisseries maison et le soir c'est plutôt apéro avec un bar à vins bien fourni et des planches de charcut'. Un lieu à boire et à manger, chaleureux, branché et pratique.

Prix moyens

|●| *Le Cha'lon Bar* (plan B2, **16**) : 12, pl. du Châtelet. ☎ 03-85-48-06-58. Tlj. Formules déj en sem 16,50-19,50 €, menus 25,50-29,50 € ; carte env 25-30 €. 📶 En plein cœur de la ville, un lieu de passage où il fait bon s'arrêter, en salle ou en terrasse sous les tilleuls. Cuisine de brasserie authentique, qui cherche à faire dans la qualité et dans la continuité, depuis 15 ans. Pratique, surtout le dimanche après-midi, quand tout est fermé...

|●| 🍸 *L'ABC* (plan A2, **15**) : 5, rue Charles-Baudelaire. ☎ 03-85-49-23-02. ● contact@labc.restaurant ● Tlj. Menus 16-31 €. C'est la « petite table » de l'étoilé Cédric Burtin, installé au Moulin de Martorey, au sud de Chalon. Mais il a vu les choses en grand : 140 couverts en terrasse ou en salle (les deux sont spacieuses) et c'est souvent plein ! Le genre de brasserie nouvelle génération avec des éclairages aux LED, un cadre résolument moderne et des tablettes tactiles en guise de menu. Un sans-faute dans l'assiette et dans le service pour cette table branchée dans tous les sens du terme et qui redonne ses lettres de noblesse au quartier de la gare.

Chic

|●| *Brasserie By Georges* (plan A2, **9**) : 32, av. Jean-Jaurès. ☎ 03-85-90-80-50. Tlj. Formule déj en sem 21 € ; menus 34-58 €. 📶 Au rez-de-chaussée de l'*Hôtel Saint-Georges*, dans une grande salle modernisée et colorée. Cuisine élaborée par un chef expérimenté qui s'inspire de la tradition bourguignonne, en y ajoutant sa touche personnelle : cuisses de grenouilles, volaille de Bresse. Très prisé des cadres du quartier.

Sur l'île Saint-Laurent

Sur l'île Saint-Laurent, la rue de Strasbourg (plan C2-3) est entièrement dédiée à la grande bouffe. En manque de perspectives un dimanche soir pluvieux, vous y trouverez toujours quelque chose, du trivial au sophistiqué.

Prix moyens

|●| *Chez Jules* (plan C2, **20**) : 9-11, rue de Strasbourg. ☎ 03-85-48-08-34. ● stephanie.ruget@sfr.fr ● Tlj sf jeu et dim. Congés : 1 sem en août et aux fêtes de fin d'année. Menus 19,50 (sf sam soir)-33 €. Café offert sur présentation de ce guide. Petit resto devenu grand, où les locaux aiment toujours à se retrouver dans une petite salle coquettement décorée. Atmosphère chaleureuse et cuisine inventive, de produits régionaux.

|●| *Le Bistrot* (plan C2, **23**) : 31, rue de Strasbourg. ☎ 03-85-93-22-01. Fermé dim-lun. Menus 20 € (midi en sem), puis 31-37 €. Le rouge est mis et les affiches anciennes revivent. Un lieu à découvrir, comme la cuisine, qui sort de l'ordinaire bistrotier avec des plats travaillés, aux télescopages de saveurs parfois originaux. Salle climatisée l'été (important !).

|●| *Les Canailles* (plan C2, **21**) : 7, rue de Strasbourg. ☎ 03-85-93-39-01. ● restaurantlescanailles@orange.fr ● Tlj sf dim-lun. Formule déj 17 € ; menus 22-32 €. Digestif offert sur présentation de ce guide. Une adresse qui a toujours garanti de jolies surprises, sous des noms et des chefs différents. Une table réservée aux plats et aux gens canailles, ou qui font semblant.

Où dormir ? Où manger dans les environs proches ?

🏠 *Chambres d'hôtes Les Barongères* : 3, rue du Boubouhard, 71150 Farges-lès-Chalon. ☎ 03-85-41-90-47. ● dion.barongeres@wanadoo.

fr • lesbarongeres.com • ♿ À quelques km au nord du centre-ville. Attention, si vous arrivez par l'A 6, prendre sortie Chalon-Nord, puis direction Chagny ; après le 4ᵉ rond-point, aller non pas vers Fragnes, mais vers Farges. Double 75 €. 🛜 Jolie maison accueillante, tenue par les mêmes propriétaires (belges) que le salon de thé Le Jardin des Saveurs, en ville. Chambres indépendantes, sur le côté de la maison. Terrasse ombragée par une belle glycine, jardin verdoyant avec piscine.
|●| Le Saint-Loup : 13, D 906, 71240 Saint-Loup-de-Varennes.

☎ 03-85-44-21-58. À 8 km au sud. Fermé les soirs dim-mer et lun midi. Formule déj en sem 18,90 €, menus 20,90 € (sf w-e)-36,90 €. En voisin de la maison où Niépce inventa la photographie, les clichés bourguignons sont ici revus avec subtilité, la carte sublimée par des produits locaux choisis et traités avec tact. La discrète salle, mêlant le charme de l'ancien et le confort moderne, se prête bien à cette cuisine personnelle et enlevée mais sans brusquerie. Service dans la même lignée, avisé et tout en douceur.

LA SAÔNE-ET-LOIRE

À voir. À faire

À noter, la gratuité des musées pour tous !

– Pour découvrir la ville de manière autonome, il existe 2 parcours « chemin de l'Orbandale » avec plaques en bronze au sol signalant les points d'intérêt historique : 45 mn-1h et 20-30 mn. Infos à l'office de tourisme.

🎥🎥 La cathédrale Saint-Vincent (plan C2) : édifiée du XIᵉ au XVᵉ s. La minceur des clochers s'explique par le fait qu'ils remplacèrent au XIXᵉ s ceux qui avaient été démantelés lors de la Révolution. À l'intérieur, un triforium du XIVᵉ s court tout du long, surmonté d'une balustrade tréflée. Grand orgue du XVIIIᵉ s. Dans le chœur et le long de la nef, chapiteaux romans historiés, délicatement travaillés. Côté droit, proche de l'entrée du cloître, la chapelle Notre-Dame-de-Pitié, avec une magnifique tapisserie du Saint-Sacrement (1510). Remarquer, en haut à droite, la Cène avec Judas tournant le dos, bourse à la main (!). Au centre, le donateur, sa femme et ses deux enfants. Bas-côté droit, chapelle fermée par une clôture de pierre avec belle fresque du XVᵉ s (Mort de la Vierge et Assomption). Côté gauche de la nef, grand triptyque de la Crucifixion. Noter les anges recueillant le sang et, à gauche, le donateur en surplis blanc. Cloître paisible aux arches trilobées (réouverture après restauration courant 2018).

🎥🎥🎥 Le musée Nicéphore-Niépce (plan B2) : 28, quai des Messageries. ☎ 03-85-48-41-98. • museeniepce.com • Tlj sf mar et j. fériés 9h30-11h45, 14h-17h45 ; juil-août, 10h-18h. GRATUIT. Visite guidée le 1ᵉʳ dim du mois à 15h30 (gratuit). Expos temporaires et animations l'été. Dans la ville natale de Nicéphore Niépce, inventeur de la photographie, voici l'un des plus beaux musées de France dédiés à ce thème. Onze salles à découvrir sur plus de 1 500 m². Exceptionnelles collections de photographies et d'appareils photo de

LE VISIONNAIRE ET L'ENTREPRENEUR

Niépce a été l'inventeur de la photo et Daguerre le divulgateur de l'invention. Niépce a découvert le premier que l'on peut gérer les effets de la lumière sur des supports sensibles (héliographie), mais il n'a jamais réussi à commercialiser sa découverte. C'est Daguerre, vrai génie commercial, qui s'est servi des travaux de Niépce pour inventer le daguerréotype sur plaques. Il vendit (cher) son brevet à l'État français, mais son procédé tomba vite en désuétude.

toutes époques, héliographies de Niépce, daguerréotypes, autochromes des frères Lumière, début de la photographie instantanée...

– On commence au **rez-de-chaussée** par **les principes de la photo** : la chambre obscure, l'optique, le support sensible, dont l'alliance engendre la photographie, la dimension socioéconomique ou esthétique de cet art... Parmi les pièces présentées, l'OP 3000, appareil géant inventé par Maurice Bonnet (1942), permettant la réalisation de photographies directement visibles en relief.

– **Au 1er étage,** la **salle Niépce,** avec rien de moins que le tout premier appareil photo de l'histoire de l'humanité. On peut également admirer une reproduction virtuelle de la première photographie réagissant à la lumière réelle. Génie visionnaire et touche-à-tout (comme Léonard de Vinci ou Graham Bell, inventeur du téléphone), Nicéphore Niépce sera vite fasciné par la capture de la lumière, et cessera de se disperser. Dès 1816, il invente l'héliographie, la première sur une plaque d'étain recouverte de bitume de Judée.

– **Sensible à la Lumière,** film passionnant, retrace en 45 mn les débuts de la photographie et permet de mieux comprendre l'utilisation des appareils exposés.

– Dans la salle suivante, on apprend que **Niépce** et **Daguerre** avaient formé une association scientifique et commerciale pour développer la photographie sur plaques d'argent. Mais on oublie que l'Anglais **William Fox Talbot** développa à la même période la technique... sur papier. Autrement plus pratique ! On peut admirer de très beaux daguerréotypes (inventés par Daguerre en 1839), mais aussi un original du premier livre de photos édité par Talbot : The Pencil of nature. Les salles suivantes sont consacrées à **l'évolution et à l'industrialisation des procédés photographiques** et du matériel. Puis la salle photographie et édition (plus de 1 000 livres sur le sujet furent donnés au musée par le photographe voyageur Bernard Plossu), la photographie en relief, la question de la couleur, etc.

– Deux salles dédiées aux **expos temporaires** autour des acquisitions du musée sur les photographes anciens ou actuels. La photo numérique n'existerait pas sans tout ce qui a précédé !

Une visite à compléter éventuellement par celle de la Maison de l'invention de la photographie, à Saint-Loup-de-Varennes (voir plus loin), où Nicéphore Niépce fit la première photographie au monde (nommée « héliographie »).

✖✖✖ Le musée Denon (plan B2) : pl. de l'Hôtel-de-Ville. ☎ 03-85-94-74-41. ● museedenon.com ● Tlj sf mar et j. fériés 9h30-12h, 14h-17h30. GRATUIT.
Installé dans un ancien bâtiment du couvent des Ursulines remanié en style néoclassique, un remarquable musée, créé en 1819, et dont le nom rend hommage à Dominique Vivant Denon (1747-1825), enfant « génial » de Chalon. Esprit des Lumières, amateur passionné d'art, dessinateur et graveur talentueux, grand voyageur en Orient et en Italie, il traversa tous les régimes (Louis XV, Louis XVI, la Révolution, la Terreur, l'Empire et la Restauration). Il a connu les rois et les reines, les grands de son temps, Frédéric de Prusse, Catherine de Russie, Napoléon, Goethe, Diderot, Voltaire et Stendhal. Il fut le tout premier directeur (en 1802) de l'actuel musée du Louvre, père de tous les musées de France. Il finit sa vie à Paris, comme collectionneur réputé dans toute l'Europe. Si le personnage vous intrigue, sa vie est écrite par le brillant Philippe Sollers dans Le Cavalier du Louvre (éd. Gallimard, coll. « Folio »).

– Au 1er étage : des bois gravés ayant un rôle religieux et magique, une galerie de peintures des XVIIe et XVIIIe s et une salle d'expo thématique.

– Le cabinet d'art graphique de Dominique Vivant Denon raconte et expose avec une grande clarté la vie et l'œuvre de cet homme remarquable (bien que souvent méconnu) à travers la Révolution, l'Empire et la Restauration. Dessins, gravures, souvenirs de ses voyages et séjours en Italie (Naples, Sicile, Venise), Égypte, Russie. Il était aussi un auteur libertin (Point de lendemain) et aimait les dessins priapiques...

– Au rez-de-chaussée : remarquables collections archéologiques, qui témoignent de la présence des Romains et de leurs activités dans la région. Quelques belles pièces : vestiges de Cabilonnum (le nom de Chalon à l'époque romaine), la mosaï-que de Sennecey-le-Grand découverte par un vigneron, une statue de Mercure trouvée sous la cathédrale Saint-Vincent, stèles funéraires, dont celle d'un couple de vignerons de Rully, et un beau sarcophage d'un marchand de parfums de Lyon (IIe s apr. J.-C.). Également un ensemble de silex inédits, les pointes de Volgu. Datant de - 22000 à - 18000 av. J.-C., leur finesse de taille révèle un savoir-faire technique, artistique, voire symbolique qui va à l'encontre des idées reçues sur l'homme « bestial et primitif ».

Autour de l'hôtel de ville et dans la vieille ville

✸ *L'église Saint-Pierre* (plan B2) : rééditée en 1698. Saint-Pierre était à l'origine l'église des moines bénédictins, dont le couvent était le bâtiment de l'actuel pas-sage Milon qui mène depuis la place à la rue de Lyon. Le pape Pie VII donna sa bénédiction à la foule en 1805 depuis le parvis. À l'intérieur, style classique. Stalles sculptées du XVIIIe s et confessionnaux baroques.

➤ Continuons *Grande-Rue* et musardons... Entre les nos 9 et 13, l'ancien beffroi de l'hôtel de ville du XVe s, avec porte ogivale. *Rue au Change,* au n° 3, d'étranges lettres sur la façade « HING INDE TUETUR » et un couple en médaillons. Au n° 16, *place du Châtelet,* maison à double encorbellement et pans de bois. Au n° 39, *rue du Châtelet,* bel édifice avec arcades, hautes fenêtres et oculus. Au n° 37, maison des Quatre Saisons. Gargouilles en forme de lions, personnages en médaillon. Au n° 9, *rue des Cornillons,* bel hôtel particulier avec mascarons. Au n° 15, *rue du Châtelet,* maison avec masques et mascarons. Gargouilles en forme de bêtes et grande Vierge à l'Enfant. Pittoresque carrefour des rues du Châtelet, Saint-Vincent et Grande-Rue, avec une superbe demeure à double encorbellement et pignon d'angle original en bois et pierre. Noter aussi la statue à l'angle de l'ex-rue du Commerce.

➤ La *rue Saint-Vincent* aligne aussi de belles demeures médiévales. Au n° 5, maison en pierre avec fenêtres à meneaux. Au n° 7, fenêtres en accolade et à meneaux, porte ogivale et arche en anse de panier ; rare de voir autant de styles sur une même façade. Aux nos 2, 4 et 6, maisons à colombages.

➤ Ravissante *place Saint-Vincent,* le cœur battant de la ville, débordant de terrasses aux premiers beaux jours. Beaucoup de demeures à pans de bois. Au n° 10, *rue de l'Évêché,* fenêtres à meneaux et en accolade. Au n° 8, façade à double encorbellement. À l'angle de la place Saint-Vincent et de la rue aux Fèvres, console d'angle avec têtes sculptées. *Rue aux Fèvres* intéressante à arpenter. Au n° 34, l'ancien théâtre du XVIIIe s.

➤ À l'angle des *rues du Cochon-de-Lait et Pierre-Chenu,* massive tour des Lombards du XVe s ; siège des banquiers (méfiants, vu le peu d'ouvertures !) à l'architecture typiquement méditerranéenne, correspondant tout à fait à la culture des Lombards. *Place Louis-Armand-Calliat,* aux nos 2, 4, 6 et 8, belle série de maisons à colombages.

Sur l'île Saint-Laurent

✸✸ *L'ancien hôpital Saint-Laurent* (plan C3) : fondé en 1529 par les échevins de la ville, cet hôpital est à nouveau accessible à la visite, mais renseignez-vous auprès de l'Animation du patrimoine (☎ 03-85-93-15-98). Le bâtiment du XVIe s abritait la communauté des sœurs de Sainte-Marthe. L'ancienne pharmacie du XVIIIe s possède une importante collection de pots en faïence.
– Parmi les autres curiosités de ce site remarquable, qu'on ne peut découvrir qu'au travers de visites guidées : une salle des étains, avec plus de 200 pièces de

LA SAÔNE-ET-LOIRE

vaisselle en étain et des ustensiles en cuivre, le réfectoire des sœurs et ses boiseries de style rocaille, une chapelle du XIXe s ornée de vitraux du XVIe s.

Pour se mettre au vert

🏃 **Croisières sur la Saône :** *à bord du bateau Le Delta.* ● *croisieres-saonoises. fr* ● *Balade de 1h30 (départ à 16h ven et w-e) : env 13 €. Croisière-déj ou dîner également. Embarquement 15 mn avt le départ.* Les croisières partent de l'embarcadère situé rue Julien-Leneveu *(quartier Les Chavannes, 71380 Saint-Marcel)*, près du pont de Bourgogne et du camping du même nom.

🏃 🚶 **Le jardin géobotanique** *(plan C1) : pl. Mathias. En hiver 8h-17h, en été 8h-22h.* Un jardin original qui présente les végétaux par milieu d'origine : marais bressan, Côte chalonnaise, grande rocaille, Morvan... On passe d'un paysage digne des Hautes-Côtes à un étang où les canards évoluent entre les roseaux et toutes sortes de plantes aquatiques typiques des Dombes. On se retrouve en pleine zone alpine, avec des asters formant, en été, des édredons de fleurs mauves, roses, sur les rochers. Le plus étonnant est la simulation du jardin méditerranéen.

🏃 🚶 **La roseraie et le parc de loisirs Saint-Nicolas :** *à l'est de la ville, sur une vaste zone alluviale, à l'intérieur d'une boucle de la Saône. Tte l'année.* Parcours écologique et sportif. Arboretum pour les spécialistes et roseraie fameuse pour tous : elle compte quelque 26 000 rosiers représentant près de 400 espèces. Un cheminement piéton sur 2 km retrace l'histoire de la rose depuis les grands classiques jusqu'aux hybrides modernes. À voir en juin ou au printemps de préférence.

Fêtes et manifestations

– **Carnaval :** *la fête commence le w-e avt Mardi gras.* ☎ *03-85-43-08-39.* ● *carna valdechalon.com* ● Deuxième carnaval de France. L'occasion pour les « Gôniots » de se déchaîner dans les rues et d'acclamer le roi Cabache et son épouse Moutelle. Défilé de grosses têtes en carton mâché et atmosphère presque vénitienne en bord de Saône.
– **Montgolfiades :** *w-e de la Pentecôte. Rens à l'office de tourisme et sur* ● *mont golfiades71.com* ● Grand festival de montgolfières, associant le monde de la vigne. Du coup, beaucoup de gens risquent de souffler dans le ballon.
– **Chalon dans la rue :** *3e sem de juil.* ☎ *03-85-90-94-70.* ● *chalondanslarue. com* ● Festival national des artistes (plus de 1 000 !) de la rue. Des dizaines de spectacles gratuits.
– **Festival Garçon la note :** *en juil-août.* « Un soir, un bar, un concert ». *GRATUIT.*
– **Guinguettes en bord de Saône :** *1re quinzaine de juil.* Concerts, restauration rapide, transats... dans des guinguettes éphémères.
– **La Paulée de la Côte chalonnaise :** *oct. Rens à l'office de tourisme.* Pour célébrer la fin des vendanges : défilé, dégustation, animations...

Deux lieux cultes et culturels permanents

■ **Espace des Arts :** *5 bis, av. Nicéphore-Niépce, mais délocalisé au Port Nord le temps de travaux (réouverture en 2018).* ☎ *03-85-42-52-12.* ● *espace-des-arts.com* ● Scène nationale qui propose, tout au long de l'année, théâtre, cirque, cinéma, concerts, etc.
■ **Café-musique La Péniche :** *52, quai Saint-Cosme.* ☎ *03-85-94-05-78.* ● *lapeniche.org* ● Le lieu culturel alternatif de Chalon.

DANS LES ENVIRONS DE CHALON-SUR-SAÔNE

La Maison de l'invention de la photographie : rue Nicéphore-Niépce, 71240 **Saint-Loup-de-Varennes.** ☎ 03-85-94-84-60. ● *photo-museum.org/fr/* ● À 7 km au sud (D 906). Juil-août, tlj sf lun 10h-18h. Fermé sept-juin. Visite guidée slt, ttes les heures (env 1h). Pour les groupes, sur demande à l'office de tourisme de Chalon. Entrée : 6 € ; réduc.

Découvrez-vous : la première photo au monde fut prise ici en 1827. C'est dans une pièce du 1er étage de cette maison que Nicéphore Niépce a réalisé ses premières prises de vue, depuis la fenêtre, à côté de la cheminée. Les plaques originales (retrouvées dans les années 1950 en Angleterre) sont conservées aujourd'hui à l'université d'Austin (Texas). Niépce est né riche, il était autodidacte, il vécut de ses rentes, mais il est mort ruiné, laissant des dettes à ses héritiers, incapables d'exploiter les trouvailles de leur père, contrairement à son collaborateur Daguerre. Ses inventions lui ont coûté très cher mais ne lui ont rien rapporté ! Car il fit d'autres inventions, préalables à la photo, comme ce moteur à combustion interne pour les bateaux, les améliorations apportées à la draisienne ou la fibre textile pour remplacer le coton.

Comme les propriétaires de la maison n'occupaient pas la partie où Niépce fit ses travaux, le photographe Pierre-Yves Mahé, un passionné, décida de la louer et de l'ouvrir au public. Il fallut reconstituer le site, aménager les greniers – superbes à eux seuls – qui accueillent le plus vieux labo de photo du monde, retrouvé en 2007 après 150 ans de confinement derrière une porte fermée. Il avait été créé par un ami de Niépce, Joseph Petiot-Groffier, ancien maire de Chalon-sur-Saône.

Certains vont se recueillir sur la tombe de l'inventeur de la photographie, dans le petit cimetière voisin. D'autres consultent sa correspondance (2 tomes !), accessible gratuitement sur Internet, où l'inventeur décrit le principe de la chambre obscure et celui de l'héliographie à base de bitume de Judée, à qui les photographes de tous les temps doivent tant.

Le château de Demigny : à 10 km au nord de Chalon ; près de l'A 6. ☎ 03-45-28-36-36. ● chateaudedemigny.com ● Juil-août, tlj sf lun ; visite guidée slt, ttes les heures 10h-12h, 14h-17h (dernières visites à 12h et 17h). Entrée : 7 €. Demeure de style Directoire ayant appartenue au marquis de Foudras, auteur renommé de romans sur la chasse, puis, en 1853 propriété d'Émile Guimet, célèbre orientaliste qui a donné son nom au musée des Arts asiatiques à Paris. C'est aujourd'hui une propriété privée ouverte à la visite. Très belle vue sur la côte des vins depuis les salons. Abrite un musée de la Chasse à courre en Bourgogne aux XVIIIe et XIXe s.

LA CÔTE CHALONNAISE

La Côte chalonnaise s'étend de Chagny jusqu'au nord de Saint-Gengoux-le-National, sur une trentaine de kilomètres dont la D 981 forme l'épine dorsale. Moins connue que les célèbres Côte de Beaune et Côte de Nuits, qui la prolongent au nord, elle regroupe 44 communes viticoles, dont cinq appellations classées : rully, mercurey, montagny, givry et bouzeron. Petite subtilité : le vignoble du Couchois et des Maranges, en Saône-et-Loire est bien rattaché à la Côte de Beaune du département voisin, leurs « climats » étant de ce fait inscrits au Patrimoine mondial de l'Unesco.

Mais revenons à la Côte chalonnaise. Le vin n'ayant pas – comme en Côte-d'Or – réussi à grignoter toute surface arable, on prendra du plaisir à flâner entre ces microvallées qui forment la région. Les villages sont encore bien vivants, les églises romanes tiennent debout et de nombreux lavoirs se cachent un peu partout. À l'automne, à l'occasion de la *Paulée,* les vigne-rons fêtent la fin des vendanges. Aussi, n'hésitez pas à faire des haltes pour découvrir à pied ou à vélo, par une voie toujours verte, les pâturages et forêts de la Côte chalonnaise.

LES VINS DE LA CÔTE CHALONNAISE

Bien qu'Henri IV lui-même ait, en son temps, apprécié (entre autres !) les vins de Givry, la production de la Côte chalonnaise fut longtemps étouffée par le dyna-misme commercial des vignobles du Sud et la naturelle suffisance des grands crus du Nord. Pourtant, que ce soit géographiquement ou géologiquement, sur les cépages ou la vinification, ces vins se rapprochent des grands bourgognes. Et même s'ils sont plus légers, ils n'en sont pas moins complexes et demeurent sur-tout beaucoup moins chers.

Ici aussi, c'est le pinot noir qui donne les rouges (contrairement au Mâconnais et au Beaujolais où le gamay domine), et le chardonnay les blancs. N'oublions pas l'aligoté, un cépage qui donne le petit blanc « tout-venant » de Bourgogne (le seul avec lequel on fait le vrai blanc-cassis) et qui bénéficie en Côte chalonnaise de sa seule appellation.

Outre le nom générique Côte chalonnaise, en blanc et en rouge, dont les vins sont simples mais expressifs, il y a cinq appellations :

– *Bouzeron :* le seul aligoté classé de toute la Bourgogne. La particularité de ce blanc-là tient à ce que le raisin pousse sur des coteaux, alors qu'on lui laisse en général les terrains plus ingrats, réservant au chardonnay les terres les mieux exposées. L'aligoté de Bouzeron tire de son classement une légitime fierté, qui lui permet de se vendre 50 % plus cher qu'un aligoté ordinaire.

– *Rully :* on connaît surtout les blancs de Rully (cépage chardonnay), d'une belle couleur dorée et aux saveurs subtiles, mais Rully produit aussi des rouges, encore assez proches du côte-de-beaune, et dont les plus charnus viendraient du versant est.

– *Mercurey :* les plus célèbres vins de la Côte et les plus chers. Ce sont en tout cas les plus typés, robustes et tanniques, qui gagnent en vieillissant au moins 5 ans. Il existe également du blanc de Mercurey, excellent, mais plus marginal.

– *Givry :* les vins de Givry, surtout des rouges, possèdent du corps et de l'élégance.

– *Montagny :* tout au sud de la Côte chalonnaise, sur quatre communes, on pro-duit un merveilleux vin blanc. Sa personnalité vient en partie du terroir, un sous-sol kimméridgien (et après, il y a des mauvaises langues qui disent qu'on n'est pas un guide culturel), du calcaire composé de petites huîtres fossilisées. Doré, minéral et moelleux, le montagny était déjà apprécié par les moines de Cluny.

CHAGNY (71150) 5 700 hab. *Carte Saône-et-Loire, C2*

Petite ville prospère entre Beaune et Chalon-sur-Saône, Chagny est la plus septentrionale des villes de la Saône-et-Loire. En semaine, un rapide tour de ville ravira le visiteur, qui pourra même y arriver par l'adorable halte nautique « des Grands Crus » (c'est son nom) sur le canal du Centre. À moins qu'il ne suive la piste cyclable goudronnée, utilisant l'ancien chemin de halage.

Enfin ! Nous voilà au cœur des Côtes chalonnaises, que nous vous pro-posons de descendre du nord au sud. Ne bénéficiant pas de la presti-gieuse AOC, Chagny aurait tendance à se faire oublier, n'explosant de vie et de joie que pour le marché du dimanche, qui draine les producteurs des alentours.

Adresse et infos utiles

🛈 *Office de tourisme :* 2, rue des Halles. ☎ 03-85-87-25-95. ● *beaune-tourisme.fr* ● *Près de l'église. En hte saison, lun-sam et dim mat 9h30-12h30, 14h-18h30 ; fermé également lun hors saison. De juin à septembre, visites accompagnées de la ville, le mardi 10h-12h. Vente de topoguides, cartes de rando, produits régionaux. Location de vélos. Expos d'art.*

– *Marché :* dim, pl. de la Mairie et autour. Labellisé « Saveur et savoir-faire de Bourgogne ».

– *Les Moments musicaux de Chagny :* en août. Concerts et rencontres artistiques avec des peintres, sculpteurs et viticulteurs autour du théâtre des Copiaus.

Où dormir dans le coin ?

Camping

⛺ *Camping municipal Le Pâquier Fané :* 20, rue du Pâquier-Fané. ☎ 03-85-87-21-42. 📱 06-18-27-21-99. ● *camping-chagny@orange.fr* ● *campingchagny. com* ● ♿ *À 500 m du centre-ville. Avr-oct. Forfaits tente 15,50-17 € pour 2. 101 empl. Mobile homes et chalets 350-840 €/sem.* En bordure de la Dheune (on peut y pêcher) et non loin de la piscine municipale, un gentil camping 3 étoiles, très bien tenu. Resto le soir, jeux pour les enfants. Espaces relativement ombragés.

De bon marché à prix moyens

🏠 *Hôtel de la Ferté :* 11, bd de la Liberté. ☎ 03-85-87-07-47. ● *reservation@hotelferte.com* ● *hotelferte.com* ● *Doubles 59-89 €. Parking.* 📶 *Réduc de 10 % sur présentation de ce guide.* Une grosse maison bourgeoise transformée en hôtel. Une douzaine de chambres charmantes avec cheminée, tapisseries fleuries, meubles anciens, stuc, etc. Le petit déj se prend sur l'arrière, au jardin, où crissent les graviers. Bar à vins pour les débuts (ou les fins) de soirée.

🏠 *Hôtel de la Poste :* 17, rue de la Poste. ☎ 03-85-87-64-40. ● *info@ hoteldelaposte-chagny71.com* ● *hoteldelaposte-chagny71.com* ● *Doubles 54-71 € ; familiales. Parking gratuit.* 📶 Une dizaine de chambres classiques, pas très grandes mais confortables et fonctionnelles. Le tout à des tarifs mesurés, dans un bâtiment de plain-pied, lointain cousin bourguignon d'un motel avec ses trois rangs de vignes devant les fenêtres. Accueil pro.

Chic

🏠 ⅠⓄⅠ *Auberge du Camp Romain :* le bourg, 71150 *Chassey-le-Camp.* ☎ 03-85-87-09-91. ● *contact@auberge-du-camp-romain.com* ● *auberge-du-camp-romain.com* ● ♿ *À 7 km au sud-ouest (D 109). Doubles 89-115 €. Menus 28-46 €.* 📶 *Apéritif maison offert sur présentation de ce guide.* La jolie route étroite musarde entre bosquets et vignes. On se croirait presque en montagne. L'auberge domine une vallée verdoyante. Vaste établissement moderne, d'une quarantaine de chambres spacieuses et équipées. Piscines, sauna, jacuzzi, installations sportives, etc. Et rien ne vous empêche de faire honneur à la table, si vous ne voulez plus quitter le nid.

🏠 *Chambres d'hôtes La Vierge Romaine :* chez Corinne Le Vot-Grondahl, 6, impasse des Vergers, 71150 *Chassey-le-Camp.* ☎ 03-85-87-26-92. ● *bienvenue@laviergeromaine.com* ● *laviergeromaine. com* ● *À 6 km au sud-ouest (D 109). Chambres 100-140 € selon confort.* Des chambres de charme (demandez la « Beaune », spacieuse, avec terrasse privée), très confortables. Un site assez exceptionnel, à flanc de coteau où les vignes viennent vous lécher les pieds. Cuisine équipée à disposition dans un ancien pigeonnier.

Où manger dans le coin ?

Prix moyens

I●I *Restaurant L'Escale :* 2, route de Chassey-le-Camp, 71510 **Remigny.** ☎ 03-85-87-07-03. ● lescaledubois@ wanadoo.fr ● *Sur la route d'Aluze et de Chassey-le-Camp, à 2 km à l'ouest. Tlj sf mar soir-mer, plus dim soir et lun soir hors saison. Résa indispensable. Menus 14,50 € (déj en sem), puis 26,50-32 €.* Face au canal, dans un environnement tranquille, la petite terrasse est prise d'assaut aux beaux jours. Cuisine du marché fraîche et savoureuse. Accueil vraiment chaleureux. La poêlée de grenouilles tièdes désossées est une tuerie, comme le disait un voisin de table, à l'accent anglais pourtant prononcé. Le reste aussi, on vous rassure.

I●I *Restaurant Pierre & Jean (La Cuisine d'en Face) :* 2, rue de la Poste. ☎ 03-85-87-08-67. ● contact@ pierrejean-restaurant.fr ● *Ouv mer-dim. Congés : de mi-déc à mi-janv. Formule déj en sem 19,50 € ; menus-carte 32-39 €. Café offert sur présentation de ce guide.* Un ancien chai du XVIIIe s ouvert sur un jardin et transformé en annexe bistrotière de « chez Lameloise », comme on dit toujours ici. On y rend hommage aux 3 générations de restaurateurs qui ont fait les grandes heures de la ville. Lieu ouvert pour une cuisine qui l'est tout autant, sur le monde comme sur les convives. Recettes d'hier et d'aujourd'hui, travaillées par une équipe jeune, au tour de main certain.

I●I *Cépages et Saveurs :* 25, rue de la République. 03-85-46-29-67. ● cep-et-sav@hotmail.com ● *Fermé lun et sam midi. Formules déj en sem 16-18,50 € ; menus 25-36 €.* La salle moderne aux tons neutres ne dit rien de ce qui se passe en cuisine. Le chef s'affaire avec concentration et minutie pour que sonne la fête. Sa cuisine est légère, goûteuse, pleine de saveurs et de textures mais aussi ludique avec ces fleurs à croquer. Et les assiettes explosent de couleurs. Clown sur scène, sérieux en coulisses. Du travail minutieux accompagné par des vins de la côte à prix doux.

I●I *Ti Coz :* D 906, lieu-dit Le Gauchard, 71150 **Fontaines.** ☎ 03-85-46-65-65. ● contact@ticoz.restaurant ● *À quelques km au sud, direction Givry. Marsam. Formule déj en sem 21 € ; menus 27-34 €.* En bordure d'une ex-nationale passante, mais c'est bien le seul hic. Tournons-nous plutôt vers le canal, la voie verte et l'écluse, si bucoliques ici pour apprécier la carte renouvelée tous les mois de ce Breton greffé en Bourgogne. De la côte celte à la Côte chalonnaise, vous voici délicieusement balloté dans un esprit jeune qui sied habilement à cette région de vignobles.

À voir

Possibilité de louer une tablette à l'office de tourisme ou de télécharger l'appli « La revanche de la Tieule » pour une visite commentée de la ville, ses histoires et son patrimoine au fil d'une enquête en douze étapes culturelles, ludiques et gourmandes.

🗡 En centre-ville, en flânant le long des rues de ce bourg commerçant, plusieurs maisons anciennes à découvrir, dont la doyenne serait la grosse bâtisse médiévale face à l'office de tourisme. Également deux *tours* du XVIIe s, une belle *mairie* et un *théâtre* à l'italienne.

🗡 Ne pas manquer l'*église Saint-Martin,* au monumental clocher roman. Belle série de chapiteaux gothiques et, dans le chœur, dalle funéraire de Pierre Jeannin, resté célèbre pour avoir refusé de massacrer les protestants lors de la Saint-Barthélemy.

🗡 Devant l'église, l'*Octagon for Saint-Éloi,* une **sculpture** moderne, un bloc de 57 t ! Autre œuvre contemporaine à la **halte nautique des Grands Crus,** halte agréable des croisiéristes du canal du Centre.

🏃 La splendide *apothicairerie* de l'hôpital, aménagée en 1715 et restée dans son jus, n'est accessible que lors des visites accompagnées, au départ de l'office de tourisme et sur rendez-vous.

À faire

🏃🏃 🏃 *La voie verte :* 40 km de chemin de halage ont été goudronnés entre Chalon-sur-Saône et Saint-Léger-sur-Dheune, le long du canal du Centre, en passant par Chagny et Santenay. Super balade pour les piétons, rollers ou VTT. Guide disponible à l'office de tourisme.

RULLY (71150) 1 560 hab. *Carte Saône-et-Loire, C2*

À 4 km seulement de Chagny, par la D 981, ô surprise ! Voici un beau château dominant fièrement son versant de vignes, celles qui donnent le prestigieux vin blanc. Rully : un cru fin et discret, à l'image de ce gros village dont la richesse et la coquetterie de certaines maisons prouvent une certaine et réelle aisance. De l'autre côté de la même D 981, les amateurs de lavoirs ne manqueront pas l'hydraté village de Fontaines, le bien nommé.
– *Point info :* Maison éclusière. ☎ 03-85-91-53-55. De juin à mi-sept.

Où dormir ? Où manger ?

🏠 🍴 *Le Vendangerot :* 6, pl. Sainte-Marie. ☎ 03-85-87-20-09. ● hotel-restaurant-levendangerot.fr ● ♿ Tlj sf mar-mer midi. Doubles à partir de 60 €. Formule déj lun et jeu-sam 17 € ; menus 30-50 €. 📶 Sur une place à l'allure un brin méridionale, cette grande maison fleurie entourée de verdure continue de faire le plein dès les premiers beaux jours. Côté hôtellerie, un « Logis de France » agréable et très bien tenu, aux chambres pimpantes et spacieuses. Grande terrasse au restaurant.

À voir

🏃🏃 *Le château de Rully :* ☎ 03-85-87-20-89. ● chateauderully.fr ● Visite commentée en juil-août, tlj sf lun, 11h-19h (départ ttes les heures) : 8 €. Compter env 1h. Imposante demeure dotée d'un donjon, flottant au-dessus de son vignoble, image de la Bourgogne rêvée dont on ne se lasse jamais. Construit entre le XIIᵉ et le XVᵉ s, le château de Rully appartient à la même famille depuis 850 ans, soit depuis ses origines, ce qui est très rare de nos jours. Au rez-de-chaussée, on découvre un grand escalier du XVIIᵉ s, la vaste cuisine médiévale, la salle à manger familiale avec sa table en acajou moucheté de Cuba (un bois qui n'existe plus !), la bibliothèque, le billard du XIXᵉ s, etc. À l'étage, on accède au bureau, à la chapelle et à une chambre typique du XIXᵉ s. Belle promenade dans un parc à l'anglaise restauré qui comprend même des pierres tombales. Quant aux communs du XIXᵉ s, ils possèdent le plus grand ensemble de toits de pierre dite « de lave » en Bourgogne.

MERCUREY (71640) 1 300 hab. *Carte Saône-et-Loire, C2*

Un nom qui résonne délicieusement au fond des palais les plus délicats. Le plus célèbre des crus du Chalonnais a donné de l'aisance au village qui l'a vu naître, et de grosses maisons cossues bordent la route qui le traverse, au creux d'un vallon entouré de vignobles.

Où dormir ? Où manger dans le coin ?

⚊ *Camping municipal de la Vallée de Vaux :* rue de la Piscine, 71640 *Saint-Jean-de-Vaux.* ☎ 03-85-45-11-98. ● stjeandevaux.mairie@wanadoo.fr ● saint-jean-de-vaux.fr ● *Au sud, sur la D 124. Mai-sept. Forfait tente env 12 € pour 2. 42 empl.* Un terrain municipal propre et pas cher, correctement équipé. Tout à côté de la piscine municipale.

🏠 |●| *Le Val d'Or :* 140, Grande-Rue. ☎ 03-85-49-23-85. ● contact@le-valdor.com ● le-valdor.com ● *Doubles 80-95 € ; familiales. Menus 17,90 (midi lun-sam)-25 €.* Du charme dans les lieux, dans l'assiette et dans l'accueil. Cet établissement a connu en 2017 un nouveau départ dans la vie. Les 12 chambres sont agréables, et la cuisine de marché ou de terroir, menée avec délicatesse, est à déguster sous un cèdre en terrasse ou auprès de la cheminée. La cliente étrangère n'a pas tardé à repérer cette belle affaire !

|●| *Le Petit Blanc :* Le Pont-Pilley, 71510 *Charrecey.* ☎ 03-85-45-15-43. ● lepetitblanc.sarlcayot@sfr.fr ● ♿ *À 2 km de Mercurey, sur la route d'Autun (D 978), à droite, dans un virage. Tlj sf lun, mer soir et dim soir. Congés : début janv et fin août. Menus 16-32 €. Un digestif maison offert sur présentation de ce guide.* Une adresse maligne, clin d'œil à l'auberge de campagne type de l'après-guerre, avec nappes à carreaux, ardoises, plaques émaillées aux murs, et surtout une vraie « cuisine d'autrefois », comme le précise la carte. Salle animée, prolongée par une agréable terrasse. Service diligent et large choix de mercurey.

DANS LES ENVIRONS DE MERCUREY

🎏 En allant vers l'ouest de Mercurey, on passe par le village d'*Aluze,* dont la situation sur un promontoire permit à certains d'imaginer qu'il s'agissait du site d'Alésia. Depuis Aluze, musardez entre vignes et bois jusqu'à *Chamilly,* village qui possède une attachante église au milieu d'un minuscule cimetière et un beau château privé.

🎏 Le hameau de *Touches,* à moins de 1 km au sud de Mercurey et légèrement en surplomb, possède l'une des plus touchantes églises du pays, bâtie au XIIIe s. Clocher aux grosses gargouilles et quatre pignons.

🎏 *La vallée des Vaux :* au sud de Mercurey, elle suit en fait le cours de l'Orbize, qui y prend sa source avant d'aller se jeter dans la Saône. Moins cossus que ceux de la Côte chalonnaise proprement dite, les villages de la vallée de Vaux, éparpillés sur plusieurs collines, peuvent faire l'objet d'une belle promenade champêtre, quelque peu hors du temps. À *Barizey,* on verra une église du XVIIIe s, et de son chevet, un panorama sur la vallée. Non loin de la jolie place de *Saint-Jean-de-Vaux,* une autre église, romane cette fois, avec clocher central. Celle de *Mellecey* domine le bourg. Dommage que des plâtres masquent la charpente et les pierres de la voûte en cul-de-four. En passant à *Saint-Martin-sous-Montaigu,* essayez d'apercevoir, entre les arbres, les ruines de l'ancien donjon du château. On peut y monter à pied. De l'autre côté de la D 981, la vallée se poursuit par **Dracy-le-Fort**. Quelques belles demeures autour de sa place centrale.

◀◀ Le château de Germolles : *100, pl. du 5-Septembre-1944, Germolles, 71640 **Mellecey**, sur la D 981 en direction de Givry. ☎ 03-85-98-01-24.* ● cha teaudegermolles.fr ● *De mai à mi-oct, tlj 9h45-12h30, 14h-19h30 ; de mi-mars à fin avr et de mi-oct à mi-nov, mar-dim, plus lun de Pâques, 14h-18h ; et sur rdv tte l'année. Entrée : env 8 € (parc seul : 2,50 €) ; réduc. Visite guidée, sf pour le parc.*

En 1380, Philippe le Hardi, duc de Bourgogne, achète cette maison forte aux sires de Germolles. Sa femme, Marguerite de Flandre, est une des héritières les plus riches de son temps. Elle convoque les plus grands artistes de l'école de Bourgogne (Claus Sluter, Jean de Beaumetz) pour la transformer en une luxueuse résidence. Malgré la Révolution et plusieurs incendies, Germolles a traversé les siècles jusqu'à aujourd'hui. Il a été retapé avec passion et soin par ses différents propriétaires, dont Matthieu Pinette, ancien conservateur en chef du Patrimoine et Christian Deguigny, professeur d'université. La demeure, qui appartient à la famille Pinette depuis un siècle et demi, est l'un des rares palais d'agrément de cette époque en France, ce qui en fait toute son originalité. Pour un édifice du XIVe s, on s'attendrait en effet plus à une architecture défensive. Autre particularité : les toits d'ardoise, le chic du chic à l'époque. On est bien loin des tuiles vernissées qui feront la réputation de la Bourgogne quelques siècles plus tard.

On visite d'abord la partie la plus ancienne (XIIIe s), le cellier et la chapelle, avant de faire un tour vers les ruines des deux tours rondes. La chapelle privée de la famille ducale a retrouvé ses toitures, alors qu'elles avaient disparu dans un incendie au XIXe s. Les quatre pièces du XIVe s accessibles, majestueusement remises en beauté, valent vraiment le coup d'œil. Les rares peintures murales et la merveilleuse collection de carreaux de pavage décorés du XIVe s sont l'une des surprises du lieu. Au 2e étage, immense voûte en « vaisseau renversé ». Au rez-de-chaussée, cheminée sculptée monumentale. Joli parc planté dans le goût romantique anglais du XIXe s.

GIVRY   (71640)   3 780 hab.   *Carte Saône-et-Loire, C2*

Au cœur de la Côte chalonnaise, à seulement 9 km à l'ouest de Chalon-sur-Saône, Givry est la commune architecturalement la plus riche de la région. Elle le doit à Émiland Gauthey, important bâtisseur néoclassique bourguignon (canal du Centre, mairie de Tournus...), qui réorganisa la ville vers la fin du XVIIIe s.

Le bourg possède plusieurs charmants hameaux au milieu des vignes. Il est aussi le point de départ historique de la fameuse voie verte empruntant l'ancienne voie de chemin de fer et devenue une référence nationale pour tous les amateurs de deux-roues, de rollers et de randonnées.

Adresse et info utiles

🛈 Antenne d'info touristique : *2, rue de l'Hôtel-de-Ville. ☎ 03-85-44-43-36.* ● achalon.com ● *Avr-oct, mer-sam 9h30-12h30, 14h-18h, plus dim juin-sept 9h30-12h30. Fermé* nov-mars. Animations et billetterie de spectacles.

– **Marchés :** *jeu mat, pl. d'Armes ; et* **brocante** *le 1er dim du mois au même endroit.* Assez animé.

Où dormir ? Où manger à Givry et dans les environs ?

Bon marché

🏠 |O| *Chambres d'hôtes La Gému-loise :* chez Vincent Limonet et Anne Roy, 26, rue de la Côte-Chalonnaise, 71640 **Jambles.** ☎ 03-85-44-34-27. 📱 06-21-31-29-24. ● lagemuloise@orange.fr ● artauvert.pagesperso-orange.fr/lagemuloise ● De Chalon (sud), direction Le Creusot, sortie n° 3 *Givry/Buxy/Saint-Désert.* En venant de Givry, en bas du village, sur la droite en arrivant. Double 50 €. Repas 20 € (sur résa slt). 📶 Réduc de 20 % à partir de 3 nuits consécutives sur présentation de ce guide. Adossée à un versant, tout comme le village, cette maison ancienne habitée par des artistes dans l'âme mérite une escale sur la route des Vins. Côté vignes, ou côté jardin, les chambres sont agréables, coquettes et bien arrangées. Accueil jovial. Prêt de vélos, infos sur les randonnées.

|O| *Auberge de la Route des Vins :* 23, av. de Bourgogne, 71390 **Saint-Désert.** ☎ 03-85-47-90-55. Le midi slt, fermé dim et j. fériés. Congés : 2 sem mi-août et 2 sem mi-déc. Menu du jour 14,50 € (déj en sem) et carte. Café offert sur présentation de ce guide. Faites un petit détour, en descendant sur Buxy, pour découvrir l'église et le restaurant de ce village. Une maison de la fin du XIXe s avec, au rez-de-chaussée, un café-resto de campagne resté dans son jus. On peut manger dans la salle de bar, très appréciée des travailleurs et des locaux, ou dans une salle plus propice à inviter belle-maman et ses copines. Le midi, en semaine, c'est la ruée sur le buffet d'entrées, et le plat du jour est du genre copieux. Spécialités régionales le soir.

De prix moyens à chic

🏠 *Chambres d'hôtes Le Moulin Brûlé :* chez Françoise et Yves Paupe, 30, rue des Lavoirs, 71390 **Moroges.** ☎ 03-85-47-90-40. ● moulin.brule@wanadoo.fr ● moulinbrule.com ● De petites routes mènent à ce village, plus directement accessible d'ailleurs, si vous venez de Chalon ou du Creusot, par la N 80. Le moulin est fléché ; passer la barrière et descendre par un chemin de terre, à travers le parc. Doubles 80-87 €. 📶 Au cœur d'un lieu adorable sorti d'un rêve de campagne profonde, voici 4 chambres à la déco très soignée. Accueil souriant.

🏠 *Chambres d'hôtes du Moulin Madame :* rue du Moulin-Madame (sur la D 69), Givry. ☎ 03-85-44-38-50. ● contact@moulinmadame.com ● moulinmadame.com ● ♿ Doubles 90-130 € ; familiales et gîte également. 📶 Au cœur de la Côte chalonnaise, de vastes et confortables chambres aménagées dans un ancien manoir datant du XVe s, entouré d'arbres et au bord d'une petite rivière. Petit déj servi dans la salle à manger près de la cheminée ou en terrasse. Voie verte à 2 km. Possibilité de randonnées équestres sur place.

À voir

🔪 *L'église :* elle est l'œuvre d'Émiland Gauthey, et on sent bien sous ses rondeurs qu'il fut l'élève de Soufflot (l'architecte du Panthéon à Paris). La nef circulaire et sa tribune sont surmontées d'une coupole centrale percée de huit oculi et prolongées d'un chœur en ovale. De l'extérieur, le dôme compose un ensemble assez incongru avec le haut clocher de pierre.

🔪 Givry compte également un curieux *hôtel de ville,* construit à l'emplacement d'une ancienne porte médiévale et qui enjambe élégamment une rue. Un clocheton le domine. La *fontaine des Dauphins,* le plus célèbre des points d'eau givrotins, est également attribuée à Émiland Gauthey. Au centre du bourg médiéval, la **halle Ronde,** ancien grenier à grains, abrite l'office de tourisme.

Manifestation

– **Les Musicaves :** *1 sem fin juin-début juil.* ☎ *03-85-44-43-36.* ● *lesmusicaves. fr* ● Un festival de musique « AOC sans frontière ». Programmation éclectique donc... et vin de Givry. Un festival qui fait un carton dans la région.

BUXY (71390) 2 170 hab. *Carte Saône-et-Loire, C2*

L'un des plus jolis villages de la Côte chalonnaise, avec ses vieilles demeures lovées autour de l'église et son étonnante tour de l'horloge. La tour Rouge est la dernière debout des six qui formaient la défense de la ville. Ne vous fiez pas au calme apparent de ce gros bourg et de ses environs. C'est peut-être là qu'on trouve les adresses les plus insolites du pays, entre un salon de thé-brocante plein de tendresse et des bars cachés dans l'arrière-pays, sur la route des églises romanes.

Adresse utile

🛈 **Office de tourisme :** *à l'entrée du village, sur la voie verte, dans l'ancienne gare.* ☎ *03-85-92-00-16.* ● *buxy-tourisme.com* ● *Pâques-sept, lun-sam 9h30-12h30, 14h-18h30 et dim et j. fériés 10h-12h30 ; oct-Pâques, mar-sam.* Principalement axé sur la voie verte, au départ, mais ceux qui viennent pour « la voie rouge » devraient ici trouver des adresses de caveaux à visiter. Sinon, vous n'avez pas à chercher bien loin...

Où dormir ? Où manger ?

🏠 🍵 **Chambres d'hôtes et salon de thé-brocante La Graineterie :** *chez Christine Sarrazin, 75-77, Grande-Rue.* ▤ *06-89-07-53-97.* ● *lagraine-terie.fr* ● *Doubles 80-110 €.* 📶 Amateurs d'insolite, vous serez servis. Vue de l'extérieur, comme souvent par ici, la maison ne paie pas de mine. On entre par la porte de la brocante-salon de thé, on farfouille, jusqu'à ce que Christine apparaisse, tout sourire, et vous guide vers son coin salon, grand ouvert sur un jardin resté dans un état de semi-liberté. Au-dessus, 4 chambres, aménagées avec humour et beaucoup de goût. Un décor tout en douceur, chargé d'histoire. Également un gîte pour 6 personnes. Soirée dégustation avec un vigneron indépendant, sur résa.

🍴 **Aux Années Vins :** *pl. du Carcabot, 2, Grande-Rue.* ☎ *03-85-92-15-76. Tlj sf mar-mer, plus lun soir hors saison. Congés : vac de fév et dernière sem d'août. Formule grande assiette 20 € en sem, menu 32 €, repas env 50 €.* L'adresse de référence quand on passe par Buxy. Salle rénovée assez pimpante. Belle carte sortant de l'ordinaire bourguignon, le chef s'amusant à mélanger les terroirs, donnant une cuisine terre-mer revigorante qui s'adresse aux épicuriens, comme l'indique l'intitulé du

1er menu. Agréable terrasse pour les beaux jours. Bonne sélection de vins

à prix (encore) abordables. Accueil sympathique.

Où dormir ? Où manger dans le coin ?

🏠 |●| **Chambres d'hôtes chez Thierry et Christine Davanture :** 5 A, route de Davenay. ☎ 03-85-92-01-29. ● dav_christine@hotmail.com ● davenay.free.fr ● Doubles 66-74 € ; familiales également. Table d'hôtes 34 €, avec kir et bonne bouteille sur la table. 🛜 Une maison plantée sur un flanc de colline, au milieu des vignes. Les Davanture sont viticulteurs et aiment leur métier, ainsi que leur région. Chambres agréables et calmes, donnant sur le vignoble. Vue superbe aussi de la terrasse, où il fait bon prendre le petit déj.
|●| **Restaurant Les Vignes :** 71460 Germagny. ☎ 03-85-49-23-23.

🍴 À 10 km au sud-ouest de Buxy (D 983). Tlj sf mer, plus mar soir hors saison. Menus 13,90 € tt compris (déj en sem, sf j. fériés), puis 22-35 €. Apéritif maison offert sur présentation de ce guide. Au bout du village, une grande maison avec vue sur la Guye, rivière aussi paisible que le reste du bourg. Entre bocage et vignoble, une halte sympathique autour du menu du jour, en semaine, ou d'une carte alléchante, plus élaborée, que Katia se fait un devoir de détailler. Son mari, Franck, assure en cuisine, et la carte des vins devrait faire votre bonheur.

Où acheter du vin ?

🏵 **Cave des Vignerons de Buxy :** presque en face de l'office de tourisme. ☎ 03-85-92-03-03. Tlj sf dim hors saison. Bien pratique pour goûter les vins de la région et acheter des bouteilles-cadeaux (magnum, etc.).

À voir

🗡 À Buxy, un petit tour derrière l'**église** suffit pour avoir un aperçu de la ville. C'est minuscule et on se croirait au Moyen Âge. L'église se remarque de loin avec sa **tour de l'Horloge,** ajout du XVIe s, reliée au clocher par une passerelle. Voir aussi la massive **tour Rouge** (XIIe s), reste des défenses de la ville, aménagée en caveau. À deux pas, le petit **musée du Vigneron,** au sous-sol de la perception, ouvre ses portes sur demande auprès de l'office de tourisme.
– **Sentier du Montagny :** env 4,5 km. Boucle en 8 étapes sur les hauteurs, dans les vignobles.

SAINT-GENGOUX-LE-NATIONAL

(71460)　　　　1 072 hab.　　　　*Carte Saône-et-Loire, C3*

Gros bourg méconnu au sud de la Côte chalonnaise, sur la D 98, présentant de belles demeures médiévales. Délicieuse promenade ombragée de platanes et ruelles anciennes avec tourelles et échauguettes. De la terrasse de l'Arquebuse, admirez l'un des ensembles les plus harmonieux de toits de tuiles de Bourgogne que l'on connaisse.

Adresse et info utiles

🖪 *Office de tourisme :* La Promenade. ☎ 09-77-35-14-40. ● aaot-stgengoux. fr ● Juil-août, lun-sam 9h30-12h30, 14h30-18h30 et dim mat ; le reste de l'année, ouverture un peu plus restreinte.
– *Marché :* 1er et 3e mar mat du mois.

Où acheter de bons produits ?

⊛ *Pâtissier-chocolatier J.-P. Demortière :* rue du Commerce. ☎ 03-85-92-60-86. Face à l'échauguette de la maison des Concurés. Tlj sf dim ap-m et lun. Une des meilleures adresses de la région, à découvrir avec gourmandise et envie (celles-ci étant encore classées dans les 7 péchés capitaux !).

À voir

🦖 Passez par l'office de tourisme pour prendre la petite brochure, très bien faite, vous présentant en quelques pages les trésors cachés de la ville. Vestiges du *château,* à l'entrée de la cité médiévale. L'*église* possède toujours son clocher du XIIe s, mais coiffé d'une flèche dessinée par Viollet-le-Duc. Le curieux donjon à lanterne a été édifié dans la seconde partie du XVIe s pour permettre l'accès aux cloches et surveiller, bien sûr, les vallées aux alentours.

🦖 Un petit tour derrière l'église devrait vous plonger dans un autre temps. La *maison* dite *des Concurés* (XVIe s), de style Renaissance et flanquée d'une charmante échauguette, ouvre la rue des marchands. Un nom qui amusera certains, alors qu'il s'agit en fait des prêtres issus des familles de Saint-Gengoux qui officiaient dans les alentours. En face, le pâtissier-chocolatier le plus célèbre du secteur (voir plus haut).

LE CHAROLAIS ET LE BRIONNAIS

De jolies petites routes de campagne, à l'ouest du Clunisois, vous amènent à la découverte d'une des plus belles régions du sud de la Bourgogne. Charolais et Brionnais possèdent beaucoup de caractéristiques géographiques communes. Ce sont des paysages mamelonnés, tout en douceur, modèles d'harmonie et d'équilibre, qui font le charme de cette région commençant au nord de Charolles (elle englobe notamment Paray-le-Monial, Digoin et Bourbon-Lancy) pour rejoindre l'extrême sud du département, à l'ouest du Mâconnais.

LA SAÔNE-ET-LOIRE

Paysages largement bocagers, patchwork de verts délimités par des haies touffues : on entre dans le Charolais sans s'en rendre compte, et on s'y sent bien. Peu de cultures, car tout le monde est ici au service du roi des bovins : le charolais à la succulente viande persillée... Cet aimable bestiau à la robe blanche a permis à cette région, pourtant enclavée, de mieux résister à l'exode rural. En janvier 2010, le fromage de chèvre du même nom a acquis ses lettres de noblesse en devenant la 46e AOC. Tout ça pour dire qu'on y mange fort bien !

DES EMBOUCHEURS BIEN INSPIRÉS

Parmi les vieilles familles d'emboucheurs (= éleveurs) du Brionnais, celle des Mathieu d'Oyé est devenue une référence. En 1747, Émiland Mathieu décida d'emmener ses bœufs au marché de Poissy : 400 km à pied en 13 jours. Sa réussite fit des émules et provoqua, au siècle suivant, une expansion en tache d'huile de la race charolaise, dans tout le centre de la France.

Situé à l'extrémité sud-ouest de la Bourgogne, le Brionnais est un petit « pays » peu connu, qui a beaucoup de choses à proposer, à commencer par son circuit des églises romanes. Le calcaire blond ou ocre a permis aux sculpteurs d'exprimer tout leur talent, d'enrichir la palette des décors des porches et des clochers, au point qu'on peut parler ici de style brionnais (notamment concernant les clochers). Ses traits principaux restent cependant ceux de l'architecture clunisienne.

UNE VACHE À L'UNESCO ?

Au cœur du Charolais-Brionnais, « Pays d'art et d'histoire », s'est développée une race exceptionnelle et universelle : la charolaise.

80 % de la viande charolaise produite dans ce magnifique terroir béni des dieux part à l'exportation, au même titre que les vins, les champagnes et les parfums ! La viande s'exporte bien, mais l'animal aussi : on trouve des charolaises partout dans le monde !

L'élevage et l'embouche (engraissement à l'herbe) des bovins charolais ont façonné le paysage de bocage, maillé de haies et ponctué d'arbres, participant ainsi à l'identité du territoire. Dans ce paysage verdoyant et ondulé se nichent des demeures cossues érigées aux XVIIIe et XIXe s, qui témoignent de la prospérité qu'a connue le pays grâce au commerce du bétail. C'est ce paysage, ce berceau de la race charolaise, que le territoire souhaite voir inscrit au Patrimoine mondial de l'Unesco.

CHAROLLES   (71120)   3 140 hab.   *Carte Saône-et-Loire, B3*

Bœufs charolais et moutons charollais (deux « l » pour le mouton !) ont fait la réputation de cette terre d'élevage par excellence. Mais Charolles, bâtie au confluent des rivières Arconce et Semence, se présente également comme une agréable ville-étape pour partir à la découverte des belles églises romanes du Brionnais tout proche. Les vieilles demeures se mirant au ras de l'eau lui donnent en outre un petit air de Venise sur bocage. En souvenir, vous pourrez acheter de la faïence de Charolles, au joli décor floral.

Adresse utile

🛈 @ **Office de tourisme :** rue Baudinot. ☎ 03-85-24-05-95. ● ville-charolles.fr ● Avr-sept, lun-sam 9h30-12h30, 14h-18h et dim 10h30-12h30 ; oct-mars, lun-ven 10h-12h, 14h-17h. Profitez-en pour détailler le lieu : c'est l'ancien couvent des Clarisses, bel édifice du XVIᵉ s.

Où dormir ? Où manger dans le coin ?

De chic à beaucoup plus chic

🛏 |●| **Hôtel de la Poste :** 2, av. de la Libération. ☎ 03-85-24-11-32. ● hotel-laposte-doucet.com ● ♿ Très central, face à l'église. Resto fermé dim soir-lun et jeu. Doubles et suites 130-320 €. Menus 45 € (hors ven soir et w-e) puis 75-95 €. Frédéric Doucet a métamorphosé la vieille demeure familiale, l'ouvrant sur le design contemporain, et créant 2 annexes de charme, dans 2 villas avec piscine, où un superbe petit déjeuner est servi (mémorable même !). L'adresse est surtout réputée pour sa table. Le chef, fier de ses origines charolaises, met un point d'honneur à sublimer son terroir et accompagner ses plats de vins judicieusement conseillés. Salle à manger cossue, un poil déjantée côté déco, service impeccable et particulièrement attentionné, sans être jamais guindé. Aux beaux jours, agréable jardin intérieur pour manger sous les érables et la vigne vierge. Une très belle maison qui a ouvert également en face le restaurant Bistrot du Quai (menus 18-49 €), entre 2 rivières. Un lieu où l'on mange simple et bon.

🛏 **Chambres d'hôtes Le Clos de l'Argolay :** chez Jean-Luc Pertile et Pascal Cottin, 21, quai de la Poterne. ☎ 03-85-24-10-23. ● closdelargolay@orange.fr ● closdelargolay.fr ● À deux pas de l'Hôtel de la Poste, derrière l'église. Congés : déc-janv. Double 125 €. 📶 Belle maison du XVIIIᵉ s, au bord d'un canal aux berges fleuries. Jean-Luc et Pascal ont su redonner son charme d'antan à leur demeure tout en continuant leur métier d'éleveurs-fabricants de fromages de chèvre (visite possible de l'exploitation). 2 suites et un duplex de charme aux chaudes couleurs et aux boiseries patinées, mêlant meubles anciens et contemporains, ouvrent sur un jardin clos. Un îlot de calme et de paix. Beau petit déj servi à la salle à manger ou en terrasse.

🛏 |●| **Château de Vaulx :** 71800 Saint-Julien-de-Civry. ☎ 03-85-70-64-03. ● chateaudevaulx.com ● Fermé janv-fév. Doubles 110-149 €, familiales (compter 22 €/pers supplémentaire). Table d'hôte 33 €, vin en sus. 📶 Coup de cœur pour cet élégant château remontant au XVIᵉ s et remanié au XIXᵉ. Dans un environnement agreste et verdoyant, inchangé depuis de longs siècles, une adresse unique. Un laisser-aller sympathique, un charme certain, de l'espace, du confort, de l'humour. La boutique, tout comme la brocante aménagée dans la grange, font des heureux auprès de la clientèle étrangère qui pense ici goûter à la Bourgogne la plus authentique. Les adorables proprios, de fait, sont hollandais, et leur Bourgogne est bien cosy. L'excellente table d'hôtes, le parc fleuri, le magnifique salon-bibliothèque sont autant d'invitations à prolonger ou renouveler le séjour.

Où acheter des produits locaux ?

🏵 **Faïences de Charolles :** Fayences du Pays, 15, pl. de l'Église. ☎ 03-85-24-15-94. Tlj sf dim ap-m et lun. Belles pièces. Ne manquez pas les soldes directement à la faïencerie, chemin d'Ouze, le 3ᵉ week-end de juillet. Et

LA SAÔNE-ET-LOIRE

magasin d'usine, route de Lugny *(lun-ven 9h-12h, 14h-18h)*.

❀ *Viande charolaise : boucherie-charcuterie Jardin,* 10, rue du Général-Leclerc. ☎ 03-85-24-00-09. *Tlj sf dim ap-m et lun.* Belles pièces, là aussi. Une autre boucherie, *Au Cœur du Charollais :* 13, pl. de l'Église. ☎ 03-85-84-15-04. *Tlj sf dim ap-m et lun.*

❀ *Chocolats Bernard Dufoux :* pôle d'activités du Charolais. ☎ 03-85-28-08-10. *Lun 14h-19h et mar-sam 9h-19h.* Meilleur chocolatier de France. Si la maison-mère se trouve à La Clayette, on trouve ici le laboratoire et une boutique.

❀ *Boulangerie Alix :* pl. de l'Église. ☎ 03-85-24-12-62. *Tlj sf dim ap-m et lun.* Bon pain, mais surtout bonnes brioches aux pralines et... aux grattons.

❀ *Marché hebdomadaire :* mer mat, pré Saint-Nicolas. Coloré et bien achalandé, labellisé « Marché saveurs et savoir-faire de Bourgogne ». Pour entendre parler patois, notamment. *Marché estival (dim mat, fin juin-fin août ; pl. du Téméraire).* L'alimentaire, l'artisanat, le terroir sont au rendez-vous.

À voir

🎋 *L'ancien château :* détruit au moment des guerres de Religion, il en reste une porte fortifiée et deux tours du XVe s – la tour de Charles le Téméraire et celle de Diamant –, ainsi que la base de trois autres sur le mur d'enceinte, aujourd'hui jardin public. Belle perspective sur les toits de la ville. Les ducs de Bourgogne étaient comtes du Charolais. Les ruines ont été rachetées par la famille Bernigaud de Cerrecy qui a fait construire ici sa maison d'habitation. La Ville de Charolles y a installé la mairie en 1867.

🎋 *La Maison du charolais :* RN 79. ☎ 03-85-88-04-00. *Tlj 10h-18h. Fermé 1er nov et derniers jours de déc. Entrée : 7,50 € avec audioguide et dégustation ; réduc.* Un complexe muséographique convivial sur 3 niveaux. Pour tout savoir sur une viande célébrissime qu'il vous faudra apprendre à décortiquer, de la tête à la queue, au travers d'un itinéraire intelligemment composé. Devenez tour à tour éleveur, boucher, agent d'abattoir et géologue (végéta-

UN ARRIÈRE-TRAIN DE PREMIÈRE CLASSE !

Très tôt, les grands éleveurs de charolais ont développé l'art de la sélection des reproducteurs mâles et femelles. Chez les vaches, on a toujours favorisé le développement des muscles du dos et de l'arrière-train. L'animal qui hérite de cette hypertrophie, qui constitue même une anomalie morphologique, s'appelle un « culard ».

riens, s'abstenir !). Terminez votre visite par une dégustation de charolais sous diverses formes. Des animations enfants et adultes sont proposées toute l'année. Resto dans le même bâtiment.

– Circuit *« Chemin du bocage et des fours à chaux »* de 6 km, à partir du parking du site.

🎋🎋 🎋 *Le musée du Prieuré :* 4, rue du Prieuré. ☎ 03-85-24-24-74. ● ville-charolles.fr/musee-du-prieure ● *Juil-août, tlj sf mar 10h-12h, 14h-18h ; juin et sept, tlj sf mar 14h-18h ; mai, w-e, j. fériés et ponts, 14h-18h. Entrée : 3 € ; réduc ; gratuit moins de 18 ans. Ateliers pour les enfants en juil-août. Expos temporaires.* Prieuré clunisien fondé en 929, le site conserve des vestiges de l'église du XIIe s ainsi qu'un corps de bâtiment rénové aux XVe-XVIe s. La salle des chapiteaux, la zone archéologique et la salle d'apparat, classée Monument historique, témoignent de cette période prospère. Ne manquez pas la magnifique poutre sculptée d'animaux et personnages à bésicles. Le site abrite aujourd'hui un musée complet d'histoire de l'art local où la faïence de Charolles, cœur de la collection, vous est présentée depuis ses débuts en 1844 par Hippolyte Prost jusqu'aux créations contemporaines actuelles réalisées par FDC et la famille Terrier. L'art décoratif côtoie également les toiles de Jean Laronze et de Paul Louis Nigaud, peintres du XIXe s inspirés par les paysages charolais et avallonais. La sculpture est mise à l'honneur dans l'espace René-Davoine, installé dans la chapelle du XIXe s, et valorisant le travail du sculpteur charolais.

🍴🍴 ♿ 👫 *Le magasin et la fabrique de chocolats Dufoux :* pôle d'activité du Charolais. ☎ 03-85-28-08-10. ● chocolatsdufoux.com ● ♿ En face de la Maison du charolais. Boutique ouv lun 14h-19h, mar-ven 9h-19h. Visite dégustation mar, mer et ven à 14h30 en juil-août. Participation : 6 €. Cours de chocolat le 1er mer de chaque mois. Meilleur chocolatier de France et collectionneur de médailles, Bernard Dufoux, secondé par son fils Pierre-Yves, est l'un des bienfaiteurs de l'humanité chocolatière ! Ses magasins de La Clayette (site historique) ou de Charolles (où sont désormais installés les ateliers) présentent une variété inouïe de chocolats, tous réalisés à partir du meilleur cacao et avec le talent créatif des grands artistes. L'atelier-laboratoire se visite en été. Idéal pour comprendre la fabrication, suivre le travail du chocolatier et découvrir quelques-unes de ses remarquables spécialités, autour d'un café. « Nous sommes fous du chocolat Dufoux ! »

Fêtes et manifestations

– *Le Tir à l'oiseau :* autour du 20 juil. Une fête ancestrale. Il s'agit d'abattre un oiseau en bois plombé en haut d'un mât en forêt de Charolles. Le vainqueur est porté en triomphe dans les rues de la ville.
– *Journées médiévales :* 3e w-e d'août, parc de la mairie.

DANS LES ENVIRONS DE CHAROLLES

🍴🍴 *Les fours à chaux :* 71120 **Vendenesse-lès-Charolles.** ☎ 03-85-88-39-78 ou 24-21-40. ● foursachaux.free.fr ● À env 5 km de Charolles, par la D 25 ou la D 17 ; suivre le fléchage. Visite libre du site en extérieur ; visite guidée mai-oct sur résa. Il s'agit des derniers fours à chaux de France à cheminée de briques et le site, parfaitement préservé, est vraiment impressionnant. Des panneaux sur place expliquent la vie quotidienne des ouvriers et racontent toute cette activité industrielle autrefois florissante.

🍴 *La Corne d'Artus :* à **Beaubery** (71220). À 13,5 km à l'ouest de Charolles par la N 79. Une curiosité locale... Des deux « cornes d'Artus », il n'en subsiste qu'une. Il s'agit en réalité des vestiges d'un château fort, détruit au XVIe s. Les murs en moellons de granit, de forme étrange, voire surnaturelle, furent ainsi surnommés par les habitants des environs.

🍴🍴 *Les écuries du château de Chaumont :* 71220 **Saint-Bonnet-de-Joux.** À 14 km à l'est de Charolles par la D 17 et la D 983. ☎ 03-85-24-26-30. Juil-août, tlj sf lun 10h, 11h, 14h, 15h, 16h et 17h et pdt les Journées du patrimoine. (Ouv pour les groupes de mi-avr à fin sept sur rdv.) Ces somptueuses écuries figurent parmi les plus grandes écuries privées de France et sont un pur chef-d'œuvre de l'architecture équestre du XVIIe s. Dans le parc, accessible aux visiteurs, belle vue sur les monts du Charolais et les contreforts de l'Auvergne. Le château, reconstruit au XIXe s dans un style néogothique, ne se visite pas.

🍴 *La butte de Suin :* à 17,5 km à l'ouest de Charolles (et 10 km de Beaubery) par la N 79 et la D 79. À 607 m, Suin est l'un des points culminants des monts du Charolais, au niveau de la ligne de partage des eaux. Haute de 4 m et pesant près

LA SAÔNE-ET-LOIRE

de 3 t, on ne saurait rater la kitschissime statue de la Vierge (réplique de celle de Fourvière à Lyon). Elle domine la butte depuis 1885. L'un des plus beaux panoramas de la Bourgogne du Sud.

LA CLAYETTE (71800) 1 900 hab. *Carte Saône-et-Loire, B4*

Le cœur battant du Charolais ! Chef-lieu de canton et dynamique petit centre-ville au cœur d'une région verte et vallonnée. C'est ici qu'est né Potain, le fondateur d'une des premières fabriques de grues au monde. La Clayette est implantée en amphithéâtre, le long de son étang, avec, à l'extrémité, le château médiéval qui se mire dans les eaux de ses douves. Longue tradition d'élevage de chevaux de race, puisque le fameux cheval blanc sur lequel Henri IV gagna la bataille d'Ivry, en 1590, fut acheté ici. À propos, avant la Révolution, la ville s'appelait *La Claite* et, preuve de l'indéfectible attachement des Brionnais aux traditions, on continue à dire par ici « La Claite »...

Adresses utiles

Office de tourisme : au pied du château. ☎ 03-85-28-16-35. ● pays-clayettois.fr ● *Juil-août, tlj sf dim mat 9h30-12h30, 14h-18h30 (17h30 dim) ; mai-juin et sept, tlj sf dim et j. fériés 9h-12h, 14h-17h15 ; le reste de* l'année, lun-sam 9h-12h, 14h-16h30. Boutique.
Centre du Goût : près de l'office de tourisme. Fin juin-fin sept slt. Expo et vente de produits du terroir et artisanaux.

Où camper ? Où manger ?

Camping Les Bruyères : 9, rue de Gibles. ☎ 03-85-28-09-15. ● contact@ campingbruyeres.com ● *campin gbruyeres.com* ● *Avr-nov. Compter env 15-20 € pour 2 en tente. 90 empl. Gîtes toilés, sans sanitaires, et chalets jusqu'à 6 pers.* En bord de lac. Bon confort et bien ombragé. Soirées animées en haute saison. Piscine.

Restaurant Lesclette : rue Marano-Equo. ☎ 03-85-28-28-60. *Tlj sf dim soir-lun. Formules déj en sem 11,50-16,50 € ; puis* 24-40 €. À 700 m du centre, dominant le lac et le château, un resto comme un perchoir dans un champ en pente, avec terrasse où l'on se régale avec du très bon charolais. Une adresse où l'on risque rarement de se retrouver seul. Menu brionnais savoureux, et plats à choisir dans le menu découverte qui décident du prix final. Au fait, on ne va pas « chez Lesclette », c'est juste l'ancien nom de La Clayette !

Où dormir ? Où manger dans les environs ?

Quelques très belles adresses de chambres d'hôtes dans la région de La Clayette. Pour la même qualité, les prix des chambres sont presque 2 fois plus chers dans la région du vignoble (Mâconnais, Côte chalonnaise...). Le Charolais, c'est l'Eldorado en France !

De prix moyens à chic

Chambres d'hôtes Château de Grandvaux : 1, rue de la Tour, 71800 **Varennes-sous-Dun.** ☎ 03-85-28-17-95. ● p.malherbe@wanadoo.

fr ● chateau-de-grandvaux.com ●
Double 65 €. Table d'hôtes sur résa
22 €. 🛜 Incroyable rapport qualité-prix
pour ce petit château du XVᵉ s restauré
avec goût par Pascale et Olivier Mal-
herbe. Grandes chambres de style et
de caractère (avec tout le confort). Cuisine familiale mijotée avec les produits
du jardin.

🏠 *La Ferme des Bassets :* Les Bassets, 71800 *Vareilles.* ☎ 03-85-26-
87-14. 🖥 06-79-34-76-07. ● laferme
desbassets.fr ● Cabane dans les
arbres 95 € (2-3 pers), 2 cabanes
140 € (4-5 pers). Nuit en tipi ou cabane
de trappeur 70 €. Cabanes dans les
arbres, tipi et cabane de trappeur pour
vous changer du quotidien. Dans la
cabane des deux frênes, dormez la
tête dans les airs en passant une nuit
dans les arbres ou venez faire des
rêves éveillés dans le tipi et la cabane
de trappeur. Autour, pour les enfants, il
y a les animaux de la ferme, et l'accueil
est tip-top.

🏠 🍴 *Les Cachettes du Dahut :* chez
Françoise Alloin, à Foumoux, 71800
Vauban. ☎ 03-85-25-89-80. ● lesca
chettesdudahut@gmail.com ● lesca
chettesdudahut.fr ● ♿ À env 8 km au
sud-ouest de La Clayette. Tipis à partir de 65 € pour 2 ; cabanes à partir de
80 € ; table d'hôtes 22 €. La chasse au
dahu, un incontournable de tout séjour
dans la campagne bourguignonne.
Pour rester dans l'insolite, et entretenir
le mystère pour petits et grands, *Les
Cachettes du Dahut* vous proposent
des nuitées insolites au cœur du
bocage brionnais. Cabane de trappeur
et 2 tipis. Pour amateurs de dépaysement, de calme et de séjour idyllique en
accord avec la nature. Piscine, aire de
jeux, sauna.

🏠 *Chambres d'hôtes chez Alain et
Michèle Desmurs :* La Saigne, 71800
Varennes-sous-Dun. ☎ 03-85-28-
12-79. 🖥 06-84-67-14-81. ● michele-
alain.desmurs@orange.fr ● michele.
desmurs.pagesperso-orange.fr ●

À env 4 km à l'est de La Clayette, par
la D 987. Double 64 €. Réduc de 15 %
à partir de 3 nuits consécutives, sur
présentation de ce guide. Accueil jovial
de Michèle et Alain, agriculteurs et
éleveurs de bœufs charolais dans leur
belle ferme à flanc de coteau, en pleine
campagne. Elle abrite 4 chambres, une
en bas et 3 à l'étage. Sanitaires privés
et salle commune avec coin cuisine.
Possibilité d'acheter sur place ou par
correspondance de la viande charolaise « naturelle » produite dans leur
exploitation.

🏠 🍴 *Chambres d'hôtes et ferme-
auberge des Collines :* 71800
Amanzé. ☎ 03-85-70-66-34. ● phi
lippe.paperin@wanadoo.fr ● fermeau
bergedescollines.com ● À env 8 km
au nord-ouest de La Clayette par la
D 985 ; au niveau de Saint-Germain-
en-Brionnais, prendre la direction
d'Amanzé. Résa obligatoire. Double
65 €. Menu 25 €. En pleine campagne,
dans les dépendances de l'ancien château, brûlé à la Révolution, une ferme-
auberge aussi charmante que réputée,
tenue par un couple sympathique
d'éleveurs de charolaises. Un corps de
ferme abrite 4 chambres claires, agréables et calmes, avec vue sur l'église du
village, le jardin et les prairies. Viande
charolaise AOC exquise, servie à la
table d'hôte. Accueil extraordinaire.

🏠 🍴 *Chambres d'hôtes La Ferme
de Lavaux :* chez Paul et Paulette Gelin,
71800 *Châtenay.* ☎ 03-85-28-08-48.
● ferme-auberge-lavaux@hotmail.fr ●
chambreshotes-fermelavaux.com ●
À 8 km à l'est de La Clayette. Mai-
Toussaint. Doubles 62-67 €. 🛜 Grande
ferme de caractère, typiquement brionnaise, où ont été aménagées de belles
chambres confortables donnant sur une
galerie en bois (certaines familiales), et
une autre dans le pigeonnier. 30 ans
déjà de bons et loyaux services. Jeux
pour les enfants, parc de biches, chevaux comtois... et un four à pain auprès
duquel prendre l'apéro.

LA SAÔNE-ET-LOIRE

Achats

🎁 🍴 🧍 *Le magasin de cho-
colats Bernard Dufoux :* 32, rue
Centrale. ☎ 03-85-28-08-10.

● chocolatsdufoux.com ● Mar-sam
9h-19h, dim 9h-13h (en déc et pdt
la sem de Pâques ouv le dim tte

la journée). Si l'atelier de Bernard Dufoux, sacré Meilleur chocolatier de France, a déménagé à Charolles, la boutique, elle, est toujours ouverte à La Clayette. Un repère pour les gourmands.

À voir

✦ Le château médiéval : à voir de loin, car il ne se visite pas. Mais on peut en admirer le site pittoresque et l'architecture séduisante. C'est surtout lui qui donne du caractère à la ville. Il a conservé de l'époque médiévale les grandes ailes des communs, protégées par des échauguettes, la porte fortifiée et une imposante tour circulaire. Quant au corps de logis édifié au XVIIIᵉ s par l'aïeul des propriétaires actuels, il hérita au siècle suivant d'une façade néo-gothique, néo-Renaissance. Le parc accueille des concours hippiques fin août.

Fête et manifestations

– *Fête du Muguet :* 1ᵉʳ *mai, dans le parc du château de La Clayette.*
– *Festival des mômes en Charolais-Brionnais :* pdt l'été. ☎ 03-85-84-53-03. Animations et spectacles gratuits pour enfants sur plusieurs sites.
– *Rendez-vous hippiques :* à l'hippodrome de Montgelly, fin juil et 15 août. *Concours hippique dans le parc du château de La Clayette fin août.*

DANS LES ENVIRONS DE LA CLAYETTE

✦ Le village de Bois-Sainte-Marie (71800) **:** à 7 km au nord-est de La Clayette. Dès le XIIᵉ s, la châtellenie royale du Bois-Sainte-Marie se pare d'un mur d'enceinte, encore en partie visible. Son parcellaire médiéval et ses maisons du XVIᵉ s en font un site remarquable, autour de son élégante église romane. Imposant chevet aux absides ornées de colonnes avec chapiteaux historiés. Au tympan de la porte latérale, la Fuite en Égypte. À l'intérieur, haute voûte en berceau. Belle luminosité, pourtant apportée par les seules petites ouvertures fortement abrasées. L'une des originalités, c'est le déambulatoire, unique en son genre en Brionnais et de remarquables chapiteaux sculptés d'une grande force expressive.

✦✦ Le château de Drée : 71800 Curbigny. ☎ 03-85-26-84-80. ● chateau-de-dree.com ● À 2,5 km au nord de La Clayette par la D 193. Juin-août, tlj 10h-17h30 ; hors saison, tlj sf mar 14h-17h ; parc ouv jusqu'à 18h (19h en été). Fermé nov-mars. Visite guidée obligatoire des intérieurs du château : 12,50 € ; réduc. Sinon, visite libre des jardins seuls : 6,50 € ; réduc ; gratuit moins de 7 ans.
Superbe château du plus pur style Louis XIII, de plan rectangulaire, construit à partir de 1620 par un certain Charles de Blanchefort de Créquy, maréchal de France sous Louis XIII. Il connut des heures sombres au lendemain de la Seconde Guerre mondiale, quand son mobilier fut vendu aux enchères, puis racheté en 1995 par Ghislain Prouvost, descendant des grandes familles du textile du Nord. Le propriétaire actuel n'a pas ménagé sa fortune ni sa peine. De passages rapides dans les salles des ventes en voyages éclair autour du monde, il a déniché des pièces de mobilier du XVIIIᵉ s, rares et sublimes, afin de redonner vie à cette demeure princière du Siècle des lumières.
On visite les salons et pièces d'apparat, rénovés avec goût et intelligence, témoignant à nouveau, et brillamment, de la vie des nobles du Brionnais d'autrefois. Parquets en étoile dans les chambres et boiseries très ouvragées dans les salons (en particulier le grand salon d'époque Louis XV). Mais Drée,

c'est aussi, et heureusement, la découverte de lieux plus fonctionnels, témoins muets d'une époque disparue. Cuisine d'antan en l'état, à ne pas manquer. Visite également d'un beau colombier, de la salle des bains, de la prison, de l'écurie et d'une glacière.

À l'extérieur, superbe jardin à la française dans un parc de 10 ha, avec des parterres de buis et de rosiers géométriques.

🏠 👫 **Le musée des Vieux Métiers :** 71800 **Châtenay.** ☎ 03-85-28-10-81.
♿ À 7 km à l'ouest de La Clayette. Juil-août, dim et j. fériés 15h-18h ou sur rdv. Entrée : 2,50 €. Venez revivre la vie d'autrefois dans ces campagnes qu'on aurait tort d'imaginer sans vie. Deux animations à ne pas manquer : la fête du Pain et de la Confiture le dernier dimanche d'août et la fête de la Pomme le 2e dimanche d'octobre.

🏠 **Saint-Germain-en-Brionnais et son église :** à 9 km au nord de La Clayette par la D 985. Le Village est dénommé « Petite Irlande », un surnom qu'il doit aux vertes prairies délimitées en petites parcelles par des murets de pierres sèches. Une curiosité à ne pas manquer dans l'église romane : un débeurdinoire qui, selon la tradition locale, soulage toutes les formes de bêtises !

🏠 **La montagne de Dun :** culminant à 708 m d'altitude, elle offre un beau point de vue sur le cours de la Loire, les monts du Charolais, du Forez et du Morvan. Les monts du Charolais forment la ligne de partage des eaux ; ainsi, celles du pays clayettois se jettent dans la Loire puis dans l'océan, alors que celles de Matour se déversent dans la mer Méditerranée. Une puissante forteresse occupait le sommet du site au Xe s, dont seule l'église romane subsiste. Ce lieu, chargé d'histoire, est empreint de légendes mystérieuses et de sources sacrées.

LA SAÔNE-ET-LOIRE

CHAUFFAILLES (71170) 4 230 hab. *Carte Saône-et-Loire, B4*

À la frontière du Brionnais et du Beaujolais, à 13 km au sud de La Clayette sur la route de Lyon, ce fut longtemps la petite capitale régionale du tissage du chanvre, puis de la soie. Au début du XXe s, plusieurs milliers de soyeux travaillaient dans le coin à domicile. Aujourd'hui, Chauffailles est une bourgade commerçante active, avec quelques petites industries.

Adresse et info utiles

🛈 **Office de tourisme :** 1, rue Gambetta. ☎ 03-85-26-07-06. ● tourismechauffailles.fr ● Juil-août, tlj sf dim ap-m 9h-12h30, 14h-18h (10h-12h30 dim) ; le reste de l'année, lun-sam 9h-12h, 14h-17h.
– **Marché :** ven mat.

Où camper ? Où manger ?

⛺ **Camping municipal Les Feuilles :** 18, rue du Châtillon. ☎ 03-85-26-48-12. ● infos@campinglesfeuilles.fr ● campinglesfeuilles.fr ● ♿ À 500 m de la D 985. De mi-avr à sept. Forfaits tente env 13-17 €. 70 empl. Minichalets 4-6 pers 154-500 €/sem. 📶 Cadre verdoyant. Rivière à 50 m, étang à 100 m. Piscine municipale gratuite à 100 m. Pain livré tous les matins en juillet-août.

I●I *Le Fournil des Antiquaires :* *route de Charlieu.* ☎ 03-85-84-64-41. ♿ *Tlj. Menus env 14-28 €.* Grosse pizzeria-grill-boulangerie que les jeunes du coin adorent investir le week-end (en semaine, c'est plus calme). Faut dire que l'accueil est tonique, la nourriture copieuse et à prix fort modérés. Excellentes pizzas au feu de bois, grosses salades, bonne entrecôte, onglet à l'échalote, etc. 2 terrasses au choix, aux beaux jours !

À voir

🕯 *Le musée du Tissage :* *46 bis, rue du 8-Mai-1945 (route de Mussy).* ☎ 09-77-75-80-35. ● *museedetissage.fr.gd* ● ♿ *Juil-août, tlj 14h30-18h ; avr-juin et sept, slt mer et w-e 14h30-18h. Fermé oct-mars. Entrée : env 4 € ; réduc.* Intéressante visite commentée et animée de l'industrie du chanvre et de la soie. Bien sûr, présentation de l'élevage du ver à soie jusqu'à sa mise en « flottes ». Exposition des vieilles machines à pédale pour le dévidage jusqu'aux machines modernes, démonstrations à l'aide d'antiques métiers à bras qui fonctionnent toujours.

DANS LES ENVIRONS DE CHAUFFAILLES

🕯🕯 *Le viaduc de Mussy-sous-Dun :* *à 4,5 km au nord de Chauffailles par la D 316.* Absolument splendide ! On manque vite de superlatif quand on découvre, au hasard d'un virage, cet impressionnent viaduc ferroviaire, édifié en pierre entre mars 1892 et août 1895 (par l'entreprise Veysseyre frères, sur les plans de Morris et Pouthier). Il mesure 561 m de long et 60 m de haut et se compose de 18 arches en plein cintre. Il est l'un des 21 ouvrages d'art (dont 10 viaducs) que comptait cette ligne de chemin de fer mise en service entre 1895 et 1900. Il relie la colline du Ragin (côté Chauffailles) au village de Mussy et enjambe cette vallée avec autant de grâce que d'élégance. La route permet surtout de passer dessus, dessous, dessus, dessous et de s'émerveiller à chaque nouveau point de vue.

SAINT-CHRISTOPHE-EN-BRIONNAIS

(71800)   520 hab.   *Carte Saône-et-Loire, B4*

Situé sur la D 989, entre La Clayette et Semur. Le village abrite chaque mercredi l'un des plus importants marchés de bestiaux de France, le premier, dit-on ici avec fierté, pour la qualité de viande de boucherie. On pense qu'un marché existait déjà au Xᵉ s, mais on sait avec certitude que c'est en 1488, sous Charles VIII, que la toute première foire fut organisée. Quelques chiffres : on peut attacher jusqu'à 3 000 bêtes, 70 000 sont expédiées par an en France et dans les pays de l'Union européenne, 50 quais d'embarquement, etc.

Adresse utile

🛈 *Antenne touristique :* *77, grande allée de Tenay, en face du foirail.* ☎ 03-85-25-98-05 ou 82-16 (mairie). ● *brionnais-tourisme.fr* ● *En* saison, mar 9h-18h, mer 9h-18h, jeu et ven 14h30-16h30, sam 9h-16h30 ; hors saison, mar, mer et sam mat. Le mercredi, visite guidée du marché aux bestiaux par des bénévoles passionnés et passionnants *(tte l'année 8h30-16h, 2 €)* et possibilité de dégustation de viande charolaise dans un espace pédagogique animé par des professionnels *(mai-oct 9h30-13h ; entrée : 2 €).*

Où manger ?

I●I *Le Mur d'Argent :* pl. Belle-Air-les-Foires. ☎ 03-85-25-81-31. *Le mer, assiette à 15,50 € et menu à 16,50 €, les autres j. compter env 20 €.* Le cœur vibrant, le cœur gourmand du marché et le mercredi c'est l'endroit où tout le monde se retrouve autour d'une belle pièce de viande, cela va sans dire ! Éleveurs, emboucheurs, maquignons, touristes, curieux, sont tous attablés dans un joyeux brouhaha. Si le buffet d'entrées et de desserts (proposé à volonté) est assez ordinaire, la viande est vraiment excellente et généreusement servie. Le reste de la semaine, le resto est ouvert en décousu mais franchement, le cœur n'y est plus.

À voir. À faire

✗✗✗ *Le marché aux bestiaux :* mer. Marché au cadran pour le bétail d'élevage le mercredi toute la journée (début des transactions à 7h et 12h45), et marché traditionnel de gré à gré pour les animaux de boucherie à 12h et 12h30. Les marchés se terminent quand il n'y a plus de bêtes à vendre, ce qui est variable d'un mercredi à l'autre. Embarquement immédiat à bord de gros camions. 80 % de la viande produite en Charolais est ensuite exportée. Noter que les bêtes partent vivantes. Plongez-vous dans l'ambiance du marché en mangeant le « bouilli » (pot-au-feu), la tête de veau ou l'entrecôte, en compagnie des maquignons et des éleveurs. Atmosphère assez unique, que vous n'aurez guère l'occasion de retrouver ailleurs en France. Les autres jours, bien sûr, Saint-Christophe reprend aspect et rythme de village paisible.

✗✗✗ 👫 *Le musée-école :* à la sortie du village (direction Charolles). ☎ 03-85-25-90-29. ● cep.charolais-brionnais.net ● Lun-ven 9h-18h ; sur résa pour les groupes. GRATUIT (sf pour les groupes). Si vous êtes nostalgique de la plume sergent-major et de l'odeur de l'encre violette du temps passé, ne manquez pas la visite de cette ancienne salle de classe (1896) ! Également une expo, « Les chemins du roman en Bourgogne du Sud », pour découvrir les richesses de l'art roman dans la région.

✗✗ *Le château de Chaumont :* Chaumont, 71800 Oyé. ☎ 03-85-25-80-76. À env 5,5 km au nord par la D 20, fléché depuis le village. Ouv de mi-juil à fin août, tlj sf mar 15h-19h. Et sinon, en juin pour les Rendez-vous aux jardins et en sept pour les Journées du patrimoine. Entrée : 6 € ; réduc. Superbe château du XVIIIe s, construit sur des bases du XVIe s et remanié jusqu'au XXe par les propriétaires successifs. La visite permet de se promener dans les beaux jardins à la française et le parc de 4 ha, créé au XVIIIe s, fermé par une charmille couverte, longue de 350 mètres. On accède également à la chapelle et à la grande salle, remarquable pour son étonnant décor peint sur la vie de Saint-Louis, exécuté par Léon Raffin en 1956-1957.

Manifestations

– *Fête du Pot-au-feu :* 2e dim d'août. Grosse et mémorable soirée pot-au-feu sur le champ de foire. Brocante, expo artistique, animation de rue, arrivée de la Route du bœuf...

– *Salon du bœuf :* 1er sam de sept.

– *Randonnée pédestre annuelle :* 3e dim d'oct.

IGUERANDE (71340) 1 026 hab. *Carte Saône-et-Loire, B4*

À la limite de la Saône-et-Loire et du département de la Loire (D 982, sur la route de Roanne), Iguerande se situe sur l'ancienne frontière entre les tribus gauloises des Éduens et des Arvernes. Ce gros village bénéficie d'une belle vue sur la vallée de la Loire. Aire de production (à Mailly) d'un petit vin de pays.

Où dormir ? Où manger ?

Prix moyens

🏠 |●| *Chambres d'hôtes Le Champ de l'Être* : *chez Denise et Maurice Martin, Outre-Loire, Les Montées.* 📱 *06-32-08-64-53.* ● *mart1dmonty@gmail. com* ● *chambresdhotes-naturopathie. fr* ● *Suivre le fléchage. Double 77 €. Table d'hôtes le soir, sur résa, 33 €, boisson incluse.* 📶 *Réduc de 10 % sur le prix de la chambre à partir de 3 nuits, sur présentation de ce guide.* Ancienne ferme rénovée avec des chambres impeccables donnant sur la campagne verte et vallonnée. Denise adore faire des confitures, du miel aussi... Gâteau différent chaque jour. Le soir, repas composé avec des produits fermiers, évidemment. Espace bien-être (spa, sauna) sur résa. Accueil chaleureux et familial, qui donne envie de revenir !

De chic à plus chic

🏠 *La Colline du Colombier* : 📱 *06-03-58-30-45.* ● *la-colline-du-colombier@ troisgros.com* ● *troisgros.com* ● *À la sortie d'Iguerande, suivre les panneaux à partir du feu. Ouv tlj mars-fin nov. Gîtes 660 € pour 2 nuits (min), petit déj compris ; cadoles 560 € pour 2 nuits là aussi, forfait 400 € pour 2, repas* compris les lun, jeu et dim soir. Ceux qui voudront prolonger l'expérience d'un repas à la ferme du Colombier (annexe champêtre de Troisgros ; voir ci-dessous) seront vraiment comblés. 3 cabanes en pierre sèche, construites sur pilotis, ont été conçues pour accueillir un couple, tel un nichoir permettant d'être en immersion et en osmose avec la nature. Confort ultime et design sublime ! Plus conventionnels, mais tout aussi magnifiques, 2 gîtes pour 4 à 6 personnes.

|●| *La Colline du Colombier* : *Colombier.* 📞 *03-85-84-07-24.* ● *la-colline-du-colombier@troisgros.com* ● ♿ *Avr-fin nov : tlj sf mer (plus mar hors saison). Menus 45-75 €, carte env 60 €.* 📶 Une étonnante maison d'architecte et de restaurateur tout à la fois, ouverte par Michel et Marie-Pierre Troisgros. Un menu simple et alléchant, comme ce délicieux rumsteck de race charolaise ou ces somptueuses cuisses de grenouilles, LA spécialité maison. Les recettes oscillent entre cuisine paysanne et cuisine bourgeoise. Ce qu'on paie, ici, ce sont les beaux produits, la qualité, le cadre... et un savoir-faire certain. Un lieu enchanteur, bercé par le chant des oiseaux et des grenouilles !

Où acheter de bons produits dans le coin ?

⊛ *Huilerie artisanale Leblanc* : *dans la Grande-Rue, à Iguerande.* 📞 *03-85-84-07-83.* ● *j.leblanc@huile-leblanc.com* ● *Tlj sf dim 9h-12h, 14h-19h.* Spécialités d'huiles de noisette, noix, pistache, pignons de pins, pépins de raisins, etc. Des produits de grande qualité dont la réputation dépasse de loin les frontières régionales. Vente au détail, assurée avec une incroyable gentillesse, dans une boutique restée hors du temps, hors des modes. C'est en 1878 que Jean-Marie Leblanc créa cette huilerie, qui continue de fonctionner comme autrefois !

⊛ *Vins des Fossiles :* hameau Les Chavannes, 71340 **Mailly.** ☎ 03-85-84-01-23. Tlj sf dim, juil-août, 15h-20h ; sinon, sam 14h-19h et sur rdv. Un viticulteur qui possède un enthousiasme réjouissant et qui produit un bon petit vin bio de pays : le vin des Fossiles.

À voir

🏃🏃 *L'église Saint-Marcel :* du plus pur roman du XIe s et ayant échappé aux influences clunisiennes. Massive, voire pataude, avec un clocher court sur pattes. À l'étage, baies ornées de fines colonnettes. À l'intérieur, nef obscure. Intéressants chapiteaux, dont plusieurs représentations de têtes de veau (on se demande bien pourquoi). Noter celui qui, curieusement, a la tête à l'envers.

🏃 *Le musée « Reflet... brionnais » :* pl. de l'Église. ☎ 03-85-84-15-69. De mi-avr à fin oct, tlj sf lun-mar 14h30-18h. Entrée : 4 € ; réduc. Présentation des richesses et du patrimoine de la région sous toutes ses formes : la vigne, l'élevage, la pêche en Loire, les cultures, les traditions, etc., dans une visite commentée retraçant la vie quotidienne de 1860 à 1950.

LA SAÔNE-ET-LOIRE

SEMUR-EN-BRIONNAIS

(71110)   634 hab.   *Carte Saône-et-Loire, B4*

Accroché à son promontoire, Semur fut longtemps la capitale du Brionnais avant d'être classé l'un des « Plus beaux villages de France », non sans raison ! La famille de Semur fut l'une des plus importantes de Bourgogne. Son représentant le plus illustre restant saint Hugues, abbé de Cluny. Le village, qui fut fortifié, offre son meilleur profil côté sud, depuis la D 8. Délice de s'y promener, dans l'après-midi déclinant, pour admirer l'église, le château et les nobles demeures qui l'environnent, lorsque le calcaire blond prend des tons dorés, voire d'incendie...

Adresse utile

🚹 *Point information :* dans le château. ☎ 03-85-25-13-57. ● semur-en-brionnais-vp.fr ● Mêmes horaires que le château. Jeu de piste, jeux médiévaux... ainsi que des visites guidées du château ou de la vieille ville pour les groupes. Boutique.

Où manger ?

🍽 *L'Entrecôte Brionnaise :* rue Bouthier-de-Rochefort (celle qui passe devant le château Saint-Hugues). ☎ 03-85-25-10-21. ● mlecomte52@orange.fr ● Tlj, sur résa le soir. Menus 12 € (déj en sem)-32 €. Apéritif maison offert sur présentation de ce guide. Belle façade ancienne patinée par le temps. On entre par le bar, et on passe à l'arrière, dans une salle claire et calme, avec une jolie vue sur le jardin. Escargots, grenouilles et entrecôtes du Charolais... Il y a du choix à la carte.

À voir

🏃🏃 Le château Saint-Hugues : *de début mars à mi-nov, lun-sam 10h-12h, 14h-17h (voire 18h ou 19h selon saison) ; dim et j. fériés l'ap-m slt. Entrée : 4 € ; gratuit moins de 10 ans.*

De la forteresse initiale subsistent le donjon et une partie de sa muraille et les deux tours rondes de défense. C'est le plus ancien donjon roman de Bourgogne, datant du Xe s, de 22 m de haut. Imposante cheminée, située au 2e étage et qui chauffait toute la partie noble. C'est ici que naquit saint Hugues, grand abbé de Cluny, en 1024. Chose curieuse : deux belles fenêtres à meneaux du XIVe s, comme suspendues en l'air et qui possèdent toujours leurs bancs en pierre. Les deux tours rondes se visitent. Dans l'une, l'oubliette et une ancienne salle de défense, devenue cachot au XVIIIe s, conservent des dessins de prisonniers sur les murs. Dans l'autre, jeu gravé par les soldats de guet. Dans l'ancienne salle de garde, l'art militaire du XIe s est présenté par des maquettes en bois.

Au-devant des tours, bâtiment édifié au XVIIIe s pour abriter des prisons. Au 1er étage, dans la chapelle des prisonniers, quelques vestiges, poteries, etc. Intéressants documents, manuscrits, décrets sur la Révolution, ainsi que des affiches sur cette période. Le rez-de-chaussée de la maison du geôlier est consacré à saint Hugues, avec ses reliques conservées dans un coffret.

🏃🏃 La collégiale romane Saint-Hilaire : ce fut l'une des dernières églises romanes de type clunisien (dit roman tardif). On la découvre (comme c'est souvent le cas en Bourgogne) par le chevet, modèle d'harmonie architecturale avec son abside flanquée de deux absidioles, le pignon triangulaire au-dessus percé d'un oculus, les transepts, le clocher octogonal bien en proportion avec l'ensemble. Ce dernier présente un dernier étage très travaillé. Au grand portail de la façade ouest, voussures très ornementées. Tympan exceptionnel avec le Christ en majesté. À l'intérieur, on éprouve à nouveau ce sentiment d'élévation très clunisien. Gros piliers cruciformes avec colonnes et pilastres, premier niveau de grandes arcades brisées. Au fond, superbe tribune en encorbellement, identique à celle de Cluny III.

🏃 Belles demeures tout autour. D'abord, la *maison Beurrier*, puis la *maison du Chapitre*. Dans la salle capitulaire, au 2e étage, décor XVIIe s avec solives et cheminée peintes. Audiovisuel, expo photo. Sur la place, *hôtel de ville* du XVIIIe s, ancien auditoire de justice. Au-dessus de la porte, fronton sculpté des insignes de la justice : l'épée et la balance (ancien bureau des huissiers). À côté, le *grenier à sel* du XVIIe s avec peintures allégoriques au plafond. Plus loin, la *maison des Clercs,* avec sa tour ronde.

MARCIGNY   (71110)   1 910 hab.   *Carte Saône-et-Loire, A4*

À 26 km au sud de Digoin, sur la route de Roanne. Malgré la guerre de Cent ans et les guerres de Religion, Marcigny a conservé quelques vieilles demeures et, surtout, la splendide tour du Moulin. Une impression curieuse fait que le voyageur voit la ville beaucoup plus grande qu'elle ne l'est en réalité. C'est le charme étrange de Marcigny, que le progrès n'a pas défiguré et qui a su rester à taille humaine avec ses maisons et ses commerces de détail.

Adresse et info utiles

🏢 *Office de tourisme Marcigny-Semur :* pl. des Halles. ☎ 03-85-25-39-06. ● *brionnais-tourisme.fr* ● *Tte l'année lun-sam 9h-12h, 14h-17h (18h30 juil-août) ; plus dim et j. fériés 10h30-12h30 juil-août.* Très bien aménagé, dans un ancien salon de coiffure des années 1900.
– *Marché :* lun mat. Existe depuis 1266. Petit marché fermier, et vrai beau marché dans tout le centre ancien.

Où dormir ? Où manger ?

🏠 *Chambres d'hôtes La Musardière :* 50, rue de la Tour. 📱 06-08-26-92-14. ● *pierreaxel.ricol@wanadoo.fr* ● *lamusardiere.net* ● *Doubles 60-75 €.* 📶 *Réduc de 10 % sur présentation de ce guide.* Grande maison bourgeoise de 1870, entourée d'un beau jardin avec piscine. Les propriétaires sont un couple d'artistes très accueillants et attentionnés. On dort dans des chambres de caractère, décorées avec beaucoup de goût et de personnalité. Il y a aussi un gîte, et une grande chambre dans un pavillon du jardin (« Ma Chaumière »). Le plus insolite, ce sont les 2 roulottes en bois, confortables et bien aménagées (douche, w-c, et même la clim !). Les enfants adorent.

🍽 *Béatrice Héritier :* 29, pl. du Cours. ☎ 03-85-25-23-65. ● *restaurantbeatriceheritier@gmail.com* ● *Sur la pl. principale. Fermé mar-mer. Congés : 15 j. en janv et 15 j. en fév. Menus 16-18 € le midi en sem, puis 24-39 €. Carte 35-50 €.* Très joli cadre contemporain mettant en valeur de beaux murs de pierre. Le contraste est doux, agréable... Un décor en harmonie avec cette cuisine de femme, bien campée dans la tradition, mais toute en légèreté, tout indiquée pour les végétariens. Une cuisine riche en légumes, donc, colorée, vitaminée, puisant volontiers ses inspirations aux Caraïbes et en Amérique du Sud. Le resto le plus sympa en ville ! Service discret, tout comme l'éclairage.

À voir

🎭 *Le musée de la tour du Moulin :* dans le centre. ☎ 03-85-25-37-05. ● *tour-du-moulin.fr* ● *De mi-juin à mi-sept, tlj sf mar 10h-12h, 14h-18h ; hors saison, tlj sf mar 14h-18h. Fermé nov-mars. Entrée : 4,50 € ; réduc ; gratuit moins de 12 ans.* Construite à la fin du XVe s, la tour du Moulin présente les caractéristiques de l'art militaire français : bossages (plus de 200) et canonnières à double ébrasement. Ce vestige de l'enceinte fortifiée abrite un musée de France où sont exposées des œuvres de beaux-arts, d'arts décoratifs (exceptionnelle collection de faïences) et des vestiges du prieuré des Dames de Marcigny. Ne pas manquer, au dernier étage, la remarquable charpente de 14 m de haut, à quatre enrayures illuminées.

🎭 Quelques *maisons* intéressantes : place des Halles, belles demeures à colombages. Noter, au milieu de la place, l'insolite balcon Art nouveau. À deux pas, rue du Général-Fressinet, maison de 1641, avec échauguette à encorbellement et fenêtre à meneaux. Peu avant la place, église romane au tympan usé par le temps. À 20 m, dans une impasse, trois belles maisons à pans de bois et double encorbellement.

🎭 *Le musée de la Voiture à cheval :* 56, rue de Borchamp. ☎ 03-85-25-43-10. *Ts les dim et j. fériés Pâques-Toussaint et tlj de mi-juin à mi-sept 14h-18h. Entrée : 4,50 € ; réduc.* De la calèche du dernier tsar à la berline de la comtesse de Ségur en passant par des attelages venus d'Amérique ou d'Angleterre. Présentation

LA SAÔNE-ET-LOIRE

dans une atmosphère Belle Époque de 80 pièces de collection du XIXe s, toutes des voitures hippomobiles... Reconversion réussie d'un ancien grand magasin de la ville.

Manifestations

– *Biennale d'art contemporain :* de mi-juil à mi-août, ts les 2 ans (années paires). Rens à l'office de tourisme. Visites gratuites. Art monumental, sculpture, peinture, photographie.
– *Marcynéma :* dernière sem d'oct, pdt 5 j., 10h-23h. ☎ 03-85-25-39-06. ● mar cynema.org ● Rencontres cinématographiques au cinéma *Vox*.

DANS LES ENVIRONS DE MARCIGNY

🍴 *L'église d'Anzy-le-Duc* (71110) : à 6 km au nord, sur la route de Charolles (la D 10). Une église n'exprimant qu'harmonie et équilibre. Édifiée à la fin du XIe s. Son clocher octogonal et ajouré à l'italienne est considéré comme le plus beau de la région. Portail remarquable aussi. Au linteau, les apôtres, et au tympan, l'ascension du Christ (ou son retour à la fin des temps, allez savoir !). L'architecture intérieure aurait inspiré Vézelay. S'attarder sur les chapiteaux historiés : on reconnaît Daniel dans la fosse aux lions, saint Michel terrassant le dragon, un acrobate aux prises avec des monstres, etc. À côté de l'église, vestiges de l'ancien prieuré.

🍴🍴 🚶 *Le marais de Montceaux-l'Étoile* (71110) : à env 9 km de Marcigny par la D 982 ; suivre le fléchage. 🦆 Animations et visites guidées (☎ 03-85-39-76-57). ● dadte@cg71.fr ● cg71.fr ● Formidable guide d'interprétation, à récupérer dans les offices de tourisme du secteur. Le long de la voie verte, c'est une balade particulièrement agréable. L'aménagement, ultra contemporain, ne dépare pas le site et permet de traverser les zones humides sans encombres (attention tout de même aux pontons qui glissent les jours de pluie !). Au fil du circuit, ont été aménagés des postes d'observation ornithologique.

PARAY-LE-MONIAL

(71600)   9 065 hab.   *Carte Saône-et-Loire, B3*

À l'ouest du département, entre Charolles et Digoin, cette petite ville, établie dans la plaine, au bord du canal du Centre, vit au rythme des pèlerins. En effet, sa basilique du Sacré-Cœur attire chaque année près de 400 000 visiteurs. Après Lourdes, c'est donc l'une des destinations religieuses les plus populaires. Sans compter les amateurs d'art roman, qui viendront pour l'une des plus jolies églises romanes de France. Autre particularité : Paray-le-Monial a le statut de « Cité de la mosaïque », avec en point d'orgue l'expo internationale estivale d'œuvres contemporaines.

UN PEU D'HISTOIRE

Fondation d'un monastère au Xe s, au bord de la Bourbince, qui ne tarda pas à passer sous la coupe de Cluny. Après, c'est le cortège habituel des vicissitudes de l'Histoire : rapines du comte de Chalon au XIIe s, guerre de Cent Ans, guerres de Religion où les parpaillots, en 1562, pillent le monastère, etc. La révocation de l'édit de Nantes, en 1685, provoque l'exil de tous les manufacturiers du lin gagnés à la Réforme et la ruine de la ville. À la même époque, une jeune religieuse du nom de Marguerite-Marie Alacoque, grâce à de **nombreuses apparitions** du cœur du Christ entre 1673 et 1675, va trouver, sur le long terme, une alternative économique à la ville. En 1864, sœur Marguerite-Marie est béatifiée par Rome (canonisée en 1920), et en 1873 a lieu le premier grand pèlerinage à Paray-le-Monial. S'appuyant sur cette réputation, de nombreuses communautés religieuses se sont installées dans les environs.

Adresse utile

🅸 **@ Office de tourisme :** 25, av. Jean-Paul-II. ☎ 03-85-81-10-92. ● tourisme-paraylemonial.fr ● Tte l'année, lun-sam 9h-12h, 13h30-18h ; dim et j. fériés 10h-12h30, 14h30-17h30. Propose une visite guidée de la ville tous les jours en juillet-août, à 14h30 (toute l'année pour les groupes). Sinon audioguide (payant). Location de vélos (avec ou sans assistance électrique) pour parcourir l'ancien chemin de halage le long du canal du centre ou pour emprunter un des 14 circuits de cyclotourisme. Location également de rosalies. Boutique.

Où dormir ? Où manger ?

Camping

⚕ **Camping de Mambré :** route du Gué-Léger. ☎ 03-85-88-89-20. ● camping.plm@gmail.com ● campingdemambre.com ● ♿ Par la N 79, sortie Paray-centre (axe Moulins/Mâcon) ; par la N 70 (axe Chalon-sur-Saône/Montceau-les-Mines). Début mai-fin sept. Forfaits tente 21-25 € pour 2. 161 empl. Mobile homes 240-460 €/sem (nuitée possible). Cadre de verdure agréable, à proximité d'une voie verte cyclable (location de vélos). Piscine.

De prix moyens à chic

🏠 |●| **Hostellerie des Trois Pigeons :** 2, rue Dargaud. ☎ 03-85-81-03-77. ● hotel3pigeons@wanadoo.fr ● h-3-p. com ● ♿ En plein centre. De mi-mars à mi-nov. Doubles 61-71 €, familiales. Garage payant. Menu le midi en sem 19 € côté brasserie, sinon, menus 26-58 €. 🛜 Réduc de 10 % sur le prix de la chambre sf j. fériés et juil-août, sur présentation de ce guide. Qu'on se rassure, le nom des « Trois Pigeons » fait référence à un détail visible sur la façade de la maison Jayet, la belle maison Renaissance située à deux pas. Car ici, ni pigeon, ni canard boiteux ! Au contraire, le client est accueilli et soigné, dans la grande tradition de l'hôtellerie française. Il faut dire que ce vénérable relais de poste date de 3 siècles. Les 40 chambres ont fait peau neuve et sont parfaitement équipées. Elles ont heureusement gardé un petit charme intemporel tout à fait séduisant. Au resto, une cuisine de terroir célébrant la Bourgogne et le Charolais. À signaler, un phénoménal buffet de dessert !

🏠 |●| **Hôtel de la Basilique :** 18, rue de la Visitation. ☎ 03-85-81-11-13. ● resa@hotelbasilique.com ● hotelbasilique.com ● À 100 m de la basilique et en face de la chapelle de la Visitation. Avr-oct. Doubles 55-95 €. Formules déj 16-18 € ; menus 22-42 €. 🛜 Dans la même famille depuis plus de 100 ans ! L'hôtel offre un grand choix de chambres avec vue sur la ville. Au 3e étage, côté sud, admirez l'embrasement de la basilique. Un hôtel plein de charme, mais ne soyez pas trop excentrique, c'est l'un des rendez-vous préférés des pèlerins.

🏠 |●| **Hôtel-restaurant L'Apostrophe :** 27, av. de la Gare. ☎ 03-85-25-45-07. ● restaurantlapostrophe.fr ● Resto tlj sf dim-lun. Doubles 75-85 €. Menus 27-44 €. 🛜 Hôtel imposant fort bien rénové. Derrière la façade austère, on découvre une quinzaine de chambres spacieuses et toutes identiques. Accueil chaleureux de surcroît. Seul en cuisine, le jeune chef, formé chez *Troisgros,* propose des plats qui ne cherchent pas à épater, mais qui, dans l'assiette, donnent des goûts simples et équilibrés. Catherine, son épouse, a l'œil et le sourire pour les servir sans fausse note et sans attendre ! Petits prix et grand professionnalisme.

Où dormir dans les environs ?

🏠 🍴 *Chambres d'hôtes Les Bruyères :* chez David et Marie-Paule Huyghe, 71600 *Vitry-en-Charollais.* ☎ 03-85-81-10-79. ● *fdb71600@gmail.com* ● *ferme-des-bruyeres.fr* ● À la sortie de Paray, direction Moulins, tourner à gauche (D 479) et suivre le fléchage. Double 52 €. Table d'hôtes 18 €, boisson comprise. 📶 Réduc de 10 % accordée oct-Pâques sur présentation de ce guide. David et Marie-Paule sont des agriculteurs spécialisés dans la culture bio ; ils élèvent aussi bien des volailles que des vaches charolaises. Dans une partie de la ferme mitoyenne à leur maison, ils ont aménagé 5 chambres simples mais agréables, et proposent une table d'hôtes avec tous les produits de la ferme.

À voir. À faire

➤ Au départ de l'office de tourisme, 3 circuits « Ville et jardins » à la découverte du patrimoine culturel (rouge), naturel (vert, entre parcs, squares et jardins) et spirituel (bleu) de la ville. Plan disponible pour trouver son chemin.

🎔🎔🎔 *La basilique du Sacré-Cœur :* édifiée au XIIᵉ s par Hugues de Semur, c'est le modèle le mieux conservé de l'architecture clunisienne en Bourgogne. Cette magnifique priorale intacte donne une image de la splendeur de l'abbaye de Cluny. Déjà, le même plan : deux tours surmontant le porche, transept saillant, chœur avec déambulatoire et chapelles rayonnantes. L'analogie ne s'arrête pas là : on retrouve l'élévation tripartite de la nef, grandes arcades, triforium aveugle, trois fenêtres hautes, la voûte en berceau brisé. Ce chiffre 3 (symbole de la Trinité), on le remarque partout ici : trois nefs de trois travées, trois grandes arches bien sûr, surmontées de trois fenêtres. À l'extérieur, en façade, deux tours dépareillées, dont l'une, postérieure à l'autre, plus travaillée, servit de modèle à maintes églises du Brionnais. Chevet à étagement unique. L'amoncellement des structures et des volumes en fait un chef-d'œuvre d'équilibre et d'harmonie.
À l'intérieur, intelligence de la diffusion de la lumière par une disposition particulièrement élaborée des ouvertures. Elle se distille tout doucement au fil des heures, devenant de plus en plus rayonnante, tout en respectant les zones d'ombre indispensables au recueillement. Peu de sculptures, comme pour mettre en valeur que la pureté, la simplicité de l'architecture, l'harmonie des proportions et ne pas détourner l'émotion ! Du déambulatoire, dans la lumière irisée, fascinante vision de la nef, à travers colonnes et arcades. Dans l'abside en cul-de-four, fresque du Christ en majesté du XIVᵉ s.
La basilique accueille de nombreux concerts toute l'année.

🎔 *Le cloître :* collé à la façade, il ne dépare pourtant pas trop l'ensemble. Architecture élégante du début du XVIIIᵉ s, par la grâce du cardinal de Bouillon, abbé de Cluny, qui appréciait les belles choses et aimait venir à Paray se reposer de la gestion de son abbaye.

➤ *Balade en ville :* Paray possède encore quelques intéressants témoignages du passé, comme la *maison Jayet,* superbe édifice Renaissance (1525-1528), demeure d'un riche drapier (aujourd'hui la mairie). Construite en belle pierre blonde, avec fenêtres à meneaux et frises richement ornementées. Les médaillons représentent les propriétaires de la demeure et des hauts personnages de l'Antiquité au XVIe s, signes ostentatoires, à l'époque, de la réussite sociale. À côté, une belle demeure avec fenêtres romanes et porte à accolade.

En vis-à-vis, la **tour Saint-Nicolas,** vestige de l'ancienne église paroissiale du XVIe s, fermée en 1792 et qui perdit chœur et chapelles par la suite. Elle abrite aujourd'hui des rues pavées, maisons à colombages et hôtels particuliers (XVIIe et XVIIIe s), ainsi que la **chapelle de la Visitation,** lieu de pèlerinage de la cité, et la chapelle la Colombière, classée Monuments historiques et Label XXe, et décorée de mosaïques des ateliers Mauméjean datant de 1929-1930 dans un style Art déco.

➢ **Visites nocturnes :** ts les mer à 21h, de mi-juil à mi-août. Inscriptions à l'office de tourisme.

🍴 **La Maison de la mosaïque contemporaine :** 15 bis, quai de l'Industrie. ☎ 03-85-88-83-13. • maisondelamosaique.org • Tlj 14h-17h (15h-18h en juil-août). GRATUIT. Expos temporaires. Centre d'art, d'exposition et de formation. Vidéo La Mosaïque... quelle histoire ! : outils, matériaux, techniques et divers aspects de la mosaïque contemporaine. Création d'un jardin-mosaïque.

🍴 **Le musée du Hiéron :** 13, rue de la Paix. ☎ 03-85-81-24-65. 21 mars-1er dim de janv, tlj sf lun-mar hors juil-août 10h30-12h30, 14h-18h. Entrée : 4 € ; réduc ; gratuit moins de 18 ans. Sous une étonnante charpente métallique du XIXe s de style Eiffel, le musée présente peintures, sculptures et objets d'art du VIIe s à nos jours. Collection d'art sacré en lien avec l'histoire de la ville, peintures italiennes, objets d'art, art contemporain. À voir, l'œuvre précieuse et monumentale Via Vitae de l'orfèvre-joaillier parisien Joseph Chaumet.

🍴 **Le musée d'Art et d'Industrie Paul-Charnoz :** 32, av. de la Gare. ☎ 03-85-81-40-80. • musee-carrelage-charnoz.org • ♿ Juil-août, tlj 14h30-18h ; le reste de l'année, pour les groupes slt. GRATUIT. Dans une ancienne habitation ouvrière, exposition sur le patrimoine industriel du carrelage de céramique, production traditionnelle de Paray et de la région. Voir en particulier deux œuvres de Paul Charnoz : la « fresque » de 40 m², composée de 700 carreaux et récompensée à l'Exposition universelle de 1889, et la « rosace » de 120 m², composée de 4 000 carreaux et réalisée, elle, pour l'Exposition universelle de 1900.

DANS LES ENVIRONS DE PARAY-LE-MONIAL

🍴 **L'ancienne briqueterie de Mazoncle :** Hautefond, 71600 **Mazoncle.** À 5,5 km à l'est de Paray par la N 79 (fléché sur la droite). Dans la seconde moitié du XIXe s, on produisait sur le site de Mazoncle des tuiles, des briques et des drains. Cette activité dura jusqu'à la fin de la Première Guerre mondiale. Restaurés en 1995, les bâtiments ont encore fière allure avec, au cœur du hameau et grands ouverts, un atelier de façonnage avec ses moules, ses presses, un immense séchoir à l'impressionnante charpente et un four à double foyer. Superbe et plutôt insolite.

🍴 **Le moulin de Vaux :** 71600 **Nochize.** ☎ 03-85-88-31-51. • lemoulindevaux. com • À 11 km au sud-est. Tte l'année, tlj. Un centre de tourisme équestre agréé par la Fédération française d'équitation et gîte d'étape labellisé « Gîte de France », sur les bords de l'Arconce, où vous trouverez un « Café de pays » pour un casse-croûte à la bonne franquette, des randonnées et des promenades à cheval parce que c'est la base de l'activité, mais aussi un gîte pour vivre au rythme des chevaux. Il y en a pour tous les prix, tous les goûts, il suffit de téléphoner.

ENTRE LOIRE ET CANAL DU CENTRE

DIGOIN   (71160)   8 400 hab.   *Carte Saône-et-Loire, A3*

Digoin, c'est une ville « d'eaux », au confluent des rivières Arroux, Bourbince, Vouzance et Arconce, sans compter le canal de Roanne à Digoin et le canal du Centre qui va nous servir de fil rouge (ou plutôt vert) tout au long de ce chapitre, le canal latéral à la Loire et... la Loire elle-même. Avec 100 km de berges, cette petite ville convient particulièrement aux flâneurs, pêcheurs et navigateurs fluviaux qui sont accueillis pour une escale au port de plaisance. On peut ainsi en repartir sur les petites routes avoisinantes, à bicyclette, le long du canal sur une voie verte aménagée, idéalement située sur le tracé du Tour de Bourgogne à vélo.

Adresse utile

🅸 *Office de tourisme de Digoin Val de Loire :* 7, rue Nationale. ☎ 03-85-53-00-81. ● ot-digoin@legrandcharolais.fr ● ccval.fr ● Juil-août, tlj sf dim ap-m 9h-12h30, 14h-19h ; sept-juin, lun-ven et sam mat 9h30-12h, 14h-17h (ap-m slt nov-mars).

Où dormir ? Où manger à Digoin et dans les environs ?

Camping

🏕 *Camping La Chevrette :* 41, rue de la Chevrette. ☎ 03-85-53-11-49. ● info@lachevrette.com ● lachevrette. com ● ♿ Accès par la N 79, sorties nos 23 et 24. Avr-sept. Forfaits tente env 11-25 €. 100 empl. Chalets, tentes aménagées, mobile homes 30-80 €/ nuit. Loc de VTT et de canoës-kayaks. Apéritif maison offert sur présentation de ce guide. En bord de Loire, au calme. Snack-bar. Accueil aimable. Piscine.

De bon marché à prix moyens

🏨 ●|● *Le Relais du Canalou :* 76, av. du Général-de-Gaulle. ☎ 03-85-53-25-28. ● hotel@relaisducanalou. com ● ♿ (resto slt). En face de la gare de Digoin, derrière le port de plaisance. Double 47 €. Menus 22-30 €. 📶 L'hôtel propose des chambres climatisées et une déco sur le thème du bateau, le dada de la maison. Équipage sympathique et la cambuse est plus que recommandable. Cuisine fraîcheur servie côté brasserie ou côté terrasse ombragée qui donne sur la piscine. Spécialités régionales dont une entre-côte de charolais à se damner.

🛏 ❙●❙ *Les Diligences :* 14, rue Nationale. ☎ 03-85-53-06-31. ● hotel-les-diligences@wanadoo.fr ● les-diligences.com ● Sur l'antique quai de Loire des mariniers, entre la pl. de la Grève et le pont-canal. Fermé lun-mar hors saison. Congés : de Noël à mi-janv et 1 sem en mars. Résa conseillée. Doubles 70-73 € ; duplex. Menus 20-40 € ; carte env 50 €. 📶 Café offert sur présentation de ce guide. Pierres apparentes, poutres, meubles cirés et cuivres font de cette halte « rustico-chic », dans un ancien relais du XVIIᵉ s, une adresse que les visiteurs étrangers affectionnent. Côté hôtel, 6 chambres au calme près de l'eau, meublées et décorées avec goût. Certaines chambres bénéficient d'un grand balcon et d'une belle vue.

🛏 *Village Toue Cabanée :* domaine des Demoiselles, 11, rue du Port, 03510 **Chassenard**. ☎ 03-85-53-76-60. ● resa@slowmoov.fr ● village-toue.fr ● À 5 mn du centre de Digoin. D'avr à mi-nov. Toue cabanée à partir de 90 €/nuit (jusqu'à 8 pers) ; roulotte à partir de 61 €/nuit (jusqu'à 5 pers). Un pied en Bourgogne, l'autre en Auvergne le domaine des Demoiselles est entièrement dédié à la vie sur l'eau et à la nature. Amarré sur un étang paisible (baignade possible), vous pourrez passer la nuit à bord d'une toue cabanée toute de bois vêtue (accès à pied ou en barque). Vue imprenable sur la nature grâce aux grandes baies vitrées. À moins d'opter pour une roulotte... Bref, un refuge idéal destiné aux avant-gardistes de l'écoconstruction et à tous ceux qui veulent se couper du monde pour mieux se retrouver, pour rêver.

À voir

🎬🎭 *Le pont-canal :* pas très loin de l'office de tourisme, par les quais de Loire. Construit de 1832 à 1836 et mesurant 243 m, il permet au canal du Centre de communiquer avec le canal latéral à la Loire, par un pont de 11 arches, à 12 m au-dessus de la Loire. Vision tout à fait insolite. Noter qu'il existe deux autres ponts-canaux du XIXᵉ s à découvrir dans un périmètre de 5 km à la ronde.

🎬🎭 *L'ObservaLoire :* rue des Perruts. ☎ 03-85-53-75-71. À deux pas du pont-canal. Tlj juil-août 10h-18h ; hors saison, tlj sf mar 14h-18h. Entrée : 5 € ; réduc. L'ObservaLoire, en aplomb du pont-canal, propose une visite ludique et interactive pour mieux comprendre l'histoire et le fonctionnement de la Loire et des canaux. Aquariums, films, maquettes, jeux d'odeurs pour découvrir ce riche patrimoine fluvial. Site climatisé, car tant d'émotions donnent chaud (et vous apprécierez doublement, au cœur de l'été).

🎬🎭 *Le musée de la Céramique :* 8, rue Guilleminot. ☎ 03-85-53-88-03. Lun-ven, 9h-12h et 14h-18h ; sam 14h30-18h. Pour les groupes, tte l'année sur résa. Visite guidée. Entrée : 6 € ; réduc. Un musée attachant, d'un autre temps, installé dans un édifice du milieu du XVIIIᵉ s. La visite guidée redonne vie à ces vitrines et à ces objets qui resteraient sinon les témoins muets d'une histoire qui dépasse de beaucoup le cadre régional. Beau voyage dans le temps, à la découverte des techniques de la céramique et de la faïence depuis la période gallo-romaine.

🎬🎭 *La Manufacture de Digoin :* 1, rue de la Verne. ☎ 03-85-25-51-51. ● manufacturededigoin.com ● Fermé en août. Visite guidée slt, se renseigner auprès de l'office de tourisme. La manufacture – toujours en activité – est absolument superbe, restée dans son jus avec des machines datant pour certaines de la création en 1875. Ce n'est pas un musée, vous l'avez compris... et c'est un vrai bonheur d'observer les pièces se former avant de passer au séchage, à l'émaillage, à la cuisson... Pour sûr, vous ne regarderez plus les poteries du même œil chez Habitat, l'un des principaux clients avec Maille ! Un coup de cœur !

⚒ Non loin, magasin d'usine des **Faïenceries de Digoin** (26, rue de la Faïencerie. ☎ 03-85-53-72-92. ● *sar regueminesvaisselle.com* ●), fondées en 1876 et dépendant des faïenceries de Sarreguemines. Vente au kilo le 2e w-e de juin.

À faire

⛴ *Bateau-promenade Ville de Digoin :* accueil à La Maison du bateau *(port Campionnet, rive droite).* ☎ 03-85-53-76-78. ● *laurence@ croisiere.fr* ● *croisiere.fr* ● Avr-oct. Départs réguliers en juil-août (2-3/j.). Croisière-promenade de 1h ou 1h30. Différentes croisières, selon le temps et les moyens dont vous disposez, pour apprécier le canal, dont plusieurs avec possibilité de déjeuner ou dîner.

⛴ *Les Canalous :* port de plaisance. ☎ 03-85-53-76-74. ● *canalous-plaisance.fr* ● Loc au w-e ou à la sem. Location de bateaux habitables (dont des péniches !) de 2 à 12 personnes, que l'on peut piloter sans permis.

🎥 *La voie verte :* piste cyclable de 25 km, longeant la Loire et le canal du Centre. Elle relie Montceaux-l'Étoile à Iguerande, via Digoin et Paray-le-Monial. Revêtement adapté aux poussettes, vélos, rollers et fauteuils roulants ! Une balade familiale qui permet d'alterner sites naturels et découvertes patrimoniales. Variantes possibles en combinant différents circuits. ● *tourisme-paraylemonial. fr/a-velo.html* ●

BOURBON-LANCY (71140) 5 502 hab. *Carte Saône-et-Loire, A3*

Dernière grande ville dans le « Far Ouest » bourguignon et station thermale dont on connaissait les propriétés déjà sous les Gaulois. En tout cas, les Romains en profitèrent largement (nombreux vestiges de leur présence) pour soigner rhumatismes articulaires aigus, arthrose et autres problèmes cardio-vasculaires qui étaient légion chez eux. La ville est très étendue : sur la colline, la vieille ville ; à ses pieds, la ville thermale, le plan d'eau et les parcs.

Adresse utile

🛈 *Office de tourisme :* pl. de la Mairie. ☎ 03-85-89-18-27. ● *tourisme. bourbon@gmail.com* ● *tourisme-bourbonlancy.com* ● Avr-oct, lun-sam 9h30-12h30, 14h-18h (17h sam avr et oct), plus dim de mi-juin à mi-sept ; nov-mars, lun-ven 9h30-12h30, 14h-17h, sam 9h30-12h30. Documentation complète pour séjourner dans le secteur. Le « Passeport pour l'Envitalicité » fournit toutes les infos pratiques et touristiques.

Où dormir ? Où manger ?

Camping

⛺ *Camping et Village-chalets du Breuil :* rue des Eurimants. ☎ 03-85-89-20-98. ● *camping.chaletsdubreuil@ orange.fr* ● *aquadis-loisirs.com* ● ⚓ Sur l'A 7, sortie Mâcon, puis N 79. Ouv début mars-début nov. Forfait tente en hte saison 15,90 €. 118 empl. Mobile homes et chalets 279-599 €/

sem. Un camping 3 étoiles avec de grands emplacements (80 à 150 m²). Piscine. Centre de remise en forme *CeltÔ* et cures thermales à 1,5 km.

De bon marché à prix moyens

🏠 *Hôtel La Tourelle du Beffroi :* 17, pl. de la Mairie. ☎ 03-85-89-39-20. ● hotellatourelle@gmail.com ● hotel latourelle.fr ● ♿ *À l'entrée du vieux bourg, à côté du beffroi.* Doubles 67-83 € ; familiales. 🛜 *Un petit déj/ chambre offert sur présentation de ce guide.* Un amour de petit hôtel dans la partie médiévale de la ville. Seulement 8 chambres, aux noms très lyriques, toutes différentes, toutes très jolies, et donnant côté jardin pour 3 d'entre elles. Certaines ont même une cheminée. 3 chambres mansardées climatisées. Celles du côté de la place sont animées dès l'aurore les jours de marché. Petit déj servi dans la véranda ou sur la terrasse, d'où vous jouirez de la vue sur le beffroi.

🍴 *La Grignotte du Vieux Bourbon :* 12, rue de l'Horloge. ☎ 03-85-89-06-53. Tlj sf dim soir-lun. Congés : autour des fêtes de fin d'année. Menus env 16 € (déj en sem)-32 €. Apéritif maison offert sur présentation de ce guide. Au cœur de la vieille ville, un petit resto décoré comme une auberge villageoise, où l'on sert une cuisine locale bien mijotée ou un tournedos Grignotte devenu un incontournable de la carte. Une halte savoureuse autant pour l'assiette que pour l'atmosphère.

LA SAÔNE-ET-LOIRE

À voir. À faire

➤ *Balade dans le quartier médiéval :* départ du *beffroi*, vestige de l'enceinte de la vieille ville (XIVᵉ s). De l'autre côté de la tour, le « Beurdin » vous nargue toutes les heures. Sur la gauche, superbe demeure Renaissance à pans de bois sur piliers de pierre. Fenêtres en accolade et faïences de Nevers (médaillon de François Iᵉʳ). Avec les maisons cossues autour, le vieux puits à margelle en schiste rouge et la fontaine fleurie, l'ensemble compose un ravissant tableau. On arrive à une nouvelle porte de la ville, dite « de l'éperon ». Belle vue sur la campagne. *Rue des Tours,* vestiges d'encorbellements et de tours, dont une tour de guet classée.

🏛 *Le musée Saint-Nazaire :* ☎ 03-85-89-18-27. ♿ *Au nord de la ville (bien fléché). Se renseigner pour les horaires (visites guidées slt).* Installé dans une église romane du XIᵉ s désaffectée, le musée présente des vestiges archéologiques gallo-romains, poteries, sarcophages mérovingiens, porcelaines de Sèvres, sculptures diverses, pirogue médiévale, etc. Également des toiles de Puvis de Chavannes. Petit jeu sur les traces des pèlerins de Compostelle.

– *Le centre de bien-être CeltÔ :* 12, av. de la Libération. ☎ 03-85-89-06-66. ● celto.fr ● Un lieu pour se ressourcer. Une façon plus ludique de retrouver la forme, loin de l'atmosphère des cures traditionnelles. Piscine d'eau thermale avec jeux d'eau, soins hydrojet, hammam, jacuzzi, saunas, spa nature.

➤ Nombreux *sentiers de randonnée* au départ de Bourbon-Lancy. La voie verte traverse la ville, longe le plan d'eau, entre dans le parc Puzenat et pénètre à l'intérieur de la vieille ville. Possibilité de descente de la Loire en canoë.

DE BOURBON-LANCY À MONTCEAU-LES-MINES

🏛 *Le mont Dardon :* point culminant de la région, à 506 m. Très beau panorama. Idéal pour un pique-nique.

⚸ ⚹ Diverti'Parc : *route de Gueugnon, 71320 Toulon-sur-Arroux.* ☎ 03-85-79-59-08. ● *contact@divertiparc.com* ● *divertiparc.com* ● ⚹ *Vac de Pâques-vac de la Toussaint : tlj juil-août et vac scol, sinon slt les w-e. Entrée : env 12 € ; réduc.* Un parc de 12 ha qui porte bien son nom et cache bien ses jeux. Certes, il y a le champ de maïs, qu'on voit venir de loin. Une dizaine de labyrinthes aux thèmes différents vous y attendent, dont un tout en bambou. Au centre se trouve une grande place avec une multitude de jeux géants en bois, pour la joie de tous, grands et petits : quilles, quatro, abalone, mikado, dominos, jeux d'adresse. Les jeux et les animations les plus classiques côtoient des jeux originaux : trampolines, parcours « Ouistitis » en forêt, tyrolienne, maxi-parcours « Araignée » dans des filets... Découverte aussi du jardin botanique et de ses 30 essences d'arbres, et des 25 races de vaches du monde entier qui paissent dans les pâturages. Par temps ensoleillé, prévoir chapeau et crème solaire, bien que le parcours en sous-bois permette de se rafraîchir un peu. Restauration légère sur place. Goûter des vaches à 15h.

🛏 Passez une nuit dans une *Vache écolodge :* *compter 95-189 € pour 2, petit déj compris (15 €/pers supplémentaire).* Pour dormir, il y avait déjà une roulotte en bois et d'autres logements écologiques. Mais ce qui fait fureur désormais, c'est une vache géante toute de bois abritant des chambres (9 couchages) pour les amoureux, les familles, les tribus. Pour continuer dans l'originalité, des hamacs en été sur la terrasse panoramique, un Carré d'étoiles, un éco-pod, une amusante « Goutte d'Ô »... Et toujours une décoration « vache »,

un confort optimal et pour voisines, les vaches de la collection de Diverti'Parc.

⚹ *Camping du lac des Arrouettes :* *Les Arrouettes, 71320 Toulon-sur-Arroux.* ☎ 03-85-79-50-30. ⚹ *De mi-mai à sept. Forfait tente env 13 € pour 2. 50 empl. Mobile homes pour 4 pers. CB refusées.* Dans le cadre ombragé d'une magnifique propriété de 40 ha, au bord de l'Arroux. Sur le pourtour du lac, ancienne gravière aux eaux claires, plage, emplacements pour la pêche, chemin de promenade. Pains et viennoiseries livrés tous les matins durant la saison.

⚹ Le temple bouddhiste : *au château de Plaige, 71320 La Boulaye.* ☎ 03-85-79-62-53. ● *paldenshangpa-la-boulaye.com* ● *À 6 km au nord de Toulon-sur-Arroux. Visite libre (visite guidée possible en été).* C'est peut-être le plus grand temple bouddhique (de style tibétain) d'Europe. Fondé par des lamas tibétains, il a été construit et décoré dans le style des lamaseries du Tibet, avec ses stupas, ses pavillons peints abritant des moulins à prières, ses fanions, son toit à trois étages symbolisant les trois corps du Bouddha. Traditionnelles statues du Bouddha de 7 m de haut. Contrairement à ce que certains pensent, le temple n'abrite pas une secte mais une congrégation bouddhique de moines et lamas. Il sert de centre de méditation et de retraite, d'accueil pour des stages, et de lieu pour des expos et des conférences.

🛏 |●| Pour ceux qui ont faim de nourritures terrestres, *auberge* dans le bourg. *Gîte* également.

⚸ ⚹ Le château de Digoine : *71430 Palinges.* ☎ 03-85-70-20-27. ● *chateaude digoine.fr* ● *À 20-25 km au sud-ouest de Montceau, en marge de la N 70. Juil-août, tlj 14h-19h ; mai-juin et sept-oct, w-e et j. fériés slt, aux mêmes horaires. Visite (libre) du parc, des jardins et de la serre : 4 €. Visite des intérieurs guidée : 12 € (avec accès aux extérieurs) ; gratuit moins de 12 ans.* Belle balade le long du canal jusqu'au château de Digoine, du plus pur style XVIIIᵉ s, surnommé « la perle du Charolais ». Il offre deux belles façades en pierre de pays, œuvres de Verniquet. Parc de 35 ha où l'on peut admirer un étang, une grotte, une rivière, un jardin à la française classé « Jardin remarquable » avec une serre datant de 1830 et des orangers en caisse bicentenaires. Les dépendances du château abritent un petit théâtre à l'italienne de 1842. Offenbach y joua en 1851. Sarah Bernhardt y répéta une pièce en 1900. Les intérieurs du château (habité) ont été remeublés avec beaucoup de goût. Superbe bibliothèque du XIXᵉ s.

🍴 *La tranchée du canal :* 71420 **Génelard**, *à 20 km au sud-ouest de Montceau, en marge de la N 70.* Une véritable œuvre d'art que constitue la cuvette de la tranchée construite au XVIIIᵉ s, entièrement en pierre (jusqu'au fond) et remaniée à la fin du XIXᵉ s lors du passage du canal au gabarit Freycinet. Tronçon fort agréable à découvrir : il domine l'eau d'une dizaine de mètres, et les arbres apportent fraîcheur et sérénité. À Génelard, également à voir, le *Centre d'interprétation de la ligne de démarcation* (☎ 03-85-79-23-12).

🏠 |●| 🍽 *Hôtel-bar-restaurant Le F-Commerce :* 1, rue Nationale. ☎ 03-85-79-20-87. ● le.f.commerce@ orange.fr ● f-commerce-genelard. com ● *Double env 58 €. Menus 14 € (midi en sem), puis 17-25 €.* 📶 Un lieu un peu fou, où on se sent divinement bien, si on aime vivre d'humour et de bonnes choses, dans un monde aux couleurs réjouissantes. 6 chambres comme vous n'en verrez nulle part ailleurs, pleines de charme et d'originalité. Salle piano-bar et animations, car on n'est pas là seulement pour regarder passer les bateaux.

🍴 *La briqueterie de Ciry-le-Noble* (71420) : *route du Canal (D 974).* ☎ 03-85-79-12-90. ● ecomusee-creusot-montceau.fr ● *Au nord de Génelard. Prendre la D 974 qui longe le canal du Centre, l'usine est à la sortie du bourg, direction Génelard. Visite libre ou commentée juil-août, tlj sf lun 14h-18h ; ainsi que Nuit des musées (fin mai) et Journées du patrimoine. Tarif : 3 € ; gratuit moins de 12 ans.* Construite en 1863, cette usine était spécialisée dans la fabrication de briques de pavage et de produits destinés à l'industrie chimique.

MONTCEAU-LES-MINES

(71300)   19 500 hab.   *Carte Saône-et-Loire, B2*

Le canal du Centre traverse de part en part cette ville fière de son passé unique qui porte son histoire dans son nom. Témoin de l'éclosion industrielle de la France, cette ancienne ville minière et ouvrière est née en 1856, à quelques kilomètres de sa grande sœur du Creusot, spécialisée dans la métallurgie. Le charbon, qui servait à chauffer les hauts-fourneaux pour fabriquer le fer et l'acier au Creusot, était à Montceau. La ville se développa dans la seconde moitié du XIXᵉ s autour des mines de charbon de Blanzy et se peupla d'ouvriers et de mineurs charolais et morvandiaux.

UN PEU D'HISTOIRE

Montceau se trouve au bord d'une cuvette, sur la lisière nord-est du Massif central : ses dépôts houillers se sont formés dans une dépression qui le sépare du Morvan (anciens lacs devenus tourbières). En 1818, la mine est encore petite quand Jean-François Chagot l'acquiert. Quatre puits, une centaine d'ouvriers et 10 chevaux. Après la guerre de 1914-1918, grosse immigration polonaise et italienne. Pendant la Seconde Guerre mondiale, résistance très vive des mineurs. Le bassin minier se libère d'ailleurs lui-même, le 6 septembre 1944. En 1946, nationalisation de l'entreprise, qui comprend alors 13 000 personnes. Dans les années 1960 à 1980, réduction des effectifs, concentration sur quelques puits et création de nouvelles techniques d'extraction. En 1992, fermeture définitive du dernier puits de fond, après 240 ans d'exploitation souterraine, le dernier puits à ciel ouvert fermera en 2000.

L'ère du changement

Aujourd'hui, après la fermeture des mines, la ville s'est reconvertie dans les nouvelles industries : téléphonie, métallurgie fine, nombreux sous-traitants travaillant pour le nucléaire et l'aviation, pneumatiques, entreprises textiles... Reconversion réussie également en matière d'urbanisme : nombreux espaces verts, plans d'eau et parcs, habitat ouvrier rénové, commerces, vie culturelle et associative active en témoignent. Montceau se proclame volontiers « Cité de la nature et de l'industrie ». Enfin, les plaisanciers aiment y faire étape.

Car le développement touristique de la ville s'oriente aussi sur la valorisation du canal du Centre : Montceau est l'une des rares villes à avoir conservé deux ponts levants (en plus d'une passerelle levante plus récente) qui permettent aux bateaux d'accéder au port fluvial en plein centre-ville. Enfin, pour le bain de foule, rien ne vaut le marché du samedi matin.

Adresse utile

🛈 **Creusot Montceau Tourisme :** à la capitainerie, quai du Général-de-Gaulle. ☎ 03-85-69-00-00. ● bien venue@creusotmontceautourisme. fr ● creusotmontceautourisme.com ● En hte saison, lun-sam 9h-12h, 14h-19h ; le reste de l'année, lun-sam 10h-12h, 14h-18h. Propose un intéressant parcours dans la ville entre passé et présent avec plan à l'appui « Promenade au cœur de Montceau ». Sinon visites guidées l'été.

– **Marchés de producteurs :** sur toute la région, à dates fixes. Infos à l'office de tourisme.

Où dormir ? Où manger ?

🏠 |●| **Hôtel-restaurant Nota Bene :** 70, quai Jules-Chagot. ☎ 03-85-69-10-15. ● notabene.fr ● ♿ Face à l'un des ponts levants, en plein centre. Resto tlj sf dim midi. Doubles 65-75 € en sem, 85-95 € le w-e. Menus 10-16 €, carte 15-25 €. 📶 Moderne et cosy, cet hôtel se démarque par son originalité dans la déco. La cinquantaine de chambres sont toutes personnalisées, climatisées, spacieuses et bien pensées. La brasserie quant à elle connaît un véritable succès, avec sa salle vitrée donnant sur le canal du Centre quand il pleuviote (ça arrive !) ou en terrasse aux beaux jours (ça arrive aussi).

🏠 |●| **Le France :** 7, pl. Beaubernard. ☎ 03-85-67-95-30. ● jb@ jeromebrochot.com ● jeromebrochot. com ● ♿ Près de la gare de Montceau et du canal du Centre. Parking face à l'hôtel. Resto fermé sam midi, dim soir-lun. Doubles 65-115 €. Formule 18 € (midi en sem), menus 23-29 € (marven), puis 55-84 €. Café offert sur présentation de ce guide. 📶 Au bord d'un grand parking pratique à défaut d'être esthétique, une maison bien connue localement. Un restaurant et un hôtel qui marient le charme, la créativité et la tradition. 2 salles climatisées à l'ambiance chic et une petite cour intérieure. À la carte, cuisine découverte de saison, sérieuse et haut de gamme aux prix qui s'envolent vite.

Où dormir ? Où manger dans les environs ?

🏠 **Chambres d'hôtes à la Javalière :** rue de la Chapelle, 71300 **Mont-Saint-Vincent**. ☎ 03-85-58-95-11. ● info@ alajavaliere.com ● alajavaliere.com ● Doubles 90-95 €. 📶 Vous avez rêvé de passer la nuit au poste ? Ne cherchez plus ou plutôt si, repérez le bâtiment face à l'église avec l'inscription « gendarmerie nationale ». Fini les cellules de dégrisement, cet édifice bourgeois du XVIIIe s abrite aujourd'hui 3 splendides chambres d'hôtes, aménagées et décorées avec un goût extrême. De beaux volumes et un cachet indéniable. Et, vu la gentillesse de vos hôtes, vous ne risquez pas de porter plainte pour l'accueil !

I●I L'Auberge du Passe-Temps : pl. du Marché, 71300 **Mont-Saint-Vincent.** 📱 06-18-70-05-62. Formules 13-22,50 €. 📶 À Mont-Saint-Vincent, les pas des visiteurs les mènent immanquablement vers cet accueillant bistrot de bourg où règne une ambiance authentique, avec ses quelques tables dehors qui regardent passer le temps. À la carte, des choses simples, de bons produits régionaux, y compris le vin au verre. Le patron propose même une formule « Quatre heures », à déguster à toute heure avec jambon, omelette et fromage blanc. Soirées à thème régulièrement.

🛏 I●I Chambres d'hôtes La Fontaine du Grand Fussy : chez Dominique Brun, 71220 **Le Rousset.** 📞 03-85-24-60-26. ● lafontainedugrandfussydomi niquebrun@orange.fr ● fontaine-du-fussy.wix.com/bourgognedusud ● À 15 km au sud-est de Montceau, en direction de Cluny, par la D 980. Prendre la D 33 vers Le Rousset et tt de suite à droite la D 60 vers Ciry-le-Noble ; la maison est à 900 m à gauche. À partir de 79 € pour 2. Table d'hôtes 21 €. Vieille gentilhommière du XVIIIe s restaurée avec charme et caractère, mêlant fresques murales, ferronneries et meubles de famille de tous styles. Chambres spacieuses avec vue sur le jardin et la campagne. Agréable terrasse avec tonnelle. Piscine.

À voir

🧵🧵 La manufacture Perrin : 17, rue Claude-Forrest. 📞 03-85-67-72-85. Lun-ven, l'ap-m. Fermé de mi-juil à mi-août. Sur résa, possible auprès de l'office de tourisme. Entrée : 6,50 € (gratuit à partir de 60 € d'achat) ; réduc. Durée : 45 mn. Le pied pour les adeptes de tourisme industriel que ce temple de la bonneterie française où l'on fabrique chaque année plus de 1,2 million de chaussettes et collants 100 % français (sur les 450 000 millions consommés dans le pays !). Visite

BERTHE AU GRAND PIED

Beaucoup de mystères demeurent sur la vie de Bertrade de Laon, dite Berthe (720-783), mère de Charlemagne. Serait-elle une deuxième noce du roi des Francs Pépin le Bref ? Et surtout, était-elle réellement atteinte d'une « asymétrie déambulatoire », comme le dit la légende ? Berthe au grand pied repose royalement à la basilique Saint-Denis, auprès de son mari. Allongée, ça marche mieux.

passionnante, au cœur de l'entreprise, parmi les machines et des mosaïques de bobines de fil, où l'on partage au plus près le travail des 80 concepteurs : design, couture, formage, appairage, emballage, etc. Que ce soit les chaussettes de la marque *Perrin* garanties sans élastique, les amusantes *Berthe aux grands pieds,* les réversibles *Dagobert à l'envers* ou les nobles *Chaussette française* avec leur cocarde bleu-blanc-rouge (en vente à l'Assemblée nationale !), une fois la visite achevée, vous n'enfilerez plus vos chaussettes de la même manière ! Superbe boutique de produits *made in France* à la sortie.

🧵🧵 L'usine Aillot et la galerie du camion ancien : 27, rue des Prés. 📱 06-84-54-69-23. Mai-oct. Ouv 1 w-e sur 2, ven (bar et visite nocturne), sam (spectacle), dim (visite libre ou guidée). Entrée : 6,50 € ; réduc. Stop, patrimoine, serrez le frein à main et ne boudez pas la visite ! Les hangars de cette ancienne usine de rouleaux compresseurs, encore totalement dans leur jus, abritent une collection originale de... camions. L'occasion de revisiter l'histoire industrielle de ce lieu à travers des poids lourds d'un autre âge avec la route comme trait commun à tout ce petit monde. Le genre d'endroit où l'on peut lire sur les étiquettes : « Malgré sa taille, très doux à conduire, a une capacité d'arrachement impressionnante

LA SAÔNE-ET-LOIRE

et une résistance à toute épreuve. » Pouët d'honneur pour ces trois bahuts conduits par Blier, Ventura et Belmondo dans *100 000 dollars au soleil* et tous les autres qui ont arpenté les routes du monde, de la nationale 66 américaine au désert du Ténéré. Installez-vous au volant, ce n'est pas vraiment un musée, plutôt un lieu de mémoire, bien vivant où l'on se réunit aussi pour des concerts conviviaux autour du bar, dans cet improbable décor de Berliet, Unic, Saurer...

🦖 *Le parc Maugrand :* à l'endroit même où se trouvaient les anciens puits de mine, un grand parc urbain entièrement redessiné par un paysagiste. Le site présente un caractère tellement naturel, sur 150 ha, qu'on oublie qu'il nécessita l'apport de 220 000 m³ de terre végétale et la plantation de plus de 100 000 arbres (chênes, bouleaux, acacias, hêtres...).

🦖 *Le parc Saint-Louis :* un parc architecturé doté d'un verger conservatoire, où la nature a repris ses droits, là aussi, avec de nombreuses plantations. La pyramide qui le surplombe rappelle les anciens chevalements et offre un beau point de vue.

Manifestations

– *L'Embarcadère :* pl. des Droits-de-l'Homme. ☎ 03-85-67-78-10. Des programmations diverses et intéressantes (classique ou concert rock), des expos et des salons tout au long de l'année.
– *Festival Tango, Swing et Bretelles :* une sem début oct. Rens et résas à L'Embarcadère : ☎ 03-85-67-78-10. Le « TSB » est un festival plein de dynamisme et de têtes d'affiche. Accordéon sous toutes ses formes, musiques actuelles et nouvelle scène française.

DANS LES ENVIRONS DE MONTCEAU-LES-MINES

🦖🦖🦖 🧍 *Le musée de la Mine :* 34, rue du Bois-Clair, 71450 *Blanzy.* ☎ 03-85-68-22-85. 🦖 À 3 km au nord-est de Montceau. Juil-août, tlj sf mar 14h-17h (départ de la dernière visite) ; avr-juin et sept-oct, w-e et j. fériés, mêmes horaires. Durée de l'immersion : 2h, film compris. Entrée : env 6 € ; réduc ; gratuit moins de 10 ans. Dernier témoin de plus de deux siècles d'exploitation souterraine du charbon, le musée de la Mine de Blanzy occupe le site du puits Saint-Claude. Après la visite de la lampisterie, du carreau avec son chevalement et de la salle des machines, voici 200 m d'aventure souterraine dans des galeries aménagées : on s'y croirait, la poussière et les cris des mineurs en moins. Les visites sont très vivantes, commentées quelquefois par d'anciens mineurs ravis de raconter des anecdotes qu'ils ont vécues et de partager une véritable passion.

🦖 *Le mont Saint-Vincent :* à env 13 km au sud de Montceau-les-Mines, sur la D 980 vers Cluny. Grosse colline coiffée d'un beau village médiéval culminant à 603 m. Quatre vieilles provinces de la Bourgogne méridionale s'y rencontrent : le Chalonnais, le Mâconnais, le Charolais et l'Autunois. Vue superbe sur la campagne environnante. Le village conserve son cachet ancien et son caractère de discrétion, loin du tumulte du monde et hors du temps.

LE CREUSOT   (71200)   23 000 hab.   *Carte Saône-et-Loire, B2*

On s'attend à un paysage industriel et on découvre une ville verte, aérée, agréable, au patrimoine historique, humain et social d'une richesse

inattendue ! Il y a 200 ans, tout a commencé au petit hameau du Crozot, qui donna naissance à l'une des histoires industrielles les plus fascinantes de notre pays... Ce fut l'un des grands berceaux de l'acier et de la métallurgie dans le monde, avec Pittsburgh aux États-Unis. Après une forte crise et un redémarrage rapide, Le Creusot retrouve aujourd'hui un moral d'acier !

LES SCHNEIDER, EMPEREURS DE L'ACIER !

Plusieurs facteurs sont déterminants dans la création et le développement du Creusot : l'ouverture du canal du Centre, la présence du charbon dans la région (il y en a tant à fleur de terre qu'on dit qu'on le « jardine ») et de gisements de minerai de fer, la machine à vapeur fournissant l'énergie nécessaire aux hauts-fourneaux. En 1785 est créée la Fonderie royale et, dans le même temps, la manufacture des cristaux de Sèvres est délocalisée au Creusot.
En 1832, la cristallerie est rachetée par Baccarat, et 4 ans plus tard, c'est le tour de la fonderie, par Joseph-Eugène Schneider et son frère. Début de la grande saga d'une famille dont tout le monde a retenu au moins le nom. Pendant 124 ans, à travers quatre générations, la famille Schneider va régner sur Le Creusot, qui comptait à peine 2 700 habitants au début et jusqu'à 32 000 à la fin du XXᵉ s !

Capitale de l'acier de France

Sur le plan technologique, pour lutter contre le capitalisme anglais particulièrement dynamique, les Schneider innovèrent dans de nombreux domaines : première locomotive à vapeur (1838), bateaux à vapeur (1839), construction du marteau-pilon de 100 t (1877, record du monde), production de matériels électriques et du fameux canon de 75, fabrication de la charpente du pont Alexandre-III à Paris, de celle de la gare d'Orsay, ainsi que celle de Santiago du Chili, première loco électrique (1900)...
En 1914, Schneider avait déjà produit 90 000 canons (dont la moitié à l'export). Puis construction du réacteur de la centrale nucléaire de Marcoule (1954), première cuve française pour réacteur nucléaire pour la centrale de Chooz... De 1838 à 1970, l'usine aura fabriqué 6 000 locomotives !

Le système Schneiderville

Pour fabriquer tout cela, il faut des ouvriers en bonne santé et (bien) éduqués. Les Schneider, dans la grande tradition paternaliste patronale, mettent en place un extraordinaire système social : on naît dans les maternités Schneider, on fréquente les écoles Schneider, on dort Schneider et on est enterré dans les cimetières du patron... Aux logements collectifs du début succèdent des cités ouvrières. Les élèves, avec « uniforme-képi » et ceinturon aux armes de l'usine, reçoivent des bons points avec l'effigie d'Eugène ou d'Henri. Il y a même une école d'ingénieurs, mais elle ne délivre pas de diplôme reconnu.
Le nombre de conscrits illettrés au Creusot est quatre fois moins

SAINT SCHNEIDER, PRIEZ POUR NOUS

Un certain paternalisme entretenu par les Schneider provoqua une vraie dévotion. En 1856, 5 000 Creusotins pétitionnèrent pour que leur ville s'appelle Schneiderville ! Sans succès. Mais certaines cités ouvrières de la ville portent le nom des maîtres de forges (Saint-Eugène, Jean et Françoise Schneider). Idem avec les églises qui vénèrent Saint-Eugène (décidément !), Saint-Charles (ça change), Saint-Henri... Dans cette dernière, un vitrail représente Henri Schneider en saint Éloi, patron des forgerons.

élevé que dans les villes et campagnes alentour ! En 1878 (bien avant Jules Ferry, donc), avec 120 maîtres, les écoles Schneider scolarisent plus de 6 000 élèves (record absolu !). En 1905, le taux de mortalité infantile au Creusot est le plus bas de France. Le système Schneider, c'est le développement d'une mentalité d'assistés respectueux.

Fin d'un empire et renaissance

La contrepartie de tout cela, c'est évidemment la soumission et la paix sociale. Le Creusot connaît quand même quelques grands mouvements sociaux (en 1870, 1899, 1900). Mais en 1936, Le Creusot n'essuie pas un seul jour de grève, alors que le reste de la France est agité. En 1960, mort de « Monsieur Charles » et début de la fin de l'empire qui affronte plusieurs crises de la sidérurgie. L'empire dépose son bilan et est dépecé.

Mais la communauté de Montceau-Le Creusot reste le bassin d'activités le plus important entre Paris et Lyon. La reconversion industrielle de la ville a attiré de grandes entreprises comme Alstom Transports, General Electric, Areva, Snecma (disques de turbines pour moteurs d'avion), Industeel (ArcelorMittal, spécialiste des tôles épaisses)... L'économie est stimulée grâce à la modernisation du site, mais, curieusement, les sociétés trouvent plus facilement des ingénieurs que des ouvriers qualifiés. Demande d'emploi accrue, mais pénurie de main-d'œuvre au Creusot !

Adresses et infos utiles

🛈 Creusot Montceau Tourisme : château de la Verrerie. ☎ 03-85-55-02-46. ● bienvenue@creusotmontceautourisme.fr ● creusotmontceautourisme.com ● Juil-sept, tlj 9h30-12h30, 13h30-18h ; dim 13h30-17h30. Avr-juin et oct, lun-ven 9h30-12h, 14h-17h30, plus sam ap-m. Janv-mars et nov-déc, mar-ven et sam ap-m 10h-12h, 14h-17h30. Visites thématiques « Côté cour côté jardin » (mar sf l'été, sur résa, payant). Rigolote « Chasse au cache » pour les familles.

🚄 Gare de TGV Le Creusot-Montchanin : à 15 mn de voiture du centre-ville, sur la commune de Montchanin. Infos : ☎ 36-35 (0,34 € TTC/mn). Le Creusot se trouve sur la ligne Paris-Lyon-Marseille. Paris (gare de Lyon) est à 1h20 (7 trains/j.), Lyon à slt 40 mn et Marseille à 2h30. Des navettes régulières d'autocars assurent la liaison entre la gare TGV et Le Creusot-ville (penser à réserver : boutique Monrezo, ☎ 03-85-73-01-10).

Où manger ?

🍴 Au Cochon Ventru : 2, rue du Maréchal-Foch. ☎ 03-85-78-17-66. ● aucochonventru@orange.fr ● Le midi lun-sam, le soir jeu-sam. Formules 16-19 € (midi en sem), menus 28-37 €. « Une cuisine de cuisiniers » comme le revendique volontiers la maison. On ne sait pas si c'est du lard ou du cochon, mais la cuisine en question se révèle altruiste et n'exclut pas bœuf, agneau et même poisson. C'est frais, généreux, joliment présenté. Au Cochon, de l'entrée au dessert, tout est bon ! Quant à l'ambiance bistrot industriel, elle colle parfaitement à la ville. Venir tôt, au risque de devoir faire la queue.

🍴 Le Vieux Saule : route du Creusot, Le Bas-des-Crots, 71210 **Torcy**. ☎ 03-85-55-09-53. ● restaurant. levieuxsaule@orange.fr ● À 3 km au sud-est en direction de Chalon, sur la gauche de la route, avt d'arriver à un grand rond-point. Tlj sf dim soir-lun. Menus 21-25 € (en sem), puis 37-58 €. Une des meilleures tables de la région, installée dans une ancienne auberge de campagne, aux portes du Creusot. Excellent accueil, le patron est un jovial

Breton émigré en Bourgogne. Jolie salle et quelques tables dans le jardin. Cuisine particulièrement élaborée et savoureuse. Carte selon l'inspiration et desserts dans le ton, agrémentés d'un choix judicieux de vins de propriétaires. I●I *Le Bistrot de la Grimpette :* 16, *rue de la Chaise.* ☎ 03-85-80-42-00. *Fermé le soir sam-lun. Compter 20-30 €.* Ici, c'est la rue qui grimpe, pas les prix. Profitez-en en savourant une cuisine traditionnelle et inventive à la fois, au rez-de-chaussée ou en mezzanine.

À voir. À faire

¶¶ *Le château de la Verrerie :* ☎ 03-85-73-92-00 (écomusée) ou 03-85-55-02-46 *(bureau d'infos touristiques).* ● ecomusee-creusot-monceau.fr ● *Juil-sept, tlj 10h-12h, 13h30-18h30. Hors saison, tlj sf mar 14h-18h, plus 10h-12h aux vac de printemps et d'automne. Fermé déc-janv, 1er mai, 1er et 11 nov. Entrée : env 10 € ; réduc ; gratuit moins de 10 ans ; billet famille ; gratuit pour ts le 1er dim du mois (sf été). Prévoir min 2h pour la visite complète du site. Programme d'animations.* C'est là, sur une colline, que fut choisi le site de la future cristallerie de la reine. Construite en 1787, malgré un bon démarrage, la verrerie périclita et machines et procédés furent vendus à Baccarat en 1832.

Eugène Schneider racheta ces bâtiments en « U » dotés de 2 surprenants fours de fusion à l'entrée et effectua des transformations. Eugène Ier et Henri y établirent leur résidence, mais, plus tard, Eugène II décida d'en faire avant tout la vitrine de la réussite de la firme. Il entreprit alors de grands travaux d'embellissement pour transformer le site en un vrai petit Versailles. Le grand parc fut redessiné, l'un des fours se métamorphosa en ravissant théâtre à la Trianon. Visites de prestige et grandes fêtes de famille s'y déroulèrent de 1905 à 1960. Le château fut racheté par la municipalité en 1969.

Le musée de l'Homme et de l'Industrie (env 45 mn-1h)
Dans la partie principale du château, il présente ce que fut la grande histoire du Creusot et se divise en 2 parties chronologiques. Tout d'abord l'histoire de la cristallerie (1787-1832) avec l'expo « Une usine, une ville ». Puis la partie les « Maîtres des forges », autrement dit sur la dynastie et l'ère Schneider (1836-1960). Voir la maquette animée avec ouvriers, engrenages et bruitages réalistes. À l'étage, des pièces de vie de la famille Schneider avec notamment un somptueux décor de papier peint panoramique représentant le Brésil en 1829 et l'Amérique du Nord en 1834. Mobilier de style Empire et Restauration, fauteuils couverts de tapisseries racontant les *Fables* de La Fontaine, d'après des dessins de Buffon.

Le Pavillon de l'industrie (env 45 mn)
Ce centre d'interprétation est installé dans l'ancienne salle du Jeu de paume, à gauche de la cour. Il propose de découvrir les grandes industries des constructions mécaniques et de l'acier, qui sont les spécialités du Creusot depuis la fin du XVIIIe s. Pas de cartels, mais une maquette géante de l'usine du Creusot en 1900 et un parcours de visite interactif avec film et tablettes tactiles.

Le petit théâtre (visite slt guidée, env 30 mn)
Notre coup de cœur, à ne pas manquer ! Construit au début du XXe s dans l'un des fours de fusion par Eugène II, pour le divertissement de ses plus illustres invités. Inspiré du petit théâtre de la reine Marie-Antoinette au Trianon de Versailles. Admirez le trompe-l'œil de la coupole et des fresques, donnant l'illusion de la profondeur. Excellente acoustique. Comme la famille Schneider se plaçait au fond, avec ses invités, les banquettes étaient installées en épi par correction envers la famille et ses hôtes, pour ne pas leur tourner le dos ! Par la fosse d'orchestre, jeter un coup d'œil au réseau de 800 m de galeries. Le sous-sol du château fut aménagé pour les déplacements discrets des domestiques.

LA SAÔNE-ET-LOIRE

🎭🎭🎭 *Le parc de la Verrerie : tte l'année.* Un jardin public à l'anglaise de 28 ha en pleine ville ! Aménagé par Eugène Ier en parc paysager, comme c'était la mode sous Napoléon III (à Paris, Montsouris, les Buttes-Chaumont...). Remanié sous Eugène II en 1905 par de célèbres paysagistes. Jardins à la française près du château et immense terrasse panoramique pour admirer la pelouse centrale qui coule vers deux plans d'eau.

🎭 *Le marteau-pilon : carrefour du 8-Mai-1945 ; à l'entrée de la ville, en direction de Chalon.* L'inventeur du marteau-pilon à vapeur fut l'ingénieur François Bourdon (1797-1865), en 1840. Il fut aussi le père de celui dont le vagissement se fit entendre, le 23 septembre 1877, à 10 km à la ronde, et qui poussa son dernier cri d'agonie en 1928. En son temps, il fut le plus gros et le plus puissant du monde : 1 300 t ; 21 m de haut ; poids de la masse active... 100 t ! D'une telle précision qu'il pouvait casser une noix sans toucher au fruit ou boucher totalement une bouteille de vin sans la casser. Après 50 ans de bons et loyaux services, le marteau-pilon fut remplacé par des presses hydrauliques plus puissantes et moins bruyantes. Pour honorer une telle carrière, on ne pouvait faire moins que de le démonter et de le mettre bien en valeur à une entrée de la ville, témoin et symbole pour toujours de sa vocation industrielle.

🎭 *Le belvédère des Crêtes : accès par la route de Saint-Sernin-du-Bois (D 138) ; prendre la direction du parc des Combes.* Du point de vue de la rue des Pyrénées, on comprend de suite la philosophie de la ville : la place centrale du château et les usines qui s'ordonnaient autour.

🎭🎭 *Le parc des Combes : accès par la promenade des Crêtes ; bien signalé.* ☎ 03-85-55-26-23. ● parcdescombes.com ● *Juil-août, tlj 11h-19h ; fin mars-début juil et sept-début nov, w-e et j. fériés, vac scol ainsi que mer en mai-juin 14h-19h. Fermé nov-mars. Passe-partout : env 19 € ; réduc.*
Sur la « montagne » surplombant la ville, plusieurs attractions qui raviront les enfants de 7 à 77 ans.
– *Le train touristique : se renseigner sur les horaires (locomotives à vapeur ou diesel).* C'est l'ancien tortillard, surnommé le « tacot des Crouillottes », qui, à partir du début du XXe s, transporta péniblement les scories des hauts-fourneaux vers le plateau de la Combe. Pendant 1h, il flâne dans un minipaysage de montagne, avec petit viaduc d'une portée de 20 m, tunnel à la belle forme ogivale et maints points de vue pittoresques.
– Nombre de *balades* et d'*activités* à faire en famille, accès aux aires de jeux et pique-nique de la combe Denis ou de celle des Quatre-Pierrettes, bateaux Mississippi pour les plus jeunes...
– *Luge d'été :* une piste de 435 m de long et une vitesse pouvant atteindre... 40 km/h. Frissons et rires garantis aussi sur l'*Alpine Coaster.* Également piste *Karting Evasion.*
– Parmi les autres grandes attractions à effet garanti : le *Déval'train,* grand-huit de 207 m pour frémir en famille, le *Nautic Jet,* une course folle en bateau qui vous promet de belles éclaboussures à l'arrivée, le *Junior Boomerang* ou le *Galop des Combes,* la conquête du Far West à califourchon sur des chevaux de bois, l'*Escadrille,* les *Montgolfières,* le *Canad'R...*

🎭 *Le sentier de découverte « La lande de La Chaume au Creusot » :* ☎ 03-80-79-25-99. ● conservatoire@sitesnaturelsbourgogne.asso.fr ● Sentier aménagé par le Conservatoire des sites naturels bourguignons pour découvrir un milieu rare, la lande acide.

Culture et festival

– *Les Beaux Bagages : juil-août.* Festival tout public et gratuit : musique, théâtre de rue, cinéma en plein air...

– *L'arc scène nationale :* esplanade François-Mitterrand. ☎ 03-85-55-37-28. Belle programmation à des prix fort démocratiques.

DANS LES ENVIRONS DU CREUSOT

🏛 *La villa Perrusson :* 71210 *Écuisses.* ☎ 03-85-68-21-14. ● villaperrusson. fr ● À 14 km au sud-est (D 680 puis D 974). De mi-mai à mi-oct, tlj 14h-18h. Entrée : 4 €, visite guidée des extérieurs slt (ttes les heures, compter 45 mn). Programme de concerts et animations. Cette demeure patronale est un témoignage intéressant de l'histoire industrielle locale. Elle fut construite entre 1869 et 1895 pour les Perrusson-Desfontaines, entrepreneurs de tuiles, carreaux et céramiques architecturales. Leur demeure, située stratégiquement entre le canal du Centre et la voie ferrée servait de *show-room* pour présenter les productions maison, les façades en étant couvertes. Un brin chargé et hétéroclite mais absolument unique. Et encore, on ne vous dit pas à l'intérieur ! L'usine (1869-1969) se trouvait à côté, le tout constituant un mini-empire à la Schneider, les tuiles vernissées et toitures polychromes s'observant sur nombre d'édifices du village. La villa comprend deux ailes non communicantes, d'où son aspect asymétrique. Le parc paysager compte quelques essences rares (mais pas d'arbres côté voie ferrée bien sûr pour mieux voir depuis le train !) et laisse découvrir une orangerie et un bassin. L'été, expos sur la céramique en plein-air.

🏛 *Saint-Sernin-du-Bois :* au nord, par la D 138. Joli site avec lac artificiel et retenue (qui servaient à alimenter les forges), un village au bord de l'eau, un donjon et des départs de sentiers.

DU CREUSOT À AUTUN
PAR LA ROUTE DES CHÂTEAUX

Brandon, Couches, Sully, ces noms de châteaux et de villages, éparpillés sur la carte routière à l'est du Creusot, sont autant d'étapes de styles différents sur la route d'Autun vers le Morvan. À Couches, ne pas manquer de s'intéresser aux vins des *coteaux du Couchois.*

🏛 🚶 *Le château de Brandon :* 71670 *Saint-Pierre-de-Varennes.* ☎ 03-85-55-45-16. ● chateau-de-brandon.com ● À env 10 km au nord-est du Creusot. Juil-août, visite tlj à 13h30, 15h et 16h30. Avr-juin et sept, sur rdv pour les groupes. Compter 50 mn de visite. Entrée : 6,50 € ; réduc. Jeux et déguisement pour les enfants. Construit au XIIe s à l'emplacement d'un camp gallo-romain, Brandon fut une place forte jusqu'au XVe s, servant à la défense du duché de Bourgogne. Perché sur une petite colline couverte de prairies et de bosquets, il est aujourd'hui habité par ses propriétaires, Jacques de Masin et sa famille. Modèle de construction militaire avec ses cours haute et basse fermées, son chemin de ronde du XIIe s, sa porterie du XIIIe et son corps de logis principal modifié sous Louis XIII au XVIIe s pour en faire une résidence. Exposition permanente sur l'héraldique (l'art du blason). L'étang de Brandon, en contrebas du village, est l'un des plus anciens de la région, car déjà mentionné en 1409.

🏛🏛 *Le château de Couches :* 71490 *Couches.* ☎ 03-85-45-57-99. ● chateau decouches.com ● À une douzaine de km au nord-est du Creusot. Avr-sept, tlj 10h-12h, 14h-18h (non-stop juil-août) ; le reste de l'année, 14h-17h30 (se renseigner sur les périodes d'ouverture). Visite guidée slt (intérieur et extérieur) : 7 € ; extérieur *seul en autonomie 4 €. Activités tte l'année : spectacles et animations du Moyen Âge, concerts, ateliers créatifs pour enfants, dégustation...*

Un château sur son éperon rocheux surplombant une vallée verte et boisée, à proximité d'un village de caractère : voilà encore une image idyllique de cette Bourgogne éternelle qui ne change pas malgré les à-coups de l'histoire. Fier château à l'imposant donjon du XIIᵉ s encore bordé de remparts et de tours du XIVᵉ s, ainsi que d'un jardin topiaire (repérez les animaux !) et de rosiers.

Visite de la salle d'armes, de la galerie souterraine, de la belle chapelle du XVᵉ s, une des rares à posséder deux cheminées en Bourgogne et érigée au XVᵉ s par le chambellan du duc de Bourgogne, Claude de Montagu (chevalier de la Toison d'or).

– À environ 3 km de la sortie de Couches, en direction d'Autun (par la D 978), vous ne manquerez pas ces sept beaux *menhirs* oubliés un jour par Obélix, dont un, couché à terre...

🐦🏃 ⚲ *Le château de Sully* (71360) : ☎ 03-85-82-09-86. ● chateaudesully. com ● *À 30 km au nord-ouest de Couches et 18 km au nord-est d'Autun. Pâques-Toussaint, tlj 10h-18h. Visites guidées du château (commentaire plein d'humour), mais visite libre du parc. Entrée (château, parc, jardin) : env 9 € ; parc et jardin : env 4 € ; visite-spectacle sur résa (vac scol et certaines dates en juil-août) : env 8 € ; réduc. Animations enfants en été sur résa (en ligne). Pique-nique possible. Boutique.*

Construit par la famille de Saulx au XVIᵉ s, racheté par les Morey en 1714. C'est ici qu'arriva d'Irlande un jeune médecin, Jean-Baptiste de Mac-Mahon, fuyant les persécutions anglaises. Il épousa la jeune veuve Morey. Ainsi ce vieux château passa-t-il aux mains d'une noble famille irlandaise. Patrice de Mac-Mahon (1808-1893) y naquit. Après la victoire de Magenta lors de la campagne d'Italie (1859), Napoléon III le nommera sur le champ maréchal de France et duc de Magenta. Cette bataille particulièrement sanglante donnera son nom au rouge magenta...

Grièvement blessé à Sedan en combattant les Prussiens, le revoilà à la tête de l'armée versaillaise en 1871 : il réprima dans le sang la Commune de Paris, tuant 30 000 personnes et envoyant 7 000 prisonniers au bagne. Il fut quand même élu président de la République en 1873. Une première : il décida de vivre au palais de l'Élysée.

LA PHRASE QUI TUE

De Patrice de Mac-Mahon, on connaît une phrase, restée célèbre, à défaut de sa vie, parsemée de faits d'armes sanglants. Nommé général à 41 ans, il aurait prononcé en 1855 plus ou moins ces mots à Malakoff (Crimée) : « J'y suis, j'y reste. » Résultat : une boucherie générale et la mort de tous les amiraux russes !

Le château est toujours habité par les descendants de Mac-Mahon, Amélie de Mac-Mahon (d'origine écossaise), duchesse de Magenta, veuve du quatrième duc, et ses enfants Pélagie et Maurice. Active et dynamique, très impliquée dans la vie du château, elle dirige aussi le vignoble du Domaine des Ducs de Magenta à Chassagne-Montrachet.

Par ici la visite

Vue somptueuse sur ce château à la fois démesuré et discret qui ne se découvre qu'à la dernière minute, après avoir traversé le petit village bien conservé.

– On passe d'abord par les *dépendances* et les *anciennes écuries* qui accueillaient jusqu'à 80 chevaux avant d'admirer le pont qui franchit les douves.

– Magnifique *cour intérieure,* la plus grande pièce du château !

– La visite guidée permet d'accéder au *logis d'habitation* : pièces de réception et chapelle au rez-de-chaussée et, à certaines dates seulement, au 1ᵉʳ étage (appartements, salle d'armes).

– Faire le tour du château par le *beau parc* pour admirer les *4 séduisantes façades* se mirant dans les douves : deux du XIXe s (terrasse et perron), une du XVIIIe s (avec l'escalier), une du XVIe s (visible de la route). Vos pas vous mèneront à la *chapelle* des XIIe et XIIIe s, à la *glacière,* au curieux *lavoir* du XIXe s couvert de marqueterie rustique, au *jardin potager* (cultivé en permaculture), au *verger* avec son pigeonnier, à l'*orangerie...*

Où dormir entre Autun et Chalon ?

🏠 I●I *Chambres d'hôtes La Lison :* chez Jean-Pierre Bertrand, Lusigny, 71490 **Tintry.** ☎ 09-61-62-79-30. ● lalison2@wanadoo.fr ● *À 11 km au nord-ouest de Couches et 11 km au sud du château de Sully. Doubles 53-59 €. Repas 21 €, vin compris. Réduc de 20 % sur la 2e nuitée sur présentation de ce guide.*

3 chambres spacieuses et coquettes dans une maison tranquille, avec salle de gym pour l'effort et jardin pour la détente. On vous prêtera un vélo pour les balades, de quoi vous mettre en appétit pour la table d'hôtes, très régionale, accompagnée de vins de pays du Couchois. Bien sympathique.

LA SAÔNE-ET-LOIRE

LE MORVAN

● Carte p. 337

Pour le visiteur non averti qui, empruntant l'autoroute A 6 à la sortie de Paris, découvre sur sa droite, entre Auxerre et Avallon, un panneau annonçant les monts du Morvan, la surprise est grande. Comment ? Y aurait-il une montagne encore inconnue, si près de Paris ?
Beaucoup de touristes trop pressés de filer vers la mer et le soleil ne sont jamais allés plus loin que Vézelay, Avallon ou Saulieu. Ne craignait-on pas autrefois de s'aventurer dans le Morvan, autant pour les loups que pour les hommes, dont la mauvaise réputation était accréditée par un dicton : « Il ne vient du Morvan ni bon vent ni bonnes gens. » Mot terrible qui fit oublier longtemps cette contrée magnifique, qu'aucun des quatre départements qui composent la Bourgogne n'a vraiment cherché à revendiquer, jusqu'à ce que la création du parc naturel régional ne change sa face.

UNE ÎLE DE GRANIT

Le Morvan est en quelque sorte une île de granit, longue d'une centaine de kilomètres et inclinée de 300 à 900 m du nord au sud, large de 20 à 40 km d'est en ouest, et qui émerge au cœur de la Bourgogne calcaire (cette île en fut vraiment une, pendant l'ère secondaire, au Jurassique !).
Massif ancien donc, ce poste avancé du Massif central présente un relief assez doux, érodé, mais avec des vallées encaissées et de fortes pentes. Le climat humide et frais ajoute à cette impression de montagne : premier obstacle en venant de la plaine occidentale, le Morvan retient les nuages... et la pluie.
Le granit, encore lui, conditionne aussi le caractère sauvage de la nature morvandelle. Car ce sol acide, peu fertile et donc contraignant pour l'agriculture, est devenu largement forestier (un tiers de la surface en 1900, près de la moitié aujourd'hui) ; et, imperméable, il est tout ruisselant de rus et de rivières, et lacustre. De granit, d'eau et de forêt, tel est le Morvan.

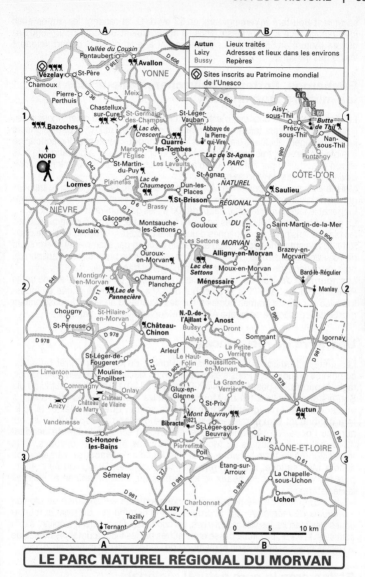

LE PARC NATUREL RÉGIONAL DU MORVAN

UN PEU D'HISTOIRE

Vers l'an 1000 avant notre ère, les Éduens, peuple celte, mènent ici une vie agricole et artisanale, et construisent des oppidums – dont celui de Bibracte, sur le mont Beuvray. Bien vus des Romains, qui les traitent en alliés, les Éduens se rallient pourtant à Vercingétorix en 52 av. J.-C. et rendent les armes avec lui à Alésia, face à Jules César. Puis ils abandonnent Bibracte pour Augustodunum (Autun) en 85 apr. J.-C., disparaissant à la fin du IIIe s, quand déferlent les hordes barbares.

Bûcherons, flotteurs, galvachers et nourrices : les métiers morvandiaux

Le Morvan étant ce qu'il est, c'est-à-dire une terre infertile au relief inhospitalier, il ne se repeuple que faiblement durant le Moyen Âge. Au XIVe s, des seigneurs locaux dégagent quelques clairières, et les Morvandiaux vivotent d'une agriculture à faible rendement, très parcellisée. Mais à partir du XVIIe s, l'exploitation du bois et son exportation par flottage jusqu'à Paris vont tout changer. Dès lors, la forêt devient rentable et le Morvan revit.

Mais le bois ne suffit pas, et le Morvan reste une terre pauvre, avec de pauvres gens qui doivent s'exporter. Deux métiers propres au Morvan vont alors se développer et le faire vivre jusqu'au début du XXe s : les galvachers et les nourrices.

La galvache consistait pour les hommes à descendre, de mai à novembre, dans les plaines voisines, accompagnés d'une paire de bœufs rustiques et d'une charrette. Ils allaient parfois loin, jusqu'au Bassin parisien par exemple, et cherchaient de l'ouvrage de charretier, quel qu'il soit : le galvacher se proposait au transport du bois, du minerai, de tout ce qu'il pouvait charger et transporter.

Les nourrices du Morvan, quant à elles, ont nourri et élevé des milliers de petits Parisiens, surtout au XIXe s et au début du XXe s. Une activité érigée en industrie avec son lot de drames humains sur des dizaines d'années. Un passionnant musée est consacré à ce sujet à Alligny-en-Morvan. À ne pas manquer !

Une terre de résistances

Les métiers traditionnels ont disparu au début du XXe s. Et l'arrêt brutal du commerce du bois vers Paris s'est traduit, en un siècle, par une véritable hémorragie, la population passant de 140 000 à moins de 30 000 habitants aujourd'hui. Son histoire difficile a fait du Morvan une terre à part... et des Morvandiaux une société à forte identité. Un caractère solide, que le parler et le folklore continuent d'exprimer – même si le patois tend à disparaître – et qui aura eu l'occasion tragique de revendiquer son sens de la liberté pendant l'Occupation. Le maquis du Morvan fut l'un des plus actifs du pays, et la répression nazie fut à la hauteur. Dun-les-Places, l'« Oradour nivernais », ou encore Montsauche, brûlé en représailles le 25 juillet 1944... on ne compte plus les villages, les hameaux et les fermes où s'est organisée et illustrée la Résistance.

– Les « Chemins de Mémoire » : 21 aménagements « *Résistance en Morvan – Chemins de mémoire* » qui abordent, sur 11 communes, différentes thématiques : les maquis, les villages-martyrs, les combats... Demander le dépliant explicatif avec la carte. Le circuit passe entre autres par les incontournables musée de la Résistance à Saint-Brisson et mémorial de Dun-les-Places (ouvert en 2016).

Et l'on créa le parc naturel régional

C'est en 1970 que fut créé le parc naturel régional pour préserver et mettre en valeur le patrimoine naturel et culturel du Morvan – ce département impossible – et contribuer à son développement économique, qui passe en bonne part par le tourisme.

Le parc s'étend sur près de 3 000 km² (ce qui en fait l'un des plus grands de France), il comprend 117 communes et 5 villes-portes et se divise en trois zones bien distinctes :

– *Le Morvan des sites et vallées :* le nord-est du Morvan, d'une altitude de 300 à 500 m, qui descend sans transition nette sur le plateau calcaire pour devenir alors assez bocager ;

– *Le Domaine des grands lacs :* c'est le Morvan central, de 500 à 650 m d'altitude, sauvage et boisé, où se trouvent les six lacs morvandiaux et les célèbres rivières le Chalaux et la Cure (connues des kayakistes !) ;

– *Le Morvan des sommets :* correspond au Haut-Morvan, au sud, entre Château-Chinon, Autun et Luzy, le plus montagneux (point culminant, 902 m, au Haut-Folin).

LE ROI DES FORÊTS

Le Morvan figure parmi les premiers fournisseurs nationaux de sapins de Noël : 1 million sur les 6,5 millions vendus chaque année en France ! Cette production est aujourd'hui florissante, se spécialisant sur le nordmann et suivie de près par la très sérieuse Association française du sapin de Noël naturel (AFSNN).

UN DOMAINE PRÉSERVÉ MAIS FRAGILE

Le Morvan est l'ensemble naturel le plus important de Bourgogne et le mieux préservé. Boisé à 50 % – jusqu'à 80 % par endroits –, il abrite une faune et une flore très riches. Parmi les mammifères que vous rencontrerez au détour d'un chemin, le blaireau, le renard, le chevreuil ou le sanglier. Quant à la chauve-souris et l'écrevisse à pattes blanches, elles font partie des espèces protégées. Parmi les 180 espèces d'oiseaux, bécassine des marais, pipit farlouse ou chouette de Tengmalm. Mais n'oublions pas les amphibiens et notamment le crapaud sonneur à ventre jaune. Quant à la flore, le randonneur pourra enrichir son herbier avec la digitale pourpre, le genêt à balais, la callune fausse bruyère ou la prénanthe pourpre. Mais il évitera de cueillir le droséra, plante carnivore qu'on trouve dans les tourbières du Morvan ouvert. L'identité paysagère du Morvan est marquée par le bocage. Composé ici de haies vives ou de murets, il constitue non seulement des paravents pour les animaux, mais aussi des protections naturelles contre l'érosion des sols et l'uniformité des paysages.

Cependant, on ne peut ignorer que la richesse et l'équilibre écologiques du massif sont de plus en plus menacés par l'extension des monocultures de résineux – épicéa, sapin pectiné ou douglas –, plantations qui se sont beaucoup développées ces dernières décennies, au détriment des forêts de hêtres et de chênes traditionnelles et naturelles.

SAVOIR-VIVRE MORVANDIAU

Levez le pied en traversant des hameaux déserts en apparence, en longeant ces vallées encaissées où coulent des rivières à truites, ces prés fermés par des haies de houx et des barrières en bois typiques, ces fermes isolées, trapues, où hommes et bêtes, réunis sous le même toit, se sont longtemps tenu chaud, sinon compagnie. Ce qui n'empêchait pas les familles de se retrouver aux grandes occasions, notamment pour la Saint-Cochon, fête haute en couleur qui permettait aux voisins et amis de se partager les bêtes égorgées au petit matin et aussitôt transformées en boudin, futurs jambons, etc., tout étant bon à manger dans le cochon.

Le reste du temps, on se contentait de manger « la *treuffe* sous la cendre » (traduction : la pomme de terre au feu de bois !) ou de bons gros *crapiaux* (ça saute aussi, mais ça ne vit pas dans les étangs : il s'agit de petites crêpes tenant particulièrement au ventre). Pas de grands vins ni de gastronomie célèbres comme dans les autres pays de la Bourgogne, mais de « biaux produits » qui n'avaient pas attendu la mode des produits bio pour faire des heureux.

Adresses et infos utiles

fi Maison du tourisme du Morvan : *sur le site de la Maison du parc (voir plus loin « Saint-Brisson »), 58230* **Saint-Brisson.** ☎ *03-86-78-79-57.* ● *tou risme.parcdumorvan.org* ● *À l'extrême est de la Nièvre (à 10 mn de Saulieu). Tte l'année, tlj sf w-e 11 nov-Pâques.* Tout sur la randonnée, les activités diverses, l'hébergement, etc. Le petit guide sur les balades nature donne les contacts des sorties organisées (mycologiques, orthoptères, nuit de la chouette, de la rainette, flore morvandelle, etc.).

■ **Association Guides en Morvan :** à La Réserve, 58170 **Tazilly.** ☎ *03-86-30-08-63.* ● *guidesen morvan.com* ● Des guides-accompagnateurs spécialisés : découverte archéologique, environnementale, patrimoniale ou historique du Morvan. Tous types de randonnées.
– **Terre de festivals :** *mai-sept.* Musique, théâtre, cinéma, chansons, tous les arts se mélangent au gré de la création des artistes et du talent des habitants.

À faire

Le parc et les initiatives privées ont réussi à faire du Morvan un formidable espace de randonnées pédestres, équestres, de VTT et d'activités telles que pêche, voile et kayak... À moins que vous ne craquiez pour l'*hydrospeed,* plus fort que le raft et qui consiste à se jeter dans des torrents en crue avec une planche, des palmes, et coiffé d'un casque de sécurité.

Randonnées pédestres, à VTT et équestres

– Le Morvan est le domaine de la *randonnée* : 2 itinéraires de grande randonnée (le GR 13 et le GR Tour du Morvan), 80 circuits de randonnée en boucle (d'une demi-journée à 4 jours) et une trentaine de gîtes d'étape, soit environ un gîte tous les 20 km (attention, on trouve de tout dans ces gîtes, des vieux de la vieille assez vétustes aux super confortables genre 3 étoiles, et à tous les prix), voire des chambres d'hôtes.
– **Les pistes de VTT :** au départ de 19 communes, elles représentent au total près de 2 500 km de pistes balisées. Dont une, originale, éco-conçue et accessible à tous, à Autun. Également un spot de descente *(down hill)* dans la forêt de Breuil Chenue, et la Grande Traversée du Morvan (GTM).
– Quant à la *randonnée équestre,* il y a une dizaine de centres dans le Morvan et une vingtaine d'hébergements adaptés. Un tour équestre de 600 km sur le Morvan est balisé.

fi Maison du tourisme du parc du Morvan : *58230 Saint-Brisson.* ☎ *03-86-78-79-57.* Pour des infos exhaustives sur les visites, hébergements, randos et locations de vélos.
■ **Association pour la randonnée équestre en Morvan (AREM) :** ● *morvan-cheval.org* ● Itinéraires pour cavaliers indépendants ; sinon, randonnées accompagnées, balades en calèche, etc.

Activités nautiques

En ce qui concerne les activités en eau vive (kayak, canoë, rafting, *hydrospeed*), le gros avantage du Morvan est de pouvoir pratiquer des lâchers d'eau à date fixe (demander le calendrier à la Maison du tourisme), comme on faisait autrefois pour le flottage du bois, ce qui permet de gonfler les débits sur commande. Sur la *Cure* et le *Chalaux,* notamment, se déroulent grâce à ce procédé des compétitions de très haut niveau (Championnats de France et d'Europe de canoë-kayak).

Pour les autres activités nautiques, le *lac des Settons* dispose d'une base bien aménagée. Voile, planche à voile, catamaran, on y pratique de tout. Sur le *lac de Pannecière,* plus sauvage, également de nombreuses activités (surtout la pêche).

■ *Base nautique Activital : Les Settons.* ☎ 03-86-84-51-98. ● *activital. net* ● Catamaran, planche à voile : cours ou location. Rafting, nage en eau vive, *wake-board,* bateaux électriques, aviron.

■ *Okheanos : rens à Bornoux, 58230 Dun-les-Places.* ☎ 03-86-84-60-61. ● *okheanos.com* ● Rafting.

■ *Loisirs en Morvan : 89450 Saint-Père.* ☎ 03-86-33-38-38. ● *loisirsen morvan.com* ● Canoë-kayak, rafting, VTT, parcours aventure, spéléo, ou encore équitation...

■ *Cap Extrême : 58140 Brassy.* ☎ 03-86-22-23-24. 🖥 06-83-49-51-17.

● *cap-extreme.com* ● Sorties en rafting sur le Chalaux et la Cure.

■ *Angie, le feu de l'eau :* à Plainefas, 58140 *Saint-Martin-du-Puy.* 🖥 06-82-16-02-99. ● *angie-kayak. com* ● Rafting, *hot dog,* nage en eau vive...

■ *Évasion Rafting Morvan :* Le Pont, 58140 *Chalaux.* ☎ 03-86-24-94-33. ● *evasionraftingmorvan.fr* ● De l'eau vive (rafting, canoraft, *airboat*) à l'eau calme (*stand up paddle*, kayak ouvert... avec option coucher de soleil). Guides diplômés d'État.

Autres activités

Il y en a plein : pêche évidemment, tennis, tir à l'arc, vol libre, montgolfière, etc. Liste complète à la *Maison du tourisme du parc du Morvan.*

LE MORVAN DES SOMMETS

De beaux panoramas, une campagne riante et dégagée, des fermes et des herbages, il y a quelque chose de plaisant dans ce pays préservé, aux belles ondulations naturelles. Un pays à découvrir au départ de la capitale morvandelle, Château-Chinon, ville de passage située entre Morvan des lacs et Sud-Morvan. En arrivant du Nivernais (voir le chapitre précédent), le changement d'atmosphère est surprenant. D'Autun, dans la vallée de l'Arroux, jusqu'à Bibracte, au sommet du mont Beuvray, vous remonterez 500 m de dénivelée et 2 000 ans d'histoire. Prenez des forces, vous allez découvrir l'un des sites majeurs du Haut-Morvan, et l'un des musées les plus visités de Bourgogne. Pour vous entraîner, petite balade apéritive dans les hauteurs d'Uchon, à mi-chemin entre Luzy et Autun.

CHÂTEAU-CHINON

(58120)   2 420 hab.   *Carte PNR du Morvan, A2*

Située au carrefour des routes nord-sud et est-ouest et perchée sur une haute colline à 609 m d'altitude, cette petite ville du parc naturel régional du Morvan constitue un passage obligé pour découvrir la région.
Château-Chinon a connu une sorte d'âge d'or du temps du président François Mitterrand, qui en fut le maire de 1959 à 1981. Celui-ci a légué au conseil général de la Nièvre les cadeaux qui lui avaient été offerts durant ses deux septennats. Ils sont exposés au musée du Septennat, dans la partie haute de la ville. De cet endroit, la vue sur la région est très évocatrice : vaste paysage à 360° composé de bosquets épais, de vallées cultivées et de monts

lointains couverts de sombres forêts. Voici l'antique Gaule chevelue, le seuil du pays des Éduens, que Jules César mit tant de temps à vaincre !

Adresse utile

🏢 **Office de tourisme Morvan Sommets et Grands Lacs :** à l'entrée du bd de la République. ☎ 03-86-85-06-58. ● morvansommetsetgrandslacs.com ● Juil-août, lun-sam mat ; le reste de l'année, tlj sf dim et mer mat. 📶 Prêt de tablette (ou application à télécharger) pour découvrir la ville en e-rando : circuits « Sur les pas de François Mitterrand » (environ 4 km) et « La chapelle de Faubouloin » à Corancy (compter 4-6h).

Où dormir ? Où manger ?

De bon marché à prix moyens

🏠 ●I **Logis Au Vieux Morvan :** 8, pl. Gudin. ☎ 03-86-85-05-01. ● hotel. restaurant@auvieuxmorvan.com ● auvieuxmorvan.com ● Resto fermé dim soir-lun et mar midi. Congés : déc-fin janv. Doubles 65-81 €. Menus 13 € (midi en sem), puis 23-46,50 €. 📶 Café offert sur présentation de ce guide. Du resto panoramique, le spectacle est magnifique, avec le Morvan jusqu'à l'horizon. Chambres dans un style contemporain sobre et agréable, certaines profitant aussi du paysage. Bon gîte, table honorable et accueil pro. Voilà une adresse solide. François Mitterrand ne s'y était d'ailleurs pas trompé en descendant ici – toujours dans la même chambre – lorsqu'il venait dans sa circonscription.

●I **Bar-brasserie Le Relais du Morvan :** 1, route d'Autun. ☎ 03-86-78-16-88. Au niveau du rond-point, à la sortie sud-est de la ville. Tlj sf mar soir-mer. Menus 15-20 € (sf les soirs de w-e), puis 28 € ; plats 12-20 €. Bar-brasserie dans l'esprit mais intérieur moderne et chaleureux au goût du jour avec des tonalités grises et mauves. La carte ne déçoit pas non plus avec ses accents bourguignons. Les locaux s'y retrouvent volontiers pour un repas de bonne tenue et dans la bonne humeur.

●I **Hôtel-restaurant du Parc :** 49, route de Nevers. ☎ 03-86-85-29-35. À l'entrée de la ville, venant du nord. Formule 14 € (déj en sem), menus 19,50-34 €. 📶 Si le bâtiment en contrebas de la route n'est pas très aguicheur avec son grand parking, la salle aérée ouvre sur une large vue avec coucher de soleil (presque) garanti le soir. Le chef a du savoir-faire et choisit ses fournisseurs régionaux avec soin. Carte classique mais personnelle pour des plats soignés. Épicerie.

Où dormir ? Où manger ?
Où sortir dans les environs ?

Voir aussi nos bonnes adresses autour de Bibracte (voir plus loin), l'attraction forte de ce coin du Morvan que vous pouvez rejoindre par de fort jolies routes, au départ de Château-Chinon.

●I 🍷 🎵 **Café Le Cornemuse :** 93, route du Haut-Morvan, 58430 **Arleuf.** ☎ 03-86-78-84-66. ● lecornemuse. com ● ♿ À 8 km à l'est par la D 978. Ouv mer-lun. Congés : en sept. Menu 14 € midi en sem, carte env 25 €. Ici, la façade annonce la couleur : des aplats bleus, verts, jaunes, rouges qui explosent le regard et attirent le chaland. Sur la carte, des dizaines de bières, la spécialité maison, dont on retrouve les cadavres de bouteilles dans la déco intérieure. Au resto, cuisine à base de produits du pays à déguster dans la salle chaleureuse face à la cheminée qui ronronne ou en terrasse.

Le Cornemuse, c'est aussi Bistrad, une association dynamique qui propose des soirées musicales à thème, des concerts, et même des tremplins rock. Rendez-vous les fins de semaine dans l'immense salle du sous-sol, ambiance garantie !

🏠 🍴 *Chambres d'hôtes Au Domaine de Champs :* domaine de Champs, 58120 **Saint-Léger-de-Fougeret.** ☎ 03-86-85-13-40. ● guy.boulin@orange.fr ● chambresauxchamps.fr ● ♿ À 13 km au sud de Château-Chinon, sur la D 157 entre Saint-Léger et Onlay. Fermé dim. Congés : déc-janv.

Doubles à partir de 72 €. Table d'hôtes sur résa 25 € avec boisson. 📶 Difficile de reconnaître la bergerie de cette ancienne ferme de caractère isolée dans une belle campagne : rénovée de fond en comble, elle renferme désormais une vaste salle commune très chaleureuse (poêle pour les soirées fraîches, salon, bouquins à disposition...) et 5 chambres impeccables, joliment aménagées et tout confort. On s'y sent bien, d'autant que l'accueil est aux petits oignons (matériel bébé si nécessaire...).

Où acheter de bons produits dans le coin ?

🎖 *Biscuiterie Grobost :* Coeurty, 58110 **Saint-Péreuse.** ☎ 03-86-84-44-33. À une dizaine de km à l'ouest par la D 978 (fléché), à mi-chemin avec Châtillon. Lun-ven et sam 8h-12h, 14h-18h ; tlj en juil-août. La recette du célèbre biscuit à la cuillère inventée en 1902 est toujours la propriété exclusive de la famille Grobost. L'usine implantée ici depuis les années 1990 offre l'occasion de s'approvisionner à la boutique en biscuits et autres madeleines.

🎖 *Les Terrines du Morvan :* 1 bis, rue Diderot. ☎ 03-86-84-33-66. À la sortie de la ville, direction Autun. Lun-ven 8h-12h, 14h-17h. Magasin de vente directe de produits régionaux : jambons, terrines, plats cuisinés...

À voir

🎭🎭 *Le musée du Septennat :* 6, rue du Château. ☎ 03-86-85-19-23. ● cg58.fr ● ♿ Juil-août, tlj 10h-13h, 14h-19h ; le reste de l'année, tlj sf mar 10h-12h (13h en mai, juin et sept), 14h-18h. Fermé 1er janv-vac scol de fév et 25 déc. Entrée : 4 € ; réduc. Forfait famille très intéressant : gratuit moins de 16 ans et ½ tarif pour les parents. Possibilité de billet groupé avec le musée du Costume : 6,50 €. Partenaire de « la Clef des musées » : réduc dans différents sites du Morvan dès le 1er billet acheté. Attention : travaux importants depuis 2017. Cet immense musée sur 4 niveaux permet de mesurer la quantité phénoménale et la qualité des cadeaux officiels reçus par François Mitterrand : artisanat de tous les continents, comme ce portrait du président en point noué de Colombie (!), mais également de véritables pièces d'archéologie, des défenses d'éléphant, etc. Une manière originale, et un peu figée aussi il faut bien le dire, de replonger dans la géopolitique du monde à la fin du XXe s. Au sous-sol, on apprécie l'effort de mise en scène dans cette belle salle éclairée par une grande baie vitrée en demi-lune, plus consacrée à l'Asie. Surtout, on attend des travaux importants à partir de 2017 à travers le projet de *Cité muséale* pour repenser l'ensemble avec le *musée du Costume* voisin.

🎭🎭 *Le musée du Costume :* entrée par le 4, rue du Château (à côté du musée du Septennat). ☎ 03-86-85-18-55. ● cg58.fr ● ♿ Mêmes horaires et tarifs que le musée du Septennat. Installé dans un bel hôtel particulier du XVIIIe s, il abrite une collection vestimentaire de 5 000 pièces, tout de même, don de Jules Dardy en 1983, adroitement mise en valeur. Sur 2 niveaux, 2 siècles de costumes français permettent de suivre l'évolution de la silhouette, de la taille corsetée à la poitrine opulente, façonnée par les robes à panier, à crinoline ou à tournure. On évoque également les nourricières du Morvan à travers leur trousseau blanc immaculé. Intéressantes expositions temporaires.

🏃 À voir aussi, face à la mairie, la **fontaine de Niki de Saint-Phalle,** aux formes amusantes et aux couleurs pétantes (ou vice versa). Et, ouvrant sur la rue Notre-Dame et les quelque deux ou trois rues anciennes de Château-Chinon, la **porte Notre-Dame,** ouvrage flanqué de tours massives et unique témoin de la cité médiévale. Mais le promeneur appréciera surtout la grimpette jusqu'au **calvaire** (30 mn aller-retour), belvédère naturel offrant un panorama sur le massif morvandiau d'un côté et le Bazois de l'autre. Belle vue également depuis l'esplanade François-Mitterrand, pas très loin.

DANS LES ENVIRONS DE CHÂTEAU-CHINON

🏃🏃 *La Maison de l'élevage et du charolais* (écomusée du Morvan) : *rue de la Mission, 58290* **Moulins-Engilbert.** ☎ *03-86-84-26-17.* ● *ecomusee.elevage charolais.over-blog.com* ● ♿ *En plein centre. De Pâques à mi-juin et de mi-sept au 1er nov, w-e et j. fériés 14h-17h ; de mi-juin à mi-sept, tlj sf lun non fériés 10h-17h. Entrée : 3 € ; réduc. Expos temporaires.* Ce musée explique l'histoire du Morvan agricole et de ses habitants de 1800 à nos jours. Idéal notamment si vous voulez en savoir plus qu'au resto sur les charolaises, qui ont supplanté au XVIIIe s la rouge omniprésente auparavant (la morvandelle). Exposition très didactique et bien documentée présentant tout le circuit de l'élevage : du vêlage à l'abattage, jusqu'au marché du Cadran pour la commercialisation. Le plus important marché de France dans son genre. Les enchères sont désormais électroniques. *Marché ovin lun mat (9h-12h), marché bovin mar (6h-15h ; jusqu'à 13h en été).* Traditionnelle fête de la Louée, fin juin.

SAINT-HONORÉ-LES-BAINS

(58360)   848 hab.   *Carte PNR du Morvan, A3*

Petite station thermale à l'ancienne, accueillant quelque 4 500 curistes et vacanciers en saison. Il fallut attendre le XIXe s pour qu'on redécouvre les vertus de ses eaux sulfureuses, sodiques et arsenicales, qu'on utilise aussi bien dans la salle de bains ou sous la douche qu'en gargarisme ou en boisson, avec d'excellents résultats dans le traitement de l'asthme ou de la bronchite chronique.

Mais quand on ne vient pas à Saint-Honoré pour raison de santé, on n'a pas grand-chose à y faire. Le casino pourra toujours vous occuper et vous plumer un peu, et le spectacle de quelques villas excentriques, néogothiques ou pseudo-normandes, vous divertir un instant. À voir aussi, l'établissement thermal, très Second Empire et « ville d'eaux » (☎ *03-86-30-73-27),* ainsi que les jardins, magnifiques, parmi les plus beaux du département.

Adresse utile

🛈 **Bureau d'informations touristiques :** *13, rue Henri-Renaud.* ☎ *03-86-30-43-10.* ● *ot-portessuddumorvan.fr* ● *En saison, lun-sam mat, plus dim mat* *en juil-août ; hors saison, ouvertures plus retreintes.* Propose une e-rando avec prêt de tablette numérique. Programme une animation chaque jour.

Où dormir ? Où manger ?

Camping

⚕ **Camping et gîtes des Bains :** 15, av. Jean-Mermoz. ☎ 07-77-73-00-17. ● campinglesbains@gmail.com ● campinglesbains.com ● ♿ Accès : route de Vandenesse, 1 km sur la D 985, puis D 106. Fin mars-oct (loc tte l'année). Forfaits tente 13-17 € selon saison. Hébergements locatifs 220-580 € selon saison. 130 empl. ☂ Réduc de 10 % sur le prix des empl. sur présentation de ce guide. Un camping à taille humaine et propre, tenu par une jeune équipe souriante et motivée. Emplacements spacieux et ombragés, ambiance familiale (piscine avec toboggan). Location de mobile homes et de gîtes. Épicerie d'appoint. Plein de balades à faire dans le coin.

De prix moyens à chic

🏠 |●| **Auberge du Pré Fleuri :** 22, av. Jean-Mermoz. ☎ 03-86-30-74-96. Resto fermé lun. Double env 62 €. Menus env 20-39 €. Au milieu d'un petit parc arboré et à côté du centre thermal. Jolies chambres rénovées dans un style actuel dans une petite maison bourgeoise d'autrefois et, tout à côté, resto dans une bâtisse moderne avec véranda, prolongée par une terrasse ombragée d'humeur champêtre. Accueil très aimable, bonne cuisine toute simple et ambiance pas du tout ville de cure.

🏠 **Castel des Cèdres :** 40, rue de l'Hâte. ☎ 03-86-30-64-38. ☎ 07-86-01-27-83. ● jeanpierre.maes@casteldescedres.fr ● casteldescedres.fr ● À 200 m des thermes. Doubles 95-135 €. Table d'hôtes sur résa. ☂ Chambres d'hôtes et appartements. Saint-Honoré regorge de « folies », ces villas excentriques construites au XIXe s. Les proprios de celle-ci, construite en pierre du pays et flanquée de tours rigolotes, ont eu la bonne idée d'y aménager chambres et appartements de toutes tailles. Martine est designer d'intérieur, autant dire que la déco et le confort ont été pensés avec un soin extrême. Quant aux cèdres, il n'y en a plus qu'un, mais quel cèdre !

Où manger dans les environs ?

|●| **Le Clos de la Bussière :** pl. de l'Église, 58360 **Sémelay.** ☎ 03-86-30-91-66. ● leclosdelabussiere2@wanadoo.fr ● À 8 km au sud de Saint-Honoré par la D 985, puis à droite la D 158. Tlj sf lun soir (plus soir dim et mar-jeu hors saison). Formules déj en sem 13-14,50 € ; menus 15,50-38 €. Apéritif maison offert sur présentation de ce guide. Au pied d'une jolie église romane, un p'tit resto-bar de carte postale qui propose une cuisine fine et savoureuse. Les amateurs de crustacés se régaleront, les carnivores ne seront pas en reste avec le filet de bœuf charolais maison ! Jolie petite adresse qui mérite le détour, les nombreux habitués ne manquent pas de le faire...

À voir

🎖 **Le musée Georges-Perraudin de la Résistance :** 1, rue Joseph-Duriaux (entrée sur le côté de la rue). ☎ 03-86-30-72-12. Juin-sept, tls les ap-m sf lun-mar. Sinon sur rdv. Entrée : env 4 €. L'hôtel du Guet dans lequel est installé ce musée privé a joué un grand rôle pendant la Seconde Guerre mondiale. Son propriétaire, Georges Perraudin, y cachait des parachutistes, entreposait le ravitaillement des maquis... Riche documentation d'époque avec plus de 2 000 journaux, revues (de Paris Match au journal de la Wehrmacht), livres et affiches, et plus de 100 maquettes et armes. Évocation du maquis Louis qui s'est distingué dans les environs. Opter pour la visite guidée, riche en précisions et autres anecdotes historiques.

LE MORVAN

LUZY   (58170)   2 060 hab.   *Carte PNR du Morvan, A3*

Chef-lieu de canton du Sud-Morvan, Luzy paraît bien tranquille, à l'abri des vestiges de ses remparts. Elle tient pourtant une place privilégiée parmi les éleveurs de viande de charolais. Dans la salle des mariages de l'hôtel de ville (ouverte aux horaires administratifs), une curiosité : huit tapisseries de basse lisse en laine et soie d'Aubusson du XVIIIe s.

Adresse et info utiles

🛈 **Bureau d'informations touristiques :** pl. Chanzy. ☎ 03-86-30-02-65. ● ot-portessuddumorvan.fr ● De mi-avr à sept slt, tlj sf sam ap-m et dim. En saison, expos d'art.
– **Marché :** pl. de l'Église, ven mat.

Où dormir ? Où manger à Luzy et dans les environs ?

LE MORVAN

Camping

⚠ **Camping du Château de Chigy :** 58170 Tazilly. ☎ 03-86-30-10-80. ● reception@chateaudechigy.com.fr ● chateaudechigy.com.fr ● ♿ À 2 km au sud de la commune, à 500 m de la D 973. Fin avr-fin sept. Forfaits tente 20-27 €. Hébergements locatifs 284-1 215 €/sem jusqu'à 8 pers, nuitée possible. 135 empl. Un superbe domaine de 70 ha qui ne manque pas d'atouts : 2 étangs, 2 piscines (dont une couverte), de petits chalets de vacances, un bar. On peut même loger dans le château ! Animations en juillet-août.

Bon marché

🍽 **Le Bistro à Crêpes :** 1, rue Diderot. ☎ 03-86-30-08-93. ● stephane.quitte@orange.fr ● Pas loin de l'église. Tlj sf dim-lun et j. fériés. Congés : janv et nov. Formule déj 11 € ; sinon, env 10-15 € à la carte. Café offert sur présentation de ce guide. Le cadre est adorable (une ancienne boucherie au décor 1900), l'accueil charmant, et les galettes copieuses et bien tournées. Terrasse de poche bien agréable.

De prix moyens à chic

🏠 **Cabanes lacustres et chambres d'hôtes du château d'Ettevaux :** Ettevaux, 58170 Poil. ☎ 03-86-30-16-41. 📱 06-66-59-66-47. ● ettevaux@orange.fr ● ettevaux.fr ● cabanes-lacustres.fr ● À env 15 km au nord-est de Luzy par la D 27, puis à droite la D 192 vers Ettevaux. Cabanes 120-135 € ; doubles 85-90 €. Dégressif dès la 2e nuit. Table d'hôtes 27 €. 📶 Visite guidée de la chapelle néogothique pour nos lecteurs, selon disponibilité. Pas besoin d'aller au Canada, Ettevaux offre les mêmes sensations avec, en prime, un majestueux château en toile de fond avec son parc et sa chapelle ! Car l'aventure est au bout de la pagaie : c'est en canot qu'on rejoint les cabanes sur pilotis, isolées sur un plan d'eau verdoyant. Terrasse pour l'apéro, pièce à vivre au rez-de-chaussée, chambre à l'étage, toilettes sèches et douche solaire, rien ne manque pour un séjour romantico-trappeur écolo ! Pour ceux qui préfèrent la vie de château, chambres d'hôtes plus classiques (enfin, façon de parler, car le lieu n'est pas triste). Et 2 gîtes étonnants eux aussi (dans la maison du jardinier et les anciens haras) pour les familles.

🏠 |●| *Hôtel du Morvan :* 26, rue de la République. ☎ 03-86-30-00-66. ● reservation@lhoteldumorvan. fr ● hotelrestaurantdumorvan. fr ● À la sortie de la ville, direction Saint-Honoré. Bistrot ouv mar soir-sam midi. Resto fermé j. de fête et j. fériés. Doubles 80-130 €. Au bistrot, formules 19-29 €, au resto menus 46-86 €. La façade de 2 étages est élégante avec ses volets anthracite et ses balcons ouvragés. Intérieur confortable et contemporain, jusque dans les chambres. Au restaurant gastronomique ou au bistrot, une cuisine traditionnelle soignée et personnalisée. La référence culinaire du secteur.

Manifestations

– *Fête du Violon :* en fév.
– *Rockabylette Vintage Festival :* fin juil.
– *Le Vent sur l'arbre :* début août. Festival de musique classique. ● leventsurlarbre.fr ●
– *Fête de l'Accordéon :* mi-août.

DANS LES ENVIRONS DE LUZY

🗡 *Les retables de l'église de Ternant* (58250) : à 14 km au sud-ouest de Luzy par la D 973 direction Bourbon-Lancy, puis, à droite, la D 30. Tlj à partir de 9h. La petite église paroissiale Saint-Roch possède deux magnifiques retables de la Vierge et de la Passion (milieu et fin XVe s), impressionnants aussi par leur taille. Présentation audio (penser à prendre une pièce de 2 € !). On en profite pour saluer le travail de La Camosine, association œuvrant pour la restauration et la mise en valeur du patrimoine nivernais. En sortant, jeter un œil à l'étonnante boulangerie.

LE MORVAN

UCHON (71190) 90 hab. *Carte PNR du Morvan, B3*

À mi-chemin entre Autun et Montceau-les-Mines, Uchon forme le point culminant du pays d'Autun (681 m). On y monte par des petites routes tranquilles, mais le dimanche, aux beaux jours, il y a du monde ! Les citadins viennent s'y mettre au vert loin de l'agitation des villes. Amoureux de solitude, mieux vaut éviter les week-ends de juillet-août. Difficile d'imaginer qu'au début du XXe s il y avait ici 500 habitants. Le bois faisait vivre bûcherons, scieurs de long, charrons, sabotiers, etc.

Où dormir ? Où manger à Uchon et dans les environs ?

🏠 |●| *Auberge La Croix Messire Jean :* à Uchon. ☎ 03-85-54-42-06. ● messire.jean@wanadoo.fr ● hotel-messire-jean.com ● À 1 km du village d'Uchon, à proximité du panorama ; suivre la D 994, puis la D 275 direction « Signal d'Uchon ». Resto fermé mar-mer. Congés : fêtes de fin d'année. Doubles 40-45 € ; env 55 €/pers en ½ pens.

Menus 13,50-19,90 €. Café offert sur présentation de ce guide. Gentille auberge offrant des chambres simples et bien tenues. À l'intérieur, cadre rustique. Grande terrasse ombragée pour apprécier son « quatre-heures morvandiau » ou les petits menus à prix fort modérés. Sur place, point d'accueil du parc du Morvan, pour de belles balades qui séduiront les vététistes, randonneurs et « montagnards ». Location de VTT (gratuit pour les demi-pensionnaires).

|●| **Auberge de la Grousse :** le bourg, 71190 **La Chapelle-sous-Uchon.** ☎ 03-85-54-44-24. ● auberge@lagrousse.fr ● À quelques km au nord d'Uchon. Fermé mar-mer, plus les soirs sf sam hors saison. Congés : déc-janv. Menus 13 € (déj lun-sam, verre de vin et café compris), puis 28,50-32,50 €. Café offert sur présentation de ce guide. L'auberge de ce petit village de 200 âmes met joliment en valeur les produits et producteurs de la région. Une ligne de conduite que la maison cultive depuis 20 ans, et explique pourquoi on vient de loin se ressourcer ici. Le plus difficile, c'est de trouver une table (mieux vaut réserver) et ensuite de choisir son plat, car tous font envie.

|●| **Les Gourmets :** 45, rue Bouthière, 71190 **Étang-sur-Arroux.** ☎ 03-85-54-11-75. ● benoit.ber thoud@gmail.com ● À 10 km au nord-ouest d'Uchon. Fermé lun, plus le soir sf ven hors saison. Congés : courant janv, avr et oct. Formules déj en sem 12 €, puis 18,50-37,50 €. Mignardises offertes sur présentation de ce guide. Mêlant cuisine traditionnelle et inventive, cette table est devenue incontournable sur le territoire. Un cadre élégant et sobre, des plats très bien présentés, un jeune chef, Benoît Berthoud, à l'écoute de la salle, une équipe accueillante, des prix raisonnables...

À voir

🏃 Sur la route, on rencontre d'abord l'**église,** ancienne chapelle du château aujourd'hui disparu. Du XIIe s, elle présente un mélange de roman et gothique. À l'intérieur, les plus belles statues furent volées en 1973, mais il reste une pietà, une sainte Barbe en bois polychrome (reconnaissable à sa tour), une Vierge à l'Enfant et un beau saint Christophe avec Jésus sur le dos.

🏃 En contrebas, un curieux monument. C'est l'**oratoire de Belle-Croix,** érigé au XVIe s, au moment des grandes pestes. L'église étant trop petite pour contenir les milliers de fidèles fuyant l'épidémie et venus implorer saint Roch, on disait la messe depuis l'oratoire. Les pèlerinages durèrent jusqu'à la Révolution.

🏃 Mais le must, à Uchon, c'est de partir à la découverte de ces **roches** aux noms étranges : la Pierre qui croule, la Griffe du Diable... Pour se rendre au site du Carnaval, on peut prendre un sentier qui part en bas de l'église ou y aller en voiture par la D 275 et la route de l'antenne ; parking, puis on finit le reste à pied.

🏃 **Le centre monastique orthodoxe Saint-Hilaire-Saint-Jean-Damascène :** au bourg d'Uchon, sur la D 228. ☎ 03-85-54-47-75. De mi-juil à mi-sept, mar-jeu et w-e 15h-18h ; de mi-mars à mi-juil et de mi-sept à fin déc, w-e slt 15h-18h. Fermé au public fin déc-fin mars. Visite libre ou guidée (payante) sur rdv. L'occasion de s'informer sur cette Église orthodoxe française, issue des Églises grecque, russe et ukrainienne traditionnelles. Expo permanente de très belles icônes. Librairie, cadeaux, produits naturels, plantes aromatiques, etc.

AUTUN (71400) 15 200 hab. *Carte PNR du Morvan, B3*

● Plan p. 351

Il y a d'abord un site, tout en harmonie et douceur : une grosse colline contre laquelle la ville s'est adossée depuis près de 2 000 ans. Les Romains avaient déjà compris son importance et en firent une des capitales de la Gaule. À taille humaine, à l'écart de la frénésie du monde, elle a gardé le style et le caractère « balzacien » des belles villes de province. Autun n'est pas une ville hautaine mais une ville sereine et préservée.

UN PEU D'HISTOIRE

Au Ier s av. J.-C., Autun est fondée par l'empereur Auguste pour succéder à la rustique capitale gauloise, Bibracte. D'emblée, le projet est ambitieux autant que prestigieux : 6 km de remparts, quatre portes monumentales, un théâtre immense... Cette vitrine de Rome prend le nom d'*Augustodunum*.

Lorsque la Gaule fait sécession, la ville demeure fidèle à Rome, et elle subit, en 269, le courroux destructeur de l'empereur dissident Victorinus. Au Xe s, arrivée du corps de saint Lazare et gros pèlerinages en prévision. Le comté d'Autun perd alors son autonomie et rejoint le duché de Bourgogne.

L'ère des Rolin

Autun a tous les atouts dans son jeu, d'autant plus qu'au XVe s Nicolas Rolin, avocat autunois, est nommé chancelier de Philippe le Bon et apporte sa pierre à la grandeur et au prestige de la ville. Autun s'enrichit alors de superbes demeures (comme l'actuel musée Rolin) et notre chancelier va même exporter son talent de bâtisseur aux Hospices de Beaune. Son fils, le cardinal Jean Rolin, y rajoutera sa patte, dotant la cathédrale de magnifiques

> **LAISSEZ REFROIDIR LES COLÈRES**
>
> *À Autun comme à Dijon, il n'y eut pas de Saint-Barthélemy. Pierre Jeannin, président du parlement de Bourgogne, refusa de prendre en considération l'ordre royal de massacrer les protestants, déclarant : « Il faut obéir lentement aux souverains quand ils sont en colère ! »*

sculptures et faisant construire sa flèche. Au XVIe s, c'est la deuxième ville de Bourgogne, aux XVIIe et XVIIIe s, Autun continue à prospérer. Évêché, chef-lieu de bailliage, siège de nombre d'institutions religieuses, juridiques et administratives, Autun coule des jours paisibles.

Évêque par intérim !

Charles-Maurice de Talleyrand arrive à Autun le 12 mars 1789 comme nouvel évêque de la ville. Juste le temps de dire une fois la messe à la cathédrale et de se faire élire député du clergé aux états généraux, puisque la charge épiscopale

LE MORVAN

autunoise s'accompagne de la présidence des états de Bourgogne. Bonne affaire pour Talleyrand, qui va démarrer une carrière politique contrastée. Mais, hélas, la Révolution relègue Autun au rang de sous-préfecture.

Au XIXe s, la ville sombre dans une léthargie relative. Mais le foisonnement intellectuel rappelle qu'elle n'est pas qu'une « belle endormie ». L'exploitation des schistes bitumineux, dès 1837, marque le début d'une période industrielle inventive. La naissance de la machine à laver le linge va révolutionner la vie quotidienne de nos aïeux ! 100 ans plus tard, c'est la chaise Tolix, créée ici, qui deviendra un des objets cultes du mobilier industriel.

Adresses et infos utiles

🛈 **Office de tourisme** (plan A2, **1**) : 13, rue du Général-Demetz. ☎ 03-85-86-80-38. ● autun-tourisme.com ● Tlj sf dim. Infos sur la carte connectée présentant 69 circuits (4 niveaux de difficulté) sur les 55 communes du territoire ; appli gratuite Onprint (ou téléchargement sur le site), un téléphone suffit, même sans réseau et sans couverture. Sinon, consulter ● bit.ly/autun balade ● pour des circuits gratuits à faire à pied, à vélo ou en voiture.

🛈 **Espace Gislebertus – Destination Autun** (plan A3, **2**) : pl. du Terreau (face à la cathédrale) : tlj juil-sept. Un espace « zéro papier » dédié à la découverte du patrimoine d'Autun et sa région. Film en 3D au sujet du tympan de la cathédrale, maquette interactive en relief sur la construction de la ville, panneaux sur les fouilles et programmateur de circuits de découverte (patrimoine bâti, naturel ou immatériel, selon ses envies !).

🛈 **Espace Sports et Nature :** base de loisirs Marcel-Lucotte, route de Chalon. ☎ 03-85-52-47-09. Juil-août, lun-sam 10h-12h, 14h-19h ; dim 14h-19h, tte l'année sur résa. Location de VTT, vélos à assistance électrique, VAE enduro, canoës, embarcations à pédales, voile, paddle.

– **Marché :** mer et ven sous les halles et sur le parvis de l'hôtel de ville 8h-13h. Un régal, surtout le vendredi, jour de grand marché.

Où dormir ?

Camping

⚊ **Camping de la Porte d'Arroux** (hors plan par A1, **4**) : Les Chaumottes, rue du Traité-d'Anvers. ☎ 03-85-52-10-82. ● camping.autun@orange.com ● aquadis-loisirs.com ● ♿ À la sortie de la ville, direction Lucenay-l'Évêque (D 980). Ouv en saison slt (jusque début nov). Forfaits tente env 15-17 €. 100 empl. Caravanes et mobile homes 199-499 €/sem. Au bord d'un plan

■ Adresses utiles	5 Restaurant de l'Hôtel de la Tête Noire
🛈 1 Office de tourisme	6 Comptoir Cuisine
🛈 2 Espace Gislebertus	9 Café de la Bourse
	11 Le Châteaubriant
⌂ Où dormir ?	13 La Trattoria et Le Monde de Don Cabillaud
4 Camping de la Porte d'Arroux	14 Le Café des Tilleuls
5 Restaurant de l'Hôtel de la Tête Noire	15 New Saint Georges Café'In
7 Chambres d'hôtes Maison Sainte-Barbe	⊛ Où acheter de bons produits ?
8 Appart'hôtel Le Baron Jeannin	30 Le Cellier de Benoît Laly et le Caveau Talleyrand
⚫ï Où manger ? Où boire un verre ?	31 La Ferme de Rivault
1 Zuppa Zuppa	32 Le Cygne de Montjeu
2 Le Petit Rolin	33 Boucherie-charcuterie Gautier
	34 L'atelier-boutique Neyrat
	35 La Pause Café

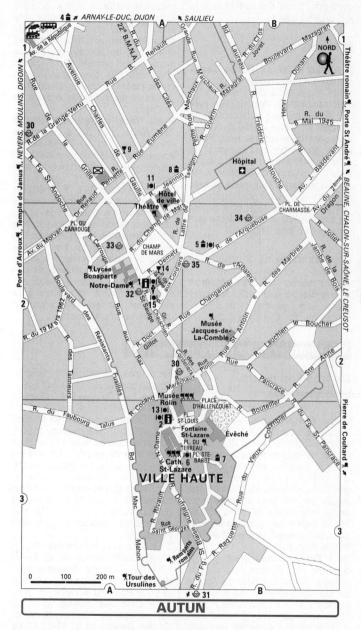

AUTUN

d'eau, au calme, dans un environnement assez boisé. Bon confort. Aire de jeux pour les enfants.

Meublés

🏠 *Appart'hôtel Le Baron Jeannin* (plan A1, **8**) : 5 bis, rue Jeannin. ☎ 03-85-54-38-56. Compter 55-85 €/ nuitée pour 2 à 4. Parking privé gratuit. 📶 On ne peut plus central, ce pimpant immeuble classé du XVIIIe s a été converti en appartements. Parmi eux, à destination des touristes, un T2 et un studio nickel et bien pensés, alliant le charme de l'ancien et le confort moderne. Communs nickels. Une formule pratique pour explorer la ville à sa guise. En face, pour le petit déj, un repas ou un verre, l'accueillant *Bourgogne* n'attend que vous.

De prix moyens à chic

🏠 *Chambres d'hôtes Maison Sainte-Barbe* (plan B3, **7**) : chez Marie-Luce Lequime, 7, pl. Sainte-Barbe. ☎ 03-85-86-24-77.

● contact@maisonsaintebarbe.com ● maisonsaintebarbe.com ● ♿ Résa fortement conseillée. Double env 88 €. 📶 Cette grande demeure de caractère (naguère habitée par les chanoines de la cathédrale), aux murs épais et anciens, abrite 4 belles chambres très bien arrangées et confortables. Accueil attentionné. Charmant jardin clos et escalier en colimaçon.

🏠 ●I● *Hôtel-restaurant de la Tête Noire* (plan B2, **5**) : 3, rue de l'Arquebuse. ☎ 03-85-86-59-99. ● welcome@hoteltetenoire.fr ● hotel tetenoire.fr ● Congés : de mi-déc à fin janv. Doubles 76-112 €. Menus 17 € (en sem), puis 20-49 €. 📶 Chambres confortables et arrangées comme il faut derrière une façade abondamment fleurie. Nos préférées sont en hauteur sous les toits, avec vue sur la campagne au loin. Savoureuse et copieuse cuisine bourguignonne proposée au travers de plusieurs menus. Accueil chaleureux, excellent service et grande salle climatisée. Un avantageux rapport qualité-prix-emplacement.

Où manger ? Où boire un verre ?

De très bon marché à bon marché

●I● *La Trattoria* (plan A3, **13**) : 2, rue des Bancs. ☎ 03-85-86-10-73. ● latrattoriat@orange.fr ● Tlj sf lun en été, sf lun-mar hors saison. Menus 16-26 €. Parmi les adresses préférées des Autunois, qui se réfugient aux jours gris dans la petite salle lumineuse, dirigée par des gens accueillants ou en terrasse abritée de l'autre côté de la rue. Délicieuse nourriture italienne (vous êtes accueilli par une authentique famille calabraise) !

●I● 🍴 *Zuppa Zuppa* (plan A2, **1**) : terrasse de l'Europe, 14, rue du Général-Demetz, à côté de l'office de tourisme. ☎ 03-85-52-37-74. Tlj sf dim 10h-20h. Formules 7-14 €. Une « cuisine minute » à toute heure, à l'italienne et à emporter. Des plats bio, fraîchement préparés, des pizzas,

des soupes, des pâtisseries maison... Coin épicerie fine.

●I● *New Saint Georges Café'In* (plan A2, **15**) : 9, rue Saint-Saulge. 📱 06-76-79-81-95. Tlj sf mer hors saison, en principe. Menus 13,50-15,50 €, carte env 15-20 €. Café offert pour les repas et menus sur présentation de ce guide. Un petit lieu chaleureux, qui fait à la fois salon de thé, crêperie, resto, brocante, où l'on se sent bien, quels que soient l'heure et l'âge de ses artères. Les enfants adorent. Les grands enfants aussi. Tout est fait maison, le salé du midi comme le sucré de l'après-midi.

🍷 *Le Café de la Bourse* (plan A1, **9**) : 18, av. Charles-de-Gaulle. ☎ 03-85-52-11-77. Tlj sf dim. Brasserie-salon de thé tout rose où l'on vient volontiers se poser et profiter du cadre Art déco.

🍷 *Le Café des Tilleuls* (plan A2, **14**) : terrasse de l'Europe, 6, rue du Général-Demetz. ☎ 03-85-52-51-44. ● cafedestilleuls@neuf.fr ● De mi-mars à mi-oct. Petit bar-resto sympa pour un verre sous les arbres du mail, au frais l'été. Programmation musicale à consulter sur ● cafedestilleuls.fr ●

Prix moyens

|●| Comptoir Cuisine (plan B3, **6**) : 13, pl. du Terreau, au pied de la cathédrale. ☎ 03-85-54-30-60. Mar-sam. Menus 21-28 €. Le chef est revenu au pays poser ses valises après avoir baroudé dans le monde et fait ses classes auprès de grands noms parisiens. Sa carte fait office de CV, gastronomique et mêlant habilement les cultures culinaires est et ouest. Le tout servi dans une ambiance bistrot et une déco ethno-moderne sympa et jeune.

|●| Le Petit Rolin (plan A3, **2**) : parvis Chanoine-Denis-Grivot. ☎ 03-85-86-15-55. ● lepetitrolin@gmail.com ● Tlj sf mar en hiver. Menus 19-27 €, plats 11-25 €. Parlons d'abord de la salle du XVe s avec une frêle colonne romaine pour tenir les vénérables poutres en place et un bout de rempart en guise de mur. Aux beaux jours, optez pour la terrasse à l'ombre de la cathédrale. Dans tous les cas, le cadre est idéal pour apprécier les classiques bourguignons à la carte, mais aussi salades,

crêpes, grill... Service efficace et souriant, même en cas d'affluence.

|●| Le Châteaubriant (plan A1, **11**) : 14, rue Jeannin. ☎ 03-85-52-21-58. ● lechateaubriantautun@orange.fr ● En plein centre-ville, derrière le théâtre municipal. Tlj sf dim-lun. Congés : 15 j. en fév et 3 sem en juil. Menus 18 € (en sem), puis 24-34 €. Café offert sur présentation de ce guide. Voici une solide adresse qui assure une cuisine régulière, plébiscitée par les Autunois depuis plus de 20 ans. Spécialités de viandes particulièrement tendres, comme le filet de bœuf sauce époisses, les cuisses de grenouilles, etc.

|●| Le Monde de Don Cabillaud (plan A3, **13**) : 4, rue des Bancs. ▯ 07-60-94-21-10. ♺ Tlj sf dim-lun. Menus env 28-35 €. Café offert sur présentation de ce guide. Au pays du bœuf bourguignon, un restaurant de poisson et un bar à huîtres ? Normal, on est rue des Bancs et c'est la passion maritime qui anime le chef originaire de Saint-Malo (Bretagne) émigré à Autun. C'est mignon et charmant, bien situé, avec une cuisine ouverte sur la petite salle sobrement décorée.

|●| Voir aussi, plus haut, dans « Où dormir ? », le resto de l'**Hôtel de la Tête Noire** (plan B2, **5**).

Où dormir ? Où manger dans les environs ?

Bon marché

⌂ |●| **Chambres d'hôtes chez Françoise Gorlier** : ferme de la Chassagne, 71190 Laizy. ☎ 03-85-82-39-47. ● francoise.gorlier@wanadoo.fr ● À 12 km au sud-ouest d'Autun. De mi-mars à oct. Compter env 53 € pour 2. Table d'hôtes (sf dim) 20 €, sur résa. Réduc de 10 % hors juil-août sur le prix de la chambre, sur présentation de ce guide. C'était le rêve de petite fille de Françoise : devenir fermière. Son bonheur est contagieux, car vous ressortirez de chez elle gonflé à bloc. La maison est magnifique et le panorama sur le massif du Morvan unique. Le lait, le beurre, les œufs, la confiture, les légumes, tout est maison et délicieux. Excellent rapport qualité-prix.

Chic

⌂ |●| **Chambres d'hôtes Domaine Les Escargots** : Les Billaudots, 3, impasse de la Croix, 71540 Igornay. ☎ 03-85-54-18-45. ● info@domaine-les-escargots.com ● domaine-les-escargots.com ● ♺ À env 13 km au nord d'Autun par la D 681. Tourner à droite vers Igornay ; 500 m plus loin à gauche, panneau. Doubles et suites à partir de 89 €. Menu 35 €. ⌁ Grande maison ancienne restaurée où l'on est accueilli par une gentille dame néerlandaise francophone, mariée à un chef cuisinier bourguignon. Chambres impeccables et très soignées, avec des grands lits. Vue sur le jardin. Très bonne table.

⌂ |●| **Chambres d'hôtes du château de Vareilles** : chez Carolien et

LE MORVAN

Robert Van Baaren, 71540 **Sommant**. ☎ 03-85-82-67-22. ● info@chateau devareilles.com ● chateaudevareilles. com ● À 11 km au nord d'Autun et à 15 km du site du mont Beuvray. Avr-oct. Doubles à partir de 92 €. Table d'hôtes 25-30 €. ☎ Au pied d'une colline boisée, un petit château tout blanc comme dans un conte de fées, tenu par Carolien et Robert Van Baa-ren. Les chambres sont superbes et le petit déj vaut à lui seul le déplacement. Piscine chauffée.

Où déguster du vin de la région ?

⚜ **Le Cellier de Benoît Laly** (plan A1, **30**) : 14, rue de la Grange-Vertu. ☎ 03-85-52-24-83. Mar-sam (sf j. fériés) 9h-12h, 14h-19h ; l'été, ouv également lun 10h-12h, 14h30-18h30. Cellier et minimusée de la Vigne et du Vin. Un endroit étonnant si vous aimez le vin et son histoire. Dégustation pos-sible, vente en vrac et à la bouteille. La maison possède une autre cave, **Le Caveau Talleyrand** (plan A2, **30**, 21, petite rue Chauchien).

Où acheter de beaux produits ?

⚜ **La Ferme de Rivault** (hors plan par B3, **31**) : sur les hauteurs de Saint-Blaise, d'où l'on domine tt Autun. ☎ 03-85-52-43-52. Visite et dégus-tation 7,50 €. Philippe et Alexandre Labonde font l'élevage de canards. Ils vendent foies gras, rillettes, confits, et surtout, ils préparent, sur résa pour les groupes, un mâchon à la bonne franquette à base de produits maison.

⚜ **Le Cygne de Montjeu** (plan A2, **32**) : 12, rue Saint-Saulge. ☎ 03-85-52-29-61. Mar-dim mat 8h30 (8h le w-e)-12h30, 14h-19h15. Une belle et bonne pâtisserie-chocolaterie. Régalez-vous l'été avec des glaces faites maison. D'ailleurs tout est fait maison, dont les noisettes et croquets du Morvan !

⚜ **Boucherie-charcuterie Gautier** (plan A2, **33**) : 5, rue Saint-Christophe. ☎ 03-85-52-20-90. Fermé dim ap-m et lun. Charcuterie traditionnelle et familiale avec de succulents produits faits maison. Vaut le détour, et pas seu-lement pour les jambons persillés du Morvan, saucissons ou pâtés extra ! La patronne est un vrai personnage.

⚜ **L'atelier-boutique Neyrat** (plan B2, **34**) : 19, rue de l'Arquebuse. ☎ 03-85-86-54-00. Lun-jeu et ven mat, plus sam en saison. Un lieu original où l'on produit sous vos yeux des parapluies, de manière artisanale, une spécialité 100 % autunoise depuis 1852. Mais l'entreprise Neyrat en produit 1 million par an dans ses usines en Asie ! Magni-fique boutique où chaque pépin est quasiment une pièce unique. Compter 35-95 € selon le modèle, secrets de fabrication inclus !

⚜ **La Pause Café** (plan A-B2, **35**) : 9, rue aux Cordiers. ☎ 03-85-86-34-60. Épicerie fine et torréfacteur où l'on trouve plus de variétés de thés, mais aussi un savoureux mélange maison de café appelé Talleyrand, plébiscité par les Autunois.

À voir

👁️👁️👁️ **La cathédrale Saint-Lazare** (plan A3) : accès partiel, dû à des travaux avec fouilles archéologiques.

Un joyau roman du XIIe s dans un écrin gothique.

L'un des chefs-d'œuvre de la cathédrale, c'est le **tympan,** qui a été magnifi-quement restauré. Le sculpteur a laissé son nom gravé sous les pieds du Christ : il s'appelait Gislebertus et avait un style bien à lui, caractérisé par l'allongement des corps, les visages grotesques attribués aux diables ou le traitement gra-phiques des lignes. En 1766, trouvant ce boulot vraiment barbare et primitif, les chanoines le firent disparaître derrière une épaisse couche de plâtre, le sauvant du coup des destructions de la Révolution. Merci, les chanoines ! On le retrouva par hasard en 1837 mais il faudra attendre 1948 pour que le Christ retrouve sa tête, qui traînait au musée Rolin ! Impossible de décrire entièrement le tympan. On conseille de visionner le film détaillant ce tympan unique à l'espace Gislebertus juste en face.

À l'intérieur, l'influence romaine est marquante. L'architecte se serait-il inspiré de la porte d'Arroux ? Il faut détailler les admirables **chapiteaux** de Gislebertus, un par un. Dans la quatrième chapelle, vitrail de l'arbre de Jessé, le seul vieux vitrail de la cathédrale (XVIe s).

On accède à la **salle capitulaire** par le jardin, le « clos Gislebertus », attenant à la cathédrale *(juil-sept, tlj sf dim mat et lun mat ; entrée : 2 €, réduc, gratuit moins de 12 ans)*. C'est ici que sont exposés les chapiteaux qui étaient initialement sur certains piliers du chœur et de la nef. Une chance unique de les admirer de près. Parmi les plus célèbres : le deuxième à droite en entrant, *La Pendaison de Judas*, avec ses deux diables tirant sur la corde. En sortant, dans le jardin, allez voir la gargouille irrévérencieuse à qui vous ne manquerez pas de tirer la langue.

– Découvrez librement **« La cathédrale en lumière »** (et en musique) : *1er juil-31 août 21h-23h.*

🏃🏃🏃 **Le musée Rolin** (plan A2-3) **:** 5, rue des Bancs. ☎ 03-85-52-09-76. *Avr-sept, tlj sf mar 10h-13h, 14h-18h. Oct-déc et début fév-mars, tlj sf mar 10h-12h, 14h-17h. Fermé 1er janv, 1er mai, 11 nov et 25 déc, et janv-début fév. Entrée : 6,20 € ; réduc ; 7,20 € avec expo temporaire ; gratuit pour ts le 1er dim du mois. Le billet donne droit à des réduc pour le musée de Bibracte. Sinon Pass archéo avec le musée du Pays châtillonnais, Trésor de Vix, le musée de Bibracte et le site d'Alésia.*

L'un des plus riches musées d'art de Bourgogne, installé dans l'hôtel particulier du chancelier Rolin. Propose tous les 2 ans, en plus de la collection permanente, des expos d'envergure nationale en partenariat avec le Louvre.

– **Au rez-de-chaussée :** remarquables mosaïques, notamment celle des auteurs grecs et surtout celle du Bellérophon terrassant la Chimère, récemment restaurée. Salle des poteries, amphores, verres et petits bronzes. Salle des outils anciens, métallurgie du Ier au IVe s, jolies figurines, grande variété de fibules, bijoux, épingles. Superbe casque de parade en bronze doré. Noter les délicats dessins sur le sarcophage de saint Francovée et l'une des premières inscriptions chrétiennes (du IVe s) : l'inscription de Pectorios. Reconstitution d'une petite nécropole avec stèles, sarcophage d'enfant en plomb du IVe s.

– Passage dans la **cour nord,** ce qui permet d'admirer la ravissante façade et la tour avec fenêtres et porte à accolade de l'hôtel Rolin.

– De là, accès aux **salles romanes** au rez-de-chaussée avec en pièce maîtresse la fameuse *Tentation d'Ève*, restaurée en 2016, qui figurait sur le linteau du portail latéral de la cathédrale et qu'on retrouva dans le mur d'une maison, comme matériau de construction. Mais où est passé Adam ?

– Par l'escalier à vis on parvient aux **salles gothiques** au 1er étage, où se trouve une autre pièce maîtresse, la *Nativité du cardinal Jean Rolin* du « Maître de Moulins ». Remarquable modelé du visage de Joseph, mais ce sont les bleus qui s'avèrent tout simplement extraordinaires. À côté, admirer la *Vierge d'Autun* en pierre polychrome du XVe s.

– Les **salles Beaux-Arts** du 2e étage abritent des collections de la fin du XVIe s à nos jours.

🏃 🏃🏃 **Le muséum d'Histoire naturelle Jacques-de-La-Comble** (plan B2) **:** 14, rue Saint-Antoine. ☎ 03-85-52-09-15. ♿ (rdc). *Juin-août, mer-dim 14h-17h30 ; sept-mai, mer 14h-17h (lun, jeu et ven 14h-17h sur rdv). Entrée : 5,40 € ; réduc ; gratuit pour ts le 1er dim du mois. Visite guidée sur résa.* Installé dans un ancien hôtel particulier avec moult moulures et dorures. Exposition permanente sur les milieux naturels et anciens de la région : minéraux, fossiles, insectes, oiseaux et mammifères. Les tiroirs du musée abritent tout de même 800 000 échantillons ! Pour tout savoir sur l'autunite – qui n'est pas une maladie, mais le premier minerai d'uranium découvert – et sur l'autunien – bien connu des géologues férus de l'ère primaire –, les rapaces oubliés et d'autres bestioles sympathiques comme ces bons vieux dinosaures...

L'Autun romain

🥾 **Le théâtre romain** (hors plan par B1) : *entrée av. du 2e-Dragon.* Construit au Ier s apr. J.-C., avec 148 m de diamètre, il fut le plus grand de la Gaule romaine et pouvait contenir jusqu'à 20 000 spectateurs. Ne subsiste aujourd'hui que la *cavea,* la partie où l'on s'asseyait. Comme beaucoup de monuments romains, le théâtre servit de carrière de pierre, notamment pour la construction du grand séminaire.

🥾 **La porte d'Arroux** (hors plan par A1) : *rue du Faubourg-d'Arroux.* Des quatre portes de la ville, il n'en reste que deux. Elles étaient toutes construites sur le même plan. Pour sa part, la porte d'Arroux, qui commandait la route de Sens, n'a jamais été reconstruite et nous parvient donc dans son état originel. Édifiée en calcaire, large de 17 m, elle est percée de deux grandes ouvertures pour les véhicules et de deux petites pour les piétons.

🥾 **La porte Saint-André** (hors plan par B1) : *rue de la Croix-Blanche.* Située sur la route de l'Est. Plus massive que la précédente, car enterrée, elle fut un peu remaniée et restaurée durant les siècles. Elle possède encore une de ses tours de garde, qui fut transformée en église au Moyen Âge.

🥾 **Les remparts** (plan A-B3) : construits par les Romains, il en subsiste plus de la moitié sur les 6 km d'origine, ainsi que 23 des 54 tours existant à l'époque et 3 portes monumentales sur 4. Bien entendu, une partie des remparts, épais de 2,50 m, et des tours a été englobée dans les habitations, mais certains éléments se laissent encore assez bien deviner. Cette muraille, inhabituelle en Gaule si tôt dans la conquête romaine, montrait bien la volonté des premiers Autunois de se construire une capitale à l'image de Rome. Appareillage de pierre très régulier. La partie la plus homogène, quasiment intacte, s'étend sur le boulevard Mac-Mahon, depuis la tour des Ursulines.

🥾 **Le temple dit « de Janus »** (hors plan par A1) : *au lieu-dit La Genetoye, à env 500 m des remparts. Accès par la rue du Faubourg-Saint-Andoche ou celle du Faubourg-d'Arroux.* Ce qui reste de ce temple typiquement gallo-romain impressionne, et pourtant, ce n'est que la *cella,* la partie centrale, qui faisait 24 m de haut et 2,20 m d'épaisseur. C'est ici que se tenait la statue du dieu. Tout autour tournait une galerie. Les trous que vous apercevez dans la façade sont ceux de la charpente de la galerie ou des boulins qui servirent à fixer les échafaudages durant la construction.

🥾 **La pierre de Couhard** (hors plan par B3) : *à l'est de la ville, en direction de la cascade de Brisecou.* Date probablement du Ier s apr. J.-C. On devine un monument funéraire ou un cénotaphe de forme pyramidale qui, à l'origine, devait bien faire une trentaine de mètres de haut. Son revêtement de plaques de calcaire a disparu et on peut voir un trou béant causé par les recherches effectuées au XVIIe s.

Balade dans la ville haute *(plan A-B2-3)*

🥾 À partir de la cathédrale, c'est un délice de vagabonder le long des ruelles médiévales... Au n° 9, l'ancien farinier des chanoines abrite le ***cellier des Arts,*** qui accueille artistes et artisans d'art locaux. Toutes les créations exposées peuvent être acquises. ☎ *03-85-52-85-81. Tlj sf lun, 10h-18h30.*

🏃 Devant la cathédrale s'élève la **fontaine Saint-Lazare** *(plan A3),* construite en 1543 dans le style Renaissance.

🏃 Pittoresques impasses autour de la cathédrale venant buter contre la muraille. Prenons à droite du parvis. À l'angle de l'impasse du Jeu-de-Paulme, belle « maison du tripot » (le casino quoi !) à pignons pointus, colombages et fenêtres à accolade. Au n° 12, rue Notre-Dame, l'**hôtel de Millery**, du XVIIᵉ s, son grand jardin, son beau perron avec escalier en fer à cheval. Côté impasse, l'hôtel s'appuie sur les murs de bâtisses du XVᵉ s (façade plus fruste).

🏃 Au bout de la rue Dufraigne et de la rue du Faubourg-Saint-Blaise *(plan A3),* puis à droite, s'élève la **tour des Ursulines** (XIVᵉ s), octogonale, surmontée d'une statue de la Vierge. Bâtie sur la base d'une tour romaine, c'est le seul vestige de la forteresse du bailli des ducs de Bourgogne. Elle appartient aujourd'hui à un artiste japonais, Isao Takahashi qui y enseigne l'art de la fresque médiévale. Création d'une fresque sous la voûte de la tour et expo mi-juillet à mi-août.

🏃 Sereine rue Saint-Quentin et charmante **rue Sainte-Barbe**. Au n° 3, **place Sainte-Barbe,** trois clins d'œil du passé : stèle romaine insérée dans le mur, petite baie romane et fenêtre du XVᵉ s. **Place d'Hallencourt,** entrée de l'évêché (ne se visite pas). Portail du XVIIIᵉ s et tour Saint-Léger du XIIIᵉ s.

Quelques pas dans la ville classique

C'est la ville qui se développa au XVIIIᵉ s, autour de la **place du Champ-de-Mars** *(plan A2).*

🏃 Au bout de la place, le **lycée Bonaparte** *(plan A2),* ancien collège des jésuites du XVIIIᵉ s. En 1779, Napoléon et son frère Joseph y furent élèves. Impressionnante grille en fer forgé de 1772. À côté, l'**église Notre-Dame** *(plan A2),* ancienne chapelle du collège. À l'intérieur, statue de Sainte-Anne et la Vierge, en pierre, du XVᵉ s. **Mairie** de style assez éclectique, comme il sied souvent à cette architecture du XIXᵉ s et imposant **théâtre** à l'italienne également du XIXᵉ s à

NAPOLÉON, ROCK STAR

Napoléon fréquenta quelques mois le collège de la ville et revint, au faîte de sa gloire, dormir à l'Hôtel de la Poste. Pour mieux l'approcher, quelques dames émoustillées se déguisèrent en servantes, lors du dîner qui fut donné en son honneur. En 1815, à son retour de l'île d'Elbe, il dormit dans le même hôtel. Mais là, ses ex-admiratrices eurent plutôt tendance à le snober. Et il repartit furieux.

côté (on rehaussa la mairie pour que le théâtre ne soit pas plus haut !).

🏃 Au n° 12 de la place, en passant par le mail et son kiosque, débute le beau **passage Balthus** qui finit rue aux Cordiers. Construit en 1848, il ne manque pas d'élégance, avec sa double galerie sur le toit des boutiques, formant balcon sur le passage. Accès par un gracieux escalier. Ce beau décor néoclassique plut à Alain Resnais puisqu'il y tourna une scène d'*Hiroshima mon amour* (d'après le roman de Marguerite Duras).

Manifestations

– **Nuits de la Gargouille :** *juil-août, une dizaine de représentations. Limité à 120 pers.* Belle animation des nuits d'été dans les rues autour de la

LE MORVAN

cathédrale. Comédiens, musiciens, guides conférenciers et jeux de lumière font revivre la grande histoire de la ville.

– *Festival Garçon la note :* juil-août, mar, jeu et sam, en terrasse à Autun et dans l'Autunois. GRATUIT. Jazz, blues, rock, variétés... Sympa.

– *Ateliers en famille :* juil-sept, une quinzaine d'ateliers. Ateliers ludiques autour des saveurs et senteurs romaines, de la gastronomie médiévale, des secrets du naturaliste... Également un jeu de piste en famille sur le thème de l'architecture. À partager avec les enfants.

– *Journées romaines :* 1er w-e d'août. ● journees-romaines.com ● Engagez-vous... à retrouver la légion VIII Augusta ! Une équipe de passionnés qui vous feront voir du pays.

– *Augustodunum « Entre Ombres et Lumières » :* fin juil-début août. Son et lumière dans le théâtre antique. Péplum grandeur nature : jeux de lumières, projection sur écran géant, grande fresque historique.

BIBRACTE ET LE MONT BEUVRAY

(71990)   *Carte PNR du Morvan, A-B3*

LE MORVAN

Il était une fois, aux IIe et Ier s av. J.-C., à la fin de l'âge du Fer, une grande ville gauloise qui, croyait-on, résisterait encore et toujours à l'envahisseur... L'histoire aurait pu continuer ainsi et faire l'objet, quelques siècles plus tard, d'une série de bandes dessinées célèbres. Le seul best-seller écrit ici n'est pas d'Uderzo ni de Goscinny, mais de César, qui y acheva la rédaction de ses *Commentaires sur la guerre des Gaules,* une fois vainqueur à Alésia.

Quelques décennies après la conquête romaine, Bibracte fut abandonnée au profit d'Autun, ce qui explique pourquoi il vous faut impérativement parcourir, après la visite d'*Augustodunum* (nom romain d'Autun), les 25 km qui vous séparent de Bibracte, cette cité endormie depuis mais conservée, fossilisée, au cœur de la forêt. Et réveillée aujourd'hui par les archéologues qui ont fourni la matière du musée, résolument high-tech. Il permet de tout savoir de cette période charnière de notre histoire où les Gaulois devinrent gallo-romains et sert de porte d'entrée à ce « Grand site de France ».

LA CAPITALE DES ÉDUENS

Labellisé « Grand site de France », l'oppidum de Bibracte, capitale des Éduens, culmine sur le mont Beuvray à 821 m. Un site exceptionnel déjà pour sa vénérable forêt de hêtres et de chênes. Il sert d'écrin aux vestiges archéologiques et à des points de vue uniques sur les paysages préservés et bucoliques de la Bourgogne centrale.

Au Ier s av. J.-C., une grande ville gauloise s'élevait au sommet du mont Beuvray. Bibracte possédait ses quartiers de nobles et d'artisans, son centre monumental, ses voies d'accès. L'oppidum, ville fortifiée avec 5 km de remparts en partie visibles et de nombreuses portes, était certes un carrefour économique, mais surtout le siège du pouvoir civil et religieux des Éduens.

Quand commence la guerre des Gaules, les Éduens étaient depuis un siècle des partenaires commerciaux des Romains. Leur revirement, scellé par la fameuse coalition gauloise, durant laquelle Vercingétorix fut proclamé chef en 52 av. J.-C., avait été fortement anticipé par le comportement de Jules César, de plus en plus tyrannique vis-à-vis de ses alliés gaulois.

Abandonnée au moment du changement d'ère au profit d'Autun, Bibracte fut bientôt recouverte d'une forêt et sombra dans l'oubli pendant des siècles. Le site de la capitale des Éduens du temps de Jules César fut retrouvé à la fin du XIXe s par un érudit autunois, *Jacques-Gabriel Bulliot* (1817-1902). À force de curiosité et de ténacité, il fouilla la montagne et découvrit les restes de l'oppidum.

Après une interruption de 70 ans, les archéologues fouillent à nouveau le site tous les étés depuis 1984.

Tout cela vous sera largement expliqué au cours de la visite passionnante du musée, qui risque de remettre en cause bien des idées reçues depuis le XIXe s...

Compter une bonne journée « gauloise » pour découvrir le musée (payant) et le site archéologique et naturel du mont Beuvray (en accès libre).

Où manger ? Où boire un verre à Bibracte ?

|●| *Le Chaudron* (restaurant de cuisine gauloise) : *sur la gauche du musée.* ☎ 03-85-86-52-40. ● info@ bibracte.fr ● ⏱ *De mi-mars à mi-nov, le midi slt (et mer soir en été). Compter env 18 € (12,50 € pour moins de 12 ans). Possibilité de formule journée gauloise avec visite guidée du site et entrée du musée. Résa obligatoire.* La découverte archéologique se poursuit jusque dans l'écuelle, sur des sortes d'établis assez bas, sans fourchette (mais avec une cuillère et un couteau, à la mode gauloise), vous prendrez votre repas dans de la vaisselle fabriquée sur des modèles d'époque. Terrine de lentilles, millet, tendres joues d'éduenne (viande des Gaulois), brioché de pavot... Le resto propose aussi des cervoises blondes, brunes ou rousses de différents brassins.

|●| ▼ Pour les petites faims et les grandes soifs, en été, on peut y acheter un pique-nique, gaulois ou pas *(8 €/pers)*, ou même un goûter gaulois *(3 €)*... Le tout composé de produits du terroir : terrine du Morvan, fromage de chèvre, entre autres. On y déguste aussi de belles tartes, de la cervoise, du miel...

Où dormir ? Où manger dans les environs du mont Beuvray ?

De bon marché à prix moyens

🛏 *Maison Le Petit Ailleurs :* chez Christiane Angermann et Philippe Gautheron, La Boutière, 71990 **Saint-Léger-sous-Beuvray.** 📱 06-22-32-17-42. ● gite-du-morvan.com ● *Compter 445 €/sem en hte saison.* Si tous les guides du parc se mettaient, comme Christiane, à retaper une vieille maison de village pour en faire un gîte sympa comme tout, où se poser à 2 ou en famille, il y aurait plus de monde qui séjournerait par ici. Confortable, chaleureux, pratique, avec une terrasse pour se faire bronzer et un sauna pour les jours sans soleil.

⚠ 🛏 *Chambres d'hôtes Aux Sources de l'Yonne :* lieu-dit Anverse, 58370 **Glux-en-Glenne.** ☎ 03-86-76-15-70. ● info@sdlyonne.com ● sdlyonne. com ● *À env 4 km au nord. D'avr à mi-nov. Double 55 €. Forfait tente pour 2 env 14 €.* 📶 Les Néerlandais sont présents en nombre l'été dans le Morvan. Certains s'y installent, comme ce couple qui a perché sa jolie maison à flanc de colline. Intérieur boisé et 4 chambres chaleureuses décorées sur des thèmes morvandiaux, dont une suite familiale. Cuisine à disposition, installée de façon insolite dans une ancienne cave. Dans le jardin en contrebas, petite piscine bien animée l'été. Cuisine du monde à la table d'hôtes et accueil charmant. Possibilité de camper à côté de la maison. Également plusieurs gîtes dans les environs.

|●| *La Petite Auberge :* le bourg, 58370 **Glux-en-Glenne.** ☎ 03-86-78-65-79. ● aubergeglux@orange.fr ● *À env 4 km au nord. Tlj sf mer. Menus 15-18 €. Café offert sur présentation*

LE MORVAN

de ce guide. Une auberge de poche où l'on est accueilli avec le sourire en terrasse ou dans l'une des 2 jolies salles rustiques. Qu'il s'agisse d'un repas complet ou d'une simple pause, tout est frais et maison avec parfois d'amusantes touches anglaises (la patrie du chef). L'adresse idéale pour se poser avant ou après une rando sympa que l'on recommande vivement, « Les Sources de l'Yonne » au départ du parking « La Source ». Faisable avec des enfants en 3 km, topo disponible à la mairie ou l'office de tourisme de Château-Chinon.

🏠 **|●| Chambres d'hôtes L'Eau Vive :** chez Catherine et René Denis, 71990 **Saint-Prix.** ☎ 03-85-82-59-34. ● renecat.denis@orange.fr ● chambresdhotes-eauvive.fr ● Fermé 15 j. fin juin et Toussaint-Pâques. Double 55 €. Table d'hôtes le soir 24 €, sans le vin. 🛜 En contrebas de la route, sur un flanc de coteau verdoyant, un ancien corps de ferme

aménagé à côté de la maison d'habitation, avec 4 jolies chambres jouissant d'une belle vue sur la campagne. Accueil charmant et dynamique. Catherine cuisine merveilleusement (ah, le bœuf charolais au pain d'épice et les succulentes tartes !) et René connaît bien les randonnées et itinéraires de VTT.

Très chic

|●| Chez Franck et Francine : 71990 **Saint-Prix.** ☎ 03-85-82-45-12. 🍴 Fermé dim soir-lun. Résa min 2 j. avt. Menus 47-55 €. Dans un petit village, au pied du Haut-Folin, le point culminant du Morvan. Une cuisine digne des grandes toques de Bourgogne, vous n'en reviendrez pas ! Encore faut-il pouvoir obtenir une place, car le chef est seul en cuisine, et comme il ne cuisine que du frais, ne pas y arriver à l'improviste.

À voir. À faire

🏛️🏛️🏛️ 🚶 **Le musée de Bibracte :** 71990 **Saint-Léger-sous-Beuvray.** ☎ 03-85-86-52-35. ● info@bibracte.fr ● bibracte.fr ● 🦽 (matériel adapté). De mi-mars à mi-nov, tlj 10h-18h (19h en juil-août). Entrée : 7,50 € avec audioguide ; 12 € pour le passeport Bibracte (entrée au musée + visite guidée du site ; tlj à 10h30 sf dim, 14h, 15h et 16h30 en juil-août ; dim, j. fériés et vac scol à 14h30 de mi-mars à fin juin et de mi-sept à mi-nov ; tlj à 14h30 la 1ʳᵉ quinzaine de sept) ; 27 € pour la journée gauloise (repas inclus au Chaudron) ; réduc ; gratuit moins de 12 ans hors repas. Avec ce billet, réduc pour d'autres sites. Sinon Pass archéo avec le musée du Châtillonnais, Trésor de Vix, le musée Rolin d'Autun et le site d'Alésia. Prêt de poussettes, porte-bébés, bornes de rechargement pour vélos électriques...

Bâti au pied du mont Beuvray, labellisé « Grand Site de France », ce musée est d'abord un vrai pari architectural qui se déploie en strates : pierres taillées, pierres polies, verre et métal, en rappel des âges de l'humanité (on est chez des archéologues !).

L'intérieur du musée, ultra-moderne, est plus ouvert que jamais sur la nature environnante, tout en faisant appel aux nouvelles technologies pour permettre à tous, petits et grands, d'utiliser au mieux cette fantastique machine à remonter le temps. Il présente **à l'étage,** par lequel vous commencez la visite, l'émergence du phénomène urbain dans l'Europe tempérée, ancré dans l'histoire de la fin du Iᵉʳ millénaire av. J.-C., au travers de tous ses aspects : agriculture et artisanat, économie et réseaux d'échanges, urbanisme et expressions artistiques...

Le rez-de-chaussée dévoile le nouveau visage de Bibracte, celui d'une ville où cohabitaient déjà, avant même la conquête, des éléments traditionnels de la culture gauloise et les signes d'une influence grandissante du monde méditerranéen. Des centaines d'objets, amphores, monnaies, vaisselle, outils, etc. exhumés depuis la reprise des fouilles en 1984, des maquettes et des reconstitutions permettent de comprendre les étapes de cette romanisation et le travail archéologique à la source de ces découvertes. Ne ratez pas le survol interactif de l'oppidum avec une tablette numérique pour découvrir le millefeuille des données topographiques, hydrographiques et archéologiques et voyager dans le temps. – *Un conseil :* après votre tour dans le musée, suivez les *visites guidées du site,* pour mieux rêver la ville enfouie sous la forêt.

> ### À TABLE, LES GAULOIS !
>
> *Les Gaulois mangeaient du cochon (succos), du goret (orco), et même parfois des petits chiens (coligno). Renards et loups étaient chassés pour leur fourrure. Les céréales servaient à faire la bouillie, base de l'alimentation gauloise. Pour les banquets, on n'hésitait pas à sacrifier un taureau, un bœuf et de nombreux moutons. Les archéologues sont formels, le sanglier figurait rarement au menu des ripailles !*

– Chaque été, le musée propose des ateliers pour enfants mardi et jeudi, ainsi que des soirées thématiques.

✺ On trouve aussi au musée une *boutique* bien riche en matière d'archéologie et d'environnement, et proposant en outre toute une gamme de bijoux originaux et de jeux.

🎭🎭🎭 *Le Grand Site de France de Bibracte – Mont Beuvray :* accès libre et gratuit. Pour atteindre le sommet du mont Beuvray, on peut soit monter à pied (très belle randonnée en soi), soit utiliser en été les navettes gratuites, soit encore y aller en voiture. Une jolie route ombragée y grimpe parmi les hauts troncs moussus, mais attention, elle est à sens unique et ne revient pas à son point de départ.

On traverse une immense forêt parsemée de clairières où se déploient chaque été des chantiers de fouilles qui accueillent des étudiants issus de toute l'Europe. Au lieu-dit La Chaume, une table d'orientation se tient face à un superbe panorama, l'un des plus dégagés du Morvan. Un plan du site et de ses secteurs remarquables est disponible gratuitement à l'accueil du musée.

– La *grimpe d'arbres* vous fascine ? Renseignez-vous auprès de l'équipe du musée. Ateliers ou demi-journée découverte. Après une explication sur la forêt et ses racines, l'animateur vous guidera jusqu'à la cime ! Sensations garanties.

– *Morvan d'ailes :* sur résa slt. Original, une balade insolite dans la forêt du mont Beuvray avec des rapaces et leurs fauconniers.

🎭🎭 *Les différents sites sur le mont Beuvray :* ils sont accessibles à pied, par des sentiers balisés. Le tour des Remparts fait 5,2 km. Le grand tour sur le mont Beuvray (6,5 km) sinue à travers les bois et passe par le sommet (vue superbe). Compter entre 2h et 3h minimum.

Le *col de la Croix-du-Rebout* (musée), le rempart extérieur, la *tombe des Barlots* (nécropole), la *porte du Rebout* (703 m, principal accès de l'oppidum), la *roche de la Wivre,* la *Côme Chaudron* (quartiers des forgerons et des bronziers), la *Pâture du couvent* (restes d'un couvent franciscain et du plus ancien forum de Gaule) et, plus haut encore, le *parc aux chevaux* et l'*Hôtel des Gaules* (vestiges d'une vaste demeure à la romaine, et chaumière-musée qui servait de base aux recherches de Jacques-Gabriel Bulliot, le pionnier de l'archéologie de Bibracte)...

> ### ARE FUNÉRAIRE
>
> *C'est au sommet du mont Beuvray que François Mitterrand aurait souhaité être enterré. Le 5 mai 1995, il avait acheté un petit terrain d'un are (100 m²) à 810 m d'altitude, au lieu-dit La Chaume, pour un franc symbolique. Une association locale (L'Are pour tous !) s'opposa fermement au projet dans ce site protégé, et Mitterrand renonça finalement à son idée. Il repose à Jarnac, en Charente, au cimetière municipal.*

LE MORVAN

🎥 Vous pouvez également terminer la visite par le *centre de recherche* de Glux-en-Glenne, situé à quelques kilomètres de là et dont le centre de documentation est ouvert au public. Attention, l'hiver, tout est gelé dans le secteur : on est tout de même à 800 m d'altitude !

ANOST (71550) 670 hab. *Carte PNR du Morvan, B2*

Dans la partie la plus sauvage et la plus boisée du Morvan, à une vingtaine de kilomètres à l'est de Château-Chinon, Anost a su cristalliser sur son nom toutes les envies de grand air, de randonnées, de convivialité, par une politique d'accueil touristique intelligente et préservant son identité villageoise. Vous aimerez ce camp de base bien situé pour partir à la découverte de la forêt sur des sentiers bien balisés ou des routes sereines et tranquilles. Mais avant cela, n'oubliez pas de jeter un œil aux gisants de Jehan de Roussillon et sa femme, dans l'église. Ils datent du XIIIe s.

Où dormir ? Où manger à Anost et dans les environs ?

🏕 *Camping municipal du Pont de Bussy :* à Anost. ☎ 03-85-82-79-07 (juin-août). 📱 06-69-98-34-23. ● campingdanost@orange.fr ● anost.fr ● ♿ À la sortie du village, en direction de Bussy-Corcelles. Avr-fin sept. Forfait tente en hte saison 16 € (avec électricité). 37 empl. Mobile homes également. CB refusées. 📶 Dans un cadre bucolique à souhait, un petit camping à l'accueil sympa. Beau gazon, sanitaires impeccables, aire de jeux, tennis, baignade.

🏠 |●| *Auberge de la Chaloire :* 71400 La Petite-Verrière. ☎ 03-85-54-14-10.

● hotel@auberge-de-la-chaloire.com ● auberge-de-la-chaloire.com ● À 7 km au sud-est d'Anost. Resto fermé le midi lun-mar ; hors saison, fermé lun-mer. Doubles 65-70 €. Gîte 6 pers. Menus 22,50-40 €. 📶 Café offert sur présentation de ce guide. Face à l'église, en pleine campagne. Des Néerlandais sympathiques font vivre cet ancien hôtel-resto où l'on se retrouve, entre Européens gastronomes, pour savourer des plats du terroir intelligemment remis à l'honneur, à tout petits prix. Piscine extérieure chauffée.

À voir

🎥🎥 🚶 *La Maison des galvachers :* au centre du village. ☎ 03-85-82-73-26. Juil-août, tlj sf mar 14h-18h ; juin et sept, mer et w-e 14h-18h ; oct-mai, mer et sam 14h-17h. Mais appeler avt. Entrée : 3 € ; réduc ; gratuit moins de 6 ans et pour le 1er dim du mois juin-sept. Très intéressant petit musée sur ce que fut l'une des activités typiques du Morvan : galvacher, c'est-à-dire charroyeur (conducteur de charroi nomade). De mai à novembre, le galvacher effectuait des transports de bois ou de marchandises aux quatre coins du Morvan, et même plus loin. Le dernier attelage cessa de courir les chemins en 1978.

🎥 *La Maison du patrimoine oral de Bourgogne :* la Cure. ☎ 03-85-82-77-00. L'une des antennes de l'écomusée du Morvan. Juil-août, mar-ven et dim 14h-18h ; le reste de l'année, slt sur rdv. Appeler avt dans ts les cas. Entrée : 2 € ; réduc.

Visites animées. Jouer avec les sons, danser, chanter, écouter, observer, raconter des histoires et plein d'autres choses encore... On y trouve aussi un centre de documentation et une boutique de CD et de livres.

🏃 *L'Enclos à sangliers : au-dessus du village.* Au sein de la forêt domaniale, un élevage de 20 ha dont on peut faire le tour (environ 2 km). Panneaux pédagogiques sur les sangliers et le Morvan.

Randonnées pédestres

➤ 🏃🏃 *Panoramas sur la forêt du Morvan à Notre-Dame-de-l'Aillant :* 6 km, 2h. Un bain de nature facile. Balisage : blanc et rouge du GR 13, jaune et rouge du GR de pays, jaune du PR. Références : *PR et Week-end en Morvan,* éd. Chamina ; *Tour du Morvan,* éd. FFRP. Carte : IGN au 1/25 000, n° 2824.
Départ de la mairie d'Anost. La traversée de la vallée du Coterin, puis le contournement du mont Athez (564 m) vous mèneront au panorama de Notre-Dame-de-l'Aillant, magnifique, sur les collines boisées du Morvan. Vous continuez vers le nord et le village de Sarceray, en suivant la vallée du Corterin ; sinon, vous pouvez retourner directement à Anost par le balisage jaune et rouge du GR de pays.

➤ 🏃 *Circuit des Galvachers :* 11,6 km, 4h. Jolie rando pour bons marcheurs au départ d'Anost jusqu'à la chapelle de Velée. Vue panoramique.

LE DOMAINE DES GRANDS LACS

Partie centrale du Morvan, cette région des grands lacs – qui appartient à la Nièvre mais avec un petit bout en Côte-d'Or (lac de Chamboux) et un tout petit bout de l'Yonne (lac du Crescent) – ne possède pas de ville importante, mais des hameaux, des fermes isolées. Les bourgs les plus grands, Montsauche, Ouroux, Dun-les-Places ou Lormes, restent modestes et pittoresques. Mais l'attrait du pays est ailleurs, dans ses sous-bois, ses sentes, ses grands lacs. Tous sont artificiels, créés pour le flottage du bois et servant à la régulation des cours d'eau (Les Settons, Pannecière), la production électrique (Chaumeçon, Crescent) ou la production d'eau potable (Saint-Agnan, Chamboux). Les lacs de Pannecière et des Settons sont les plus grands (520 et 359 ha), et ce dernier est le mieux aménagé. En revanche, les autres bénéficient souvent d'un cadre plus naturel et sauvage.
Mais commençons par un crochet en Côte d'Or jusqu'au pays de Saulieu, ville célèbre pour avoir abrité « Loiseau du Morvan » (qui fut un des chefs de Bourgogne les plus médiatiques de la fin du XXᵉ s).

MÉNESSAIRE (21430) 90 hab. *Carte PNR du Morvan, B2*

Un tout petit village perché à 550 m d'altitude au milieu des forêts, curieuse enclave côte-d'orienne entre la Nièvre et la Saône-et-Loire. Il est surtout dominé par un élégant château, fondé au XIIᵉ s mais reconstruit en grande partie au XVIIᵉ et qui présente une étonnante façade polychrome typique de la Renaissance italienne. Des générations de

bénévoles ont permis la sauvegarde de ce château de conte de fées morvandiau. Si vous passez par là aux Journées du patrimoine, vous pourrez admirer dans sa grande salle à manger un extraordinaire plafond à la française.

À voir

🍴 **La Maison du seigle :** à la mairie. ☎ 03-80-64-28-65. En saison, lun et jeu 15h-17h ; sinon, sur rdv. Entrée : 2,30 € ; réduc. Sympathique petit musée autour d'une des cultures emblématiques du Morvan d'hier, parfaite pour des paysans vivant en quasi-autarcie car elle servait à tout ou presque.

DE MÉNESSAIRE À SAULIEU

🍴 **L'église de Bard-le-Régulier** (21430) : à une vingtaine de km au sud-est de Saulieu par la D 15 puis la D 15e. Juil-août, ouv 9h-18h ; le reste de l'année, 10h-17h. Dans un tout petit village hors circuits touristiques, belle église romane, dernier vestige d'un prieuré du XIIIᵉ s. Surprenante tour octogonale, d'un goût très oriental. Dans la nef, intéressantes statues des XVᵉ, XVIᵉ et XVIIᵉ s (dont une, très expressive, de saint Jean l'Évangéliste auquel l'église est consacrée). Dans le chœur, bel ensemble (une trentaine au total) de stalles du XIVᵉ s, dont il faut prendre la peine de détailler toutes les sculptures.

🍴 **L'église de Manlay** (21430) : dans un autre petit village à une poignée de km de Bard par la D 11a. Une église du XIVᵉ s aux airs de forteresse : façade flanquée de deux grosses tours rondes percées d'étroites meurtrières, donjon carré pour abriter le chœur.

🍴🍴 **Le lac de Chamboux :** une pause fraîcheur au sud de Saulieu, pour toute la famille. C'est l'un des plus beaux lacs artificiels du Morvan, le plus récent aussi (construit en 1984) et l'un des 6 réservoirs d'eau potable du Parc. Balade de 8 km (2h30, facile) pour en faire le tour.

SAULIEU   (21210)   2 970 hab.   *Carte PNR du Morvan, B1*

Depuis 20 siècles, il semble que les voyageurs aient pris l'habitude de faire étape sur ce site, à mi-chemin entre Bibracte et Alésia, entre montagnes du Morvan et plaines de l'Auxois. C'est ici que Bernard Loiseau avait fait son nid derrière les fourneaux de *La Côte d'Or*, pour gagner ses 3 étoiles tout en se forgeant une solide réputation médiatique. La petite cité sédélocienne, tout naturellement labellisée « site remarquable du goût » est aussi parsemée d'œuvres contemporaines, en hommage à François Pompon, le sculpteur animalier qui a également marqué la ville.

Adresse utile

🏠 **Office de tourisme :** 24, rue d'Argentine. ☎ 03-80-64-00-21. ● saulieu-morvan.fr ● Mai-3ᵉ w-e de sept, tlj 9h30-13h, 14h-18h30. Hors saison, tlj sf dim-lun 10h-12h, 14h-17h. Infos sur les 4 circuits de randonnée dans la région, parcourue également par le chemin Bibracte-Alésia.

Où dormir ? Où manger ?

🛏 |●| *La Borne Impériale* : 16, rue d'Argentine. ☎ 03-80-64-19-76. ● jean. berteau0512@orange.fr ● borne-impe riale.com ● ⅋. Dans le bourg, le long de la N 6. Resto tlj sf mar (plus lun soir hors saison). Doubles 68-96 €. Menus 20 € (déj en sem), puis 28-38 €. Élégante salle de resto traditionnelle avec terrasse aux beaux jours, pour goûter une honnête cuisine régionale, entre aiguillette de charolais, quenelles de brochet et poulet de Bresse. Une auberge qui propose également des chambres.

|●| *Loiseau des Sens* : 4, av. de la Gare. ☎ 03-45-44-70-00. Mar-sam. Menus 32-59 €. Loiseau du Morvan s'est envolé mais les femmes de sa vie ont poursuivi dans la voie qu'il avait tracée. Dans la constellation des tables Loiseau, en voici une plus « relax », dans un bâtiment écocompatible entièrement dédié au bien-être. À la carte, le bio et le végétarien ont leur place tout comme le charolais et le locavore. La famille Loiseau a pris l'habitude depuis longtemps, dans ses divers restos, de faire confiance à des chefs ayant du terroir une vision élargie, venant eux-mêmes d'horizons très différents. Celui-ci ne dépareille pas.

|●| *La Vieille Auberge* : 15, rue Grillot. ☎ 03-80-64-13-74. ● lavieilleau berge3@wanadoo.fr ● À la sortie de la ville. Resto fermé mar soir-mer hors saison. Congés : 2 sem en janv, 10 j. début juil. Menus 14-50 €. Café offert sur présentation de ce guide. Salle croquignolette, jolie terrasse cachée, et bonne cuisine de tradition, généreuse (œuf meurette, sandre au vin rouge...) avec belle sélection de fromages régionaux.

Où dormir dans les environs ?

🛏 *Le Domaine de la Pierre Ronde* : lac de Chamboux, 21210 **Saint-Martin-de-la-Mer**. ☎ 03-80-84-13-07. 📱 06-99-09-30-21. ● domainedelapierreronde@gmail.com ● domainedelapierreronde. com ● Au sud de Saulieu, suivre « Lac de Chamboux » et non Saint-Martin-de-la-Mer. Compter 80-175 €/nuit pour 2 selon hébergement et saison ; dégressif et différentes formules. Ici on pratique le tourisme extensif sur 25 ha de pure nature, au bord du lac le plus sauvage du Morvan. Maisons sous terre façon hobbits, yourte tipi, chaumière de magicien, tentes inuit ou de trappeur... Les indécis peuvent combiner plusieurs logements durant le séjour. Au programme : marche et baignade, couchers de soleil au son des oiseaux ou de la neige jusqu'au cou, un feu sous les étoiles pour se retrouver... Et le doux luxe de ne rien faire dans ce domaine original.

🛏 |●| *Chalets-Loisirs* : La Coperie, 21430 **Brazey-en-Morvan**. ☎ 03-80-84-03-15. ● lacoperie.loisirset tourisme@wanadoo.fr ● lacoperie.pages perso-orange.fr/cariboost1 ● À 12 km au sud-est de Saulieu par la D 15 ; à la sortie de L'Huis-Renaud, tourner à droite en direction de Villiers-en-Morvan ; après l'entreprise de travaux publics, prendre le 1er chemin à droite et suivre les panneaux (env 500 m). Pour un chalet 4 pers, compter 340-400 €/sem selon saison (+ 10 € forfait électricité/sem). Également gîte d'étape, autour de 15,50 €/nuitée (draps en plus) ; petit déj 4,60 €. Repas 12-20 €. Apéritif, café ou digestif offert sur présentation de ce guide. Dans un site superbe, Isabelle et Alain Simonot, éleveurs de moutons, ont aménagé une dizaine de chalets à quelques centaines de mètres de plusieurs plans d'eau. Dans chaque habitation : séjour avec cheminée et mezzanine. Certains loisirs sont inclus dans le prix (piscine, pêche, tennis...). Excellent accueil. Repas du terroir... dont un agneau grillé dans la cheminée !

Où boire un verre ?

🍷 *Le Café Parisien* : 4, rue du Marché. ☎ 03-80-64-26-56. ● jmtingaud@free. fr ● cafeparisien.fr ● Juil-août, tlj sf dim soir 8h-22h ; sept-juin, 9h-20h (parfois fermé l'ap-m en hiver). Jean-Marc Tingaud, enfant du pays et photographe de

LE MORVAN

renom à Paris, a choisi de sauver ce vieux café datant de 1832. Sous les glaces qui couvrent les murs, jeunes et moins jeunes se donnent rendez-vous autour des grandes tables pour le café du matin, l'apéritif ou la pause déjeuner. Au 1er étage, c'est le coin des joueurs en tout genre : billards, tables de jeux permettent de se retrouver pour papoter. Demandez le programme des concerts et des soirées contes.

À voir

🏛🏛 **La basilique Saint-Andoche :** infos à la Pastorale du tourisme, ☎ 03-80-64-07-03. ● psaulieu@orange.fr ● saulieu-morvan.fr ● Ouv mar-sam mars-nov ainsi que dim ap-m avr-oct et les lun ap-m juil-sept. Visite guidée (1h) sur rdv. Édifiée au XIIe s. Si, au hasard de l'histoire, le chœur et le transept ont subi des modifications, la nef, elle, reste un parfait exemple d'art roman bourguignon. Remarquable suite de chapiteaux sculptés et, dans le chœur, non moins remarquables stalles du XIVe s, typiques de l'école bourguignonne. Tribune en chêne du XVe s portant un orgue contemporain au design inattendu. Tombeau tout en marbre sous l'autel de saint Andoche, un des trois martyrs locaux dont les corps furent ensevelis en 178.

🏛🏛 **Le musée municipal François-Pompon :** 3, pl. du Docteur-Roclore. ☎ 03-80-64-19-51. ● museefrancoispompon@wanadoo.fr ● 🚷 (partiel). Lun mat et mer-sam 10h-12h30, 14h-18h (17h30 oct-déc et mars) ; dim et j. fériés 10h30-12h, 14h30-17h. Fermé janv-fév. Entrée : 3 € ; réduc ; gratuit moins de 18 ans et pour ts le dim. Visites guidées sur rdv. Riche programmation d'expos temporaires et d'animations. Installé dans un hôtel particulier du XVIIe s, ce passionnant musée n'est pas uniquement – comme son nom pourrait le laisser croire – consacré à l'œuvre de François Pompon. La section archéologique présente par exemple des stèles gallo-romaines provenant de l'antique Saulieu. D'autres salles sont consacrées aux arts et traditions populaires morvandiaux et à l'art sacré (voir l'évangéliaire dit de Charlemagne, original avec ses couvertures en ivoire). Reconstitution d'une cuisine du XIXe s. Il faut grimper au 1er étage pour contempler les œuvres tout en douceur de François Pompon (1855-1933), l'enfant du pays, fabuleux sculpteur animalier dont la copie en résine de son « ours polaire » se trouve au square Alexandre-Dumaine. Voir également la salle de gastronomie dédiée à Bernard Loiseau (1951-2003) et Alexandre Dumaine (1895-1974). Boutique de moulages d'œuvres de François Pompon confectionnées par les ateliers du Louvre. Si le musée est fermé (ou même s'il est ouvert), allez voir le taureau sculpté à l'entrée de la ville (rue d'Argentine, vers l'office de tourisme) et le condor qui veille sur la tombe de son maître, dans le vieux cimetière, au pied de la petite église Saint-Saturnin.

🏛 **Le centre ancien :** balade le nez en l'air, avec arrêt au Café Parisien (voir plus haut). Vieilles demeures rue Vauban et rue de la Truie-qui-File. Et si vous cherchez un moyen d'occuper votre soirée (on ne fait pas la fête tous les soirs à Saulieu), allez donc au cinéma, étonnamment installé dans une ancienne église.

DU LARD OU DU COCHON ?

La rue de la Truie-qui-File doit son nom à ce qu'on appellerait aujourd'hui un « fait divers » : au Moyen Âge, à Paris, un homme qui avait dressé une truie à filer la quenouille a été condamné à brûler avec elle sur le bûcher, étant accusés tous deux de sorcellerie !

Fêtes et manifestations

– **Journées gourmandes du Grand Morvan et des Pays de Bourgogne :** en mai, à l'Ascension. Rendez-vous gastronomique.

– **Fêtes cajuns :** *1ᵉʳ w-e d'août.* Un festival de musique centré sur la musique folklorique originaire de Louisiane.
– **Fête du Charolais :** *3ᵉ w-e d'août.* Immenses comices agricoles à la gloire de cette race bovine blanche très représentée dans le Morvan.
– **Fête du Sapin :** *un w-e de déc avt Noël.* Saulieu rend hommage au sapin de Noël à travers spectacles, veillée morvandelle, vente de sapins...

LE LAC DE SAINT-AGNAN
Carte PNR du Morvan, B1

Avec ses prairies qui glissent doucement vers les eaux, comme un petit coin d'Irlande au cœur du Morvan, l'étroit et profond lac de Saint-Agnan, à une vingtaine de kilomètres au nord-ouest de Saulieu, ne manque pas de romantisme, pour commencer en beauté ce circuit. Tranquille (même en été...) village de Saint-Agnan sur la rive et sentier de découverte de 9 km. Ne cherchez pas d'office de tourisme, la Maison du parc, à Saint-Brisson, n'est qu'à 5 km.

Où dormir ?

⚠ **Camping du Lac :** *au bourg, 58230 Saint-Agnan.* ☎ *03-86-78-73-70.* ● *lilianelybaert@hotmail.be* ● *cam pingbourgogne.fr* ● *Tte l'année. Forfait tente pour 2 env 16 €. 70 empl.* D'anciens bâtiments de ferme et une prairie léchée par les eaux du lac. Site plutôt formidable pour planter sa tente, non ? Sanitaires simples. Possibilité de chambres d'hôtes au château.

🏠 **La Vieille Auberge :** *au bourg, 58230 Saint-Agnan.* ☎ *03-86-78-71-36.*

● *lvasaintagnan@orange.fr* ● *lavieill-leaubergedulac.com* ● ♿ *Resto fermé lun-mar oct-avr. Congés : de mi-oct au 9 nov. Double 65 €, ½ pens possible à partir de 2 nuits.* 🛜 *Un kir offert sur présentation de ce guide.* Grosse et belle maison en pierre posée à quelques enjambées du lac. Chambres tout simplement plaisantes et parfaitement tenues. Perdu dans un hameau tranquille, c'est un lieu idéal pour se ressourcer.

LE MORVAN

SAINT-BRISSON

(58230)　　　　280 hab.　　　　*Carte PNR du Morvan, B1*

Village serein, un peu perché au-dessus d'un étang où tous les visiteurs du Morvan se doivent de passer un jour ou l'autre puisqu'il abrite la Maison du parc, lieu incontournable pour un séjour réussi dans le Morvan.

Où dormir ? Où manger ? Où boire un verre dans le coin ?

⚠ **Camping municipal Les Saults :** *à Saint-Brisson, dans le village.* ☎ *03-86-78-70-80.* ● *mairiestbris son58@wanadoo.fr* ● *Ouv avr-fin sept. Forfait tente en hte saison env 7 €. 25 empl. CB refusées.* Un tout petit camping municipal, très simple, qui se résume à un terrain aux emplacements non délimités par des haies, mais bien placé et au calme. Vérifiez qu'il est bien ouvert avant de vous y rendre, et passez à la Maison du parc pour préparer votre séjour dans le Morvan des lacs.

|●| **Le Bistrot du Parc :** *à Saint-Brisson, Maison du parc.*

☎ 03-86-76-03-25. ● contact@lebistrotduparc-morvan.fr ● lebistrotduparc-morvan.fr ● Mars-nov tlj sf ven hors juil-août, à partir de 10h. Congés : 15 déc-15 fév. Menus 14,50 € (midi)-16,50 €, plus 20,50 € dim slt. 🛜 Café offert sur présentation de ce guide. Stop, passage obligé ! Ce bistrot moderne au rez-de-chaussée d'un bâtiment tout en bois ouvre largement sur l'étang. Le talent d'Anne-Sophie n'a d'égal que sa gentillesse. Elle propose des menus tout simples, tout bons et extra sains, à base de produits morvandiaux ou bio ou les deux et s'inspire de recettes d'antan. Elle fait aussi salon de thé. Bref, il y a toujours une bonne raison d'aller lui faire coucou.

|●| 🍷 Le Saut du Gouloux : 58230 Gouloux, à 8 km au sud-ouest, sur la D 977. ☎ 03-86-78-28-55. Avr-sept, tlj sf mar hors juil-août ; oct-mars, jeu-dim slt. Congés : 31 déc-7 fév. Menus 19-27 €. Pimpante construction en bois, on ne peut plus bucolique avec les glouglous du Gouloux pour vous faire la conversation en contrebas. Intérieur moderne et lumineux, mais c'est encore plus sympa en terrasse quand on le peut. À la carte, une cuisine à l'ardoise revigorante et de saison avec quelques spécialités comme la truite ou le saupiquet du Morvan (un jambon à la crème).

🛏 |●| L'Auberge Ensoleillée : rue du 8-Mai, 58230 Dun-les-Places. ☎ 03-86-84-62-76. À peine à l'écart du centre (c'est fléché). Congés : janv et 25 déc. En hiver, appeler avt. Doubles env 42 € (w-c sur le palier)-50 €. Menus 19 € (en sem), puis 28-34 €. Café offert sur présentation de ce guide. Une auberge qui semble là depuis toujours, avec sa belle terrasse tranquille et ses femmes aux commandes, au bar et en salle. Accueil franc et souriant, cuisine traditionnelle très simple, et chambres à l'ancienne pleines de modestie derrière une façade mangée par la vigne vierge.

À voir

🐾 🚶 La Maison du parc du Morvan : ☎ 03-86-78-79-57. ● tourisme.parcdumorvan.org ● D'avr à mi-nov, lun-sam 9h30 (10h sam)-12h30, 14h-17h30 (17h sam) ; dim 15h-17h30, plus mat 10h-13h en juil-août. De mi-nov à fin mars, mêmes horaires mais fermé le w-e. Accès libre pour les extérieurs, ouv tte l'année. Inaugurée par François Mitterrand, cette maison bourgeoise a conservé belle allure au fil des ans, avec ses différents corps de bâtiments, ses deux musées, son parc, son jardin botanique, son sentier de découverte de l'étang Taureau et son herbularium, qui présente toutes la flore végétale du Morvan. Également des expos, une Maison du tourisme où vous trouverez ici toutes les documentations et infos diverses à propos du parc, un bistrot génial, une boutique... Pendant l'été, animations pour les familles.

🔦 Le musée de la Résistance en Morvan : dans le domaine de la Maison du parc. ☎ 03-86-78-72-99. ● museeresistancemorvan.fr ● ♿ Tlj sf sam mat et mar hors juil-août, 10h-13h, 14h-18h (17h avr et oct-nov). Entrée (jumelée avec la Maison des hommes et des paysages) : 6,50 € ; réduc ; gratuit moins de 8 ans. Pass Résistance (mémorial et musée) : 8,50 €. Audioguide inclus. Expo temporaire en saison. La France occupée par les Allemands, la ligne de démarcation est tracée. La zone libre se situe à quelques kilomètres au sud du Morvan. Dès lors, cette région forestière, sans grandes voies de communication et administrativement répartie sur quatre départements, va devenir une terre de refuge puis de résistance où vont s'illustrer de nombreux maquis. De nombreux objets et témoignages visuels et sonores illustrent de façon simple ce « désordre de courage » qui comptait, lors du débarquement de Normandie, une trentaine de maquis et quelque 10 000 hommes. Cette période de l'histoire réapparaît aussi grâce aux 21 aménagements « Résistance en Morvan – Chemins de mémoire » qui abordent, sur 11 communes, différentes thématiques : les maquis, les villages-martyrs, les combats... Demander le dépliant explicatif avec la carte.

🏃 *La Maison des hommes et des paysages (écomusée du Morvan) :* au rdc du musée de la Résistance. ☎ 03-86-78-79-10. ♿ *Mêmes horaires et tarifs que le précédent.* Cette exposition interactive fait partie du réseau de l'écomusée du Morvan, composé de 9 sites.

DANS LES ENVIRONS DE SAINT-BRISSON

🏃 *Le saut du Gouloux :* à 8 km au sud-ouest (fléché). « C'est un trou de verdure où chante une rivière, accrochant follement aux herbes des haillons d'argent... » Voici, à une poignée de minutes de marche depuis le parking aménagé, une cascade picturale de 10 m de haut et aux accents rimbaldiens, inscrite dans un petit cirque naturel, pour les plus poètes d'entre vous. C'est aussi plus simplement une sympathique petite promenade familiale. Restaurant sur place (voir plus haut).

🏃 *La saboterie Marchand – Musée vivant de la Saboterie :* Le Meix-Garnier, 58230 **Gouloux**. ☎ 03-86-78-73-90. ♿ *À une dizaine de km au sud par la D 20, puis la D 977 bis. Tlj 10h-12h, 14h-17h30. Entrée : 2 €.* Où nous avons compris que c'était beau, un sabot, et très intéressant de le voir réaliser par l'un des derniers artisans du département. Sur place, point de vente de sabots et d'objets de boisellerie, etc. Démonstration de fabrication à l'ancienne, par groupe de 10 minimum, sur rendez-vous seulement.

🏃 *Le Mémorial de Dun-les-Places :* rue du 11-Novembre-1918, 58230 **Dun-les-Places**. ☎ 03-86-78-44-74. ● *museeresistancemorvan.fr* ● ♿ *À 9 km à l'ouest par la D 6. Mai-sept, mer-ven 10h-13h et 14h-18h, mar et w-e 15h-18h ; avr et oct-nov, mêmes horaires mais fermeture à 17h et le mar. Entrée : 5 € ; réduc. Pass Résistance (mémorial et musée) : 8,50 €.* Le village a été surnommé l'« Oradour nivernais » en raison des atrocités qui y furent perpétrées par les nazis. Du 26 au 28 juin 1944, le village est pillé puis brûlé par les soldats allemands qui fusillent 27 hommes. Ce centre d'interprétation ouvert en 2016 est avant tout un bouleversant lieu de mémoire où l'on peut entendre les témoignages des survivants et mieux comprendre comment se reconstruire, physiquement et moralement après un tel drame. Un parcours mène ensuite sur les lieux emblématiques du village, dont l'église *Sainte-Amélie,* sous le porche de laquelle eut lieu la tuerie. Petite curiosité, quatre piliers frappés chacun d'un des prénoms du constructeur de l'église (Marie, Augustin, Xavier, Feuillet) entourent l'enceinte de l'édifice !

ALLIGNY-EN-MORVAN

(58230)　　　　280 hab.　　　　*Carte PNR du Morvan, B2*

« Le train s'arrêta à la barrière de mon enfance. » C'est avec ces mots que Jean Genet évoquait Alligny lorsqu'il revint adulte dans son village d'enfance où il avait été placé au début du XXe s chez une nourrice morvandelle. Alligny accueille un touchant musée rendant hommage, au-delà de l'histoire vécue par Jean Genet, au sensible sujet des nourrices du Morvan et des enfants de l'Assistance publique.

Où dormir ? Où manger ? Où boire un verre ?

🏠 ▮●▮ ❢ *L'Auberge du Morvan :* dans le bourg. ☎ 03-86-76-13-90. ● auber gebranlard@wanadoo.fr ● auberge dumorvan.fr ● À quelques km à l'est du lac des Settons par la D 193 et la D 121. Fermé mar soir-mer. Congés : 15 déc-1er mars. Doubles 46-130 €. Menus 17 € (midi en sem), 21,50 € (w-e), puis 27-36 €. 🛜 Café offert sur présentation de ce guide. Ce vénérable hôtel, à la croisée de toutes les routes, a fait peau neuve récemment. Au cadre rustique de la salle de restaurant (cuisine bourguignonne, comme il se doit) et du véritable pub irlandais accolé répondent les chambres toutes différentes, aménagées sous combles dans un style mêlant opportunément l'ancien et le moderne avec de jolies tapisseries originales. Confort et charme assurés.

🏠 ▮●▮ *La Ferme des Prés :* Les Prés. ☎ 03-86-76-15-54. 📱 06-08-80-35-13. ● contact@ungiteenmor van.com ● ungiteenmorvan.com ● À 5 km de Saulieu, direction Alligny-en-Morvan. Double 68 €, gîtes 395-545 €/sem (7-9 pers). Table d'hôtes sur résa 20 €, vin compris. 🛜 Le site de cette ferme restaurée comprenant différents corps de bâtiments est enchanteur entre marais, plans d'eau et GTM (Grande Traversée du Morvan, un chemin à parcourir à pied ou à vélo) qui la traverse. Ces producteurs de sapins de Noël proposent 3 jolies chambres dans un style rustico-moderne plein de raffinement. Également 2 gîtes, et vous ne serez pas dérangé par les voisins ici !

À voir

🏃🏃 *Musée des Nourrices et des Enfants de l'Assistance publique :* le bourg. ☎ 03-86-78-44-05. ● museedesnourrices.fr ● ♿ De mars à mi-nov, mer-dim sf sam mat, 10h-18h (juil-août, tlj sf mar et sam mat 10h-18h). Fermé de mi-nov à fév. Tlj sf mar hors juil-août, 10h-18h. Entrée : 6 € ; réduc, y compris sur présentation de ce guide ; gratuit moins de 8 ans.

Dans le sillon de leurs frères et cousins les flotteurs de bois, l'histoire des nourrices morvandelles est née au cœur des échanges entre Paris et le Morvan. Il y avait les « nourrices sur lieu », travaillant à Paris, et les « nourrices sur place », qui accueillaient au pays les « Petits Paris », enfants de l'Assistance publique de la Seine. Au XIXe s, on parlait d'une véritable « industrie nourricière » et on estime à près de 250 000 le nombre d'enfants placés dans la région en 150 ans, assurant un revenu complémentaire essentiel aux familles paysannes morvandelles. L'invention du biberon eut raison des nourrices morvandelles, mais il y en eut jusque dans les années 1970. Si elle pouvait se révéler bien souvent sordide (enfants maltraités, abusés ou utilisés comme main-d'œuvre), cette histoire a aussi vu se nouer de véritables histoires humaines. Aujourd'hui encore, les familles se souviennent... C'est tout cela que raconte ce musée didactique, émouvant et sobre aux murs extérieurs blanchis à la chaux, la couleur du lait, pensé pour donner un visage à toutes ces destinées anonymes. Certains aspects restent d'actualité tel ce « Babyklappe » allemand, une trappe tournante dans une porte pour abandonner un enfant, datant de... 2013 !

❢ ⊛ Café, boutique et chambres d'hôtes sur place.

LE LAC DES SETTONS

Carte PNR du Morvan, B2

De Saint-Brisson, prendre la D 977 bis puis la D 236 (très beau parcours) pour gagner le doyen des lacs morvandiaux. Mis en eau en 1858, il est aussi le plus visité, le plus « pratiqué », grâce à ses infrastructures (base nautique de la presqu'île des Settons, tour du lac de 15 km aménagé avec passerelles). Sa digue en pierre, unique en France, ne retient pas moins de 360 ha de surface d'eau. Beaucoup de monde en été.

La moitié sud du lac (180 ha) appartient à la commune de Moux, qui tire son origine d'un oppidum gaulois. Ses habitants sont plutôt des durs à cuire, ayant abrité le premier maquis du Morvan, « Les Fiottes » (évitez de faire de l'humour avec ces patronymes étonnants !).

Adresses utiles

🛈 **Office de tourisme Morvan Sommets et Grands Lacs :** à la Maisons des Grands Lacs, rive droite, **Montsauche-les-Settons.**

☎ 03-45-23-00-00. ● morvansom metsetgrandslacs.com ● Mai-sept, tlj 10h-13h, 14h-18h ; oct-avr, tlj sf mer mat 10h-12h30, 14h-17h.

Où camper autour du lac ?

⚕ **L'Hermitage de Chevigny :** lac des Settons, rive gauche, 58230 **Moux-en-Morvan.** ☎ 03-86-84-50-97. ● hermitage-chevigny.eu ● ♿ De mi-avr à fin sept. Tente en hte saison 17,80 €. 120 empl. Réduc de 10 % pour un séjour de 1 sem min en avr-mai et sept sur présentation de ce guide. Camping en pleine verdure, arboré et fleuri, avec belle façade de 300 m sur le lac. Plutôt tranquille en raison de sa situation stratégique sur un parc qui s'avance en proue dans le lac. Plage et ponton d'accostage. Le GR 13 et les sentiers de randonnée partent du camping. Accueil très sympathique.

⚕ **Chalets-camping Plage du Midi :** lac des Settons, rive droite, Les Branlasses, 58230 **Montsauche-les-Settons.** ☎ 03-86-84-51-97. ● campingplagedumidi@orange.fr ● settons-camping.com ● De mi-avr à mi-oct. Forfait tente en hte saison 16 €. 110 empl. Hébergements locatifs 345-775 €/sem selon saison. 📶 Bien situé, les pieds dans l'eau (plage, embarcations à pédales...), avec des emplacements en partie ombragés par des arbustes joliment taillés. Location de chalets, roulottes et cabanes dans les arbres. Soirées musicales et animations en saison. Bar très agréable, avec billard, terrasse sur la berge et petite restauration. Piscine couverte chauffée avec un spa.

Où dormir ? Où manger ? Où boire un verre dans les environs du lac ?

Bon marché

🛏 ❘●❘ **Domaine-hôtel L'Annexe :** Bellevue, 58230 **Moux-en-Morvan.** ☎ 03-86-76-17-30 (hôtel). ☎ 03-86-76-11-75 (resto). ● margalida.pascal@ orange.fr ● hotel-annexe-morvan.fr ● À 5 km du lac ; accès par la D 121 ou la D 193. Resto tlj sf dim soir-lun hors saison. Fermé 6 janv-15 fév. Doubles 40-55 € sans ou avec sdb, toilettes, etc. Formule 13,50 € en sem ; menus 22-26 €. 📶 Établissement familial en 2 parties. Depuis la salle à manger confortable, où l'on sert une cuisine traditionnelle franche et généreuse, on profite d'une belle vue dégagée sur les environs. Quant à l'hôtel, situé dans un bâtiment à proximité, il surplombe un joli parc agrémenté d'un plan d'eau.

Prix moyens

🛏 ❘●❘ **Les Grillons du Morvan :** Les Settons, rive droite du lac, 58230 **Montsauche-les-Settons.** ☎ 03-86-84-51-43. ● info.lesgrillonsdumorvan@ orange.fr ● lesgrillonsdumorvan.com ●

♿ *Resto tlj sf le midi mer-jeu. Ouv de mi-mars à mi-nov. Doubles 66-86 €. Menu 23 €, carte env 30 €.* 🛜 *Bro-cante ? Galerie d'art ? Bar à concerts ? Maison d'hôtes ?* Il y a un peu de tout ça dans la plus atypique des adresses du Morvan. L'accueil est décontracté et chaleureux, la cuisine s'amuse avec le terroir. Rien de gastro, mais de belles spécialités servies avec largesse dans une jolie salle ou dans la véranda pano-ramique. Les chambres sont aussi colorées que rigolotes (il y a même un petit chalet dans le parc), et les bassins de la Cure sont là, juste en contrebas, au bord du parc où il fait bon se repo-ser sur les transats. On allait oublier, le chef est également chocolatier et propose une boutique de produits morvandiaux.

🛏 🍴 *Le Relais des Lacs :* D 37, 58230 *Planchez.* ☎ 03-86-78-41-30. • *contact@le-relais-des-lacs.fr* • *le-relais-des-lacs.fr* • *Au sud-est d'Ouroux-en-Morvan, direction Château-Chinon. Congés : 15 déc-1er mars. Resto tlj sf dim soir-lun hors saison. Double 62 €. Formules et menus 12,50-28 €.* 🛜 *Apéritif offert sur présentation de ce guide.* Plusieurs ailes composent cet établissement aux faux airs de chalet montagnard cou-vert de bardeaux, jusqu'à la terrasse donnant sur le centre du village. Cou-leurs toniques se mêlant à la chaleur du bois... on se sent tout cosy dans la trentaine de charmantes chambres. Le restaurant n'est pas en reste. Une adresse rafraîchissante.

À voir. À faire dans le coin

◿ *Plages :* nombreuses autour du lac. Baignade Pavillon Bleu surveillée en été, l'après-midi sur la plage de la presqu'île des Settons (rive droite).

– 🚣 *La base nautique Activital des Settons :* rive droite, 58230 *Montsauche-les-Settons.* ☎ 03-86-84-51-98. • *activital.net* • *Ouv Pâques-1er nov.* Location de funboat, catamarans, planches à voile, canoë, *stand-up paddle.* Bateaux minia-tures et stages de voile pour adultes et enfants. Location de VTT (électriques possibles) et cartes de pêche (ainsi qu'à l'office de tourisme).

⛵ *Bateaux-promenade :* bateau Le Morvan sur la rive droite, 📱 06-75-39-38-89. Bateau Les Settons, également sur la rive droite, ☎ 03-86-84-51-97. Pâques-sept, 45 mn de balade commentée sur le lac. Tarif : 8 € ; réduc.

🍴 *La Maison des Grands Lacs du Morvan :* rive droite, à *Montsauche-les-Settons.* ☎ 03-45-23-00-00. *Mêmes horaires et même bâtiment que l'office de tourisme. Visite du barrage mar à 11h en juil-août ou sur demande le reste de l'année, avec guide ou e-rando.* Maison des ingénieurs du barrage restaurée pour abriter l'office de tourisme et une courte expo sur le barrage. Point de vue impre-nable depuis sa terrasse. Sur place, *Comptoir des activités culturelles* pour toutes les infos sur les activités pratiquées dans la région des Grands Lacs : nautisme, équitation, grimpe d'arbres, VTT, pêche...

LE LAC DE PANNECIÈRE   *Carte PNR du Morvan, A2*

Le plus grand et peut-être bien le plus beau des lacs morvandiaux, encore sauvage. Impressionnant barrage de 49 m de haut et nombreux pêcheurs. Au bord du lac, *Chaumard,* **village martyr pendant la Seconde Guerre mon-diale. Voir l'espace ludique montrant la maquette du barrage qui avait été construite pour expliquer aux habitants de la vallée le projet d'envergure de la construction du barrage. Elle est désormais agrémentée d'un circuit**

expliquant le lien avec le canal du Nivernais, à proximité. Visite guidée du barrage et de la maquette tous les jeudis à 11h en juillet et août, et sur demande toute l'année (infos aux offices de tourisme).

Où dormir ? Où manger près du lac ?

⚠ *Camping des Îles :* 58120 *Chaumard.* ☎ 03-86-78-05-58. ● campingdechaumard@gmail.com ● *De mi-avr à mi-sept. Forfait tente env 13 €. 30 empl. CB refusées.* 🛜 Entre l'aire naturelle et le camping aménagé, mais des emplacements tout de même délimités par des haies, dans le cadre splendide des rives boisées du lac. Simple et sympa. Douches payantes.

🏠 |●| *Chambres d'hôtes Le Château :* 58120 *Chaumard.* ☎ 03-86-78-03-33. *À l'entrée du village, côté barrage. Double env 60 €. Table d'hôtes sur résa 25 €, vin compris.* 🛜 À 200 m de la plage du lac de Pannecière, belle maison bourgeoise d'autrefois (de celles qu'effectivement on appelle vite « château » dans les villages). Chambres au style désuet (papier peint fleuri, mobilier ancien...) mais suffisamment confortables, avec une très belle vue sur un parc boisé.

|●| *La Vieille Auberge :* face à l'église, 58120 *Chaumard.* ☎ 03-86-78-03-22. *Tlj. Menus 12,50 € (lun-ven), puis env 18-30 €.* L'établissement porte bien son nom avec son café de bourg et la salle de resto à l'ancienne en bas de quelques marches. Dans l'assiette, une cuisine traditionnelle simple, sans fioriture, efficace et bienvenue pour un déjeuner en passant. Service jovial.

À voir dans les environs

🎖 *Ouroux-en-Morvan (58230) :* à l'ouest du lac des Settons par la D 193. Autour de ce village aujourd'hui bien paisible s'est déroulée une page glorieuse de la Résistance, avec le maquis Bernard, le plus important du Morvan. Depuis quelques années, Ouroux s'est ouvert à l'art contemporain avec plusieurs installations permanentes d'artistes, dont un insolite « feu tricolore » au milieu du village. Ouroux accueille également le festival tonique, « Partie(s) de campagne » à la mi-juillet, animé par une équipe s'occupant d'ordinaire du cinéma itinérant dans la Nièvre, et qui joue ici le côté « court ».

|●| *Ferme-auberge Chez Flo :* à *Coeuzon (58230),* à 3 km d'Ouroux en direction de Montsauche-les-Settons. ☎ 03-86-78-21-87. ♿ *Ouv ven-sam. Congés : 15 déc-15 mars. Sur résa 48h à l'avance. Menu unique 25 €. Un produit fermier offert sur présentation de ce guide.* Dans une ferme traditionnelle spécialisée dans la viande charolaise et les vaches laitières, un repas savoureux concocté avec des produits maison. Accueil souriant et bon rapport qualité-prix. Réservez si vous ne voulez pas voir le coq au vin ou le poulet à la crème vous passer sous le nez !

LORMES (58140) 1 390 hab. *Carte PNR du Morvan, A1*

Cette petite ville est dominée par l'église Saint-Alban, d'où l'on profite d'une vue panoramique tout là-haut. Elle possède par ailleurs un plan d'eau aménagé, l'étang du Goulot, tout indiqué pour les familles qui souhaitent faire trempette. Lormes tente de redonner vie à la région, en organisant un important *Festival de chanson française* sur un week-end fin juillet et la ville s'est d'ailleurs jumelée avec... la chanson (c'est écrit sur les panneaux !).

Adresse utile

🖼 *Office de tourisme Morvan Sommets et Grands Lacs :* 5, route d'Avallon. ☎ 03-86-22-82-74. ● morvan sommetsetgrandslacs.com ● Mai-oct, mar-sam (sf mer mat hors juil-août) 10h-12h30, 14h-18h ; dim et j. fériés 10h-13h. Nov-avr, mar-sam sf mer 10h-12h30, 14h-17h.

Où dormir ? Où manger dans le coin ?

Camping

⛺ *Camping l'Étang du Goulot :* à l'étang, 58140 Lormes. ☎ 03-86-22-82-37. 📱 06-79-15-19-33. ● campin getangdugoulot@gmail.com ● campin getangdugoulot.com/fr ● Forfaits tente 13-16 € pour 2. 64 empl. Également du locatif. 📶 Un site idéal pour profiter de yourtes, tipis, grandes canadiennes ou de sa propre tente. Il n'y a qu'un pas à franchir pour aller faire trempette dans cet étang doté d'une miniplage ou s'embarquer sur un canoë. Le rêve pour les enfants, petits ou grands. Sur place, adorable *Bar-restaurant du Lac* installé dans l'ancienne gare, mais aussi de quoi faire un BBQ, une table de ping-pong, un minigolf... Allez, on déballe les sardines !

De bon marché à prix moyens

🏠 *Hôtel Perreau :* 8, route d'Avallon (D 944). ☎ 03-86-22-53-21. ● hotel perreau@orange.fr ● Doubles 51-56 €. L'hôtel de bourg de campagne comme on peut se l'imaginer. Une vieille et imposante maison avec des chambres à l'ancienne au confort sans reproche (dans le bâtiment principal ou dans l'annexe). Restaurant.

🏠 🍴 *Hôtel de la Poste :* 58140 Vauclaix. ☎ 03-86-22-71-38. ● hotel-poste@wanadoo.fr ● hotelvauclaix. com ● À 8 km au sud de Lormes par la D 944. Tlj sf dim soir hors saison. Doubles 65-73 €. Formules déj env 12-15 € ; menus 24-53 €. 📶 Belle maison morvandelle, tenue depuis 5 générations par la très sympathique famille Desbruères, qui n'a cessé de l'améliorer. Chambres classiques au confort douillet, agréables à vivre. Piscine chauffée (de mai à octobre) et jardin d'agrément pour les enfants. À table, des plats traditionnels qui changent selon les saisons et les produits du marché. Service en salle ou en terrasse.

🍴 *Restaurant-Bar Joe Lounge Caffé :* 3, rue Paul-Barreau. ☎ 09-88-18-27-89. 📱 06-18-83-36-18. Fermé mer (plus mar soir hors saison). Congés : fév. Menus 16-20 € ; carte env 25 €. Resto italien semi-gastro offrant quelques spécialités de Toscane. Carpaccio, pâtes bien sûr, mais aussi viandes et poissons de la Botte, sans oublier le tiramisù national. Le kit parfait !

Prix moyens

🏠 *Gîtes Les Gambades :* lieu-dit L'Huis-au-Page, 58140 **Gâcogne.** ☎ 03-86-22-75-25. ● lesgambades@ wanadoo.fr ● lesgambades.pages perso-orange.fr ● À env 10 km au nord-ouest d'Ouroux par la D 17 puis la D 977 bis ; accès pour L'Huis-au-Page à droite env 500 m avt La Roche. Doubles 20-23 €/pers. Repas 18 €. *Les Gambades* portent bien leur nom : d'abord parce que l'environnement bucolique se prête bien à la balade ; ensuite parce que le site est couplé à un centre équestre à taille humaine. On peut donc faire d'une pierre deux coups : loger chez la maman, dans les chambres pimpantes (on se déchausse !) à l'étage de son petit gîte plein de caractère et tout confort (chambres de 2 à 5), et profiter des sorties à cheval proposées par sa fille, moniteur diplômé. Très convivial.

🏠 ❙●❙ **La Grande Maison du Morvan :** *Les Granges, 58140 Saint-Martin-du-Puy.* ☎ *07-71-72-93-63.* ● *info@ lagrandemaisondumorvan.fr* ● *lagran demaisondumorvan.fr* ● *À 5 km au*

nord, sur la D 944. Doubles 95-105 €. Table d'hôtes 22 €. Bâtisse du XIXe s, au cœur d'un parc arboré de 2 ha. 5 chambres d'hôtes spacieuses et lumineuses au confort chic et sobre. Salle de billard, bibliothèque. Table d'hôtes sur réservation.

À voir. À faire

🍴 **L'église Saint-Alban :** tout en haut du bourg, cette église néoromane (1866) domine la région et dispose d'un point de vue sur tout le pays corbigeois. En 1591, elle fut témoin de la résistance des Dames de Lormes, qui s'opposèrent aux troupes envoyées par le duc de Nevers pour reprendre la ville aux ligueurs, premiers « réformés » de la région.

🍴 **Les gorges de Narvau :** *à 300 m du centre-ville (c'est fléché) ; parking sur la droite.* Profonde entaille creusée dans le granit morvandiau par l'Auxois. Joli site naturel où dégringolent les cascades à découvrir au long de deux circuits pédestres. Falaises propices à l'escalade et quelques petits coins sympas où pique-niquer.

DANS LES ENVIRONS DE LORMES

🍴 **Saint-Martin-du-Puy :** joli village, vaguement perché, qui s'étend autour d'une vaste place centrale. Une élégante fontaine y est posée. Sur un côté de la place, très belle église, qui possède un chœur du XIe s.

🍴🍴 **Le lac de Chaumeçon :** depuis Saint-Martin-du-Puy, tourner à gauche par la D 235 pour redescendre vers le lac de Chaumeçon. Là encore, très beau point de vue en corniche juste avant d'arriver au lac, où l'on peut pratiquer des activités nautiques.

🍴 **Le lac de Crescent :** prenez votre temps (réseau compliqué de départementales secondaires et tertiaires, une bonne carte s'impose) pour arriver au lac de Crescent, cerné de pentes abruptes. Petite zone de baignade à droite du barrage, avec quelques tables de pique-nique.

– D'ici, rien ne vous empêche de rejoindre directement le **château de Chastellux-sur-Cure** et **Quarré-les-Tombes,** côté Yonne, par les petites routes de campagne. Mais il vous reste encore une curiosité à découvrir côté Nièvre, en lien direct avec Vauban.

BAZOCHES   (58190)   200 hab.   *Carte PNR du Morvan, A1*

Construit sur le versant d'une vallée à peine encaissée, bucolique et secrète, le château de Bazoches semble veiller sur son village et son « pays » depuis toujours. Un site superbe, plein d'harmonie, en visibilité directe avec Vézelay, à 10 km. Outre le château, on ira voir la charmante église où est enterré le maréchal Vauban.

LE MORVAN

Où dormir ? Où manger ?

Bon marché

🛏 **|●| Ferme-auberge de Bazoches :** domaine Rousseau. ☎ 03-86-22-16-30. ● fermeauberge.bazoches@orange.fr ● chambresdhotes-bazoches-vezelay.fr ● À l'entrée du village. Fermé dim soir. Doubles 45-60 €. Repas sur résa 18 €. Dans une longue maison en pierre du XIXᵉ s, salle rustique (poutres, cheminées, et tables en bois) pour goûter estouffade de bœuf à l'ancienne, côte de porc à l'époisses ou tarte aux fruits de saison, préparés avec le maximum de produits de la ferme. À l'étage, 4 chambres d'un honorable confort.

|●| **La Grignotte :** au cœur du village de Bazoches. ☎ 03-86-22-15-38. ✗ (resto slt). Tlj sf lun ; plus le soir hors saison. Congés : en principe 15 j. en janv. Menus 12-18 €. Apéritif maison offert sur présentation de ce guide. Petit bar-resto-épicerie de village au nom sympathique, qui régale ses habitués d'une cuisine simple et généreuse, servie avec une attention toute particulière dans une salle pimpante et colorée. Mais ne venez pas trop tard, même s'il y a une terrasse aux beaux jours. Également quelques chambres.

À voir

✗✗✗ Le château de Bazoches, demeure du maréchal de Vauban : au village. ☎ 03-86-22-10-22. ● chateau-bazoches.com ● De début fév à mi-nov, tlj 9h30-12h, 14h30-18h (17h à partir du 1ᵉʳ oct) mais fermé le mat en fév-mars ; journée continue en juil-août et pdt les w-e fériés. Visite libre avec dépliant : env 9,50 € ; réduc ; gratuit moins de 7 ans. Compter 1h-1h30.

Noble et imposant, le château de Bazoches, construit au XIIᵉ s par Jean de Bazoches, a conservé trois ailes et trois tours d'origine. La façade est postérieure, du XVIIᵉ s, conférant à l'ensemble une forme trapézoïdale. Elle fut édifiée par le plus illustre propriétaire du château : Vauban (1633-1707), le bâtisseur de forteresses, à qui l'on doit plus de 300 places fortes et ouvrages. Vauban, bien sûr, y demeure très présent : armure (celle qui est exposée dans la Grande Galerie porte encore les stigmates de la guerre !) et bureau de travail, plans divers et portraits dont celui, fameux, de Louis XIV à cheval, cadeau du roi à son maréchal, qui possède la particularité d'être signé de son auteur, Van der Meulen, chose très rare s'agissant d'un portrait du roi.

Initiative originale, les arbres généalogiques représentés aux murs du grand salon, et qui ont demandé plus de 1 000 écussons (en porcelaine de Limoges). Durant la visite, quantité de belles choses en une succession de bibliothèques, de chambres et de salons : superbe mobilier, souvent estampillé, et toiles et pastels de maîtres (Mignard, Clouet, Quentin de La Tour...). Sans oublier la Grande Galerie dans laquelle il élabora la majorité de ses plans.

En sortant, jetez un œil à la cour intérieure, traversez les jardins et regardez au loin. La vue est superbe et on aperçoit, sur son promontoire, la basilique Sainte-Madeleine de Vézelay que vous

AVIS DE RECHERCHE

Le convoyage du cœur de Vauban de Bazoches aux Invalides fut confié à un cortège. Mais, arrivé à Paris, le précieux coffret n'était plus à sa place, dans la selle du cheval du brigadier-chef. Le convoi rebroussa chemin, cherchant partout. Soulagement quand on remit la main sur le coffret au château de Bazoches, dans la mangeoire des chevaux ! Que de sueurs froides pour un cœur dont Vauban avait, en toute humilité, souhaité qu'il fût enseveli sous l'autel de l'église pour être foulé par les pieds du curé.

LE MORVAN

pourrez rejoindre directement en passant par Saint-Père (voir plus loin), si la découverte de l'Avallonnais ne vous tente pas.

🍴 *L'église Saint-Hilaire :* petite église reconstruite à partir du XVIe s, qu'on visite surtout pour la tombe de Vauban. Dans l'une des chapelles à droite du chœur (très joli d'ailleurs), une plaque signale la sépulture du maréchal et de sa famille. En 1808, Napoléon Ier décida de transférer le cœur de Vauban de l'église de Bazoches aux Invalides.

LE MORVAN DES SITES ET VALLÉES

La partie nord du PNR du Morvan est un plateau aimablement vallonné, planté de profondes forêts de feuillus et bordé par les vallées de la Cure et du Cousin. La nature est là et bien là, agréable et fraîche pour des balades en pleine campagne, des promenades à VTT ou des visites de Vézelay et Avallon en toute sérénité. On a mis les pieds dans l'Yonne !

QUARRÉ-LES-TOMBES

(89630) 690 hab. *Carte PNR du Morvan, A1*

LE MORVAN

Ce gros bourg revit, chaque dimanche après-midi, dès les premiers beaux jours, quand une foule parfois venue de loin se presse sur sa place centrale pour déguster... des gaufres réalisées par l'équipe du *Quarré de Chocolat*. Incroyablement sympathique. Pour ceux qui ne se contentent pas de plaisirs terrestres, précisons que le bourg doit son nom aux quelque 2 000 étranges tombes qui entouraient autrefois sa petite église. De bien énigmatiques sarcophages de pierre, dont on ne sait pas vraiment comment ils ont atterri ici entre le VIIIe et le Xe s.

À côté de ça, une belle forêt vraiment idéale pour d'agréables promenades. En 1942, elle reçut le premier parachutage d'armes et de matériel en provenance de Londres pour la Bourgogne, puis, en 1944, elle joua un rôle déterminant en abritant plus de 2 200 résistants dans ce maquis considéré comme le plus important de la moitié nord du pays, dans le bois des Isles-Ménéfrier. La forêt au Duc cache des lieux superbes, comme la roche des Fées ou le rocher de la Pérouse, point culminant de l'Yonne avec ses 609 m (quand même !).

Adresse utile

🛈 *Accueil touristique :* rue du Grand-Puits. ☎ 03-86-32-22-20. ● avallon-morvan.com ● Lun-mar et ven-sam 10h-13h, 14h-18h, plus juil-août dim mat et j. fériés 10h-13h. Location de VTT en juillet et août.

Où dormir ? Où manger ?

De prix moyens à chic

🏠 🍴 *Hôtel du Nord – Restaurant Le Saint-Georges :* 25, pl. de l'Église. ☎ 03-86-32-29-30. ● hoteldunord@hoteldunord-morvan.com ● hotel-morvan.fr ● ♿ En centre-ville.

Mars-Toussaint. Doubles 68-78 €. Formule (déj en sem) 19,50 € ; menus env 33-42 €. 📶 Un hôtel qu'on pourrait imaginer datant des années 1970 mais qui a fait l'objet d'une rénovation totale bien plus récente. Côté cuisine, du bon, du traditionnel revu et corrigé, servi avec gentillesse. Mais rien à voir, évidemment, avec la maison mère (l'*Auberge de l'Âtre*, voir plus loin). Accueil diligent.

🏠 🍴 **Hôtel-restaurant Le Morvan :** 6, rue des Écoles. ☎ 03-86-32-29-29. ● reservation@le-morvan.fr ● le-morvan.fr ● ఈ À la sortie de la ville par la route de Saint-Brisson. Hôtel fermé de mi-déc à début mars. Resto tlj sf lun-mer midi (dîner possible en ½ pens sur résa lun-mar). Doubles 74-92 €. Menus 25-54 €. 📶 Ici, on sait accueillir, on a le sourire facile, et la bonne humeur est au rendez-vous. Les chambres sont propres et personnalisées, la cuisine bourguignonne, respectueuse du marché, est délicieuse et joliment présentée. Service en terrasse aux beaux jours et petit salon pour les jours plus gris. Une adresse très agréable, malgré une façade qui n'a rien de typique.

🏠 🍴 **Auberge de l'Âtre :** Les Lavaults. ☎ 03-86-32-20-79. ● auberge-de-latre.com ● ఈ Au sud-est de Quarré-les-Tombes par la D 10 (direction lac des Settons). Resto tlj sf lun-mar. Congés : 3 sem en fév-mars. Doubles 88-96 €. Menus 30-36 € (le midi en sem), puis 59-65 €. 📶 Francis Salamolard adore jouer, depuis 30 ans, dans les plats qu'il crée, avec les plantes et les champignons du Morvan. Et sa clientèle l'a suivi, fidèle, au fil des saisons. Une des dernières vraies auberges du pays avec quelques chambres spacieuses et rénovées, portant toutes un nom de champignon.

Où boire un verre ? Où grignoter ?

🍴 🍸 **Le Quarré Crème :** 14, pl. de l'Église. ☎ 03-86-32-21-90. ఈ Tlj sf lun soir. Formule autour de 15 €. Le rendez-vous incontournable pour ne pas tourner en rond à Quarré ! Pour prendre un pot ou voir un pote, casser la croûte tranquillou et profiter des animations : il n'est point de *Quarré* sans concerts (collaboration avec le Festivallon d'Avallon), théâtre ou cinéma.

Où acheter de bons produits ?

🍬 **Quarré de Chocolat :** 24, pl. de l'Église. ☎ 03-86-32-22-21. Tte l'année, tlj sf mer hors juil-août. Ici, tout est en chocolat : blanc, à l'orange, aux pétales de violette, au citron vert... L'été, le dimanche, on fait la queue pour les gaufres au chocolat, sur la place, pour les glaces aussi (selon le temps !). Mais pour le voyage, achetez plutôt les confitures insolites, les pavés et biscuits maison ou leur célèbre pâte à tartiner.

DANS LES ENVIRONS DE QUARRÉ-LES-TOMBES

🎭🎭 **Le musée Vauban :** 4, pl. Vauban, 89630 **Saint-Léger-Vauban.** ☎ 03-86-32-26-30. ● vaubanecomusee.org ● ఈ De Quarré, prendre la D 55 derrière l'église. D'avr à mi-nov, 10h-13h, 14h-18h ; téléphoner pour les j. d'ouverture. Entrée : 5 € ; réduc ; gratuit moins de 8 ans. Expos temporaires à thème. Saint-

VAUBAN HUMANISTE

Architecte hors pair pour fortifier les villes, Vauban était affligé par les famines qui découlaient des guerres. Dans ses écrits, il préconisa au peuple d'élever une truie, animal très facile à nourrir et particulièrement prolifique.

Léger-Vauban ! Avec un nom comme ça, on s'attend à découvrir une place forte, et on tombe sur un petit village bien ordinaire. Pourquoi « Vauban » ? Parce que celui-ci y est né, bien sûr, en 1633, sous le nom de Sébastien Le Prestre. En venant de Quarré-les-Tombes par Moulin-Colas, arrêtez-vous pour jeter un œil à sa maison natale, à l'entrée du village, une petite ferme à l'allure de grange. Une plaque, en hauteur, rappelle ce souvenir. Au centre du village, ce petit musée, antenne de l'écomusée du Morvan, joliment et intelligemment aménagé, retrace sa carrière, celle-ci ne se limitant pas uniquement à la construction d'imprenables forteresses. Formidable bâtisseur, Vauban a conduit 53 sièges, construit 30 places fortes et assuré la restauration d'une centaine d'autres sites. Ingénieur de Louis XIV, le maréchal fut aussi philosophe, humaniste, réformateur.

🏃🏃 *L'abbaye de la Pierre-qui-Vire :* ☎ 03-86-33-19-20. ● *apqv.fr* ● *À 4 km au sud de Saint-Léger-Vauban. Magasin (*☎ *03-86-33-03-73), librairie et expo monastique permanente ouv tlj sf lun : mar-sam 11h-12h, 15h-17h30 ; dim et fêtes après la messe jusqu'à 12h15, puis 15h15-17h30. Fermé janv.* Une somptueuse voûte végétale conduit à ce monastère perdu en pleine forêt. Bâtiments des XIXe et XXe s, qu'on ne visite pas (une communauté bénédictine d'une cinquantaine de moines y vit). Cependant, il est possible de suivre les offices ou d'être accueilli à l'hôtellerie pour une retraite. Nombreuses promenades agréables à travers les bois à faire au départ de l'abbaye (parking). Au magasin-librairie, faites provision de fromages de vache et de chèvre frais, affinés et secs, qui font partie de la culture de ces lieux (trinquelin, tomme, affiné au petit chablis...). Exposition monastique permanente sur la vie aujourd'hui à la Pierre-qui-Vire.

AVALLON (89200) 8 658 hab. *Carte PNR du Morvan, A1*

Mieux vaut arriver un samedi matin pour découvrir Avallon un jour de marché ou, mieux encore, passer par la vallée du Cousin, afin de découvrir, un peu par surprise, la vieille ville perchée sur son promontoire granitique. Ville commerçante qui donne envie d'aller fouler les gros pavés disjoints de ses quelques rues anciennes et découvrir sa collégiale ainsi que son unique et très beau musée du Costume.

Adresse et info utiles

🚹 *Office de tourisme :* 6, rue Bocquillot. ☎ 03-86-34-14-19. ● *avallon-morvan.com* ● *Juil-août, lun-sam et dim mat 10h-13h, 14-19h. Le reste de l'année, lun-sam 9h30-12h30, 14h-18h.* 📶 Installé dans une maison du XVe s près du beffroi. Doc gratuite pour découvrir la ville. Circuit de la Grenouille en vente pour découvrir l'histoire d'Avallon en quelques bonds !
– **Marché :** sam mat (dans tt le centre ancien), et petit marché jeu mat.

Où dormir ? Où manger ?

Ce n'est pas à Avallon même que nous vous conseillons de séjourner, mais dans les environs, qui cachent quelques adresses vraiment très agréables.

De bon marché à prix moyens

🏠 *Hôtel Avallon-Vauban :* 53, rue de Paris. ☎ 03-86-34-36-99. ● *contact@* avallonvaubanhotel.com ● *avallonvaubanhotel.com* ● ♿ *Près du centre historique. Double env 65 €. Parking fermé gratuit.* 📶 Ne vous laissez pas impressionner par la route et l'environnement. Jolie cour fleurie et grand parc boisé. Les chambres donnant sur le jardin sont vraiment calmes et accueillantes.
🏠 |●| *Hôtel-restaurant des Capucins :* 6, av. Paul-Doumer. ☎ 03-86-34-06-52. ● *hotellescapucins@wanadoo.*

fr • avallonlescapucins.com • ♿ *Dans la rue qui mène à la gare. Doubles 54-68 €. Formule déj 15 € ; menus 18-39 €. Parking privé gratuit.* 🛜 *Café offert sur présentation de ce guide.* 25 chambres calmes mais pas forcément monacales, donnant sur rue ou parc. Belle terrasse fleurie à l'arrière, pour déguster l'été une cuisine régionale traditionnelle. Salle à manger haute en couleur. Accueil souriant de la patronne.

I●I *Dame Jeanne :* 59, Grande-Rue. ☎ 03-86-34-58-71. • *damejeanne89@ orange.fr* • *Ouv 8h-19h, fermé jeu et dim. Plats env 8-15 € ; repas env 20-25 €. Café traditionnel offert en fin de repas sur présentation de ce guide.* Un mignon salon de thé, dans l'une des grandes maisons de la rue principale. Au fond du couloir d'entrée, une salle à l'atmosphère chaleureuse, avec poutres apparentes et petites tables pour faire la dînette autour de petits plats maison. Grande terrasse intérieure, aux beaux jours, entourée de hauts murs couverts de glycines.

I●I *Ferme-auberge des Châtelaines :* Les Châtelaines. ☎ 03-86-34-55-95. *Suivre les panneaux. Juil-août, jeu soir-dim midi ; sam soir et dim midi slt hors saison, fermé nov-avr. Résa impérative. Menus env 18-22 €. Digestif maison offert sur présentation de ce guide.* Du local, du sérieux, du chaleureux.

I●I *Le Vaudésir :* 84, rue de Lyon. ☎ 03-86-34-14-60. • *levaudesir.aval lon@orange.fr* • *Tlj sf lun, le soir mer et dim. Congés : début sept et autour des fêtes de fin d'année. Menus 17 € le midi en sem, puis 25-35 €. Café offert sur présentation de ce guide.* Un décor de bistrot, une cuisine de bistrot, et du vrai, du bon, du sérieux, du fait avec amour, toujours. Ici, la tradition est revue à travers le filtre de la passion et de l'innovation, sans chercher la perfection, comme dirait Cécile, « juste la satisfaction ». Et les vins de Chablis, qu'elle connaît bien, figurent en bonne place sur la carte.

Où dormir ? Où manger dans les environs ?

Camping

⛺ *Camping municipal Sous Roche :* Cousin-la-Roche (89200). ☎ 03-86-34-10-39. • *campingsousroche@ville-avallon.fr* • *campingsousroche.com* • ♿ *À 2 km au sud-est d'Avallon sur la D 10, direction Quarré-les-Tombes. 1er avr-15 oct. Forfait tente env 11 €. Hébergements locatifs 300-500 €/ sem. 97 empl.* Dans une portion très encaissée et assez sauvage de la vallée du Cousin. On se sent déjà dans le Morvan. Lodges confortables autant qu'originaux. Piscine.

De prix moyens à chic

🏠 **I●I** *Hôtel-restaurant Les Fleurs :* 69, route de Vézelay, 89200 **Pontaubert.** ☎ 03-86-34-13-81. • *info@ hotel-lesfleurs.com* • *hotel-lesfleurs. com* • ♿ *À 4 km à l'ouest d'Avallon par la D 906. À la sortie de Pontaubert, sur la droite. Resto fermé le midi lun-jeu et mer soir (plus jeu soir oct-mars). Congés : vac de Noël-janv.* *Doubles 74-80 €. Menus 17-39 €, repas 30 €.* 🛜 *Apéritif maison offert sur présentation de ce guide.* Grande bâtisse blanche au milieu d'un jardin débordant de fleurs. Des chambres simples mais joliment mises en valeur, idéales pour un court séjour, et une salle à manger chaleureuse, colorée et fraîche avec ses boiseries. Le chef a retenu le meilleur des grandes maisons où il a travaillé et propose de bonnes petites suggestions de vins avec les menus. Terrasse.

🏠 **I●I** *Le Moulin des Templiers :* 10, route de Cousin, 89200 **Pontaubert.** ☎ 03-86-34-10-80. • *contact@hotel-moulin-des-templiers.com* • *hotel-moulin-des-templiers.com* • *À 3 km à l'ouest d'Avallon. Congés : de Noël à mi-fév. Doubles 75-125 €, familiales également. Plancha 20 €.* 🛜 Un vieux moulin entièrement et joliment réhabilité. L'été, au bord de la rivière, il fait bon marcher, ou simplement lire en attendant l'heure de l'apéro-plancha, côté salle ou côté terrasse, selon l'humeur du temps.

🏠 **I●I** *Hostellerie du Moulin des Ruats :* vallée du Cousin.

☎ 03-86-34-97-00. ● contact@moulin
desruats.com ● moulindesruats.com ●
À 2 km à l'ouest d'Avallon par la D 427.
Resto fermé lun et le midi mar-sam.
Congés : de mi-nov à mi-fév. Doubles
93-165 €. Menus 32-37 €. 📶 Un
ancien moulin à farine recouvert de
lierre avec terrasse au bord de la rivière
pour l'été. Au resto, on se régale du
spectacle de la grande roue du moulin.
Chambres élégantes, au grand calme,
avec pour certaines la vue sur la rivière
et la verdure.

🏠 ❙●❙ *Chambres d'hôtes Domaine
des Roches :* 6, rue Chaume-Lacarre,
89420 **Sainte-Magnance.** ☎ 03-86-
33-14-87. ● domainedesroches225@
orange.fr ● domainedesroches89.
com ● À 12 km d'Avallon ; dans le
bourg, au feu, suivre la petite route
sur la gauche (panneaux). Doubles env
72-82 €. Table d'hôtes sur résa mar-
sam 28 €, vin compris. 📶 Réduc de
10 % sur le prix de la chambre à partir
de la 2e nuit hors juil-août sur présentation de ce guide. Éric et Jean-Claude
ont su donner des couleurs et de la vie

non seulement aux chambres, mais
aussi à l'environnement de cette maison de village. Le jardin est un vrai bonheur. Et la table n'est pas triste, côté
déco comme côté assiette. Beaucoup
de charme et de sincérité.

🏠 ❙●❙ *Chambres d'hôtes La Cimentelle :* chez Stéphane et Nathalie
Oudot, 4, rue de la Cimentelle, 89200
Vassy-lès-Avallon (Étaule). ☎ 03-86-
31-04-85. ● lacimentelle@orange.fr ●
lacimentelle.com ● À 4 km au nord
d'Avallon par la D 944. Fermé mer
soir. Double 96 €. Table d'hôtes 46 €
tt compris. Réduc de 10 % accordée
en sem sur le prix de la chambre, sur
présentation de ce guide. La Cimentelle est une ancienne maison de
famille transformée en maison où il fait
bon séjourner en famille ou entre amis,
car il y a l'Orangerie et le parc pour
jouer, selon le temps, de l'espace pour
chacun dans les étages, sans oublier la
méga piscine dans l'ancienne cimen-
terie. Les gourmands seront ravis de
participer à la table d'hôtes ou aux
cours de cuisine.

Où boire un verre ? Où sortir ?

🍷 🎵 *L'Antirouille :* 6, rue du Marché.
☎ 03-86-34-42-89. ♿ Le bar qui fait
toujours bouger Avallon. Clientèle à
l'image de la déco, des plus variée :
profs, footeux, étudiants de tous âges.
Lumières sympas. Soirées à thème
et concerts le week-end. Huîtres le
samedi midi en hiver.

🍷 *L'Horloge :* 63, Grande-Rue.
☎ 03-86-46-75-24. Tlj. À deux pas
de l'office de tourisme, le bar-resto
dans l'air du temps, qui change
d'ambiance au fil des heures. Plus
gai, et parfois même plutôt gay
la nuit.

À voir

🏛🏛 *La tour de l'Horloge :* Grande-Rue-Aristide-Briand. Date du XVe s. Massive
et pourtant d'une certaine élégance. Elle servit de tour de guet et de siège pour
les Échevins.

🏛🏛 *La collégiale Saint-Lazare :* édifiée au VIIIe s, agrandie au XIIe pour accueillir
les pèlerins venus se recueillir sur les reliques de saint Lazare. Les portails restent
d'une belle exubérance malgré les dégâts du temps (et des protestants, de la
Révolution...). Le grand portail est surmonté de voussures qui alignent, dans la
tradition romane, signes du zodiaque, travaux des mois, angelots, musiciens de
l'Apocalypse, etc. Sur la droite, étonnante statue-colonne d'un prophète. Fines
draperies semblables à des stalactites. À l'intérieur, nef qui descend en doux
paliers et, dans une chapelle en rotonde, des peintures en trompe l'œil du XVIIIe s
qui font illusion dans la pénombre.

🎥🎥 **Les maisons anciennes, sur les pas de la grenouille :** pour vous guider, l'office de tourisme a eu l'idée de signaler les lieux à ne pas manquer à même le trottoir (comme Dijon l'a fait avec sa chouette fétiche). Suivez les petites grenouilles, après avoir caressé la plus grosse d'entre elles (face à la collégiale, sculptée par l'artiste tonnerrois Yvan Baudoin), puisque ce batracien est devenu l'emblème de la ville, au grand dam des puristes. Que cela ne vous empêche pas de lever le nez : du XVᵉ au XVIIIᵉ s, le centre a su conserver la mémoire du passé, sans rien défigurer. Distinguée *maison des sires de Domecy* (XVᵉ s), typiquement bourguignonne, accolée à la collégiale Saint-Lazare ; *hôtel de Condé* au 55, Grande-Rue-Aristide-Briand ; belle tour d'escalier d'une maison du XVᵉ s rue Belgrand (face à l'hôtel de ville), etc.

🎥 **Le musée de l'Avallonnais :** 5, rue du Collège. ☎ 03-86-34-03-19. ● museea vallonnais.com ● Avr-sept et vac scol : tlj sf mar 14h-18h ; sinon w-e, j. fériés et 11 nov 14h-18h. Fermé fin des vac de la Toussaint-début des vac d'hiver. Entrée : 3 € ; réduc ; gratuit mer et moins de 18 ans. Visite guidée : 5 € (tte l'année sur résa). À priori, le classique petit musée de province, installé dans un ancien collège du XVIIᵉ s, avec ses œuvres d'artistes locaux, dont l'orfèvre Jean Desprès, qui a la cote dans les ventes aux enchères avec ses œuvres des années 1930 mais d'une grande modernité, le peintre Antoine Vestier et le sculpteur Pierre Vigoureux. Mais il réserve quelques surprises. Salle dédiée à l'archéologie avallonnaise. Belle mosaïque romaine dite « de Vénus » (IIᵉ s), collection d'armes présentées par le sculpteur Jacques Perreaut, et tout sur l'ethnie des Yao Mien et Mun avec la considérable donation J.-Pourret. Également une exposition des pièces de la donation Chaumard sur la vie rurale dans l'Avallonnais. Et pour les beaux-arts : œuvres de Georges Rouault, Dürer et Braque. Et un espace d'art contemporain ouvert aux jeunes artistes.

🎥 **La statue de Vauban :** pl. Vauban. Une statue de l'enfant du pays réalisée par Bartholdi, le sculpteur de la *statue de la Liberté* de New York et du *Lion* de Belfort.

🎥🎥 **Les remparts :** prendre la rue Bocquillot (elle longe la collégiale) et franchir la Petite-Porte. À droite, la tour Gaujard (XVᵉ s) et la promenade de la Petite-Porte (vue sur la vallée du Cousin et les premiers vallonnements du Morvan) ; à gauche, bastion de la Petite-Porte flanqué d'une échauguette, sous lequel s'amorce l'ancien chemin de ronde qui suit les remparts (XVᵉ et XVIᵉ s). Toute petite balade sympa entre murailles et jardins suspendus, ceux-ci faisant l'originalité et la fierté de la ville.

🎥🎥 **Le centre d'exposition du Costume :** 6, rue Belgrand. ☎ 03-86-34-19-95. Pâques-Toussaint, tlj 10h30-12h30, 13h30-17h30. Entrée : 5 € ; réduc. Visite guidée d'env 45 mn. Une nouvelle expo chaque année. Un musée incroyable, un peu fou, qu'on adore voir et revoir, dans cet hôtel ô combien particulier. 12 salles, comme autant de tableaux, pour remonter le temps du XVIIIᵉ s à nos jours. Des salles enrichies au fil des ans par la passion des tableaux, objets, tapisseries et dentelles que les sœurs Carton se plaisent à partager, et surtout à raconter à tous ceux qui tendent l'oreille. Aux demoiselles d'Avallon qui s'amusent à dire qu'elles préfèrent « manger des nouilles pour pouvoir acheter une robe », nous devons bien une visite.

À faire

🎥 **Parc-Aventure des Châtelaines :** route des Châtelaines. ☎ 03-86-31-90-10. ● info@loisirsenmorvan.com ● Entrée : 25 € ; réduc. Plusieurs parcours sur 6 ha, à découvrir sur le site (avec les heures et jours d'ouverture, variables selon saison).

DANS LES ENVIRONS D'AVALLON

🎬🎬 *La vallée du Cousin :* *au sud-ouest de la ville.* Une des plus jolies vallées de la région ; elle suit le lit d'une petite rivière déboulant du Morvan et creusant dans le granit des gorges fraîches et boisées. La D 427 s'y glisse pour quelques kilomètres entre Avallon et Vault-de-Lugny. Magnifique vallée à découvrir le matin, au soleil levant, à vélo ou à pied. Lieu idéal de pique-nique (aires aménagées).

🎬🎬 *Le château de Chastellux-sur-Cure* *(89630) :* 📱 *06-76-75-83-71.* ● *ph. dechastellux@orange.fr* ● *chateau-de-chastellux.com* ● ♿ *À 15 km au sud d'Avallon par la D 944 ; accès fléché. Pâques-Toussaint, tlj sf lun-mar (ouv lun juil-août). Visite guidée exclusivement (1h15), à 11h15, 14h30 et 16h30. Entrée : 10 € ; réduc ; gratuit pour les personnes handicapées. Entrée gratuite pour le parc seul.* Lieu de vie, lieu d'histoire, forteresse flanquée de huit tours, il affiche son élégante silhouette sur un promontoire qui domine la Cure. Chastellux appartient à la même famille depuis plus d'un millénaire, et c'est souvent l'un de ses membres qui vous le fera visiter. Beau parc entretenu et embelli par de nombreux jardiniers. Trois parcours (de 15 à 50 mn) ont été aménagés. Plusieurs événements organisés chaque année.

Manifestations dans l'Avallonnais

– *Festival des 3 muses :* *juin.* Théâtre, musique et danse. Également pour le jeune public.
– *Festival des foins :* *juin, à Saint-Germain-des-Champs.* Festival musical.
– *Festivallon :* *juil-août, à Avallon et dans l'Avallonnais.* ● *festivallon.fr* ● Priorité à la chanson française festive pour des dizaines de concerts dans des restos, des bars et des « Cafés de pays ». Sympa et belle ambiance locale.

LE MORVAN

VÉZELAY   (89450)   435 hab.   *Carte PNR du Morvan, A1*

● *Plan p. 385*

Vézelay ne mérite pas seulement une visite pour sa célèbre basilique, haut lieu de l'histoire et de la chrétienté, classée au Patrimoine mondial de l'Unesco. C'est aussi un charmant village (classé lui aussi parmi les Plus beaux villages de France), perché sur une colline dominant à la fois la vallée de la Cure et le nord du Morvan. Traversé d'une rue principale, quasi piétonne, où se succèdent restos, magasins, artisans, il voit passer du monde en toute saison.
Connue de l'Europe entière, dès le XIe s, pour abriter les reliques de sainte Madeleine, l'abbaye fut le point de départ de la deuxième croisade prêchée, au XIIe s, par saint Bernard. Plus tard, le roi de France Philippe Auguste et le roi d'Angleterre Richard Cœur de Lion s'y donnèrent rendez-vous pour le début de la troisième croisade. Saint François d'Assise choisit la colline pour y fonder le premier monastère franciscain en France. Au cours des siècles, Vézelay fut une étape essentielle pour les pèlerins qui

se dirigeaient vers Saint-Jacques-de-Compostelle. Cela explique l'importance de la basilique, comparée à la taille du village.

Vézelay est aussi un village d'écrivains : Éluard a écrit ici *Liberté*, René Char et Georges Bataille y sont passés, et les maisons de Romain Rolland (aujourd'hui musée Zervos) et de Max-Pol Fouchet sont cachées dans les petites rues du village où s'est éteint, à l'aube du deuxième millénaire, Jules Roy.

En saison, vous croiserez pas mal de monde (1 million de visiteurs par an, peut-être plus !) dans les rues de la cité, mais Vézelay a su se préserver des magasins trop commerciaux. Côté tables, elles sont nombreuses, certaines de qualité. Vézelay, ce sont aussi des vins d'appellation d'origine contrôlée régionale « bourgogne-vézelay », en blanc uniquement, depuis 1997 !

Un bon conseil : garez-vous au pied de Vézelay, les places de parking (payantes, certes) y sont nombreuses alors qu'elles sont rarissimes à l'intérieur. Pour ceux qui auraient des difficultés, montée de Vézelay par navette électrique gratuite (4 places) de mai à septembre.

Adresse et infos utiles

🖽 @ **Office de tourisme** (plan A3) : 12, rue Saint-Étienne. ☎ 03-86-33-23-69. ● vezelaytourisme.com ● *Dans la rue principale qui monte vers la basilique, à 100 m à droite de la pl. du Champ-de-Foire. Tlj 10h-13h, 14h-18h ; fermé dim 1er oct-Pâques.* 🛜 Documentation sur le parc du Morvan et toute la Bourgogne : circuits pédestres (fiches) et VTT. Location d'audioguides. Pour les enfants, petit carnet pour visiter la basilique et parcours-jeu à la découverte de Vézelay. En été, balades dans la ville avec dégustation de vins ou visite aux lanternes ; compter 1h30, payant.
– 2 balades téléchargeables gratuitement sur ● guidigo.com ● pour une découverte avec son smartphone : « Les incontournables de Vézelay » et « Vézelay méconnu ».

➢ **Transport :** tte l'année, 2 navettes/j. depuis la gare de Sermizelles. Horaires auprès de la SNCF (☎ 36-35 ; 0,40 €/mn).

Où dormir ? Où manger à Vézelay et dans les environs ?

Beaucoup de jolies adresses de chambres d'hôtes et de gîtes ruraux tout autour de Vézelay (consulter le site et la brochure de l'office). Autant le dire d'entrée, les adresses que vous trouverez à votre arrivée, au bas de la cité, près des parkings, ne font ni dans le design côté hébergement, ni dans le gastro côté resto. Pour qui cherche à partager la spiritualité des lieux, plus que le confort, il y a toujours le centre d'accueil des pèlerins situé à quelques mètres de la basilique : ☎ 03-86-33-22-14.

■ Adresse utile	**5** Chambres d'hôtes Le Petit Cléret
🖽 @ Office de tourisme	**6** Les Deux Ponts
	7 Le Bougainville
🛏 🍴 Où dormir ? Où manger ?	
1 Camping et auberge de jeunesse de l'Ermitage	🍷 🎵 Où boire un verre ? Où sortir ?
2 À la Fortune du Pot	**3** SY La Terrasse
3 SY La Terrasse et SY Les Glycines	**8** Les Hirondelles
4 Hôtel-restaurant Le Cheval Blanc	⊛ Où acheter de bons produits ?
	10 Domaine Maria Cuny
	11 Brasserie de Vézelay

LE MORVAN

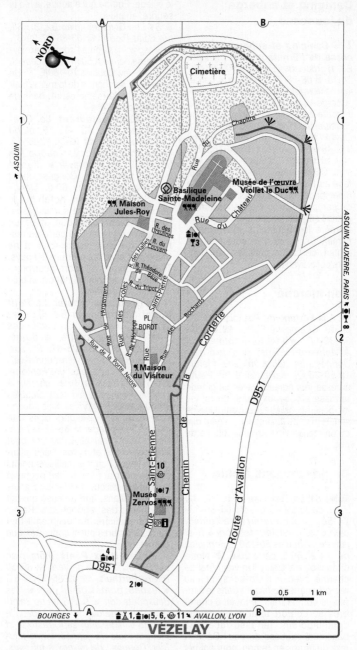

NORD

ASQUIN

Cimetière

Chaptire

Rue du

Musée de l'œuvre
Viollet le Duc ❦❦

Basilique
Sainte-Madeleine ❦❦❦

❦❦ Maison
Jules-Roy

R. des
Ursulines

🏛️🍴3

R. du
Couvent

Rue du Château

R. des Halles

R. Théodore
de Bèze

R. du Tripot

Rue Saint-Pierre

Rue des Rochards

ASQUIN, AUXERRE, PARIS 🏛️🍴🍷8

Rue de l'Argenterie

Rue des Écoles

Rue de l'Horloge

PL.
BORDT

Rue des Rochards

Chemin de la Corderie

Rue de la Porte Neuve

🗡️ Maison
du Visiteur

D951

Rue Saint-Étienne

10 ⊕

🍴7

Musée
Zervos ❦❦❦

@ ℹ️

Chemin de

Route d'Avallon

D951

4
🏛️🍴

2 🍴

0   0,5   1 km

VÉZELAY

LE MORVAN

Camping et auberge de jeunesse

⚲ ≜ *Camping et auberge de jeunesse de l'Ermitage* (hors plan par B3, **1**) *: route de l'Étang.* ☎ *03-86-33-24-18.* 🖥 *06-38-77-15-33.* ● *auberge. jeunesse.vezelay@orange.fr* ● *camping-auberge-vezelay.com* ● ♿ *Prendre la 1re route à gauche à l'entrée du village (indiqué) ; à 10 mn à pied de Vézelay. Ouv 1er avr-1er nov. Forfait tente env 9 €. 40 empl. Dortoirs 16,30-18,30 €/ nuit ou studio 128 €/sem en hte saison. CB refusées.* Dans la verdure, face au Morvan, des studios pour 4 à 6 personnes ou des dortoirs, à l'entrée du camping. Cuisine à disposition et grande salle commune avec cheminée. Derrière les bâtiments, des emplacements séparés d'un côté pour les tentes, de l'autre pour les camping-cars et caravanes.

Bon marché

|●| *À la Fortune du Pot* (plan A3, **2**) *: pl. du Champ-de-Foire.* ☎ *03-86-33-32-56.* ● *adm.fdp@hotmail.fr* ● *À l'entrée du village. Tlj sf mar-mer. Congés : de déc à mi-janv. Menus 19,50-25 € ; carte 25 €.* ☎ Petite adresse très agréable avec sa grande terrasse aux beaux jours, où toutes les générations se retrouvent. Cuisine simple (rien de gastro). Ici, on peut dire qu'on mange vraiment à la fortune du pot.

De prix moyens à chic

≜ |●| *SY La Terrasse* (plan B2, **3**) *: 2, pl. de la Basilique.* ☎ *03-86-33-25-50.* ● *sybarlaterrasse@gmail. com* ● *vezelay-laterrasse.com* ● *Tlj sf janv-fév. Doubles 80-150 €. Formules déj 19-21,50 €, carte 30 €.* ☎ Notre chouchou à Vézelay. Un vrai hôtel de charme, avec un resto-bar sympa au rez-de-chaussée faisant dans le simple, le bon, le frais, le local. 6 chambres au confort total et au design contemporain. Terrasse face à la basilique, excusez du peu ! Concert jazz de temps en temps, pour animer

le village. Équipe qui s'active, avec le sourire, en plus.

≜ *SY Les Glycines* (plan B2, **3**) *: 33, rue Saint-Pierre.* ☎ *03-86-47-29-81.* ● *sylesglycines@gmail.com* ● *vezelay-laterrasse.com* ● *À 50 m du précédent. Tlj sf janv-fév. Doubles 70-180 €.* ☎ Un autre hôtel de charme de la même maison et dans le même esprit, dans un bâtiment du XVIIIe s.

≜ |●| *Hôtel-restaurant Le Cheval Blanc* (plan A3, **4**) *: 16, pl. du Champ-de-Foire.* ☎ *03-86-33-22-12.* ● *sarl-cheval-blanc@wanadoo.fr* ● *lechevalblancvezelay.fr* ● *Fermé mer-jeu hors saison. Congés : début janv-fév. Double env 60 €. Menus 22-45 €.* ☎ Un petit hôtel qu'on découvre en arrivant sur la place. Rien de bien compliqué, mais un accueil courtois et une carte au restaurant qui suit les saisons et ne triche pas avec les produits du pays. Terrasse un peu à l'écart, pour prendre un bain de soleil plutôt qu'un bain de foule, on préfère.

≜ |●| *Chambres d'hôtes Le Petit Cléret* (hors plan par B3, **5**) *: chez Mireille Demeule, 5, ruelle des Grands-Prés, Fontette, à Saint-Père.* ☎ *03-86-33-25-87. En sortant de Saint-Père, direction Avallon par la D 957 ; rejoindre Fontette, à 2,5 km ; dans la côte, chemin à gauche (panneau). Avr-sept. Doubles 45-50 €, avec w-c privés mais douche commune. Gîte 2-6 pers dans une maison indépendante 65-180 €/nuit. Repas (sur résa) 22 €, vin compris. Abri pour vélos et motos.* Dans le jardin en fleurs, l'un des meilleurs points de vue pour admirer la campagne et surtout la basilique de Vézelay. Depuis plus de 30 ans, une adresse qui fait le bonheur des randonneurs. Repas sain et équilibré. Accueil gentil tout plein. Chambres aussi coquettes que calmes.

≜ |●| *Les Deux Ponts* (hors plan par B3, **6**) *: 1, route de Vézelay, 89450 Pierre-Perthuis.* ☎ *03-86-32-31-31.* ● *lesdeuxponts@gmail.com* ● *les deuxponts.com* ● ♿ *À 5 km de Saint-Père ; au carrefour du GR 13, dans le bas du village. Juin-sept, resto tlj sf mer ; le reste de l'année, fermé mar-mer. Congés : de mi-nov à mi-mars.*

Résa souhaitée. Double 70 €. Menus 23,50-40 €. 📶 On se sent bien dans cette ancienne auberge rénovée, près des 2 ponts de la Cure. Dans les 7 chambres coquettes et fonctionnelles certes, mais aussi l'été en terrasse, sous le marronnier, à déguster la cuisine du marché. Ambiance intimiste le soir dans la grande salle claire, devant la cheminée. Agréable balade digestive ensuite le long de la rivière, et, du haut du village, jolie vue sur Vézelay au loin.

|●| *Le Bougainville (plan A3, 7) :* 28, *rue Saint-Étienne.* ☎ 03-86-33-27-57. ● lebougainvillevezelay@wanadoo. fr ● *Dans la rue principale. Tlj sf marmer. Congés : 1er nov-fin fév. Menus 28-33,50 € ; carte env 40 €.* Dans une élégante et ancienne maison très fleurie aux beaux jours. Resto accueillant avec une salle à manger dotée d'une magnifique cheminée ancienne et d'une petite terrasse. Agréable cuisine revisitant depuis plus de 30 ans déjà les recettes locales comme la terrine d'époisses aux artichauts et crème d'oignons...

Où boire un verre ? Où sortir à Vézelay et dans les environs ?

|●| 🍸 *SY La Terrasse (plan B2, 3) :* 2, pl. de la Basilique. ☎ 03-86-33-25-50. ● sybarlaterrasse@gmail. com ● vezelay-laterrasse.com ● *Tlj sf janv-fév. Voir « Où manger ? ».* Café resté dans son jus, ou presque, avec une grande terrasse pour une pause sucrée-salée en journée et pour les concerts-jazz de temps à autre.

|●| 🍸 *Les Hirondelles (hors plan par B2, 8) :* pl. sous l'Orme, 89450 *Asquins.* ☎ 03-86-33-24-22. *Tlj sf lun.* Un bar-resto qui propose une cuisine bien sympathique le midi et des concerts parfois en soirée.

Où acheter de bons produits ?

⊛ *Domaine Maria Cuny (plan A3, 10) :* 34, rue Saint-Étienne. ☎ 03-86-33-27-95. ● domaine-mariacuny. com ● *Tlj en saison... quand Maria n'est pas dans ses vignes.* Petit domaine, petit bout de femme, petite boutique, mais très beaux vins de Vézelay, sincères, naturels, à l'image de Maria. Son bourgogne-vézelay (seul le blanc a droit à l'appellation) se montre gras, floral, riche. Et si elle n'est pas là, allez la voir dans son domaine, à Nanchèvres *(16, route de Saint-Père).* Propose aussi des circuits et séjours sur le site ● viti-culture. com ●

⊛ *Brasserie de Vézelay (hors plan par B3, 11) :* rue du Gravier, à **Saint-Père.** ☎ 03-86-34-98-38. ♿ *En saison, tlj 11h-21h ; hors saison, 11h-17h30 (w-e slt janv-fév).* Boutique et beer garden. Bière artisanale bio de qualité, sans sucres ajoutés, boutique et bar pour déguster. Petite restauration en pleine saison, pour déjeuner en terrasse.

À voir

Comme d'habitude avec les hauts lieux du tourisme, arriver tôt le matin en été, ou attendre la fin de la journée, quand les cars sont partis. Le site reste aussi très beau à la nuit tombée... et hors saison, bien sûr.

Deux balades téléchargeables gratuitement (● tourisme-yonne.com ●, nom de code *guidigo* ; voir aussi l'intro générale sur le département). Une découverte originale de Vézelay, mêlant tourisme, contenu historique, illustrations et témoignages audio.

⊘ ✴✴✴ *La basilique Sainte-Madeleine* (plan A-B1-2) : ☎ 03-86-33-39-50. ● basiliquedevezelay.org ● Tte l'année, tlj 7h-20h. Visite guidée de la basilique : juil-août, tlj sf jeu 10h-12h, 15h-17h (guides étudiants) ; sinon, tlj sf lun à 14h30 par la Fraternité de Jérusalem. Libre participation.

APPELLATION CONTRÔLÉE

Basilique est un nom donné directement par le pape en hommage à un grand saint ou sainte. Cathédrale est le lieu où se trouve le siège (la cathèdre) d'un évêque.

La montée est longue et parfois épuisante, sous le soleil, mais la visite de la basilique récompense, aujourd'hui comme hier, les visiteurs arrivés jusqu'à elle. Elle comprend, du point de vue architectural, à la fois des éléments romans du XIIe s (nef et narthex) et des parties gothiques du XIIIe s (chœur et transept). La façade, sobre et humble, et l'ensemble de l'édifice ont été restaurés par Viollet-le-Duc au XIXe s, à la demande de Prosper Mérimée, inspecteur des Monuments historiques.

On pénètre d'abord dans le narthex (lieu d'accueil des pèlerins), plongé dans la pénombre, avec ses quatre imposants piliers. Au-dessus du portail central, l'admirable tympan de la Pentecôte, fort bien conservé, date de 1120. Il représente la mission des apôtres après la Résurrection. Au centre, Christ en majesté, assis sur un trône. Superbe drapé, presque en mouvement ! Tympan de droite foisonnant, lui aussi, de détails : thèmes de l'Annonciation, de la Visitation, de la Nativité et, au-dessus, de l'Adoration des Mages.

La nef romane, haute de 18 m, impressionne par sa perspective. Les chapiteaux des colonnes offrent les scènes les plus variées, dont les thèmes sont généralement tirés de la Bible. Un des plus connus est *Le Moulin mystique* (quatrième pilier sur la droite) : un homme verse du blé dans un moulin, un autre recueille la farine. La seule ornementation se limite aux décorations florales qui soulignent les lignes architecturales principales de l'église (étages, voûtes, etc.). Le 21 juin (solstice d'été), les rayons du soleil viennent frapper le sol de la basilique et forment des croix : c'est le fameux « chemin de lumière » qui guidera vos pas ce jour-là.

En vous dirigeant vers le chœur gothique, n'oubliez pas de descendre dans la petite crypte carolingienne qui abrite une partie des reliques de sainte Madeleine (chœur et crypte ont été restaurés en 2015). 12 colonnes reposant directement sur le rocher et une faible hauteur de voûte lui confèrent une atmosphère à la fois intime, lumineuse et médiévale. Sur le côté droit de la nef, on peut jeter un œil à la partie du cloître restaurée par Viollet-le-Duc. La salle est soutenue par six voûtes d'ogives assez harmonieuses.

LA GUERRE DES RELIQUES

Vézelay a toujours été un haut lieu de la chrétienté. Deux croisades partirent de cette colline sacrée. Il fallait donc des reliques à la hauteur de cette réputation. Les Sarrazins envahissant le Midi, il était urgent de sauver les reliques de Marie-Madeleine conservées à Saint-Maximin (Var). On envoya le moine Badilon – quand même escorté de soldats – pour les voler. Bien sûr, le clergé de Saint-Maximin prétend aujourd'hui que les reliques de Vézelay sont fausses...

Depuis 1993, les frères de Jérusalem (une vingtaine d'hommes et femmes) ont redonné un peu de vie monastique à la basilique. On les croise en prière, renseignant les passants, ou encore en train d'astiquer les marches de l'entrée.

✴✴ *Le musée de l'Œuvre Viollet-le-Duc* (plan B1) : dans l'ancien dortoir des moines, au-dessus de l'aile du cloître. ☎ 03-86-33-24-62. Pâques-fin sept, w-e et j. fériés 14h-18h (tlj en juil-août). Entrée : 3 € ; réduc ; gratuit moins de 12 ans. Le musée comprend deux salles abritant des sculptures médiévales et des moulages provenant des travaux de restauration de la basilique. Premier chantier d'envergure mené par le jeune architecte Viollet-le-Duc.

🗡 Derrière la basilique s'étend une vaste *terrasse* plantée d'arbres. Un ancien chemin de ronde longe les remparts. La vue sur les vallons du Morvan et une douce campagne, tellement bien préservée ici, est superbe.

🗡 *La maison du Visiteur (plan A2) :* pl. Guillon. ☎ 03-86-32-35-65. • vezelay-visiteur.com • Juil-août, tlj sf mar ; Pâques-Toussaint, ven-lun et j. fériés (vérifier les horaires par tél ou Internet). Entrée : 8 € (eh oui !) ; réduc. À mi-chemin de la montée, une visite à ne pas négliger, après ou avant celle de la basilique, pour mieux en comprendre le sens et le caractère exceptionnel. À travers un film et un atelier animé par des guides, on découvre l'art et les secrets des bâtisseurs qui ont érigé l'édifice il y a plus de 900 ans.

🗡🗡 *La maison Jules-Roy (plan A1-2) :* Le Clos-du-Couvent, rue des Écoles. ☎ 03-86-33-35-01. • lyonne.com • Avr-oct, mer-dim 14h-18h. GRATUIT (parc et bureau). Jules Roy adorait Vézelay. Il y vécut, écrivit dessus (*Vézelay ou l'amour fou*, éd. Albin Michel), et y mourut en 2000. Gainsbourg et Mitterrand, à l'occasion, venaient lui rendre visite. La maison ayant été acquise par le conseil général de l'Yonne, on peut découvrir librement son bureau (laissé en l'état), son cadre de vie et un panorama splendide sur la basilique et la vallée de la Cure. Désormais, la maison accueille en résidence des écrivains à la recherche d'inspiration.

🗡🗡🗡 *Le musée Zervos (plan A3) :* rue Saint-Étienne. ☎ 03-86-32-39-26. • musee-zervos.fr • ♿ 15 mars-15 nov, tlj sf mar 10h-18h (tlj juil-août) ; dernière entrée à 17h20. Entrée : 5 € ; réduc ; gratuit moins de 25 ans et pour ts le dernier dim du mois.
Musée d'art moderne aussi remarquable qu'attachant, installé dans l'ancienne maison de Romain Rolland (dont on peut encore voir la chambre conservée quasiment en l'état), au bas de la rue principale. Le dépouillement des murs, leurs nuances mêlées à la lumière diffuse et aux volumes mettent les œuvres en valeur.
Des œuvres des années 1925 à 1965, dont de nombreux Picasso, Giacometti, Miró, Calder, Laurens, Kandinsky... léguées par Christian (éditeur et critique d'art) qui lança bien des artistes – et Yvonne Zervos. La collection, certainement l'une des plus belles dans le genre, suit le cheminement artistique de Zervos, depuis son entrée « en art ». La première œuvre est une superbe peinture de Le Corbusier (on apprend incidemment qu'il resta 9 mois à Vichy, en tant que solide collabo). Une approche intimiste de Picasso, l'ami de Zervos, le poète, et de ceux qui ont croisé leur chemin, au fil des ans. Les œuvres des vitrines tournent chaque année, preuve de la richesse de cette collection. Et la petite maison du jardinier abrite deux ou trois fois par an les expos temporaires d'un artiste qui a contribué aux *Cahiers d'art*. Voir aussi « Dans les environs de Vézelay. La Goulotte ».

À faire

■ *Avallon Morvan Canoë-kayak :* rue du Gravier à *Saint-Père*. ☎ 03-86-33-35-64. • canoekayak.amck@wanadoo.fr • Location et initiation à la descente en canoë-kayak le long de la Cure.
■ *AB Loisirs :* route du Camping à *Saint-Père*. ☎ 03-86-33-38-38. • abloisirs.com • Plusieurs activités de loisirs nature réparties dans les alentours : équitation, spéléo, raid aventure de 1 journée, raft, kayak et rafting, location de VTT. Belle et grande infrastructure gérée avec sérieux par une équipe jeune et dynamique. S'occupe aussi du parc aventure des Châtelaines, à Avallon.

■ *France Montgolfières :* *départ de Vézelay (bureaux à Semur-en-Auxois).* ☎ *03-80-97-38-61.* ● *francemontgolfieres.com* ● *Vols avr-oct.* C'est en Bourgogne que la société s'est lancée à la conquête de l'Hexagone, il y a plus de 25 ans. Un vrai bonheur de pouvoir survoler Vézelay en montgolfière ! 3h d'aventure (dont 1h de vol).

Fêtes et manifestations

– *Rencontres musicales de Vézelay :* *4 j. fin août (autour du 20). Rens :* ☎ *03-86-94-84-40.* ● *rencontresmusicalesdevezelay.com* ● Concerts de musique classique dans les différents monuments de la ville et églises des alentours. Chaque jour, en fin de matinée et après midi, Vézelay en musique à travers le village. Quelques concerts gratuits aussi, avec en parallèle, conférences, tables rondes et stages.
– *Cité de la Voix :* ☎ *03-86-94-84-30.* ● *citedelavoix.net* ● Lieu dédié à l'art vocal et programmation musicale.
– *Concerts dans la basilique :* *mai-oct. Rens auprès de l'office de tourisme ou sur* ● *vezelaytourisme.com* ● Prestigieux concerts de musique.
– *Fête de sainte Marie-Madeleine :* *22 juil.* Rassemblement des pèlerins, marche d'Asquins à Vézelay, procession des reliques de la sainte, messe et repas champêtre.

DANS LES ENVIRONS DE VÉZELAY

Au nord de Vézelay, en poursuivant vers Châtel-Censoir (si vous ne voulez pas effectuer tout le circuit que nous vous avons préparé autour d'Auxerre, dans les pages suivantes), rejoignez le canal du Nivernais par des petites routes où l'on croise plus souvent des animaux sauvages, le matin, que des visiteurs. De Château-Faulin aux grottes d'Arcy-sur-Cure, nombreuses merveilles à découvrir, à 15-20 km à la ronde.

🚶 Randonnées en boucle au départ de Vézelay, balades faciles et balisées, traversant des sites remarquables. Fiches randonnées en vente *(1 €)* à l'office de tourisme.

🚶 Depuis la place du Champ-de-Foire, il suffit de suivre les panneaux pour rejoindre *La Goulotte,* ce hameau à 2,5 km de Vézelay, où Yvonne et Christian Zervos (lire plus haut le texte sur le musée Zervos dans la rubrique « À voir ») possédaient leur maison à l'architecture déroutante, et qui offre une somptueuse vue sur la ville et la basilique. Un cadre, un lieu, un panorama et des expos contemporaines (☎ *03-86-32-36-10 ;* ● *fondationzervos.com* ● *; juil-août, mer-dim 14h-18h30).* Dans ce hameau sont aussi installées les éditions de La Goulotte. L'art de la linogravure, version fils de Raymond Queneau. La maison accueille des expositions *(entrée : 2 € ; réduc).* Atelier d'artiste.
Pour ceux qui n'auraient pas vu les panneaux, prendre la route de Clamecy, puis direction Châtel-Censoir et La Goulotte (bien indiqué). Belle aire de pique-nique toute proche, dans le bois de la Madeleine (GR 654).

🚶🚶 *L'église Notre-Dame :* *à Saint-Père, à 3 km au sud.* De taille humaine, cette église de style gothique bourguignon, construite du XIIIᵉ au XVᵉ s (entre 1240 et 1455), est une vraie dentelle. Remarquable tympan sur l'arcade centrale du porche. À chacun des angles du clocher, des anges sonnent de la trompette ; au-dessus, des chevaliers combattent des monstres. L'intérieur fait plus dans la sobriété.

🚶 *Centre d'accueil et de découvertes Les Fontaines-Salées :* *à 1,5 km de Saint-Père par la route de Pierre-Perthuis. Avr-Toussaint. Juil-août, tlj 10h-18h30 ;*

avr-juin et sept-oct, tlj 10h-12h30, 13h30-18h30. Entrée : 6 € ; réduc. Visite libre. Un site archéologique comprenant les ruines d'un sanctuaire et de thermes gallo-romains : bassin, piscine, etc. Les résurgences d'une source captée au Néolithique (2300 av. J.-C.) coulent toujours. Les objets trouvés lors des fouilles des Fontaines-Salées sont visibles dans une salle d'exposition.

ष़ षे़ S'il fait chaud, poussez jusqu'à **Pierre-Perthuis** *(6 km au sud de Vézelay par la D 958).* Avant de franchir les vestiges du château fort (XIIe-XIIIe s) de Geoffroy de Charny-Vauban, continuez à droite (fléché) vers les deux ponts : le vieux bombé date de 1770, le plus récent, tout en haut, a été construit en 1880. Aire de pique-nique idéale pour regarder passer les canoës et tremper les pieds... En reprenant la route, passez sur le pont cette fois et continuez vers la Roche percée (à 2 km ; signalé). Beau point de vue, mais attention, la Roche n'est pas sécurisée !

ष़ षे़ **Cardo Land :** *à Chamoux.* ☎ 03-86-33-28-33. ● *cardoland@wanadoo.fr* ● *cardoland.com* ● *Sur la D 951, à 7 km de Vézelay, direction Clamecy. Tlj en juil-août 10h-19h ; avr-juin et sept-oct, w-e, vac scol et j. fériés 13h30-17h30. Fermé en hiver. Entrée : env 12 € ; réduc, y compris sur présentation de ce guide. Bar-resto et pique-nique possible.* Les 90 sculptures de dinosaures (à l'échelle) de l'artiste Raoul Cardo font toujours le charme de ce parc à thème étonnant qui a survécu à son créateur. Ambiance sonore assurée alors que l'on parcourt les 10 ha de cette petite vallée. Grotte avec son et lumière de 10 mn, style Cardo-Lascaux, pêche aux tortues sous la surveillance du grand plésiosaure, spectacle avec Athor le dinosaure *(20 mn, tlj à 15h30 sf en cas de pluie),* un site de fouilles archéologiques pour les têtes blondes, des ateliers (maquillage, peinture pariétale...) complètent la visite.

LE MORVAN

LA NIÈVRE

● Carte *p. 394-395*

ABC de la Nièvre

- ❏ *Superficie :* 6 800 km².
- ❏ *Préfecture :* Nevers.
- ❏ *Sous-préfectures :* Cosne-Cours-sur-Loire, Clamecy, Château-Chinon.
- ❏ *Population :* 222 700 hab.
- ❏ *Densité :* 33 hab./km² (moyenne française : 115).
- ❏ *Signes particuliers :* 5 lacs, département bordé par plus de 170 km du fleuve Loire, 2 canaux (le canal latéral à la Loire et le canal du Nivernais).

 Bordée à l'ouest par le Val de Loire et son paysage de long et large fleuve tranquille, la Nièvre est une autre Bourgogne, une « campagne à vivre » qui étend ses lignes douces, ses bois et ses bocages où naissent cent rivières et où pointe toujours un clocher. À l'est, les vieux monts du Morvan se dressent, pays rude et secret, riche en lacs et forêts, au centre de la Bourgogne.

De fait, cette Nièvre à peine bourguignonne se révèle assez inattendue. Par sa physionomie d'abord, qui n'est pas sans rappeler le Berry ou le Bourbonnais voisin ; par son climat, plus humide et plus doux qu'en Côte-d'Or ou Saône-et-Loire ; par son histoire et son économie aussi, bien particulières.

L'amateur de vieilles pierres y trouvera son compte : Nevers, La Charité-sur-Loire ou Clamecy, villes d'histoire, ont conservé de remarquables ensembles architecturaux. La campagne n'est pas en reste : églises romanes, châteaux forts ou de plaisance abondent.

Mais la carte maîtresse du département reste sa nature, éminemment bucolique et champêtre tout au long du canal du Nivernais, ou plus abrupte et sauvage dans le parc naturel régional du Morvan, domaine privilégié de la randonnée, qui fait l'objet d'un chapitre à part.

UN PEU D'HISTOIRE

Les Éduens : nos ancêtres les Gaulois

On trouve dans la Nièvre de nombreuses traces d'une occupation préhistorique : silex taillés, outils néolithiques, céramiques et tumulus du premier âge du fer. Puis on suppose que les Éduens, peuple celte, se fixèrent dans la région autour de l'an 1000 av. J.-C. ; on connaît les noms de quelques-unes de leurs cités, décrites par les chroniqueurs romains, et si l'on a parfois des doutes (Nevers fut-elle *Noviodunum* ?), on sait en revanche avec certitude que Bibracte, oppidum situé sur le mont Beuvray, dans le Morvan, fut leur capitale.

PARC DU MORVAN

CANAL DU NIVERNAIS

LOIRE NATURE

Découvrez la Nièvre en Bourgogne :
www.nievre-tourisme.com

Suivez-nous sur Facebook :

facebook.com/jaime.la.nievre.en.bourgogne

© S. Jean-Baptiste/CG58 - H. Monnier/FTM

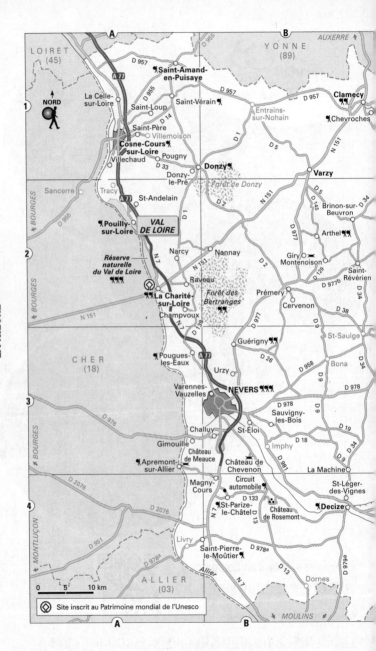

LA NIÈVRE

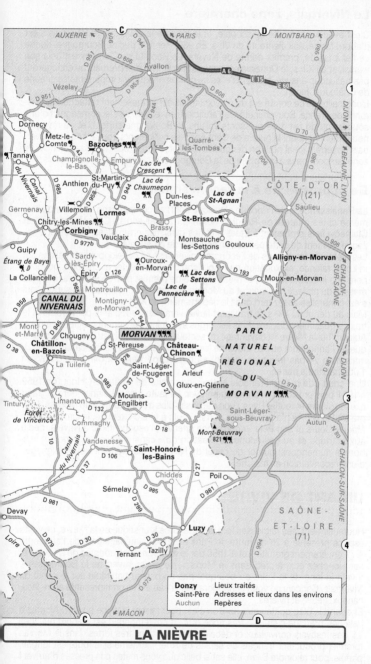

LA NIÈVRE

LA NIÈVRE

Le Nivernais, zone charnière

C'est avec Nevers, cité épiscopale, et le long de la Loire que le Nivernais s'est d'abord formé, aux alentours du VIe s. En 989, Henri Ier, duc de Bourgogne, donne ce fief à Landri, premier comte de Nevers. Le vicomte de Clamecy est déjà son vassal, et au XIIe s, le Donziais est annexé : les limites du Nivernais ne changeront pas beaucoup ensuite. Notez qu'elles ne comprennent pas l'importante seigneurie de Château-Chinon.

L'originalité de ce comté est de n'avoir jamais été formellement rattaché à la couronne de France. Souveraineté bien artificielle en réalité, qui s'accompagnait d'une soumission de fait à de puissants voisins, la Bourgogne surtout, et de ravages, notamment pendant la guerre de Cent Ans ; les belligérants trouvant dans le Nivernais un terrain idéal pour en découdre. Idéal et, surtout, obligé par sa position de zone tampon, pays à la croisée de la Bourgogne, du Berry et du Bourbonnais.

De la prospérité à la reconversion

La Renaissance, puis l'époque classique sont, en comparaison, bien tranquilles, même si les guerres de Religion ébranlent à nouveau La Charité-sur-Loire et Clamecy, fiefs protestants. Et les grandes dynasties nivernaises, Clèves et Gonzague, laissent de cette période un souvenir de prospérité.

Les éléments fondateurs de l'économie nivernaise se développent : batellerie sur la Loire, faïence, exploitation d'un sol riche en minerais, fer et charbon, qui donnera une industrie minière et métallurgique de premier plan ; filière bois, avec les massifs du plateau nivernais et du Morvan, élevage enfin, de charolais surtout, qui s'est généralisé assez tard dans le département, au XIXe s.

Mais au début du XXe s, le transport fluvial vers Paris, supplanté par la route et le train, a quasiment disparu. Puis les forges et la mine s'éteignent progressivement. Aujourd'hui la Nièvre vit davantage du secteur tertiaire (administrations et services) que de l'agriculture ou de l'industrie (sidérurgie, accessoires auto, caoutchouc...), mais n'en vit pas très bien, voyant sa population vieillir et diminuer d'environ 1 000 habitants par an.

Une crise que même François Mitterrand, maire de Château-Chinon de 1959 à 1981 puis président, n'a pas su enrayer. La faute à son éloignement du grand axe ferroviaire et routier Paris-Lyon qui passe plus à l'est, au-delà du Morvan. Malgré tout la Nièvre n'a pas dit son dernier mot : à titre d'exemple, le circuit Nevers Magny-Cours et son Pôle Performance attenant, l'espace Inkub à Nevers, dédié aux startups et au coworking, la création du « canal numérique » (points wifi, bornes numériques) autour du canal du Nivernais sont autant de témoignages d'une reconversion en marche.

UN ART DE VIVRE

Heureusement, ses faiblesses font aussi la force touristique de la Nièvre, ce vaste espace préservé à 2h de route de Paris – depuis l'aménagement de l'autoroute A 77 entièrement gratuite – et à 1h50 par le train *Téoz*. Les adeptes de *slow travel* sont ici chez eux, à pied dans le Morvan – le poumon vert de la Bourgogne –, à vélo le long de la Loire ou pourquoi pas en bateau habitable sur le canal du Nivernais. Car cela ne vous échappera pas : l'eau est ici omniprésente entre lacs, canaux, fleuve et rivières.

Et quand le bleu quitte votre horizon c'est pour laisser la place au vert. Ajoutez à cela une pratique culturelle très riche où l'art contemporain est aujourd'hui chez lui, des festivals conviviaux et décalés, des traditions très fortes dans le Morvan (premier producteur français de sapins de Noël !)... Même si la route est longue, parfois, pour rejoindre Dijon, elle est si belle que vous n'êtes pas pressés d'arriver !

Adresses utiles

Ⓘ *Agence de développement touristique de la Nièvre :* 3, rue du Sort, CS 60010, 58058 **Nevers** Cedex. ☎ 03-86-36-39-80. ● nievre-tourisme. com ● canal-du-nivernais.com ● Lun-ven 9h-12h, 14h-18h (17h30 ven). Tous renseignements touristiques (guides et cartes à télécharger et commander en ligne) et possibilité de réservation en ligne des hébergements sur le site ● nievre-tourisme.com ●

■ *Gîtes de France :* Chambre d'agriculture de la Nièvre, 25, bd Léon-Blum, BP 80, 58028 **Nevers** Cedex. ☎ 03-86-36-42-39. Résa : ☎ 03-80-45-97-15. ● gites-de-france-nievre@wanadoo.fr ● gites-de-france-nievre. com ●

■ *Bureau des guides de Loire et Allier :* ☎ 03-86-57-69-76. ● l-o-i-r-e. com ● Propose des randonnées accompagnées ou non à la découverte d'un des derniers fleuves sauvages d'Europe, ainsi que toutes sortes d'animations (notamment des promenades en bateau). Location de vélos et canoës.

■ *Fédération départementale de la pêche :* 174, fg du Grand-Mouësse, 58000 **Nevers**. ☎ 03-86-61-18-98. ● federationpeche.com/58 ● Lun-ven 8h-17h30. Amis pêcheurs, c'est à vous que le Bon Dieu pensait quand il a créé cette Nièvre truffée de rivières et de lacs.

Comment circuler en bus ?

🚌 *Gare routière* (plan A2) : rue de Charleville. ☎ 03-86-61-87-16.

● nievre.fr ● À côté de la gare SNCF. Bus pour tout le département.

LA NIÈVRE

LA LOIRE EN BOURGOGNE

Frontière occidentale de la région Bourgogne-Franche-Comté, la Loire a beaucoup influencé le Nivernais, dont elle fut, jusqu'au XIXᵉ s, la première voie de communication, de commerce et d'échange. Un axe autour duquel se sont naturellement développées les villes les plus importantes du département et où vivent aujourd'hui 60 % de ses habitants. Avec toujours cette atmosphère douce, ces fameux « ciels de Loire » et les grèves blondes du fleuve royal en ligne de mire.

Suivant son cours paisible depuis Nevers, on rencontre La Charité-sur-Loire et son prestigieux prieuré, puis les vignobles de Pouilly-sur-Loire et du Sancerrois sur l'autre rive. Viennent Cosne-Cours-sur-Loire, la deuxième ville du département et les fameuses poteries de Saint-Amand-en-Puisaye, aux confins de l'Yonne. Un crochet par Donzy et Varzy à l'intérieur des terres nous mènera, le plus naturellement, au canal de la Nièvre.

NEVERS (58000) 36 500 hab. *Carte Nièvre, B3*

● Plan *p. 400-401*

Posée sur la rive droite de la Loire, au confluent de la Nièvre (souterraine de son entrée dans la vieille ville jusqu'au fleuve royal) et à 10 km à l'est d'une autre confluence, avec l'Allier cette fois, Nevers est de ces villes de province tranquilles, au beau patrimoine architectural, agréables à vivre et à visiter. Mais elle est aussi la troisième agglomération de Bourgogne.

Flâner rue François-Mitterrand, longue et étroite voie piétonne flanquée de boutiques et toujours animée, s'asseoir en terrasse place Guy-Coquille, coller son nez aux vitrines des faïenciers, s'arrêter face au palais ducal, admirer la cathédrale gothique Saint-Cyr-et-Sainte-Julitte ou l'église Saint-Étienne, romane à souhait, voilà le programme. Puis sucer un *Négus* (en tout bien tout honneur !) en regardant passer la Loire.

UN PEU D'HISTOIRE

Fait notable, le comté de Nevers (duché à partir de 1538) ne sera jamais rattaché à la couronne de France. Autre particularité, la plupart des seigneurs furent étrangers, non nivernais en tout cas : maisons de Flandre de 1271 à 1369, de Bourgogne jusqu'en 1491, rhénans ensuite avec les Clèves jusqu'en 1565, puis italiens avec les Gonzague jusqu'en 1659, qui introduisirent la faïence. Enfin, Mazarin acheta le duché, qui resta aux Mancini-Mazarini jusqu'à la Révolution.

Forte de sa faïence (qui occupait plus de 1 000 ouvriers au XVIIIe s), de la navigation sur la Loire et des forges voisines, Nevers a prospéré jusqu'au Second Empire. Puis le chemin de fer en fit un carrefour ferroviaire important, ce qui lui valut, en 1944, un copieux bombardement allié.

Après-guerre, le déclin des activités traditionnelles, entamé au début du XXe s, se poursuit. D'autres apparaissent (caoutchouc Kléber, accessoires auto Valeo), et les cheminots restent

LA BOTTE DE NEVERS

Quel rapport entre la capitale nivernaise et Jean Marais ? La « botte de Nevers » : un geste d'escrime inventé au XIXe s par Paul Féval dans son roman Le Bossu, *qui fut ensuite porté à l'écran. En enchaînant cette complexe combinaison de passes, le chevalier Lagardère tue à coup sûr son adversaire en plantant son fleuret entre les deux yeux ! Pas de panique, cette combinaison est en réalité presque irréalisable.*

nombreux avec les ateliers de Vauzelles. À Magny-Cours, autour du circuit automobile, une technopole a fleuri. Par ailleurs, la faïence renaît un peu, réveillée par le tourisme. Mais cela ne doit pas faire illusion : la ville souffre, avec le département, de la perte des industries lourdes et de la dépopulation rurale.

Adresses et infos utiles

ℹ️ Office de tourisme *(plan B2)* : palais ducal, BP 818, 58008 Nevers Cedex. ☎ 03-86-68-46-00. ● nevers-tourisme. com ● Tlj sf dim-lun oct-avr. Audioguides (payants) permettant de découvrir la ville en 2h. En été, visites guidées, randonnées pédestres et sorties nature sur l'eau.

Transports

🚌 Gare routière *(plan A2)* : rue de Charleville. ☎ 03-86-61-87-16. ● nievre.fr ● À côté de la gare SNCF. Bus pour Cosne, Clamecy, Decize, Corbigny, Château-Chinon...

🚌 Espace Tanéo Bus *(plan B2)* : 31, av. Pierre-Bérégovoy. ☎ 03-86-71-94-20. ● taneo-bus.fr ● Réseau de bus sur l'agglomération.

■ **Location de voitures** : *Avis* (à la gare, ☎ 03-86-57-51-03), *Europcar* (84 bis, rue du 13e-de-Ligne, ☎ 03-86-59-02-32).

■ **Taxis** : à la gare. ☎ 03-86-59-58-00.

■ **Location de vélos et canoës** : au bureau des guides de Loire et Allier. ☎ 03-86-57-69-76. ● loireca noe@gmail.com ● Départ du Ver-Vert (l'ancien chemin de halage).

Où dormir ?

Camping

⛺ Camping de Nevers *(plan B3, 10)* : rue de la Jonction. ☎ 03-86-36-40-75. ● campingdenevers@orange.fr ● Pour 2, forfait tente 16,50 €, également forfait rando/cyclo. 73 empl. Mobile homes 209-519 €/sem. 📶 *(réception)*. Les pêcheurs et autres rêveurs ne peuvent espérer meilleur spot pour un camping, presque aux pieds dans la Loire, juste en face du centre ancien, il n'y a que le pont à traverser. Près de la circulation, du coup, mais la structure n'est pas très grande et se révèle conviviale. Coin-épicerie, snack (de mai à septembre) et jeux pour les enfants.

De bon marché à prix moyens

🏠 Hôtel Beauséjour *(plan A1, 11)* : 5 bis, rue Saint-Gildard. ☎ 03-86-61-20-84. ● hbeausejour@wanadoo. fr ● hotel-beausejour-nevers.com ● Doubles 45 € (avec lavabo slt)-55 €. Garage payant. 📶 Il n'a que 1 étoile, ce petit hôtel, mais c'est la bonne ! Différentes gammes de chambres, toutes d'une irréprochable propreté, mignonnes pour certaines : avec lavabo seulement, douche seulement, douche et w-c (mais cloisons symboliques, mieux vaut le savoir), côté rue ou côté jardin (les plus chères, nos préférées). Petit déj sous la véranda dans un jardinet fleuri. Accueil disponible et souriant.

🏠 Hôtel Villa du Parc *(plan A1, 15)* : 16 ter-18, rue de Lourdes. ☎ 03-86-61-09-48. ● hotel.villaduparc@ wanadoo.fr ● hotelvilladuparc.com ● Doubles env 69-77 €. Parking gratuit dans la rue. 📶 *(réception)*. Modeste 2-étoiles face au parc Salengro. Autant dire que la nuit, c'est calme ! Chambres plaisantes sans extra, salles d'eau parfois de guingois pour les plus petites, mais le tout est correctement entretenu et les lieux accueillants. Une adresse agréable pour une halte d'une nuit.

🏠 Hôtel de Clèves *(plan A2, 12)* : 8, rue Saint-Didier. ☎ 03-86-61-15-87. ● hotel-de-cleves@orange.fr ● hotelde cleves.fr ● Doubles 69-75 €. 📶 Stratégiquement situé, non loin de la gare et dans une rue calme du centre-ville, un petit établissement fort bien tenu par un couple sympathique et motivé. Chambres classiques et de bon confort, plus spacieuses dans l'annexe, toutes disposées autour d'une courette agréable avec terrasse pour le petit déj. Local fermé pour les vélos.

🏠 Espace Bernadettes-Soubirous *(plan A1)* : 34, rue Saint-Gildard. ☎ 03-86-71-99-50. ● contact@espace-bernadette.com ● sainte-bernadette-soubirous-nevers.com ● Fermé de midéc à début janv. Doubles env 56-69 €

LA NIÈVRE

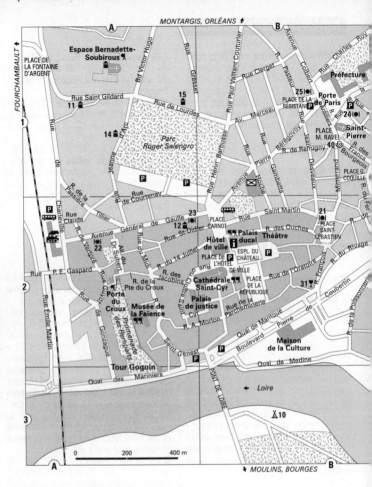

MONTARGIS, ORLÉANS ↑

↓ MOULINS, BOURGES

0   200   400 m

sans ou avec sanitaires privés, petit déj
compris. Nuitée env 25 € pour les pèlerins de Compostelle (petit déj compris).
Parking voiture (pour La Loire à vélo
3 €/j.). 📶 Ce bel et vaste ensemble
bâti dans les années 1850 bénéficie
d'une capacité d'accueil considérable.
L'hébergement est certes modeste
(aménagements fonctionnels et confort
basique, seules quelques chambres
bénéficient de douche et de w-c privés),
mais, en plus des tarifs attractifs, on

profite des agréables jardins, du calme
de la structure et des repas.

De prix moyens à chic

🏠 **Hôtel Clos Sainte-Marie** (plan C2,
16) : 25, rue du Petit-Mouësse.
☎ 03-86-71-94-50. ● contact@clos-
sainte-marie.com ● clos-sainte-marie.
fr ● Direction Mâcon-Dijon à partir du
centre-ville. Doubles 59-110 €. Parking

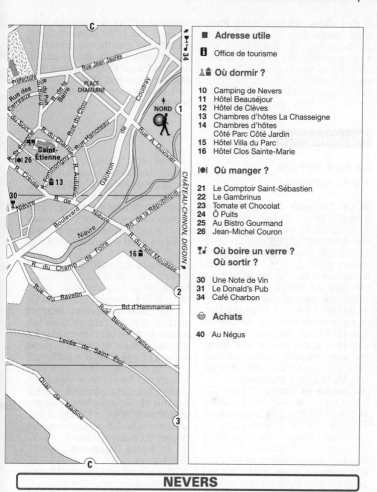

LA NIÈVRE

NEVERS

payant. 🛜 Un clos qui mérite bien son nom : oubliez le quartier et la rue et découvrez, côté jardin, ce petit hôtel insolite et raffiné dont les chambres sont alignées le long de petites terrasses et de bassins. Évitez juste les 3 donnant sur la rue. Excellent accueil.

🏠 *Chambres d'hôtes La Chasseigne* *(plan C1, 13)* *:* chez Joëlle et Dominique Fally, 5, rue Fonmorigny. ☎ 03-86-36-61-69. ● joellefally@yahoo.fr ● lachasseigne.canalblog.com ● Double

90 €. 🛜 Une perle rare. Poussez donc la lourde porte pour découvrir un ravissant jardin clos, dont les massifs de fleurs frangent un petit hôtel particulier des XVIe-XVIIe s restauré avec goût. Du charme, de la personnalité, à l'image des vastes chambres dont les aménagements contemporains s'harmonisent à merveille avec les poutres, les pierres apparentes et la tourelle à escalier à vis... Confort irréprochable (la suite dispose même d'une cuisine).

🏠 *Chambres d'hôtes Côté Parc Côté Jardin (plan A1, 14) :* 24, rue Jeanne-d'Arc. ☎ 09-83-44-94-15. ● val.reservation@yahoo.fr ● chambresdhotes-nevers.com ● *Face au kiosque à musique. Doubles 80-100 €. Parking gratuit dans la rue.* 🛜 *Direction l'Asie dans cette maison de* caractère offrant 5 chambres spacieuses, dont 2 communicantes, décorées sur des thèmes asiatiques. Du raffinement et un accueil attentif des proprios qui aiment recevoir. Petit déjeuner copieux et varié. Un voyage dans votre voyage pour cette escale hors du temps.

Où manger ?

De bon marché à prix moyens

🍴 *Le Comptoir Saint-Sébastien (plan B2, 21) :* 9, pl. Saint-Sébastien. ☎ 03-86-36-26-44. *Fermé dim soirlun. Formules 12,90 € (déj en sem) et 15 € (déj en sem et soir mar-jeu) ; menus 23,50-29,50 €.* Un établissement où le Tout-Nevers défile aussi bien pour son cadre de brasserie parisienne que pour sa cuisine fraîche et de saison, dans une ambiance chic et moderne de bon aloi. Rien de tel que des lustres élégants, un escalier d'époque et des miroirs pour mieux apprécier des plats traditionnels revisités. Vins pas toujours donnés, mais on a affaire à des connaisseurs.

🍴 *Tomate et Chocolat (plan A2, 23) :* 1 bis, av. du Général-de-Gaulle. ☎ 03-86-69-05-63. ● tomateetchocolat@orange.fr ● ♿ *Fermé dim-lun et mer soir. Congés : 2 sem en fév et 3 sem en août. Formules 16-21 € (sf sam soir), menus 26-32 €.* Avec sa cuisine ouverte et sa déco tendance très pimpante, une petite adresse accueillante que les habitués fréquentent à toute heure ! Effectivement, si le midi ce sont plutôt les formules « Tomate » qui l'emportent (plats du jour simples, frais, bons, et bien présentés), tandis que le soir, les menus « Chocolat » et les spécialités de *plancha* sont privilégiés, il s'avère que, la maison faisant salon de thé, on profite aussi de la terrasse en cours de balade. Très pratique.

🍴 *Le Gambrinus (plan A2, 22) :* 37, av. du Général-de-Gaulle. ☎ 03-86-57-19-48. *Près de la gare. Tlj sf dimlun et j. fériés. Congés : 1 sem en avr, août. Formule déj 18,50 €, menu 25 €,* carte env 40 €. Apéritif maison offert sur présentation de ce guide. Un petit restaurant à l'ancienne mode, connu notamment pour son sympathique patron qui s'assied à votre table pour prendre commande. Dans les assiettes, des andouillettes 5A ou de beaux poissons nobles. Service gentil tout plein.

🍴 *Ô Puits (plan B1, 24) :* 21, rue Mirangron. ☎ 03-86-59-28-88. *Fermé dim soir-lun. Formules déj en sem 13-17 €, menus 20-39,50 €.* On ne peut pas le manquer cet étonnant puits de 13 m de profondeur, qui porterait chance aux demoiselles en quête d'amour... Mais en réalité, tout se passe à l'étage, dans une petite salle coquette et intimiste dont les fenêtres ouvrent sur Saint-Pierre. Séduisant, comme la cuisine classique et traditionnelle du chef, qui privilégie les produits locaux et les préparations maison comme le filet de bœuf charolais. Accueil jeune et sympathique.

🍴 *Au Bistro Gourmand (plan B1, 25) :* 5, pl. de la Résistance. ☎ 03-86-61-45-09. ● aubistrogourmand@sfr.fr ● *Fermé dim-lun. Formules et menus déj en sem env 16-20 € ; menus 29-44 €.* Oubliez la place ouverte à la circulation et poussez la porte de ce bistrot à la déco contemporaine et élégante : qu'il s'agisse d'un menu « Terroir », « Passion » ou « Gourmet », la qualité est indéniable et la présentation toujours soignée. C'est sans surprise l'une des adresses préférées des locaux.

Chic

🍴 *Jean-Michel Couron (plan C1, 26) :* 21, rue Saint-Étienne. ☎ 03-86-61-19-28. *Tlj sf dim soir-mar. Résa* conseillée. Menus 23,50 € (déj sf w-e), puis 36-58 €. Depuis le temps qu'on dit Couron quand on parle cuisine à Nevers, on aurait du mal à imaginer cet étoilé autrement que statufié ! Et pourtant, c'est toujours LA belle adresse pour se faire plaisir, à tout âge, à tous prix. Produits du terroir et saveurs d'ailleurs, l'alliance est connue, mais ici le résultat est toujours étonnant de justesse, de précision. Jean-Michel Couron propose, dans ses 3 petites salles élégantes et chaleureuses de cette ancienne chapelle, une cuisine harmonieuse et fine. Et qui plus est, à prix encore abordables dans cette gamme.

Où dormir ? Où manger dans les environs ?

Prix moyens

🏠 |●| *Chambres d'hôtes Domaine de Trangy :* 8, route de Trangy, 58000 **Saint-Éloi.** ☎ 03-86-37-11-27. ● gdevalmont@free.fr ● chambres trangy.com ● Depuis Nevers, prendre direction de Chalon/Mâcon par la D 978 ; avt Forges, C 1 vers Aubeterre jusqu'à Trangy ; la maison est au bout du hameau. Double 64 € ; gîte 12 pers. Table d'hôtes sur résa 30 €, tt compris. 🛜 Cette magnifique propriété de la fin du XVIIIe s, entièrement restaurée, compte 3 corps de bâtiments en U, environnés par un vaste parc où il est bon flâner entre l'étang et la roseraie. Ajoutez encore quelques dépendances (avec gîte de style année 1800), un pigeonnier, une piscine isolée du bruit, un poney-club juste en face et 4 chambres pleines de charme, vous obtenez un point de chute idéal. Cuisine à cheval entre deux terroirs – Nièvre et Normandie – à savourer l'été côté jardin, ou dans la belle salle à manger commune.

🏠 *Chambres d'hôtes Le Mont Givre :* 34 bis, rue Jean-Pidoux, 58320 **Pougues-les-Eaux.** 📱 07-87-32-97-92. ● sylvie.delalande@orange.fr ● lemontgivre.fr ● Sur la D 907, à mi-chemin entre Nevers et La Charité. Doubles à partir de 58 €, suite familiale également. 🛜 Accueil en famille dans une imposante demeure de bourg. Sylvie, Frédéric et leurs 3 enfants mettent à disposition une chambre de 2 et surtout une immense pour 6, sous les combles, évidemment géniale pour les familles. Ne boudez pas le vaste parc à l'arrière, joliment aménagé et boisé. Petit déj dans la même veine que l'ambiance générale, extra ! Judicieux conseils sur la région de surcroît.

|●| *La Fontaine Cavalier :* domaine Jeunot, 58130 **Urzy.** ☎ 03-86-57-41-71. À env 6 km au nord de Nevers ; de l'A 77, sortie nº 33 en venant du sud, puis 2 fois à droite et suivre les panneaux. Tlj sf lun soir, mar soir et mer. Menus 15-19 € (déj en sem) puis 29-39 €, carte env 40 €. Une adresse qui mérite le détour à plus d'un titre. Le cadre, d'abord : une ancienne ferme restaurée avec soin, dont la belle salle mêle harmonieusement l'ancien et le moderne, tandis que la vaste terrasse en surplomb du parc fait dans le bucolique. La cuisine, ensuite : fraîche et actuelle, elle suit les saisons en proposant des spécialités traditionnelles joliment revisitées. Quant aux plus pressés, ils se régalent de grandes assiettes. Très agréable, comme l'accueil.

|●| *Auberge du Moulin de l'Étang :* 64, route de l'Étang, 58160 **Sauvigny-les-Bois.** ☎ 03-86-37-10-17. ● res taurant@moulindeletang.fr ● À 10 km à l'est de Nevers ; direction Château-Chinon (D 978) puis à droite, par la D 18, direction Sauvigny ; auberge à la sortie du village vers La Machine. Tlj sf dim soir, lun et mer soir. Congés : vac scol de fév (zone A) et 3 premières sem d'août. Formule déj en sem 26 €, menus 29-51 €. Café offert sur présentation de ce guide. Une des meilleures tables du Nivernais, où les amateurs de poisson sont aux anges. Service souriant et diligent, grande salle à manger à l'atmosphère douce et sympathique, à moins d'opter pour la belle terrasse en surplomb de l'étang.

|●| *La Gabare :* 171, route de Lyon, 58000 **Challuy.** ☎ 03-86-37-54-23.

♿ *À 3 km au sud par la D 907. Tlj sf dim, mer et le soir des j. fériés. Menus 22 € (midi en sem)-28 €, carte 30-60 €. Grand parking attenant.* Une maison au toit moussu au bord de la route de Lyon, avec d'agréables salles rustiques, ou, à l'arrière, un petit coin jardin et une belle terrasse qui réussissent à donner à l'ensemble un petit côté campagne. Cuisine classique et gastronomique comme il se doit.

|●| **Restaurant Le Bengy :** 25, route de Paris, 58640 **Varennes-Vauzelles.** ☎ 03-86-38-02-84. ● lebengyres taurant@wanadoo.fr ● ♿ *À la sortie nord de l'agglomération nivernaise. Tlj sf dim-lun et certains j. fériés. Menus 16,50 € (midi slt), 19,50 € (sem sf ven soir et sam soir), puis 24-34 €.* Cette belle maison avec 2 jolies salles contemporaines et un jardin abrite l'une des meilleures tables du secteur. Cuisine de saison dans l'air du temps, pour amateurs de poisson, de belles viandes, de bons produits traités joliment. Ça ne triche pas.

Chic

🏠 **Chambres d'hôtes le Château du Marais :** chez Bernadette et Thierry Graillot, 58470 **Gimouille.** ☎ 03-86-21-04-10. ● chateau-du-marais.com ● *À 8 km au sud de Nevers (D 976), à la sortie de Pont-Carreau, direction Bourges. Avr-oct. Double env 100 €.* 📶 Une demeure féodale de carte postale, avec son pont dormant, son donjon et sa chapelle donnant sur une adorable cour. Les chambres spacieuses et décorées à l'ancienne garantissent un séjour douillet. Vue rassurante sur les bois, les douves, la campagne. Il y a aussi le parc et le petit déj servi dans l'ancienne cuisine, dans la grande tradition.

🏠 **Domaine du Grand Bois :** route de Fertôt, 58470 **Gimouille.** ☎ 03-86-21-09-21. ● reception@grand-bois.com ● grand-bois.com ● ♿ *À 10 km au sud-ouest de Nevers, direction Bourges/ La Guerche ; prendre à gauche avt Gimouille, direction Saincaize (indiqué). Chalets 2-3 pers à partir de 95 €/nuit ; également pour 4-6 et 6-8 pers ; forfaits à la sem.* 📶 Un lieu parfait pour passer des vacances en famille. Au total, plus de 15 ha pour se mettre au vert, dans l'une des 60 maisons en bois bien conçues et confortables, qui donnent une allure champêtre quelque peu nordique à ce coin de campagne organisé autour d'un étang. Sur place, difficile de s'ennuyer : barques, embarcations à pédales, vélos, piscine (couverte et en extérieur), sauna, tennis, ping-pong, billard, et même un parcours accro-branche (● grandboisaventure.com ●).

🏠 **Hôtel Absolue Renaissance :** 2, rue de Paris, 58470 **Magny-Cours.** ☎ 03-86-58-10-40. ● absolue-renais sance.fr ● *À 12 km au sud de Nevers par l'A 77. Dans le bourg. Doubles env 70-130 €.* 📶 L'une des adresses chic des environs de Nevers, prisée par ceux qui fréquentent le circuit automobile posé à une poignée de kilomètres. Chambres classiques tout confort, sobrement contemporaines pour certaines. Restaurant de cuisine traditionnelle.

Où boire un verre ? Où sortir ?

En journée, place Guy-Coquille, 2 ou 3 terrasses agréables. La place Carnot, carrefour important, possède aussi quelques cafés qui réunissent du monde.

🍷 **Une Note de Vin** (plan C2, **30**) : 60, rue de Nièvre. ☎ 03-86-37-79-90. *Mar-sam à partir de 18h. Vins au verre, planches, tartines et plat du jour.* Le jeune caviste connaît bigrement bien son affaire et ne propose que du bio dans son bar à vins.

C'est le rendez-vous pas seulement bobo de ceux qui savent profiter de la vie après le boulot et partager de délicieux fromages frais et charcuteries, jusqu'au sucré : riz au lait incontournable !

🍷 **Le Donald's Pub** (plan B2, **31**) : 3, rue François-Mitterrand. ☎ 03-86-61-20-36. *Tlj sf dim 17h-2h.* Déco chaleureuse typique du genre pour cette véritable institution, très appréciée des étudiants. Bon esprit, bonnes bières et une certaine authenticité.

♪ ♟ *Café Charbon (hors plan par C1, 34) :* 10, rue Mademoiselle-Bourgeois. ☎ 03-86-61-23-52. • aucharbon. org • La salle de musiques actuelles de Nevers. Concerts aussi éclectiques qu'électriques dans un site industriel réhabilité.

Achats

✤ *Faïence :* plusieurs faïenciers tiennent encore atelier et boutique à Nevers (liste à l'office de tourisme). La faïence de Nevers, bleu et jaune sur fond blanc (mais pas uniquement), est belle sans doute mais pas donnée. Les plus paresseux pourront s'arrêter dans la *galerie de François Bernard,* maître faïencier, située juste à côté de l'office de tourisme *(plan B2).*

✤ *Confiserie :* dans un registre plus comestible, nos *nougatines* de Nevers préférées (au chocolat) se trouvent *Au Négus (96, rue François-Mitterrand, plan B1, 40).* La boutique propose aussi, en exclusivité, ses délicieux *Négus* (justement) : un caramel mou dans un caramel dur.

À voir. À faire

Repérez les deux itinéraires piétons matérialisés par une ligne bleue sur les trottoirs, permettant de visiter les principaux monuments et hôtels particuliers du quartier Saint-Étienne (premier itinéraire) ou de la Butte (second itinéraire, passant par les faïenciers).

🏃🏃 *Le palais ducal (plan B2) :* rue Sabatier (entrée par l'office de tourisme). ⚓ Juin-sept, lun-sam 9h-18h30 ; dim 10h-13h, 15h-18h. Oct-mai, lun-sam 9h-12h30, 14h-18h (fermé dim) ; j. fériés avr-mai : 10h-13h, 14h-18h, y compris 1er mai. GRATUIT. Élégante construction réalisée de 1464 à 1565, dans la belle pierre ocre clair du pays, et qu'on doit essentiellement aux Clèves puis aux Gonzague, ducs de Nevers. Sur un mur, une plaque rappelle que deux princesses nivernaises, Louise-Marie de Gonzague et sa suivante, Marie de Lagrange-d'Arquian, devinrent reines de Pologne au XVIIe s en épousant des Polonais bien nés : le vieux roi Ladislas IV et Jean Sobieski. C'est tout à fait un « château de la Loire », de style Renaissance, à la façade sud d'une grande harmonie : tourelles polygonales, hautes fenêtres stylées et toiture de rêve. À l'intérieur, totalement remanié, le rez-de-chaussée accueille un petit espace muséographique. Aux étages que l'on gravit par un élégant escalier contemporain, des expos temporaires. Jeter un œil à la salle de réception et à celle du conseil municipal où officia Pierre Bérégovoy en tant que maire, de 1983 à 1993.

🏃 Accolé au palais, voir le mignon *théâtre* construit au début du XIXe s, avec décor à l'italienne. En face, charmante *place de la République,* du XVIIe s, tout en longueur et donnant sur la Loire.

🏃🏃 *La cathédrale Saint-Cyr-et-Sainte-Julitte (plan A-B2) :* au sommet de la Butte. Tte l'année, tlj 9h-19h. De mi-juin à mi-sept, visite guidée gratuite proposée par des bénévoles, en principe tlj sf sam à 16h.
La cathédrale de Nevers présente une grande diversité de styles. Initialement bâtie au milieu du XIe s, les derniers travaux (chapelles, tour) ne furent achevés qu'en 1528, soit cinq siècles d'architecture. Particularité assez exceptionnelle, les deux absides opposées : l'une romane à l'ouest, l'autre gothique à l'est.
Après avoir fait le tour extérieur de cet impressionnant vaisseau de 101 m de long, extrêmement décoré dans ses parties gothiques (portail sud et haute tour rénovée récemment, de style flamboyant, un vrai délire d'ornementation), on entre pour découvrir l'abside et le transept romans. Belle voûte en cul-de-four abritant une grande fresque du XIIe s. Dans la crypte, remarquable *Mise au tombeau*

LA NIÈVRE

d'inspiration flamande, du XVe s. La nef, du XIIIe s, s'élève gracieusement, et on peut observer de pittoresques personnages sculptés à la base des colonnettes du triforium (galerie courant à mi-hauteur). Le chœur, du XIVe s, complète élégamment l'ensemble.

La lumière in vitro

Les vitraux ayant été détruits par un bombardement en juillet 1944, un programme de restauration ambitieux a été entrepris à la fin des années 1970. Avec 1 052 m² de verrière, c'est l'un des plus importants chantiers européens qui s'est achevé avec le nouveau siècle. Raoul Ubac a signé les vitraux du chœur roman occidenté – c'est-à-dire tourné vers l'ouest – à l'opposé du chœur gothique orienté, dont les verrières ont été réalisées par Claude Viallat. Les vitraux des chapelles du déambulatoire, aux couleurs très vives – le damassé rouge du vêtement de saint Matthieu est étonnant –, ont été réalisés par Jean-Michel Alberola. Les chapelles latérales sont l'œuvre de François Rouan, les fenêtres hautes, une ponctuation divine dans un ciel quadrillé, de Gottfried Honegger.

🍗 *La porte du Croux* (plan A2) : au cœur de l'ancien quartier des faïenciers, au caractère médiéval assez marqué. Imposante porte de la fin du XIVe s, bel exemple de ce que pouvaient faire les militaires quand ils se piquaient d'architecture. Mâchicoulis, échauguettes, pont-levis, rien ne manquait. Dans le jardin des Remparts voisin, quelques vestiges des anciennes fortifications (XIIe-XIIIe s).

🍗🍗 *Le musée de la Faïence et des Beaux-Arts* (plan A2) : 16, rue Saint-Genest, accessible également par les jardins du musée et la promenade des Remparts. ☎ 03-86-68-44-60. ● musee-faience.nevers.fr ● Mai-sept, mar-dim 10h-18h30 ; oct-avr, mar-ven 13h-17h30, le w-e 14h-18h. Fermé lun. Entrée : 6 € ; réduc. Remarquez tout d'abord l'ingénieuse architecture de pierre et de bois, alliant l'ancien de l'abbaye et le contemporain de la rénovation récente. Ce musée atypique regroupe une collection de faïences et de verres émaillés (rare !) dits verres filés, des arts qui ont fait la réputation de Nevers surtout du XVIe au XIXe s. Nombreux objets de faïence d'inspiration italienne destinés à la noblesse puis peu à peu plus usuels, religieux, etc. Notez le fameux « bleu de Nevers », tirant sur le bleu très foncé. Quant aux personnages, boîtes et saynètes en verre émaillé, le tout peut paraître aussi inattendu que surchargé, voire kitsch, il faut bien le dire ! Également des tableaux et dessins des XVIe-XXe s, dont une petite section sur les « artistes en Nivernais », enfants du pays ou peintres inspirés par les bords de Loire. Parmi eux, d'intéressantes œuvres d'Hector Hanoteau.

🍗🍗 *Le quartier Saint-Martin et le quartier Saint-Étienne* (plan B1-2) : de la *place Carnot* part la *rue Saint-Martin,* bordée de quelques hôtels particuliers (hôtels de Saulieu-Saincaize ou hôtel Flamen-d'Assigny, du XVIIIe s) et de l'étonnante *chapelle Sainte-Marie,* de style baroque (unique en son genre dans la Nièvre), bâtie vers 1640. Cette rue Saint-Martin mène à la *rue François-Mitterrand,* ex-rue du Commerce (toujours appelée

FAUT-IL VRAIMENT ÊTRE CLOCHE !

Dans la rue Saint-Martin, presque au niveau de la place Carnot (plan B2), vous pourrez admirer la maison Fouché, l'homme par qui Nevers perdit son aspect de « ville pointue » : on lui doit en effet la décision révolutionnaire (en 1793) de raser une grande partie des clochers dont la ville était hérissée.

ainsi par une majorité de Nivernais), où se trouve le beffroi : Nevers est l'une des rares villes du Centre à en posséder un du XVIIIe s.

De là, par la rue de Nièvre, on accède au *quartier Saint-Étienne (plan C1),* avec sa belle église romane (voir plus bas) et, là encore, d'intéressantes demeures historiques dans la petite *rue Creuse.* Au n° 12, imposant hôtel de Maumigny flanqué d'une tour XVe s. Au n° 7 vécut, en 1923-1924, Simenon, alors secrétaire du marquis de Tracy. Rebelote dans la *rue Saint-Étienne* (hôtel Tiersonnier, du XVIIIᵉ s, et belle maison à pignons du XVIᵉ s). La *porte de Paris*, modeste arc de triomphe élevé en 1746, et l'*église Saint-Pierre* du XVIIᵉ s, à la façade classique (voûtes décorées de fresques de Sabadini et Gherardini, un peu fatiguées), ferment ce vieux quartier au nord.

✸✸ L'église Saint-Étienne (plan C1) : *rue Saint-Étienne*. Enclavée sur une charmante placette, la discrète église Saint-Étienne se révèle une petite merveille d'art roman bourguignon (mâtiné d'auvergnat, disent les spécialistes). Elle n'a guère subi d'altération majeure depuis le XIᵉ s. Haute et sobre façade, en faire le tour extérieur pour admirer le chevet. À l'intérieur, pas de fioritures mais des lignes pures, des proportions et une lumière parfaites. Chœur avec déambulatoire et vitraux anciens.

✸ L'espace Bernadette-Soubirous (plan A1) : *34, rue Saint-Gildard.* ☎ 03-86-71-99-50. ● contact@espace-bernadette.com ● espace-bernadette.com ● ♿ *Mai-oct, tlj 8h-12h30, 13h30-19h30 ; nov-avr, 8h-12h, 14h-18h. GRATUIT (musée, chapelle, grotte). Visite payante avec livret « La marche sur les pas de Bernadette » donnant accès aux jardins : 3 €. Vidéo 25 mn : 2 €.* Chaque année, des dizaines de milliers de visiteurs se rendent à la maison mère des sœurs de

UNE SAINTE DEVENUE MARTYRE

Tout le monde voulait toucher Bernadette Soubirous, lui réclamer une bénédiction. Constamment, elle devait raconter ses apparitions. On la prenait en photo (certains feront fortune), on lui baisait les mains... On la demanda même en mariage ! Pour sa survie, elle quitta Lourdes pour se réfugier à Nevers et n'en repartit jamais.

Charité de Nevers pour se recueillir sur la châsse de sainte Bernadette. Eh oui, c'est bien la Bernadette Soubirous de Lourdes ! Elle a passé les 13 dernières années de sa vie dans ce lieu, au sein de cette congrégation qu'elle avait connue à l'hospice de Lourdes, où elle a appris à lire et à écrire. Au musée, une petite scénographie moderne et intelligemment conçue retrace les principales étapes de sa vie, et présente quelques objets ayant appartenu à la sainte, dont le fauteuil où elle rendit son dernier souffle. Passer ensuite devant la reconstitution de la grotte de Lourdes avant de rejoindre la chapelle (XIXᵉ s) où est présenté, dans une châsse, le corps de la sainte, menu mais étonnamment conservé. Dans les beaux jardins en terrasses (accès payant), un petit itinéraire permet de découvrir la chapelle Saint-Joseph où Bernadette fut enterrée de 1879 à 1925, puis, tout au fond du jardin, une émouvante statue de Notre-Dame-des-Eaux.

Randonnées et vélo

➤ **Le sentier du Ver-Vert** (hors plan par A3) : *départ du sq. Henri-Virlogeux, route des Saulaies (D 504), à 20 mn à pied du centre-ville.* Sentier thématique (7 km allerretour) à la découverte de la faune et de la flore des bords de Loire. Accessible aux VTT. Descriptif disponible à l'office de tourisme.
➤ **La Vélo-route, voie verte Nevers-Le Guétin** (hors plan par B3) : *départ du port de la Jonction.* Un ancien chemin de halage, le long du canal latéral à la Loire, qui rejoint aussi Decize.

Fêtes et manifestations

– **Les Zaccros d'ma rue** : *pdt env 10 j., début juil.* ☎ 03-86-61-17-80. ● zaccros.org ● Des dizaines de spectacles de rue mêlant le théâtre, le cirque, la musique, l'humour et la fantaisie.

– **Nevers Plage :** *ts les étés.* Activités sur la plage, en contrebas du pont de Loire, près du camping.

– **Marchés de l'été :** *mer ts les 15 j. en juil-août et 1ᵉʳ w-e de sept, au parc Roger-Salengro.*

– **Garçon, la note :** *juil-août.* Tout au long de l'été, une trentaine de concerts gratuits à la terrasse de bars et de restos.

– **Nevers à Vif :** *dernier w-e d'oct ou 1ᵉʳ w-e de nov.* ● *nevers-a-vif.org* ● Un festival rock qui a plus de 20 ans. Du sérieux !

– **D'Jazz Nevers Festival :** *1 sem début nov. Rens et résas :* ☎ 03-86-57-88-51. ● *neversdjazz.com* ● Jazzmen du monde entier pour de swingants concerts.

DANS LES ENVIRONS DE NEVERS

🐾 **Le bec d'Allier :** *à 10 km au sud-ouest de Nevers, direction Bourges.* Tout simplement le confluent de la Loire et de l'Allier, deux des dernières rivières sauvages d'Europe. Le classement du bec d'Allier en site Panda permet l'accueil de tous les publics en harmonie avec la protection de la nature. Sentier de découverte dit du Passeur (4 km) au départ du village de Gimouille. Également différentes activités proposées par l'association Instant Nature (☎ 03-86-57-98-76, ● *instant-nature.org* ●). À proximité, sur la route d'Apremont, ne pas manquer le curieux et imposant **pont-canal du Guétin,** permettant au canal latéral à la Loire d'enjamber l'Allier.

🐾 **Apremont-sur-Allier** (18150) **:** on quitte la Bourgogne et la Nièvre pour une incursion dans le Cher, sur la rive gauche de l'Allier, à 8 km au sud du bec d'Allier, où le village médiéval d'Apremont s'enorgueillit à juste titre de compter parmi les plus beaux, les plus fleuris et les plus pittoresques de France. Un petit coin de paradis où l'on ne voit pas le temps passer : parc floral, château et resto.

🐾 Entre Loire et Allier, dans cette Sologne bourbonnaise, comme on appelle ici ce petit pays au sud de Nevers, deux **châteaux** médiévaux (qui ne se visitent pas, mais dont on peut voir la façade ou l'enceinte) : celui de **Chevenon,** à 11 km au sud-est de Nevers par la D 13, une haute construction médiévale (fin XIVᵉ s) flanquée de tours défensives ; et le château de **Meauce** (en face d'Apremont-sur-Allier, côté rive droite), avec une insolite enceinte circulaire et une tour hexagonale massive.

🐾 **Le circuit de Nevers Magny-Cours :** 58470 **Magny-Cours.** ● *circuitmagny cours.com* ● *À env 15 km au sud de Nevers par l'A 77.* Inauguré par François Mitterrand en 1989, le circuit de Nevers Magny-Cours accueillit, de 1991 à 2008, la manche française du championnat du monde de Formule 1. Un monde fou que l'on retrouve désormais pour l'un des plus gros rassemblements d'Europe d'amateurs de belles carrosseries en juillet et pour le Superbike moto en septembre. Attention, difficile – sinon en réservant très longtemps à l'avance – de trouver un hébergement pour chacun de ces événements.

🐾 Non loin de Magny-Cours (3 km au sud du circuit), le village de **Saint-Parize-le-Châtel** possède une église étonnante par sa crypte romane (accès par la gauche de l'autel), dont les courtes colonnes donnent l'occasion rare de voir les chapiteaux de près, puisqu'ils se trouvent à hauteur d'homme : sirène bifide, antipodiste tordu, bestiaire bizarre. Superbes et très bien conservés. Poussez jusqu'à **Mars-sur-Allier** pour découvrir une église romane atypique avec un très beau tympan.

🐾 À 23 km au sud de Nevers se trouve le gros bourg agricole de **Saint-Pierre-le-Moûtier,** où Jeanne d'Arc fit des siennes en arrachant miraculeusement (à cent contre une, au moins !) la place aux Anglais, en 1429. À voir, les vestiges médiévaux (tours rondes, fossés) et quelques maisons Renaissance, mais surtout l'*église Saint-Pierre* (XIIe s) avec le remarquable tympan de son portail nord, figurant le Christ et les évangélistes (XIIIe s). Voir également le moulin à vent « les Éventées ».

🦌 Enfin, les *ruines du château de Rosemont*, à côté de Luthenay-Uxeloup (22 km au sud-est de Nevers par la D 13), dont l'enceinte et les tours sont parmi les plus belles du département.

🦌 *Pougues-les-Eaux* (58320) : *située entre Nevers et La Charité-sur-Loire.* Pougues fut jusqu'en 1969 une ville thermale dont les eaux étaient très appréciées de certains rois de France. Aujourd'hui abandonné par les curistes, son pourtant superbe parc thermal n'est plus que nostalgie. Le salut viendra-t-il du *casino,* posé fièrement à l'entrée de la commune ? Ou bien du dynamique *Centre d'art contemporain* du département, logé dans un bâtiment destiné autrefois à l'embouteillage des eaux de la station (☎ 03-86-90-96-60 ; ● *parcsaintleger.fr* ●). Il accueille 4 ou 5 expos par an et est également un lieu de résidence d'artistes.

LA CHARITÉ-SUR-LOIRE

(58400) 5 405 hab. *Carte Nièvre, A2*

C'est pour l'église prieurale Notre-Dame, chef-d'œuvre d'art roman clunisien classé au Patrimoine mondial de l'Unesco, que l'on vient à La Charité-sur-Loire. La ville, qui a également obtenu le label « Ville d'art et d'histoire », bénéficie en outre d'un site de toute beauté. Jolis points de vue sur

CHARITÉ BIEN ORDONNÉE

Prieur à La Charité n'avait rien d'un austère apostolat. Ainsi le cardinal de Bernis, dernier à avoir occupé cette fonction, était surtout connu à Versailles pour son habileté à rédiger de galants poèmes pour ces dames.

la cité historique et ses clochers depuis l'île du Faubourg ou depuis les remparts. La Loire est ici plus sauvage que jamais (et classée réserve naturelle sur 20 km entre Pouilly et La Charité). La Charité c'est aussi le rendez-vous incontournable des bibliophiles éclairés (voir plus loin « Les livres à La Charité »).

UN PEU D'HISTOIRE

« La Charité des bons pères », ainsi baptisée parce qu'on y bénéficiait de la charité, se développa vite. Le prieuré prospéra tant et si bien qu'il finit par compter plus de 400 dépendances en France et en Europe.
Ville-étape sur la route de Compostelle, La Charité profitait aussi de son port de commerce et d'un pont sur la Loire, le seul alors entre Nevers et Gien. Mais, revers de fortune, la cité fut le théâtre de nombreux épisodes guerriers : quatre fois prise et reprise durant la guerre de Cent ans (jusqu'à l'échec devant ses murs, en 1429, de Jeanne d'Arc qui dut lever le siège, première défaite de la Pucelle), La Charité fut pillée pendant les guerres de Religion (massacre des huguenots par le duc de Nevers en 1572). Toutefois, son prieuré conserva sa puissance territoriale jusqu'à la Révolution, même si le nombre de moines diminua régulièrement (12 en 1789). En 1793, le prieuré fut vendu comme bien national.

Adresse et infos utiles

🛈 @ **Office de tourisme :** 5, pl. Sainte-Croix. ☎ 03-86-70-15-06. ● lacharitesurloire-tourisme.com ● Fermé dim-lun oct-déc et mars. Congés : janv-fév. Rallye pour découvrir la ville, liste des (petits) domaines viticoles, geocaching dans le centre-ville et sur la N 7... Efficace et chaleureux.

– **Canoë-kayak :** loc en saison auprès de l'**USC Canoë-Kayak,** quai d'Aval. ☎ 03-86-70-35-88.

– **Marché :** sam mat.

Où dormir ? Où manger ?

Camping

⛺ **Camping de la Saulaie :** quai de la Saulaie. ☎ 03-86-70-00-83. ● camping@lacharitesurloire.fr ● camping. lacharitesurloire.fr ● ♿ Sur l'île de Loire ; direction Bourges, à droite avt le 2e pont. Avr-sept. Forfait tente pour 2 env 14 €. 82 empl. Hébergements locatifs 120-540 €/sem pour 2. 🛜 Sur une île, entre deux bras de la Loire, de jolis points de vue depuis ce camping municipal à deux pas du centre. Pratique ! Plein de petites attentions comme les petits déj en été, une salle de repli en cas de pluie, un réfrigérateur. Emplacements bien plats et bien verts, sanitaires modernes. En location, des roulottes, des bungalows toilés et des tentes équipées pour 2 ou 5 personnes. Idéal pour les adeptes de La Loire à vélo.

Très bon marché

🍽️ **Le Bouchon de Loire :** 15, rue du Pont. ☎ 03-58-07-61-80. 📱 06-26-25-37-55. ● lebouchondeloire@laposte. net ● Entre la Loire et la prieurale. Jeu-dim et j. fériés. Formules à partir de 8 €, menu 15 €. Un verre de vin régional offert sur présentation de ce guide. Ça bouchonne à l'heure du repas, mais en repassant plus tard on trouve toujours à caser tout le monde. C'est que la salle et la terrasse, conviviales à souhait, ne sont pas bien grandes.

Le patron-cuistot propose un menu unique, selon l'inspiration du jour, mais peut s'en échapper pour satisfaire tous les appétits. C'est simple, efficace et sans tralala. Tout pour nous plaire !

🍽️ 🍷 **Les Mets et les Mots :** 16, rue du Pont. 📱 06-21-72-48-21. Entre La Charité et la Loire. Ven-lun 12h-21h. Tapas 5-8 €, plat du jour 12 €. Ce bar à tapas version gauloise constitue l'endroit idéal pour une pause revigorante, derrière sa façade rouge. La carte est courte et claire, de bonnes petites choses bien saines et faites maison, aux saveurs méridionales. On conseille l'assortiment, à picorer à plusieurs. Accueil serviable et service en continu.

Prix moyens

🏨 🍽️ **Hôtel Le Bon Laboureur :** quai Romain-Mollot. ☎ 03-86-70-22-85. ● lebonlaboureur@wanadoo. fr ● lebonlaboureur.com ● Dans l'île de Loire ; direction Bourges, à gauche avt le 2e pont. Resto pour résidents de l'hôtel le soir slt, lun-ven. Doubles 52-70 €. Menus 16-20 €. 🛜 Apéritif offert sur présentation de ce guide. Grande bâtisse ancienne où les chambres, réparties dans différentes ailes accessibles depuis la cour intérieure, se révèlent simples, propres et d'un confort tout à fait suffisant. Les plus agréables donnent sur la Loire. Accueil souriant. Agréable cuisine traditionnelle.

Où dormir ? Où manger dans les environs ?

Prix moyens

🏨 **Chambres d'hôtes La Cuvellerie :** rue de l'Enfer, 58400 Narcy. ☎ 03-86-69-16-34. 📱 06-22-30-63-45. ● francoise.perdrizet@free.fr ● lacuvellerie.fr ● À 8 km au nord-est, direction Clamecy-Auxerre, puis à gauche la D 1.

Doubles 65-72 € ; familiales. En lisière du village, surplombant la campagne où gargouille un ruisseau, cette grande demeure de campagne du XVIIᵉ s ne manque pas de caractère avec ses volets bleus et ses dépendances ceinturant un jardin clos. L'intérieur est tout aussi charmant : petite bibliothèque, terrasse et 2 vastes suites parentales. Quant aux amoureux, ils choisiront sans hésiter celle qui occupe un pavillon indépendant, séduisante et intimiste.

Chic

🏠 **Chambres d'hôtes aux Antipodes :** 2, rue de la Mairie, le Grand Soury, 58400 **Champvoux**. 🏠 06-89-27-39-06. ● nathalie.gouliart@free.fr ● auxantipodes.fr ● À 6 km au sud-est par la D 245. Double 115 €. 🛜 Rien ne laisse présager un tel luxe derrière les murs de cet anodin bourg de campagne. Et pourtant s'y cachent, dans une maison de caractère en pierre de Bourgogne, 3 magnifiques chambres qui sont autant d'invitations au voyage. Piscine couverte et massages au programme, à moins de s'offrir un cocktail maison. N'oubliez pas

de sortir quand même et de découvrir les environs en rando. Pour ceux qui peuvent se l'offrir, une adresse loin de tout, dans tous les sens du terme.

🏠 🍴 **Les Forges de la Vache :** chemin de la Fontaine, 58400 **Raveau**. 🕿 03-86-70-22-96. ● contact@forgesdelavache.com ● forgesdelavache.com ● À 5 km à l'est, direction Clamecy-Auxerre ; sortie n° 29 sur l'A 77 ; au village, suivre le panneau « Forges de la Vache ». Double env 120 €, petit déj compris ; gîte d'étape 25 €/nuitée ; ½ pens possible. 🛜 Au pied de la forêt des Bertranges, un lieu atypique à la fois patrimonial et industriel, au cœur d'un séduisant parc (expos d'art contemporain en été). Dans l'élégant manoir, une bibliothèque et 6 vastes chambres classiques, tout confort et ultra-calmes. En surplomb du site, 4 amusantes cabanes perchées utilisées en gîtes d'étape pour 4 ou 5 personnes, mais aussi 3 restaurants et un bistrot. Les marteaux des anciennes forges se sont tus depuis longtemps, remplacés par d'harmonieuses mélopées lors des réguliers Impromptus (concerts de musique de chambre).

LA NIÈVRE

Où acheter de bons produits dans le coin ?

🐝 **Le Vin :** 7, pl. des Pêcheurs. Jean-Paul Quenault, ancien restaurateur et œnologue confirmé, vous reçoit dans sa boutique autour d'une dégustation véritablement amicale. C'est l'ambassadeur passionné de ce cru du terroir qui embaume le palais : les côtes-de-la-charité (60 % de blanc). À servir à 12 °C, avec du poisson de préférence.

🐝 **La Confiserie du Prieuré :** 11, pl. des Pêcheurs. Tlj sf lun. Maison tenue par Jean-Claude Charpentier, un maître chocolatier étonnant. Ici, la spécialité, c'est le charitois, un caramel tendre au beurre de Charente, aromatisé au café et au chocolat. Goûtez aussi le pavé du Prieuré, un mariage praliné-nougatine. Sinon, terrasse intérieure pour siroter un

chocolat façon grand-maman ou un thé. Bon, les glaces maison, en été, ce n'est pas mal non plus...

🐝 **Huilerie Brossard :** ferme De Montifault, route de Mouchy, 58400 **Raveau**. 🏠 06-61-21-69-80. 🕿 09-61-28-35-73. ● contact@huilerie-brossard.fr ● huilerie-brossard.fr ● À 5 km à l'est, direction Clamecy-Auxerre ; sortie n° 29 sur l'A 77 ; au village, suivre « Montifault ». Ven 14h-19h ou sur rdv. Fermé juil et déc pour la récolte. Une gamme d'huiles artisanales à découvrir sur l'exploitation même. Parmi les spécialités produites en agriculture raisonnée par la famille Brossard, la fierté maison, l'huile de moutarde. Attention, elle déménage ! Également en vente à l'office de tourisme de La Charité.

À voir. À faire

◎ 🎭🎭🎭 **L'église prieurale Notre-Dame, le cloître et les bâtiments conventuels :** tlj, GRATUIT. Visites guidées en juil-août, infos à l'office de tourisme.

On accède par un porche à la petite place Sainte-Croix où se dresse la tour du même nom, de plan carré, bel et imposant ouvrage d'art roman bourguignon ; au bas, superbe portail roman. Cette tour est séparée du reste de la nef depuis l'incendie de 1559 qui a détruit la moitié de cette dernière. Depuis longtemps, les habitants de La Charité se sont installés à l'intérieur des arcades restantes. Site majeur, l'église prieurale a été édifiée, tout comme l'église annexe Saint-Laurent, dans la seconde moitié du XIe s. Au début du XIIe s, le chœur fut prolongé et un déambulatoire créé. L'église fut ensuite restaurée du XIVe au XVIIe s. La nef, ample et élancée, ne manque pas d'allure. Les chapiteaux ouvragés, les sculptures témoignent d'un éventail complet de l'art roman, véritable catalogue. Par ailleurs, 68 vitraux remarquables ont été refaits par Max Ingrand de 1954 à 1957.

Dans le transept sud, on admire le tympan du portail, déposé ici en 1835. De là, une galerie permet de rejoindre le beau jardin des Bénédictins et s'arrête devant les vestiges archéologiques (couverts) de l'église Saint-Laurent. Puis on rejoint les bâtiments conventuels. Dans la salle capitulaire (XIIIe-XIVe s) sont organisés concerts et spectacles en saison. Le bâtiment nord du cloître abrite des salles du XVIIIe s : réfectoire, cuisine, salle de compagnie, agrémentées de remarquables décorations. Le cloître (XVIIe-XVIIIe s), soigneusement restauré, sert d'écrin à des projections ou des expositions d'œuvres contemporaines. Sortie dans la cour du prieuré dans laquelle se trouvent le logis du prieur et le cellier.

🏃 *La maison de la Fraternité compagnonnique des Anciens Devoirs :* rue du Champ-Baratté. ☎ 03-86-70-01-13 ou 03-86-69-61-59. *Ouv le 4e sam du mois 15h-18h, sur résa. GRATUIT.* Perchée en surplomb du jardin des Bénédictins, la chapelle du Bon-Secours abrite désormais le siège de cette Fraternité qui se caractérise par les nombreux corps de métier qui la composent : en plus des métiers classiques du bâtiment (charpentiers, maçons, couvreurs...), elle rassemble notamment différents métiers de bouche, comme les charcutiers, les cuisiniers et les pâtissiers ! Des savoir-faire qui sont illustrés par différentes pièces de réception (les fameux chefs-d'œuvre), commentées avec passion par un compagnon en chair et en os. Très intéressant.

🏃🏃 *Les remparts et les vieilles rues :* dominant la vieille ville et le prieuré, les remparts (principalement le rempart nord) permettent d'embrasser un superbe panorama sur la Loire et la ville. Parcourir le noyau urbain médiéval, en partie reconstruit après l'incendie de 1559, les rues basses de Loire, place des Pêcheurs, rue des Chapelains, rue des Hôtelleries (maisons du XVIe au XVIIIe s). Remonter la Grande-Rue jusqu'à l'église Saint-Pierre (XVe et XVIIe s). Les quartiers vignerons qui bordent les remparts au sud/sud-est sont intéressants : maisons minuscules sur caves. À voir : la rue de la République, bordée de maisons à échoppes (XVIe et XVIIe s). Levez le nez, prenez le temps de découvrir les noms (la *rue du Grenier-à-Sel,* le *passage du Guichet,* la *maison du Nain*) qui font travailler l'imagination, jusqu'au chemin des 84 marches, passage des pèlerins de Saint-Jacques depuis le XIIe s...

🏃 Noter la présence en ville *d'artistes et d'artisans d'art* dans différents domaines : poterie, sculpture, céramiste, peinture, calligraphie, créatrice de mode, tourneuse sur bois, feutrière... On vous laisse pousser les portes.

🏃🏃 *La Cité du Mot :* ☎ 03-86-70-15-06 *(office de tourisme).* ● lacharitesurloire. fr ● *Oct-mars : marché aux livres ts les 3e dim du mois. 3e dim d'avr : marché aux livres anciens. 3e dim de juil et d'août : foires aux livres anciens dans les rues. 1er sam d'août : Nuit du livre.* Une poignée de librairies à thème et un atelier de reliure et d'enluminure jalonnent la ville. Les boutiques ont dans l'ensemble des devantures qui rappellent le style anglais du XIXe s. Programmation toute l'année, coordonnée par le Centre culturel de rencontre-Prieuré de La Charité,

Cité du Mot avec des citations sur les murs, la « balade des mots », des expositions mettant les mots en scène, des « Parlottes » autour d'un thème ou d'un mot, etc.

Festivals

– **Festival du mot :** *fin mai.* ● *festivaldumot.fr* ● Fête originale autour du mot et de la parole. Spectacles, conférences, ateliers, expositions.
– **Festival Format Raisins :** *2 sem début juil.* ● *format-raisins.fr* ● Musique et danse dans plus de 15 villes et villages, autour de la Loire et des vignobles.
– **Blues en Loire :** *1 sem en août.* ● *lechatmusiques.com* ● Un festival de blues avec des pointures américaines et leurs émules européens.

DANS LES ENVIRONS DE LA CHARITÉ-SUR-LOIRE

🎥🎥 **Les forges de Guérigny** (58130) : *av. Arnault-de-Lange.* ☎ 03-86-37-01-08. ● *musee vieuxguerigny.free.fr* ● *À une dizaine de km à l'est de Pougues par la D 8. De juil à mi-sept, tlj sf mar 15h-19h. Entrée payante.* Fermées définitivement en 1971, les forges de Guérigny, qui existaient déjà au XVIe s, employèrent jusqu'à 600 ouvriers, et s'étaient spécialisées dans l'ancre de marine. En effet, toutes les ancres de la « Royale » provinrent de la région (Cosne et Guérigny), après que Colbert eut préconisé l'emploi du fer nivernais.

MONSIEUR MUSCLE...

Dans les anciens ateliers des forges de Guérigny où ils sont exposés, observez ces maillons de chaîne d'ancre que le forgeron devait assembler : un travail d'Hercule dont on peut mesurer la difficulté en soulevant un seul de ces maillons d'environ 20 kg. Quelle charge quand on sait qu'il fallait en manier plusieurs à la fois, à longueur de journée, les chauffer et les fondre, les tordre et les souder !

LA NIÈVRE

Sur le site de ces ateliers du XVIIIe s, expo de maquettes mais aussi de pièces et machines-outils parfois impressionnantes. Une expo thématique par an. Une visite qui vaut autant pour le site exceptionnel (bief et roue à aubes) que pour la présence et les commentaires des Amis du vieux Guérigny, anciens de la forge pour certains, à qui l'on doit ce musée.

🎥🎥 **La forêt des Bertranges :** à l'est de La Charité-sur-Loire, elle s'étend sur 10 000 ha. Très ancien domaine boisé de hêtres et surtout de chênes (deuxième chênaie française après Tronçais), dont la futaie pluriséculaire (de 185 à 255 ans) se prête admirablement aux longues promenades... Du XIVe au XIXe s, ce massif forestier était entouré de forges, comme celles de Guérigny, que le sol riche en minerai de fer, le charbon de bois et l'énergie hydraulique des nombreux cours d'eau alimentaient. Quelques-unes, désaffectées, subsistent, le plus souvent intégrées à des exploitations agricoles ou à des bâtiments privés. Cueillette de champignons, soirée « brame du cerf » et observations animalières organisées en automne *(Instant Nature, ☎ 03-86-57-98-76 ; ● instant-nature.org ●).*

Festival

– **Les Conviviales :** *2de quinzaine d'août, à **Nannay**, à une vingtaine de km au nord-est par la N 151.* ☎ 03-86-69-21-72. 📱 06-23-08-72-00. ● *nannay.com* ● Un festival de cinéma en rapport avec le monde rural dans un bourg de la Nièvre, il fallait le faire ; bravo aux bénévoles !

POUILLY-SUR-LOIRE (58150) 1 800 hab. *Carte Nièvre, A2*

Un bourg bien tranquille dont la tour de Pouilly, en plein centre, constitue le cœur névralgique. C'est la vitrine des vins qui font la réputation de Pouilly depuis l'époque médiévale – pouilly-sur-loire (cépage chasselas) et pouilly-fumé (cépage sauvignon blanc fumé). Autre singularité : la ville se trouve à équidistance de la source et de l'embouchure de la Loire : 496 km, d'où la présence opportune du Pavillon du Milieu-de-Loire. Promenade sympa le long du fleuve, bordé

À CHACUN SON POUILLY

Ici on produit le pouilly-fumé, un blanc classé parmi les vins de Loire (mais on est bien en Bourgogne !). A ne surtout pas confondre avec un autre blanc, le pouilly-fuissé, un autre vin de Bourgogne produit en Saône-et-Loire, à 200 km de là. Les cépages ne sont pas les mêmes : sauvignon pour le ligérien, chardonnay pour le bourguignon. Quant à Pouilly-en-Auxois, en Côte-d'Or, pas de vignoble là-bas, on fait plutôt dans l'eau avec le canal !

d'une allée aménagée, sur ce tronçon classé en réserve naturelle. Vos pas ou vos roues vous mèneront sûrement à Sancerre, sur l'autre rive de la Loire et vous feront changer de région !

Adresse et info utiles

▯ **Office de tourisme :** *la Tour du Pouilly-Fumé, 30, rue Waldeck-Rousseau.* ☎ *03-86-24-04-70.* ● *pouillysurloire.fr* ● *Juil-août, tlj 10h-19h30. Le reste de l'année, fermé à* midi et lun, plus le mat en fév-mars et nov-déc. 📶 Fournit notamment la liste des producteurs de vins. Boutique.
– *Marché :* ven mat.

Où dormir ? Où manger ?

De bon marché à prix moyens

|●| **Chez Mémère :** *72, rue Waldeck-Rousseau.* ☎ *03-86-39-02-43.* ● *noel. neis@bbox.fr* ● *Pas loin de l'église. Tlj sf dim soir-lun. Formules et menus 16-22 € ; carte 25 €. Café ou digestif maison offert sur présentation de ce guide.* Un bistrot à l'ancienne qui joue sur le rustique à fond, et ça marche, depuis plusieurs décennies. Ambiance familiale et cuisine sans prétention, simple et traditionnelle. Si vous n'aimez pas l'andouillette ou les escargots, rassurez-vous, les desserts maison sont délicieux !

🏠 **Chambres d'hôtes la Pouillyzotte :** *rue de Charenton.* ☎ *03-86-39-17-98.* ● *pouillyzotte.com* ● *À 2 km au sud-est, direction Charenton. Doubles 65-75 €.* 📶 On oublie vite l'autoroute proche dans cette demeure du XVIIIe s. Elle est dotée de 3 chambres coquettes dans une tour et d'une familiale, dans un bâtiment attenant. Environnement serein parmi poules en liberté dans le jardin, piscine, table de ping-pong... Petit déj amélioré. Une accueillante adresse, labellisée « Accueil Vélo », riche en infos sur la région.

De prix moyens à chic

🏠 |●| **Le Relais de Pouilly :** *quai de Loire.* ☎ *03-86-39-03-00.* ● *info@ relaisdepouilly.com* ● *relaisdepouilly. com* ● 🍴 *(au resto). Depuis l'A 77, sortie nos 26 ou 27, puis direction Mesves.*

Doubles climatisées 77-87 € (gratuit moins de 10 ans). Formules 16,20-19 € (sf dim midi et j. fériés), menus 23,90-27 €. 🛜 Ne pas s'inquiéter de l'autoroute qui frôle cet hôtel moderne. Les chambres, impeccables, spacieuses et tout confort sont pour la plupart tranquillement posées face à une vaste pelouse à deux pas de la Loire. Au resto, la table est très simple et classique (buffet d'entrées, grillades, spécialités de terroir). Terrasse aux beaux jours. L'adresse pratique avec des enfants : tout ce qu'il faut pour les bébés et une belle aire de jeux. Prêt de vélos.

🛏 |●| *Le Coq Hardi :* 42, av. de la Tuilerie. ☎ 03-86-39-12-99. ● lecoqhardi@orange.fr ● lecoqhardi.fr ● ♿ Au

sud-est, à 1 km du centre-ville, direction La Charité/Mesves. Fermé lun-mar, plus mar soir oct-avr. Résa conseillée. Doubles 85-105 €. Formule déj en sem 19,50 € ; menus 27 € (sf sam soir, dim et j. fériés), puis 40-67 €. 🛜 Établissement très classique, doté de chambres agréables, surtout celles avec terrasse donnant sur la Loire et le grand jardin. Fait aussi resto, et quel resto ! Le chef n'aime travailler que les beaux produits, à commencer par les poissons de la pêche locale. Éviter de venir là en short, ce n'est pas du tout le genre de la maison. Tenue plus décontractée en revanche pour partir, depuis le jardin, faire une balade sur le chemin de halage longeant la Loire.

Où dormir dans les environs ?

🛏 *Les Roulottes de Pouilly-Sancerre :* domaine Michel Redde, La Moynerie, 58150 Saint-Andelain. ☎ 03-86-39-14-72. ● roulottes-redde@michel-redde.com ● michel-redde.com ● À 6 km au nord de Pouilly. Nuitée autour de 80 € pour 4 pers (2 nuits min en juil-août), dégressif. Pas de permanence dim et j. fériés.

L'accueil se fait à La Moynerie, mais les roulottes sont en réalité installées à quelques encablures, en lisière du village vigneron des Cassiers. Très confortables et pimpantes, elles profitent d'une belle vue dégagée sur les rangs de vigne. Bien entendu, possibilité de dégustation au caveau, car vous êtes sur un domaine viticole de 40 ha.

LA NIÈVRE

Où acheter de bons produits dans le coin ?

🏵 *Les Craquants du Val de Loire :* Z.A. les Bardebouts, Pouilly-sur-Loire. ☎ 03-86-39-09-67. À 1 km du centre-ville, direction La Charité/Mesves. Lun-ven 8h30-17h30. Une dégustation

offerte sur présentation de ce guide. Des biscuits à base d'amandes et de noisettes qui font craquer. Visite possible du labo le matin.

À voir. À faire

🎎 *La Tour du Pouilly-Fumé :* 30, rue Waldeck-Rousseau. ☎ 03-86-24-04-70. ● tourdu pouillyfume.fr ● ♿ Mêmes horaires que l'office de tourisme. Entrée : 5-7 € ; réduc. Compter 30 mn-1h. Boutique. Ni musée du Vin, ni espace spécialisé destiné à satisfaire les œnotouristes chevronnés, cette ancienne tour de guet abrite avant tout un centre d'interprétation réjouissant, dont la scénographie ludique a le

IL N'Y A PAS DE FUMET SANS FEU !

Pourquoi le pouilly est dit « fumé » ? En raison des arômes caractéristiques de son cépage, le sauvignon blanc fumé ? Certainement, mais aussi parce qu'à la vendange, on observe une fine pellicule qui recouvre les raisins, ressemblant à s'y méprendre à de la cendre fine !

mérite de mettre l'univers mystérieux de ce blanc pas comme les autres à la portée de tous. On s'attable pour écouter les commentaires sur l'histoire du vignoble, on visionne un film esthétique sur le travail de la vigne en fonction des saisons (avec quelques petits effets !), puis on s'intéresse à quelques aspects techniques avant de rejoindre l'ingénieuse et quasi unique Cave aux Arômes© des pouilly-fumé. Les poétiques étapes du débuttage, de l'ébourgeonnage ou encore de la véraison ne devraient plus avoir de secrets pour vous. La séance de dégustation achève le tour dans cette vitrine bigrement bien conçue de l'appellation, regroupant une soixantaine de producteurs de l'appellation (30 ha pour le pouilly-sur-loire contre 1 300 ha pour le pouilly-fumé). Toute l'année, la Tour du Pouilly-Fumé propose expos, concerts, ateliers dégustation ou accords mets-vins...
– *Un après-midi dans les vignes* : jeu en juil-août. La Tour du Pouilly-Fumé propose des visites guidées du vignoble de pouilly en compagnie d'un guide-interprète.

🎿 **Le Pavillon du Milieu-de-Loire** : 17, quai Jules-Pabiot. ☎ 03-86-39-54-54. ● pavillon-pouilly.com ● Cette structure d'animation nature en bords de Loire propose de nombreuses activités pour les familles et les enfants (demander le programme), notamment :
– *Canoë Rabaska* : juil-août, 2 soirs/sem. Balade au fil de la Loire en grands canoës canadiens pouvant embarquer jusqu'à 12 personnes. Parcours commenté avec arrêt-dégustation sur une île.
– *Ateliers « Les aventuriers du milieu de Loire »* : pour les enfants *(ts les mer et un jeu sur 2 en juil-août)*. Activités de plein air, construction de cabanes, bricolage nature...
– Également un GPS *Mobi'Loire* en location pour des balades autonomes à Pouilly (3,5 km), La Charité (centre-ville) et Cosne (40 km, en voiture).

🎿 **Les sentiers du Milieu-de-Loire** : *trois sentiers de découverte balisés* (de 3,5 à 9 km) au départ du Pavillon. Une plongée dans la réserve naturelle du Val de Loire et les vignes. Promenades avec des points de vue sympas sur le Sancerrois ou la butte de Saint-Andelain. Document d'accompagnement disponible au Pavillon et à l'office de tourisme.

🎿 **Autres sentiers** : itinéraire « Au cœur de Pouilly », entre le Pavillon et la Tour du Pouilly-Fumé (balisé, environ 1 km). Et balade « Entre vignes et Loire », au départ de la Tour (parcours balisé, environ 13 km).

Fêtes et manifestation dans le coin

– **Fête de la Grenouille** : 3e dim de mai, à **Mesves**.
– **Fête de Saint-Clair** : 1er dim d'août, à **Saint-Andelain**. Autour des produits du terroir : on peut même y gagner son poids en pouilly !
– **Foire aux vins** : 15 août, à **Pouilly**.

DANS LES ENVIRONS DE POUILLY-SUR-LOIRE

🎿🎿 **Le belvédère de Saint-Andelain** : *à 3 km au nord-est, accès par portillon automatisé, paiement par CB. Tte l'année.* Cet ancien château d'eau transformé offre l'une des plus belles vues sur le Val de Loire et sur le vignoble de pouilly.

🎿🎿 À l'est de Pouilly, l'association Mémoire d'antan propose une balade à la campagne, au cœur du village de **Vielmanay**. Musée du Lavoir, musée de l'École, cuisine de l'institutrice et son potager, musée des Outils d'autrefois... *Visite sur résa au* ☎ 03-86-70-14-52. ● memoiredantan.fr ●

🎣🎣🎣 *La réserve naturelle du Val de Loire :* *entre La Charité et Tracy-sur-Loire (en direction de Cosne). Ces 19 km classés abritent plus de 180 espèces d'oiseaux, une trentaine d'espèces de poissons comme le saumon, l'anguille ou l'alose, des castors, sans compter les centaines d'espèces de plantes... Et surtout le lit de la Loire se distingue ici par ses nombreux bras secondaires et ses grèves mobiles d'une année sur l'autre. Un écosystème unique à découvrir à l'occasion de sorties. Programme dans les offices de tourisme.*

COSNE-COURS-SUR-LOIRE

(58200)   11 400 hab.   *Carte Nièvre, A1*

Au confluent du Nohain et de la Loire, Cosne (du gaulois *condate,* « confluent ») fut occupée dès le Néolithique. Le commerce fluvial et sa position sur la route du Bourbonnais (axe Paris-Lyon) ont longtemps fait sa fortune, mais aussi son malheur, car, ville relativement importante et située à la frontière du Berry et du Bourbonnais, elle fut souvent assiégée durant le haut Moyen Âge puis pendant la guerre de Cent Ans. Il ne reste rien de ce passé tumultueux, les remparts ayant été rasés au XVIIIe s.

Le chemin de fer, puis la construction mécanique jusque dans les années 1970 ont ensuite fait de Cosne-Cours-sur-Loire un centre industriel assez dynamique, deuxième ville du département. Mais nombre d'usines ont fermé depuis. Une activité viticole importante – appellation coteaux-du-giennois – a rendu vie à la ville.

Cosne reste une étape plutôt agréable, surtout en son centre, avec notamment les marchés du mercredi et du dimanche, ce dernier attirant nombre d'acheteurs et de flâneurs aux beaux jours. Sans oublier le petit (mais costaud) musée de Loire.

Adresse utile

🛈 *Office de tourisme :* pl. du Docteur-Jacques-Huyghues-des-Étages. ☎ 03-86-28-11-85. ● ot-cosnesurloire. com ● Tlj sf dim ap-m en saison ; en basse saison, mar-sam slt. 📶 Visites guidées toute l'année. Infos sur les locations de canoës et vélos. Billetterie pour les sites de la région et les spectacles.

Où dormir ? Où manger ?

Camping

⚊ *Camping de l'Île :* île de Cosne, 18300 *Bannay,* juste de l'autre côté du pont. ☎ 03-86-24-48-43. ● camping. cosne@orange.fr ● aquadis-loisirs. com/camping-de-l-ile/ ● Avr-oct. Forfait pour 2 env 16 €. On a franchi la Loire et presque mis un pied dans le Cher. Joliment situé, juste en retrait de la berge, avec des emplacements bien espacés et arborés. Restaurant *(midi slt)* et base de canoë.

De bon marché à prix moyens

🛏 ❘●❘ *Hôtel-restaurant Le Saint-Christophe :* pl. de la Gare. ☎ 03-86-28-02-01. ● le.saint.christophe@outlook.fr ● Double env 66 €. Formule en sem env 16 € ; menus env 24-36 €. Dans une bâtisse de style, face à la gare et au calme. Chambres simples et fonctionnelles, bien tenues. Accueil souriant et petit resto traditionnel de qualité. Bien pour une étape d'une nuit.

LA NIÈVRE

LA NIÈVRE

|●| *Le Square :* 1, sq. Gambon. ☎ 03-86-28-17-75. *Entre l'office de tourisme et la gare. Tlj sf mer-jeu (les rares ouverts le lun !). Menu déj 13,50 € (sf dim) ; plats env 11-15 €. Kir offert sur présentation de ce guide.* Belle situation pour cette brasserie chaleureuse dans sa déco et conviviale, dont la terrasse s'épanouit à l'ombre des arbres d'une placette tranquille. Menu du jour simple et bon, à moins de préférer une salade ou un burger (à la mode US).

Où dormir ? Où manger dans les environs ?

🏠 |●| *Chambres d'hôtes Chez Elvire :* 11, chemin de la Genetière, Chauffour, 58200 **Saint-Loup.** ☎ 03-86-26-20-22. *À 12 km au nord-est de Cosne. De Cosne, D 114 vers Cours, puis Saint-Loup et Saint-Vérain ; c'est à 3 km de Saint-Loup. Du 1er avr à mi-oct. Double 71 €. Table d'hôtes 27 €.* Séduisante maison qu'Elvire et René Duchet ont restaurée à l'ancienne. Tomettes, poutres et 3 chambres spacieuses (dont une familiale avec mezzanine), personnalisées avec goût et dotées de salles d'eau quasi luxueuses. Ambiance un rien bohème et intello (vous êtes chez un ancien journaliste, peintre à ses heures perdues), accueil très agréable et authentique. À table, tout le monde partage tarte aux poireaux, poulet à la broche, tartes aux fruits maison... Sympa comme tout.

|●| *Le Chat :* pl. du Chat, 58200 **Villechaud** (à 5 km de Cosne). ☎ 03-86-28-49-03. *Tlj sf dim soir-mar. Menus 16-28 € au déj mer-ven, puis 23,50-47 €.* Ancien chef d'adresses parisiennes, Laurent Chareau a repris un café de campagne-épicerie pour en faire un lieu à son image, gentiment décalé et accueillant, où l'on peut venir boire un verre de blanc le matin, au bar, pendant qu'il prépare les plats du jour, inspirés par le marché. Du vivant, de l'instantané, du parfumé, du rebelle parfois. Carte des vins à l'image de la maison : précise et de bon goût.

Où déguster et acheter de bons produits ?

🍬 **Pâtisserie Nathalie :** 19, rue du Commerce. ☎ 03-86-28-07-96. Chocolatier-confiseur où vous pourrez déguster les *merlettes de Cosne* et la *tarte cosnoise.*

🍬 **Ferme du Port-Aubry :** ☎ 03-86-26-63-61. ● ferme-portaubry.fr ● *À 3 km au sud, direction Villechaud, puis suivre les panneaux (situé de l'autre côté de la voie ferrée). Tlj sf 1er janv et 25 déc 9h-12h, 15h-19h* (16h-18h dim et j. fériés), traite en milieu d'ap-m. Une ferme traditionnelle qui ouvre ses enclos aux familles : basse-cour, traite des chèvres sur le manège, vaches et cochons... Également une aire de jeux pour les enfants, des karts à pédales, un espace pique-nique (glaces et boissons en vente) et une boutique (la ferme produit le crottin de Chavignol en AOC). Chaleureux accueil.

À voir. À faire

🎏🎏 *Le musée de la Loire :* pl. de la Résistance. ☎ 03-86-26-71-02. ● musee@mairie-cosnesurloire.fr ● museedelaloire.fr ● ♿ *Mars-oct, tlj sf mar, sam mat et dim mat 10h-12h, 14h-18h ; jusqu'à 17h30 le reste de l'année et fermé dim. Fermé janv-fév. Entrée : 3,50 € ; réduc ; gratuit moins de 18 ans. Livret-jeu pour les enfants.* Dans l'ancien couvent des Augustins joliment réhabilité (superbe cheminée Renaissance). Sur deux niveaux, on navigue entre la Loire et les Beaux-Arts. Au rez-de-chaussée, le fleuve sauvage tout d'abord, ses paysages et ses activités, par le biais de faïences de Nevers ainsi que de maquettes et d'objets divers présentant les vieux métiers de la Loire, ou encore la batellerie et la vie des mariniers, protégés par saint Nicolas. À l'étage, des toiles de Messemin (1880-1944) ou de Claude Rameau (grands ciels doux), toujours sur le thème de la Loire. Mais ne manquez surtout pas la collection de peintures qui fut léguée par Émile Loiseau, un amateur d'art de l'entre-deux-guerres : des œuvres peu connues mais ô combien plaisantes, signées par les plus grands artistes ! Une vingtaine de pièces, dont, par exemple, un Vlaminck (superbe paysage incliné), une gouache sur papier d'Utrillo, le *Moulin de la Galette*, une *Vue*

UN LANGAGE PLUTÔT VERT !

Suite à une histoire écrite par un jésuite, son héros, le perroquet Ver-Vert est devenu la mascotte de Nevers. Élevé par les sœurs visitandines de Nevers, le volatile ne parlait que le meilleur des latins... jusqu'à ce qu'il parte chez les religieuses de Nantes. Arrivé à destination, il avait troqué son dévot langage pour celui, nettement plus cru, des bateliers à qui il avait été confié. Renvoyé à Nevers, Ver-Vert fut puni, mais les sœurs le nourrirent en cachette, tant et si bien qu'il en mourut d'indigestion !

d'une fenêtre ouverte de Dufy, ou encore *Le Café* de Chagall et *Le Village* de Derain. Sinon, des expos temporaires. Une visite qu'on ne peut que recommander.

🎭 *Promenade dans le vieux Cosne :* rive gauche du Nohain, remarquable façade Art déco de l'*Éden Cinéma,* toujours en activité. Quelques pas plus loin, l'*église Saint-Agnan,* largement reconstruite au XVIIIe s, a conservé un beau portail roman orné de figures symboliques, auquel fait face un portail flamboyant décoré d'anges et de griffons, et d'une abbesse recevant sa crosse des mains de Jeanne de France. De l'église, par la rue des Forges, on arrive *place des Marronniers :* agréable promenade ombragée le long de la Loire, sur la route touristique qui mène à la *Ferme du Port-Aubry* et à la gare de départ du cyclorail (voir ci-après). Vue sur les collines de Sancerre. En tournant à droite, pont suspendu et quai du Maréchal-Joffre avec des marques de crues spectaculaires.
Sur l'autre rive du Nohain, on trouve d'intéressantes architectures, notamment place Pasteur, avec le très bel *ancien palais des évêques d'Auxerre,* du XIIIe s.

– **Cyclorail :** gare de départ au lieu-dit de Port-Aubry, à 3 km du centre-ville. ☎ 06-85-22-80-72. ● cyclorail.com ● Tlj sur résa. Balades 2h max. Pour se muscler les mollets au long d'une ancienne voie ferrée (15 km aller-retour). Balade avec vue sur les vignes, sur la Loire du haut d'un pont. Chaque cyclorail peut accueillir jusqu'à 4 personnes.

– *Location de canoës :* sur l'île de Cosne. *Canoé Évasion,* ☎ 06-84-69-06-70. *Club Marcel Renaud,* ☎ 06-44-23-05-02.

Manifestations

– *Salon du livre :* fin mai. Un salon du livre riche en événements : dictée, concours d'écriture, remise de prix littéraires dont le prix Jean-Nohain, etc.
– *Garçon la Note :* tt l'été. Concerts gratuits aux terrasses de cafés. Une initiative née à Auxerre qui a fait des petits dans toute la région.
– *Festiv'été :* tt l'été. Guinguette sur les bords de Loire, concerts, feux d'artifice, ciné en plein air...

DANS LES ENVIRONS DE COSNE-COURS-SUR-LOIRE

🎭 🚶 *La ferme de Cadoux :* 58440 La Celle-sur-Loire. ☎ 03-86-39-22-84. *Au nord de Cosne, sur la D 907 (8 km). Juil-août, tlj 14h-19h ; hors saison, sur rdv.*

Entrée : 6 € ; réduc. Un lieu surprenant en raison de sa taille insoupçonnée et de l'énergie de sa propriétaire, qui a métamorphosé une vieille ferme en un véritable musée paysan de la Bourgogne nivernaise. Dans la grange du XVe s, de nombreux mannequins en situation font revivre des métiers disparus comme la lingère, la nourrice, le bourrelier, le charron, le tonnelier, etc. Curiosités : d'étonnantes ruches et un extracteur de miel. Le dernier bâtiment de ferme, qui fait également office d'accueil et de boutique, abrite à l'étage une immense et captivante exposition intitulée « Du blé au pain ».

🦌 *Le nouveau musée de la Machine agricole et de la Ruralité :* 58200 *Saint-Loup.* ☎ 03-86-39-91-41. ● *framaa.fr* ● ♿ *À 8 km au nord-est de Cosne par la D 14 ou la D 114. Mai-sept, tlj sf mar 10h-12h, 14h-18h. Entrée : 4 € ; réduc.* Un espace de découverte réparti en plusieurs pôles : origines du machinisme agricole, différentes formes d'énergie, le temps de la moisson à partir de la Première Guerre mondiale. Vidéo de 25 mn. Voir notamment l'énorme *machine à vapeur Henryette* de 240 cv et les nombreuses moissonneuses. Après la Seconde Guerre mondiale, commence l'ère de la productivité, les haies disparaissent, laissant la place aux géants *John Deere*. Le musée abrite également un verger-conservatoire d'anciennes espèces de fruitiers.
– Nombreuses animations avec notamment la *Rétrofoin* en juin et la *Rétromoisson* en août (plus de 850 machines en action).

LES COTEAUX DU GIENNOIS

Le vignoble s'étend entre Gien et la région de Cosne-Cours-sur-Loire et comprend une quinzaine de communes agréées, toutes étagées sur les coteaux de la Loire, à cheval sur le Loiret et la Nièvre. 150 ha d'une production de coteaux-du-giennois aux arômes de cerise, mûre et myrtille pour les rouges, et au bouquet aux notes fraîches, typique du cépage sauvignon, pour les blancs. Des vins d'appellation de qualité, à l'excellent rapport qualité-prix.

Où acheter du vin et plein de bonnes choses ?

⊛ *Domaine Langlois :* 58200 *Pougny.* ☎ 03-86-28-06-52. *De Cosne, direction Donzy (D 33). Au centre du village. Lun-sam 9h-12h30, 14h30-19h (plus dim juil-août). Dégustation sur le point de vente.* Des coteaux-du-giennois, du pouilly-fumé, et une production de crèmes de fruits rouges entièrement naturelles, à la concentration en arômes exceptionnelle. À déguster seules ou accompagnées de vin blanc (ou rouge) de la région.
⊛ *Domaine de Saint-Père, Veneau :*

58200 *Saint-Père.* ☎ 03-86-28-25-17. *De Cosne, direction Donzy, puis Saint-Père, puis fléchage. Tlj 9h-12h, 14h-19h.* Bonne adresse pour trouver et déguster les fameux coteaux-du-giennois, en rouge, blanc ou rosé.
⊛ *Domaine de Fontaine :* 58200 *Saint-Père.* ☎ 03-86-28-52-51 *(appeler avt). De Cosne, direction Donzy, chemin à droite avt l'entrée dans Pougny.* Possibilité en plus de la dégustation de visiter l'une des seules granges pyramidales de la Nièvre.

SAINT-AMAND-EN-PUISAYE

| (58310) | 1 400 hab. | *Carte Nièvre, A1* |

Oublié le Val de Loire, en l'espace de quelques kilomètres, vous voilà arrivé au sud d'une attachante microrégion, appelée « la Puisaye », vaste plateau

boisé et creusé de vallées bocagères (voir le chapitre consacré au département de l'Yonne). Depuis toujours, Saint-Amand fait figure de capitale de la poterie, une tradition qui remonte au XIVe s. Au siècle suivant, la tradition du grès prenait à son tour naissance. Cette coquette petite ville compte actuellement une trentaine d'artisans (liste à l'office de tourisme) et est dominée par un imposant château Renaissance tout de briques. Une halte apaisante.

Adresse utile

🄸 **Office de tourisme :** 6, Grande-Rue. ☎ 03-86-39-63-15. ● puisaye-forterre. fr ● En face du château. Pâques-sept, tlj ; sinon, l'ap-m lun-sam. 🛜 Mérite à lui seul le détour car il est situé dans un ancien lavoir savamment réhabilité, et accueille des expositions tournantes des artistes du canton. Liste des artisans. Excellent accueil, efficace et souriant.

Où dormir chic ? Où manger ? Où boire un verre dans le coin ?

🍽 🍸 **Mémés Coco :** 3, av. de la Gare. ☎ 03-86-24-96-29. Face à l'office de tourisme. Un p'tit creux ? Un p'tit verre ? Ou les deux à la fois, une cantine associative à côté d'une épicerie bio et d'une caravane rigolote proposant des bouquins d'occase.

🛌 **Les Galants :** 58310 Saint-Vérain. ☎ 09-50-85-69-35. ● contact@lesga lants.fr ● lesgalants.fr ● À 1 km du village de Saint-Vérain. Chambres 120 € (pour 2)-240 € (pour 6). Table d'hôtes sur résa. 🛜 Bienvenue dans un monde insolite de ravissantes cabanes perchées, au propre comme au figuré, réparties dans un bois. Confort optimal, elles sont toutes avec salle d'eau privative dans une dépendance. On gîte au « Nid penché » (vous avez bien lu), à moins de rouler pour une nuit space dans le « Nid sphère ». Le « Nid sur l'eau » convient parfaitement aux familles de Crusoé, à moins d'opter pour « Nid sous les étoiles », vitré en grande partie, toit y compris !

À voir. À faire

🔸 **Le musée du Grès :** dans la tour nord de l'imposant château Renaissance, au centre du bourg. ☎ 03-86-39-74-97. Juin-sept, tlj sf mar 10h-13h, 15h-18h30 ; avr-mai, w-e et j. fériés aux mêmes horaires. Entrée : 4 € ; réduc ; billet jumelé avec la Maison de la mémoire potière. Quelques poteries utilitaires anciennes (bonbonnes, saloirs, du XVIe s au XXe s) et, plus récentes (années 1950-1960), des poteries d'art. Également une salle consacrée à Jean Carriès et son école (fin XIXe s) : très beaux vases, ainsi qu'une étonnante série de « bébés » (des visages de poupons).

🔸🔸 **La Maison de la mémoire potière :** fg des Poteries. ☎ 03-86-39-63-72 (mairie). Mêmes horaires que le musée du Grès. Visite guidée slt (45 mn-1h env). Entrée : 4 € ; réduc ; billet jumelé avec le musée du Grès (ou ticket possible pour l'un des sites). Association fondée en 1998 pour sauver l'une des dernières poteries traditionnelles de la région. Nous sommes chez les Cadet-Gaubier, qui exercèrent leur métier jusqu'en 1966 grâce à l'un des quatre derniers fours couchés du faubourg, avec sa voûte caractéristique émaillée au fil des cuissons. La visite, conduite par un potier passionné, passe en revue toutes les étapes de la fabrication du petit pot de Puisaye, en évoquant le type de terre employé, le modelage, l'ansage (seule fonction accessible aux femmes jusqu'aux années 1960), l'émaillage, puis la cuisson dans le fameux four. Pour terminer, une petite démonstration permet d'apprécier l'habileté du potier et d'apprendre quelques secrets du métier. Un excellent complément à la visite du musée ! Expoventes en été.

– Une école perpétue cette tradition *(possibilité de stages : rens au EMA-CNIFOP, ● cnifop.com ●)*, ainsi qu'une importante production artisanale et industrielle.

DANS LES ENVIRONS DE SAINT-AMAND-EN-PUISAYE

✗ Saint-Vérain *(58310)* **:** *à 7 km au sud par la D 2.* Ce village fut au Moyen Âge une importante cité, ceinte d'un triple rempart. Il possède encore quelques restes de cette grandeur passée : portes fortifiées, donjon ruiné et belle église Saint-Blaise, du XIIᵉ s, en cours de restauration, mais où l'on peut encore admirer l'un des rares vitraux du XIIᵉ représentant la Vierge.

DONZY   (58220)   1 660 hab.   *Carte Nièvre, A-B1*

On s'éloigne du Val de Loire pour s'enfoncer dans la forêt de Donzy et gagner peu à peu, vers l'est, les paysages apaisés et ondoyants du canal de Nièvre. Donzy dont, en 1402, Jean sans Peur, duc de Bourgogne, ne laissa que ruines fumantes, est aujourd'hui un paisible village que traverse le Nohain. Quelques demeures médiévales ajoutent à son charme rural (autour de l'église notamment ou place Gambetta) ainsi que deux spécialités locales : les croquets (petits gâteaux secs dont la recette remonte à 1872), mais aussi... les parapluies !

Adresse utile

🏛 Office de tourisme : 18, rue du Général-Leclerc. ☎ 03-86-39-45-29. ● officetourismedonziais.com ● Lun ap-m à ven 9h-12h et 14h-17h ; sam 9h-13h. Boutique avec dépôt de parapluies locaux !

Où dormir ?

🏠 Le Grand Monarque : 10, rue de l'Étape. ☎ 03-86-39-35-44. ● contact@legrandmonarque-donzy. fr ● legrandmonarque-donzy.fr ● 🕭 (au resto). Au pied de l'église. Doubles env 60-85 €. 🛜 C'est l'établissement de référence du secteur. Une adresse de tradition aux chambres rénovées de façon coquette, colorée et confortable, dans une respectable bâtisse du vieux bourg, pas peu fière de son escalier en colimaçon du XVIᵉ s. Restaurant. Terrasse ombragée l'été (mais la salle ne manque pas de charme avec son antique cuisinière !).

🏠 ◉ Chambres d'hôtes Les Jardins de Belle Rive : lieu-dit Bagnaux. ☎ 03-86-39-42-18. ● jardinsdebel lerive@free.fr ● jardinsdebellerive.free. fr ● Pl. Gambetta, passer le pont au-dessus de la Talvane et 1ʳᵉ à droite, parcourir 1 km. Congés : 1 sem fin sept. Double 72 €. Table d'hôtes sur résa 27 €. 🛜 Un peu à l'écart du bourg, un bel ensemble de bâtiments nichés dans un écrin de verdure. L'une des maisons, charmante, est réservée aux hôtes. Intérieur cosy et raffiné, qu'il s'agisse du vaste salon commun ou des 4 chambres romantiques, dotées de luxueux sanitaires. Jolie déco, fleurie et colorée (Josette est artiste peintre). Un bon plan, vraiment, avec piscine, plan d'eau et barque.

Où acheter de bons produits dans le coin ?

⚜ **Les Oies du Pré :** La Bretonnière. ☎ 03-86-39-47-65. À l'est de Donzy par la D 33 (6 km). Tlj lun-ven. Une exploitation agricole tenue par des passionnés qui produisent un foie gras haut de gamme ainsi que rillettes et terrines. Point de vente sur place. Marché à la ferme haut en couleur mi-août sur plusieurs jours.

⚜ **Chèvrerie de la Fillouse :** 58150 **Suilly-la-Tour.** ☎ 03-86-26-31-46. À 7,5 km au sud-ouest par la D 1. Boutique lun-sam 9h-12h (plus dim mat) et 17h-19h. Dégustation du crottin de Chavignol offert sur présentation de ce guide. Chèvrerie toute de bois vêtue. On goûte et on achète à coup sûr.

À voir. À faire

🎥🏃 **L'écomusée de la Meunerie :** moulin de Maupertuis, rue André-Audinet. ☎ 03-86-39-39-46. ● moulinmaupertuis.org ● Au centre du village (panneaux). Mai, juin et oct : w-e et j. fériés 14h-18h. Vacances de Pâques, juil-sept et Toussaint : lun-sam sf mer 14h-18h, dim et j. fériés 10h-12h et 14h-18h. 3 visites guidées (env 45 mn) dans l'ap-m. Entrée : env 4-5 € (libre ou guidée) ; réduc ; gratuit moins de 6 ans. Compter 45 mn-1h. En service jusqu'en 1961, ce beau moulin à farine classé Monument historique a préservé l'intégralité de son matériel d'origine, en parfait état de marche. C'est d'ailleurs ce qui rend la visite guidée captivante. Entre autres activités, on peut s'essayer à moudre un peu de grain ! Boutique de produits régionaux.

🍴 **L'huilerie du Moulin de l'Île :** 14, rue de l'Éminence. ☎ 03-86-39-31-48. ● huileriedumoulin.fr ● Au centre de Donzy. Lun-ven 8h-12h, 13h-17h ; sam 10h-12h. GRATUIT. Dans l'une des plus belles maisons de la Nièvre, entourée d'eau, on produit, à l'aide d'un moulin de plus de 150 ans (trois générations !), de l'huile de noix et de noisette de grande qualité, que l'on retrouve sur les meilleures tables du pays. En vente sur place, dans la boutique attenante aux meules qui tournent à plein régime. Accueil adorable de toute l'équipe.

🍴 **Les ruines du prieuré clunisien de Notre-Dame-du-Pré :** à Donzy-le-Pré. À 1 km au sud-ouest du bourg, sur la gauche de la route de Suilly-la-Tour. Tympan et chapiteaux sculptés, chefs-d'œuvre de l'art roman bourguignon. Sinon, de la nef ne reste que les deux premières travées et la tour nord. Attention, risque de chute de pierres.

VARZY (58210) 1 360 hab. Carte Nièvre, B1

À 16 km au sud-ouest de Clamecy, cette petite bourgade reste tournée vers l'Yonne et l'Auxerrois. Avec ses maisons serrées, sa pierre grise mais aussi un environnement de collines boisées et de gais cours d'eau, Varzy fut, durant le Moyen Âge, la propriété des évêques d'Auxerre. Son église, son lavoir-abreuvoir (l'un des plus remarquables du département) et son étonnant musée en font une halte plaisante.

Où dormir dans les environs ?

🏠 **Chambres d'hôtes La Bêlerie :** Courcelles, 58420 Brinon-sur-Beuvron. ☎ 03-86-29-64-73. ● brigitte.blondeau2@wanadoo.fr ● auberge-belerie.fr ● 🍴 À 8 km à l'est, à mi-chemin entre Varzy et Corbigny, au *croisement des D 23 et D 34. Doubles 60-65 €.* 📶 Joli hameau du Haut-Nivernais en moellons du pays, posé dans une plaine vallonnée et agricole avec le clocher du village en ligne de mire. Cette ferme traditionnelle restaurée abrite 5 chambres dont une avec kitchenette, une autre avec mezzanine... de quoi satisfaire toutes les configurations familiales. Du charme et de l'authentique parmi les dindons qui glougloutent.

À voir

🚶🚶 🕺 **Le musée Auguste-Grasset :** *pl. de la Mairie.* ☎ 03-86-29-72-03. ● varzy.fr ● ♿. *Avr-oct, tlj sf mar, 13h30-18h30 ; avr et oct, le w-e slt, 13h30-18h30. Fermé nov-mars. Entrée payante ; réduc ; gratuit ts les sam. Possibilité de visites guidées sur rdv.*
Auguste Grasset (1799-1879), collectionneur comme on pouvait l'être alors, c'est-à-dire universaliste, s'intéressant à toutes les sciences et tous les arts, activa tout un réseau de correspondants dans le monde entier pour amasser quantité d'objets : pièces d'archéologie, tableaux, sculptures et curiosités de toutes sortes. Ces 3 500 objets sont aujourd'hui réunis dans ce cabinet de curiosités à la richesse tout à fait inattendue et modernisé, qu'il serait vraiment dommage de bouder.
Ses collections, exposées sur 3 niveaux, se distinguent par une section d'égyptologie de toute beauté (impressionnants sarcophages), d'archéologie variée (silex biface ou rare fragment de texte cunéiforme assyrien) et par quelques pièces majeures (le cavalier en faïence de Nevers notamment, de 1734). Les murs sont émaillés de tableaux d'un peintre local, Rex-Barrat (1914-1974). La pièce maîtresse reste le *salon de musique* mettant en scène de manière sonore une vingtaine d'instruments anciens (XVIIe-XIXe s) aussi rares qu'étonnants : la serinette (ancêtre de l'orgue de barbarie), l'ophicléide, le tympanon, etc. Un coup de cœur !

🔍 **L'église Saint-Pierre :** édifiée au XIIIe s, c'est un bel exemple de gothique flamboyant avec ses hauts clochers jumeaux. Dans le chœur (n'oubliez pas d'activer l'éclairage), derrière une grille, on aperçoit au-dessus de l'autel, un triptyque flamand de 1535. Également une émouvante statue de sainte Eugénie lisant (XVe s) et de précieux reliquaires du XIIe s : les restes de sainte Eugénie (bras-reliquaire avec main bénissante) et de saint Regnobert (grande châsse et autres reliquaires).

AU SUD DE VARZY, SUR LA ROUTE DE NEVERS

🚶🚶 **Arthel (58700) :** *à 18 km par la D 977, puis la D 140.* Superbe endroit classé « Site remarquable ». Blotti au pied d'un étang, ce minuscule village compte deux *châteaux.* Celui qui domine, l'ancien château fort du XVIe s, appartient à la famille de Bernadette Chirac, qui y passa plusieurs étés. *Les jardins et le château se visitent en été, sur résa au* ☎ *03-86-60-14-31.* Celui de *la Motte,* édifié au XIIe s sur l'emplacement d'une maison forte, était la propriété des comtes de Nevers et surplombait l'ancienne voie romaine de Montenoison.

🔍 **La butte de Montenoison :** fléché à Arthel, puis parcourir 4 km en passant par Noison. Cette butte de tout temps stratégique abrita une motte il y a 1 000 ans puis un château fort (quelques ruines). Une église, un petit cimetière et surtout une vue superbe depuis le calvaire : à 417 m d'altitude, on admire un paysage grandiose allant du Bazois au Morvan.

🔍 **L'église prieurale de Saint-Révérien (58420) :** *à 9 km à l'est de la butte de Montenoison.* Superbe église romane, petite sœur de Cluny. Si ses origines remontent au XIIe s, elle a été reconstruite après un incendie au XVIIIe s. Dans l'église, une émouvante statue représente Saint-Révérien, tenant sa tête coupée à la main. Admirez surtout les chapiteaux du chœur (seul rescapé du XIIe s), finement ciselés de personnages et d'animaux fantastiques. Derrière l'autel, trois chapelles rayonnantes sont couvertes de fresques murales ; celle du centre, dédiée à la Vierge, date du XVe s. Enfin, à la hauteur de la troisième travée, étonnante dalle funéraire d'Hugues de Lespinasse.

🦌 *Le château de Giry* (58700) : *sur la D 977, à 17 km de Varzy*. Imposant château, dont la construction s'est étalée du XIVe au XVIIe s et qui a conservé son enceinte fortifiée.

🦌🏃 *Le musée du Grès ancien* : *3, Grande-Rue, 58700 Prémery*. ☎ 03-86-68-10-32. *À 7 km plus au sud de Giry. En principe, début juil-fin août, le w-e slt 14h30-18h30 ; sur rdv le reste de l'année. Entrée : 5 € ; réduc.* Au centre de cet ancien fief des évêques de Nevers, qui y ont laissé la collégiale gothique Saint-Marcel et le château, une collection privée, riche de plus d'un millier de pièces venues entre autres des deux « patries » du grès, la Puisaye et le Berry. Jolie muséographie, d'une vraie sobriété, qui laisse tout simplement s'exprimer les objets. On est souvent plus près de l'art que de l'artisanat.

🏢 *Office de tourisme* : *tour du Château, 58700 Prémery*. ☎ 03-86-37-99-07. ● *premery-tourisme.fr* ● *Lun-ven et sam slt.* Infos sur le site des Mardelles (réserve naturelle sur l'emplacement d'une tourbière) et la butte des Orchidées (de mai à juillet surtout) à voir dans les alentours.

🛏 *Chambres d'hôtes La Chatelière* : *Cervenon, 58700 Prémery*. ☎ 03-86-38-96-74. ● *lachateliere@orange.fr* ● *lachateliere.com* ● 🍴 *À 3 km au sud-est de Prémery. Double* 70 €. 📶 Évelyne ne fait pas les choses à moitié : elle a soigneusement aménagé sa belle maison nivernaise et reçoit avec gentillesse et sincérité. Les 3 chambres, dont une suite familiale, occupent la partie ancienne ou l'aile moderne qui s'intègre parfaitement au bâti. L'une d'entre elles est située en rez-de-jardin, une autre dispose d'un balcon, mais toutes profitent d'un très bon confort et sont décorées avec goût. Une excellente adresse.

LA NIÈVRE

LE CANAL DU NIVERNAIS

Construit de 1784 à 1843 pour faciliter le transport du bois de chauffage jusqu'à Paris, le canal du Nivernais court sur 174 km d'Auxerre à Decize. Plusieurs ouvrages d'art ont été nécessaires à sa construction : 110 écluses (dont l'échelle de 16 écluses de la vallée de Sardy) et 3 tunnels, dont celui de la Collancelle long de 758 m ! Ponts-canaux, aqueducs et ponts fixes ou mobiles (ces derniers, à bascule, réclament parfois de bons bras pour être actionnés) jalonnent le parcours, où la vitesse de navigation est limitée à 8 km/h pour les moins de 20 t. Les Anglais, grands amateurs de croisières fluviales (avant les Allemands et les Néerlandais), tiennent le canal du Nivernais pour l'un des plus intéressants de France, juste après l'indétrônable canal du

Midi. Un paysage toujours verdoyant, ondulant et tranquille, pour son échelle d'écluses, ses lacs, ses tunnels. À découvrir également à pied ou à vélo, d'escale en escale.

Comment y aller en bateau ?

➢ **Depuis la Seine :** emprunter ensuite le canal du Loing, de Briare, puis le canal latéral à la Loire ; ou l'Yonne et le canal du Nivernais à partir d'Auxerre.

➢ **Du Sud :** canal de Roanne à Digoin, puis canal latéral jusqu'à Decize.

➢ **De l'Est :** canal du Centre, puis canal latéral jusqu'à Decize ; ou canal de Bourgogne, l'Yonne, puis canal du Nivernais.

CLAMECY   (58500)   4 500 hab.   Carte Nièvre, B1

Depuis toujours, une ville-étape entre l'Auxerrois et le Nivernais. Son centre historique, bâti sur un éperon rocheux au confluent de l'Yonne et du Beuvron, est l'un des mieux conservés et des plus pittoresques du département, avec la collégiale Saint-Martin et d'anciennes rues pentues. Par ailleurs, son histoire si singulière des flotteurs de bois et ses natifs illustres (Romain Rolland, Prix Nobel de littérature, et Alain Colas, le navigateur solitaire) contribuent à rendre la ville attachante.

PEN PERDU

Rompant avec la tradition des monocoques, Pen Duick IV reste l'invention phare d'Éric Tabarly. Ce trimaran battit le record mondial de vitesse avant d'être vendu à un autre fou des Océans : Alain Colas, un enfant de Clamecy. Celui-ci le rebaptisa Manureva, mais, lors de la première Route du Rhum en 1978, Alain Colas et son bateau disparurent au large des Açores. Malgré les recherches, on ne retrouva aucune trace d'épave.

Au XIIe s, les croisés craignaient, à juste titre, que Bethléem tombe entre les mains des musulmans. Guillaume IV de Nevers offrit alors un bâtiment à Clamecy, pour accueillir l'évêque de Bethléem. Celui-ci s'installa en Bourgogne lorsque les Arabes envahirent la Terre sainte et l'évêché y resta jusqu'à la Révolution française.

LES FLOTTEURS DE BOIS

En 1547, le premier train de bois parti de Clamecy arrivait à Paris. Une aubaine : pendant plus de trois siècles, Clamecy allait vivre de la coupe et de la vente du « bois de chauffe et de four », et de son transport par flottage jusqu'à la capitale. Presque un monopole ! L'impact économique et social de cette industrie fut considérable pour la ville et le Morvan en général. De là sont venus les grands aménagements hydrauliques (lacs artificiels et percement du canal du Nivernais pour le flottage) ; de là aussi la rentabilité de la forêt morvandelle et le repeuplement du massif.

Le dernier train de bois a quitté Clamecy en 1877, face à la concurrence déjà amorcée depuis longtemps des péniches et d'énergies nouvelles, charbon et gaz.

Mais rappelons peut-être ce qu'était le flottage. Du Morvan, le bois coupé en bûches était d'abord descendu à l'automne par les petits cours d'eau jusqu'à l'Yonne en amont de Clamecy ; des étangs, des barrages et des lâchers d'eau facilitaient le transit. Puis, au printemps, c'était le « grand flot » : une vraie mer de bûches arrivait à Clamecy ; là, on préparait les « trains », des radeaux de 75 m de long ! Arrivait l'été : le 14 juillet, les joutes nautiques – dont la tradition est heureusement restée – fêtaient le départ pour Paris ; et le *Roi Sec,* vainqueur des joutes, représentait la corporation pour l'année à venir. Enfin, les trains descendaient jusqu'à Paris, terminus quai de Bercy. Un voyage de 10 à 15 jours : du rafting avant l'heure !

Adresse utile

🗊 *Office de tourisme :* 9, rue du Grand-Marché. ☎ 03-86-27-02-51. ● clamecy-tourisme.fr ● *Mai-sept, tlj ; hors saison, fermé dim-lun et de mi-nov à mi-mars.* Dans un espace d'accueil

contemporain associé aux anciennes arcades du petit marché. Guide multimédia, topoguide « Balades et randonnées en Vaux d'Yonne ».

Où dormir ? Où manger ?

Camping

⚔ *Camping municipal du Pont Picot :* rue de Chevroches. ☎ 03-86-27-05-97. 🕿 07-86-86-14-31. ● clamecycamping@orange.fr ● *À 3 km par la route (direction Tannay), 1 km à pied. Avr-sept.* Forfaits tente 13-16 € pour 2. Hébergements locatifs 4-8 pers 350-400 €/sem. 66 empl. 🛜 Un camping tout en longueur sur son île, entre l'Yonne et le canal de la Nièvre (attention pour les enfants !). Un environnement bucolique donc et un accès sympa au centre-ville par le chemin de halage. Pelouse bien verte et bien plate sans délimitations et quelques mobile homes en location. Kayak, dépôt de pain, tables et chaises à disposition des campeurs... on est bien accueilli !

De prix moyens à chic

I●I *L'Angélus :* 11, pl. Saint-Jean. ☎ 03-86-27-33-98. ● restaurantlangelus@orange.fr ● *Dans la vieille ville. Tlj sf dim-lun (plus mer soir hors saison).*

Menus 23,50 € (en sem), puis 30-38 €. Digestif maison offert sur présentation de ce guide. Dans une bien vieille maison à pans de bois, stratégiquement située. On profite pleinement des gargouilles de la collégiale, en terrasse, l'été, à moins de préférer se réfugier dans la salle colorée et chaleureuse. Jolie cuisine genre terroir revisité. Présentation raffinée, plats finement accompagnés, service efficace.

🛏 I●I *Hostellerie de la Poste :* 9, pl. Émile-Zola. ☎ 03-86-27-01-55. ● hotelposteclamecy@wanadoo.fr ● hostelleriedelaposte.fr ● 🛗 *Doubles 72-101 €. Formule déj 24 € ; menus 29-44 €. 🛜 Café offert sur présentation de ce guide.* C'est la belle adresse de la ville, dans une séduisante bâtisse de caractère donnant sur une placette tranquille, au pied de la vieille ville. Terrasse agréable, salon cosy et salle à manger élégante, idéale pour goûter à la cuisine au goût d'aujourd'hui, du terroir revisité bien maîtrisé. Côté chambres, c'est plus simple et plus classique mais de bon confort. Accueil pro.

À voir. À faire

🎭 *Le musée d'Art et d'Histoire Romain Rolland :* av. de la République. ☎ 03-86-27-17-99. 🛗 *Tlj sf mar et dim mat (plus lun, oct-mai) 10h-12h, 14h-18h. Fermé de mi-nov à mi-mars. Entrée : 4 € ; réduc ; gratuit moins de 16 ans. Visite possible avec MP3.*

428 | LA NIÈVRE / LE CANAL DU NIVERNAIS

LA NIÈVRE

Ce beau et vaste musée est installé dans l'ancien hôtel du duc de Bellegarde, dans la maison natale de Romain Rolland (1866-1944), celle du grand-père de l'écrivain et dans un grand hall d'expo temporaire masqué par un mur d'eau.

Au *rez-de-chaussée,* collections d'archéologie : produit des fouilles des sites de Compierre, Entrains et Brèves, elles comportent notamment de jolies statuettes de divinités gallo-romaines et un dieu solaire à tête radiée, mais encore des armes, bijoux et sarcophages mérovingiens. Une autre salle abrite des vestiges de l'agglomération gallo-romaine de Chevroches, dont le clou est la calotte zodiacale, objet unique à ce jour dans le monde romain, qui servait à un devin pour prédire l'avenir de ses clients.

Au *niveau 1,* la salle des *Beaux-Arts* offre dans un très bel écrin des œuvres du XVIIe au XXe s. Voir notamment la *Nature morte à la carpe* de Sébastien Stoskopff (1597-1657), le *Portrait de M. de Chénerilles* en médaillon par un enfant du pays, Roger de Piles (1635-1709) ou encore ce superbe portrait d'une *Mauresque d'Alger* de Louis Matout (1811-1888). Une autre pièce est consacrée à des artistes contemporains. Et un espace à une superbe collection d'affiches et d'objets publicitaires conçus par *Charles Loupot,* un affichiste qui a vécu en villégiature à Chevroches. Parmi ses affiches les plus remarquables, la célèbre *Saint-Raphaël* ne laisse pas indifférent. Un café des années 1950 est évoqué, entièrement équipé de produits dérivés Saint-Raphaël, de la carafe à la pendule...

Au *niveau 2,* magnifique salle consacrée aux *faïences de Clamecy et de Nevers,* avec des pièces datant de la Révolution. La *salle Romain Rolland* retrace la vie et l'œuvre du prix Nobel de littérature. Le point d'orgue est atteint avec la *salle du flottage,* située sous la superbe charpente de l'hôtel. Magnifiquement aménagé (le parquet est disposé comme un train de bois), cet espace ethnographique met en scène, avec une importante collection de documents et d'objets caractéristiques, l'extraordinaire épopée des flotteurs de bois.

🏹🏹 *La collégiale Saint-Martin et le centre ancien :* la façade principale, du XVIe s, présente un porche orné des scènes de la vie de son saint Patron et une rose centrale munie de vitraux. Le style résolument gothique du reste de l'édifice (XIIIe s) se retrouve à l'intérieur, dans les baies en lancettes, les voûtes d'ogives, les têtes grimaçantes planquées dans les recoins. À voir aussi, les vitraux du XVIe s de la chapelle située sous le clocher, et l'orgue Cavaillé-Coll (1864). Flanquée d'une impressionnante tour de 55 m (XVIe s), hérissée de gargouilles, la collégiale, en plus de son élégance intrinsèque, jouit d'un cadre pittoresque. En effet, le quartier domine fièrement l'Yonne et le Beuvron, et a conservé son plan médiéval, sa *place Saint-Jean,* la halle aux marchés, ses rues pentues et tortueuses, ses escaliers et ruelles pavées, ses maisons à pans de bois teintées d'ocre, qui forment un important quartier menant aux rives du canal du Nivernais.

🏹 *L'écomusée du Flottage :* rue Porte-d'Auxerre. ☎ 03-86-27-11-68 ou 08-76. *Visite guidée gratuite sur résa.* C'est ici que perdure l'âme du flottage, dans le siège d'une association dynamique qui s'efforce de perpétuer la tradition en organisant des démonstrations (comme à la fête du flottage en juillet) et en faisant visiter sa collection. Plus que les beaux objets exposés, c'est l'échange avec ces passionnés qui vaut surtout le coup. Ils vous régalent d'anecdotes savoureuses, vous montrent comment on assemblait les trains à l'aide de nœuds en bois de charme (les rouettes)... Une belle rencontre.

➢ *Promenade autour du port de plaisance :* sur le pont traversant l'Yonne, la statue d'un flotteur rend hommage à ceux qui ont fait Clamecy. Un sentier d'interprétation a été mis en place, jalonné de bornes ludiques tout autant que pédagogiques, sur 4 km. Juste avant le pont, abritant toujours la faïencerie familiale, la maison du navigateur Alain Colas, disparu en mer en 1978 à bord du *Pen Duick IV* renommé *Manureva.* De l'autre côté du pont se dresse la surprenante *église Notre-Dame de Bethléem,* construite en 1926-1927, en ciment armé mais dans un style inspiré du byzantin, à l'endroit où les 50 évêques de Bethléem résidèrent jusqu'à la Révolution, après la disparition du royaume latin de Jérusalem, en 1225. En contrebas du pont, suivre le canal vers la maison éclusière pour découvrir ces *pertuis* qui servaient à réguler les eaux et à arrêter le bois – les bûches récupérées par les « triqueurs » équipés de « crocs » étaient ensuite marquées ; les pertuis provoquaient enfin les *éclusées,* ces lâchers d'eau destinés à augmenter le courant pour emporter le bois. C'est ici qu'ont lieu chaque année les joutes nautiques, le 14 juillet. Enfin, prenez le temps d'une promenade dans les 7 ha du parc Vauvert, dans le quartier du Beuvron, aux parterres fleuris qui forment un écrin au château du XVIIe s.

Fêtes et manifestations

– **Joutes nautiques :** *14 juil.*
– **La Descente bidon :** *2e dim d'août.* Un semblant de course à bord d'embarcations improbables, bricolées avec tout et n'importe quoi. Dégustation de cuisses de grenouilles à l'arrivée.
– **Fête de l'Andouillette :** *1er w-e de juil, pdt 3 j.* On fête cette andouillette inventée au début du XIXe s par la Mère Chapuis, concours de dégustation à l'appui.

LE LONG DU CANAL, DE CLAMECY À CORBIGNY

🦌 À 3 km de Clamecy, charmant village de **Chevroches** *(58500),* situé à flanc de colline, dominant l'Yonne et le canal. Harmonieux ensemble bâti de pierres de taille et de moellons. Une curiosité : l'ancien méandre de l'Yonne, qui forme une boucle de terre cultivée derrière le village. Rive nord, un peu en retrait du canal, mignon village de **Dornecy** *(58530)* avec son clocher bourguignon du XIIIe s et ses deux lavoirs.

🦌 **Metz-le-Comte** *(58190) : à 6 km au nord-est de Tannay, par la D 165.* Grimper sur la colline dominant la région pour le beau panorama et l'étonnante église rustique du XIIe ou du XIIIe s, *Notre-Dame-de-l'Assomption,* à demi enterrée.

🦌 **Tannay** *(58190) : à mi-chemin entre Clamecy et Corbigny.* Agréable bourgade présentant quelques façades Renaissance, Tannay prospéra grâce au commerce du cuir (son nom vient de tan, l'écorce du chêne servant au tannage des peaux) et surtout grâce à son vignoble, cultivé dès le XIIIe s par les moines de la collégiale. Un vin très en vogue à Paris au XVIIIe s grâce au flottage. Aujourd'hui, ce dernier renaît grâce au savoir-faire de ses vignerons, qui produisent un vin blanc légèrement fruité et souple.

🍷 **Les Caves Tannaysiennes :** *11, rue d'Enfer.* ☎ *03-86-29-31-59.* | ● *tannay-reserve.fr* ● Dégustation et vente dans des caves du XVIe s.

LA NIÈVRE

CORBIGNY   *(58800)*   1 780 hab.   *Carte Nièvre, C2*

Bourgade rurale de caractère, à l'image de son église Saint-Seine du XVIe s, Corbigny se révèle assez agréable aux beaux jours et reste une importante ville du Nivernais central, grâce notamment à ses abattoirs. Marché aux bestiaux typique le lundi après-midi et foire très courue le 2e mardi de chaque mois.

Adresse utile

🛈 *Office de tourisme du Pays corbigeois* : *8, pl. de l'Hôtel-de-Ville.* ☎ *09-82-56-94-98.* ● *corbignytourisme.com* ● *Lun-sam 9h30-12h30, 13h30-17h30 (ferme plus tard en été).* Fiches (payantes) sur les différentes balades du coin. Également des randos GPS sur le thème de Jules Renard, « Autour des étangs de Baye et de Vaux » ou « Au fil de l'eau sur le canal du Nivernais ».

Où dormir ? Où manger dans le coin ?

Camping

⛺ 🏠 *Camping du domaine d'Ainay* : *chez Angela Leyenhorst, 58420* **Guipy**. ☎ *03-86-29-07-11.* ● *contact@domaine-ainay.com* ● *domaine-ainay.com* ● *À 7 km de Corbigny par la D 977 bis, direction Prémery ; sur le côté droit de la départementale juste avt d'entrer à Guipy. Mai-oct (chambres d'avr à mi-déc). Forfaits tente env 13-16 €. 25 empl. Hébergements locatifs 450-600 €.* 📶 *Une boisson offerte sur présentation de ce guide.* Sur cette impressionnante propriété, une étrange demeure, entre le manoir hitchcockien et le château de Fantômas, a été sauvée de l'abandon. On campe sur un immense terrain découvert en retrait de la route. Simple, mais l'atmosphère bohème est sympa, et les gallinacés qui se baladent en liberté font le bonheur des enfants. Également des chambres d'hôtes. Piscine.

De bon marché à prix moyens

🍴 *Le Barolino* : *7, av. Jules-Renard.* ☎ *03-86-20-24-48.* ♿ *Près du passage à niveau. Tlj sf lun (plus le soir mer et dim hors saison). Résa conseillée sam soir. Menus 12 € (déj en sem)-26 €. Café offert sur présentation de ce guide.* Une grande maison avec une vaste terrasse ouverte dès les premiers rayons du soleil. Cuisine traditionnelle, pour qui ne voudrait pas succomber au charme de la bonne pizza maison. Accueil sympa.

🏠 🍴 *Hôtel de l'Europe – Restaurant Le Cépage* : *7, Grande-Rue.* ☎ *03-86-20-09-87.* ● *hoteleuropelecepage@orange.fr* ● *bourgogne-hotel-restaurant-morvan.com* ● ♿ *Doubles env 73-88 €. Menus 12 € (midi en sem), puis 23-34 €.* 📶 *En plein centre, un hôtel correct pour une étape. Chambres simples et pas immenses, mais fonctionnelles. Resto privilégiant le terroir, entre spécialités traditionnelles et petits plats pour les repas légers.

À voir

🏭 *La tuilerie de La Chapelle* : *route de Clamecy, puis à droite (env 1 km).* ☎ *03-86-20-10-53.* 📱 *06-07-44-16-48. Lun-ven 9h-12h, 14h-17h ; sam, sur résa. Téléphoner avt de préférence. On donne ce que l'on veut.* Une tuilerie artisanale installée dans différents bâtiments caractéristiques. Elle n'a jamais cessé de fonctionner de père en fils depuis le XVIIIe s. C'est la cuisson au feu de bois qui donne aux tuiles et aux carrelages les couleurs et les nuances d'autrefois. Produit haut de gamme.

🏭 *L'abbaye de Corbigny* : *infos pour les expos et horaires,* ☎ *03-86-20-22-73. Accès gratuit, payant si expos. Visites guidées payantes mar et ven sur résa à l'office de tourisme.* Cette abbaye, dont les origines remontent au VIIIe s, a abrité les reliques de saint Léonard, ce qui la plaçait d'office sur le chemin des pèlerins entre Vézelay et Compostelle. Les vastes bâtiments actuels ont été reconstruits entre 1754 et 1783 et conservent quelques beaux restes : cour d'honneur, escalier monumental... à découvrir surtout lors d'expos. Demander à voir dans les caves *La Multiplication des contraintes* de Vincent Mauger, une étonnante sphère entièrement constituée de palettes de bois. Une suite logique à l'aventure commencée en 2005 autour d'expositions d'art contemporain.

Manifestations

– *Fêtes musicales de Corbigny :* *pdt la 1ʳᵉ quinzaine d'août.* Festival de musique classique qui accueille des grands sur tout le territoire.
– *Festival des arts de la rue :* *le w-e suivant les Journées du patrimoine.* Spectacles gratuits en ville.

DANS LES ENVIRONS DE CORBIGNY

Le pays de Jules Renard

🎬 *Chitry-les-Mines (58800) :* *à 3,5 km au nord-ouest de Corbigny par la D 977 bis. Tablette numérique disponible à l'office de tourisme de Corbigny pour la visite.* Hameau mimi comme tout, que domine un château flanqué de tours rondes *(visite sur résa de mi-juin à mi-sept),* et dont Jules Renard (1864-1910) fut le maire. Chitry, et plus généralement la région de Corbigny ont souvent inspiré l'écrivain, dans *Poil de Carotte* bien sûr, mais aussi pour *Nos frères farouches,* qui décrit si bien le monde paysan. « Je suis le plus grand des petits écrivains », disait-il de lui-même. La maison de ses parents est située dans le haut du village (mais ne se visite pas). Sur la place de l'Église, un buste de l'écrivain, flanqué d'un Poil de Carotte dubitatif. Au cimetière, tombe originale de toute la famille Renard.

🎬 *Le château de Villemolin :* *58800 Anthien.* 📞 *06-73-19-78-22. À 3 km de Corbigny par la D 958. Visites guidées juil-août, tlj sf sam 14h-18h ou visite guidée sur rdv tte l'année : env 7 € ; réduc.* Édifié au XVᵉ s, ce château toujours habité possède de très beaux intérieurs. C'est au château de Villemolin que les fans de Rouletabille viendront en pèlerinage. C'est en effet ici qu'a été tourné *Le Mystère de la chambre jaune* des frères Podalydès, tiré du roman du célèbre Gaston Leroux. La visite permet d'ailleurs de découvrir quelques secrets du tournage : décors, costumes et accessoires. Pour la suite, *Le Parfum de la dame en noir,* il faudra partir vers d'autres cieux...

LE LONG DU CANAL, DE CORBIGNY À DECIZE

ℹ️ *Annexe de l'office de tourisme du Pays corbigeois :* *écluse n° 16 (la 1ʳᵉ à partir de Sardy). Tlj juin-sept.* Infos et location de vélos.

🎬 *Les voûtes de la Collancelle et l'échelle de Sardy :* *à quelques km au sud de Corbigny, entre Sardy-lès-Épiry (D 985) et l'étang de Baye (D 958).* À mi-parcours du canal, l'échelle de Sardy est un ensemble de 16 écluses sur 4 km, qui forme un véritable escalier d'eau du côté Sardy. Site charmant, fleuri et tranquille. Dans ce secteur, les maisons d'éclusier sont aussi parfois des ateliers d'artistes. Sur les 4 km suivants, côté étangs, succession de trois tunnels longs de 758 m (la Collancelle), 268 m (Mouas) et 212 m (Breuil). Il aura fallu 57 ans, de 1784 à 1841, pour percer ces voûtes de la Collancelle ! Situé entre les souterrains et les écluses, le site de Port-Brûlé délimite les bassins-versants de la Seine et de la Loire. Le chemin de halage, à parcourir à pied ou à vélo uniquement, se prend à partir de Sardy (écluse n° 16, point Info, salon de thé à l'écluse n° 6) ou de l'étang de Baye (on commence alors par la partie souterrains avec des circuits en boucle à partir des deux premiers souterrains pour s'approcher de leurs entrées et sorties ; facile à faire avec les enfants).

🍴 Les étangs de Baye et de Vaux : *à 12 km au sud de Corbigny (D 958). Base de Baye :* ☎ 03-86-38-97-39. Quantité d'activités nautiques (port Activial), de mars à octobre : voile, canoë-kayak, planche à voile, et même du *stand-up paddle* ou des trottinettes géantes. Propose aussi des sorties sur l'eau pour les personnes handicapées. Au port de plaisance *Aqua Fluvial,* location de bateaux électriques autonomes ou excursions sur des bateaux propulsés à l'énergie solaire pour aller visiter les voûtes de Collancelle. Bar-restaurant à succès sur place, *La Marine* (☎ *03-86-23-15-35 ; tlj sf lun 10h30-20h30, ferme à 17h dim).*

🍴 La tour d'Épiry (58800) : *au hameau d'Épiry, sur la D 985, à 10 km au sud de Corbigny, 3 km après l'embranchement pour l'échelle et le village de Sardy.* Au milieu d'une exploitation agricole se dresse cette incongrue *tour Vauban* où séjournait fréquemment le bâtisseur fameux que l'on sait avec sa jeune épouse. Les tourtereaux pouvaient s'ébattre à l'aise dans cette large et haute tour rectangulaire, du XVe s, et se courir après dans le chemin de ronde.

CHÂTILLON-EN-BAZOIS

(58110)   1 060 hab.   *Carte Nièvre, C3*

Gros bourg agricole et commerçant, qui ne manque pas d'agrément, avec son beau château assis sur un méandre de l'Aron. Le Bazois, dont Châtillon est le chef-lieu, est un pays d'élevage et d'agriculture assez vert et prospère. Jusqu'au début du XXe s, il a fourni lui aussi, avec le Morvan, du bois de chauffage aux Parisiens.

Où dormir ? Où manger ?

🏠 l●l Auberge de l'Hôtel de France : *28, rue du Docteur-Duret.* ☎ *03-86-84-13-10.* ● *auberge-hotel-de-France@wanadoo.fr* ● *aubergehotel defrance.fr* ● *Resto tlj (sf dim soir-lun hors juil-août). Doubles 67-87 €. Menus 15-18 € (déj en sem), puis 29-41 €.* 🛜 Un ancien relais de poste du XVIIe s tout en longueur, au toit en ardoises, où les chambres, rénovées dans un style classique, sont bien insonorisées à défaut d'être spacieuses. Au resto, produits du terroir et recettes de grand-mère servis dans un beau cadre rustique.

À voir. À faire

🍴 Le château et ses jardins : ☎ *03-86-84-12-15. De mi-juil à fin août ; visite tlj sf lun à 14h30, 16h et 17h30. Entrée :* 9 €. Belle bâtisse dont quelques éléments sont du XIIIe s (tour circulaire), mais largement remaniée pour le reste, du XVIe au XIXe s. Beau parc à l'anglaise conçu au début du XIXe s justement. En contrebas de la route, le long du canal, on découvre également de jolis jardins contemporains :

un jeu de carrés et de triangles d'eau sur fond de pelouses vertes. Un lieu magique que la lumière seule suffit à faire vibrer.

🎣 **Les Canalous :** ☎ 03-85-53-76-74. ● canalous-plaisance.fr ● Loc au w-e ou à la sem. Location de bateaux habitables de 2 à 12 personnes, que l'on peut piloter sans permis.

DANS LES ENVIRONS DE CHÂTILLON-EN-BAZOIS

🎣 **Le jardin de Cuy :** maison forte de Cuy, 58110 **Chougny.** ☎ 03-86-84-41-50. À 12 km au nord-est. Entre Châtillon et Château-Chinon, à la sortie de Tannay, prendre sur la gauche la D 160. De juil à mi-oct, dim 14h-18h. Entrée : 5 € ; gratuit moins de 12 ans. Belle demeure médiévale à qui les jardins ont apporté douceur de vivre et poésie champêtre. Le long des allées s'alignent des arbres fruitiers, des haies. Bordant tout un côté du jardin, une vallée en pente douce déroule sur plus de 2 ha quatre étangs successifs.

DECIZE   (58300)   6 460 hab.   Carte Nièvre, B4

Cet ancien port profite d'une situation unique : bâtie sur un piton rocheux au milieu de la Loire, la ville se trouve au carrefour hydrographique du grand fleuve, de son confluent l'Aron, du canal du Nivernais et du canal latéral à la Loire. Encore faut-il y ajouter la Vieille Loire, large bras mort bordant la vieille ville. Agréable balade dans les rues de la vieille ville ou au port de la Jonction, un port fluvial récemment aménagé aux portes de cette cité qui n'a rien perdu de sa singularité.

Dans le vieux centre, outre les derniers vestiges de l'enceinte bâtie vers 1194 par Pierre de Courtenay, comte de Nevers, ne pas manquer la *promenade des Halles,* longue de 985 m et plantée de platanes et de tilleuls. Parcours fléché en suivant la mascotte locale, le greffier Barbicho (dépliant à l'office de tourisme).

LA NIÈVRE

Adresses et infos utiles

🛈 **Office de tourisme :** pl. du Champ-de-Foire. ☎ 03-86-25-27-23. ● decize-confluence.fr ● sud-nivernais.fr ● En saison, lun-sam, plus dim mat en juil-août ; hors saison, lun ap-m à ven slt. Visites guidées thématiques en été : l'occasion de voir les souterrains (ouvrages défensifs), la crypte de Saint-Aré, la salle Olga-Olby, les ruines du château, etc. (durée : 2h ; prix : 5 €, réduc).
– **Marchés :** ven mat en centre-ville, plus produits locaux au village portuaire ven soir en saison. Foire le 3e mar mat du mois.

Transports

■ **Location de vélos :** Frédéric Blanchet, 1, av. du Gué-du-Loup. ☎ 03-86-25-54-30. 📱 06-73-98-47-81. ● locationvelosdecize.fr ●
■ **Village portuaire :** bassin de la Jonction. ☎ 03-73-15-00-00. ● port-decize.fr ● Port de plaisance à deux pas du centre-ville avec restaurant, gîtes, hôtel, etc.
– **Location de bateaux :** les écluses et le canal sont ouverts d'avril à octobre.
■ **Le Boat :** bassin de la Jonction. ☎ 03-86-25-46-64. ● leboat.com ●
■ **Le Belisama :** bassin de la Jonction. ☎ 03-73-15-00-00. ● sud-nivernais.fr ● Loc à la journée (2-12 pers, 210 €). Pas de pilote, c'est vous le capitaine !

Où dormir ? Où manger ?

Camping

⋊ **Les Halles :** allée Marcel-Merle, à Decize. ☎ 03-86-25-14-05. ● camping.decize@orange.fr ● aquadis-loisirs.com/camping-des-halles ● ⚒ Au nord-ouest du centre, en bordure de la Loire, à côté du stade nautique. Avr-fin oct. Forfait tente pour 2 autour de 15 €. Mobile homes et chalets 229-559 €/sem. 91 empl. Ambiance sympa dans ce camping joliment situé sur la berge, très familial et suffisamment équipé. Hébergements confortables et possibilité de pêche depuis les emplacements. Piscine municipale et location de canoës à proximité.

Prix moyens

🛏 **Gîtes et chambres d'hôtes au Gué du Loup :** 6, rue du 19-Mars-1962. 🖷 06-73-98-47-81. ● blanchetf@live.fr ● gites-du-gue-du-loup.fr ● Compter 290-490 €/sem pour 2, nuitée possible hors juil-août (75 € en chambre double). 🛜 Tout proche du pont de pierre central, un petit complexe de bâtiments retapés avec tact par l'infatigable Frédéric Blanchet, en respectant le charme des vieux murs. Couleurs chatoyantes, cuisines et salles de bain tip-top, confort dans le moindre détail... Chaque logement peut accueillir 2 adultes, plus 2 personnes en appoint. Dans le jardin fleuri, un mignon mais basique bungalow (sans point d'eau) pour 30 € la nuit. Un coup de cœur, d'autant que l'on peut également louer des vélos sur place.

🛏 I●I **Hôtel-restaurant du Port :** bassin de la Jonction, à Decize, près de l'hôpital, route de Moulins. ☎ 03-73-15-00-00. ● port-decize@ccsn.fr ● port-decize.fr ● ⚒ Doubles 64-69 €. Menus 12-15 € (midi en sem), puis 21-37 €. Parking gratuit. 🛜 Planté sur le quai du port fluvial moderne de Decize, cet établissement récent propose une cuisine du jour qui plaît bien aux habitués du midi, derrière ses larges baies vitrées ouvertes sur les bateaux. Un enthousiasmant rapport qualité-prix-tranquillité. Également des chambres contemporaines pimpantes et nickel, franchement agréables pour celles donnant sur les bateaux. Sans compter les 10 gîtes en bois (pour 2 adultes et 3 enfants maximum), confortables et élégants dans leur camaïeu de bleu-vert à la mode d'Oléron ainsi que le gîte d'étape.

🛏 I●I **Hôtel de l'Agriculture :** 20, route de Moulins. ☎ 03-86-25-05-38. ● hoteldelagriculture@wanadoo.fr ● hoteldelagriculture.fr ● ⚒ Resto tlj sf lun midi, ven et dim soir. Doubles 67-72 €. Formule déj lun-sam 13 €, menus 19-39,50 €. 🛜 Café offert sur présentation de ce guide. L'honnête hôtel de province tenu en famille depuis plusieurs générations, qui évolue doucement avec les années. Un certain charme désuet, même si les chambres ont été rénovées dans un agréable style moderne et classique. Resto dont les spécialités traditionnelles simples et convenables achèvent d'en faire une étape efficace.

Où dormir dans les environs ?

🛏 I●I **Chambres d'hôtes La Chaume en Loire :** 16, rue de la Chaume, 58300 **Devay**. ☎ 03-86-50-32-36. ● lachaume58@orange.fr ● ⚒ (hébergement slt). À 7 km à l'est par la D 979. Double 63 €. Table d'hôtes sur résa 26 €. 🛜 Le point fort, ici, c'est l'accueil de Serge, toujours souriant et décontracté. On se sent vite à l'aise, d'autant que la grande maison entièrement réservée aux hôtes est impeccable (les propriétaires habitent en face) : la vaste salle à manger rustique favorise les rencontres, tandis que les chambres confortables et décorées de quelques touches champêtres garantissent des nuits réparatrices. Un bon rapport qualité-prix.

🏨 |●| *Chambres d'hôtes Le Domaine de la Motte :* *au domaine de la Motte.* ☎ *03-86-25-26-13.* ● *domaine-de-la-motte@wanadoo.fr* ● *À env 10 km au sud-est ; du centre, direction Moulins, puis à gauche après le canal la D 116 jusqu'au domaine (indiqué sur la gauche peu après Les Feuillats). Double 80 €. Table d'hôtes sur résa.* 📶 *Isolée* au milieu de prairies où se baladent les chevaux des propriétaires, cette grande maison cossue est idéale pour se ressourcer : l'accueil est charmant et disponible, les chambres très coquettes et tout confort, et la terrasse donnant sur la piscine irrésistible à la belle saison.

Fête et manifestations

– *Fête foraine :* *w-e de la Pentecôte.* Mine de rien, la deuxième fête foraine de France !

– *Festival « Machine à rire » :* *fin juin, à La Machine.* Animations et scènes ouvertes.

– *Scènes d'été :* *en juil-août.* Concerts gratuits aux terrasses des bars.

– *Festiv'Halles :* *dernier w-e de juil (ven soir-dim soir).* Concerts gratuits de variétés et musique trad'.

– *Festi'rue :* *un w-e début sept.* ● *festirue.com* ● *GRATUIT.* Festival populaire avec animations pour les enfants et les adultes, concerts et expos en tout genre.

DANS LES ENVIRONS DE DECIZE

🎭🎭 *Le musée de la Mine et le puits des Glénons :* *1, av. de la République, 58260* *La Machine.* ☎ *03-86-50-91-08.* ● *musee.lamachine@ccsn.fr* ● *À 5 km au nord de Decize par la D 34. 15 juin-15 sept, tlj 14h-18h ; 1er mars-14 juin (sf 1er mai) et 16 sept-31 oct, dim et j. fériés 14h-18h. Fermé nov-fév. Entrée : 6 € ; réduc. Compter 2h30 de visite.*
Une visite captivante au cœur de l'univers de la mine. Organisée en deux temps, sur deux sites distincts, elle commence en toute logique par les bâtiments administratifs et d'ingénierie de la compagnie, où se trouvent un « meuble à plans » ou encore l'austère bureau directorial des Schneider père et fils. Maquettes, photos et documents écrits introduisent dans un monde où, dès le XIVe s, on glanait du « charbon de terre » et où le dernier puits a fermé en 1974.
Puis direction la fosse d'extraction (située à 15 mn à pied ; sinon, parking sur place), impossible à manquer avec son impressionnant chevalet qui domine les bâtiments et les vieux wagonnets figés sur d'antiques rails. Le temps de coiffer le casque de mineur et le voyage commence : par une succession de galeries, le visiteur découvre les techniques de percement et d'extraction, leur évolution, et tout un monde de labeur, de drames (coups de grisou, de poussier, de charge, l'enfer !), mais aussi de noblesse et de solidarité.

🎭 *Le musée de la Marine fluviale :* *39, route Nationale, 58300* *Saint-Léger-des-Vignes.* ☎ *03-86-50-91-08. De mi-juin à fin août, tlj 14h-18h. Entrée : 2 € ; réduc. Compter 1h.* Dans une ancienne maison cantonnière, à la borne zéro du canal du Nivernais, une approche assez ludique et originale de la batellerie. Mais la véritable curiosité, ici, c'est le remorqueur visible sur le côté du bâtiment. Il est équipé d'un système de crémaillère aussi rare qu'original, qui permettait de tracter efficacement les bateaux du canal latéral à la Loire au canal du Nivernais. Vaut le coup d'œil.

HOMMES, CULTURE, ENVIRONNEMENT

ARCHITECTURE

De l'art roman au gothique bourguignon

L'art roman s'est particulièrement développé aux XIe et XIIe s en Bourgogne du Sud, où les églises romanes, d'une grande richesse architecturale et sculpturale, sont pour la plupart bien conservées. C'est surtout dans le *Brionnais* et le *Mâconnais* que le visiteur sera frappé par le nombre et la beauté des églises. De la cathédrale d'Autun à l'humble chapelle Saint-Martin-de-Laives, en passant par les églises de Berzé-la-Ville ou de Chapaize, vous attend tout un monde de foi chrétienne, d'histoire de l'art et d'harmonie bâtie autour du nombre d'or.

Le passage à l'*architecture gothique* se fait à partir de la seconde moitié du XIIe s. L'intégration de verrières, la suppression des chapiteaux et l'allègement des voûtes sont de mise. Les croisées d'ogives font le bonheur des *cisterciens* qui intègrent à leurs constructions le système des arcs diagonaux brisés (à Pontigny par exemple).

C'est à Sens que fut construite la première grande cathédrale gothique (achevée en 1176). Au XIIIe s, Notre-Dame de Dijon précise le style typiquement bourguignon : chœur profond à deux absidioles, deuxième galerie de circulation, transept accentué. Autre spécificité régionale : la présence d'une corniche à l'extérieur de l'édifice, observable sur la cathédrale d'Auxerre ou l'église Notre-Dame de Semur-en-Auxois. À la fin du siècle, les monuments semblent poussés par un élan vertical, à l'instar de l'étonnante église Saint-Thibault-en-Auxois dont la clé de voûte culmine à 27 m !

De la Renaissance au contemporain

Dès le XVIe s, un changement s'opère progressivement dans le paysage bourguignon sous l'influence de l'Italie. On revient aux formes antiques et aux canons classiques d'architecture gréco-romaine. Les lignes horizontales et les arcs en plein cintre sont à l'honneur. L'église Saint-Michel de Dijon présente ainsi une nef gothique mais une façade Renaissance.

Aux XVIe et XVIIe s, le patrimoine bourguignon s'enrichit de magnifiques châteaux Renaissance dotés d'une cour centrale (Sully, Tanlay, Ancy-le-Franc, Maulnes).

Sous Louis XIII, les châteaux se composent de trois corps de bâtiments (comme à Cormatin en Saône-et-Loire) et les églises jouent avec l'ombre et la lumière. On cherche à impressionner par l'équilibre et la symétrie.

Les XIXe et XXe s laissent la place à des architectes aussi ambitieux que talentueux tels que le Dijonnais Gustave Eiffel (1832-1923) qui impose ses structures métalliques.

Les grandes abbayes

C'est en Bourgogne que naquirent deux des grandes abbayes qui vont rayonner sur la chrétienté. Celle de *Cluny,* fondée en 910, va connaître une influence sans précédent, concrétisant par un ensemble architectural jamais égalé une étonnante puissance spirituelle et temporelle. Mais en 1098, une poignée de moines quittent

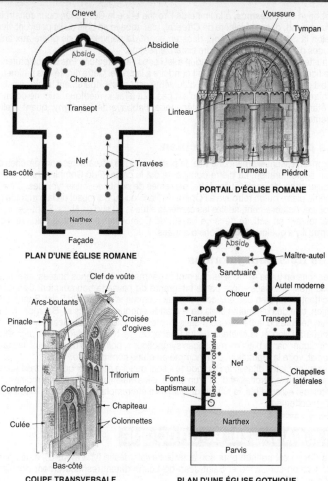

Chevet

Absidiole

Abside

Chœur

Transept

Bas-côté

Nef

Travées

Narthex

Façade

PLAN D'UNE ÉGLISE ROMANE

Voussure

Tympan

Linteau

Trumeau

Piédroit

PORTAIL D'ÉGLISE ROMANE

Clef de voûte

Arcs-boutants

Pinacle

Croisée d'ogives

Triforium

Contrefort

Chapiteau

Culée

Colonnettes

Bas-côté

COUPE TRANSVERSALE D'UNE ÉGLISE GOTHIQUE

Abside

Maître-autel

Sanctuaire

Chœur

Autel moderne

Transept

Transept

Bas-côté ou collatéral

Nef

Fonts baptismaux

Chapelles latérales

Narthex

Parvis

PLAN D'UNE ÉGLISE GOTHIQUE

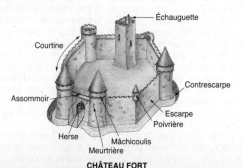

Échauguette

Courtine

Contrescarpe

Assommoir

Escarpe
Poivrière

Herse

Mâchicoulis

Meurtrière

CHÂTEAU FORT

l'abbaye de **Molesmes,** à la limite de l'Yonne et de la Côte-d'Or, pour construire plus au sud, dans la clairière de **Cîteaux,** une abbaye en bois où ils pourront vivre selon la règle de saint Benoît, dans un esprit de pauvreté et de prière aux antipodes du faste de Cluny. L'ordre cistercien est né.

L'austérité des cisterciens se traduit aussi dans l'architecture. Pas de sculptures ni de fioritures, le dépouillement doit conduire à la prière. Cette nudité des bâtiments n'est pas vraiment totale, la règle d'austérité est parfois légèrement trahie : ainsi, le cloître de l'abbaye de **Fontenay** n'est pas tout à fait symétrique, aucune colonne n'étant identique à une autre. Méconnue, l'abbaye de **Pontigny,** quant à elle, mérite aussi qu'on s'y arrête.

La pierre de Comblanchien

Dijon est essentiellement une ville de pierre, puisque les carrières sont proches de son agglomération. La pierre dominante est le calcaire de Comblanchien, d'une couleur chaude, rosée ou jaunâtre, parsemée de points de rouille typiques. C'est la même pierre qu'on retrouve à l'Opéra de Paris ou au Carrousel de la pyramide du Louvre. Actuellement, seules les carrières situées au sud de Nuits-Saint-Georges demeurent en activité dans ce bassin de Comblanchien, dont le calcaire s'est formé il y a quelque 165 millions d'années.

Les toits bourguignons

Les toits en tuiles vernissées aux motifs géométriques – lignes brisées, chevrons, losanges, entrelacs – font partie intégrante du paysage bourguignon. Ces tuiles coiffent aussi bien des édifices religieux, comme la cathédrale Saint-Bénigne de Dijon, que des bâtiments civils de la grande époque des ducs de Bourgogne. Les plus célèbres d'entre eux sont sans conteste l'hôtel-Dieu de Beaune, l'hôtel de Vogüé à Dijon et le château de La Rochepot. Ce type de décoration permettait d'indiquer par le biais de messages symboliques, politiques ou religieux, le statut social, voire la réputation, d'un homme ou d'une communauté.

Les tuiles plates dites « de Bourgogne » sont quant à elles fabriquées dans l'Auxerrois. Longues, étroites et d'un brun foncé, elles étaient utilisées par les moines cisterciens. Aujourd'hui, la tuile traditionnelle a été remplacée par la tuile mécanique d'emboîtement.

LE CANAL DE BOURGOGNE

La Saône est connue pour son activité fluviale dès le IVe s av. J.-C., et les ports de Chalon-sur-Saône et Saint-Jean-de-Losne datent respectivement des IIIe et Ier s av. J.-C.

Au Moyen Âge, la technique du flottage était largement utilisée et permettait le ravitaillement de la capitale en bois. Aussi, au XVIIe s, Colbert demande-t-il à Paul Riquet, l'architecte du canal du Midi, d'étudier le ralliement de la Seine à la Saône. Riquet répondra que ce projet est irréaliste. Vingt ans plus tard, Vauban reprend les études de tracé, puis le dossier est rouvert sous Louis XV, les travaux commencent enfin en 1775, mais le chantier est arrêté pour cause de Révolution. Le canal tombe dans l'oubli jusqu'en 1806, date à laquelle Napoléon fera aboutir le projet. Des travaux gigantesques sont entrepris afin de franchir le seuil de Bourgogne.

L'ouvrage d'art le plus important est certainement le passage en souterrain à Pouilly-en-Auxois. Il fallait creuser sur une distance de 3,2 km. On employa des prisonniers de droit commun, dans d'épouvantables conditions de travail, sur un chantier qui dura 6 ans, de 1826 à 1832.

Le souterrain ne comporte pas de chemin de halage. Les mariniers faisaient avancer leur embarcation au moyen de perches, rendant épuisante une traversée qui prenait de 8 à 10h. Ce n'est qu'en 1867 que fut mis en service un toueur à vapeur, c'est-à-dire un bateau se tirant lui-même grâce à un tambour d'enroulement d'une chaîne immergée au fond du canal et capable de pousser d'autres bateaux.

Quant au halage, il s'est longtemps effectué à col d'homme, on dit « à la bricole », du nom du harnais que l'homme portait. Travaux harassants. Le cheval venant ensuite remplacer

VASES COMMUNICANTS

À l'époque des mariniers, on prenait le temps de vivre. Avec les éclusiers, ils échangeaient les nouvelles durant les manœuvres. On ouvrait les vannes, mais aussi les bouteilles, et tandis que les bassins se remplissaient, les verres se vidaient : on les éclusait. D'où l'expression... « écluser un gorgeon » !

l'homme, apparaissent des relais de charretiers jalonnant le canal. L'arrivée de la vapeur, en 1873, se heurte à l'hostilité générale, car la corporation du halage veut survivre. Le halage humain est toutefois interdit en 1918. Le tracteur à moteur arrive en 1923.

LES CHEMINS DE SAINT-JACQUES-DE-COMPOSTELLE

Les différents chemins de Compostelle convergent vers la côte galicienne espagnole et la cathédrale Saint-Jacques où sont conservées les reliques d'un des plus importants apôtres de Jésus, Jacques, mort en martyr vers l'an 35.

C'est en 800 qu'un ermite, guidé en songe par une étoile, retrouve le tombeau du saint. Le nom de Compostelle proviendrait d'ailleurs de *campus stellae* : champ d'étoiles... Dès le Xe s, des pèlerins en provenance de toute l'Europe viennent se recueillir sur ses reliques. Aujourd'hui encore, on assiste parfois à une certaine affluence sur les chemins en période de pèlerinages et pendant les vacances...

Au fil des ans, aux pèlerins se joignent amateurs d'art roman et férus de randonnées.

Il faut dire que les chemins de Compostelle, cadre de ressourcement spirituel extraordinaire, sont aussi d'une beauté et d'un intérêt historique qui valent le détour : les échanges culturels et religieux et la nécessité d'héberger un grand nombre de pèlerins ont favorisé dès le Moyen Âge le développement des villes et des monuments-étapes sur le chemin.

Balisés en 1970 par la Fédération française de la randonnée pédestre, les quatre sentiers français commencent respectivement à Vézelay (Yonne), au Puy-en-Velay, à Arles et à Tours (aujourd'hui à Paris). Depuis 1998, le parcours est classé au Patrimoine mondial de l'humanité. Que vous partiez à pied, à cheval ou à VTT, que vous marchiez tout le long de la route ou sur les derniers kilomètres uniquement, ouvrez grand les yeux pour ne pas rater les beautés croisées sur le chemin : une auberge super accueillante, une église romane perdue dans la campagne, les champs à perte de vue, et souvent de bien belles rencontres...

Pour plus de renseignements : ● *chemins-compostelle.com* ●

En Bourgogne, les chemins de Compostelle passent par **Vézelay** (89), **Nevers** et **La Charité-sur-Loire** (58). Noter qu'un chemin non historique passe par **Cluny** (71). Un chemin balisé permet de relier la gare TGV de *Mâcon-Loché* à *Cenves* (13 km à l'ouest), avant de se raccorder au chemin classique *Cluny-Le Puy.*

CUISINE

De multiples ouvrages les évoquent, et toutes les épiceries du pays mettent en vitrine moutarde, cassis et pain d'épice. Sans oublier les fromages, les escargots, etc.

La crème de cassis

Le cassis est bien une particularité bourguignonne. Sa véritable culture a commencé en 1841, lorsqu'un fabricant de liqueurs de Dijon, un nommé Lagoutte (ça ne s'invente pas, d'autant plus qu'il s'associa à un certain Lejay !), produisit pour la première fois une liqueur digne de ce nom selon une recette nouvelle (une macération de grains de cassis dans l'alcool avec adjonction de sucre).

LA TOURNÉE DES GRANDS DUCS

C'est au chanoine Félix Kir, maire de Dijon entre 1945 et 1968, que l'on doit le nom de ce fameux élixir, composé d'un tiers de crème de cassis et de deux tiers de bourgogne aligoté. Le chanoine l'offrait volontiers à ses hôtes lors de réceptions officielles. Dans le kir royal, l'aligoté est remplacé par le crémant de Bourgogne (et surtout pas par un « vulgaire » champagne...).

La moutarde

Même si les grains de sénevé *(Brassica nigra)* sont venus de Chine via les Romains, la moutarde reste la véritable gloire de la capitale ducale. La moutarde de Dijon a changé de goût avec le temps, de la même façon qu'elle a changé le goût (initialement, on l'utilisait pour masquer celui de certains plats ou aliments, justement). Désormais, ce condiment est produit de façon industrielle et le moût d'antan (mélange de jus de raisin et de verjus) est souvent remplacé par du vinaigre. Quant aux graines de moutarde, elles sont souvent récoltées au Canada. Tout fout le camp ! Certains rares artisans comme le Beaunois Fallot, qui s'est s'implanté à Dijon en 2014, utilisent encore le procédé ancien avec broyage à la meule en silex.

Le pain d'épice

Farine de blé, un miel fort en goût comme celui du Morvan et quelques épices aux parfums nostalgiques (girofle, cannelle, muscade, anis...) sont à la base de ce produit fin et artisanal, importé des Flandres par les ducs de Bourgogne. Pour en savoir plus, visiter par exemple l'usine de la célèbre fabrique de pain d'épice Mulot et Petitjean à Dijon.

Le plateau de fromages

Avec une trentaine de variétés recensées, la Bourgogne peut présenter un plateau de fromages assez varié, dont certains, comme l'époisses, au goût très relevé.
– *Époisses* a donné son label à un fromage au lait entier de vache, à pâte molle et onctueuse, lavé au marc de Bourgogne et affiné sur paille de seigle pendant 1 mois minimum.
– Le *soumaintrain* et le *saint-florentin* sont produits dans l'Yonne, à base de lait cru de vache. Ces fromages de caractère sont à consommer bien affinés « à point ».
– Le *chaource,* fromage à pâte blanche, légèrement salé, est à consommer frais.
– Les *cîteaux* et *pierre-qui-vire* naissent sous les voûtes des abbayes. Si le *cistercien* est cousin du reblochon, le *morvandiau bénédictin* s'apparente plutôt au chaource.
– Les *fromages de chèvre* sont produits un peu partout dans la région. Parmi les plus connus : les *crottins de Chavignol* (Sancerrois), *de Chaource* et *de Langres* ou les *Charolais* (nouvellement labellisé AOC), qui comptent parmi les plus gros fromages de chèvre.

Les autres spécialités

– *L'anis de Flavigny :* petites dragées délicieuses de sucre blanc de la grosseur d'un petit pois et renfermant, en guise de surprise, un grain d'anis parfumé, le tout conditionné dans des boîtes très romantiques.

– *Les gougères :* ces petits choux au fromage accompagnent traditionnellement les descentes de caves, mais elles sont aussi servies au moment de l'apéritif.

– *Le jambon persillé :* c'est une préparation composée de jambon d'épaule dessalé et cuit pendant plusieurs heures dans un court-bouillon corsé. Il est coupé en dés, richement persillé et moulé en gelée dans une terrine ronde. Il était confectionné traditionnellement au moment des fêtes de Pâques un peu partout en Bourgogne ; aujourd'hui, on le trouve au quotidien dans de nombreuses charcuteries. Chaque année, la confrérie de Saint-Antoine organise un concours et prime d'une médaille la meilleure maison : guettez l'étiquette du « meilleur persillé » de l'année !

– *Le miel du Morvan :* tout le parfum des fleurs de montagne.

– *Le jambon cru du Morvan :* cette dénomination indique un excellent jambon, séché naturellement et lentement en altitude.

– *Le jambon à la chablisienne et l'andouillette de Chablis :* on allait oublier ces deux spécialités qui font toujours les grandes heures de Chablis, la bourgade vigneronne la plus célèbre au nord de la Bourgogne.

– *La rosette du Morvan et le judru de Nolay :* ces saucissons paysans diffèrent plus par la taille que par le goût ; 50 cm pour la rosette et seulement de 10 à 20 cm pour le joufflu judru, mais le poids demeure le même, aux alentours de 3 livres !

– *Le bœuf bourguignon :* autant de recettes que de familles pour ce grand classique de la gastronomie française. Mais toutes ont une chose en commun : pour la marinade, il faut utiliser du bon vin, et beaucoup...

– *Le coq au vin :* voir le bœuf bourguignon ci-avant. Les puristes utilisent du chambertin pour la marinade. Notre conseil : buvez le chambertin et utilisez un autre rouge pour la cuisson !

LES ESCARGOTS EN BAVENT

Véritables symboles de la gastronomie bourguignonne, les escargots ne sont pas à la fête. Déboisage et sulfatage ont pratiquement rendu la vie impossible aux déjà rares gastéropodes sauvages. À part ceux qui proviennent de quelques obstinés bons producteurs du cru, la plupart sont importés des pays de l'Est.

– *Les œufs en meurette :* l'expression « en meurette » signifie que les œufs sont pochés directement dans une goûteuse sauce au vin... de Bourgogne ! La qualité du vin est déterminante pour la pleine réussite de ce plat.

– *Les écrevisses :* à la nage, cuites dans un fumet de poisson au vin blanc. Aujourd'hui, les écrevisses qu'on trouve sur les marchés sont essentiellement issues de l'élevage, et les sauvages appartiennent au passé. Cependant, cette recette reste un grand classique de la cuisine bourguignonne.

– *Les corniottes :* typiques de Saône-et-Loire, autrefois traditionnellement préparées pendant les fêtes de l'Ascension. On garnit de fromage une pâte brisée, on la referme en forme de bourse et on la colle en tricorne à sa partie supérieure.

– *La pôchouse :* sorte de délicieuse matelote de poissons de rivière (tanches, anguilles, perches, carpes et brochets) au vin blanc. C'est une spécialité des bords de Saône et du Doubs, cuisinée essentiellement entre Verdun-sur-le-Doubs et Chalon-sur-Saône.

ÉCONOMIE

La Bourgogne n'est pas uniquement constituée d'une rangée de vignes (200 millions de bouteilles vendues par an, tout de même, soit 1,5 million d'hectolitres), d'une douzaine d'escargots et d'un clocher roman ! La région est peu urbanisée (à peine plus de la moitié des habitants vivent en ville) et sa croissance démographique plutôt faible. Pour plus de la moitié, les Bourguignons travaillent dans les transports, le commerce et les services. Sans parler du patrimoine culturel, architectural ou culinaire de la région, qui en fait une région touristique majeure (60 % de clientèle étrangère, à commencer par les Néerlandais). D'autant que par sa position géographique, la Bourgogne est un carrefour routier, ferroviaire et fluvial incontournable pour qui veut aller de la Méditerranée vers la mer du Nord, de la Suisse ou de l'Italie vers l'Île-de-France ou l'Atlantique.

C'est en tout cas une des régions de France qui se placent en tête des exportations s'agissant de biens sidérurgiques ou agroalimentaires, et de vins bien sûr, même si sa croissance économique reste légèrement inférieure à la croissance nationale. Elle a pour clients principaux les pays de l'Union européenne alors qu'elle bénéficie d'une position stratégique entre les deux premières régions économiques françaises, l'Île-de-France et Auvergne-Rhône-Alpes.

Agriculture

La surface occupée par l'activité agricole couvre **60 % du territoire.** La **zone de polyculture-élevage** s'étend sur pratiquement la moitié de la région (presque entièrement l'Yonne, une grande partie de la Côte-d'Or et le nord de la Nièvre). Ces vastes surfaces produisent de préférence des céréales et du colza ; l'élevage est essentiellement bovin. La **zone charolaise et morvandelle** occupe pratiquement l'autre moitié. C'est un pays de bocage et d'habitat dispersé, le domaine de l'élevage, pour la viande, du bœuf charolais et de quelques porcs de qualité. La **zone agricole de la vallée de la Saône** est beaucoup plus restreinte, c'est une région de production diversifiée : élevage laitier, élevage de volailles, polyculture avec maïs, betterave à sucre et céréales. La **zone viticole** est la moins étendue, mais la plus réputée, et elle représente **30 % de la production agricole de la région** (50 % en Côte-d'Or).

La forêt couvre environ un tiers du territoire. Elle produit du chêne de grande qualité et des sapins de Noël du côté du Morvan.

Une région plus secondaire que tertiaire

Comparativement au reste du pays, la Bourgogne est **une région plus industrielle que tertiaire,** ce qui la rend plus vulnérable aux épisodes de crise. Malgré une désindustrialisation accrue depuis le début des années 2000, les secteurs phares restent la métallurgie, la pharmacie (à Dijon et Chalon essentiellement), l'électronique, l'automobile (pièces détachées), la plasturgie, l'emballage, le textile, l'agroalimentaire et, bien sûr, l'industrie du vin. La Bourgogne affiche par ailleurs deux pôles de compétitivité : la Nuclear Valley et Vitagora « Goût-Nutrition-Santé » dans l'agroalimentaire.

Quelques noms d'hier : Schneider (au Creusot), Vallourec (centrales nucléaires), Thomson, Sacilor, Longchamp, Fournier, Lanvin (groupe Nestlé). Et d'aujourd'hui, les cocottes SEB, Urgo Medical, Studio Aventure-Degré 7, DIM, Look (fixations de ski), Saint-Gobain, Tetrapak Tolix ou encore Unilever (Amora, Maille et Grey-Poupon).

Amora : pour l'amour du coût !

Rappelez-vous le slogan d'un Amora, déjà industriel mais défendant l'« amour du goût ». En fait, la moutarde de Dijon n'est plus dijonnaise depuis longtemps. Il aurait fallu la sauvegarder avec une indication géographique protégée (IGP), qui préserve à la fois la recette et le lieu de fabrication, comme la crème de cassis de Dijon. Résultat, au pays de l'oncle Sam, on consomme de la moutarde de Dijon fabriquée dans le Kentucky ! Heureusement, certains ont entrepris de résister et même de monter au créneau comme Marc Desarmenien, installé à l'ombre de Notre-Dame à Dijon, pour faire découvrir au plus grand nombre la « véritable moutarde de Dijon ». Une moutarde produite traditionnellement à la meule... à Beaune.

ENVIRONNEMENT

La Bourgogne est un territoire essentiellement rural (forêts, prairies, vignes). Pourtant, la répartition de la population entre villes et campagnes indique que 50 % des Bourguignons vivent sur 5 % du territoire, où ils occupent 70 % des emplois. Les villes bourguignonnes restent, en général, des cités à dimension humaine, qui échappent aux pressions et aux désagréments des grandes agglomérations.

– *La faune et la flore :* une quarantaine d'espèces végétales et une centaine d'espèces animales observées en Bourgogne sont considérées comme menacées au niveau national. Parmi celles-ci : certaines chauves-souris, les loutres, le râle des genêts, le grand-duc d'Europe, les cigognes, les libellules, les brochets, les tritons, le lézard vivipare, les écrevisses... Une des raisons de la richesse de ce patrimoine naturel bourguignon est l'importance de la couverture forestière (un tiers environ de la superficie de la région).

– *Les sangliers :* en Bourgogne, les forêts et les champs agricoles sont tellement imbriqués les uns dans les autres que les cultures (essentiellement les champs de maïs) sont régulièrement ravagées par les sangliers. En plus des indemnités en compensation, des plans de chasse ont été progressivement mis en place.

GÉOGRAPHIE

Si la Bourgogne et la Franche-Comté ne forment plus qu'une seule région depuis 2015, la plus grande partie de la région Bourgogne seule oscille entre 150 et 600 m au-dessus du niveau de la mer, culminant à 900 m grâce à quelques sommets du Morvan, géographiquement attachés au Massif central depuis 2005. Les *plaines alluviales de l'Yonne,* de l'Armançon et de la Saône, elles, sont en dessous de 150 m. Et la partie restante ? Au nord-ouest, la partie inférieure du *Bassin parisien* ; au sud, les douces *collines du Mâconnais et du Charolais* ; du nord-est à l'ouest se succèdent les sévères *plateaux du Châtillonnais, de Langres et du Nivernais,* qui sont souvent incisés par des failles où coulent les méandres des rivières à truites. Parallèlement à la Saône, du nord au sud, la longue faille bordée de talus où poussent les vignes aux crus prestigieux. À l'est et au sud-est, l'ensemble des plaines que l'on désigne sous le nom de *Fossé bressan.* Enfin, au centre de la région, le *massif granitique du Morvan.*

La Bourgogne, lieu de passage, est également un carrefour climatique. Si le climat continental domine, les spécialistes distinguent neuf sous-climats, nourris d'influences océaniques et méridionales. Enfin, on retient l'une des amplitudes thermiques les plus élevées de France avec surtout des étés chauds et secs ; le reste de l'année, que d'eau, que d'eau ! Ce qui donne du bon vin, certes, mais aussi des paysages magnifiques, comme celui du parc naturel régional du Morvan, constitué de vastes plans d'eau et de 45 % de forêts.

UN PLAN SECRET

Hitler avait le projet de créer un grand État de Bourgogne qui aurait réuni aussi Franche-Comté, Champagne, Picardie, Wallonie et Suisse romande. En souvenir des luttes entre les ducs de Bourgogne et les rois de France. Le but du découpage était de démanteler donc d'affaiblir la France, la Belgique et même la Suisse, qui était restée neutre.

HABITAT

L'habitat traditionnel a été conditionné par les matériaux locaux, le transport de matières premières restant difficile jusqu'au milieu du XIXe s. En Bourgogne du Nord et de l'Ouest, c'est *la pierre* qui domine, alors que dans le sud-est de la région, on utilise plus facilement *la terre* et *le bois.* La pierre provient du calcaire jurassique, de la craie blanche du Sénonais ou des blocs de granit du Morvan, assemblés par toutes sortes de mortiers, la plupart du temps de la chaux. Les murs en terre sont soit en *pisé* (dans la vallée de la Saône), soit à base de *torchis* (argile et paille) avec une structure en bois pour assurer la résistance. À l'origine, c'est ainsi que sont construites les fermes bressanes, ces belles maisons à colombages. La brique ne se généralise qu'à la fin du XVIIIe s dans le bassin de la Saône et dans le Nord-Est. Elle se substitue peu à peu aux sols battus, au torchis et aux colombages.

Le toit, enfin, est fait de *tuiles,* un artisanat florissant en Bourgogne aux XIVe et XVe s, revenu à la mode au XIXe s pour les tuiles vernissées. Tuile canal en Saône-et-Loire, tuile plate dans le reste de la région. Le chaume, difficile d'entretien, est définitivement abandonné dans la seconde moitié du XIXe s : facilement inflammable, il n'est plus couvert par

LE CHEMIN DE L'ADULTÈRE

Dans certaines régions bourguignon-nes, le 1er mai, on signalait les adultères à la vindicte populaire en fleurissant la route qui reliait la maison de l'amant à celle de sa bien-aimée. Une coutume heureusement oubliée depuis longtemps !

les compagnies d'assurances, qui demandent qu'il soit remplacé par la tuile.

Outre les matériaux utilisés, les habitations bourguignonnes se différencient également par leur vocation, pastorale, céréalière ou vinicole. La région offre donc un habitat diversifié, qui régale l'œil du promeneur : les « maisons de craie » du Sénonais, les « chaumières du Morvan », les « maisons à galerie » du Mâconnais, principalement vinicoles, ou les « courts », reconnaissables à leurs grands porches extérieurs, les fermes bressanes à colombages, ou encore la « maison vigneronne », très répandue en Côte-d'Or, en calcaire jurassique, matériau idéal pour préserver la fraîcheur des caves.

HISTOIRE

Alésia

Petit récapitulatif historique à l'attention de ceux et celles qui auraient trop abusé des lectures d'Astérix. Les Romains occupent le sud de la Gaule depuis un demi-siècle et marchent vers le Nord indépendant en 58 av. J.-C. En *52 av. J.-C.,* toutes les forces gauloises s'allient à *Vercingétorix,* qui devient leur chef suprême et mène une guerre sans merci contre Jules César. Mais, retranché sur l'oppidum d'*Alésia* (aujourd'hui officiellement en Côte-d'Or)*,* Vercingétorix doit se rendre et son armée de 80 000 hommes capitule après 2 mois de siège devant les 100 000 soldats de César. Cet événement marque un tournant décisif : la Gaule épuisée est réduite en provinces par César.

Le temps des Burgondes

Dès la fin du IIIe s, les invasions barbares mettent à mal l'autorité de Rome. C'est à partir de 480 que se fixe sur le territoire de l'actuelle Suisse romande un peuple venu de l'Est, les Burgondes, dont le *roi Gondebaud* mène une politique d'expansion vers l'ouest et tient la dragée haute à ses voisins, parmi lesquels le terrible

Clovis. **Annexé par Charlemagne en 771,** le royaume burgonde retrouve sa souveraineté en 888. Puis, un certain **Richard le Justicier** profite en **918** des désordres liés aux invasions des Vikings pour se faire nommer duc. Ce **duché,** qui préfigure par son étendue la Bourgogne moderne, passe au début du XIe s à une branche des Capétiens, s'affranchissant pratiquement de la tutelle du roi de France.

La tournée des grands ducs

En 1352, les Valois font main basse sur ce duché qui attire les convoitises de par ses villes prospères aux monuments grandioses pour l'époque, ses foires regorgeant de produits du cru et son rayonnement religieux sans précédent dans l'histoire. Sous l'influence d'une étonnante dynastie ducale, la Bourgogne va se tailler une place dans la cour des grands.

– **Philippe le Hardi** (1342-1404), fils cadet du roi Jean le Bon, reçoit en apanage le duché de Bourgogne en souvenir de son courage à la journée de Poitiers où, presque enfant, il combattit aux côtés de son père. Son habileté politique lui permet de conforter ses positions vis-à-vis du royaume de France ; c'est ainsi qu'il **épouse Marguerite de Flandre,** qui lui apporte la Flandre et un ensemble de comtés qu'il accroît par divers achats et héritages. Allié de la Bavière par le mariage de ses enfants, Philippe le Hardi établit une paix durable, notamment avec l'Angleterre. Ce **penchant européen** insufflé par Philippe le Hardi sera une constante de la politique de tous les ducs de Bourgogne. Philippe le Hardi meurt à 62 ans, ayant fait de la Bourgogne un **duché** aussi **riche et puissant,** sinon plus, que le royaume de France.

– **Jean sans Peur** (1371-1419), fils de Philippe le Hardi, est en compétition pour le trône de France avec son cousin le duc d'Orléans. Ses idées libérales, voire démagogiques, attisent les rivalités. Suite à la folie du roi Charles VI, la régence est confiée au duc d'Orléans. Rien ne pouvait plus irriter Jean sans Peur, qui fait assassiner son rival en 1407. La voie semble libre pour **conquérir le trône de France,** mais il trouve une forte opposition en la personne de Bertrand d'Armagnac, beau-frère du duc d'Orléans, et de ses partisans, les Armagnacs. La guerre civile est inévitable. C'est le moment que choisit la perfide Albion pour débarquer en Normandie. Jean sans Peur refuse assistance aux Armagnacs, qui se font battre à plate couture à Azincourt, et passe une alliance secrète avec les Anglais contre le royaume de France. En 1418, les Bourguignons sont maîtres de Paris. Le dauphin, futur Charles VII, se réfugie à Bourges et conclut un accord avec Jean sans Peur. C'est en allant signer cet accord que le duc de Bourgogne est assassiné d'un coup de hache en septembre 1419.

– **Philippe le Bon** (1396-1467) commence son règne en jetant son duché dans les bras des Anglais, en pleine **guerre de Cent Ans.** La lutte est confuse entre Bourguignons, Anglais et Français. Elle cessera grâce à **Jeanne d'Arc,** que les Bourguignons remercieront en la livrant aux Anglais. Le bon Philippe réussira un coup de maître en négociant la paix avec

L'ORDRE DE LA TOISON D'OR

Créé en 1430 par Philippe le Bon, duc de Bourgogne, cet ordre soudait certains chevaliers auprès de leur prince à qui ils juraient fidélité. Louis XV portait l'insigne. Cette confrérie existe toujours sous l'égide des couronnes d'Espagne et d'Autriche.

Charles VII : la Bourgogne devient un duché indépendant, et il peut se proclamer « Grand duc d'Occident ». Sobre ! Créateur de l'**ordre de la Toison d'or,** mécène amoureux de la peinture flamande, Philippe le Bon fut également grand amateur de livres, à tel point que la bibliothèque ducale devint l'une des plus riches du monde occidental.

– **Charles le Téméraire** (1433-1477) : éloquent, travailleur, brillant, il a tout pour réussir, mais il va tout gâcher par son tempérament suspicieux, impulsif et ambitieux. Devenu duc de Bourgogne en 1467, il épouse Marguerite d'York, sœur du roi d'Angleterre Édouard IV. Cette alliance fait trembler le roi Louis XI : le duché de Bourgogne, déjà très puissant, devient maintenant une **menace pour le royaume de France.** D'autres puissances commencent à concevoir quelque inquiétude et se coalisent contre la Bourgogne. En 1476 à Grandson (en Suisse), les troupes de Charles sont exterminées et il doit abandonner son artillerie, son trésor de guerre, et même le sceau ducal en or. Nouveau désastre à Morat (toujours en Suisse), avec de terribles pertes : 14 000 morts, dont 5 000 noyés dans le lac ! En décembre, Charles part derechef attaquer la Lorraine et tenter de reprendre Nancy. Le siège tourne à la débâcle et, le 5 janvier 1477, le Téméraire est découvert dévoré par les loups devant Nancy, au milieu de ses soldats vaincus. C'est la fin d'une grande aventure.

L'incorporation au royaume de France

Les possessions ducales sont dépecées. Maximilien de Habsbourg, via son épouse Marie de Bourgogne, fille du Téméraire, reçoit tous les territoires de Flandre et de Luxembourg, ainsi que le comté de Bourgogne, future Franche-Comté. À l'ouest d'une ligne allant de Langres à Mâcon, les territoires sont rattachés au royaume de France, dessinant l'actuel tracé de la région.
Le nouveau pouvoir ne porte pas atteinte aux institutions traditionnelles : **le parlement bourguignon est définitivement transféré de Beaune à Dijon dès 1480.** Il y restera jusqu'à la Révolution, avec un rôle judiciaire et politique.

Petit zapping historique

Pour la suite de la saga bourguignonne, plutôt qu'un long résumé, on vous propose un zapping politique, au fil des chapitres. La règle du jeu est simple : prenez quatre départements aux fortes personnalités, glissez où vous le pouvez un Morvan un peu à l'étroit et décidé à s'affirmer. Vous obtenez cinq destinées historiques qui cohabitent et s'entrecroisent à travers les siècles. L'histoire de cette région composite se trouve donc cachée dans les pages consacrées à chaque pays : on croise les traces de la Révolution et du **XIXᵉ s industriel à Dijon** ou à **Mâcon,** point de départ d'un circuit sur les pas de Lamartine ; on remonte aux origines de l'aventure cistercienne à **Molesmes** et à **Cîteaux,** on reste étourdi par l'harmonie et le rayonnement de **Cluny,** avant d'aller s'imprégner de l'atmosphère de **Vézelay** ; on replonge dans le XIXᵉ s industrieux et ses affres sociales du côté de **Montceau-les-Mines** et du **Creusot** ; on relit Vincenot ou Colette ; on s'attache à l'identité nivernaise ou à celle du Morvan tout en remontant jusqu'aux fortes personnalités actuelles, politiques ou culturelles qui façonnent le devenir de la Bourgogne... Un manuel d'histoire certes pas très pratique, mais plus ludique et qui ne manque pas de rebondissements. Vous allez adorer zapper !

UN HÉROS BOURGUIGNON

Pendant la guerre franco-allemande de 1870, Gambetta appela à l'aide Garibaldi, le héros de l'indépendance italienne. A la tête d'un bataillon de 10 000 tirailleurs français, Garibaldi se battit comme un diable en Bourgogne et remporta une belle victoire à Dijon. La guerre finie, il devint député français de la Côte-d'Or sans avoir été candidat ! Mais lorsqu'en 1871 les insurgés de la Commune de Paris lui demandèrent de prendre la tête de leur mouvement, le héros, trop fatigué, déclina leur offre.

DUCS DE BOURGOGNE

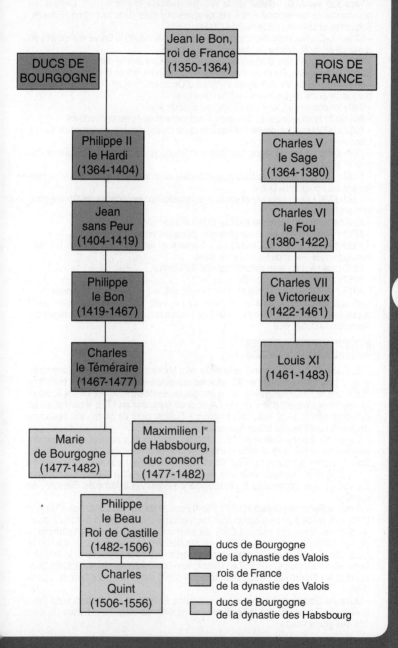

Jean le Bon,
roi de France
(1350-1364)

**DUCS DE
BOURGOGNE**

**ROIS DE
FRANCE**

Philippe II
le Hardi
(1364-1404)

Charles V
le Sage
(1364-1380)

Jean
sans Peur
(1404-1419)

Charles VI
le Fou
(1380-1422)

Philippe
le Bon
(1419-1467)

Charles VII
le Victorieux
(1422-1461)

Charles
le Téméraire
(1467-1477)

Louis XI
(1461-1483)

Marie
de Bourgogne
(1477-1482)

Maximilien Ier
de Habsbourg,
duc consort
(1477-1482)

Philippe
le Beau
Roi de Castille
(1482-1506)

Charles
Quint
(1506-1556)

ducs de Bourgogne
de la dynastie des Valois

rois de France
de la dynastie des Valois

ducs de Bourgogne
de la dynastie des Habsbourg

Chronologie

– **Vers 530 av. J.-C. :** début de la société gauloise (du latin *Galli,* Celtes). Le commerce se développe entre les peuples installés dans la région (Éduens, Séquanes et Lingrons) et le sud de l'Italie.

– **52 av. J.-C. :** au cours des conquêtes menées par César, la Gaule est réduite en province après la défaite de Vercingétorix à Alésia.

– **442 :** installation des Burgondes (venus de la région balte) dans le bassin de la Saône et du Rhône. Fondation du royaume Burgundia, future Bourgogne.

– **843 :** le traité de Verdun divise l'empire d'Occident (brisant l'unité du royaume burgonde) entre les petits-fils de Charlemagne.

– **910 :** fondation de Cluny par Guillaume d'Aquitaine.

– **898-911 :** la naissance du duché de Bourgogne suscite les convoitises.

– **1032 :** la Bourgogne devient le bastion de la chrétienté, rayonnement de Cluny, Cîteaux et Clairvaux.

– **XIVᵉ-XVᵉ s :** grâce au règne des Valois, la Bourgogne atteint son apogée territoriale et artistique.

– **1480 :** Louis XI annexe la Bourgogne ducale au domaine royal et établit le parlement bourguignon à Dijon.

– **1631-1789 :** dès Louis XIII et jusqu'à la Révolution, les princes de Condé gouvernent la province.

– **XVIIIᵉ s :** création du réseau routier et développement des canaux.

– **1791 :** division de la province en quatre départements.

– **1939-1945 :** l'Yonne et Châtillon-sur-Seine sont les plus touchés par les destructions de la Seconde Guerre mondiale.

– **1970 :** création du parc naturel régional du Morvan.

– **1982 :** création de la région Bourgogne.

– **2016 :** le PACS avec la région Franche-Comté est officialisé le 1ᵉʳ janvier 2016 suite aux élections régionales de 2015. La nouvelle Bourgogne-Franche-Comté occupe la 6ᵉ place (sur 13) des régions de France en superficie. Elle est dirigée par Marie-Guite Dufay (PS).

PERSONNAGES

– **Buffon** *(1707-1788) :* grand naturaliste né à Montbard, il écrit une *Histoire naturelle,* œuvre monumentale en 40 volumes qui ouvre la voie à plusieurs branches des sciences naturelles modernes (géologie, paléontologie...). Son œuvre littéraire lui vaudra également d'être reçu à l'Académie française en 1753. Il sera aussi un industriel génial, et la visite des forges de Buffon, près de Montbard, vous fera découvrir l'ancêtre des hauts-fourneaux.

– **Roger de Bussy-Rabutin** *(1618-1693) :* général des armées de Louis XIV, célèbre pour ses faits d'armes, mais surtout pour ses libertinages et écrits. Son *Histoire amoureuse des Gaules,* médisances sur les frasques de Louis XIV, le mène tout droit à la Bastille, puis à l'exil à vie en Bourgogne. Il y rédige une importante correspondance destinée à Mme de Sévigné, sa cousine.

– **Sidonie Gabrielle Colette** *(1873-1954) :* native de Saint-Sauveur-en-Puisaye. L'écrivain puise son inspiration dans son enfance passée dans la nature bourguignonne, pour être publiée dans un premier temps... sous le pseudonyme de son écrivaillon de mari. Colette va rapidement se dégager de cette tutelle machiste et devenir une femme étonnamment libre pour l'époque et jouir d'une large reconnaissance, comme en témoignent la présidence de l'académie Goncourt et les funérailles nationales auxquelles elle est la première femme à avoir droit.

– **Ducs de Bourgogne :** pour mieux connaître Philippe le Hardi, Jean sans Peur, Philippe le Bon et Charles le Téméraire, se reporter au chapitre « Histoire, la tournée des grands ducs ».

– **Gustave Eiffel** (1832-1923) : né à Dijon, l'ingénieur et entrepreneur bourguignon participe à la création de la statue de la Liberté à New York. Sa carrière atteint son apogée avec la construction en 26 mois d'une certaine tour métallique à l'occasion de l'Exposition universelle qui a lieu à Paris en 1889.

ET EIFFEL S'INCLINA

Au faîte de sa gloire, Gustave Eiffel s'impliqua dans le canal de Panamá. Faillite puis énorme scandale qui l'envoya 8 jours en prison avant d'être blanchi. Son entreprise fut même débaptisée. Cassé, il abandonna ses activités industrielles pour ne se consacrer qu'à l'avenir de la tour Eiffel qui faillit elle-même être détruite.

– **Antoine Griezmann** (Mâcon, 1991) : « Grizou » est un footballeur international évoluant à l'Atlético de Madrid. En 2016, il est sacré meilleur joueur de l'Euro 2016, au sein de l'équipe de France.

– **Le chanoine Kir** (1876-1968) : né à Alise-Sainte-Reine, ordonné prêtre en 1901, son engagement dans la Résistance pendant la Seconde Guerre mondiale le propulse député et maire de Dijon en 1945, jusqu'à son décès. Sa notoriété a bien dépassé les limites de la petite cité, grâce à l'apéritif qu'il remit au goût du jour et qui porte son nom.

– **Alphonse de Lamartine** (1790 à Mâcon-1869) : le décès de Julie, son amour fou, lui inspire *Les Méditations poétiques*. Il deviendra l'un des plus grands poètes français de l'époque romantique, et resteront gravés dans nos mémoires des vers aussi célèbres que « Ô temps, suspends ton vol, et vous heures propices, suspendez votre cours ». La route Lamartine, au départ de Mâcon, permet de s'imprégner de l'ambiance des sites qui inspirèrent le poète.

– **Pierre Larousse** (1817-1875) : originaire de Toucy (Yonne), il est connu avant tout pour la parution en 1856 du *Nouveau Dictionnaire de la langue française* (ancêtre du *Petit Larousse*) qui lui vaudra d'être condamné par l'Église. Son œuvre la plus importante est le *Grand Dictionnaire universel du XIXe siècle* (22 700 pages), regroupé en 17 volumes écrits en 11 ans. En 2011, vous aurez pu découvrir dans le *Petit Larousse* que le *Routard* est une marque déposée...

– **Nicéphore Niépce** (1765-1833) : en 1827, Niépce prend un cliché du paysage depuis la fenêtre de sa maison près de Chalon-sur-Saône. Le temps de pose est de plusieurs jours, mais la photographie est née ! Daguerre, finaud, tire la couverture à lui, et le procédé devient connu sous le nom de daguerréotype.

– **François Pompon** (1855-1933) : originaire de Saulieu, le sculpteur est surtout connu pour ses œuvres animalières à la surface polie et aux formes simplifiées. Il débute sous la direction d'Auguste Rodin ou Camille Claudel, et se distingue ensuite par sa vision moderne de l'esthétique. L'une de ses œuvres majeures, *L'Ours blanc*, est exposée au musée d'Orsay.

– **Jean-Paul Rappeneau** (né en 1932 à Auxerre) : réalisateur d'à peine une dizaine de longs-métrages, mais tous des chefs-d'œuvre. On retient en Bourgogne la dernière scène, magistrale, de son *Cyrano*, tournée dans les jardins de l'abbaye de Fontenay, en Côte-d'Or.

– **Robin Renucci** (né en 1956) : l'acteur séducteur corse par sa mère est en réalité un enfant du Creusot. Il a passé son enfance à Auxerre. César du meilleur acteur pour *Escalier C* et Molière du comédien pour *François Truffaut, Correspondance,* il est également passé derrière la caméra.

– **Guy Roux** (né en 1938) : s'il est né en Alsace, il devint le plus emblématique des entraîneurs français avec l'AJ Auxerre, de 1961 à 2005, permettant au club de gravir tous les échelons ou presque.

– **François Rude** (1784-1855) : à Dijon, une place et un musée portent le nom de ce sculpteur peu connu des Dijonnais eux-mêmes. Il est pourtant l'auteur du *Départ des volontaires de 1792* sur l'Arc de triomphe à Paris, autrement appelée *La Marseillaise*. Une sculpture chère aux Français, puisqu'elle sera la seule protégée des bombardements allemands durant la Seconde Guerre mondiale.

– **Adolphe (1802-1845) et Eugène Schneider (1805-1875) :** la région du Creusot exploite le minerai de fer depuis le XVIIe s lorsque, en 1836, les frères Schneider rachètent le site industriel. En quelques décennies, Eugène bâtit un empire industriel. Adolphe devient maire du Creusot en 1841 et député en 1842. À sa mort, Eugène devient à son tour député, puis ministre de l'Agriculture et du Commerce en 1851 et maire du Creusot en 1866. On doit aux Schneider l'invention du marteau-pilon, outil permettant de forger de très grosses pièces d'acier.

– **Bernard Thévenet (né en 1948) :** le coureur cycliste, double vainqueur du Tour de France est originaire de Saint-Julien-de-Civry (en Saône-et-Loire) où il passa son enfance dans le hameau appelé... Le Guidon !

– **Sébastien Le Prestre, seigneur de Vauban (1633-1707) :** né à Saint-Léger-Vauban, dans l'Yonne. « Ville assiégée par Vauban, ville prise ; ville défendue par Vauban, ville imprenable. » Célèbre citation illustrant bien le génie militaire de l'architecte bourguignon Vauban.

– **Henri Vincenot (1912-1985) :** fils de cheminot, Vincenot devient journaliste à *La Vie du rail* et rédige des ouvrages historiques comme *La Vie quotidienne des paysans bourguignons au temps de Lamartine*. Il acquiert

L'ULTIME AUDACE DE VAUBAN

Parmi les nombreux écrits d'avant-garde que l'on doit à Vauban, celui sur la dîme royale déplut fortement à ses détracteurs. Le maréchal proposait de remplacer tous les impôts existants par une seule taxe générale, basée sur les revenus : plus on est riche, plus on paie d'impôts. Trop audacieuse en ce début de XVIIIe s, l'idée ne fut pas suivie par le roi Louis XIV et le nom du maréchal fut même retiré de l'ouvrage. Vauban mourut peu après.

sa réputation grâce à ses romans, tels *Le Pape des escargots* ou *La Billebaude*, profondément enracinés dans sa terre natale. Dans chacun, Vincenot célèbre sa Bourgogne et une vie rustique définitivement disparue, où l'homme fait corps avec la nature.

SITES INSCRITS AU PATRIMOINE MONDIAL DE L'UNESCO

Organisation
des Nations Unies
pour l'éducation,
la science et la culture

En coopération avec
le centre du patrimoine mondial de l'UNESCO

Pour figurer sur la liste du Patrimoine mondial, les sites doivent avoir une valeur universelle exceptionnelle et satisfaire à au moins un des 10 critères de sélection. La protection, la gestion, l'authenticité et l'intégrité des biens sont également des considérations importantes.

Le patrimoine est l'héritage du passé dont nous profitons aujourd'hui et que nous transmettons aux générations à venir. Nos patrimoines culturel et naturel sont deux sources irremplaçables de vie et d'inspiration. Ces sites appartiennent à tous les peuples du monde, sans tenir compte du territoire sur lequel ils sont situés. Pour plus d'informations : ● *whc.unesco.org* ●

– En Bourgogne, sont concernés par ce classement : l'abbaye de Fontenay (1981), la basilique et la colline de Vézelay (1979), l'église Saint-Jacques d'Asquins (1998), l'église prieurale Notre-Dame de La Charité-sur-Loire (1998), le tracé de la charpente du musée du Compagnonnage de Romanèche-Thorins (2009) et les climats du vignoble de Bourgogne (2015).

TRADITIONS VITICOLES

> « Les verres de vin, c'est comme les seins.
> Un c'est pas assez, trois c'est trop. »
>
> **Dicton de bistrot**

Les Trois Glorieuses

Le 3e week-end de novembre fait la part belle aux traditions viticoles.

Samedi : chapitre de la confrérie des chevaliers du Tastevin

Dans les années 1930, la mévente des vins ruinait toute la région, d'où cette idée géniale de quelques vignerons : puisque le bourgogne se vendait mal dans le monde, c'est le monde entier qui fut invité à venir le déguster et à faire du château du clos de Vougeot la plus belle table d'hôtes de la planète, autour de la confrérie des chevaliers du Tastevin, fondée en 1934 sur le modèle des confréries vineuses d'autrefois. La devise de cette nouvelle confrérie, « Jamais en vain, toujours en vin », ne laisse pas place à l'équivoque !

Elle se réunit au clos de Vougeot lors de banquets nommés « chapitres », au cours desquels l'on chante, l'on boit et l'on exécute l'inévitable ban bourguignon. Pour l'occasion, la confrérie est habillée de pourpre et d'or à la mode rabelaisienne, et reçoit diverses personnalités d'honneur des mondes politique, littéraire, artistique et scientifique. Celles-ci sont intronisées après une cérémonie rituelle et burlesque au cours de laquelle elles prennent connaissance de leurs devoirs en tant que futurs chevaliers. Elles doivent aussi jurer fidélité au vin de France, et plus particulièrement au vin de Bourgogne !

Dimanche : vente des Hospices de Beaune

Mondialement connus, les Hospices de Beaune représentent, avec 58 ha de vignes de premier ordre, l'une des premières fortunes hospitalières de France. Ces vignes résultent de généreuses donations, dont certaines remontent au XVe s. La vente des vins provenant de ce domaine d'exception permit durant des siècles de soigner gratuitement les malades et d'accueillir les personnes âgées. Aujourd'hui, les fonds recueillis servent à l'entretien et la modernisation

> **AFFAIRE CESSANTE**
>
> *La vente aux Hospices de Beaune a lieu par pièces ou ensembles de pièces (tonneaux de 228 l de vin). Elle se déroule sous les halles de Beaune, en face de l'hôtel-Dieu, selon la tradition de la vente à la bougie. Aujourd'hui encore, à la première offre, on allume la première bougie. Lorsque les offres cessent, on allume la seconde bougie. L'adjudication est prononcée lors de son extinction.*

des installations hospitalières. C'est pourquoi on peut encore parler de « vente de charité ».

La dégustation, qui a lieu le samedi, est ouverte au public. Issues de la récolte de l'année, les cuvées mises en vente le lendemain portent le nom des généreux donateurs.

Lundi : Paulée de Meursault

L'origine du mot « paulée » provient vraisemblablement du patois *paule,* qui signifie « pelle ». Il s'agirait de la dernière pelle de raisins versée dans le pressoir, symbolisant la fin des vendanges. À midi se déroule le banquet où chacun apporte à déguster ses meilleures bouteilles. Au cours du repas, on décerne un prix littéraire à un écrivain connu. L'heureux veinard repart avec 100 bouteilles de meursault.

La Saint-Vincent tournante

Autrefois, dans chaque village existait une confrérie des vignerons, compagnie d'entraide de la corporation. Chaque confrérie fêtait dignement le saint patron des vignerons, saint Vincent. En 1938, les chevaliers du Tastevin donnent un nouveau souffle à ces fêtes en réunissant l'ensemble des confréries des côtes de Nuits et de Beaune. La Saint-Vincent tourne chaque année, le dernier week-end de janvier, de village en village. Tout commence le samedi au lever du jour. Les délégations de tous les terroirs se retrouvent pour participer à la procession, qui se déroule au milieu des vignes. En tête, la statue de saint Vincent, portée tour à tour par les vignerons, suivie des chevaliers du Tastevin en costume d'apparat, de centaines de vignerons et de la foule des badauds. On célèbre ensuite la grand-messe traditionnelle. Le fameux banquet des vignerons accueille plus de 1 000 convives...

VINS ET ALCOOLS

Si l'ancien duché de Bourgogne n'est pas la plus grande région viticole du monde ni la plus riche, elle est parmi les plus renommées et peut-être la plus surprenante. Nulle part ailleurs le vin ne fait autant partie intégrante de la vie des hommes, et nulle part ailleurs les hommes ne peuvent en parler avec autant d'éloquence. Le Bourguignon aime sincèrement

VITICULTEUR OU VIGNERON ?

Le viticulteur cultive sa vigne et envoie sa récolte à une coopérative qui assure la vinification puis la commercialisation, sous le nom de ladite coopérative. Le vigneron, quant à lui, cultive également la vigne, mais commercialise lui-même son vin.

le vin, et le vigneron connaît parfaitement sa terre : le sol, la pente, l'exposition, l'ensoleillement, l'altitude, le régime des vents. En définitive, le vignoble bourguignon apparaît comme un puzzle magique, un dédale de terrains, un labyrinthe d'appellations qui font penser plutôt à une mosaïque byzantine. Dans une maison de vignerons, la cave est souvent la pièce principale !

Quelques chiffres pour donner une idée de sa complexité : pas moins de 115 appellations dans un terroir qui n'est pas plus grand que la moitié de la ville de New York. La Romanée-Conti, fleuron des vins rouges de la Côte de Nuits, est produite sur un terroir de 18 050 m² (beaucoup moins que la place de la Concorde...). Pour la plupart, les appellations comptent jusqu'à 50 « climats » différents qui sont parcellés entre plusieurs propriétaires. De là, la certitude que, sans exagérer, la Côte-d'Or produit plusieurs milliers de vins différents !

LES ORIGINES DU VIGNOBLE

Le plus ancien document sur la culture de la vigne en Bourgogne est un discours de remerciement des habitants d'Autun à l'empereur Constantin en 312 apr. J.-C. À cette époque, la surproduction et la concurrence font rage (déjà, en 92 apr. J.-C., l'empereur Domitien ordonna l'arrachage de la moitié des vignes gauloises).

Au Moyen Âge, les moines sont intéressés par la vigne à plus d'un titre. Outre le fait que le vin soit nécessaire à la messe, ils doivent hospitalité aux voyageurs et offrent ce qu'ils ont de meilleur aux hôtes de marque. Cet usage d'offrir les meilleurs crus à ses hôtes s'est perpétué jusqu'à nos jours avec les « vins d'honneur ». N'oublions pas non plus qu'autrefois, beaucoup d'eaux n'étaient pas potables.

Le vignoble est un instrument politique en même temps qu'une source de revenus commerciaux. Quel meilleur ambassadeur que le vin ? Au cours des siècles, les moines sélectionnent les cépages et perfectionnent les techniques viticoles.
En Bourgogne, quatre abbayes ont marqué le vignoble : Cluny, qui a développé la viticulture (peut-être pour ses besoins importants ?) ; Cîteaux avec le célèbre clos-de-vougeot ; Bèze et son grand cru chambertin-clos-de-bèze ; enfin, l'abbaye de Saint-Vivant avec la romanée-saint-vivant.

LA QUALITÉ

Grand amateur de bonne chère, Philippe le Hardi se dévoue dès son avènement à la cause des vins de Bourgogne. C'est le premier ambassadeur des vins de la région, mettant à profit ses possessions en Flandre. Dans toutes les négociations, dans tous ses déplacements, Philippe le Hardi est accompagné de convois de vins, offerts lors des banquets. Grand propriétaire, il se préoccupe ardemment de la qualité. En 1395, il interdit les cépages de gamay et les fait arracher au profit du célèbre pinot noir. Depuis cette date, les crus de bourgogne rouge ne sont élaborés qu'à partir de ce seul cépage. Encore une fois, Philippe le Hardi s'avère profondément novateur : c'est la première fois en France que l'on oblige à produire le vin d'un terroir avec un cépage bien déterminé. L'ancêtre de l'appellation d'origine contrôlée est né.

LES CÉPAGES

– Le **pinot noir** produit les grands vins rouges de la Côte. C'est le cépage idéal pour les terres calcaires de coteaux sous un climat tempéré comme celui de la Bourgogne où il donne ses meilleurs vins, savoureux et pleins de finesse. Son rendement est faible (50 hl/ha) et il produit surtout des vins de garde, qui doivent vieillir de 10 à 20 ans, selon le sol et le millésime, avant d'atteindre leur plénitude.
– Le **chardonnay** est par excellence le cépage des grands vins blancs de Bourgogne. Il privilégie les sols calcaires et marneux. Les vins issus du chardonnay brillent par leur finesse, leur équilibre et leur étonnante richesse aromatique. Dégustez donc un meursault à l'arôme incomparable de beurre frais... Ou un chablis, bien sûr, dont l'étonnant arôme silex fait craquer nombre de visiteurs anglo-saxons, à toute heure du jour et de la nuit, ou presque.
– Le **gamay** est le cépage des vins rouges typiques des terroirs granitiques du Beaujolais, mais il est aussi présent dans les vignobles des terres argilo-calcaires du Mâconnais, du Chalonnais, et même de la Côte et des Hautes-Côtes, où il produit des vins de consommation quotidienne comme le « grand ordinaire » ou, lorsqu'il est associé au pinot noir, le « passetoutgrain ». On le dit originaire de la Côte-d'Or ; il aurait pris le nom d'un village autour duquel n'est cultivé aujourd'hui que du pinot !
– L'**aligoté** est le cépage blanc autochtone qui est utilisé pour la production du « bourgogne aligoté ». Il donne un vin blanc très frais, fruité, qui se boit normalement jeune, mais certains aligotés hors classe peuvent très bien vieillir en donnant des vins très fins.
– D'autres cépages moins représentés font malgré tout de jolis vins en Bourgogne comme le **sauvignon** pour l'appellation Saint-Bris (150 ha), le **melon...**

LES RÉGIONS VITICOLES

Le Chablisien et l'Auxerrois

Le vignoble de Chablis, situé sur les marges septentrionales de la Bourgogne et labellisé « Vignobles et Découvertes », produit des vins connus et reconnus dans le monde entier. Suivant les sites et les expositions, les terrains offrent une gamme de vins blancs de qualité : le « petit chablis », produit sur le plateau ; le « chablis », vin de coteaux bien ensoleillés ; le « chablis premier cru » et le « chablis grand cru » dans les meilleurs terroirs.

Le vignoble de l'Auxerrois, également labellisé « Vignobles et Découvertes » fournissait surtout la capitale grâce aux facilités de transports fluviaux sur l'Yonne et la Seine. Les plus connus proviennent d'Irancy, Coulanges-la-Vineuse, Chitry et Saint-Bris, qui produisent d'excellents vins blancs.

Toujours dans l'Yonne, noter également la production viticole de Joigny, Tonnerre, Épineuil et Vézelay qui proposent des crus en appellation régionale.

La Côte de Nuits

Les fabuleux vignobles de la Côte de Nuits surgissent déjà depuis Chenôve, en quittant au sud la ville de Dijon, et s'étendent sur une vingtaine de kilomètres jusqu'au village de Nuits-Saint-Georges. C'est dans ce lambeau exigu, large de 400 à 1 800 m et parallèle à la D 974, que se trouvent les appellations aux noms mythiques des villages de Fixin, Gevrey-Chambertin, Morey-Saint-Denis, Chambolle-Musigny, Vougeot, Vosne-Romanée et Nuits-Saint-Georges.

La Romanée-Conti

Ce vignoble appartenait jadis à Mme de Pompadour et aux princes de Conti (l'un d'eux ajouta son nom à celui du vignoble). La vigne chère à Louis XIV est exploitée actuellement par le domaine de la Romanée-Conti, propriétaire entre autres du grand cru de La Tâche et de quelques parcelles dans le Richebourg, la Romanée-Saint-Vivant et quelques autres grands crus.

Qu'est-ce qui confère à ce vin son incomparable perfection ? À part le terroir exceptionnel, sûrement le grand âge des vignes (40 ans en moyenne), leur taille

EN HAUT DE LA LISTE

Le domaine de la Romanée-Conti (1,8 ha) détient en monopole l'appellation romanée-conti et n'en produit que 4 000 à 7 000 bouteilles par an, chacune commercialisée dans une caisse contenant également 11 bouteilles d'autres très grands crus du domaine. Le vignoble est pourtant le plus renommé au monde, et son vin est entré dans la légende. Ainsi, dans le film La Liste de Schindler, *lors d'un repas offert aux officiers nazis, Schindler commande un romanée-conti 1937 !*

stricte, une sélection rigoureuse non seulement des plants, des sarments, des grappes et même des grumes, mais aussi des hommes qui y travaillent, une culture biologique (le cheval a même été réintroduit dans certaines parcelles), une macération prolongée, l'utilisation exclusive de tonneaux en chêne neuf soigneusement sélectionnés et séchés durant 3 ans, des techniques de vieillissement traditionnelles... et le savoir-faire des maîtres de chais !

Le clos de Vougeot

Le clos le plus fameux de la Côte de Nuits possédait déjà son actuelle superficie (50 ha) au XIIIe s. Fondé par les moines de l'abbaye de Cîteaux, il appartient aujourd'hui à près de 70 propriétaires. Il produit un vin sombre, puissant et étoffé, que diversifie à l'extrême la patte des vinificateurs.

La Côte de Beaune

Elle s'étend entre Ladoix-Serrigny (au sud de Nuits-Saint-Georges) et des Maranges, la dernière venue des appellations « villages ». Ici, on retrouve, à part les grands vins rouges d'Aloxe-Corton et de Pommard, les meilleurs vins blancs du monde : les corton-charlemagne, meursault, chassagne-montrachet et puligny-montrachet.

Les Hautes-Côtes de Nuits et de Beaune

À l'ouest de la Côte, les collines des Hautes-Côtes constituent un paysage frac-tionné. Le vignoble en altitude et les températures moins élevées rendent ces vins plus légers et, sauf quelques exceptions, ils sont à consommer plus rapidement. Cependant, les chardonnays et les bourgognes aligotés y sont particulièrement élégants.

La côte chalonnaise

Les vins de la côte chalonnaise, moins connus, sont pourtant excellents, et leur prix est abordable. Les appellations bouzeron, rully, mercurey et givry donnent des vins rouges qui réjouiront plus d'un routard.

Le Mâconnais

La région du Mâconnais commence à Tournus et se termine à Mâcon. C'est le pays de l'élevage, de la vigne, de Cluny et de la roche de Solutré. Ici, le cépage roi est le chardonnay, qui aime les terrains calcaires et argilo-calcaires de ces collines douces et verdoyantes. Les grands vins pouilly-fuissé, pouilly-vinzelles, pouilly-loché et saint-véran ont une belle robe jaune d'or ; ils sont floraux, fruités et méritent une longue garde.

BOURGOGNE OU BORDEAUX ?

Le vin, c'est avant tout une histoire d'amour. Alors on se contentera d'indiquer quelques pistes pour mieux les différencier.

Il y a d'abord le terroir, qui sublime les cépages : pinot noir en Bourgogne, princi-palement cabernet-sauvignon, cabernet franc et merlot dans le Bordelais. Puis il y a les hommes, qui ont façonné les vins à leur goût. Si l'histoire du vin remonte à l'Antiquité dans les deux régions, ce sont sans doute les moines de Cluny et de Cîteaux qui ont donné naissance aux grands crus à partir du Xe s, tandis que les vins de Bordeaux connaissaient un essor considérable au XIIe s sous l'impulsion du négoce avec les Anglais.

Aujourd'hui, les types d'exploitations sont bien distincts : une mosaïque de domai-nes minuscules en Bourgogne, dont le nom est viscéralement lié à celui du village ; en revanche, d'immenses domaines d'un seul tenant à Bordeaux, qui portent le nom du château. C'est pourquoi on a le plus souvent l'image d'un monde paysan en Bourgogne, aristocratique dans le Bordelais. Deux mondes qui ont transposé leurs différences dans le style. En Bourgogne, le monocépage donne des vins por-tés sur le fruit, agréables à boire dès les premières années, alors que les bordeaux, issus d'un assemblage complexe, doivent vieillir pour atteindre leur maturité. Vin de dégustation apprécié pour sa robe et sa richesse, le bordeaux se distingue des bourgognes par l'austérité du cabernet-sauvignon, là où le pinot noir conquiert le monde par sa sensualité. Mais tout est histoire de sensibilité et de goût...